고등학교 세계지리
자습서

황병삼 | 강재호 | 박상민
이욱진 | 최창우 | 이수영

금성출판사

교재 사용 매뉴얼

친절한 핵심 정리와 자료 해설

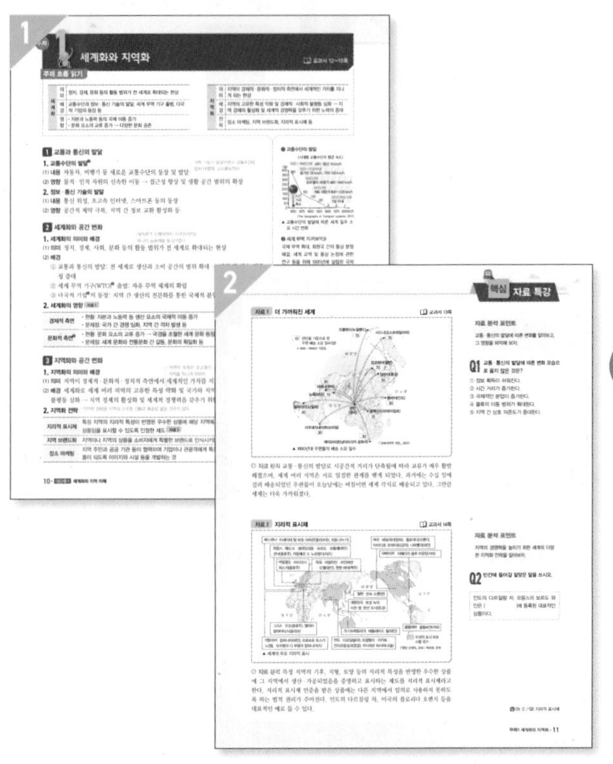

내신 정복을 위한 단계별 문제 풀이

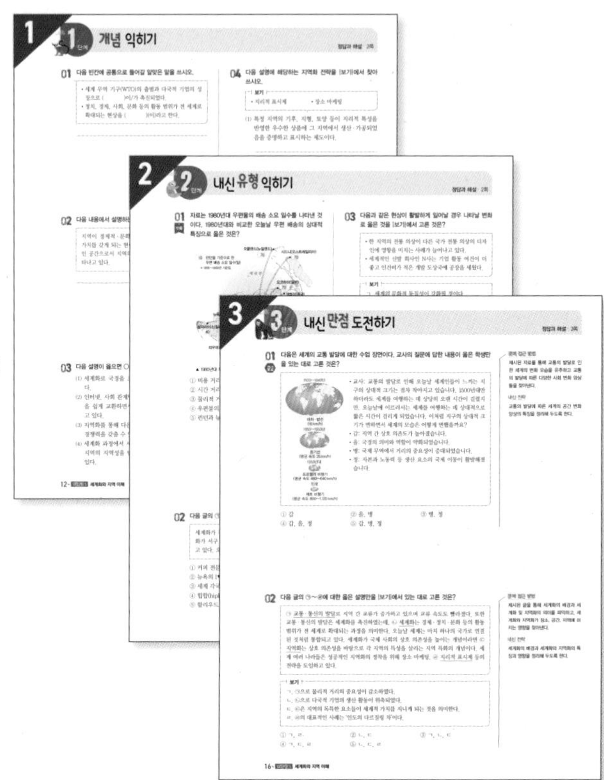

① 주제별 개념 정리

주제의 흐름을 먼저 제시하고, 시험에 나올 내용들을 정리하였습니다. 핵심 키워드에는 밑줄을, 상세한 설명이 필요한 곳에는 육하원칙에 따른 친절한 주석을 달았습니다. 보다 많은 설명이 필요한 개념들은 보조단에 설명을 덧붙였습니다.

② 핵심 자료 특강

주제 내용 이해와 시험 대비에 필수적인 자료들을 제시하였습니다. 학생들이 자료를 이해하는 데 도움이 되는 질문을 제시하고, 이에 답하는 형태로 구성하였습니다. 그리고 자주 나오는 선택지를 이용한 문제로 자가 점검이 가능하도록 하였습니다.

❶ 개념 익히기

빈칸 채우기, OX, 알맞은 말 고르기와 같은 단답형 문제들로 중요 개념을 익히는 단계입니다.

❷ 내신 유형 익히기

학교 시험에 주로 출제되는 유형의 문제를 중심으로 구성하였습니다.

❸ 내신 만점 도전하기

복합형 문제들을 제시하여 배점이 높은 문제들을 대비할 수 있도록 하였습니다.

28개의 주제로 구성된 교과서의 핵심 개념과 요점들을 이해하기 쉽게 정리하였고, 개념을 이해하는 데 필수적인 자료들을 함께 학습할 수 있도록 하였습니다. 그리고 내신, 수능, 논술 모두를 대비할 수 있는 문제들로 구성하여 학습의 효율성을 높이도록 하였습니다.

수능을 대비할 수 있는 문제 풀이

❶ 수능 유형 익히기

최근 수능에 새롭게 등장한 유형들을 응용하여 풀이 방법을 제공하였습니다.

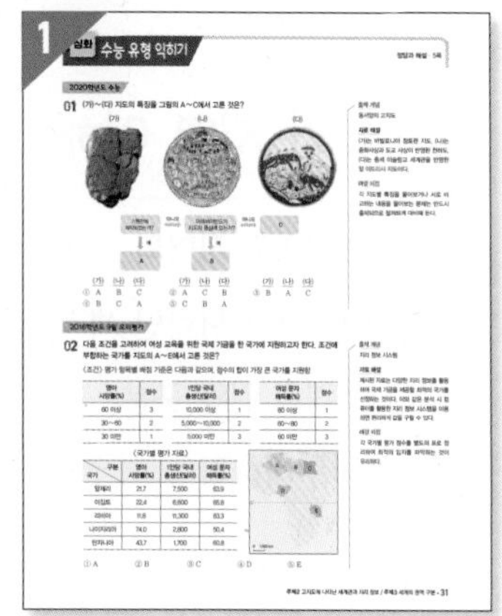

통합형 문제로 학습 마무리하기

❶ 대단원 마무리하기

대단원 전체를 정리할 수 있도록 각 주제별 핵심 내용과 통합 문제를 준비하였습니다.

❷ 지리적 역량 기르기

대단원별로 구성한 논술 문제로 오늘날 강조되고 있는 비판적 사고력과 글쓰기 능력을 기를 수 있도록 하였습니다.

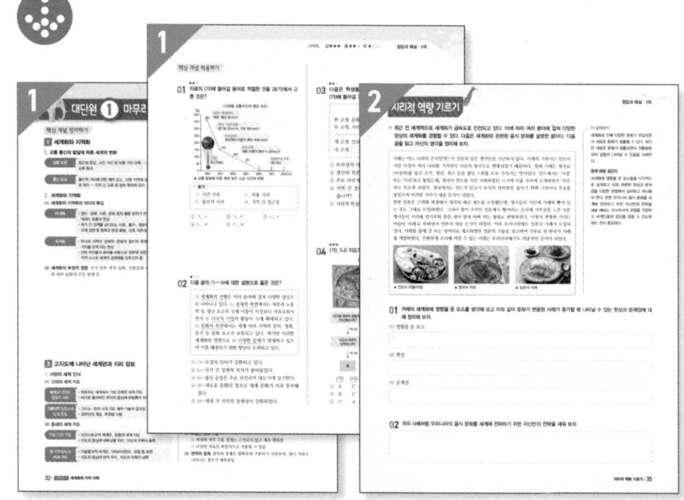

친절한 해설과 명료한 교과서 활동 풀이

❶ 정답과 해설

자기 주도 학습이 가능하도록 정답과 오답에 대한 친절한 설명을 제공하였습니다. 이를 통해 문제 이해력을 높이고, 유사 문제나 응용 문제에 대비할 수 있습니다.

❷ 교과서 활동 풀이

교과서의 주제 열기, 자기 점검, 활동, 함께 해 보기, 단원 한 눈에 보기, 세계지리 이야기에 대한 예시 답안과 해설을 제시하였습니다.

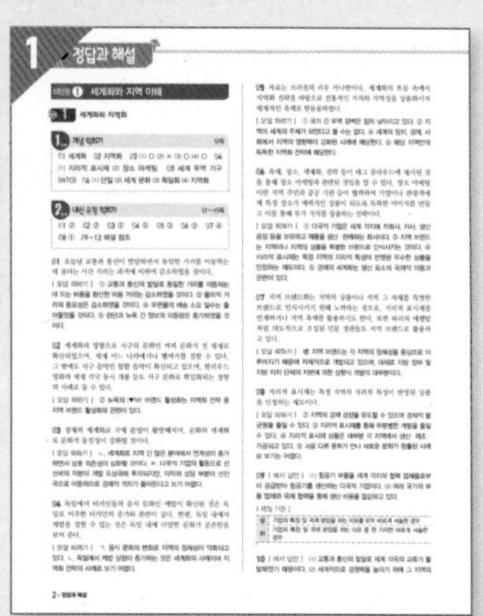

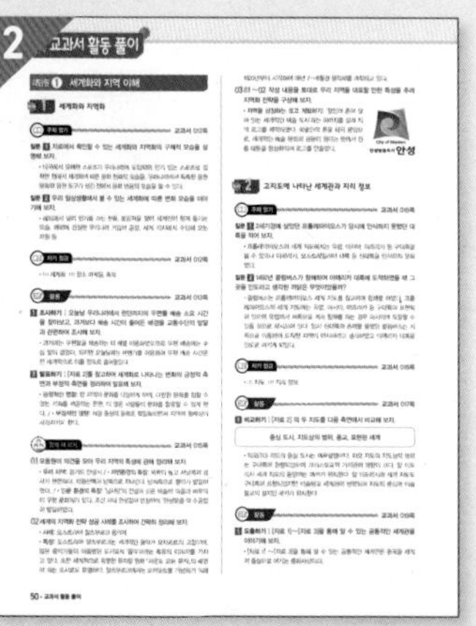

차례

1 세계화와 지역 이해

2 세계의 자연환경과 인간 생활

3 세계의 인문 환경과 인문 경관

4 몬순 아시아와 오세아니아

5 건조 아시아와 북부 아프리카

6 유럽과 북부 아메리카

7 사하라 이남 아프리카와 중 · 남부 아메리카

8 공존과 평화의 세계

나만의 학습 계획 진도표

주제별로 꼼꼼히 학습 계획을 세워 나만의 진도표를 완성해 봅시다. 아래 진도표를 활용하여 '세계지리' 학습 계획을 세우고 꾸준히 목표를 달성한다면, 효과적인 학습을 할 수 있을 것입니다.

대주제	주제	교과서 쪽수	자습서 쪽수	계획일	완료일	목표 달성도
1. 세계화와 지역 이해	1 세계화와 지역화	12~15쪽	10~17쪽	◯월◯일	◯월◯일	☆☆☆☆☆
	2 고지도에 나타난 세계관과 지리 정보	16~21쪽	18~31쪽	◯월◯일	◯월◯일	☆☆☆☆☆
	3 세계의 권역 구분	22~25쪽				
2. 세계의 자연환경과 인간 생활	4 열대 기후의 특징	30~35쪽	38~47쪽	◯월◯일	◯월◯일	☆☆☆☆☆
	5 온대 기후의 지역적 차이	36~41쪽	48~57쪽	◯월◯일	◯월◯일	☆☆☆☆☆
	6 건조 기후와 냉·한대 기후	42~49쪽	58~71쪽	◯월◯일	◯월◯일	☆☆☆☆☆
	7 세계의 대지형	50~55쪽	72~79쪽	◯월◯일	◯월◯일	☆☆☆☆☆
	8 독특하고 특수한 지형들	56~63쪽	80~89쪽	◯월◯일	◯월◯일	☆☆☆☆☆
3. 세계의 인문 환경과 인문 경관	9 세계의 주요 종교	68~73쪽	96~103쪽	◯월◯일	◯월◯일	☆☆☆☆☆
	10 세계 인구의 변천과 인구 이주	74~79쪽	104~113쪽	◯월◯일	◯월◯일	☆☆☆☆☆
	11 세계 도시의 등장과 세계 도시 체계	80~85쪽	114~121쪽	◯월◯일	◯월◯일	☆☆☆☆☆
	12 세계의 식량 자원	86~91쪽	122~129쪽	◯월◯일	◯월◯일	☆☆☆☆☆
	13 세계 주요 에너지 자원과 국제 이동	92~97쪽	130~139쪽	◯월◯일	◯월◯일	☆☆☆☆☆
4. 몬순 아시아와 오세아니아	14 몬순 아시아의 전통 생활 모습	102~107쪽	146~153쪽	◯월◯일	◯월◯일	☆☆☆☆☆
	15 주요 자원의 분포 및 이동과 산업 구조	108~111쪽	154~163쪽	◯월◯일	◯월◯일	☆☆☆☆☆
	16 민족 및 종교의 다양성과 지역 갈등	112~117쪽				
5. 건조 아시아와 북부 아프리카	17 자연환경에 적응한 생활 모습	122~127쪽	170~177쪽	◯월◯일	◯월◯일	☆☆☆☆☆
	18 주요 자원의 분포와 산업 구조	128~133쪽	178~187쪽	◯월◯일	◯월◯일	☆☆☆☆☆
	19 사막화에 따른 지역 문제	134~139쪽				
6. 유럽과 북부 아메리카	20 주요 공업 지역의 형성과 변화	144~149쪽	194~201쪽	◯월◯일	◯월◯일	☆☆☆☆☆
	21 현대 도시의 내부 구조와 특징	150~155쪽	202~211쪽	◯월◯일	◯월◯일	☆☆☆☆☆
	22 지역의 통합과 분리 운동	156~161쪽				
7. 사하라 이남 아프리카와 중·남부 아메리카	23 도시 구조에 나타난 도시화 과정의 특징	166~171쪽	218~225쪽	◯월◯일	◯월◯일	☆☆☆☆☆
	24 사하라 이남 아프리카의 분쟁과 저개발	172~177쪽	226~235쪽	◯월◯일	◯월◯일	☆☆☆☆☆
	25 자원 개발을 둘러싼 과제	178~183쪽				
8. 공존과 평화의 세계	26 경제의 세계화와 경제 블록	188~191쪽	242~249쪽	◯월◯일	◯월◯일	☆☆☆☆☆
	27 지구적 환경 문제 해결을 위한 노력	192~197쪽	250~259쪽	◯월◯일	◯월◯일	☆☆☆☆☆
	28 세계 평화와 정의를 위한 노력	198~203쪽				

시험 준비 스케줄표

중간·기말고사를 치르기 3주 전부터는 시간을 효율적으로 관리하는 일이 중요합니다. 아래 스케줄표를 이용하여 '세계지리' 시험 준비 계획을 세우고 규칙적으로 실천해 보세요. 자투리 시간을 꼼꼼히 활용할 수 있을 것입니다.

예시 진도 계획 메모 / 핵심 정리 되짚어 보기 / 오답 정리하기 / 서술형 문제 점검하기 등

1학기 중간고사	D-21 /	D-20 /	D-19 /	D-18 /	D-17 /	D-16 /	D-15 /	D-14 /	D-13 /	D-12 /	D-11 /
	D-10 /	D-9 /	D-8 /	D-7 /	D-6 /	D-5 /	D-4 /	D-3 /	D-2 /	D-1 /	시험기간 /
1학기 기말고사	D-21 /	D-20 /	D-19 /	D-18 /	D-17 /	D-16 /	D-15 /	D-14 /	D-13 /	D-12 /	D-11 /
	D-10 /	D-9 /	D-8 /	D-7 /	D-6 /	D-5 /	D-4 /	D-3 /	D-2 /	D-1 /	시험기간 /
2학기 중간고사	D-21 /	D-20 /	D-19 /	D-18 /	D-17 /	D-16 /	D-15 /	D-14 /	D-13 /	D-12 /	D-11 /
	D-10 /	D-9 /	D-8 /	D-7 /	D-6 /	D-5 /	D-4 /	D-3 /	D-2 /	D-1 /	시험기간 /
2학기 기말고사	D-21 /	D-20 /	D-19 /	D-18 /	D-17 /	D-16 /	D-15 /	D-14 /	D-13 /	D-12 /	D-11 /
	D-10 /	D-9 /	D-8 /	D-7 /	D-6 /	D-5 /	D-4 /	D-3 /	D-2 /	D-1 /	시험기간 /

대단원 1

세계화와 지역 이해

학습 계획표

• 자신의 일정에 맞게 계획을 세우고, 실제 학습일을 적어 봅시다.
• 학습을 마무리한 후 스스로가 얼마나 학습 목표를 달성하였는지 점검해 봅시다.

주제 1 세계화와 지역화	쪽수	계획일	완료일	목표 달성도
Day 01 개념 정리, 핵심 자료 특강	10 ~ 11쪽	월 일	월 일	☆☆☆☆☆
Day 02 개념 익히기, 내신 유형 익히기	12 ~ 15쪽	월 일	월 일	☆☆☆☆☆
Day 03 내신 만점 도전하기, 수능 유형 익히기	16 ~ 17쪽	월 일	월 일	☆☆☆☆☆

주제 2 고지도에 나타난 세계관과 지리 정보 주제 3 세계의 권역 구분	쪽수	계획일	학습일	목표 달성도
Day 04 개념 정리, 핵심 자료 특강	18 ~ 23쪽	월 일	월 일	☆☆☆☆☆
Day 05 개념 익히기, 내신 유형 익히기	24 ~ 29쪽	월 일	월 일	☆☆☆☆☆
Day 06 내신 만점 도전하기, 수능 유형 익히기	30 ~ 31쪽	월 일	월 일	☆☆☆☆☆
Day 07 대단원 마무리하기, 지리 역량 기르기	32 ~ 35쪽	월 일	월 일	☆☆☆☆☆

주제 1

세계화와 지역화

교과서 12~15쪽

주제 흐름 읽기

세계화	의미	정치, 경제, 문화 등의 활동 범위가 전 세계로 확대되는 현상
	배경	교통수단과 정보·통신 기술의 발달, 세계 무역 기구 출범, 다국적 기업의 등장 등
	영향	• 자본과 노동력 등의 국제 이동 증가 • 문화 요소의 교류 증가 → 다양한 문화 공존

지역화	의미	지역이 경제적·문화적·정치적 측면에서 세계적인 가치를 지니게 되는 현상
	배경	지역의 고유한 특성 약화 및 경제적·사회적 불평등 심화 → 지역 경제의 활성화 및 세계적 경쟁력을 갖추기 위한 노력의 증대
	전략	장소 마케팅, 지역 브랜드화, 지리적 표시제 등

1 교통과 통신의 발달

1. 교통수단의 발달❶

(1) **내용** 자동차, 비행기 등 새로운 교통수단의 등장 및 발달 (과학 기술이 발달하면서 교통수단은 점차 대형화, 고속화되었어.)

(2) **영향** 물적·인적 자원의 신속한 이동 → 접근성 향상 및 생활 공간 범위의 확장

2. 정보·통신 기술의 발달

(1) **내용** 통신 위성, 초고속 인터넷, 스마트폰 등의 등장

(2) **영향** 공간적 제약 극복, 지역 간 정보 교환 활성화 등

2 세계화와 공간 변화

1. 세계화의 의미와 배경

(1) **의미** 정치, 경제, 사회, 문화 등의 활동 범위가 전 세계로 확대되는 현상 (세계화가 진행되면서 지구촌이라는 하나의 공동체를 형성하였어.)

(2) **배경**

① 교통과 통신의 발달: 전 세계로 생산과 소비 공간의 범위 확대 → 지역 간 상호 의존성 증대

② 세계 무역 기구(WTO)❷ 출범: 자유 무역 체계의 확립

③ 다국적 기업❸의 등장: 지역 간 생산의 전문화를 통한 국제적 분업 증가

2. 세계화의 영향 자료 1

경제적 측면	• 현황: 자본과 노동력 등 생산 요소의 국제적 이동 증가 • 문제점: 국가 간 경쟁 심화, 지역 간 격차 발생 등
문화적 측면❹	• 현황: 문화 요소의 교류 증가 → 국경을 초월한 세계 문화 등장 • 문제점: 세계 문화와 전통문화 간 갈등, 문화의 획일화 등

3 지역화와 공간 변화

1. 지역화의 의미와 배경

(1) **의미** 지역이 경제적·문화적·정치적 측면에서 세계적인 가치를 지니게 되는 현상 (지역의 독특한 요소들이 세계적인 가치를 지니게 되었어.)

(2) **배경** 세계화로 세계 여러 지역의 고유한 특성 약화 및 국가와 지역 간 경제적·사회적 불평등 심화 → 지역 경제의 활성화 및 세계적 경쟁력을 갖추기 위한 노력의 증대

2. 지역화 전략

(지역화 전략은 지역의 고유한 전통과 특성을 살린 경우가 많아.)

지리적 표시제	특정 지역의 지리적 특성이 반영된 우수한 상품에 해당 지역에서 생산·제조·가공된 상품임을 표시할 수 있도록 인정한 제도 자료 2
지역 브랜드화	지역이나 지역의 상품을 소비자에게 특별한 브랜드로 인식시키는 것
장소 마케팅	지역 주민과 공공 기관 등이 협력하여 기업이나 관광객에게 특정 장소가 매력적인 상품이 되도록 이미지와 시설 등을 개발하는 것

❶ **교통수단의 발달**

〈시대별 교통수단의 평균 속도〉

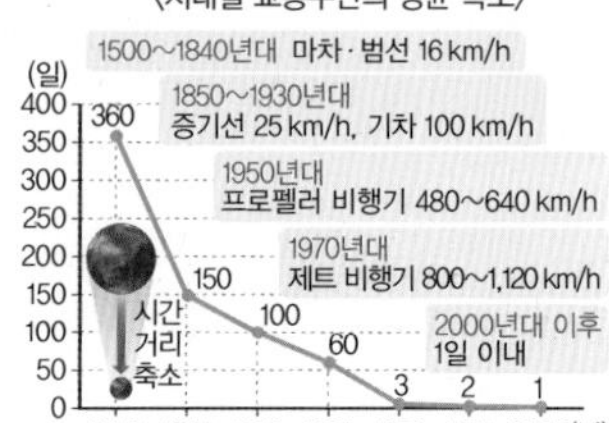

(The Geography of Transport systems, 2017)

▲ 교통수단의 발달에 따른 세계 일주 소요 시간 변화

❷ **세계 무역 기구(WTO)**
국제 무역 확대, 회원국 간의 통상 분쟁 해결, 세계 교역 및 통상 논점에 관한 연구 등을 위해 1995년에 설립된 국제 기구이다.

❸ **다국적 기업**
세계 각지에 자회사, 지사, 생산 공장 등을 보유하고 제품을 생산·판매하는 기업이다.

❹ **햄버거의 세계화**
세계화가 진행되는 과정에서 지역의 특성이 반영되어 현지화 현상이 나타나기도 한다.

▲ 소시지를 넣어 만든 독일의 햄버거

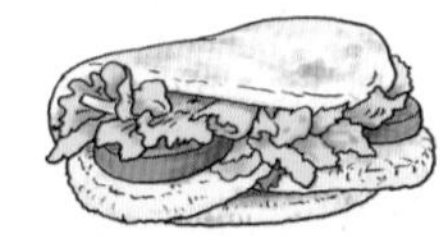
▲ 닭고기와 아랍식 빵을 곁들인 서남아시아의 햄버거

▲ 케밥 모양인 튀르키예의 햄버거

자료 1 더 가까워진 세계

교과서 13쪽

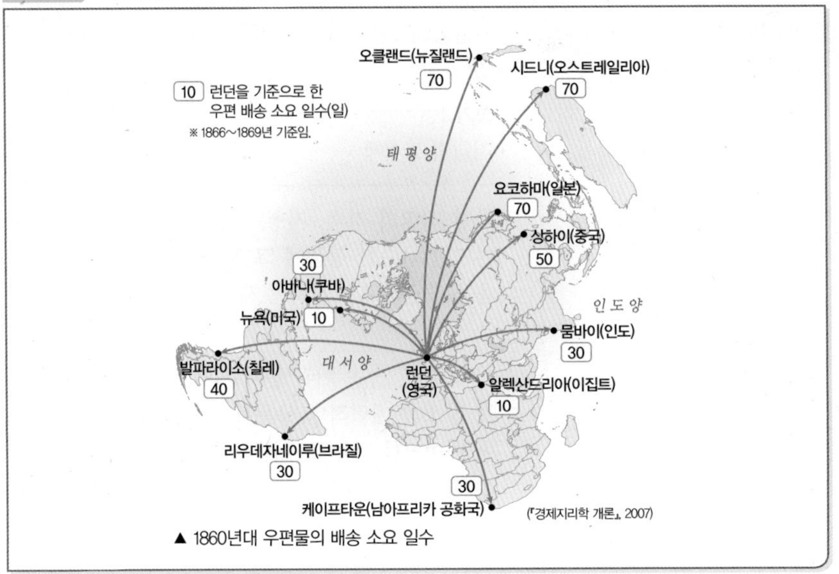

▲ 1860년대 우편물의 배송 소요 일수

자료 분석 교통·통신의 발달로 시공간적 거리가 단축됨에 따라 교류가 매우 활발해졌으며, 세계 여러 지역은 서로 밀접한 관계를 맺게 되었다. 과거에는 수십 일에 걸려 배송되었던 우편물이 오늘날에는 며칠이면 세계 각지로 배송되고 있다. 그만큼 세계는 더욱 가까워졌다.

자료 분석 포인트

교통·통신의 발달에 따른 변화를 알아보고, 그 영향을 파악해 보자.

Q1 교통·통신의 발달에 따른 변화 모습으로 옳지 않은 것은?

① 정보 획득이 쉬워진다.
② 시간 거리가 증가한다.
③ 국제적인 분업이 증가한다.
④ 물류의 이동 범위가 확대된다.
⑤ 지역 간 상호 의존도가 증대된다.

자료 2 지리적 표시제

교과서 14쪽

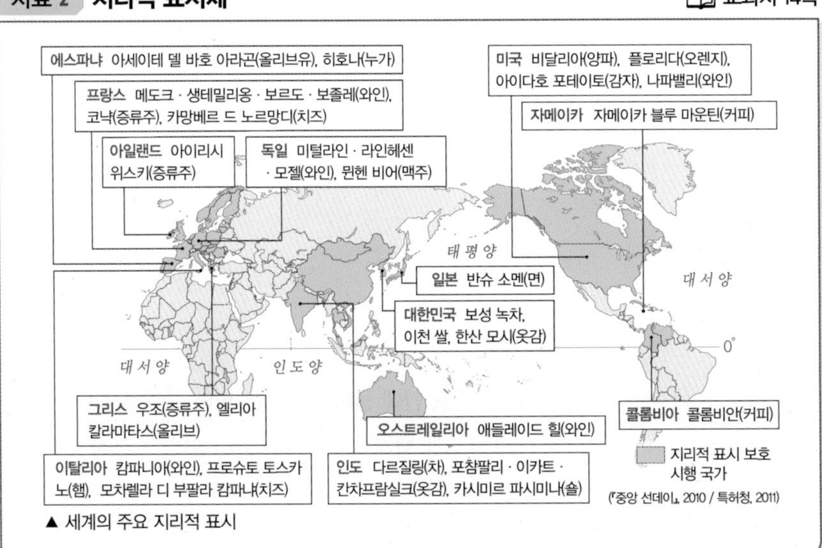

▲ 세계의 주요 지리적 표시

자료 분석 특정 지역의 기후, 지형, 토양 등의 지리적 특성을 반영한 우수한 상품에 그 지역에서 생산·가공되었음을 증명하고 표시하는 제도를 지리적 표시제라고 한다. 지리적 표시제 인증을 받은 상품에는 다른 지역에서 임의로 사용하지 못하도록 하는 법적 권리가 주어진다. 인도의 다르질링 차, 미국의 플로리다 오렌지 등을 대표적인 예로 들 수 있다.

자료 분석 포인트

지역의 경쟁력을 높이기 위한 세계의 다양한 지역화 전략을 알아보자.

Q2 빈칸에 들어갈 알맞은 말을 쓰시오.

> 인도의 다르질링 차, 프랑스의 보르도 와인은 (　　　　　　)에 등록된 대표적인 상품이다.

답 Q1 ② / Q2 지리적 표시제

1단계 개념 익히기

정답과 해설 ▸ 2쪽

01 다음 빈칸에 공통으로 들어갈 알맞은 말을 쓰시오.

- 세계 무역 기구(WTO)의 출범과 다국적 기업의 성장으로 (　　　)이/가 촉진되었다.
- 정치, 경제, 사회, 문화 등의 활동 범위가 전 세계로 확대되는 현상을 (　　　)(이)라고 한다.

02 다음 내용에서 설명하는 용어를 쓰시오.

지역이 경제적·문화적·정치적 측면에서 세계적인 가치를 갖게 되는 현상으로, 최근 국가로부터 독립적인 공간으로서 지역의 정체성을 강조하는 경향이 나타나고 있다.

03 다음 설명이 옳으면 ○, 틀리면 ×표 하시오.

(1) 세계화로 국경을 초월한 세계 문화가 나타나고 있다. (　　)

(2) 인터넷, 사회 관계망 서비스 등을 통해 정보와 생각을 쉽게 교환하면서 문화의 세계화 속도가 느려지고 있다. (　　)

(3) 지역화를 통해 다른 지역과 차별할 수 있는 세계적 경쟁력을 갖출 수 있다. (　　)

(4) 세계화 과정에서 서로 다른 지역의 문화가 만나 각 지역의 지역성을 반영한 새로운 문화가 창조될 수 있다. (　　)

04 다음 설명에 해당하는 지역화 전략을 |보기|에서 찾아 쓰시오.

| 보기 |
- 지리적 표시제
- 장소 마케팅

(1) 특정 지역의 기후, 지형, 토양 등이 지리적 특성을 반영한 우수한 상품에 그 지역에서 생산·가공되었음을 증명하고 표시하는 제도이다.

(2) 지역 주민, 공공 기관 등이 기업과 관광객들에게 특정 장소를 매력적인 상품이 되도록 하기 위해 독특한 이미지를 만들고, 이를 통해 부가 가치를 창출하는 전략이다.

05 다음 빈칸에 공통으로 들어갈 알맞은 말을 쓰시오.

(　　　)은/는 국제 무역 확대, 회원국 간의 통상 분쟁 해결, 세계 교역 및 통상 논점에 관한 연구 등을 위해 1995년에 설립된 국제기구이다. (　　　)의 출범으로 자유 무역 체계가 확립되었다.

06 다음 괄호 안에 들어갈 알맞은 말에 ○표 하시오.

(1) 경제의 세계화로 전 세계는 (단일 / 복합) 시장을 형성하였다.

(2) 문화의 세계화로 전 세계는 국경을 초월한 (세계 문화 / 지역 문화)를 형성하였다.

(3) 세계화의 흐름 속에서 문화의 (다양화 / 획일화) 문제가 발생하기도 한다.

(4) 프랑스의 보르도 와인, 인도의 다르질링 차, 일본의 삿포로 눈 축제 등은 대표적인 (세계화 / 지역화) 전략의 사례이다.

2단계 내신 유형 익히기

정답과 해설 ▸ 2쪽

01 빈출 **자료는 1980년대 우편물의 배송 소요 일수를 나타낸 것이다. 1980년대와 비교한 오늘날 우편 배송의 상대적 특징으로 옳은 것은?**

▲ 1980년대 우편물의 배송 소요 일수

① 비용 거리가 증가하였을 것이다.
② 시간 거리가 감소하였을 것이다.
③ 물리적 거리의 중요성이 증가하였을 것이다.
④ 우편물의 배송 소요 일수가 늘어났을 것이다.
⑤ 런던과 뉴욕 간 정보의 이동량은 감소하였을 것이다.

02 **다음 글의 ㉠에 들어갈 내용으로 적절하지 않은 것은?**

> 세계화가 진행됨에 따라 세계 여러 지역의 다양한 문화가 서구 문화로 획일화되는 경향이 강하게 나타나고 있다. 오늘날 (㉠)이/가 대표적인 사례이다.

① 커피 전문점 세계 확산
② 뉴욕의 I♥NY 브랜드 활성화
③ 세계 각국에서 만나는 햄버거
④ 힙합(hiphop) 음악의 세계 확산
⑤ 할리우드 영화의 세계 각국 동시 개봉

03 **다음과 같은 현상이 활발하게 일어날 경우 나타날 변화로 옳은 것을 |보기|에서 고른 것은?**

> • 한 지역의 전통 의상이 다른 국가 전통 의상의 디자인에 영향을 미치는 사례가 늘어나고 있다.
> • 세계적인 신발 회사인 N사는 기업 활동 여건이 더 좋고 인건비가 적은 개발 도상국에 공장을 세웠다.

보기

ㄱ. 세계의 문화적 동질성이 강화될 것이다.
ㄴ. 각 지역의 경제·문화의 연계성이 약화될 것이다.
ㄷ. 세계 여러 국가 간의 국제 분업이 활발해질 것이다.
ㄹ. 선진국과 개발 도상국 간의 경제적 격차가 줄어들 것이다.

① ㄱ, ㄴ ② ㄱ, ㄷ ③ ㄴ, ㄷ
④ ㄴ, ㄹ ⑤ ㄷ, ㄹ

04 **자료는 독일에서 인기 있는 튀르키예의 전통 음식 케밥 상점을 보여 주는 사진이다. 이에 대한 옳은 설명을 |보기|에서 고른 것은?**

보기

ㄱ. 지역의 정체성이 강화되고 있다.
ㄴ. 지역화 전략의 대표적인 사례에 해당한다.
ㄷ. 독일로 이주한 튀르키예인이 증가하였을 것이다.
ㄹ. 독일 내에 다양한 문화가 공존함을 보여 준다.

① ㄱ, ㄴ ② ㄱ, ㄷ ③ ㄴ, ㄷ
④ ㄴ, ㄹ ⑤ ㄷ, ㄹ

05 다음은 브라질의 리우 카니발을 촬영한 사진이다. 리우 카니발이 세계적인 축제로 발전하게 된 배경으로 가장 적절한 것은?

① 국가 간 무역 장벽이 높아졌기 때문이다.
② 지역이 세계의 주체가 되면서 지역 간 경쟁이 치열해졌다.
③ 세계화의 흐름 속에서 전통적인 가치와 지역성이 중요해졌다.
④ 세계의 정치, 경제, 사회에 지역보다 국가의 영향력이 강화되었다.
⑤ 다른 지역과 동일한 전략을 세워 세계의 경쟁에서 살아남기 위해 노력한 결과이다.

06 다음은 세계지리 수업의 한 장면이다. (가)에 들어갈 내용으로 가장 적절한 것은?

자료는 (가) 에 대한 '태그 클라우드(tag cloud)'의 결과입니다.

* 태그 클라우드(tag cloud)는 특정 주제와 관련해 인기 있거나 중요한 키워드 등을 시각적으로 표현한 것임

① 다국적 기업
② 지역 브랜드
③ 장소 마케팅
④ 지리적 표시제
⑤ 경제의 세계화

07 교사의 질문에 가장 적절한 대답을 한 학생만을 있는 대로 고른 것은?

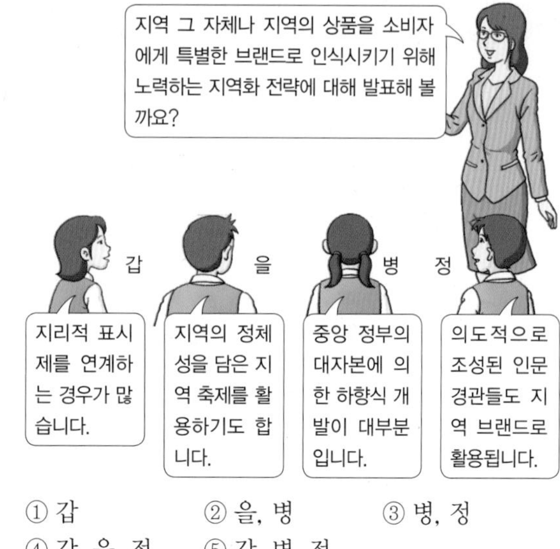

지역 그 자체나 지역의 상품을 소비자에게 특별한 브랜드로 인식시키기 위해 노력하는 지역화 전략에 대해 발표해 볼까요?
갑
을
병
정
지리적 표시제를 연계하는 경우가 많습니다.
지역의 정체성을 담은 지역 축제를 활용하기도 합니다.
중앙 정부의 대자본에 의한 하향식 개발이 대부분입니다.
의도적으로 조성된 인문 경관들도 지역 브랜드로 활용됩니다.

① 갑
② 을, 병
③ 병, 정
④ 갑, 을, 정
⑤ 갑, 병, 정

08 지도는 세계 각 지역의 지리적 표시제 등록 상품을 나타낸 것이다. 이에 대한 설명으로 가장 적절한 것은?

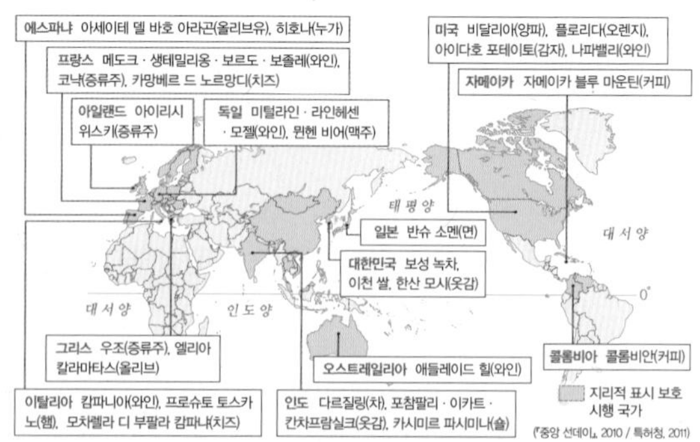

(『중앙 선데이』, 2010 / 특허청, 2011)

① 특정 지역의 지리적 특성이 반영되어 있다.
② 경제적 불균형을 심화시킨다는 부작용이 있다.
③ 무분별한 개발로 환경이 훼손될 가능성이 높다.
④ 대부분 다국적 기업에 의해 생산 및 판매되고 있다.
⑤ 서로 다른 문화가 만나 새로운 문화가 창조된 사례에 해당한다.

서술형 문제

09 다음 그림은 항공기의 제작과 관련된 것이다. 이를 보고 물음에 답하시오.

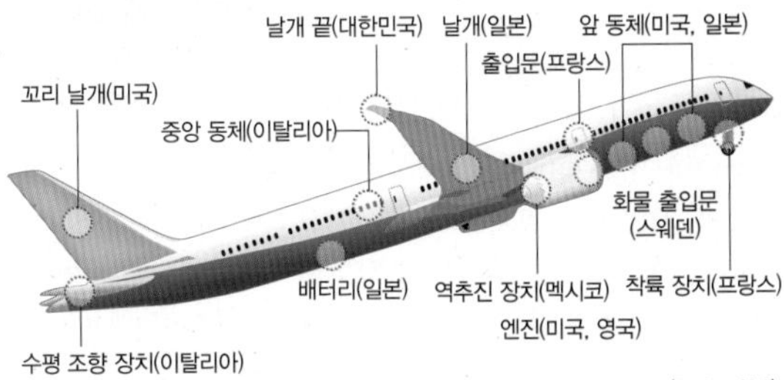

(Boeing, 2017)

(1) 미국에 본사를 둔 항공기 생산 기업의 특징에 대해 서술하시오.

(2) 해당 기업이 국제 분업을 통해 항공기를 제작하는 이유에 대해 서술하시오.

서술형 문제

10 다음은 전 세계에 동시 개봉한 할리우드 영화의 포스터이다. 이를 보고 물음에 답하시오.

(1) 전 세계에서 할리우드 영화가 동시 개봉할 수 있었던 배경에 대해 서술하시오.

(2) 전 세계 동시 개봉 포스터가 다른 이유에 대해 서술하시오.

서술형 문제

11 다음과 같은 현상으로 인하여 나타나는 문제점을 두 가지 서술하시오.

> 정치, 경제, 사회, 문화 등의 활동 범위가 전 세계로 확대되고 있다. 국가 간의 교역은 오래전부터 있었지만, 근래 교통과 통신의 발달로 교류 속도가 매우 빨라지고 있다. 이러한 변화로 오늘날의 지구촌은 국경의 의미가 쇠퇴하고, 마치 하나의 국가로 연결된 것처럼 통합되고 있다. 상품과 서비스, 자본, 노동 등에 대한 국가 간의 인위적 장벽이 제거됨에 따라 세계가 점차 단일 시장으로 재편되고 있다.

서술형 문제

12 다음은 세계의 다양한 지역화 전략을 나타낸 것이다. 이와 관련된 지역화 전략의 명칭을 쓰고, 제시어를 참고하여 특징을 서술하시오.

▲ 인도의 다르질링

▲ 이탈리아의 모차렐라 디 부팔라 캄파냐

> • 지리적 특성 • 생산·제조·가공된 상품

내신 만점 도전하기

정답과 해설 ▸ 3쪽

01 다음은 세계의 교통 발달에 대한 수업 장면이다. 교사의 질문에 답한 내용이 옳은 학생만을 있는 대로 고른 것은?

중요

- 교사: 교통의 발달로 인해 오늘날 세계인들이 느끼는 지구의 상대적 크기는 점차 작아지고 있습니다. 1500년대만 하더라도 세계를 여행하는 데 상당히 오랜 시간이 걸렸지만, 오늘날에 이르러서는 세계를 여행하는 데 상대적으로 짧은 시간이 걸리게 되었습니다. 이처럼 지구의 상대적 크기가 변하면서 세계의 모습은 어떻게 변했을까요?
- 갑: 지역 간 상호 의존도가 높아졌습니다.
- 을: 국경의 의미와 역할이 약화되었습니다.
- 병: 국제 무역에서 거리의 중요성이 증대되었습니다.
- 정: 자본과 노동력 등 생산 요소의 국제 이동이 활발해졌습니다.

① 갑 ② 을, 병 ③ 병, 정
④ 갑, 을, 정 ⑤ 갑, 병, 정

문제 접근 방법
제시된 자료를 통해 교통의 발달로 인한 세계의 변화 모습을 유추하고 교통의 발달에 따른 다양한 사회 변화 양상들을 찾아낸다.

내신 전략
교통의 발달에 따른 세계의 공간 변화 양상의 특징을 정리해 두도록 한다.

02 다음 글의 ㉠~㉣에 대한 옳은 설명만을 |보기|에서 있는 대로 고른 것은?

㉠ 교통 · 통신의 발달로 지역 간 교류가 증가하고 있으며 교류 속도도 빨라졌다. 또한 교통 · 통신의 발달은 세계화를 촉진하였는데, ㉡ 세계화는 경제 · 정치 · 문화 등의 활동 범위가 전 세계로 확대되는 과정을 의미한다. 오늘날 세계는 마치 하나의 국가로 연결된 것처럼 통합되고 있다. 세계화가 국제 사회의 상호 의존성을 높이는 개념이라면 ㉢ 지역화는 상호 의존성을 바탕으로 각 지역의 특성을 살리는 지역 특화의 개념이다. 세계 여러 나라들은 성공적인 지역화의 정착을 위해 장소 마케팅, ㉣ 지리적 표시제 등의 전략을 도입하고 있다.

보기

ㄱ. ㉠으로 물리적 거리의 중요성이 감소하였다.
ㄴ. ㉡으로 다국적 기업의 생산 활동이 위축되었다.
ㄷ. ㉢은 지역의 독특한 요소들이 세계적 가치를 지니게 되는 것을 의미한다.
ㄹ. ㉣의 대표적인 사례는 '인도의 다르질링 차'이다.

① ㄱ, ㄹ ② ㄴ, ㄷ ③ ㄱ, ㄴ, ㄷ
④ ㄱ, ㄷ, ㄹ ⑤ ㄴ, ㄷ, ㄹ

문제 접근 방법
제시된 글을 통해 세계화의 배경과 세계화 및 지역화의 의미를 파악하고, 세계화와 지역화가 장소, 공간, 지역에 미치는 영향을 찾아낸다.

내신 전략
세계화의 배경과 세계화와 지역화의 특징과 영향을 정리해 두도록 한다.

심화 수능 유형 익히기

정답과 해설 ▸ 3쪽

2014학년도 4월 학력평가

01 다음 사례를 통해 추론할 수 있는 내용으로 옳지 않은 것은?

> 미국 뉴욕에 사는 마이클은 월 스트리트(Wall Street)에 본점을 둔 세계적인 대형 은행에서 유럽 지역의 투자 책임자로 일하고 있다. 이 은행은 전 세계에서 모여든 천문학적인 자본을 신용 평가 기관의 자료를 토대로 지역별로 분배하고 기업에 직접 투자하는 역할을 하고 있다. 그래서 마이클은 비행기를 타고 대서양을 건너 유럽으로 자주 출장을 다녀야 한다. 하지만 대부분의 국가들은 비자를 미리 신청할 필요가 없고, 2~3일 정도면 몇 개 국가를 돌며 업무를 처리하고 뉴욕으로 돌아올 수 있다. 마이클은 바쁜 일정을 소화해야 하지만 다양한 사람을 만나고 여러 국가를 돌아다닐 수 있는 자신의 직업에 매우 만족하고 있다.

① 국경의 의미가 점차 약화되고 있다.
② 사람과 물자의 이동 범위가 확대되고 있다.
③ 국가 간 경제적 상호 의존도가 낮아지고 있다.
④ 자본, 노동 등 생산 요소의 이동이 활발해지고 있다.
⑤ 다른 지역의 문화를 경험할 수 있는 기회가 늘어나고 있다.

출제 개념
교통 · 통신의 발달로 인한 지역 변화

자료 해설
다국적 기업은 문자 그대로 여러 국가에 법인을 등록한 기업을 말한다. 이는 교통 · 통신의 발달로 인해 자본 · 노동 등 생산 요소의 이동이 활발해지자 국가 간 생산의 전문화를 통한 국제적 분업이 확대되면서 등장하였다. 비자 없이 대부분의 국가들을 출입할 수 있다는 것은 국경의 의미가 약화되었다는 것을 보여 주는 사례이다.

해결 비법
세계화에 따른 영향은 큰 흐름을 파악하고 접근하는 것이 중요하다. 교통과 통신의 발달로 국가 간 상호 의존성이 높아지고 사람과 물자의 교류가 늘어 국경의 의미가 약화되고 유사성이 늘어 간다는 흐름을 잘 파악하고 접근한다.

2013학년도 9월 모의평가

02 다음은 수업의 한 장면이다. 발표한 내용이 적절한 학생만을 있는 대로 고른 것은?

> 같은 모양 다른 맛! 나라마다 다른 ◇◇햄버거
>
> 패스트푸드의 대명사인 '◇◇햄버거' 회사는 ㉠ 세계 각국에 수많은 매장을 두고 있다. ㉡ 모든 매장의 옥외 광고 간판과 점원 서비스는 매우 유사하지만, 각 국가마다 특별한 메뉴를 판매하고 있다. ㉢ 인구가 10억 명이 넘는 인도에서는 인도식 치즈인 파니르와 매운 소스를 넣은 메뉴를 개발하였고, 노르웨이에서는 연어를 좋아하는 노르웨이인들의 입맛을 사로잡기 위하여 ㉣ 연어를 구워 야채와 함께 호밀빵에 넣은 메뉴를 개발했다.

자료를 보고 추론한 내용을 발표해 볼까요?

갑: ㉠을 보니 이 회사는 본사와 해외의 여러 지점들로 이루어진 다국적 기업인 것 같아요.

을: ㉡을 보니 이 회사는 상품에 대한 표준화된 이미지를 추구하고 있는 것 같아요.

병: ㉢을 보니 이 회사는 해외 진출 시 노동비 절감 요인을 가장 크게 고려한 것 같아요.

정: ㉣을 보니 이 회사는 각 국가의 문화적 특성을 반영한 현지화 전략을 추구한 것 같아요.

① 갑, 을　② 갑, 병　③ 병, 정
④ 갑, 을, 정　⑤ 을, 병, 정

출제 개념
세계화와 지역화

자료 해설
나라마다 다른 햄버거의 맛을 중심으로 이야기하고 있다. 미국에서 상업적 판매가 시작된 햄버거는 전 세계로 전파되었으며, 각 지역의 고유한 문화와 결합하여 다양한 형태로 발달하였다.

해결 비법
세계화 및 지역화와 관련된 문제는 특정 사례를 주고 세계화와 지역화의 추세를 읽어내는 방향으로 출제되므로 기본 개념을 명확히 학습하고, 다양한 사례에 적용시킬 수 있는 능력을 기른다.

주제 2

고지도에 나타난 세계관과 지리 정보

교과서 16~21쪽

주제 흐름 읽기

서양의 세계 지도		
서양의 세계 지도	고대	• 바빌로니아의 점토판 지도 • 프톨레마이오스의 세계 지도
	중세	• 티오(TO) 지도 • 알 이드리시의 세계 지도
	15세기 이후	• 메르카토르의 세계 지도 • 근대적 지도의 등장

동양의 세계 지도		
동양의 세계 지도	중국	• 화이도, 대명혼일도 • 곤여만국전도
	우리나라	• 혼일강리역대국도지도 • 천하도 • 지구전후도

1 지리적 인식과 지도

1. 지도의 의미와 특징

(1) **의미** 지표면을 일정한 비율로 줄여서 기호를 사용해 평면에 나타낸 것

(2) **특징** 문자와 함께 오랫동안 사용된 의사소통 수단, 지도 제작 당시의 시대적 상황, 지도 제작자의 세계관❶ 등이 반영되어 있음 ─ 지도 제작자가 담고 싶어 하는 특정 지리 정보를 강조하여 보여 주기 때문에 지도가 왜곡되기도 해.

2. 지리적 인식 변화와 지도의 발달

(1) 세계에 대한 지리적 인식 범위 확대 → 지도에 표현된 지역 범위 확대

(2) 지도 제작자의 지리적 인식 변화 → 지도에 표현된 지역의 범위와 표현 방법 변화

2 서양의 세계 지도와 세계관

1. 고대의 세계 지도

(1) **바빌로니아의 점토판 지도❷**

① 기원전 600년경에 제작된 현존하는 가장 오래된 세계 지도

② 신바빌로니아 왕국과 그 주변 지역 및 미지의 세계를 표현

(2) **프톨레마이오스의 세계 지도** 자료 1

① 서기 150년경 고대 그리스·로마 시대에 제작됨

② 경선과 위선이 그려져 있으며, 투영법❸이 사용됨

2. 중세의 세계 지도 자료 2

(1) **티오(TO) 지도**

① 중세 유럽에서 제작됨

② 크리스트교 세계관 반영 → 지도의 중심에 예루살렘을 표현

③ 지도의 위쪽이 동쪽(에덴동산)을 가리킴

(2) **알 이드리시의 세계 지도❹**

① 12세기경에 제작됨

② 이슬람교 세계관 반영 → 지도의 중심에 이슬람교 성지인 메카를 표현

③ 지도의 위쪽이 남쪽을 가리킴

3. 15세기 이후의 세계 지도

(1) **대항해 시대❺** ─ 콜럼버스의 신대륙 발견(1492년)과 마젤란(1519~1522년)의 세계 일주 등이 이루어졌어.

① 유럽 열강이 세계를 무대로 탐험과 무역 실시→ 지리적 인식의 범위 확대

② 아메리카 및 오세아니아가 지도에 표현되기 시작함

(2) **메르카토르의 세계 지도(1569년)** 자료 3

① 특징: 경선과 위선이 직교 → 나침반을 이용한 항해에 유용

② 단점: 고위도로 갈수록 면적이 지나치게 확대·왜곡됨

---

❶ 세계관
지식적인 측면과 정서적인 측면까지 종합하여 세계를 파악하려는 관점을 말한다.

❷ 바빌로니아의 점토판 지도
원반 모양의 세계와 두 개의 동심원으로 둘러싸인 바다를 표현하였다. 원의 안쪽에는 현실 세계인 신바빌로니아 왕국을, 바깥쪽에는 삼각형으로 미지의 세계를 표현하였다.

❸ 투영법
구체인 지구의 표면을 오차를 줄이면서 평면으로 나타내는 지도 제작 방법을 말한다.

❹ 알 이드리시의 세계 지도
중세 아랍의 대표적 지리학자인 알 이드리시가 1154년에 제작한 세계 지도로, 지도의 위쪽에 남쪽을 배치하는 이슬람의 전통적 지도 제작술을 따랐다.

❺ 대항해 시대
15세기 초 포르투갈 엔리케 왕자의 아프리카 항로 개척을 시작으로하여 15세기 말 콜럼버스의 아메리카 대륙 발견을 거쳐 16~17세기 초에 이르는 유럽 각국의 탐험 및 항해 시대를 말한다. 지리상의 발견 시대라고도 한다.

자료 1 프톨레마이오스의 세계 지도

교과서 16쪽

자료 분석 그리스·로마 시대에는 지도를 제작할 때 과학적 접근이 중시되었다. 고대 그리스·로마 시대에 활약한 천문학자 프톨레마이오스는 지구를 구형으로 인식하고 경위선망을 설정하여 평면에 지구를 투영하는 방법으로 세계 지도를 제작하였다. 이 지도에는 지중해 연안이 비교적 정확하고 상세하게 그려져 있으나 그 밖의 지역은 실제와 상당한 차이를 보인다. 인도양은 육지에 갇힌 내해로 표현되어 있으며, 아메리카와 오세아니아는 표현되어 있지 않다.

자료 분석 포인트

고대 프톨레마이오스 지도에 표현된 지리 정보를 살펴보자.

Q1 프톨레마이오스 지도에 표현되지 않은 지역은?

① 유럽 대륙
② 아시아 대륙
③ 지중해 연안
④ 아메리카 대륙
⑤ 아프리카 대륙

자료 2 중세의 세계 지도

교과서 17쪽

▲ 티오(TO) 지도

▲ 알 이드리시의 세계 지도

자료 분석 티오(TO) 지도와 알 이드리시의 세계 지도는 모두 원형으로 제작된 지도로 당시의 종교적 세계관을 반영하고 있다. 티오(TO) 지도는 중세 유럽의 크리스트교 세계관을 반영하여 지도의 중심에 예루살렘을 표현하였으며 에덴동산이 있는 지도의 위쪽은 동쪽을 가리키고 있다. 반면 알 이드리시의 세계 지도는 이슬람교 세계관을 반영하여 메카를 지도 중심에 표현하고 있으며 지도의 위쪽이 남쪽을 가리키고 있다.

자료 분석 포인트

중세 세계 지도의 특징을 살펴보고, 어떤 종교의 영향을 받았는지 찾아보자.

Q2 다음 설명에 해당하는 지도를 아래에서 골라 기호를 쓰시오.

(1) 크리스트교의 세계관을 반영하여 지도의 중심에 예루살렘이 있다. ( )
(2) 지도의 중심에 이슬람교 성지인 메카가 있다. ( )

ㄱ. 티오(TO) 지도
ㄴ. 포르톨라노 해도
ㄷ. 알 이드리시의 지도
ㄹ. 바빌로니아의 점토판 지도

자료 3 메르카토르의 세계 지도

교과서 17쪽

자료 분석 15세기 지리상의 발견 시대 이후 탐험으로 얻은 풍부한 지리 정보와 인쇄술의 급속한 발달은 지도 제작에 많은 영향을 주었다. 1569년 메르카토르가 제작한 세계 지도에는 경선과 위선이 직선으로 그려져 있어 어느 지점에서든지 정확한 각도를 파악할 수 있다. 따라서 지도를 이용하면 지도에 직선으로 나타나는 항로를 따라 수월하게 항해할 수 있다. 그러나 이 지도는 저위도 지역은 면적이 비교적 정확하게 표현되지만 고위도 지역으로 갈수록 면적이 지나치게 확대·왜곡되는 단점이 있다.

자료 분석 포인트

항해용 지도로 사용된 메르카토르 세계 지도의 특성을 알아보자.

Q3 메르카토르가 제작한 세계 지도의 장점과 단점은 무엇인지 설명하시오.

답 Q1 ④ / Q2 (1) ㄱ (2) ㄷ / Q3 장점: 어느 지점에서든지 정확한 각도를 파악할 수 있다. 단점: 고위도 지역으로 갈수록 면적이 지나치게 확대·왜곡된다.

3 동양의 세계 지도와 세계관

1. 중국의 세계 지도와 세계관

(1) 나침반과 종이의 발명, 인쇄 기술의 발달 등으로 지도 제작 기술이 일찍부터 발달

(2) 전통적으로 중화사상[6]이 지도에 반영됨 예 화이도[7] 자료 4, 대명혼일도[8]

(3) 15세기 정화의 항해로 지리적 인식의 범위가 아프리카 동부 지역까지 확대됨

(4) 17세기 마테오 리치의 곤여만국전도가 중국에 소개됨 → 지리적 인식의 범위가 유럽, 아메리카까지 확대됨

2. 우리나라의 세계 지도와 세계관

(1) **혼일강리역대국도지도** 자료 5

① 조선 전기(1402년) 국가 주도로 제작된 세계 지도

조선 전기에 국가 경영 자료 확보 목적 이외에도 조선 왕조의 정당성을 세계에 알리기 위해 국가 주도로 제작했어.

② 중국을 지도의 중앙에 크게 표현하여 중화사상을 반영함

③ 조선을 상대적으로 크게 표현함 → 우리 국토를 주체적으로 인식하였음

(2) **천하도** 자료 5

① 조선 중기 이후 민간에서 그려진 세계 지도

② 중화사상의 영향으로 중국이 지도 중앙에 있음

③ 천원지방 사상 및 도교 사상의 영향을 받음

천하도는 도교 사상의 영향을 받아 상상의 나라가 표현되어 있어.

(3) **지구전후도** 자료 6

① 조선 후기(1834년) 최한기에 의해 제작된 서양식 세계 지도

② 경위선과 남·북 회귀선을 표현하였음

③ 중국도 조선과 마찬가지로 세계의 일부라는 인식이 확산되는 계기가 됨

❻ 중화사상
중국이 자국의 문화와 국토를 자랑스러워하면서 타민족을 배척하는 사상을 말한다. '중화'는 중국이 세계의 중심에 위치한 나라라는 뜻이며, 그 밖의 나라는 오랑캐로 여기고 천시하여 화이사상(華夷思想)이라고도 한다.

❼ 화이도
중화사상이 반영되어 지도의 중앙에 중국이 있으며, 우측에는 한반도가 그려져 있다.

❽ 대명혼일도
중화사상의 영향으로 지도의 중앙에 중국이 크게 그려져 있으며, 아프리카와 서남아시아가 지도에 표현되어 있지만 상대적으로 작게 그려져 있다.

4 오늘날의 지리 정보 활용

1. 지리 정보의 의미와 종류

(1) **의미** 지표 공간의 자연 및 인문 현상과 이들의 상호 작용을 포함한 모든 정보 → 지리 정보를 통해 지역의 특성 및 변화를 파악할 수 있음[9]

(2) **구성**

공간 정보	장소나 현상의 위치 및 형태를 나타내는 정보
속성 정보	장소가 지닌 자연적·인문적 특성을 나타내는 정보
관계 정보	하나의 장소가 다른 장소와 맺는 관계에 관한 정보

2. 지리 정보 시스템의 의미와 활용

(1) **의미** 다양한 지리 정보[10]를 컴퓨터에 입력·저장한 후 사용자의 요구에 따라 분석·종합하는 지리 정보 관리 체계

오늘날에는 사용자의 요구를 반영하는 것과 달리 과거에는 소수의 지식인을 중심으로 지리 정보가 수집·분석되었어.

(2) **특징**

① 컴퓨터를 활용하여 지표의 복잡한 지리 정보를 지도화할 수 있음

② 지리 정보를 디지털화하여 관리하므로 정보의 수정과 관리가 편리함

③ 지리 정보의 통합과 분석이 용이하여 신속하고 합리적인 공간의 이용과 관리에 대한 의사 결정이 가능함

(3) **활용 분야**

① 시설물 관리: 상하수도 관리, 도시가스 관리 등

② 교통: 내비게이션, 대중교통 정보 제공 시스템, 도로 유지 보수 등

❾ 지리 정보의 중요성
세계가 지식 정보 사회로 발전함에 따라 지리 정보의 양이 급속히 증가하고, 그 내용도 변화하고 있다. 지리 정보는 현대 사회를 살아가는 데 꼭 필요한 정보를 제공한다.

❿ 다양한 지리 정보의 수집
지도, 문헌, 인터넷 등을 이용하여 조사 지역을 직접 방문하지 않고 그 지역의 정보를 수집할 수 있지만, 지역을 방문하여 면담, 설문 조사, 측량 등으로 지리 정보를 수집할 수도 있다.

자료 4 **화이도(1136년)** 📖 교과서 18쪽

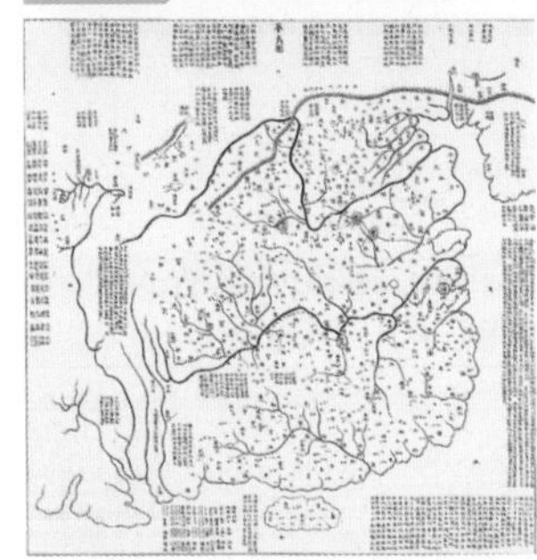

자료 분석 중국 남송 시대에 제작된 지도로 중화사상이 반영되어 지도의 중앙에 중국이 위치한다. 하늘은 둥글고 땅은 네모지다고 인식하는 천원지방 사상을 볼 수 있다.

자료 분석 포인트

중국 화이도에 나타난 지리 정보의 특징을 살펴보자.

Q4 화이도의 중심에 그려진 국가를 쓰시오.

자료 5 **혼일강리역대국도지도와 천하도** 📖 교과서 19쪽

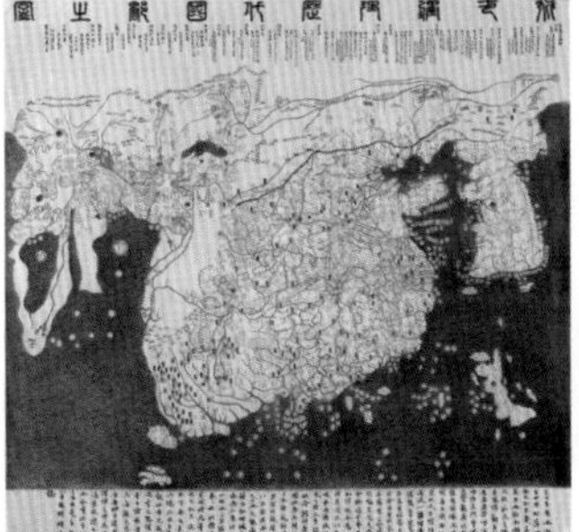

▲ 혼일강리역대국도지도

▲ 천하도

자료 분석 조선 전기에 제작된 지도로, 중국에서 들여온 세계 지도에 조선과 일본 등의 지도를 결합하여 만든 세계 지도이다. 중화사상에 따라 중국을 지도 중앙에 크게 그렸으나, 조선을 상대적으로 크고 자세하게 표현하였다는 점에서 우리 국토를 주체적으로 인식하였음을 알 수 있다. 한편 조선 중기에 제작된 천하도는 민간에서 그린 관념적 세계 지도이다. 전통적인 천원지방 사상과 도교의 영향을 받아 제작된 지도로, 지도 중앙에는 중국을 그려 넣어 중화사상을 반영하였다.

자료 분석 포인트

혼일강리역대국도지도 및 천하도에 표현된 지리 정보를 통해 우리 조상들의 세계관을 살펴보자.

Q5 빈칸에 들어갈 알맞은 말을 쓰시오.

> 조선 전기에 국가 주도로 제작된 혼일강리역대국도지도의 중앙에는 중국이 크게 표현되어 있어 (   )이/가 반영되어 있음을 알 수 있다.

Q6 조선 중기 이후 민간에서 그려진 세계 지도로 천원지방 사상 및 도교 사상의 영향을 받은 지도를 쓰시오.

자료 6 **지구전후도** 📖 교과서 19쪽

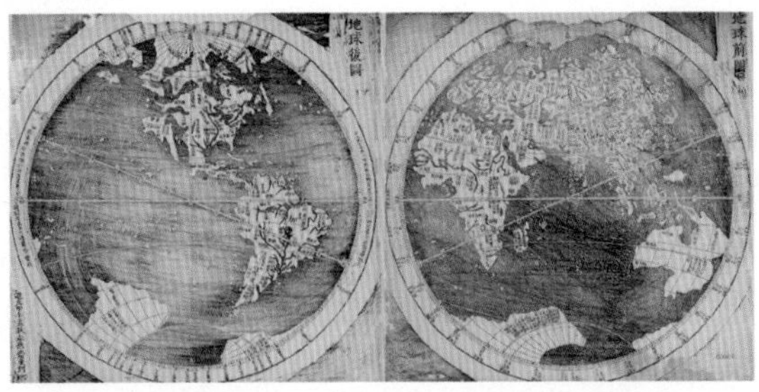

자료 분석 지구전후도는 조선 후기 최한기에 의해 제작되었다. 경위선과 남·북회귀선이 표시된 세계 지도로 아시아, 유럽, 아프리카 등 구대륙이 지구전도에, 남·북아메리카 등 신대륙이 지구후도에 그려져 있다. 지구전후도는 목판본으로 제작되어 인쇄 후 유포되었고, 당시 사람들에게 중국도 조선과 마찬가지로 세계의 일부라는 세계관이 확산되는 데 기여했다.

자료 분석 포인트

지구전후도에 표현된 지리 정보를 살펴보고, 우리 조상들의 세계관을 알아보자.

Q7 조선 후기에 최한기가 지도의 앞면에 아시아, 유럽, 아프리카를, 지도의 뒷면에 남·북아메리카 등을 표현한 세계 지도의 이름을 쓰시오.

답 Q4 중국 / Q5 중화사상 / Q6 천하도 / Q7 지구전후도

주제 3

세계의 권역 구분

교과서 22~25쪽

주제 흐름 읽기

권역의 구분 지표			
자연적 지표	문화적 지표	기능적 지표	역사적 지표
• 자연환경과 관련된 지표 • 위치, 지형, 기후, 식생 등	• 생활 양식과 관련된 지표 • 의식주, 언어, 종교 등	• 핵심 지역과 배후지를 갖는 지표 • 정치, 경제 등	• 시간에 따른 변화와 관련된 지표 • 역사 등

1 권역 구분의 지표

1. 권역의 의미와 특징

(1) **의미** 자연적인 요소와 인문적인 요소를 종합하여 구분하는 공간 단위

(2) **특징**

① 인접한 외부 공간과 구분되는 내부적 동질성❶을 지님

② 권역을 구분하는 방법은 시대나 세계관, 목적 등에 따라 달라짐

③ 권역 내에서도 포함된 지역, 국가의 특성 등에 따라 복잡하고 다양한 모습이 존재함

2. 권역 구분 지표와 구분 사례 자료 1

(1) **권역의 구분** 권역은 고정된 것이 아니며, 이를 구분하는 목적과 지표에 따라 다양하게 설정됨

(2) **주요 권역 구분 지표** ─ 다양한 지표를 활용한 권역 구분을 통해 지표상에 나타나는 자연과 인간 생활을 더욱 잘 이해할 수 있어.

자연적 지표	자연환경과 관련된 지표로 위치, 지형, 기후, 식생, 수륙 분포 등 예 열대, 건조 등의 기후 지역(기후), 5대양 6대주❷(수륙 분포)
문화적 지표	인간이 자연환경에 적응하며 만들어낸 생활 양식과 관련된 것으로 의식주, 언어, 종교 등 예 세계의 전통 가옥(건축 재료), 세계의 종교 지역(종교 분포)
기능적 지표	기능을 발휘하는 중심지와 그 영향력이 미치는 배후지❸의 공간적 범위와 관련된 지표로 정치, 경제 등 예 국가별 구분(정치적 기능)
역사적 지표	시간에 따른 변화와 관련된 지표

2 다양한 세계의 권역

1. 다양한 권역 구분과 점이 지대

(1) **다양한 권역 구분** ─ 개인의 관점, 권역 구분의 목적, 시대 등에 따라 세계의 권역을 구분하는 지표가 달라지기 때문이야.

① 세계의 권역을 구분하는 경계는 고정되지 않고 계속 변화하고 있음

② 다양한 지표를 복합적으로 적용할 수 있으며, 권역의 규모를 달리할 수 있음

③ 하나의 권역은 더 큰 권역으로 통합하거나 더 작은 규모의 권역으로 세분할 수 있음

(2) **권역의 경계**

① 서로 다른 권역 사이에 경계가 나타남

② 연속적인 지표면 위에 권역의 경계를 명확하게 구분하기 어려움

③ 권역의 경계에서는 양쪽의 특성이 혼재된 점이 지대❹가 나타나는 경우가 대부분임

2. 다양한 권역에 속하는 사례 자료 2

(1) **아메리카 대륙** ─ 멕시코와 카리브해 연안 국가는 지리적으로는 북아메리카에, 문화적으로는 라틴 아메리카에 속해.

① 지리적 구분: 파나마 지협❺을 경계로 북아메리카와 남아메리카를 구분

② 문화적 구분: 리오그란데강❻을 경계로 앵글로아메리카와 라틴 아메리카를 구분

(2) **다양한 관점이 반영된 권역의 경계** 아프리카와 아시아의 경계, 유럽과 아시아의 경계 등

└ 튀르키예는 관점의 차이로 유럽으로 구분하기도 하고, 아시아로 구분하기도 해.

---

❶ **동질성**
동일한 권역에서는 특정 지리적 현상이 동일하게 나타나는 공간 범위가 나타난다.

❷ **5대양 6대주**
5대양은 세계의 해양 중 특히 넓은 대규모의 바다로 태평양, 대서양, 인도양, 남극해, 북극해이며 6대주는 6개의 큰 대륙으로 아시아, 유럽, 아프리카, 남아메리카, 북아메리카, 오세아니아이다.

❸ **배후지**
중심지로부터 각종 중심 기능을 제공받는 공간 범위이다.

❹ **점이 지대**
서로 인접한 두 지역의 특성이 함께 섞여서 나타나는 지역이다.

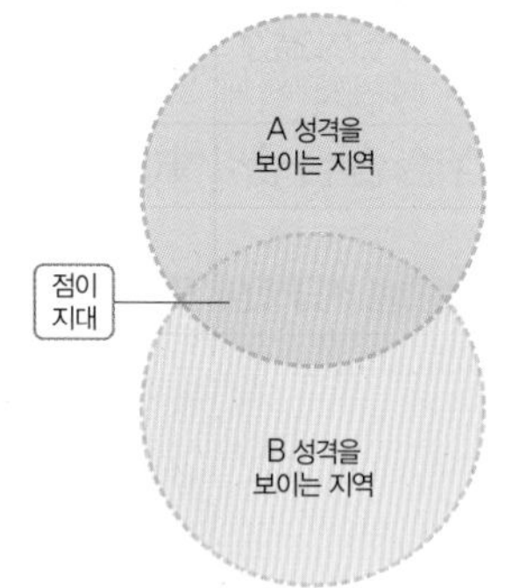

❺ **파나마 지협**
카리브해와 태평양 사이의 남아메리카와 북아메리카를 잇는 좁은 땅이다. 이곳에는 1914년에 개통된 파나마 운하가 있다.

❻ **리오그란데강**
미국 텍사스주의 남서부 지역과 멕시코 사이의 경계를 이루는 하천으로 '큰 강'이라는 의미를 갖고 있다.

자료 1 다양한 세계의 권역 구분

교과서 23쪽

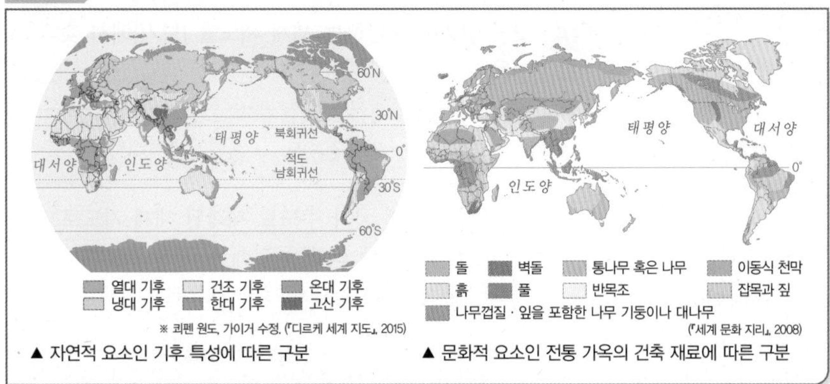

▲ 자연적 요소인 기후 특성에 따른 구분 ▲ 문화적 요소인 전통 가옥의 건축 재료에 따른 구분

자료 분석 세계의 권역 구분은 자연적 지표, 문화적 지표, 기능적 지표, 역사적 지표 등으로 구분할 수 있다. 이 중 자연적 지표를 기준으로 삼으면 열대, 온대, 냉대, 한대, 건조, 고산 기후 지역 등으로 구분할 수 있다. 문화적 지표를 기준으로 삼으면 전통 가옥의 건축 재료에 따라 돌 사용 지역, 흙 사용 지역, 통나무 사용 지역 등으로 구분할 수 있다.

자료 분석 포인트

세계의 권역을 구분하는 주요 지표를 살펴보자.

Q1 자연적 지표를 활용한 권역 구분으로 옳은 것은?

① 5대양 6대주
② 돼지고기 선호 및 금기 지역
③ 휴대 전화 사용 비율에 따른 구분
④ 세계의 국가별 1인당 국내 총생산
⑤ 전통 가옥의 건축 재료에 따른 구분

자료 2 다양한 대륙의 경계 구분

교과서 24쪽

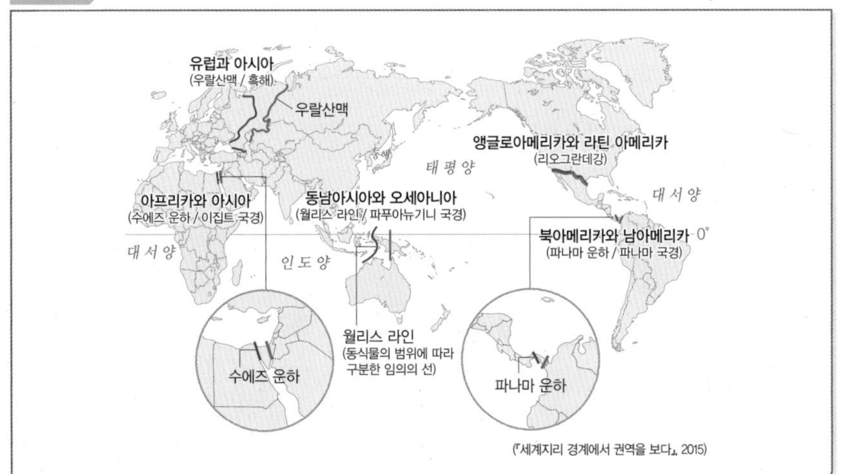

자료 분석 세계의 어떤 지역들은 지표에 따라 다양한 권역에 속하게 되는데, 이는 해당 지역의 정체성과 관련되는 중요한 문제이기도 하다. 제시된 자료에서는 아메리카 대륙, 유럽과 아시아, 아프리카와 아시아, 동남아시아와 오세아니아 등에서 다양한 기준으로 권역을 구분하고 있음을 확인할 수 있다.

자료 분석 포인트

지표에 따라 달라지는 다양한 대륙의 경계 구분을 살펴보자.

Q2 다음 글의 ㉠, ㉡에 들어갈 알맞은 말을 쓰시오.

> 아메리카 대륙은 지리적으로 (㉠)을/를 경계로 북아메리카와 남아메리카로 구분하며, (㉡)을/를 경계로 앵글로아메리카와 라틴 아메리카로 구분한다.

㉠ (　　　　　), ㉡ (　　　　　)

답 Q1 ① / Q2 ㉠ 파나마 지협, ㉡ 리오그란데강

개념 익히기

정답과 해설 ▸ 3쪽

01 **다음 빈칸에 들어갈 알맞은 말을 쓰시오.**

(1) 기원전 600년경에 제작된 현존하는 가장 오래된 세계 지도는 (   )이다.

(2) (   )은/는 서기 150년경 고대 그리스·로마 시대에 제작된 지도로 경선과 위선이 그려져 있다.

(3) (   ) 이후 유럽 열강이 세계를 무대로 탐험과 무역을 실시하며 지리적 인식이 확대되어 신대륙이 지도에 표현되기 시작하였다.

(4) 메르카토르의 세계 지도는 경선과 위선이 (   )하여 나침반을 이용한 항해에 유용하다.

02 **다음 괄호 안에 들어갈 알맞은 말에 ○표 하시오.**

(1) 티오(TO) 지도는 지도의 중심에 (에덴동산 / 예루살렘)이 위치한다.

(2) 알 이드리시의 세계 지도는 이슬람교 세계관을 반영하여 지도의 위쪽이 (동쪽 / 남쪽)을 가리킨다.

(3) 메르카토르 세계 지도는 고위도로 갈수록 면적이 지나치게 (확대 / 축소)된다.

03 **다음 빈칸에 들어갈 알맞은 말을 쓰시오.**

> 중국의 화이도, 대명혼일도를 비롯해 우리나라의 혼일강리역대국도지도, 천하도 등은 중국을 지도의 중앙에 위치시켜 (   )을/를 반영하였다.

____

04 **다음 설명에 해당하는 세계 지도를 |보기|에서 찾아 쓰시오.**

> **보기**
> • 천하도 • 지구전후도 • 혼일강리역대국도지도

(1) 조선 전기에 국가 주도로 제작된 세계 지도로 조선을 상대적으로 크게 표현해 우리 국토를 주체적으로 인식하였음을 알 수 있는 지도는?

____

(2) 경위선을 표현하였으며 중국도 조선과 마찬가지로 세계의 일부라는 인식을 표현한 지도는?

____

(3) 조선 중기에 민간에서 그려진 세계 지도로 도교 사상의 영향을 받아 상상의 나라가 표현되어 있는 지도는?

____

05 **다음 내용에서 설명하는 용어를 쓰시오.**

> 공간 정보, 통계 자료 등의 다양한 지리 정보를 컴퓨터를 활용하여 수집·입력·저장한 후 사용자의 요구에 따라 분석하여 공간적 의사 결정을 돕는 종합적인 정보 체계이다.

____

06 **다음 설명이 옳으면 ○, 틀리면 ×표 하시오.**

(1) 권역은 고정된 것이 아니며 이를 구분하는 목적과 지표에 따라 다양하게 설정된다. (   )

(2) 기능적 지표는 자연환경과 관련된 지표로 위치, 지형, 기후, 식생, 수륙 분포 등이 대표적인 사례이다. (   )

(3) 지표면 위에 권역의 경계를 명확하게 구분하기 어려우며, 권역의 경계에는 점이 지대가 나타나는 경우가 대부분이다. (   )

01 다음 중 지도에 대한 설명으로 옳지 않은 것은?

① 문자와 함께 오랫동안 사용된 의사소통 수단이다.
② 지표면을 일정한 비율로 줄인 후 평면에 나타낸다.
③ 특정 지리 정보를 강조한 왜곡된 지도가 만들어지기도 한다.
④ 객관성을 갖춰야 하므로 지도 제작자의 세계관을 담기 어렵다.
⑤ 지리적 인식의 확대는 지도에 표현된 지역 범위에 영향을 주었다.

02 자료는 어떤 지도에 대한 전시 내용의 일부이다. 밑줄 친 ㉠~㉣ 중 옳은 내용을 고른 것은?

〈기획 전시〉
- 명칭: 바빌로니아의 점토판 지도
- 특징: ㉠ 현존하는 가장 오래된 세계 지도

㉡ 세계를 평평한 원반 모양으로 표현하였다.
고대 오리엔트에서 사용하던 문자가 적혀 있다.
㉣ 원의 안쪽 중심에 고대 그리스·로마를 표현하였다.
㉢ 원 밖에 삼각형으로 방위를 표시하였다.

① ㉠, ㉡ ② ㉠, ㉢ ③ ㉡, ㉢
④ ㉡, ㉣ ⑤ ㉢, ㉣

03 다음 글의 (가) 지도에 대한 설명으로 옳은 것은?

> 고대 그리스 학자인 프톨레마이오스는 2세기경 지리학이라는 책을 집필하였으며, (가) 지도를 통해 고대 그리스·로마 시대의 지리적 인식을 표현하였다.

① 세계를 원형으로 표현하였다.
② 아메리카 대륙이 표현되어 있다.
③ 투영법을 활용하여 지도를 그렸다.
④ 지도의 위쪽에 종교적 이상향을 나타냈다.
⑤ 나침반을 활용한 항해에 편리한 도법을 사용하였다.

04 빈출 (가), (나) 지도에 대한 옳은 설명을 |보기|에서 고른 것은?

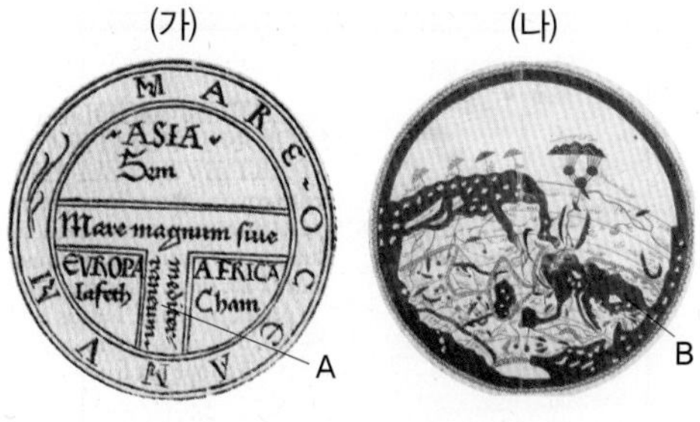
(가)
(나)
MARE OCEANVM
ASIA
Sem
Mare magnum sive
EVROPA
Iafeth
AFRICA
Cham
A
B

|보기|
ㄱ. (가)의 A와 (나)의 B는 지중해이다.
ㄴ. 지도의 위쪽이 (가)는 남쪽, (나)는 동쪽을 가리킨다.
ㄷ. (가)는 크리스트교, (나)는 이슬람교의 세계관을 담고 있다.
ㄹ. (가)와 (나)는 모두 지구를 구체(球體)로 인식하고 있다.

① ㄱ, ㄴ ② ㄱ, ㄷ ③ ㄴ, ㄷ
④ ㄴ, ㄹ ⑤ ㄷ, ㄹ

05 다음 지도에 대한 설명으로 옳은 것은?

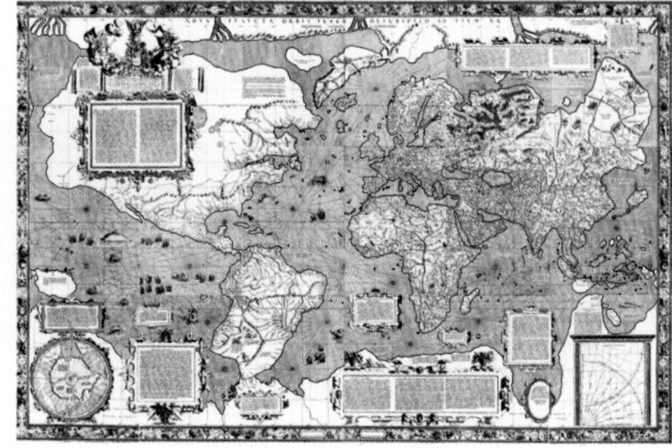

① 종교적 세계관이 반영되어 있다.
② 마테오 리치가 제작한 서양식 지도이다.
③ 항해에 유리한 직선 항로를 찾을 수 있다.
④ 고위도로 갈수록 면적이 축소되어 표현된다.
⑤ 최초로 경위선망을 사용하여 제작한 세계 지도이다.

06 다음은 수업의 한 장면이다. 발표한 내용이 적절한 학생만을 있는 대로 고른 것은?

다음 지도는 중국에서 제작된 지도입니다. 지도의 특징에 대해 발표해 볼까요?

보기

갑: 중화사상이 반영되었습니다.
을: 천원지방 사상을 살펴볼 수 있습니다.
병: 불교 성지가 지도의 중앙에 위치합니다.
정: 유럽과 아메리카 대륙이 표현되어 있습니다.

① 갑, 을 ② 갑, 병 ③ 병, 정
④ 갑, 을, 정 ⑤ 을, 병, 정

07 빈출 다음 지도에 대한 설명으로 옳지 않은 것은?

① 경도와 위도를 사용한 지도이다.
② 지도의 중앙에 대서양이 위치한다.
③ 중국이 실제와 유사한 크기로 그려졌다.
④ 마테오 리치가 제작한 서양식 세계 지도이다.
⑤ 아메리카를 비롯하여 미지의 남방 대륙이 표현되어 있다.

08  (가), (나) 지도에 대한 설명으로 옳은 것은?

(가)

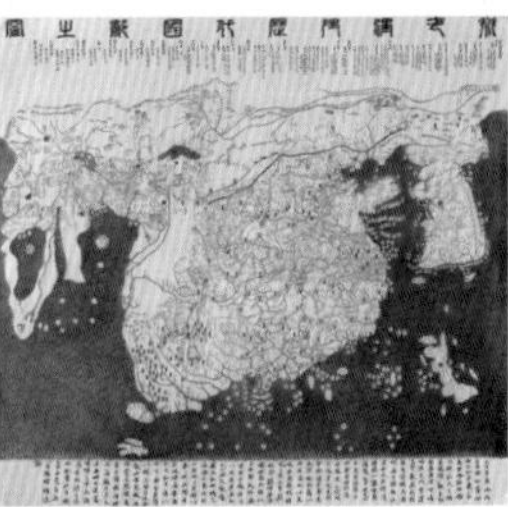

① (가)는 지구를 구체(球體)로 인식하고 있다.
② (나)에는 유럽과 아메리카 대륙이 표현되어 있다.
③ (가)는 (나)보다 제작된 시기가 이르다.
④ (가)와 (나)는 모두 중화사상을 반영하고 있다.
⑤ (가)는 국가 주도로, (나)는 민간 주도로 그려졌다.

09 다음 지도에 대한 옳은 설명을 |보기|에서 고른 것은?

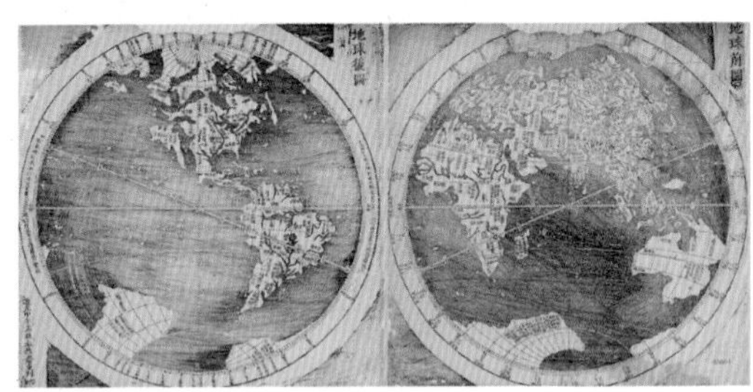

보기

ㄱ. 천원지방의 세계관을 반영하고 있다.
ㄴ. 목판본으로 제작되어 인쇄 후 유포되었다.
ㄷ. 경선과 위선이 직각으로 교차하여 각도 계산에 유리하다.
ㄹ. 구대륙과 신대륙을 동서 양반구로 구분하여 표현하였다.

① ㄱ, ㄴ ② ㄱ, ㄷ ③ ㄴ, ㄷ
④ ㄴ, ㄹ ⑤ ㄷ, ㄹ

10 (가) 지도와 비교한 (나) 지도의 상대적인 특징을 그림의 A~E에서 고른 것은?

(가) 카탈루냐 지도첩

(나) 전자 지도

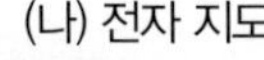

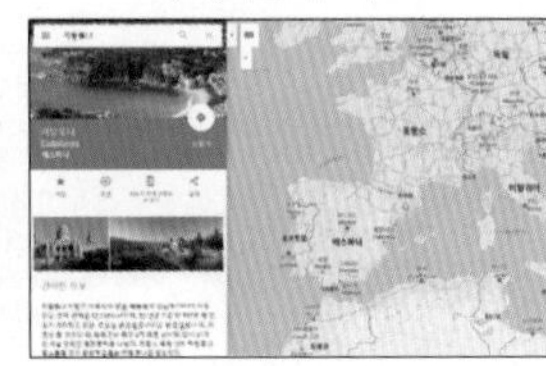

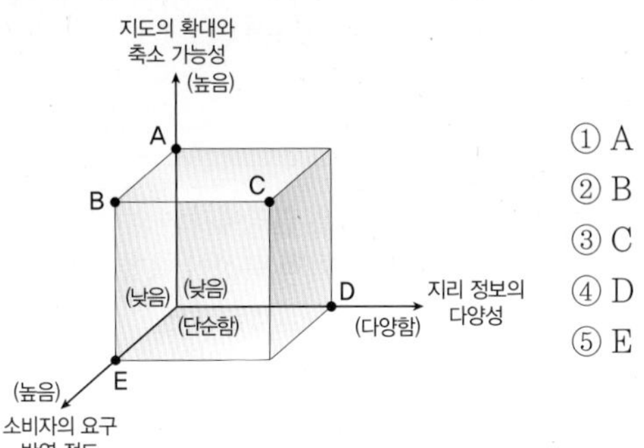

① A
② B
③ C
④ D
⑤ E

11 자료는 지리 정보의 수집 방법을 나타낸 것이다. 이와 같은 지리 정보 수집의 특징으로 옳은 것은?

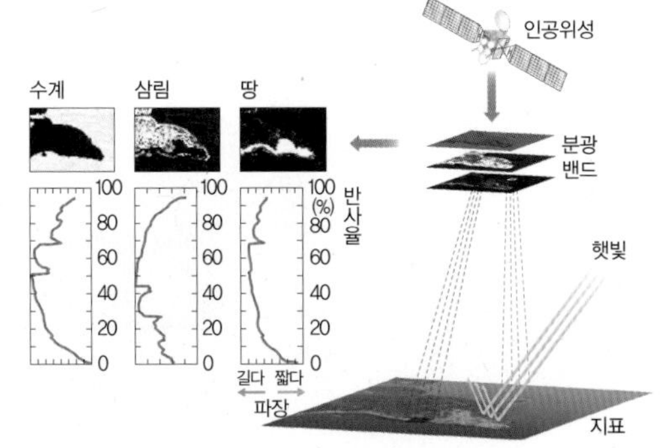

① 지역의 지명이나 행정 구역을 파악하기에 유리하다.
② 종이 지도에 지형이나 위치 등의 공간 정보를 기록한다.
③ 관측 대상과의 직접적인 접촉을 통한 지리 수집 방법이다.
④ 지역에 대한 지리 정보 수집에 비교적 오랜 시간이 걸린다.
⑤ 시간 흐름에 따른 지리적 변화를 주기적으로 파악할 수 있다.

12 다음은 뉴욕에 대한 학생의 조사 내용이다. (가), (나) 지리 정보의 유형을 옳게 연결한 것은?

가보고 싶은 도시 – 〈뉴욕〉

뉴욕은 북위 40°, 서경 74°에 위치하며 (가) 미국 북동부, 뉴욕주의 남쪽 끝에 있는 도시이다. 뉴욕의 (나) 면적은 1,214.4km^{2}이며 인구는 2014년 기준 약 840만 명이라고 한다.

	(가)	(나)
①	공간 정보	속성 정보
②	공간 정보	관계 정보
③	속성 정보	공간 정보
④	속성 정보	관계 정보
⑤	관계 정보	속성 정보

13 빈출 다음은 지리 정보 시스템을 활용한 세계 지도이다. 이를 보고 지리 정보 시스템의 특징을 |보기|에서 고른 것은?

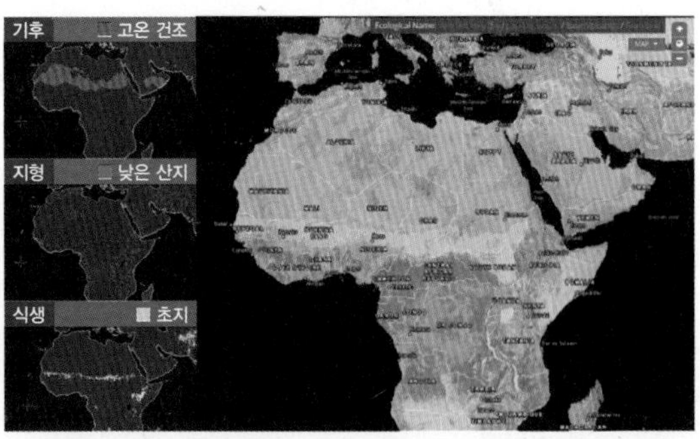

보기

ㄱ. 정보의 대부분이 종이 상태로 수정 및 축적된다.
ㄴ. 누구나 쉽게 적은 비용으로 시스템을 구축할 수 있다.
ㄷ. 여러 장의 지도를 중첩하여 최적 입지를 선정할 수 있다.
ㄹ. 다양한 지리 정보를 검색하고 분석하는 시간이 단축될 수 있다.

① ㄱ, ㄴ ② ㄱ, ㄷ ③ ㄴ, ㄷ
④ ㄴ, ㄹ ⑤ ㄷ, ㄹ

14 다음은 학생이 권역과 관련된 내용을 목차별로 정리한 것이다. (가)~(마)의 세부 내용으로 옳지 않은 것은?

〈권역의 의미와 특징〉
1. 권역의 의미 ······ (가)
2. 권역의 특징 ······ (나)
3. 권역의 구분 지표
 (1) 자연적 지표 ······ (다)
 (2) 문화적 지표 ······ (라)
 (3) 기능적 지표 ······ (마)

① (가)-자연적·인문적 요소를 종합하여 구분하는 공간 단위이다.
② (나)-동일한 권역 내에는 국가와 관계없이 일정한 모습이 나타난다.
③ (다)-위치, 지형, 기후, 수륙 분포 등과 관련된 지표이다.
④ (라)-세계의 전통 가옥 구분이 대표적인 사례이다.
⑤ (마)-중심지와 배후지가 나타나는 지표이다.

15 지도는 세계의 식생 분포에 따른 권역 구분을 나타낸 것이다. 이에 대한 옳은 설명을 |보기|에서 고른 것은?

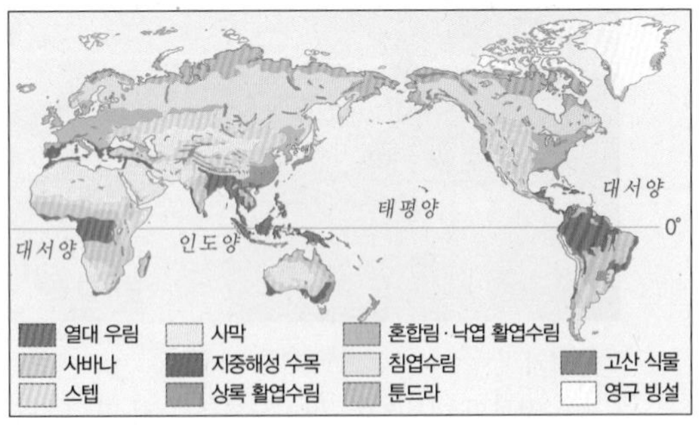

| 보기 |
ㄱ. 동질 지역에 따른 권역 구분에 해당한다.
ㄴ. 자연적 지표를 기준으로 세계를 구분한 것이다.
ㄷ. 국가 단위의 지리 정보를 토대로 한 권역 구분이다.
ㄹ. 절대적인 기준에 의한 구분으로 범위가 고정되어 있다.

① ㄱ, ㄴ ② ㄱ, ㄷ ③ ㄴ, ㄷ
④ ㄴ, ㄹ ⑤ ㄷ, ㄹ

16 다음 지도의 권역 구분에 대한 옳은 설명을 |보기|에서 고른 것은?

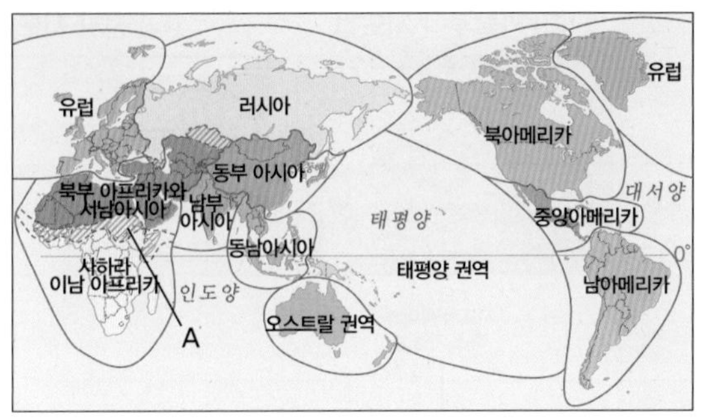

| 보기 |
ㄱ. 대양의 도서 지역은 권역에서 제외하였다.
ㄴ. 위치적 특성과 문화적 특성이 복합적으로 반영되었다.
ㄷ. 빗금 친 A는 인접한 두 권역의 특성이 함께 나타난다.
ㄹ. 시간에 따른 권역의 변화 모습을 파악하기에 유리하다.

① ㄱ, ㄴ ② ㄱ, ㄷ ③ ㄴ, ㄷ
④ ㄴ, ㄹ ⑤ ㄷ, ㄹ

17 지도는 아메리카의 권역 구분과 관련된 것이다. 이에 대한 설명으로 옳은 것은?

① (가)와 (나)의 경계는 리오그란데강이다.
② (가)와 (나)의 구분은 지리적 기준에 따른 구분이다.
③ (다)와 (라)의 구분은 사회·경제적 요소를 기준으로 한 것이다.
④ (가)~(라)는 문화적 기준으로 하나의 권역으로 인식되기도 한다.
⑤ 멕시코는 북서부 유럽 문화의 영향을 받은 지역에 해당한다.

서술형 문제

18 다음 자료는 세계의 고지도를 나타낸 것이다. 이를 보고 물음에 답하시오.

(가) (나)

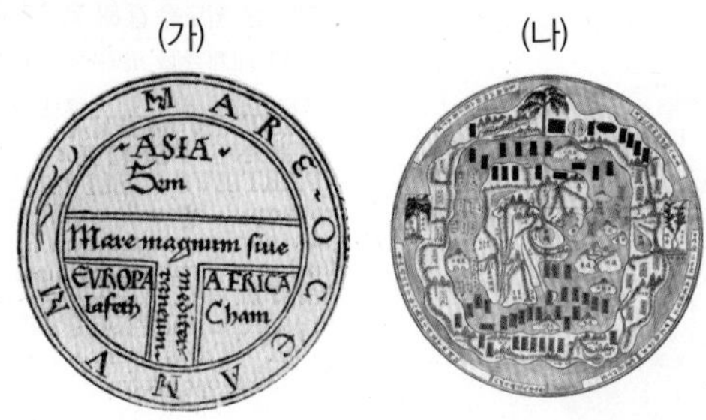

(1) (가), (나) 지도에 영향을 미친 종교를 쓰시오.

(2) (가), (나) 지도의 중심에 위치한 지역을 쓰고, 그와 같이 표현된 배경을 각각 서술하시오.

서술형 문제

19 (가), (나) 지도의 명칭을 쓰고, 아래 제시어를 참고하여 공통점과 차이점을 서술하시오.

(가) (나)

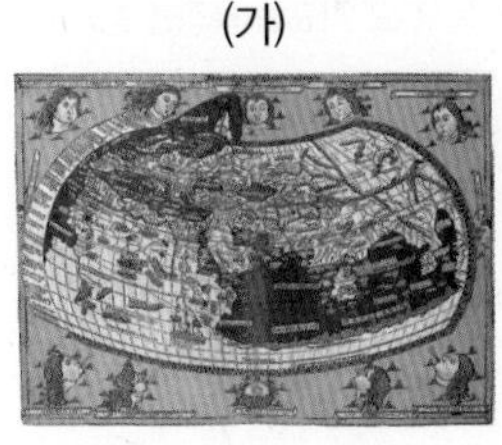

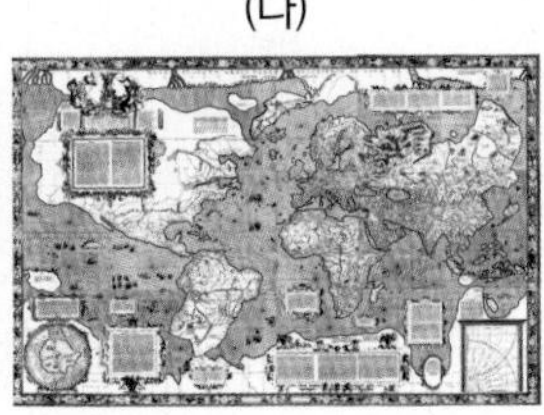

• 경선 • 위선 • 항해 • 직교
• 나침반 • 지리적 인식 범위

서술형 문제

20 다음 자료는 일상생활에서 사용하고 있는 지리 정보 시스템을 나타낸 것이다. 이를 보고 물음에 답하시오.

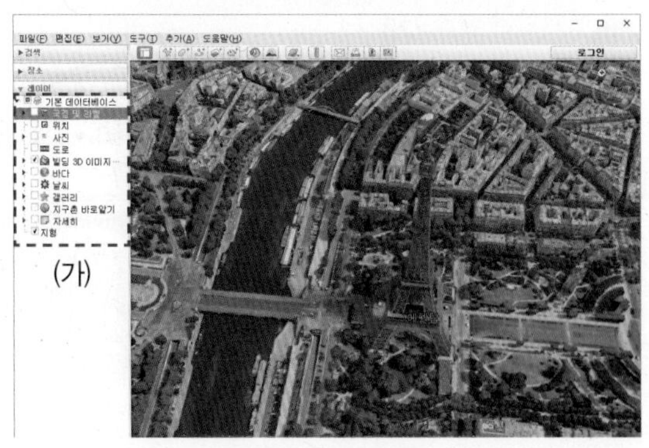

(1) (가)와 같이 다양한 지리 정보를 선택하여 최적의 조건을 만족하는 지역을 선정하는 지리 정보 체계의 분석 방법을 쓰시오.

(2) 표현된 지리 정보의 양과 자료의 수정 가능성 측면에서 오늘날의 세계 지도와 옛 세계 지도를 비교하여 서술하시오.

서술형 문제

21 다음 지도는 세계지리 교과의 권역 구분을 나타낸 것이다. 이를 보고 물음에 답하시오.

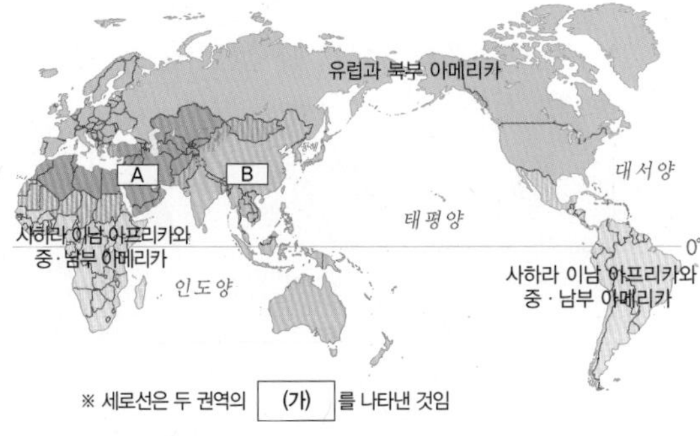

※ 세로선은 두 권역의 (가) 를 나타낸 것임

(1) A, B 권역의 명칭을 쓰시오.

(2) (가)에 들어갈 용어를 쓰고 그 의미를 서술하시오.

3단계 내신 만점 도전하기

정답과 해설 ▸ 5쪽

01 (가)~(다) 지도에 대한 설명으로 옳은 것은?

(가) (나) (다)

① (가)에는 경위선망이 그려져 있다.
② (나)는 지도의 아래쪽이 북쪽을 가리킨다.
③ (다)는 도교 사상의 영향을 받아 제작되었다.
④ (가)는 (나)보다 제작 시기가 늦다.
⑤ (가)~(다)는 모두 지구를 구체(球體)로 인식하여 제작되었다.

문제 접근 방법
제시된 지도를 통해 동서양의 고지도에 담긴 세계관을 파악하고 지도에 표현된 지리 정보를 토대로 지도별 특징을 살펴보도록 한다.

내신 전략
동서양의 고지도를 시기별로 분류한 후 각 고지도의 특징을 정리해 둔다.

02 (가), (나) 권역 구분에 대한 옳은 설명만을 |보기|에서 있는 대로 고른 것은?

(가) (나)

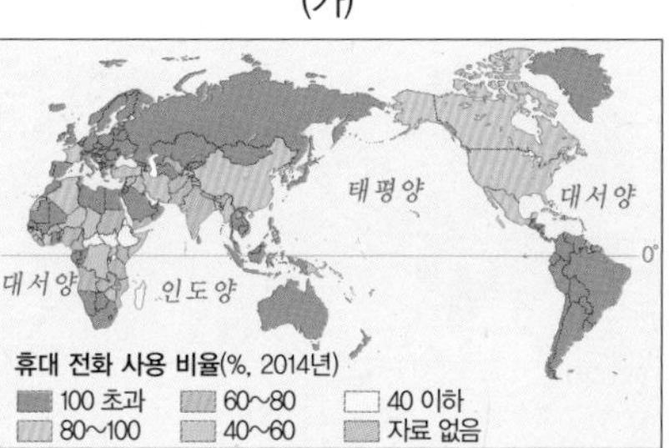

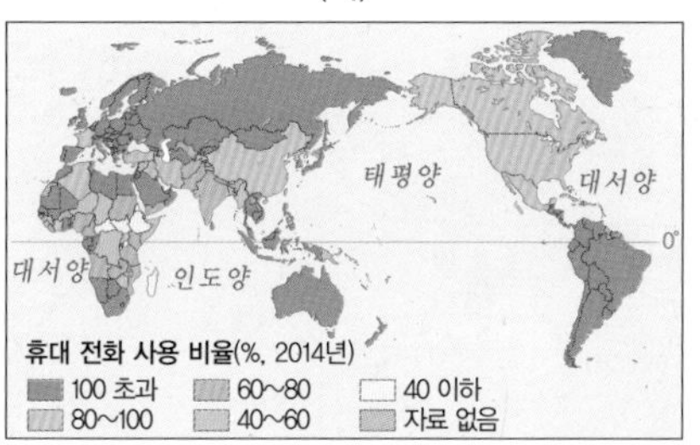

※ 100초과는 1인당 1개 이상의 휴대 전화를 사용하는 것을 의미함 (구드 세계 지도, 2017)

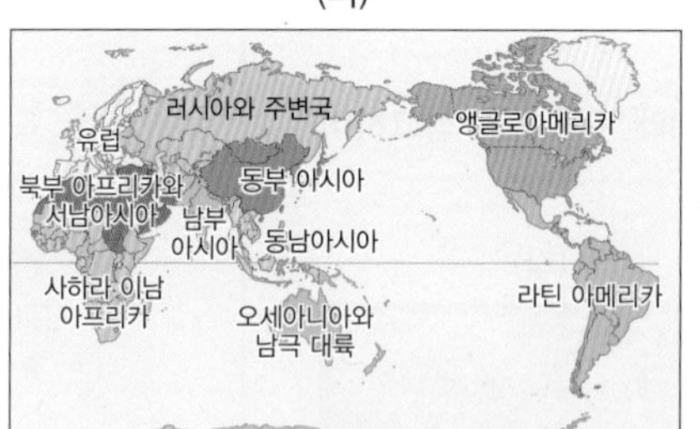

(『세계 지리, 경계에서 권역을 보다』, 2015)

보기
ㄱ. (가)는 국가 단위의 정보를 토대로 한 지역 구분이다.
ㄴ. (나)는 각 권역을 더 세분하여 하위 권역으로 나눌 수 있다.
ㄷ. (가)보다 (나) 권역 구분의 지표가 더 복합적이다.
ㄹ. (가)와 (나)는 모두 기능적 지표를 반영한 권역 구분이다.

① ㄱ, ㄴ ② ㄱ, ㄹ ③ ㄷ, ㄹ
④ ㄱ, ㄴ, ㄷ ⑤ ㄴ, ㄷ, ㄹ

문제 접근 방법
세계의 권역 구분과 관련하여 권역을 구분하는 주요 지표의 특징을 분석하여 문제를 해결한다.

내신 전략
권역의 의미와 특징 및 권역을 구분하는 주요 지표의 특징을 정리해 둔다.

2020학년도 수능

01 (가)~(다) 지도의 특징을 그림의 A~C에서 고른 것은?

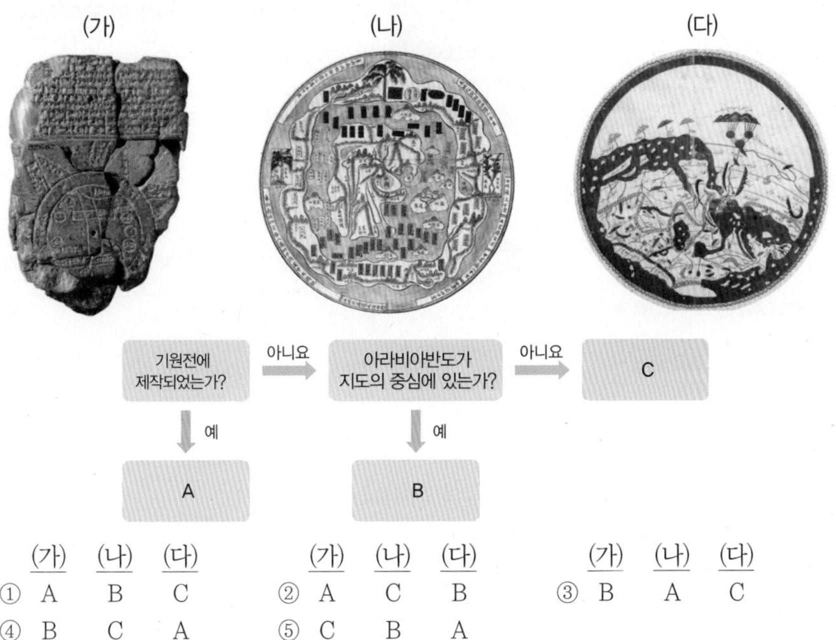

	(가)	(나)	(다)
①	A	B	C
②	A	C	B
③	B	A	C
④	B	C	A
⑤	C	B	A

출제 개념

동서양의 고지도

자료 해설

(가)는 바빌로니아 점토판 지도, (나)는 중화사상과 도교 사상이 반영된 천하도, (다)는 중세 이슬람교 세계관을 반영한 알 이드리시 지도이다.

해결 비법

각 지도별 특징을 물어보거나 서로 비교하는 내용을 물어보는 문제는 반드시 출제되므로 철저하게 대비해 둔다.

2016학년도 9월 모의평가

02 다음 조건을 고려하여 여성 교육을 위한 국제 기금을 한 국가에 지원하고자 한다. 조건에 부합하는 국가를 지도의 A~E에서 고른 것은?

〈조건〉 평가 항목별 배점 기준은 다음과 같으며, 점수의 합이 가장 큰 국가를 지원함

영아 사망률(%)	점수
60 이상	3
30~60	2
30 미만	1

1인당 국내 총생산(달러)	점수
10,000 이상	1
5,000~10,000	2
5,000 미만	3

여성 문자 해득률(%)	점수
80 이상	1
60~80	2
60 미만	3

〈국가별 평가 자료〉

구분 / 국가	영아 사망률(%)	1인당 국내 총생산(달러)	여성 문자 해득률(%)
알제리	21.7	7,500	63.9
이집트	22.4	6,600	65.8
리비아	11.8	11,300	83.3
나이지리아	74.0	2,800	50.4
탄자니아	43.7	1,700	60.8

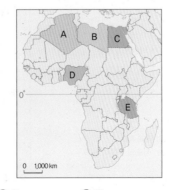

A
B
C
D
0°
E
0 1,000 km

① A ② B ③ C ④ D ⑤ E

출제 개념

지리 정보 시스템

자료 해설

제시된 자료는 다양한 지리 정보를 활용하여 국제 기금을 제공할 최적의 국가를 선정하는 것이다. 이와 같은 분석 시 컴퓨터를 활용한 지리 정보 시스템을 이용하면 편리하게 값을 구할 수 있다.

해결 비법

각 국가별 평가 점수를 별도의 표로 정리하여 최적의 입지를 파악하는 것이 유리하다.

핵심 개념 정리하기

1 세계화와 지역화

1. 교통 통신의 발달에 따른 세계의 변화

교통 발달	접근성 향상, 시간 거리 및 비용 거리 단축 → 사람 및 물자의 교류 증대
통신 발달	물리적 거리에 대한 제약 감소, 다른 지역의 정보를 실시간으로 파악 → 지역 간 교류 및 정보 획득에 유리

2. 세계화와 지역화

(1) 세계화와 지역화의 의미와 특징

세계화	• 정치·경제·사회·문화 등의 활동 범위가 전 세계적으로 확대되는 흐름과 현상 • 국가 간 경계를 넘나드는 사람, 물자, 정보의 교류 증대 → 국제 경쟁 및 협력과 분업 활발, 상호 의존성 증대
지역화	• 하나의 지역이 경제적·문화적 정치적 측면에서 세계적인 가치를 갖게 되는 현상 • 지역 주민들의 참여를 바탕으로 외부에 대한 의존을 줄이고 지역 스스로 세계적 경쟁력을 갖추고자 함

(2) **세계화의 부정적 영향** 국가 빈부 격차 심화, 전통문화 변질, 전통문화와 외부 문화의 갈등 발생 등

2 고지도에 나타난 세계관과 지리 정보

1. 서양의 세계 인식

(1) 고대의 세계 지도

바빌로니아의 점토판 지도	• 현존하는 세계에서 가장 오래된 세계 지도 • 바다로 둘러싸인 육지의 중심에 바빌론이 위치
프톨레마이오스의 세계 지도	• 그리스·로마 시대 지도 제작 기술의 집대성 • 경위선의 개념, 투영법 사용

(2) 중세의 세계 지도

티오(TO) 지도	• 크리스트교적 세계관, 원형의 세계 지도 • 지도의 중심에 예루살렘 위치, 지도의 위쪽이 동쪽
알 이드리시의 세계 지도	• 이슬람교적 세계관, 아라비아반도·유럽 등 표현 • 지도의 중심에 메카 위치, 지도의 위쪽이 남쪽

(3) 15세기 이후의 세계 지도

대항해 시대의 세계 지도	유럽 열강의 탐험과 무역 → 아메리카 및 오세아니아가 지도에 표현되기 시작
메르카토르의 세계 지도	경선과 위선을 직선으로 표현 → 직선 항로의 파악이 가능하여 나침반을 이용한 항해에 편리

2. 동양의 세계 인식

(1) 중국의 세계 인식

전통적 인식	일찍부터 지도 제작 기술이 발달하였으나 지리적 인식은 중국에 한정됨 → 중화사상이 지도에 반영 예 화이도, 대명혼일도 등
15세기	정화의 항해 이후 인도양과 아프리카까지 지리적 인식 확대
17세기	서양의 경위도 원리와 서구식 세계 지도를 도입 → 곤여만국전도가 소개되면서 유럽과 아프리카까지 지리적 인식 확장

(2) 우리나라의 세계 인식

혼일강리역대국도지도	• 현존하는 우리나라에서 가장 오래된 세계 지도 • 중화사상 반영, 아시아·유럽·아프리카 등 표현
천하도	도교의 영향으로 상상적 세계관 표현, 중화사상 반영
지구전후도	• 조선 후기 실학자 최한기에 의해 제작됨 • 중화사상을 극복한 사실적 세계 지도

3 세계의 권역 구분

1. 권역 구분 지표

(1) **권역** 자연적·인문적 요소를 종합하여 구분하는 공간 단위

(2) 권역의 구분 지표

자연적 지표	기후, 지형, 식생, 토양 등으로 권역 구분
문화적 지표	언어, 민족, 종교, 정치 체제, 사회 조직, 생활 양식 등으로 권역 구분
기능적 지표	중심지와 그 영향력이 미치는 배후지의 공간적 범위 등으로 권역 구분
역사적 지표	시간에 따른 변화로 권역 구분

2. 다양한 세계의 권역

(1) 다양한 권역 구분

① 세계의 권역 구분 경계는 고정되지 않고 계속 변화함

② 다양한 지표를 복합적으로 적용할 수 있음

(2) **권역의 경계** 권역의 경계를 명확하게 구분하기 어려우며, 점이 지대가 나타나는 경우가 대부분임

핵심 개념 적용하기

01 자료의 (가)에 들어갈 용어로 적절한 것을 |보기|에서 고른 것은?

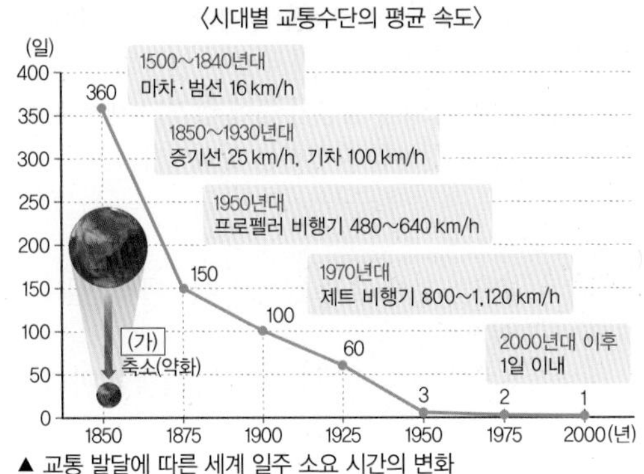

▲ 교통 발달에 따른 세계 일주 소요 시간의 변화

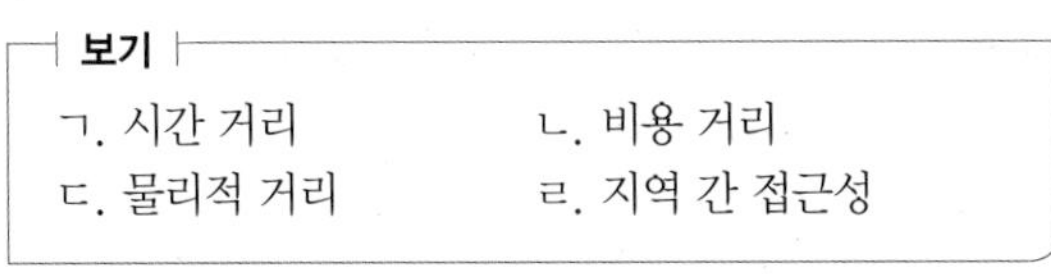
|보기|
ㄱ. 시간 거리 ㄴ. 비용 거리
ㄷ. 물리적 거리 ㄹ. 지역 간 접근성

① ㄱ, ㄴ ② ㄱ, ㄷ ③ ㄴ, ㄷ
④ ㄴ, ㄹ ⑤ ㄷ, ㄹ

02 다음 글의 ㉠~㉤에 대한 설명으로 옳은 것은?

> ㉠ 세계화의 진행은 여러 분야에 걸쳐 다양한 양상으로 나타나고 있다. ㉡ 경제적 측면에서는 자본과 노동력 등 생산 요소의 국제 이동이 이전보다 자유로워지면서 ㉢ 다국적 기업의 활동이 크게 확대되고 있다. ㉣ 문화적 측면에서는 세계 여러 지역의 음악, 영화, 음식 등 문화 요소가 교류되고 있다. 하지만 이러한 세계화의 영향으로 ㉤ 다양한 문제가 발생하고 있으며 이를 해결하기 위한 방안이 모색되고 있다.

① ㉠-국경의 의미가 강화되고 있다.
② ㉡-국가 간 경제적 격차가 줄어들었다.
③ ㉢-생산 공장은 주로 선진국의 대도시에 입지한다.
④ ㉣-새로운 문화의 창조로 세계 문화가 더욱 풍부해졌다.
⑤ ㉤-세계 각 지역의 정체성이 강화되었다.

03 다음은 학생들이 스무고개를 하는 내용의 일부이다. (가)에 들어갈 가장 적절한 내용은?

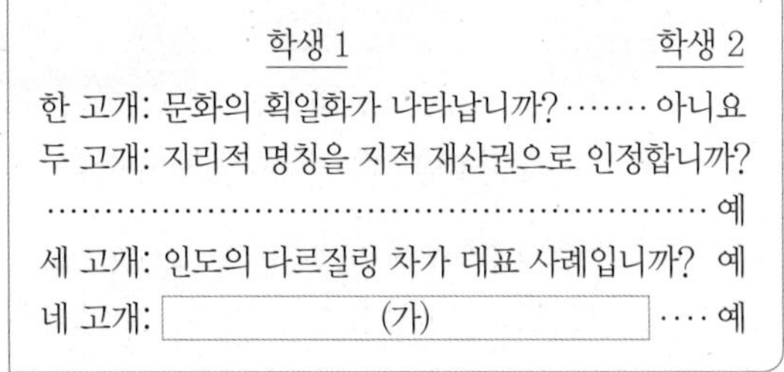
학생 1 학생 2
한 고개: 문화의 획일화가 나타납니까? ······· 아니요
두 고개: 지리적 명칭을 지적 재산권으로 인정합니까? ······· 예
세 고개: 인도의 다르질링 차가 대표 사례입니까? 예
네 고개: (가) ···· 예

① 브라질의 리우 카니발도 동일한 사례입니까?
② 생산의 전문화와 분업화가 중요한 요소입니까?
③ 주로 다국적 기업에서 생산된 제품을 판매합니까?
④ 지역 간 경제적 불평등을 심화시키는 데 큰 영향을 줍니까?
⑤ 지리적 특성이 반영된 생산물을 인정하는 제도입니까?

04 (가), (나) 지도의 특징을 그림의 A~D에서 고른 것은?

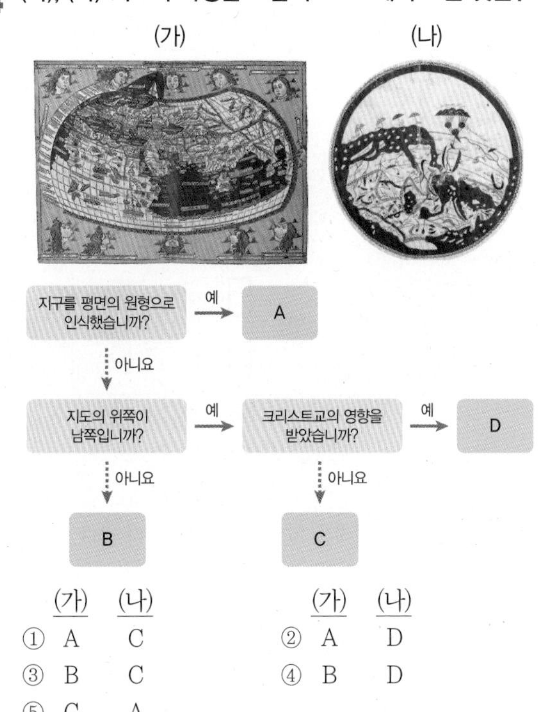

	(가)	(나)
①	A	C
②	A	D
③	B	C
④	B	D
⑤	C	A

05 (가)~(다) 지도에 대한 설명으로 옳은 것은?

(가) (나) (다)

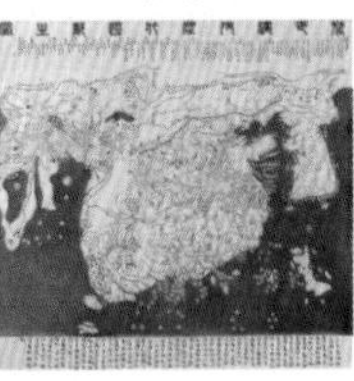

① (가)는 경도와 위도의 개념을 적용하였다.
② (나)는 지도의 아래쪽이 동쪽이다.
③ (다)는 중화사상의 영향을 받아 제작되었다.
④ (나) → (가) → (다) 순으로 지도가 제작되었다.
⑤ (가)~(다)에는 모두 아메리카 대륙이 표현되어 있다.

06 지도는 메르카토르 도법을 이용하여 국가별 1인당 GDP를 나타낸 것이다. 이에 대한 옳은 설명을 |보기|에서 고른 것은?

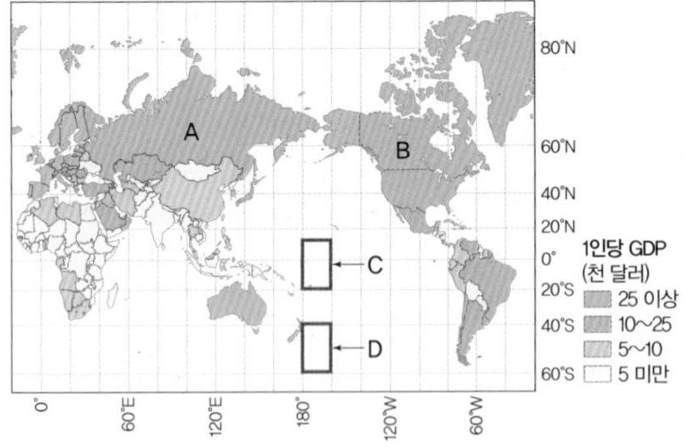

보기
ㄱ. 1인당 GDP는 A 국가가 B 국가보다 많다. ㄴ. 실제 면적은 지도상의 C가 D보다 넓다. ㄷ. 지도의 도법은 항해도 제작에 이용되었다. ㄹ. 자연적 지표를 중심으로 권역을 구분한 사례이다.

① ㄱ, ㄴ ② ㄱ, ㄷ ③ ㄴ, ㄷ
④ ㄴ, ㄹ ⑤ ㄷ, ㄹ

07 지리 정보 수집 방식 (가), (나)에 대한 옳은 설명을 |보기|에서 고른 것은?

(가) 실내 조사에서 정리된 지리 정보를 확인하고 보완하기 위해 계획된 경로를 따라 현장을 직접 방문하여 지리 정보를 수집하는 방식이다.
(나) 지표면으로부터 반사 또는 방출되는 에너지를 인공위성이나 항공기 등에 탑재된 센서로 감지하여 지리 정보를 수집하는 방식이다.

보기
ㄱ. (가)의 주요 조사 방법으로는 관찰, 실측, 면담이 있다. ㄴ. (나)의 활용 사례로 아마존 열대림 파괴 범위 파악 등을 들 수 있다. ㄷ. 여행지의 만족도 조사에는 (나)가 (가)보다 적합하다. ㄹ. (가)는 (나)보다 지리 정보 수집에 활용되기 시작한 시기가 늦다.

① ㄱ, ㄴ ② ㄱ, ㄷ ③ ㄴ, ㄷ
④ ㄴ, ㄹ ⑤ ㄷ, ㄹ

08 자료는 문화적 특성을 고려한 권역 구분을 나타낸 것이다. 이에 대한 옳은 설명만을 |보기|에서 있는 대로 고른 것은?

(『휴먼 지오그래피』, 2013)

보기
ㄱ. 기능적 지표를 중심으로 권역이 구분되었다. ㄴ. 권역의 경계에는 점이 지대가 나타날 것이다. ㄷ. 아메리카 문화권은 규모를 달리하는 권역으로 세분되었다. ㄹ. 각 권역은 종교, 언어, 민족 등의 특징이 유사하게 나타난다.

① ㄱ, ㄴ ② ㄱ, ㄷ ③ ㄴ, ㄷ
④ ㄱ, ㄴ, ㄷ ⑤ ㄴ, ㄷ, ㄹ

지리적 역량 기르기

정답과 해설 ▸ 6쪽

❖ 최근 전 세계적으로 세계화가 급속도로 진전되고 있다. 이에 따라 여러 분야에 걸쳐 다양한 양상의 세계화를 경험할 수 있다. 다음은 세계화와 관련된 음식 문화를 설명한 글이다. 다음 글을 읽고 자신의 생각을 정리해 보자.

카레는 어느 나라의 음식일까? 이 질문의 답은 생각만큼 간단하지 않다. 카레의 기원지는 인도이지만 이것이 여러 나라를 거치면서 나름의 방식으로 변형되었기 때문이다. 원래 카레는 향신료(마살라)를 넣고 고기, 생선, 채소 등을 끓인 스튜를 모두 가리키는 말이었다. 인도에서는 '카릴' 또는 '카리'라고 불렀는데, 영국이 인도를 식민 지배하였던 시기에 이를 자국에 소개하면서 '커리'라고 부르게 되었다. 영국에서는 인도식 닭고기 요리의 퍽퍽함을 줄이기 위해 크림이나 우유를 넣었으며 이러한 커리가 대중 음식이 되었다.

한편 일본은 근대화 과정에서 영국의 해군 제도를 모방했는데, 병사들의 식단에 카레와 빵이 있는 것도 그대로 도입하였다. 그러나 쌀이 주식인 일본에서 빵이라는 음식에 거부감을 느낀 일본 병사들이 커리에 밀가루와 물을 섞어 밥에 비벼 먹는 형태로 변형하였다. 이렇게 변형된 커리는 이름이 '카레'로 바뀌면서 일본의 대중 음식이 되었다. 이후 우리나라에도 일본식 카레가 도입되었다. 카레를 물에 잘 녹는 덩어리로 제조하였던 일본의 기술을 참고하여 가루로 된 한국식 카레를 개발하였다. 간편하게 조리해 먹을 수 있는 카레는 우리나라에서도 대중적인 음식이 되었다.

▲ 인도식 카릴(카리)

▲ 영국식 커리

▲ 일본식 카레

더 알아보기

세계화로 인해 다양한 문화가 유입되면서 새로운 문화가 창출될 수 있다. 하지만 새로운 문화가 창출되면서 전통문화와의 갈등이 나타날 수 있음을 이해한다.

문제 해결 길잡이

세계화에 영향을 준 요소들을 다각적으로 살펴보고 이와 관련된 현상과 문제점을 다양한 관점에서 살펴보고 제시해야 한다. 한편 우리나라 음식 문화를 세계에 전파하기 위한 자신만의 전략을 세울 때에는 국수주의적 관점을 지양하고 세계인들의 공감을 얻을 수 있도록 하는 것이 중요하다.

01 카레의 세계화에 영향을 준 요소를 생각해 보고 이와 같이 문화가 변용된 사례가 증가할 때 나타날 수 있는 현상과 문제점에 대해 정리해 보자.

(1) 영향을 준 요소

(2) 현상

(3) 문제점

02 위의 사례처럼 우리나라의 음식 문화를 세계에 전파하기 위한 자신만의 전략을 세워 보자.

대단원 2

세계의 자연환경과 인간 생활

주제 4 열대 기후의 특징	쪽수	계획일	완료일	목표 달성도
Day 01 개념 정리, 핵심 자료 특강	38 ~ 41쪽	월 일	월 일	☆☆☆☆☆
Day 02 개념 익히기, 내신 유형 익히기	42 ~ 45쪽	월 일	월 일	☆☆☆☆☆
Day 03 내신 만점 도전하기, 수능 유형 익히기	46 ~ 47쪽	월 일	월 일	☆☆☆☆☆

주제 5 온대 기후의 지역적 차이	쪽수	계획일	완료일	목표 달성도
Day 04 개념 정리, 핵심 자료 특강	48 ~ 51쪽	월 일	월 일	☆☆☆☆☆
Day 05 개념 익히기, 내신 유형 익히기	52 ~ 55쪽	월 일	월 일	☆☆☆☆☆
Day 06 내신 만점 도전하기, 수능 유형 익히기	56 ~ 57쪽	월 일	월 일	☆☆☆☆☆

학습 계획표

- 자신의 일정에 맞게 계획을 세우고, 실제 학습일을 적어 봅시다.
- 학습을 마무리한 후 스스로가 얼마나 학습 목표를 달성하였는지 점검해 봅시다.

주제 6 건조 기후와 냉·한대 기후	쪽수	계획일	완료일	목표 달성도
Day 07 개념 정리, 핵심 자료 특강	58~63쪽	월 일	월 일	☆☆☆☆☆
Day 08 개념 익히기, 내신 유형 익히기	64~69쪽	월 일	월 일	☆☆☆☆☆
Day 09 내신 만점 도전하기, 수능 유형 익히기	70~71쪽	월 일	월 일	☆☆☆☆☆

주제 7 세계의 대지형	쪽수	계획일	완료일	목표 달성도
Day 10 개념 정리, 핵심 자료 특강	72~73쪽	월 일	월 일	☆☆☆☆☆
Day 11 개념 익히기, 내신 유형 익히기	74~77쪽	월 일	월 일	☆☆☆☆☆
Day 12 내신 만점 도전하기, 수능 유형 익히기	78~79쪽	월 일	월 일	☆☆☆☆☆

주제 8 독특하고 특수한 지형들	쪽수	계획일	완료일	목표 달성도
Day 13 개념 정리, 핵심 자료 특강	80~83쪽	월 일	월 일	☆☆☆☆☆
Day 14 개념 익히기, 내신 유형 익히기	84~87쪽	월 일	월 일	☆☆☆☆☆
Day 15 내신 만점 도전하기, 수능 유형 익히기	88~89쪽	월 일	월 일	☆☆☆☆☆
Day 16 대단원 마무리하기, 지리 역량 기르기	90~93쪽	월 일	월 일	☆☆☆☆☆

주제 4

열대 기후의 특징

교과서 30~35쪽

주제 흐름 읽기

기후 요인		
	위도	고위도로 갈수록 태양 에너지 분산 → 기온 낮아짐
	지리적 위치, 수륙 분포	중위도의 연교차: 대륙 내부>대륙 동안>대륙 서안
	지형과 해발 고도	고도가 높아지면 기온이 낮아짐 바람받이 사면은 강수량이 많음
	해류	난류의 영향을 받으면 따뜻하고, 한류의 영향을 받으면 기온이 낮아짐

쾨펜의 기후 구분			
	수목 기후	열대	열대 우림, 열대 몬순, 사바나
		온대	지중해성, 온대 겨울 건조, 온난 습윤, 서안 해양성
		냉대	냉대 습윤, 냉대 겨울 건조
	무수목 기후	건조	스텝, 사막
		한대	툰드라, 빙설

1 세계의 기후 구분

1. 기후와 기후 요인

(1) **기후의 의미** 일정 지역에서 장기간에 걸쳐 관측된 평균적이고 종합적인 대기의 상태

(2) **기후 요소와 기후 요인**

① 기후 요소: 기후를 표현하는 구성 요소 예 기온, 강수, 바람 등

② 기후 요인: 기후 요소에 영향을 미쳐 기후의 지역 차이를 가져오는 원인 예 위도, 지리적 위치, 수륙 분포, 지형, 해발 고도, 해류 등

2. 기후 요인에 따른 기후의 차이

(1) **위도❶** 자료 1

① 저위도에서 고위도로 가면서 열대 · 온대 · 냉대 · 한대 기후가 차례대로 나타남

저위도에서 고위도로 갈수록 단위 면적당 받는 태양 에너지가 분산되어 기온이 낮아지기 때문이야.

② 위도에 따른 기압 배치의 차이로 탁월풍과 강수가 위도별로 다르게 분포함

(2) **지리적 위치와 수륙 분포** 중위도 지역에서 대륙 내부의 기온의 연교차가 가장 크고, 대륙 동안이 서안보다 기온의 연교차가 큼

(3) **지형과 해발 고도** 해발 고도가 높아질수록 기온이 낮아짐, 바람받이 사면은 강수량이 많으나 비그늘(바람의지 사면) 지역은 강수량이 적음

바람이 부딪쳐 공기가 상승하는 바람받이 사면은 비가 내리고, 바람이 산을 타고 내려가며 하강하는 비그늘 지역은 건조해.

(4) **해류❷** 난류의 영향을 받으면 기온이 높아지고, 한류의 영향을 받으면 기온이 낮아지며 공기의 상승이 일어나지 않아 건조 기후가 나타나기도 함

3. 쾨펜의 기후 구분 자료 2

	기후대	기본 구분	세부 구분	
수목 기후	열대 기후(A)	최한월 평균 기온 18℃ 이상	열대 우림 기후(Af)	f: 연중 습윤 s: 여름 건조 w: 겨울 건조 m: 계절풍 기후
			열대 몬순 기후(Am)	
			사바나 기후(Aw)	
	온대 기후(C)	최한월 평균 기온 −3~18℃	지중해성 기후(Cs)	
			온대 겨울 건조 기후(Cw)	
			온난 습윤 기후(Cfa)	
			서안 해양성 기후(Cfb)	
	냉대 기후(D)	최한월 평균 기온 −3℃ 미만 / 최난월 평균 기온 10℃ 이상	냉대 습윤 기후(Df)	
			냉대 겨울 건조 기후(Dw)	
무수목 기후	건조 기후(B)	연 강수량 500mm 이하	스텝 기후(BS)	S: 연 강수량 250~500mm
			사막 기후(BW)	W: 연 강수량 250mm 미만
	한대 기후(E)	최난월 평균 기온 10℃ 미만	툰드라 기후(ET)	T: 최난월 평균 기온 0~10℃
			빙설 기후(EF)	F: 최난월 평균 기온 0℃ 미만

수목 기후는 나무가 자라는 기후를 의미해.

❶ 위도에 따른 태양 에너지의 입사각

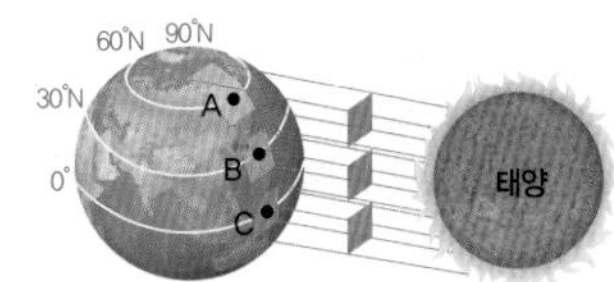

▲ 저위도 지역은 태양 에너지가 좁은 면적에 집중되어 기온이 높으나, 고위도로 갈수록 동일한 태양 에너지가 넓은 면적에 분산되므로 기온이 낮아진다.

❷ 해류에 따른 기온 차이

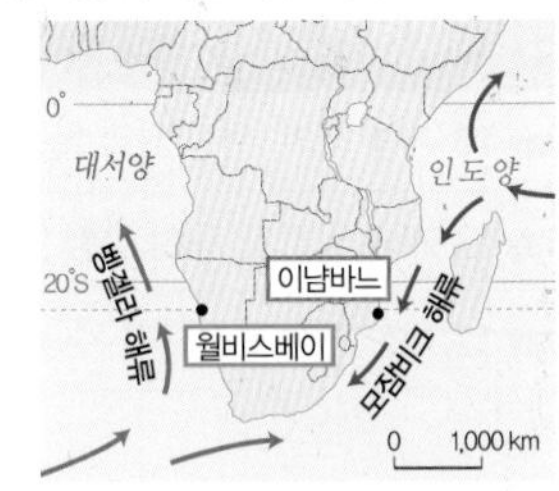

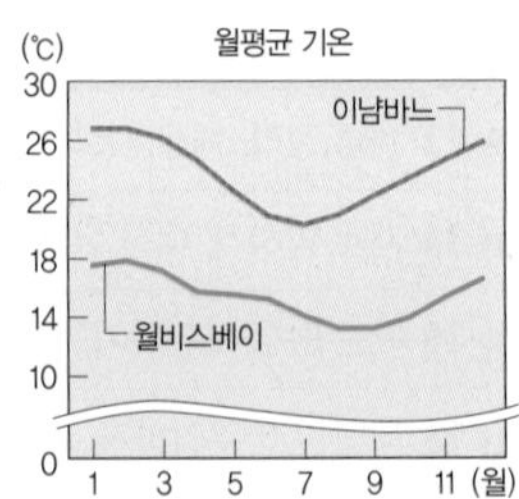

(『디르케 세계 지도』, 2015 / 세계 기상 기구, 2016)

▲ 난류인 모잠비크 해류의 영향을 받는 이남바느는 기온이 높으나, 한류인 벵겔라 해류의 영향을 받는 월비스 베이는 상대적으로 기온이 낮다.

자료 1 위도에 따른 기압 배치, 탁월풍, 강수 분포

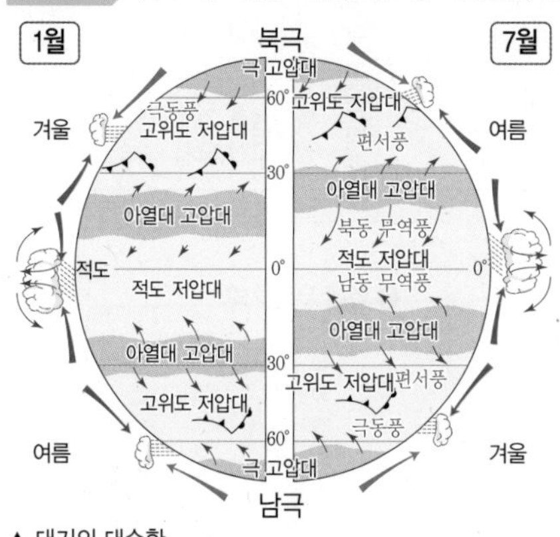

▲ 대기의 대순환

자료 분석 적도 지방은 기온이 가장 높은 곳으로 상승 기류가 발생하는데, 이를 적도 저압대(열대 수렴대)라고 한다. 이 지역에서는 상승 기류가 발생하면서 많은 강수가 나타난다.

상승한 공기는 식으면서 남·북위 30° 부근에서 하강하는데, 이를 아열대 고압대라고 한다. 이 지역에서는 하강 기류의 영향으로 강수가 적어 건조한 기후가 나타난다.

극 지방은 기온이 매우 낮기 때문에 공기가 하강하며 극 고압대를 형성하여 구름이 잘 발생하지 않는다. 아열대 고압대와 극 고압대에서 불어나간 바람이 남·북위 60° 부근에서 만나며 고위도 저압대를 형성한다.

아열대 고압대에서 적도 쪽으로 부는 바람을 무역풍, 고위도 쪽으로 부는 바람을 편서풍이라고 한다. 한편 지구는 23.5° 기울어진 채로 태양 주변을 공전하고 있기 때문에 계절의 변화에 따라 기압 배치는 남북으로 이동하게 된다.

자료 분석 포인트

위도에 따른 기압 배치와 강수 분포를 알아보자.

Q1 빈칸에 들어갈 알맞은 말을 쓰시오.

- 적도 주변은 무역풍이 만나는 곳에 공기가 상승하는 (A)이/가 형성된다.
- 적도에서 상승한 공기가 하강하며 위도 30° 부근에서 (B)이/가 형성된다.

A ( ), B ( )

자료 2 쾨펜의 기후 구분

교과서 35쪽

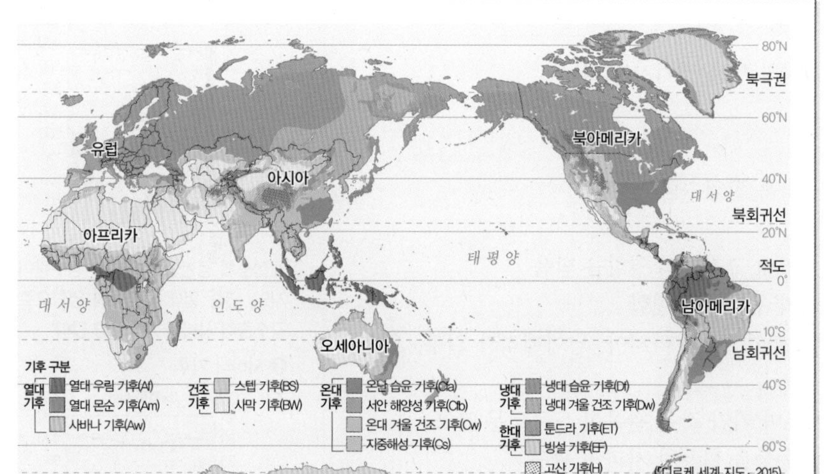

자료 분석 쾨펜은 기후를 잘 반영하는 식생을 지표로 기후 지역을 구분하였다. 유럽과 아프리카의 대륙 서안에서 열대, 건조, 온대, 냉대, 한대 기후가 적도를 기준으로 대칭으로 뚜렷하게 나타난다. 건조하거나 기온이 낮아 나무가 자라지 못하는 건조 기후와 한대 기후는 무수목 기후이며, 나머지 기후는 나무가 자라는 수목 기후에 해당한다.

자료 분석 포인트

쾨펜의 기후 구분에 따라 각 지역의 기후를 알아보자.

Q2 빈칸에 들어갈 알맞은 말을 쓰시오.

- 적도 주변에 나타나며 최한월 평균 기온이 18℃ 이상인 기후는 (A)이다.
- 극 고압대의 영향을 받으며 최난월 평균 기온이 10℃ 이하인 곳은 (B)이다.

A ( ), B ( )

답 Q1 A: 적도 저압대(열대 수렴대), B: 아열대 고압대 / Q2 A: 열대 기후, B: 한대 기후

주제 흐름 읽기

열대 우림 기후		
영향	연중 열대 수렴대
특징	연중 기온이 높고 강수량이 풍부 열대 우림 이동식 화전 농업, 플랜테이션

열대 몬순 기후	
영향	열대 수렴대 계절풍
특징	짧은 건기 열대 우림

사바나 기후	
영향	우기: 열대 수렴대 건기: 아열대 고압대
특징	우기와 건기가 뚜렷 사바나 초원(풀, 관목) 사파리 관광

열대 고산 기후	
영향	해발 고도
특징	상춘 기후 고산 도시

2 열대 기후

1. 열대 기후의 특징

지구의 자전축은 약 23.5° 기울어져 있어서 하지에는 북위 23.5°에 태양이 수직으로, 동지에는 남위 23.5°에 태양이 수직으로 비추는데, 이 지점을 남·북회귀선이라고 해.

(1) **분포** 남·북회귀선 사이의 저위도 지방에서 주로 나타남

(2) **특징**

① 최한월 평균 기온이 18℃ 이상

② 연중 기온이 높아 기온의 연교차가 작으며, 기온의 일교차가 연교차보다 큼

③ 열대 수렴대가 계절에 따라 남북으로 이동하며 강수의 계절 차가 나타남 자료 3

2. 열대 우림 기후❸

열대 수렴대, 적도 수렴대, 적도 저기압대는 비슷하게 통용되고 있어.

(1) **영향** 연중 열대 수렴대(적도 수렴대)의 영향을 받음

(2) **특징**

① 연중 기온이 높고 강수량이 풍부함(연 강수량 2,000mm 이상, 월 강수량 최소 60mm 이상으로 건기가 없음)

② 강한 일사로 대류성 강수(스콜) 발생

(3) **분포** 적도 주변 저지대(남아메리카 아마존분지, 아프리카 콩고분지, 동남아시아 일대)

(4) **식생** 상록 활엽수림, 나무의 재질이 단단하여 가구 제작의 재료로 사용

(5) **생활** 수렵, 채집, 이동식 화전 농업, 플랜테이션, 고상 가옥❹과 급경사 지붕

3. 열대 몬순 기후❺

(1) **영향** 열대 수렴대와 계절풍의 영향, 여름 계절풍의 영향을 받는 시기에 강수 집중

(2) **특징**

① 연 강수량이 풍부하고 긴 우기와 1~2개월의 짧은 건기가 나타남

② 열대 우림 기후와 사바나 기후의 중간형

(3) **분포** 인도차이나반도의 남서 해안

(4) **식생** 건기에도 토양이 습윤하여 열대 우림(상록 활엽수림)을 이룸

4. 사바나 기후❻

(1) **영향** 여름철은 열대 수렴대, 겨울철에는 아열대 고기압의 영향을 받음

(2) **특징** 연 강수량이 비교적 적고 우기와 건기의 구분이 뚜렷함

(3) **분포** 열대 우림 기후의 주변 지역(동부 아프리카, 남부 아시아, 남아메리카 일부, 오스트레일리아 북부 등)

(4) **식생** 사바나 초원, 키가 큰 풀이 초원을 이루며 키가 작은 관목이 드문드문 분포

(5) **생활** 유목 생활, 관목으로 지은 가옥, 야생 동물을 활용한 사파리 관광

5. 열대 고산 기후 자료 4

(1) **분포** 적도 주변의 높은 산맥, 고원 지역(안데스산맥, 동부 아프리카 등)

(2) **특징**

① 해발 고도가 높아 기온이 낮으며, 연평균 기온 15℃ 내외의 상춘 기후가 나타남

② 기온의 연교차가 작고 일교차가 뚜렷함

(3) **생활** 잉카와 아스테카 문명, 고산 도시(에콰도르의 키토, 멕시코의 멕시코시티 등)

열대 고산 지역은 늘 봄과 같은 기후가 나타나는데, 이런 기후를 상춘기후라고 해.

❸ 열대 우림 기후

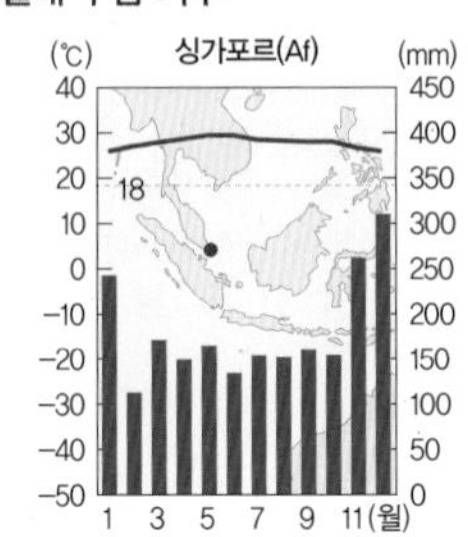

월 강수량이 60mm 이상 나타난다.

❹ 고상 가옥

비가 많이 내려 지붕의 경사가 급하고, 습기와 벌레를 막기 위해 가옥을 땅에서 띄워 높이 짓는다.

❺ 열대 몬순 기후

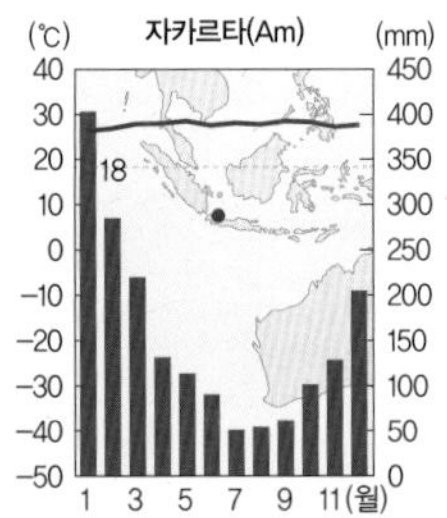

계절풍의 영향으로 여름철 강수량이 많지만, 연중 열대 수렴대의 영향으로 연 강수량이 사바나 기후보다 많다.

❻ 사바나 기후

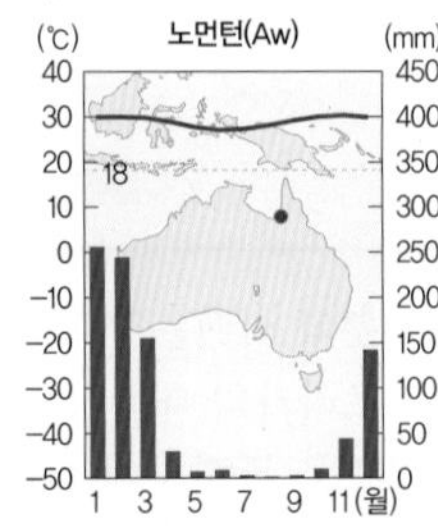

겨울철(7월)에는 아열대 고압대의 영향으로 강수량이 거의 나타나지 않는다.

자료 3 열대 수렴대 이동에 따른 기후의 차이

교과서 32쪽

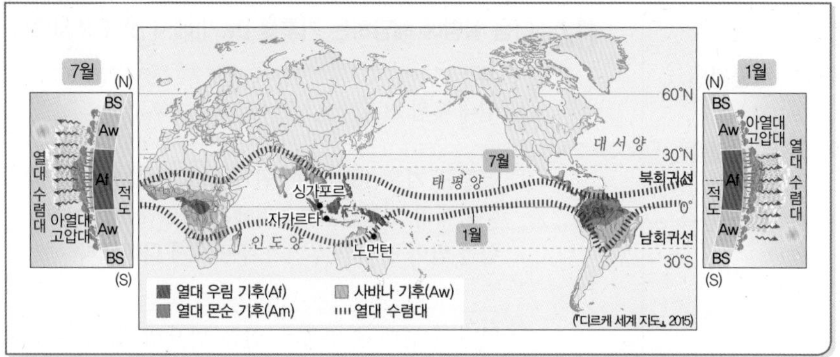

자료 분석 태양 에너지를 수직으로 받아 기온이 높은 적도 부근에는 열대 수렴대가 형성된다. 열대 수렴대는 계절의 변화에 따라 7월에는 북반구로, 1월에는 남반구로 이동한다. 적도 주변 지역은 열대 수렴대가 남북으로 이동해도 1년 내내 열대 수렴대의 영향을 받기 때문에 연중 강수가 많아 열대 우림 기후가 나타난다. 한편 여름에는 열대 수렴대의 영향을 받아 강수량이 많고 겨울에는 아열대 고압대의 영향을 받아 강수량이 적게 나타나는 기후대를 사바나 기후라고 한다.

자료 분석 포인트

열대 수렴대의 이동에 따라 열대 우림 기후와 사바나 기후가 어떤 차이를 보이는지 알아보자.

Q3 빈칸에 들어갈 알맞은 말을 쓰시오.

남반구에 위치하고 있는 사바나 기후 지역은 겨울인 7월에는 (A)의 영향을 받아 강수량이 적고, 여름인 1월에는 (B)의 영향으로 강수량이 많다.

A (　　　　　　), B (　　　　　　)

자료 4 열대 고산 지역의 기후 특징

교과서 31쪽

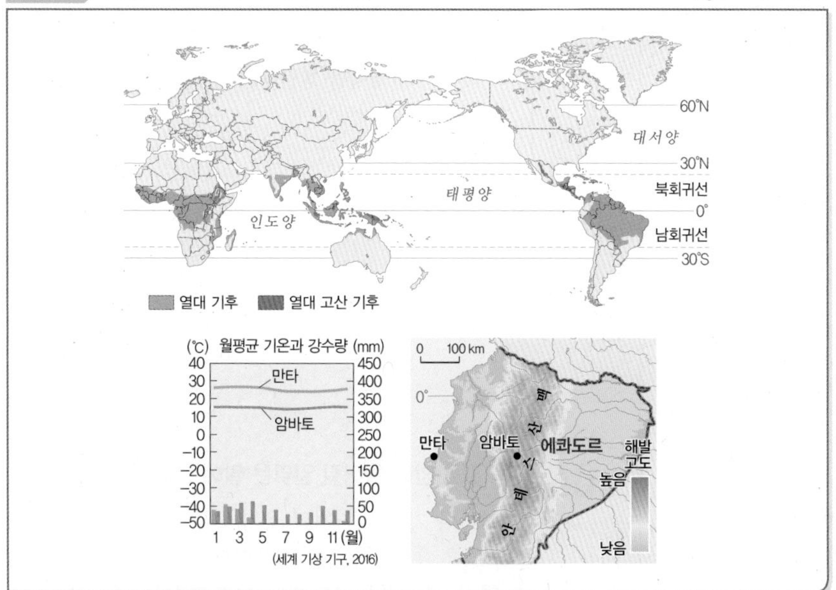

자료 분석 열대 고산 기후는 열대 기후 지역에 위치하지만 해발 고도가 높아 열대 기후에 비해 기온이 낮게 나타난다. 적도 주변의 안데스산맥, 아프리카 동부 고산 지대가 대표적이다. 특히 안데스산맥은 연평균 15℃ 정도의 상춘 기후가 나타나기 때문에 일찍부터 잉카, 아스테카와 같은 고대 문명이 발달하였으며, 현재도 많은 고산 도시가 위치하고 있다.

자료 분석 포인트

열대 고산 기후의 특징과 고산 도시의 분포 지역을 알아보자.

Q4 다음 중 열대 고산 기후의 특징이 아닌 것은?

① 해발 고도가 높다.
② 상춘 기후가 나타난다.
③ 고대 문명이 발달했다.
④ 고산 도시가 발달했다.
⑤ 기온의 일교차보다 연교차가 크다.

답 Q3 A: 아열대 고압대, B: 열대 수렴대 / Q4 ⑤

개념 익히기

정답과 해설 ▸ 7쪽

01 다음 빈칸에 들어갈 알맞은 말을 쓰시오.

(1) 일정한 지역에서 장기간에 걸쳐 나타나는 평균적인 대기 상태를 (   )(이)라고 한다.

(2) 기온, 강수와 같은 기후 요소에 영향을 주는 원인을 (   )(이)라고 한다.

02 다음 내용에서 설명하는 기후를 쓰시오.

> 저위도 지역의 높은 산맥이나 고원에서, 일 년 내내 월평균 기온이 15℃ 내외인 기후가 나타난다. 기온의 연교차가 작고 봄과 같이 온화한 기후가 나타나기 때문에 상춘 기후라고도 부른다.

____

03 다음 설명이 옳으면 ○, 틀리면 ×표 하시오.

(1) 고위도 지역으로 갈수록 태양 에너지가 넓은 지역에 분산되어 기온이 낮아진다. (   )

(2) 중위도 지역의 경우 대륙 내부에서 기온의 연교차가 가장 작게 나타난다. (   )

(3) 난류의 영향을 받는 곳은 기온이 높아지고, 한류의 영향을 받는 곳은 기온이 낮아지며 강수량이 많아진다. (   )

04 다음 설명에 해당하는 기후를 |보기|에서 찾아 쓰시오.

> **보기**
> • 열대 우림 기후 • 사바나 기후

(1) 연평균 기온 18℃ 이상인 곳으로 여름철에는 열대 수렴대의 영향을, 겨울철에는 아열대 고압대의 영향을 받아 건기와 우기가 뚜렷하게 나타난다.

____

(2) 열대 수렴대의 영향을 연중 받으며 월 강수량이 60mm 이상인 곳으로 연중 기온이 높고 강수량이 많다.

____

05 다음 빈칸에 공통으로 들어갈 말을 쓰시오.

> (   )은/는 열대 지방에서 태양의 회귀에 따라 남북으로 이동하며 강수의 계절차를 만든다. (   )의 영향을 받을 때 상승 기류가 생겨 강수량이 풍부하게 나타난다.

____

06 다음 괄호 안에 들어갈 알맞은 말에 ○표 하시오.

(1) 사바나 기후는 건기와 우기가 뚜렷하여 (열대 우림 / 장초 초원)이 주요 식생이다.

(2) 열대 몬순 기후는 계절풍의 영향을 주로 받으며 (열대 우림 / 장초 초원)이 주요 식생이다.

(3) 열대 우림 기후 지역의 주민들은 주로 (이동식 화전 농업 / 벼농사)을/를 하며 살아왔다.

(4) 잉카 문명, 아스테카 문명 등은 (열대 고산 / 열대 몬순) 기후 지역에서 형성되었다.

2단계 내신 유형 익히기

정답과 해설 ▸ 7쪽

01 다음 조건에 맞는 기후명으로 옳은 것은?

> • 최한월 평균 기온이 −3℃보다 낮다.
> • 최난월 평균 기온이 10℃보다 높다.
> • 겨울 강수량이 적고, 기온의 연교차가 크다.

① Aw − 사바나 기후
② Cw − 온대 겨울 건조 기후
③ Df − 냉대 습윤 기후
④ Dw − 냉대 겨울 건조 기후
⑤ ET − 툰드라 기후

02 빈출 다음 기후 그래프에 해당하는 지역을 지도의 A～E에서 고른 것은?

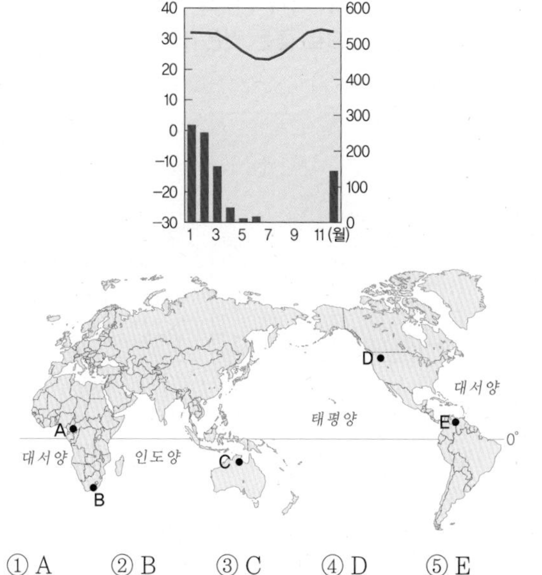

① A ② B ③ C ④ D ⑤ E

03 다음은 두 지역의 여행 계획이다. 여행 계획 내용 중 옳지 않은 것은?

> 〈병재의 여름 휴가 계획〉
> 1. 키토: 위도 0°, 해발 고도 2,850m
> • 상춘 기후: 항상 봄 날씨 같이 온화한 기후 ········ ㉠
> • 기온의 일교차가 작아 별도의 겉옷은 필요하지 않음 ········ ㉡
>
> 2. 마나우스: 위도 남위 3°, 해발 고도 60m
> • 스콜: 소나기가 내릴 수 있으니 우산 준비 필수 ·· ㉢
> • 이동식 화전 농업: 카사바, 얌을 재배했던 농장 견학 ········ ㉣
> • 특산품: 플랜테이션(바나나, 천연고무 등) ········ ㉤
> • 말라리아 예방약을 챙길 것

① ㉠ ② ㉡ ③ ㉢ ④ ㉣ ⑤ ㉤

04 빈출 다음은 세계지리 수업에서 학생이 작성한 형성 평가지이다. ㉠～㉣ 중 답이 옳게 표시된 것은?

> ◎ 다음 진술이 옳으면 '예', 틀리면 '아니오'에 ✓표 하시오.
> • 해발 고도가 높아지면 기온이 높아진다.
> 예 □ 아니오 ☑ ········ ㉠
> • 저위도에서 고위도로 갈수록 기온이 낮아진다.
> 예 □ 아니오 ☑ ········ ㉡
> • 중위도 지역의 대륙 내부에서 기온의 연교차가 가장 크다. 예 □ 아니오 ☑ ········ ㉢
> • 한류의 영향을 받으면 기온이 낮아지고 건조 기후가 나타나기도 한다. 예 ☑ 아니오 □ ········ ㉣

① ㉠, ㉡ ② ㉠, ㉣ ③ ㉡, ㉢
④ ㉡, ㉣ ⑤ ㉢, ㉣

05 다음 지도는 A 기후의 분포를 나타낸 것이다. A 기후의 특성으로 옳은 것은?

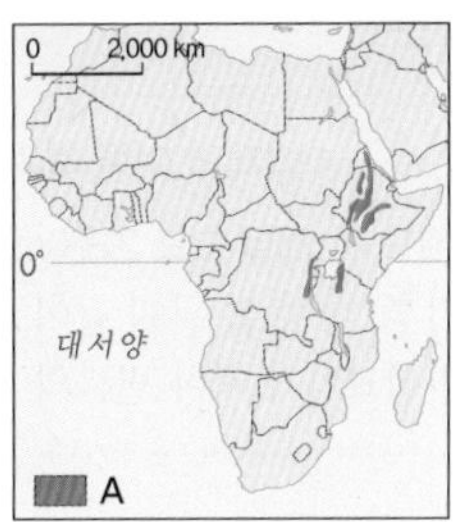

① 연중 편서풍의 영향을 받는다.
② 여름철 강수량이 겨울철 강수량보다 적다.
③ 수목이 빽빽하게 자라는 열대 우림이 나타난다.
④ 기온의 일교차가 기온의 연교차보다 크게 나타난다.
⑤ 고위도 지방의 높은 산맥이나 고원 지대에서 나타난다.

06 다음 그래프는 위도에 따른 월별 평균 강수량을 표시한 것이다. (가) 지역에 해당하는 기후 그래프를 고른 것은?

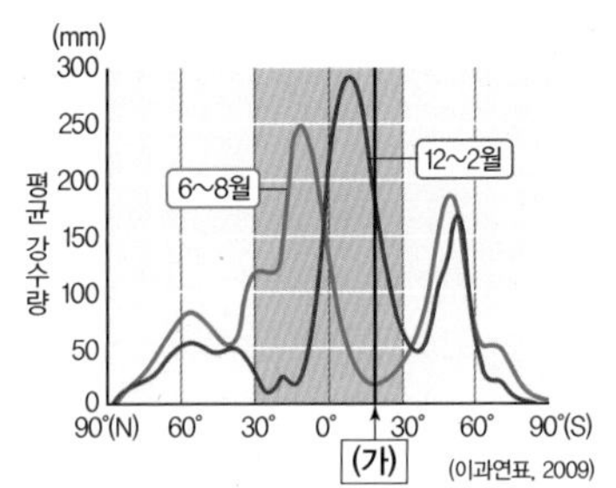

(이과연표, 2009)

①
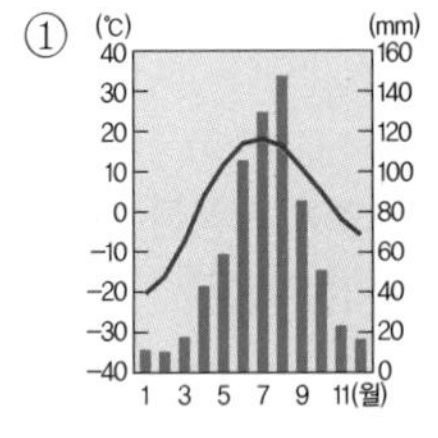

②
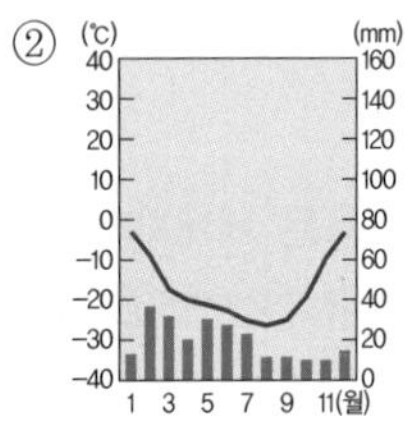

③
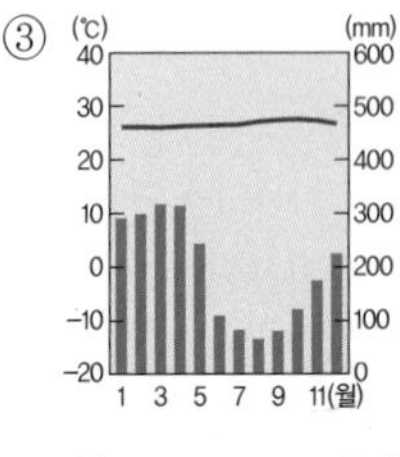

④
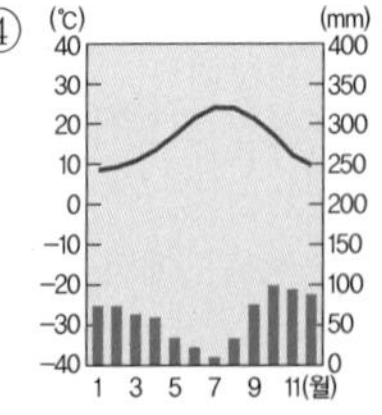

⑤
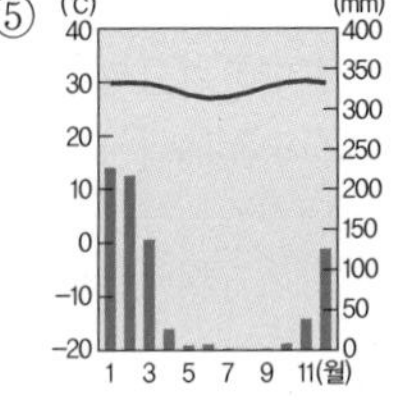

07 다음 사진과 같은 경관이 나타나는 지역에 대한 특성으로 옳지 않은 것은?

① 아열대 고기압의 영향을 받아 건기가 나타난다.
② 남반구의 경우 1월 강수량이 7월 강수량보다 많다.
③ 아마존분지, 아프리카 콩고분지 등이 대표적이다.
④ 열대 우림 기후에 비해 연 강수량이 적게 나타난다.
⑤ 주민들은 유목 생활을 하거나 사파리 관광업에 종사한다.

08 빈출 다음 자료는 두 시기의 주요 풍향을 나타낸 것이다. 이에 대한 설명으로 옳은 것은?(단, (가), (나)는 1월과 7월 중 하나임.)

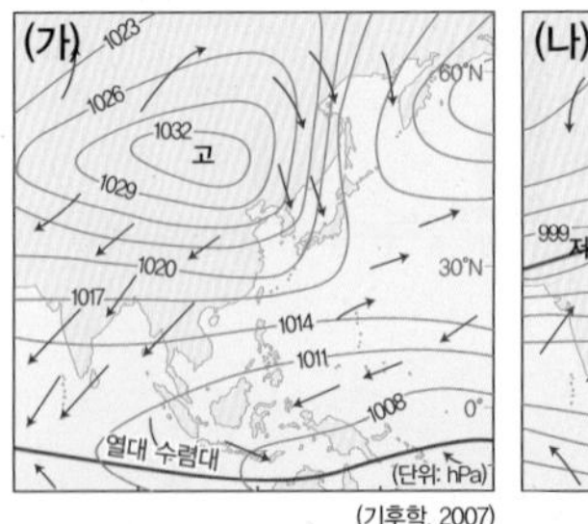

(기후학, 2007)

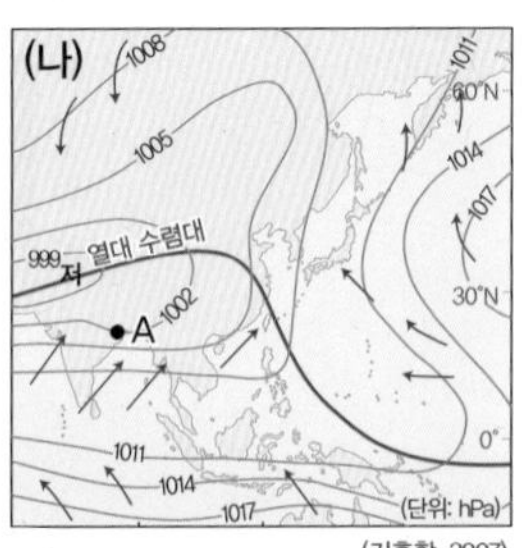

(기후학, 2007)

① (가) 시기는 7월의 기압 배치도이다.
② (가) 시기에는 대륙에서 해양으로 습윤한 바람이 분다.
③ A는 (가)보다 (나) 시기에 강수량이 많다.
④ A는 기온의 연교차보다 일교차가 작게 나타난다.
⑤ 이 바람의 영향을 받는 곳을 열대 사바나라고 한다.

서술형 문제

09 다음 자료는 열대 수렴대의 이동을 그린 그림이다. 그림을 보고 물음에 답하시오.(단, (가)와 (나)는 1월과 7월 중 하나임.)

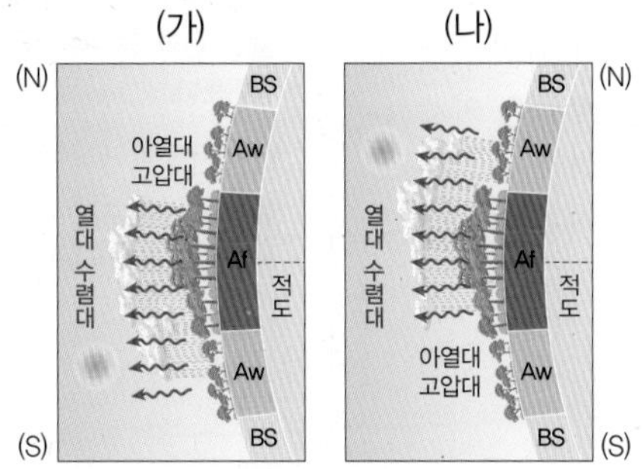

(1) (가)와 (나)의 시기를 쓰시오.

(2) 그림을 보고 사바나 기후(Aw)의 특징을 대기 대순환과 관련하여 서술하시오.

서술형 문제

10 다음과 같은 특징과 식생이 나타나는 기후를 쓰고, 이 지역에서 주로 이루어지는 농업을 두 가지 이상 서술하시오.

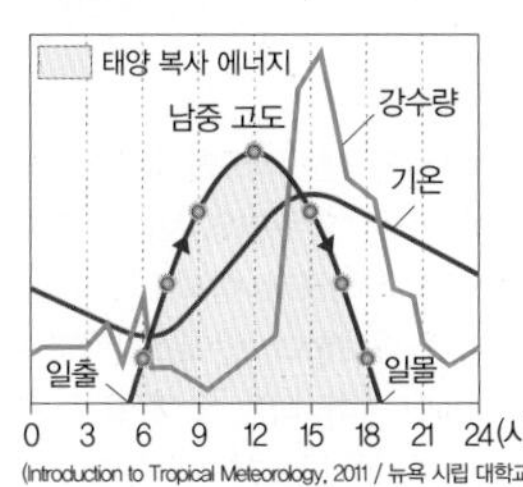

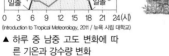

▲ 하루 중 남중 고도 변화에 따른 기온과 강수량 변화

서술형 문제

11 다음은 기후 유형을 판단하는 과정을 나타낸 것이다. (가), (나)에 적합한 구분 기준을 서술하시오.(단, 기온과 강수 조건만 고려함.)

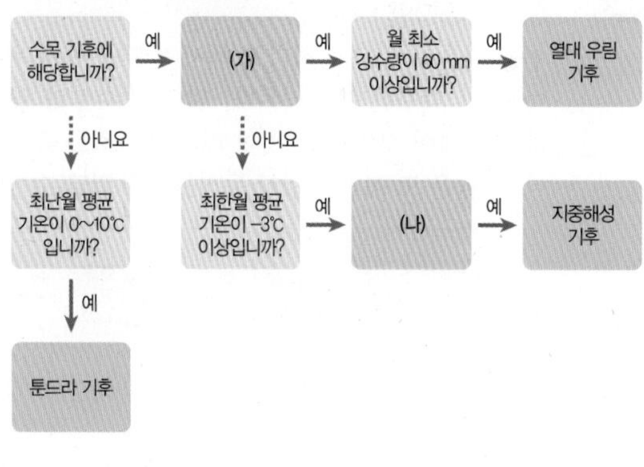

서술형 문제

12 A 지역의 기후 특징을 아래 제시어를 모두 활용하여 서술하시오.

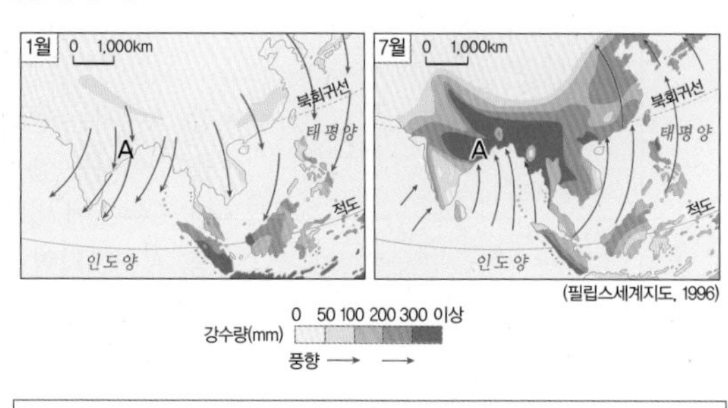

• 계절풍 • 적도 수렴대

내신 만점 도전하기

정답과 해설 ▸ 8쪽

01 다음은 어느 지역을 여행하고 쓴 일기의 일부이다. 관련된 기후를 A～E에서 고른 것은?

중요

> ○○월 ○○일
> 연중 기온이 높고 습하다고 해서 반팔만 챙겨 왔는데 오늘 아침은 생각보다 기온이 낮아 몸이 자꾸만 움츠러든다. 많은 강수량과 일조량 때문인지 주위의 나무들은 키가 60m는 넘어 보인다. 이곳이 지구에 산소를 공급하는 허파 역할을 한다는 것이 실감 난다. 오늘은 또 어떤 다양한 동식물들을 만날 수 있을까 기대가 된다.

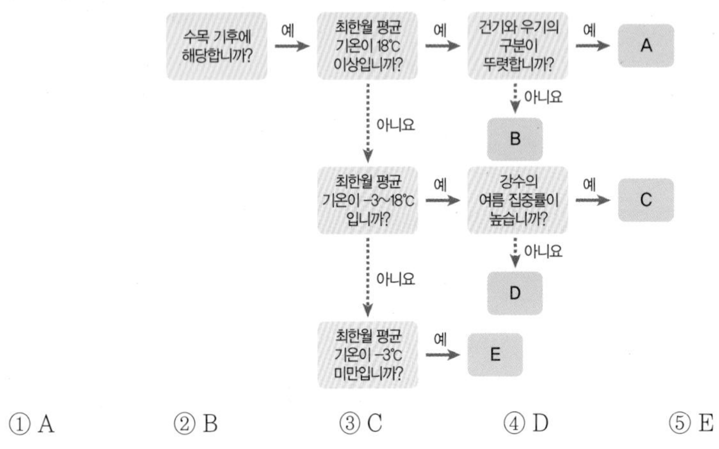

① A ② B ③ C ④ D ⑤ E

문제 접근 방법
제시된 글을 통해 열대 우림 기후의 특징을 찾아낸다. 또한 쾨펜의 기후 구분을 기온과 강수를 기준으로 명확하게 알아둔다.

내신 전략
쾨펜의 기후 구분 기준을 1차와 2차 구분 기준으로 나누어 명확하게 정리한다.

02 다음은 A～C 지역에 대해 학생들이 나눈 대화이다. 대화 내용이 옳은 학생을 고른 것은?

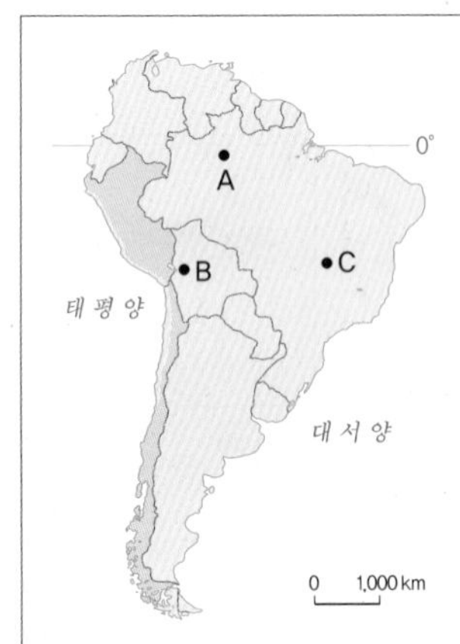

- 갑: A에서는 원주민들이 이동식 화전 농업을 해.
- 을: B에서는 상춘 기후의 고산 도시를 방문할 수 있어.
- 병: C는 A에 비해 건기와 우기의 차이가 비교적 적어.
- 정: A～C 지역 모두 기온의 일교차가 연교차보다 작게 나타나.

① 갑, 을 ② 갑, 병 ③ 을, 병
④ 을, 정 ⑤ 병, 정

문제 접근 방법
이 문제는 열대 기후의 지역적 분포를 지도상에서 파악하는 문제이다. 지도 위에 열대 우림 기후, 사바나 기후, 열대 고산 기후를 표시하고 해당 지점의 기후 특징과 연결하여 분석한다.

내신 전략
열대 기후는 적도를 중심으로 열대 우림 기후, 그 주변의 사바나 기후가 나타남을 이해하고 백지도에 기후 범위를 그려 이해한다. 안데스산맥과 동아프리카에서 나타나는 열대 고산 기후 지역은 위치를 반드시 기억한다.

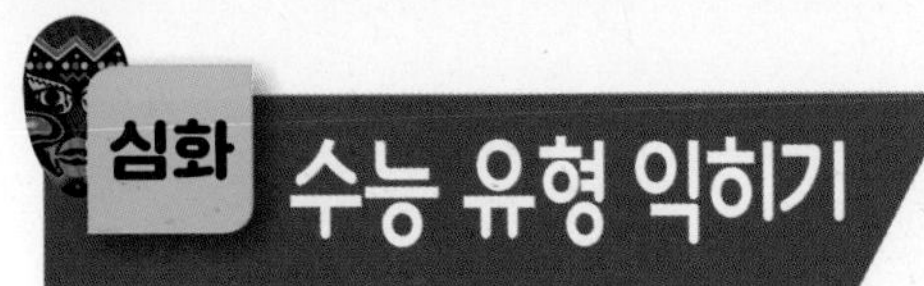

정답과 해설 ▸ 8쪽

2015학년도 6월 모의평가

01 다음 자료는 (가)~(다) 지역의 기온과 강수량을 나타낸 것이다. 이에 대한 옳은 설명을 |보기|에서 고른 것은?

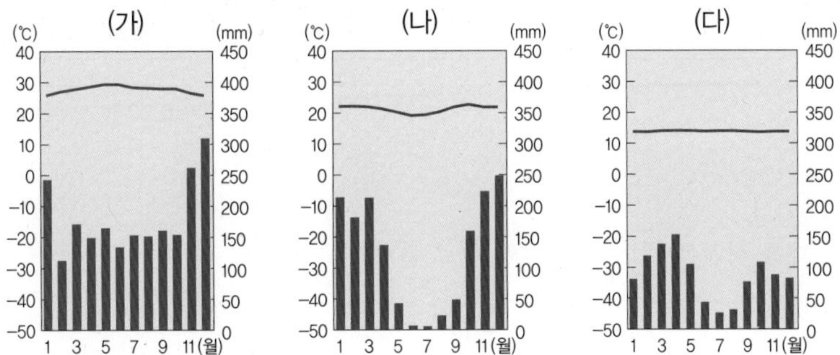

보기

ㄱ. (가) – 세 지역 중 가장 고위도에 위치하고 있다.
ㄴ. (나) – 1월과 7월의 강수 차이는 적도 수렴대의 이동 때문이다.
ㄷ. (다) – 가옥은 습기를 피하기 위한 고상 가옥이나 수상 가옥이 나타난다.
ㄹ. (다) – (가), (나)보다 해발 고도가 높아 기온이 낮다.

① ㄱ, ㄴ ② ㄱ, ㄷ ③ ㄴ, ㄷ ④ ㄴ, ㄹ ⑤ ㄷ, ㄹ

출제 개념

열대 지역의 기후 그래프 해석

자료 해설

기후 그래프를 이용하여 기후를 해석하는 것은 가장 기본적인 기후 문제의 유형이다. (가)와 (나)는 모두 최한월 평균 기온이 18℃ 이상이므로 열대 기후이며, (가)는 강수량이 모두 60mm 이상으로 열대 우림 기후, (나)는 겨울 강수량이 매우 적으므로 사바나 기후이다. (다)는 기온의 연교차가 매우 적으며 월평균 기온이 15℃ 정도이므로 열대 고산 기후임을 알 수 있다.

해결 비법

기후 그래프를 명확하게 해석하는 법을 이해한다. 18℃, 10℃, –3℃의 기준선을 항상 기후 그래프에 그려 보아 열대, 온대, 냉대, 한대를 1차로 구분한다. 이후 여름과 겨울 강수량 차이를 이용하여 2차 구분을 한다.

2017학년도 수능

02 다음 그래프는 지도에 표시된 세 지점의 누적 강수량을 나타낸 것이다. A~C에 대한 설명으로 옳은 것은?(단, 각 지점은 각각 A~C 중 하나임.)

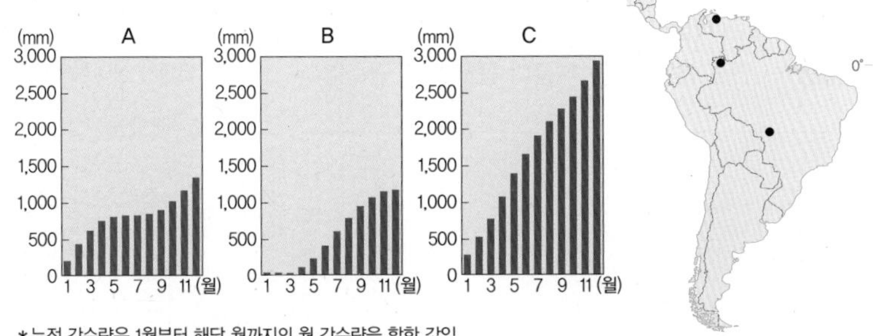

*누적 강수량은 1월부터 해당 월까지의 월 강수량을 합한 값임

① A에서는 1월보다 7월의 낮 길이가 길다.
② A에서는 12~1월에 아열대 고압대의 영향이 나타난다.
③ B에서는 1월보다 7월에 정오의 태양 고도가 높다.
④ C에서는 건기와 우기가 뚜렷하게 나타난다.
⑤ C는 B보다 고위도에 위치한다.

출제 개념

열대 우림 기후와 사바나 기후

자료 해설

지도상에서 열대 우림 기후, 사바나 기후를 묻는다는 것을 먼저 확인한다. 누적 강수량을 이용하여 기후를 구분하는 문제는 자주 출제된다. 누적 강수량은 막대그래프를 선으로 연결한 후 해석하는데, C의 경우 연결선이 거의 일직선으로 증가하므로 연중 고르게 강수가 내린다는 것을 알 수 있다. A는 연결선의 6~8월 부분이 수평하게 나타나므로 강수량이 증가하지 않는 건기임을 알 수 있고, B는 12~2월의 연결선을 보고 이때가 건기임을 알 수 있다.

해결 비법

누적 강수량의 막대그래프를 선으로 그려 연중 다우, 건기·우기를 찾는 연습을 반복한다. 또한 북반구는 7월이 여름이고, 낮 길이가 길며, 태양 고도가 높음을 이해한다.

주제 5

온대 기후의 지역적 차이

교과서 36~41쪽

주제 흐름 읽기

서안	
서안 해양성 기후	연중 편서풍 → 기온의 연교차, 연 강수 차가 작음
지중해성 기후	여름 아열대 고압대 → 고온 건조 겨울 편서풍 → 온난 습윤

동안	
온대 겨울 건조 기후	계절풍 뚜렷 → 기온의 연교차, 연 강수 차가 큼
온난 습윤 기후	해양의 영향 → 연중 습윤 계절풍 → 여름 덥고 강수 집중

1 온대 기후

1. 온대 기후의 특징

(1) **분포** 중위도, 대륙 동안은 위도 20~40°, 대륙 서안은 위도 30~60°에 주로 분포

(2) **특징**

① 최한월 평균 기온 −3~18℃

② 계절별 태양 고도의 차이로 계절의 변화가 뚜렷❶

③ 편서풍의 영향을 받음 ─ 남·북위 30~60°에서 부는 바람으로 연중 서쪽에서 동쪽으로 바람이 불어.

④ 열대 기후와 냉대 기후의 점이적 기후로 기후가 온화하여 인간 생활에 유리함

⑤ 중위도 대륙은 기온의 연교차가 크고, 동안이 서안보다 기온의 연교차가 큼 자료 1

2. 대륙 동안과 서안의 기후 차이

(1) **대륙 서안**

① 해양에서 불어오는 편서풍의 영향으로 기온의 연교차가 작고 습윤함

서안 해양성 기후(Cfb)	연중 편서풍 → 기온의 연교차가 작고 연중 강수량이 적음
지중해성 기후(Cs)	여름 아열대 고압대 → 고온 건조 겨울 편서풍 → 온난 습윤

─ 태양의 회귀 현상으로 아열대 고압대가 여름철에 고위도로 이동하며 나타나.

─ 지중해 주변에서 나타나는 특징적 기후라는 의미에서 붙여진 이름이다. 아프리카, 아메리카, 오세아니아에서도 동일한 이름을 사용한다.

(2) **대륙 동안**

① 해양에 비해 비열이 작은 대륙❷을 지나오는 편서풍의 영향으로 기온의 연교차가 큼

② 계절풍의 영향을 받아 여름은 고온 다습, 겨울은 건조하여 연 강수 차가 큼 자료 2

온대 겨울 건조 기후(Cw)	계절풍 뚜렷 → 여름에 고온 다습, 겨울에 건조함
온난 습윤 기후(Cfa)	해양의 영향, 계절풍 → 연중 습윤하지만 여름이 몹시 덥고 강수량 집중

❶ **계절별 태양의 고도 차이**
지구는 자전축이 23.5° 기울어진 채로 태양 주위를 공전한다. 고위도로 갈수록 여름에는 낮의 길이가 길어지고, 겨울에는 낮의 길이가 짧아져 계절별 일사량 차이가 크다.

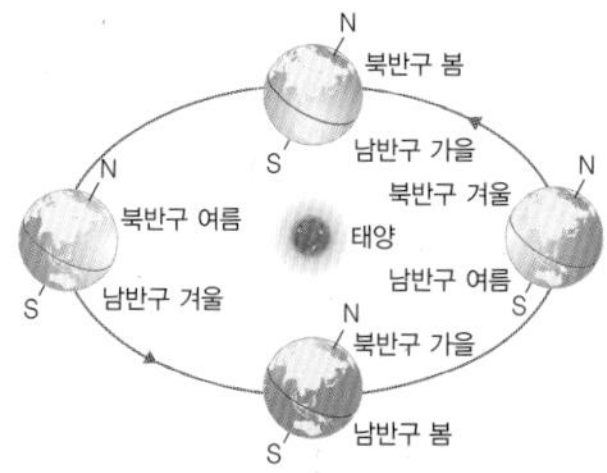

❷ **대륙과 해양의 비열 차**
물질 1g의 온도를 1℃ 높이는 데 필요한 열량을 비열이라고 한다. 대륙에 비해 해양의 비열이 크기 때문에 해양은 온도 변화가 상대적으로 작게 나타난다.

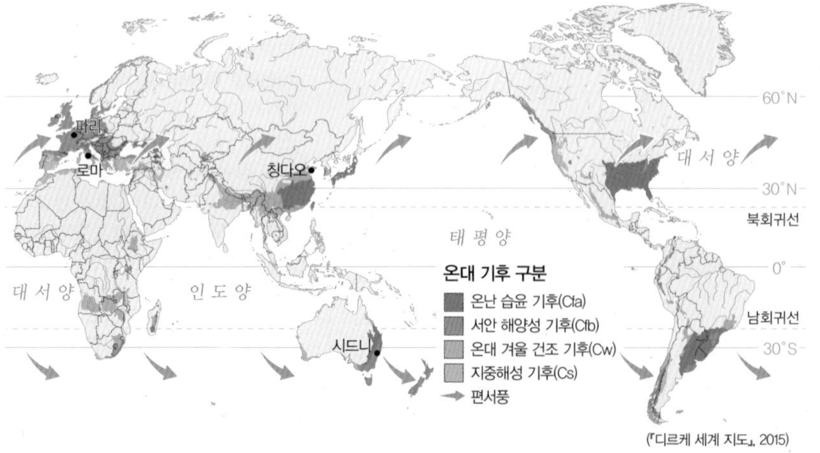

(『디르케 세계 지도』, 2015)

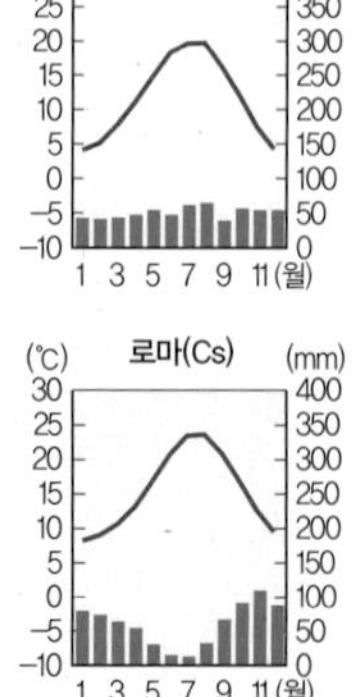

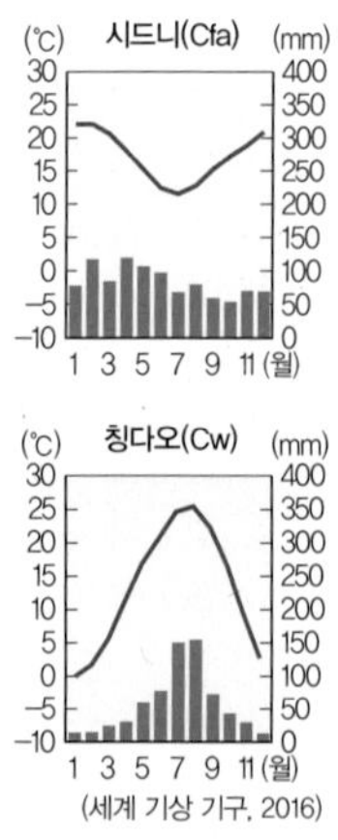

(세계 기상 기구, 2016)

자료 1 북반구 중위도 지역의 기온 분포

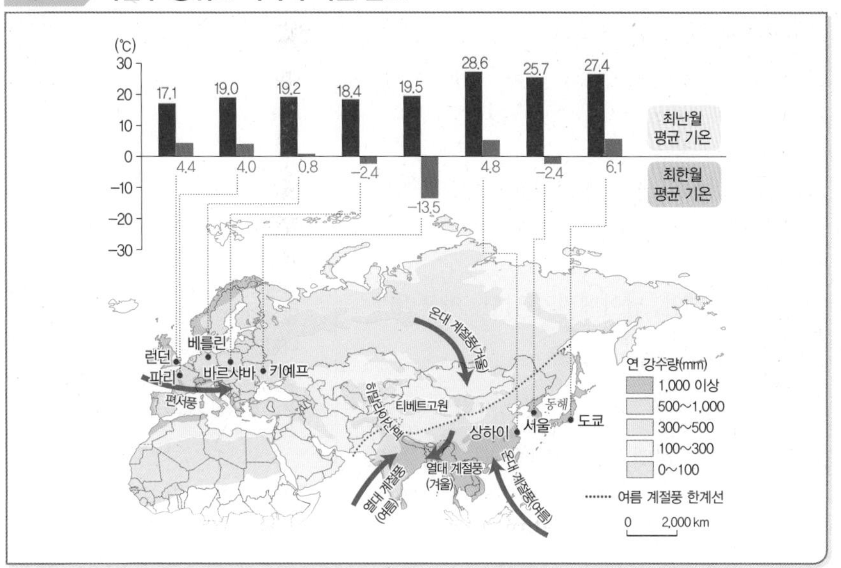

◎ **자료 분석** 중위도 지역에서 기온의 연교차는 비열의 차이 때문에 내륙으로 갈수록 커진다. 편서풍의 영향을 받는 대륙 서안은 동안에 비해 기온의 연교차가 작게 나타난다. 반면에 대륙 동안은 해양에서 불어오는 여름 계절풍과 대륙에서 불어오는 겨울 계절풍의 영향으로 기온의 연교차가 크게 나타난다.

자료 2 계절풍

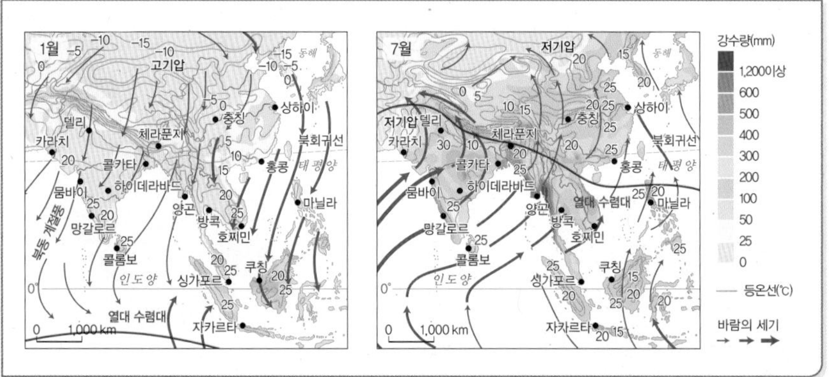

◎ **자료 분석** 중위도 지역의 대륙 서안은 장애물이 없는 해양에서 불어오는 편서풍의 영향을 뚜렷하게 받는다. 따라서 기온의 연교차와 연 강수 차가 작은 서안 해양성 기후가 나타난다.

계절풍은 대륙 동안에 위치한 열대 기후와 온대 기후 모두에 영향을 미친다. 중위도 대륙 동안은 대륙을 통과하는 편서풍의 영향을 받아 대륙성 기후가 나타나며, 계절풍의 영향이 더욱 뚜렷하게 나타난다. 계절풍은 대륙과 해양의 비열 차에 의해 발생한다. 여름이 되면 대륙이 해양보다 빠르게 가열되면서 상승 기류가 발생하여 저기압이 형성되고, 따라서 해양에서 대륙으로 바람이 불게 된다. 반면에 겨울이 되면 대륙이 더 빠르게 식으며 하강 기류의 고기압이 형성되고, 대륙에서 해양으로 바람이 불게 된다. 따라서 여름철에는 고온 다습한 해양의 바람이, 겨울에는 한랭 건조한 대륙의 바람이 영향을 미친다.

자료 분석 포인트

북반구 중위도 지역의 서안·동안·내륙의 연교차를 비교해 알아보자.

Q1 자료 1을 보고 런던, 키예프, 서울의 기온의 연교차를 계산하여 쓰시오.

(1) 런던 (　　)℃
(2) 키예프 (　　)℃
(3) 서울 (　　)℃
(4) 기온의 연교차가 큰 순서대로 나열하시오.
(　　) → (　　) → (　　)

자료 분석 포인트

대륙 동안의 기압 배치와 풍향 지도를 해석해 보자.

Q2 기압 배치도를 보고 다음 괄호 안에 들어갈 알맞은 말에 ○표 하시오.

(1) 1월에 비해 7월에 적도 수렴대가 더 (북쪽 / 남쪽)에 위치한다.
(2) 바람은 (고기압에서 저기압으로 / 저기압에서 고기압으로) 분다.
(3) 1월에는 (한랭 건조한 대륙에서 / 고온 다습한 해양에서) 계절풍이 불어온다.

답 Q1 (1) 12.7 (2) 33 (3) 28.1 (4) 키예프, 서울, 런던 / Q2 (1) 북쪽 (2) 고기압에서 저기압으로 (3) 한랭 건조한 대륙에서

2 대륙 서안의 온대 기후

1. 서안 해양성 기후(Cfb)

(1) **영향** 연중 바다에서 불어오는 편서풍의 영향을 받음

(2) **특징**

① 여름이 서늘하고 겨울이 온화하여 기온의 연교차가 작음

② 유럽은 난류의 영향으로 겨울이 온화하고, 남북 방향의 산맥이 없어 내륙 깊숙한 지역까지 서안 해양성 기후❸가 나타남

③ 연중 강수량이 고르게 나타남(750~1,250mm)

(3) **분포** 위도 40~60° 부근(서부 유럽, 북아메리카 북서 해안, 남아메리카 남단, 아프리카 남동 해안, 오스트레일리아 남동부, 뉴질랜드)

(4) **식생** 혼합림(낙엽수, 침엽수)

(5) **생활**

① 혼합 농업❹(가축 사육과 곡물 재배), 밀 · 보리 · 감자 재배, 목초 재배, 대도시 주변의 낙농업

② 풍력 발전 단지, 수운 발달 자료 3

연중 강한 편서풍이 불어 풍력 발전에 유리하고, 연 강수 차가 적기 때문에 하천의 유량 변화가 적어 하천을 이용한 수운 발달에도 유리해.

2. 지중해성 기후(Cs) 자료 4

(1) **영향** 여름철에는 아열대 고압대, 겨울철에는 편서풍대의 영향을 받음

(2) **특징**

① 여름철에는 아열대 고압대 영향으로 기온이 높고 건조하여 수목 농업(올리브, 오렌지, 포도)이 발달

② 겨울철에는 한대 전선의 남하로 강수량이 많아 곡물 농업(밀, 보리)이 이루어짐

(3) **분포** 위도 30~40° 지역(지중해 연안, 미국 캘리포니아 일대, 칠레 중부, 아프리카 남단, 오스트레일리아 남부)

(4) **생활**

① 여름철 외부 열기를 막기 위한 두꺼운 벽, 작은 창문, 햇빛을 반사하는 흰색 벽

② 여름철 수목 농업, 겨울철 곡물 농업, 이목❺

③ 관광 산업 발달

여름에 고온 건조한 기후에 잘 견디는 나무를 재배하는 농업을 수목 농업이라고 해.

3 대륙 동안의 온대 기후

1. 온대 겨울 건조 기후(Cw)

(1) **영향** 계절풍의 영향을 받음

(2) **특징** 여름철 고온 다습, 겨울철 한랭 건조하여 기온의 연교차와 연 강수차가 큼

(3) **분포** 온난 습윤 기후보다 대륙성 기단의 영향을 받는 내륙 지역(우리나라 남부, 중국 남부, 인도와 인도차이나반도 북부, 남아메리카의 아르헨티나)

(4) **식생** 혼합림(낙엽수, 침엽수), 일부 상록 활엽수(조엽수)

잎이 반짝이고 두꺼운 상록 활엽수를 의미해. 우리나라 남해안의 동백나무를 예로 들 수 있어.

(5) **생활** 벼농사(고온 다습한 여름), 차 재배(겨울철이 온화한 저위도 지역)

논에서 기르는 벼는 여름철 충분한 강수량과 뜨거운 햇빛이 있어야 재배가 가능해.

2. 온난 습윤 기후(Cfa)

(1) **영향** 계절풍, 온대 겨울 건조 기후보다 해양의 영향을 많이 받음

(2) **특징** 연중 강수량이 고르고 건기는 뚜렷하지 않음(연 강수량 1,000~1,500mm)

(3) **분포** 중국 동부, 일본 남부, 미국 남동부, 남아메리카 남동부, 오스트레일리아 남동부

(4) **식생** 혼합림(낙엽수, 침엽수), 일부 상록 활엽수(조엽수)

❸ 유럽과 칠레의 서안 해양성 기후 비교
유럽은 남북 방향의 산맥이 없어 내륙 깊숙한 곳까지 편서풍이 불어 서안 해양성 기후가 내륙 깊숙한 곳까지 나타나지만, 칠레는 해안에 평행하게 발달한 안데스산맥의 영향으로 좁은 해안에서 서안 해양성 기후가 나타난다.

❹ 혼합 농업
목초지 재배에 유리한 유럽의 기후 환경과 육류 중심의 식생활을 바탕으로 곡물 농업과 방목지가 혼합되어 나타난다.

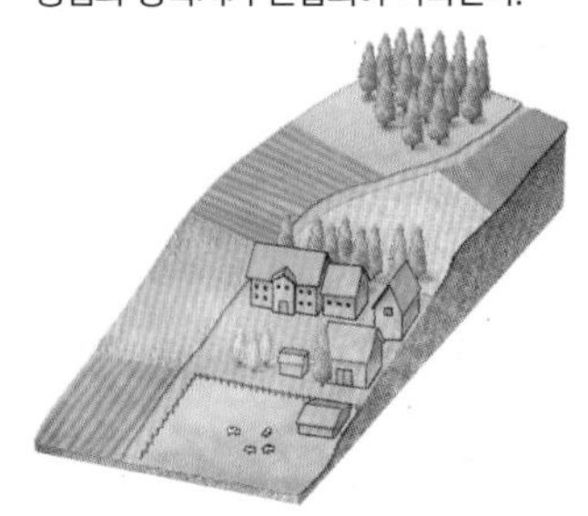

❺ 이목
여름에는 기온이 높고 건조해 비교적 서늘한 고지대에서 가축을 방목하고, 겨울에는 온난한 저지대로 이동하여 가축을 사육한다.

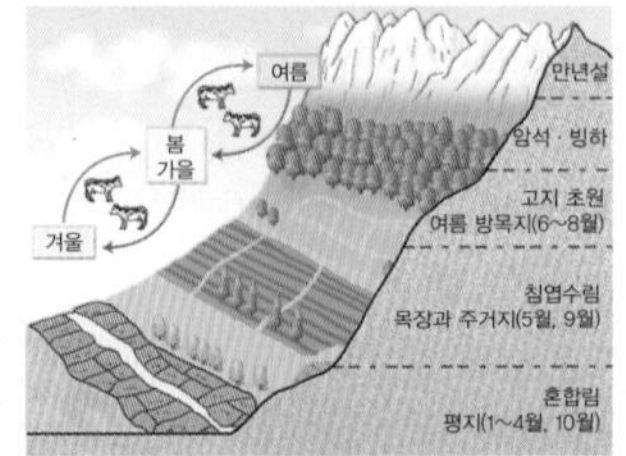

자료 3 대륙 서안과 대륙 동안의 수운 비교

교과서 38쪽

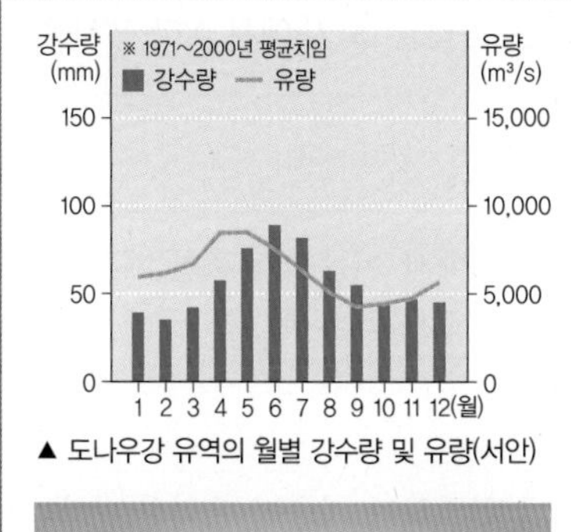

▲ 도나우강 유역의 월별 강수량 및 유량(서안)

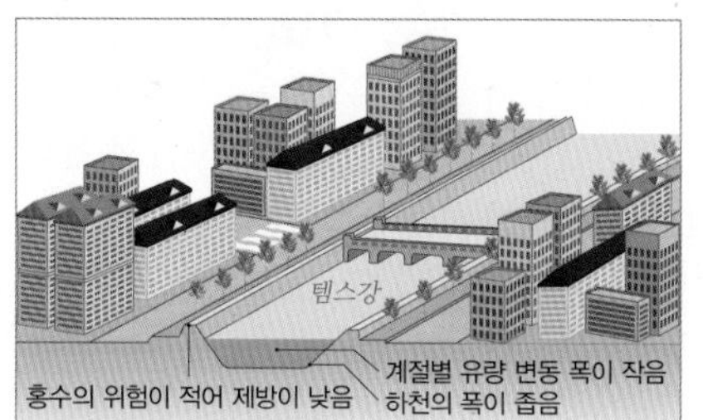

▲ 런던의 하천 경관(서안)

▲ 도나우강의 하천 수운(서안)

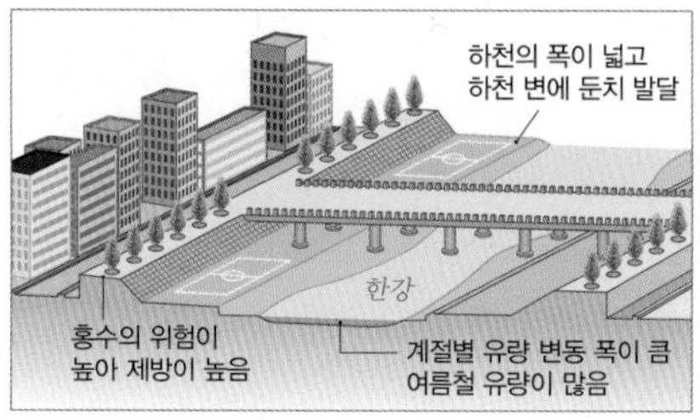

▲ 서울의 하천 경관(동안)

자료 분석 대륙 서안은 편서풍의 영향을 받아 연 강수 차가 적은 편이다. 따라서 하천의 수위 변화도 작아 배로 물건을 운반하는 수운에 유리하다. 반면, 대륙 동안은 계절풍의 영향으로 여름철에 강수가 집중되어 계절별 유량 변동 폭이 크다. 따라서 하천의 높이가 일정하지 않아 수운에 불리하다.

자료 분석 포인트

대륙 서안과 동안에서 연 강수 차가 하천의 이용에 어떤 차이를 가져왔는지 알아보자.

Q4 대륙 서안의 런던과 동안의 서울 중 수운에 유리한 하천은 어디에 나타나는지 쓰시오.

( )

자료 4 지중해성 기후

(하크 세계 지도, 2011 ; 디르케 세계 지도, 2010)

▲ 그리스 산토리니의 1월과 7월

자료 분석 서안 해양성 기후 지역은 계절별 강수의 차가 크지 않다. 반면에 지중해 일대는 1월에는 서안 해양성 기후와 비슷하게 비가 내리지만 7월에는 아열대 고압대의 영향으로 강수량이 10mm 미만 정도로 적고 청명한 날씨가 계속된다.

자료 분석 포인트

유럽의 기온·강수량 지도를 통해 여름철 강수량이 적게 나타나는 지역을 찾아보자.

Q5 빈칸에 들어갈 알맞은 말을 쓰시오.

> 마드리드, 로마, 아테네는 1월 강수량이 100mm 이상으로 많으나, 7월에는 강수량이 10mm 미만으로 적어 고온 건조한 기후가 나타난다. 이것은 (   )의 영향으로 사막과 같은 기후가 나타나기 때문이다.

답 Q4 런던 / Q5 아열대 고압대

개념 익히기

정답과 해설 ▸ 9쪽

01 다음 빈칸에 들어갈 알맞은 말을 쓰시오.

(1) 온대 기후는 대체로 ( )이/가 부는 중위도 지역에 걸쳐서 분포한다.

(2) 대륙 동안은 대륙과 해양의 영향을 번갈아 받아 계절에 따라 풍향이 바뀌는 ( )이/가 분다.

02 다음 내용에서 설명하는 기후를 쓰시오.

> 겨울에는 월 강수량이 80~150mm로 비교적 많아 밀, 보리 등을 재배하는 곡물 농업을 하고, 여름에는 건조한 기후를 잘 견디는 올리브, 오렌지를 재배하는 수목 농업을 한다.

____

03 다음 설명이 옳으면 ○, 틀리면 ×표 하시오.

(1) 온대 기후는 월별 태양 고도의 차이로 계절의 변화가 뚜렷하게 나타난다. ( )

(2) 대륙 서안은 해양에서 불어오는 편서풍의 영향으로 기온의 연교차가 크게 나타난다. ( )

(3) 온대 겨울 건조 기후는 습윤 기후로 목초 재배에 유리하다. 따라서 대부분 혼합 농업에 종사한다. ( )

04 다음 설명에 해당하는 농업을 |보기|에서 찾아 쓰시오.

> **보기**
> • 수목 농업 • 차 재배

(1) 지중해성 기후 지역에서 여름철 건조한 기후에 잘 견디는 뿌리가 깊은 코르크참나무, 포도, 오렌지 등을 재배하는 농업

____

(2) 비교적 저위도에 위치하여 겨울이 온화한 온대 겨울 건조 지역에서 활발하게 이루어지는 농업

____

05 다음 빈칸에 공통으로 들어갈 말을 쓰시오.

> 사바나 기후는 ( )의 영향으로 겨울철 강수량이 적게 나타난다. 반면 온대 기후인 지중해 일대는 여름철 ( )의 영향으로 고온 건조한 기후가 나타난다.

____

06 다음 괄호 안에 들어갈 알맞은 말에 ○표 하시오.

(1) 서안 해양성 기후는 연중 강수가 (고르기 때문에 / 고르지 않기 때문에) 하천 수운이 발달하였다.

(2) 해안의 영향을 받아 일 년 내내 강수가 비교적 고르며 건기가 뚜렷하지 않으나 여름철이 무더운 기후는 (온대 겨울 건조 기후 / 온난 습윤 기후)이다.

(3) 온대 겨울 건조 지역의 주민들은 고온 다습한 여름의 영향으로 일찍부터 (벼농사 / 혼합 농업)을/를 많이 하였다.

내신 유형 익히기

정답과 해설 ▸ 9쪽

01 다음은 중위도 온대 지방에 대해 수업 시간에 필기한 내용이다. 다음 내용 중 옳은 것을 고른 것은?

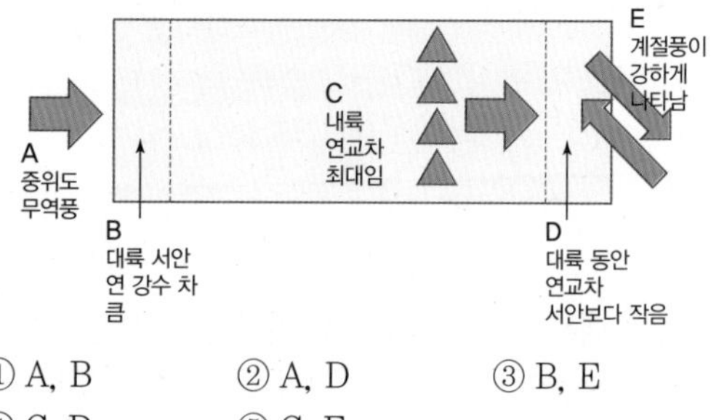

① A, B ② A, D ③ B, E
④ C, D ⑤ C, E

02 빈출 다음 지도에 표시된 지역의 기후에 대한 설명 중 옳은 것을 |보기|에서 고른 것은?

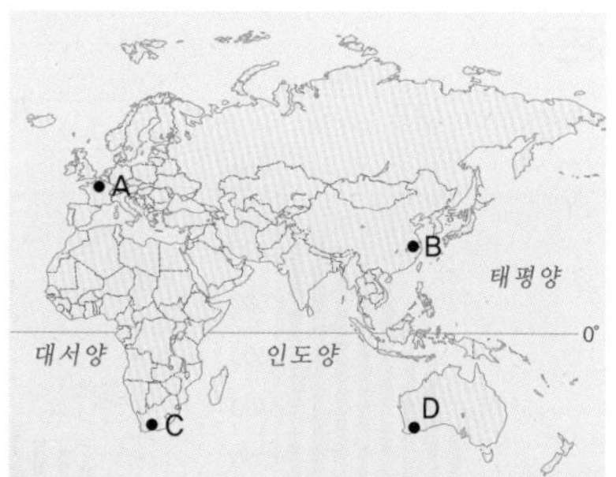

보기

ㄱ. A는 편서풍과 난류의 영향으로 기온의 연교차가 작다.
ㄴ. A와 D는 연중 강수량이 일정해 혼합 농업에 유리하다.
ㄷ. B와 C는 7월 강수량이 1월 강수량보다 많다.
ㄹ. B는 고온 다습한 여름 계절풍의 영향을 받아 밀 농사를 짓는다.

① ㄱ, ㄴ ② ㄱ, ㄷ ③ ㄱ, ㄹ
④ ㄴ, ㄹ ⑤ ㄷ, ㄹ

03 빈출 지도의 (가)와 비교한 (나)의 상대적 특징으로 옳은 것은?

	기온의 연교차	연 강수량 차이	7월 평균 기온
①	크다	크다	높다
②	크다	크다	낮다
③	크다	작다	높다
④	작다	크다	낮다
⑤	작다	작다	높다

04 다음은 어느 지역의 목축업 특색을 나타낸 것이다. 다음과 같은 목축업이 이루어지는 지역을 지도의 A～E에서 고른 것은?

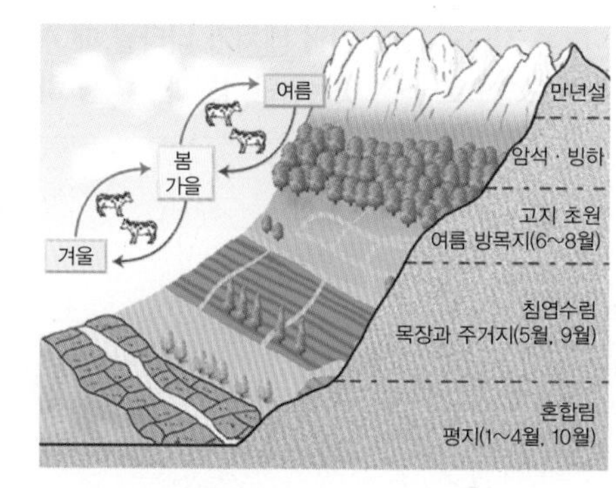

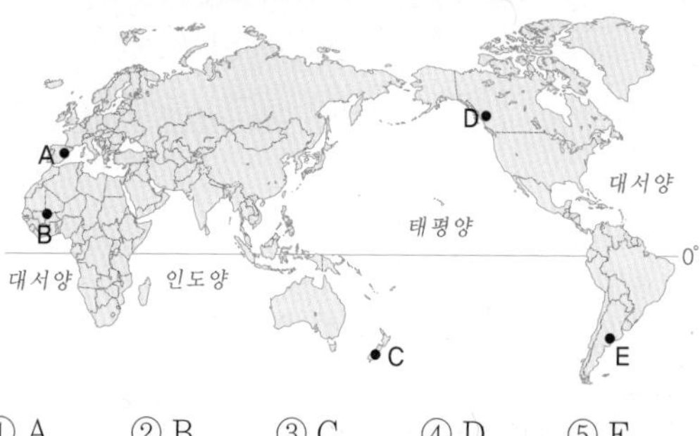

① A ② B ③ C ④ D ⑤ E

05 (가), (나) 기후 그래프에 대한 설명으로 옳은 것을 |보기|에서 고른 것은?

빈출

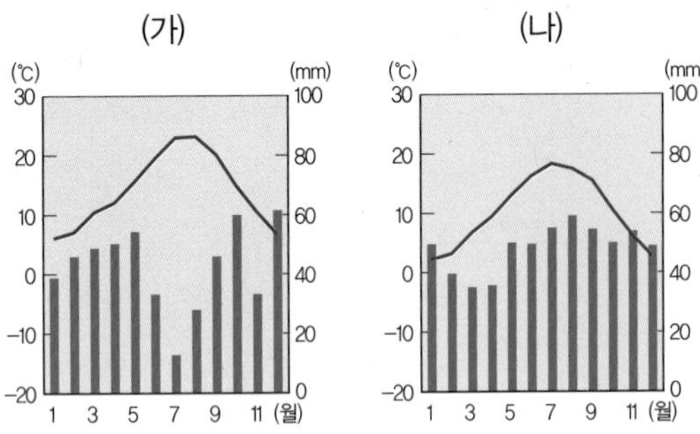

|보기|
ㄱ. (가)는 혼합림이 주로 자라며 여름철 곡물 농사에 유리하다.
ㄴ. (가)는 북반구에 위치하며 7월 아열대 고압대의 영향을 받는다.
ㄷ. (나)는 낙농업과 혼합 농업을 주로 한다.
ㄹ. (나)의 가옥은 여름 햇빛을 반사하기 위해 벽면을 하얗게 칠한다.

① ㄱ, ㄴ ② ㄱ, ㄷ ③ ㄴ, ㄷ
④ ㄴ, ㄹ ⑤ ㄷ, ㄹ

06 다음 지도와 같은 기압 배치가 나타날 때 A에서 나타나는 모습으로 옳은 것은?(단, 1월과 7월 중 하나임.)

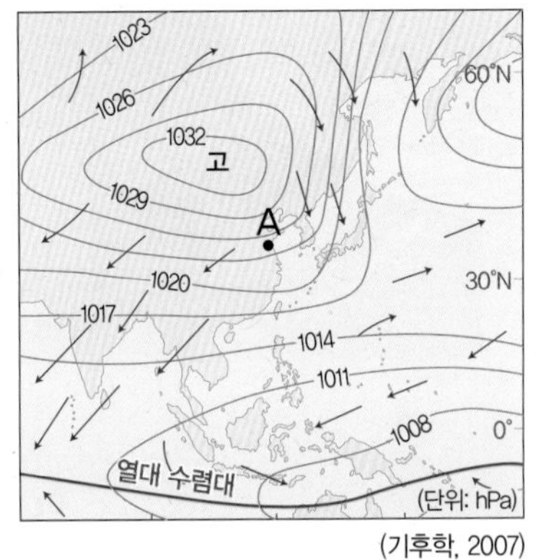

(기후학, 2007)

① 모내기를 하고 있다.
② 수목 농업을 하고 있다.
③ 남동풍이 주로 불 것이다.
④ 강수가 가장 집중되는 시기이다.
⑤ 한랭 건조한 계절풍의 영향을 받는다.

07 지도의 A 지역에서 나타나는 특징으로 옳은 것은?

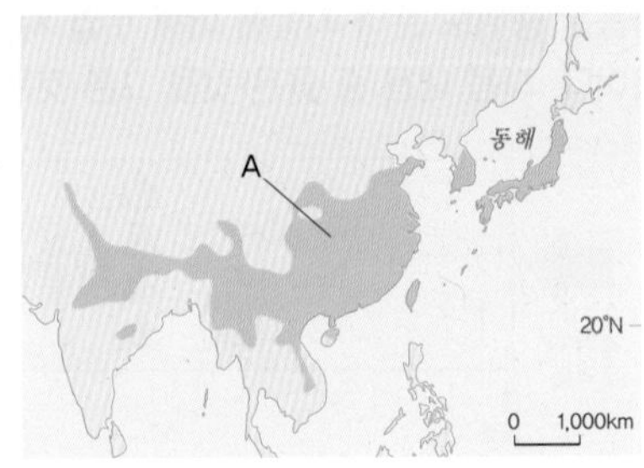

① 여름이 고온 다습하여 벼농사가 활발하다.
② 겨울이 아열대 고압대의 영향으로 건조하다.
③ 강수 일수가 많고 일사량이 적어 여름이 서늘하다.
④ 여름철에 올리브, 오렌지, 포도 등을 주로 재배한다.
⑤ 연중 편서풍의 영향을 강하게 받아 풍력 발전에 유리하다.

08 다음은 (가), (나) 지역의 기온과 누적 강수량 그래프이다. 이 지역에 대한 설명으로 옳은 것을 |보기|에서 고른 것은?

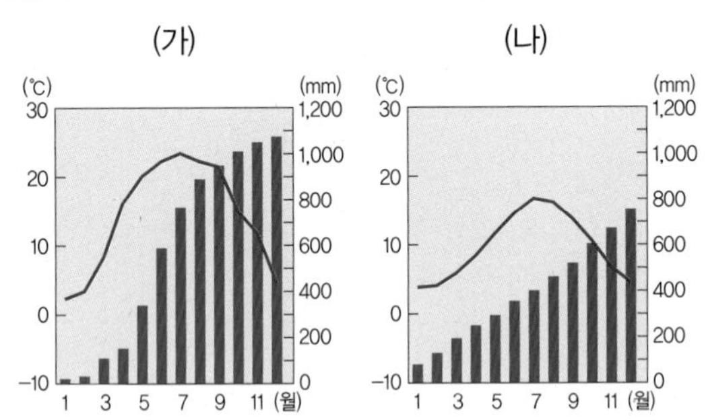

*누적 강수량: 1월부터 해당 월까지 월별 강수량을 더한 값

|보기|
ㄱ. (가)는 (나)보다 강수의 계절 차가 크다.
ㄴ. (가)는 지중해 연안, 칠레 중부 등에서 주로 나타난다.
ㄷ. (나)는 (가)보다 수운 개발에 유리하다.
ㄹ. (나)의 저위도 지역에서는 여름철에 차를 재배한다.

① ㄱ, ㄴ ② ㄱ, ㄷ ③ ㄱ, ㄹ
④ ㄴ, ㄹ ⑤ ㄷ, ㄹ

서술형 문제

09 다음은 어느 지역의 가옥 특징에 대한 학생들의 대화이다. 이러한 가옥이 나타나는 기후 지역의 여름, 겨울 농업 특징에 대해 |보기|의 제시어를 이용하여 서술하시오.

학생 1: 그리스의 산토리니에서 만난 지중해 연안의 하얀 건물들!
학생 2: 정말 이국적이고 신비롭다. 날씨도 맑고 좋은 것 같구나!
학생 1: 원래는 그냥 벽돌로 지은 건물인 것 같은데……. 건물 외벽에 흰색이나 파란색으로 칠을 해 놓았네?
학생 2: 매년 여름이면 유럽의 관광객이 휴양하러 찾아오는 곳으로 유명하다고 해.

| 보기 |
• 아열대 고기압 • 편서풍

서술형 문제

10 (가), (나) 지역 중 수운 개발에 유리한 곳을 고르고, 그 이유를 연 강수량의 차이와 하천의 수위 변화를 포함하여 서술하시오.

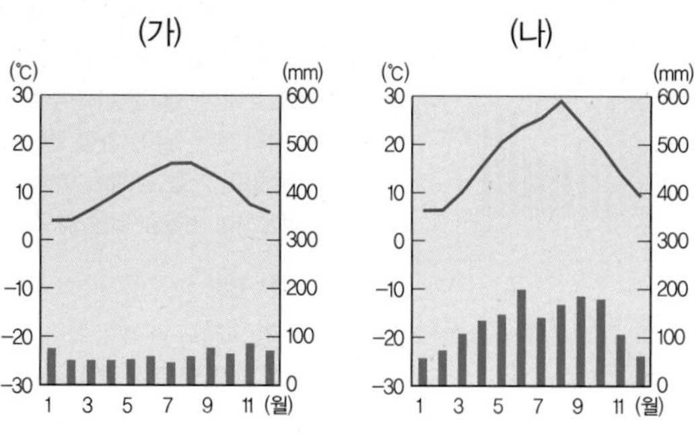

서술형 문제

11 다음과 같은 생활 특성이 나타나는 지역의 기후 이름을 적고 기후 특징을 기온·강수·바람의 조건에서 서술하시오.

이곳은 런던 부근입니다. 부드러운 풀이 잘 자라, 풀과 사료 작물을 재배하고 젖소에게 먹여 우유를 가공합니다. 또한 보리, 감자, 귀리 등의 식량 작물을 재배하고 있습니다.

서술형 문제

12 다음은 북반구에서 서안 해양성 기후가 나타나는 지역이다. 유럽 지역에 표시된 서안 해양성 기후의 범위가 고위도 지방과 내륙 지방까지 확대되어 나타나는 이유를 서술하시오.

01 기후 그래프를 바탕으로 (가)~(다) 도시의 위치를 지도의 ㉠~㉣에서 고른 것은?

중요

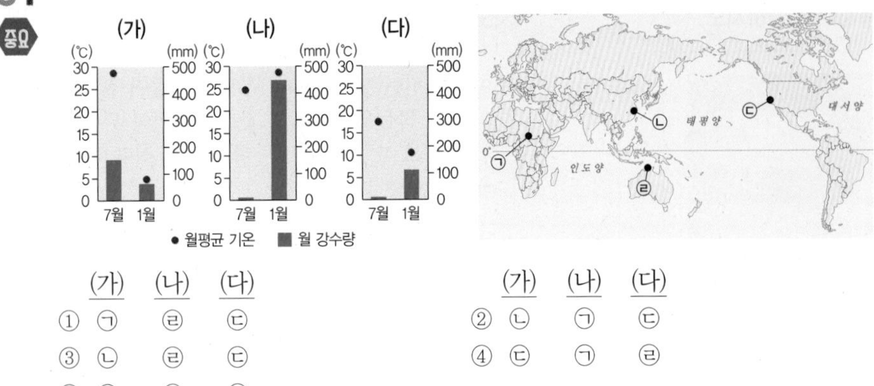

	(가)	(나)	(다)
①	㉠	㉣	㉢
②	㉡	㉠	㉢
③	㉡	㉣	㉢
④	㉢	㉠	㉣
⑤	㉢	㉣	㉡

문제 접근 방법

최한월, 최난월 평균 기온과 월 강수량을 바탕으로 남·북반구의 위치를 구분한 후에 세부적인 기후를 구분한다. 기후 구분을 한 후 지도에서 해당 지역의 위치를 찾는다.

내신 전략

1월과 7월 강수량만 그래프로 제공될 경우 최한월, 최난월 중 하나라는 것을 알고 18℃, −3℃, 10℃ 기준을 이용하여 열대, 온대, 냉대, 한대를 구분한다. 이후 계절별 강수를 통해 2차 구분을 하여 기후를 찾는다.

02 다음 자료는 다큐멘터리 촬영 계획의 일부이다. (가)~(다) 촬영 지역을 촬영 월이 빠른 순서대로 배열한 것은?(단, 1월부터 12월까지 순서대로 배열함.)

촬영 지역	(가)	(나)	(다)
기후 특성			
촬영 내용	⋮ 단풍이 절정을 이룬 전통 정원의 모습 ⋮	⋮ 포도 수확 집중기에 분주한 포도 농장들의 모습 ⋮	⋮ 1년 중 밤이 가장 긴 날의 도시 야경 ⋮

① 가 → 나 → 다　② 가 → 다 → 나　③ 나 → 가 → 다
④ 나 → 다 → 가　⑤ 다 → 나 → 가

문제 접근 방법

온대 기후의 그래프를 해석하고 그 특징을 이해하는 문제이다. 북반구와 남반구는 계절이 반대로 나타나므로 (가)~(다)에 해당하는 반구를 먼저 찾은 뒤 해당 설명에 맞는 달을 찾으면 된다. (나)의 경우 수목 농업이 여름에 이루어지기 때문에 여름인 1월 이후에 포도 수확이 될 것이라 추정하면 된다. (다)의 경우 낮이 가장 긴 때는 여름이며, 밤이 가장 긴 때는 겨울이라는 것을 이용하여 겨울인 달을 찾으면 된다.

내신 전략

기후 그래프 해석은 자주 나오므로 기후 그래프별 기후명과 기후 특성을 구분하는 연습을 한다.

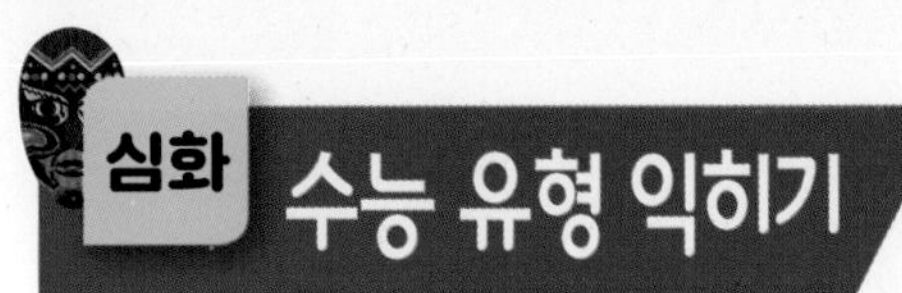

정답과 해설 ▸ 10쪽

2015학년도 6월 모의평가

01 다음은 온대 기후 지역에 대한 수업 장면이다. (가)~(라)에 해당하는 설명으로 옳은 것은?

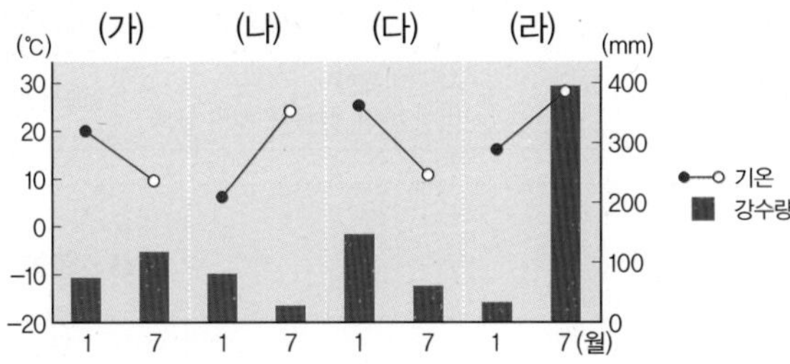

① (가)와 (나)는 대륙 동안에 위치한다.
② (가)가 기온의 연교차가 가장 크게 나타난다.
③ (나)는 남반구, (다)는 북반구에 위치한다.
④ (다)는 여름철에 건기가 나타난다.
⑤ (라)는 강수량의 계절차가 가장 크게 나타난다.

출제 개념
온대 기후 지역의 특징

자료 해설
(가)는 1월 평균 기온이 높으므로 남반구이며, 여름(1월) 강수량이 적으므로 지중해성 기후이다. (나)는 7월 평균 기온이 높으므로 북반구이며, 여름(7월) 강수량이 적으므로 지중해성 기후이다. (다)는 1월 평균 기온이 높으므로 남반구이며, 겨울인 7월 강수량이 적으나 기온의 연교차도 역시 작기 때문에 대륙 동안에 위치한 온난 습윤 기후라는 것을 알 수 있다. (라)는 7월 평균 기온이 높으므로 북반구이며, 여름철 기온이 높고 강수량이 많으나 겨울 강수량이 적으므로 온대 겨울 건조 기후이다.

해결 비법
1월과 7월은 최한월 혹은 최난월이므로 이것을 바탕으로 북반구·남반구 여부와 기후를 구분한다.

2014학년도 수능

02 그래프는 온대 기후 지역에 위치한 두 도시의 월평균 기온과 월 강수 편차를 나타낸 것이다. (가), (나)에 해당하는 도시를 지도의 A~D에서 고른 것은?

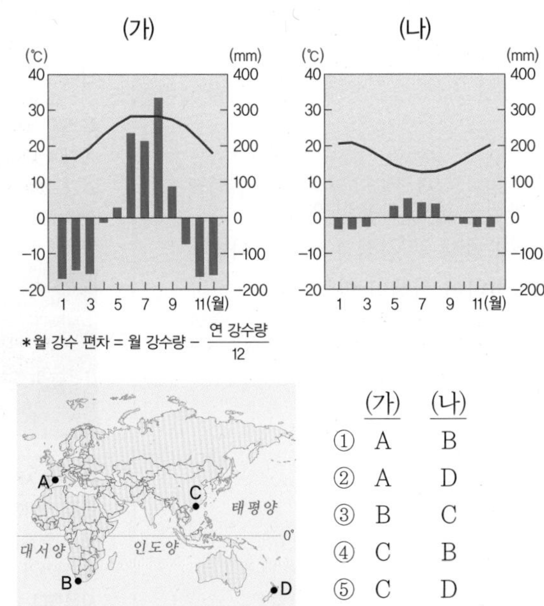

	(가)	(나)
①	A	B
②	A	D
③	B	C
④	C	B
⑤	C	D

출제 개념
온대 기후 지역의 기온과 강수량 이해

자료 해설
월평균 기온을 통해 남·북반구를 구분한다. 월 강수 편차는 월 강수량에서 평균값을 제외한 것으로, 강수량에서 동일한 만큼의 값을 제외하여 실제 강수량 그래프의 형태는 동일하게 나타난다는 점을 기억한다. 따라서 (가)는 겨울인 1월에 강수가 적으므로 대륙 동안, (나)는 여름인 1월에 강수가 적으므로 대륙 서안 기후 중 지중해성 기후에 해당한다.

해결 비법
월 강수 편차 그래프를 해석하는 방법을 익힌다. 또한 지도상에서 온대 겨울 건조 기후, 지중해성 기후, 서안 해양성 기후 지역을 찾을 수 있어야 한다.

주제 6

건조 기후와 냉·한대 기후

교과서 42~49쪽

주제 흐름 읽기

사막(연 강수량 250mm)의 형성 원인
• 아열대 고압대 지역 • 중위도 내륙 지역 • 중위도 대륙 서안 한류 사막 • 대규모 산지의 비그늘 지역

건조 지형(물리적 풍화가 강함)		
유수에 의한 지형	바람에 의한 지형	암석의 경연 차에 의한 지형
• 와디, 플라야 • 선상지, 바하다	• 사구(바르한) • 버섯 바위, 삼릉석, 사막 포도	• 메사, 뷰트

1 건조 기후

1. 건조 기후의 특징과 구분

(1) 특징

① 무수목 기후로 연 강수량이 500mm 미만

(너무 춥거나 건조해 나무가 자라지 못하는 기후를 무수목 기후라고 해.)

② 연 강수량보다 증발량이 많아 건조함

③ 구름과 식생이 없어 기온의 일교차가 매우 크게 나타남

(2) 구분

① 스텝 기후❶: 연 강수량 250~500mm, 짧은 우기에 초원이 형성됨 → 유목 생활, 이동식 가옥 게르

② 사막 기후❷: 연 강수량 250mm 미만으로 식생이 매우 빈약함 → 오아시스 농업❸, 평평한 지붕의 흙집, 모래바람을 막는 긴 옷

2. 사막의 형성 원인 자료 1

(1) **아열대 고압대 지역** 연중 하강 기류가 우세 예 사하라사막, 그레이트빅토리아사막

(2) **중위도 내륙 지역** 해양과 거리가 멀어 수증기 공급이 안 됨 예 고비사막, 타커라마간사막

(3) **중위도 대륙 서안의 한류 사막** 한류의 영향으로 대기가 안정되어 상승 기류가 형성되지 않음 예 나미브사막, 아타카마사막 → 안개를 이용하여 물을 공급받음❹

(4) **대규모 산지의 비그늘 지역** 해양에서 불어오는 습윤한 공기를 높은 산지가 차단 예 파타고니아사막

2 건조 지형

1. 건조 지형의 형성 원인

(1) 기후의 영향

① 기온의 일교차가 커서 화학적 풍화 작용에 비해 물리적 풍화 작용이 활발함

(암석이 부서지는 것을 물리적 풍화, 화학적 변화로 성분이 변하는 것을 화학적 풍화라고 해.)

② 일시적으로 내리는 불규칙한 비에 의해 포상 홍수가 발생 → 침식과 퇴적이 나타남

(건조 지역에서 일시적으로 많은 양의 비가 내리면, 빗물이 땅으로 스며들지 못하고 산비탈에서 지표면을 덮고 넓게 퍼져 흐르는 것을 의미해.)

(2) **식생** 강수가 적고, 바람에 의한 침식·퇴적 작용이 활발하여 식생이 빈약함

2. 건조 지형의 종류 자료 2

(1) 유수에 의한 지형

① 일시적 유수의 흔적: 와디, 플라야

② 유수에 의한 퇴적: 선상지, 바하다

(2) 바람에 의한 지형

① 바람에 의한 퇴적: 사구(바르한)

② 바람에 의한 침식: 버섯 바위, 삼릉석, 사막 포도

(3) **암석의 경연 차에 의한 지형** 메사, 뷰트

(암석의 단단한 부분은 남고 연한 부분만 침식되는 것을 암석의 경연 차에 의한 침식이라고 해.)

---

❶ 스텝 기후

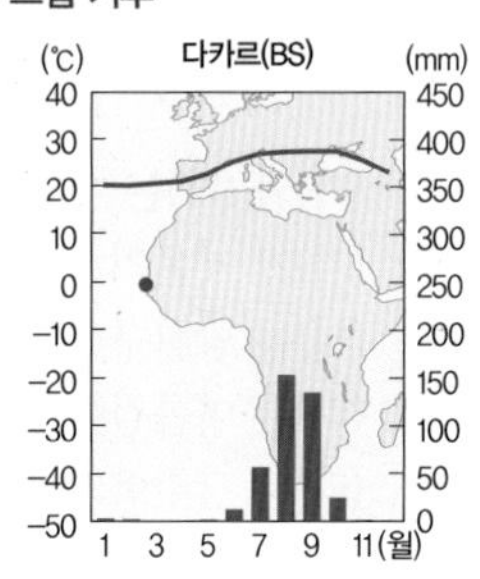

연 강수량이 250~500mm로 짧은 우기에 초원이 형성된다.

❷ 사막 기후

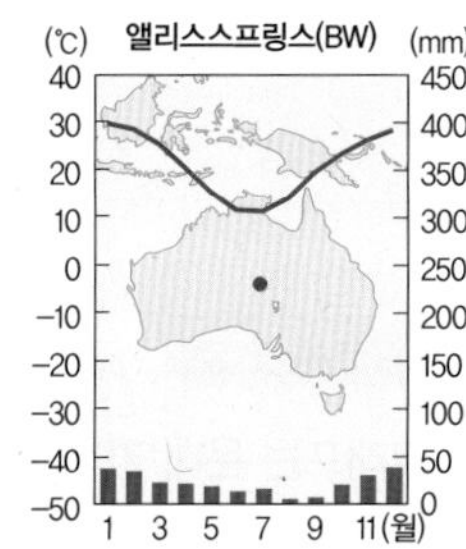

연 강수량이 250mm 미만인 지역이다. 이 지역은 아열대 고압대 사막에 해당한다.

❸ 오아시스 농업

산지에 내린 비가 샘솟는 곳에 오아시스가 형성되며, 이곳에 사람들이 모여 살며 대추야자와 같은 작물을 재배한다.

❹ 한류 사막의 안개

한류 사막은 안개가 많이 발생한다. 이곳 사람들은 해안에 그물망을 설치한 후 안개가 냉각되며 맺히는 물을 모아 사용한다.

자료 1 사막의 분포 지역과 형성 원인

교과서 43쪽

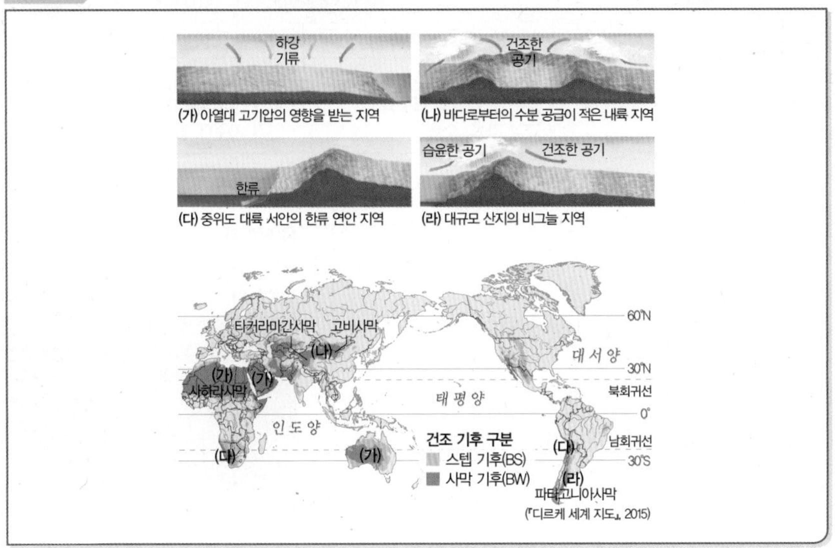

자료 분석 (가)는 아열대 고기압에 의해 형성된 사막이다. 아열대 고압대에서는 연중 하강 기류가 발생하여 맑고 건조한 날씨가 이어진다. (나)는 해양에서 멀리 떨어져 있어 바다로부터 수증기를 공급받기 어렵다. (다)는 한류의 영향으로 대기가 안정되어 있어 상승 기류가 형성되지 않아 사막이 나타난다. (라)는 비그늘 지역으로 안데스산맥에 의해 편서풍이 가로막혀 사막이 나타난다.

자료 분석 포인트

대기 대순환에 의한 아열대 고압대 사막을 찾아보자.

Q1 아열대 고압대의 영향을 받아 형성된 사막은?

① 사하라사막
② 파타고니아사막
③ 고비사막
④ 타카라마간사막
⑤ 아타카마사막

자료 2 건조 지형의 모식도

교과서 44~45쪽

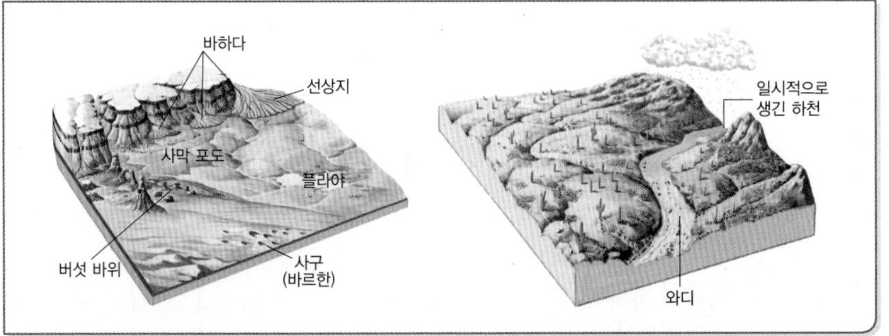

자료 분석

유수에 의한 지형	바람에 의한 지형
• 와디: 비가 많이 내릴 때 일시적으로 형성되는 하천 또는 골짜기(건천) → 교통로로 이용 • 플라야: 비가 많이 내렸을 때 건조 분지에 일시적으로 형성되는 호소 → 염호 • 선상지: 골짜기 입구에 하천의 운반 물질이 부채꼴 모양으로 퇴적된 지형 • 바하다: 선상지가 연속적으로 분포하는 경우	• 사구(바르한): 바람에 날려온 모래가 퇴적된 모래 언덕 • 삼릉석: 바람에 날린 모래의 침식을 받아 여러 개의 평평한 면과 모서리가 생긴 돌 • 버섯 바위: 바람에 날린 모래가 바위의 아랫부분을 깎아서 형성된 버섯 모양의 바위 • 사막 포도: 바람이 점토와 모래 등 미립 물질들을 침식하여 입자가 큰 자갈들로 표면이 덮인 지형

자료 분석 포인트

건조 지형의 모식도를 살펴보고, 형성 원인을 알아보자.

Q2 다음 설명에 해당하는 지형의 이름을 쓰시오.

(1) 비가 많이 내릴 때 일시적으로 형성되는 하천 또는 골짜기이다. (　　)
(2) 바람에 날린 모래가 바위의 아랫부분을 깎아서 형성된 버섯 모양의 바위이다. (　　)

답 Q1 ① / Q2 (1) 와디 (2) 버섯 바위

주제 6 건조 기후와 냉 · 한대 기후

주제 흐름 읽기

냉대 기후	
냉대 습윤 기후	냉대 겨울 건조 기후
타이가(식생), 포드졸(토양)	
• 최한월 -3℃ 미만, 최난월 10℃ 이상 • 연중 고른 강수	• 대륙성 기후 • 기온의 연교차가 매우 큼

한대 기후	
툰드라 기후	빙설 기후
• 최난월 평균 기온 0~10℃ • 영구 동토층과 활동층 • 고상 가옥, 순록 유목	• 최난월 평균 기온 0℃ 이하 • 지표면이 얼음과 눈으로 덮임 • 인간 거주에 불리

3 냉 · 한대 기후 자료 3

1. 냉대 기후

(1) **분포** 위도 40° 이상에서 주로 분포하며 남반구는 해당 위도대에 대륙이 없어 거의 나타나지 않음

(2) **특징**

① 최한월 평균 기온이 -3℃ 미만, 최난월 평균 기온이 10℃ 이상 → 기온의 연교차가 큼

② 타이가(침엽수림)❺가 넓게 분포하며, 남부 지역에서는 혼합림이 나타남 → 임업 발달

③ 산성도가 높고 척박한 회백색의 포드졸❻ 토양이 나타남.

④ 비교적 따뜻한 남부 지역에서는 곡물 재배(밀, 보리, 옥수수 등)와 낙농업을 함

⑤ 가옥: 전통 가옥은 통나무를 건축 재료로 이용

밀, 보리, 옥수수는 냉량성 작물로 기온이 비교적 낮은 곳에서도 재배가 가능해.

(3) **냉대 습윤 기후**

① 기온이 낮고, 저기압의 영향으로 연중 고른 강수가 나타남

② 분포: 북아메리카와 유라시아 대륙의 북부 지역

(4) **냉대 겨울 건조 기후**

① 대륙 동안에 위치하여 대륙성 기후가 나타나며, 기온의 연교차가 매우 큼

② 여름철은 기온이 높고 강수가 집중되며, 겨울철은 시베리아 고기압의 영향으로 춥고 건조함

③ 분포: 시베리아 동부

비교적 동서 길이가 짧은 북아메리카에서는 냉대 겨울 건조 기후가 나타나지 않아.

2. 한대 기후

(1) **분포** 북극해 인근의 고위도 지역, 남극 대륙, 일부 고산 지역

(2) **특징**

① 최난월 평균 기온 10℃ 미만의 무수목 기후

② 극 고압대의 영향으로 연 강수량이 적고 증발량도 적게 나타남

(3) **툰드라 기후**

① 최난월 평균 기온 0~10℃, 겨울이 길고 추우며 여름이 짧고 냉량함, 백야❼ 발생

② 북극해 주변 지역 및 일부 고산 지역

③ 영상으로 올라가는 짧은 여름에 이끼류(지의류) 성장

여름철에 밤이 되어도 해가 지지 않는 현상이야. 고위도로 갈수록 여름철 낮의 길이가 길어지기 때문에 나타나지.

④ 이끼류를 먹고 사는 순록 유목, 물개와 고래 등의 수렵 및 어로 활동

⑤ 영구 동토층 위에 여름철 일시적으로 녹는 활동층이 발달함 자료 4

⑥ 토양층의 융해로 건축물이 붕괴되는 것을 막기 위해 고상 가옥❽을 건설

(4) **빙설 기후**

① 연중 영하의 기온, 지표면이 눈과 얼음으로 덮여 있음

② 그린란드, 남극 대륙 등에 분포

③ 식생이 자라지 못하며 인간 생활에 불리함

④ 북극 지방: 항공 교통의 요지, 북극 항로의 개통, 다산 과학 기지 운영

⑤ 남극 대륙: 세종 과학 기지 및 장보고 기지에서 남극에 대한 연구 진행

❺ 타이가
냉대 기후 지역에 분포하는 침엽수림을 일컫는다.

❻ 포드졸
냉대 기후의 침엽수림이 분포하는 지역에 나타나는 토양이다. 강한 산성으로 농업에 적합하지 않으며, 유기물이 부족하고 회백색을 띤다.

❼ 백야
고위도로 갈수록 계절에 따른 낮과 밤의 길이 차이가 커지기 때문에 여름이 되면 낮의 길이가 길어지고 겨울이 되면 밤의 길이가 길어진다. 극 지방에서는 여름 동안에 밤에도 해가 지지 않아 어두워지지 않는 현상이 나타나는데, 이를 백야라고 한다. 북반구는 6월 하순, 남반구는 12월 하순에 백야가 나타난다.

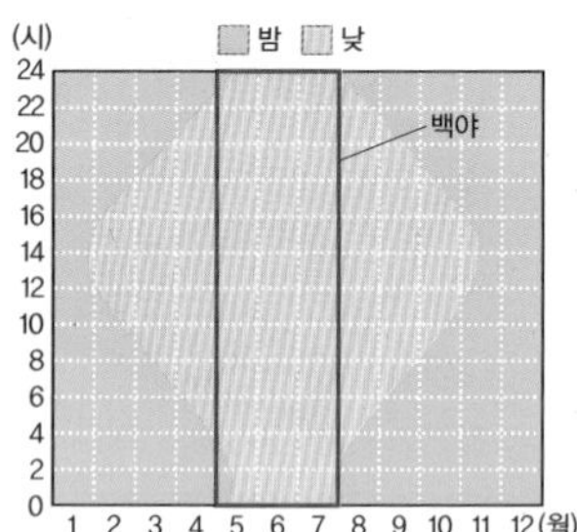

❽ 고상 가옥
가옥의 열기에 의해 토양이 녹으며 건물이 붕괴되는 것을 막기 위해 영구 동토층에 기둥을 박아 건물을 지면에서 띄워 짓는다.

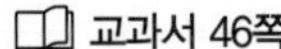

자료 3 냉·한대 기후의 분포

교과서 46쪽

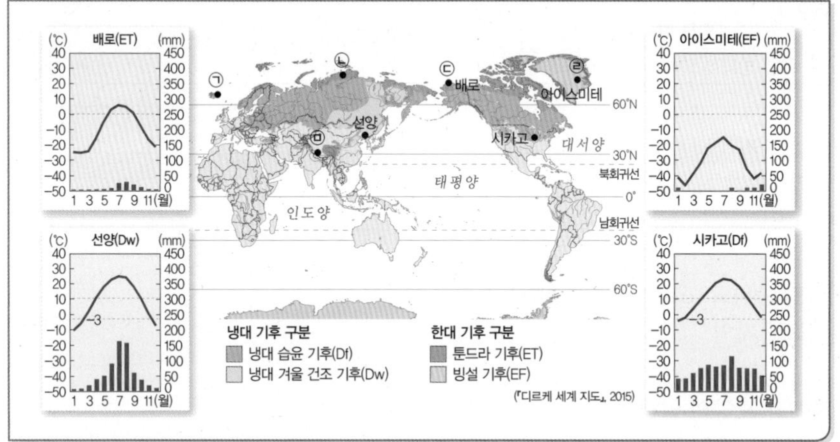

자료 분석 냉대 습윤 기후는 동부 유럽, 시베리아 서부, 캐나다 등지에 나타난다. 냉대 겨울 건조 기후는 대륙성 기후로 기온의 연교차가 매우 크게 나타난다. 시베리아 동부와 중국 북동부에 나타나며, 아메리카 대륙에는 나타나지 않는다. 북극해 주변과 일부 고산 지역에서는 여름철에 일시적으로 온도가 영상으로 올라가는 툰드라 기후가 나타난다. 고위도의 툰드라 기후 지역은 무수목 기후로, 주로 순록 유목을 하며 살아간다. 그린란드 내부, 남극 대륙은 일 년 내내 영하의 기온인 빙설 기후가 나타난다.

자료 분석 포인트

한대 기후의 분포 지역을 알아보자.

Q3 빙설 기후가 나타나는 지역을 지도의 ㉠~㉤에서 고른 것은?

① ㉠ ② ㉡
③ ㉢ ④ ㉣
⑤ ㉤

자료 4 툰드라 기후 지역의 토양

교과서 47쪽

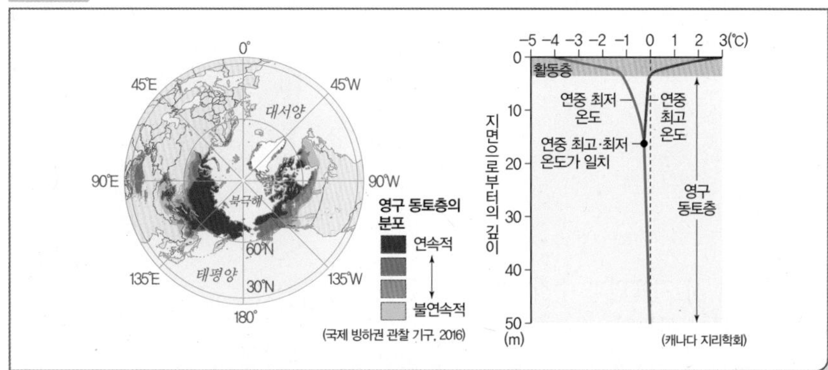

자료 분석 툰드라 기후 지역은 여름철에 낮과 밤의 기온이 영하와 영상을 오르내리는데, 그 영향으로 지표에서 가까운 토양층은 동결과 융해가 반복된다. 이처럼 지표의 일부가 녹아서 유동하는 부분을 활동층이라 하고, 활동층보다 깊은 부분의 녹지 않는 지층을 영구 동토층이라고 한다. 그래프에서 지표면 근처에 연중 최고 온도가 0℃ 이상으로 나타나는 지점까지의 지층을 활동층이라고 한다.

자료 분석 포인트

툰드라 기후 지역에서 나타나는 토양의 특징을 알아보자.

Q4 툰드라 기후 지역에서 여름철 지표가 해빙되어 나타나는 층을 무엇이라고 하는가?

답 Q3 ④ / Q4 활동층

주제 흐름 읽기

빙하 지형		주빙하 지형
빙하 침식	빙하 퇴적	• 구조토 • 호소
빙식곡(U자곡), 피오르, 권곡, 호른, 현곡	빙력토 평원, 빙퇴석(모레인), 에스커, 드럼린	

4 빙하 지형과 주빙하 지형

1. 빙하 지형

(1) **분포**

① 과거 대륙 빙하가 최대로 확장했던 범위였던 중위도·고위도 지역 자료 5

② 해발 고도가 높아 산악 빙하가 존재하는 고산 지역

(2) **빙하 침식 지형** 자료 6

① 빙식곡(U자곡): 빙하의 침식으로 형성된 U자 모양의 골짜기

② 피오르: 해수면이 상승하며 빙식곡에 바닷물이 차올라 형성된 길고 좁은 만

③ 권곡: 빙식곡 꼭대기에서 빙하가 형성되기 시작하며 움푹하게 침식된 반원형의 와지

④ 호른: 빙하의 침식으로 형성된 산 정상부의 뾰족한 봉우리

⑤ 현곡: 지류 빙하와 본류 빙하의 침식력 차이로 합류부에 높게 걸린 골짜기

(3) **빙하 퇴적 지형** 자료 6

① 빙력토 평원
- 빙하의 퇴적 작용으로 형성된 평원
- 빙하의 후퇴로 드러나며 점토·모래·자갈이 분급되지 않고 섞여서 분포

(빙하 바닥에 퇴적 물질들이 얼어 붙은 채 이동하기 때문에, 크기에 따른 분급이 나타나지 않아.)

- 유기물이 부족하여 토양이 척박함

② 빙퇴석(모레인)
- 빙하의 말단부에 빙하가 운반한 물질들이 쌓여서 형성된 퇴적물
- 분급이 불량함

③ 에스커
- 빙하 하단에서 빙하가 녹은 물인 융빙수가 흐르며 퇴적한 둑 모양의 지형
- 유수(융빙수)에 의한 퇴적 지형으로 비교적 퇴적물의 분급이 양호함

④ 드럼린
- 빙하 하단에 장애물이 있을 경우 빙하에 붙어 이동하던 물질들이 장애물을 중심으로 퇴적된 지형
- 숟가락을 엎어 놓은 것 같은 모양의 퇴적물

2. 주빙하 지형

(1) **분포** 빙하 주변 지역(툰드라 기후 지역 및 고산 지역)

(2) **지형 형성 작용**

① 활동층의 동결과 융해[9]: 퇴적물이 활동층의 동결 시 지표면과 수직 방향으로 들어 올려지고, 융해 시 중력 방향으로 이동하며 퇴적물이 이동함

② 얼음의 쐐기 작용[10]: 암석의 틈에 스며든 물이 얼면 팽창하며 균열을 일으킴, 물리적 풍화

③ 솔리플럭션[11]: 여름철에 녹은 활동층이 경사면을 따라 흘러내림

(3) **주빙하 주요 지형**

① 구조토[12]: 토양의 동결·융해에 따라 물질이 분급되며 형성된 다각형의 지형

② 호소: 영구 동토층에 의해 투수가 되지 않아 지표면에 형성된 연못

❾ 활동층의 동결과 융해

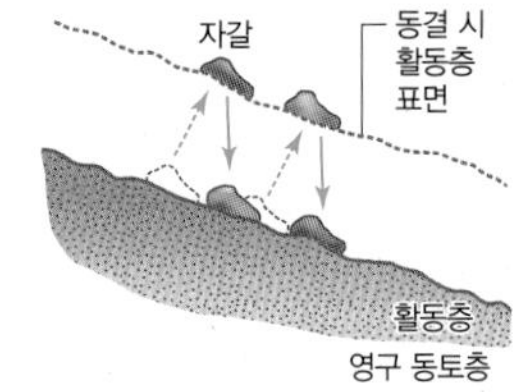

❿ 얼음의 쐐기 작용

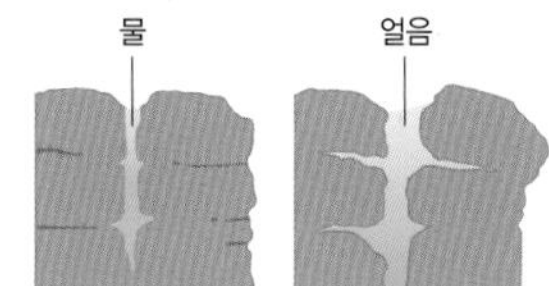

⓫ 솔리플럭션

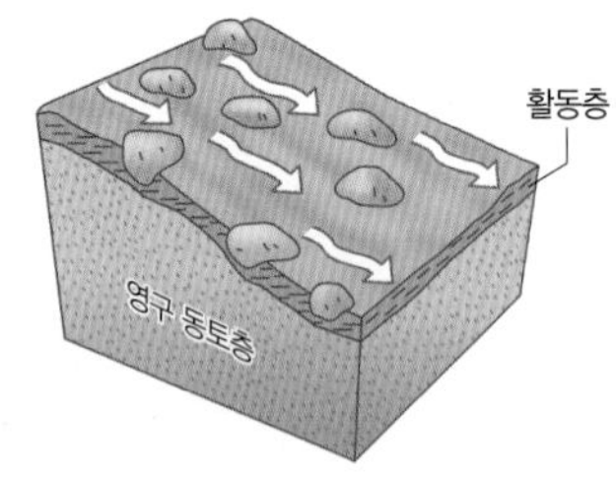

⓬ 구조토

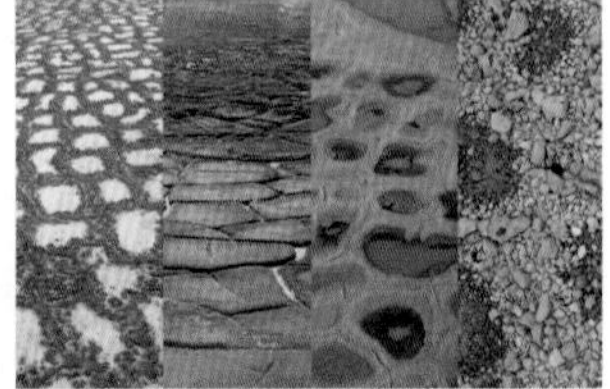

자료 5 빙하의 최대 확장 범위

자료 분석 과거 지구의 기온 변화에 의해 빙기와 간빙기가 여러 차례 반복되었다. 빙하가 최대로 확장되었을 때에는 유럽과 북아메리카 대륙의 대부분이 대륙 빙하에 덮여 있다. 이 지역에서는 빙하 하단부에서 침식·운반·퇴적 작용이 일어나며 형성된 빙하 지형이 현재도 관찰된다. 산지 지역에서도 산악 빙하가 현재보다 낮은 고도까지 확장되었다. 후빙기(현재)가 되면서 기온이 상승하여 빙하는 최대 확장 범위보다 후퇴하였으며, 빙하 지형의 분포를 통해 과거 빙하의 확장 범위를 추정해 볼 수 있다.

자료 분석 포인트

빙하의 최대 확장 범위를 통해 빙하 지형이 나타났던 범위를 알아보자.

Q5 과거 빙하에 덮여 빙하의 영향을 받았던 지역이 아닌 곳은?

① 북유럽 일대
② 캐나다 일대
③ 알래스카 일대
④ 아프리카 남단부
⑤ 안데스산맥 일부 지역

자료 6 빙하 지형

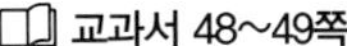
교과서 48~49쪽

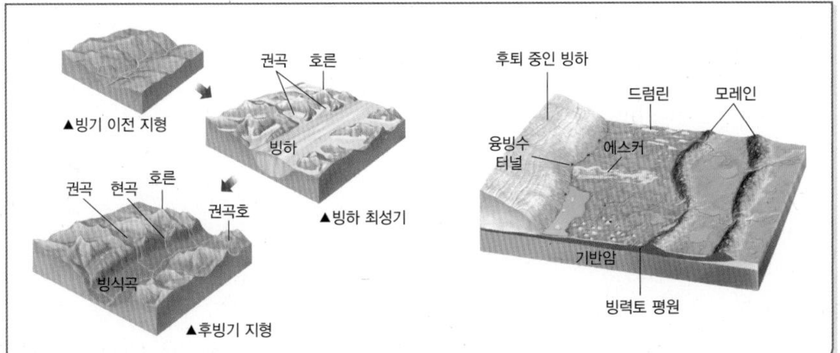

자료 분석 빙하에 의해 침식되면 V자곡의 골짜기가 U자 형태의 빙식곡으로 넓어지게 된다. 지류 빙하는 본류 빙하에 비해 침식력이 약하기 때문에 합류 부분에서 높이 차이가 발생하는데, 이처럼 지류 빙하 골짜기가 본류 빙하의 골짜기에 걸려 있듯 나타나는 지형을 현곡이라 한다. 현곡에서는 폭포가 나타나기도 한다. 빙하에 의해 침식된 지형은 기온이 상승하면 빙하가 후퇴하면서 드러나게 된다.
빙하의 말단부에서는 빙하에 의해 운반된 물질들이 쌓여 언덕 모양의 모레인을 형성한다. 모레인과 빙력토 평원은 분급이 되지 않아 토양이 척박하다.

자료 분석 포인트

빙하 지형 모식도를 살펴보고, 형성 원인을 알아보자.

Q6 다음 설명에 해당하는 지형의 이름을 쓰시오.

(1) 지류 빙하의 골짜기가 본류 빙하의 골짜기에 걸려 있듯 나타나는 지형으로 폭포가 나타나기도 한다. (　　)
(2) 빙하 바닥에서 형성되었으며, 숟가락을 엎어 놓은 것 같은 형태의 퇴적 지형이다. (　　)

답 Q5 ④ / Q6 (1) 현곡 (2) 드럼린

개념 익히기

정답과 해설 ▸ 10쪽

01 다음 빈칸에 들어갈 알맞은 말을 쓰시오.

(1) 사막 기후는 연 강수량이 250mm 이하이고 연 강수량보다 증발량이 많다. 따라서 나무가 자라지 못하는 (　　　) 기후이다.

(2) 툰드라 기후 지역에서는 여름철 기온이 영상으로 오를 때 영구 동토층 상부에서 일시적으로 토양이 녹는 (　　　)이/가 나타난다.

02 다음 내용에서 설명하는 기후를 쓰시오.

> 최난월 평균 기온이 10℃ 이상이고 최한월 평균 기온이 -3℃ 이하인 기후로 기온의 연교차가 크게 나타난다. 저기압의 영향으로 연중 고른 강수가 나타난다.

03 다음 설명이 옳으면 ○, 틀리면 ×표 하시오.

(1) 냉대 기후 지역에는 타이가라 불리는 침엽수림이 광대하게 나타나며, 임업이 발달하였다. (　　)

(2) 빙설 기후 지역은 연중 영하의 기온을 보이며, 눈과 얼음으로 덮여 식생이 자라지 못한다. 따라서 사람이 거주하기에 불리하다. (　　)

(3) 빙하에 의해 퇴적되어 형성된 빙력토 평원은 모래, 자갈, 진흙 등의 퇴적 물질이 분급이 잘되고 유기물이 많아 토양이 비옥하다. (　　)

04 다음 설명에 해당하는 지형을 |보기|에서 찾아 쓰시오.

> **보기**
> • 와디　　　　• 버섯 바위

(1) 건조 기후에서 일시적으로 내린 강우에 의해 생긴 하천으로 평소에는 건천 상태로 존재하며, 교통로로 주로 이용된다.

(2) 바람의 침식 작용에 의해 형성된 지형으로, 바람에 날린 모래가 바위의 아랫 부분을 깎아 생긴 독특한 모양의 바위이다.

05 다음 빈칸에 공통으로 들어갈 말을 쓰시오.

> (　　　)은/는 건조 지형을 만드는 중요한 역할을 한다. 식생이 부족한 건조 지역에서 (　　　)이/가 미립 물질을 제거하면, 비교적 무거운 자갈이 남아 사막 포도 지형을 만든다. (　　　)이/가 운반하던 모래를 퇴적하면 사구가 형성된다.

06 다음 괄호 안에 들어갈 알맞은 말에 ○표 하시오.

(1) 사하라사막은 연중 하강 기류를 만드는 (아열대 고기압 / 한류)에 의해 형성된 대표적인 사막이다.

(2) 냉대 기후는 고위도에 위치하고 있으며 (월 강수차 / 기온의 연교차)가 매우 큰 것이 특징이다.

(3) 빙하가 침식한 골짜기에 해수면이 상승하며 바닷물이 차오르면 좁고 긴 형태의 만이 형성되는데, 이를 (에스커 / 피오르)라고 한다.

01 다음 설명에 해당하는 기후 지역에서 나타나는 가옥으로 옳은 것은?

사방으로 푸른 초원이 펼쳐져 있어서 양이 풀을 뜯는 풍경을 감상하기에도 제격이었다. 어둠이 드리우면 별들이 반짝이는 환상적인 하늘이 펼쳐졌다. 연 강수량이 500mm 미만으로 적기 때문에 물을 아끼느라 목욕을 자주 못하는 것도 낭만이다.

02 다음과 같은 경관이 나타나는 기후를 고른 것은?

① 열대 우림 기후 ② 냉대 습윤 기후
③ 냉대 겨울 건조 기후 ④ 툰드라 기후
⑤ 빙설 기후

03 빈출 지도에 표시된 A~C 지역에 대한 설명 중 옳은 것을 |보기|에서 고른 것은?

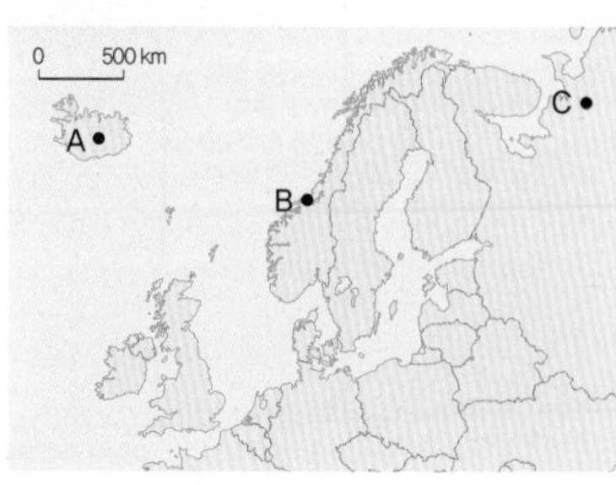

| 보기 |
ㄱ. A는 빙하 지형이 나타난다.
ㄴ. B는 순록 유목을 하는 사람들이 살아왔다.
ㄷ. B에 비해 C는 기온의 연교차가 더 크게 나타난다.
ㄹ. C는 분급이 잘된 빙력토 평원이 나타난다.

① ㄱ, ㄴ ② ㄱ, ㄷ ③ ㄴ, ㄷ
④ ㄴ, ㄹ ⑤ ㄷ, ㄹ

04 빈출 다음은 빙하 지형의 모식도이다 A~D에 대한 설명 중 옳은 것을 |보기|에서 고른 것은?

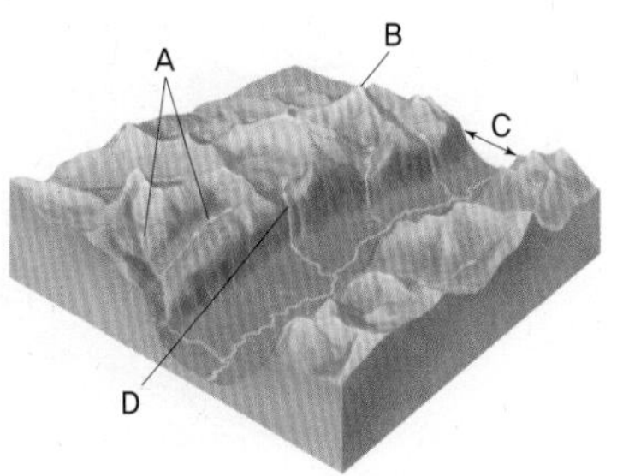

| 보기 |
ㄱ. A는 빙하가 형성되었던 권곡이다.
ㄴ. B는 뾰족한 봉우리인 호른(혼)이다.
ㄷ. C는 하천에 의해 침식된 V자곡이다.
ㄹ. D는 지류 빙하가 합류했던 에스커이다.

① ㄱ, ㄴ ② ㄱ, ㄷ ③ ㄴ, ㄷ
④ ㄴ, ㄹ ⑤ ㄷ, ㄹ

05 다음은 토양 단면의 온도를 나타낸 그래프이다. 그래프에 대한 설명으로 옳은 것을 |보기|에서 고른 것은?

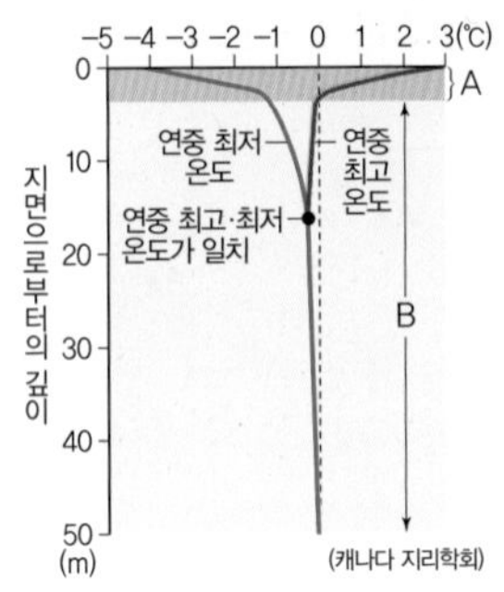

|보기|
ㄱ. A는 여름철 녹는 활동층이다.
ㄴ. B는 연중 영하의 온도가 나타난다.
ㄷ. B에서 솔리플럭션과 구조토가 나타난다.
ㄹ. 이러한 그래프는 빙설 기후에서 나타난다.

① ㄱ, ㄴ ② ㄱ, ㄷ ③ ㄴ, ㄷ
④ ㄴ, ㄹ ⑤ ㄷ, ㄹ

06 그림의 A~D에 대한 설명으로 옳은 것을 |보기|에서 고른 것은?

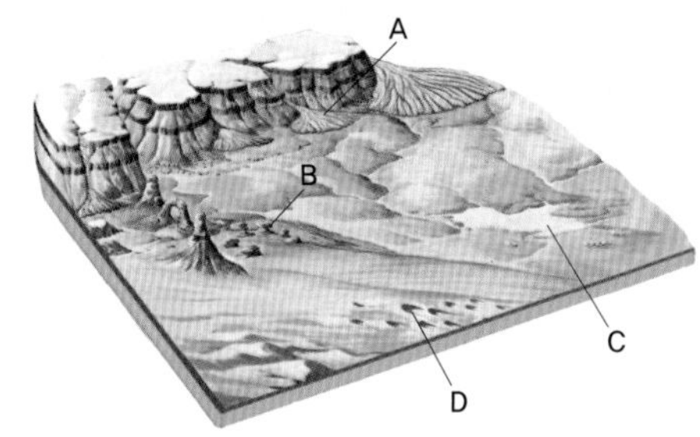

|보기|
ㄱ. A는 선상지로 유수의 침식에 의해 형성된다.
ㄴ. B는 바람의 침식으로 형성된 버섯 바위이다.
ㄷ. C는 플라야로 일시적으로 만들어진 호수이다.
ㄹ. D는 바람의 침식에 의해 만들어진 바하다이다.

① ㄱ, ㄴ ② ㄱ, ㄷ ③ ㄴ, ㄷ
④ ㄴ, ㄹ ⑤ ㄷ, ㄹ

07 빈출 (가), (나)의 원인으로 형성되는 사막을 지도에서 찾아 올바르게 연결한 것은?

(가) 하강 기류
(나) 한류

A, B, C, D / 대서양, 인도양, 태평양, 대서양, 0°

	(가)	(나)		(가)	(나)
①	A	B	②	A	C
③	A	D	④	C	B
⑤	C	D			

08 빈출 (가), (나) 기후 그래프에 해당하는 지역에 대한 설명으로 옳은 것을 |보기|에서 고른 것은?

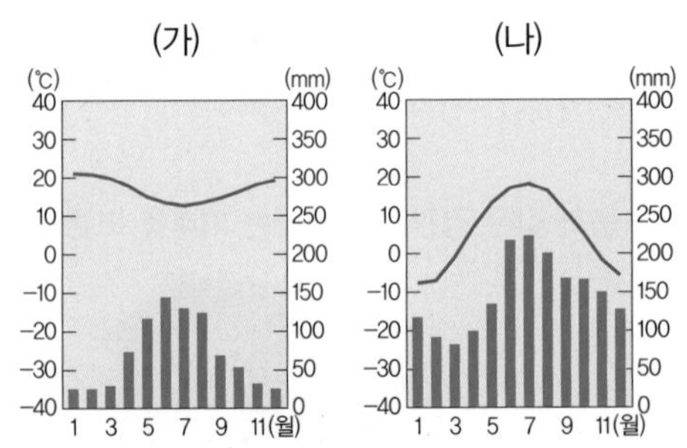

① (가)와 (나)는 계절이 동일하게 나타난다.
② (가)는 사계절이 뚜렷한 기후대에 속한다.
③ (나)는 (가)보다 저위도에 위치한다.
④ (나)에는 낙엽활엽수림이 주로 나타난다.
⑤ (나)의 구대륙에서는 벼농사를 주로 짓는다.

09 다음은 6월 21일 ○○ 지역의 태양의 움직임을 보여 주는 그림이다. 관련 있는 내용을 |보기|에서 고르면?

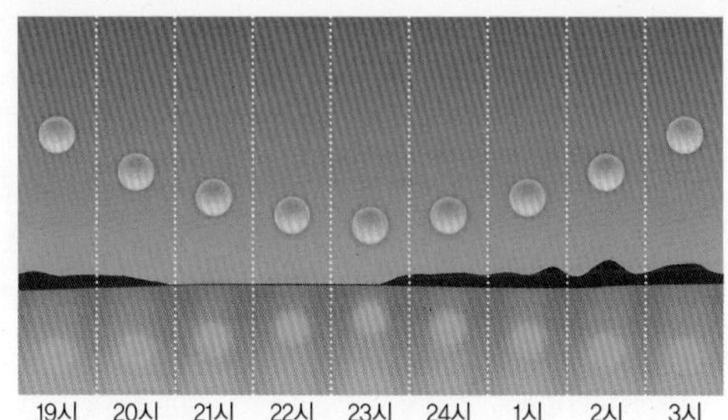

| 보기 |

ㄱ. 조엽수림　　　　ㄴ. 지의류
ㄷ. 북반구의 고위도　　ㄹ. 남반구의 고위도

① ㄱ, ㄴ　② ㄱ, ㄷ　③ ㄴ, ㄷ
④ ㄴ, ㄹ　⑤ ㄷ, ㄹ

10 다음은 사막 여행기의 일부이다. ㉠~㉤에 대한 설명 중 옳지 않은 것은?

우리 일행을 실은 차량은 ㉠ 와디를 따라 달렸다. 아쉽게도 그렇게 보고 싶었던 ㉡ 버섯 모양의 바위는 눈에 들어오지 않았다. 갑자기 드넓은 모래 바다가 눈앞에 펼쳐졌다. 여기저기에 ㉢ 초승달 모양의 모래 언덕도 보였다. 저녁이 되어 우리는 작은 ㉣ 오아시스가 있는 야영장에 도착했다. 날이 어두워지자 ㉤ 낮의 그 강렬했던 태양 아래 뜨거웠던 모래는 금방 냉골이 되었다. 한기가 몰려오기 시작했다.

① ㉠ 와디는 비가 왔을 때 일시적으로 생기는 하천을 말한다.
② ㉡ 버섯 바위는 바람에 의한 침식으로 형성된다.
③ ㉢ 사구는 바람에 의한 침식 작용으로 형성된다.
④ ㉣ 오아시스에서는 사람들이 주로 대추야자를 재배하며 거주한다.
⑤ ㉤ 사막 지역은 기온의 일교차가 크게 나타난다.

11 빈출

지도의 A~E 지역에 대한 설명으로 옳지 않은 것은?

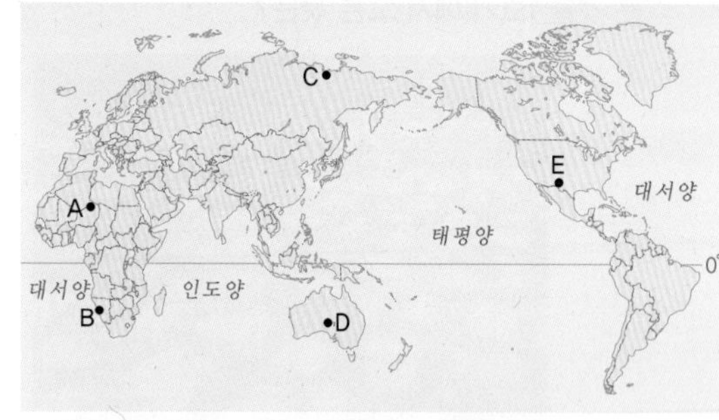

① A는 연중 하강 기류가 발생하여 건조하다.
② B에서는 안개를 포집해 식수를 마련한다.
③ C에서는 순록 유목을 하며 사람들이 살아간다.
④ D에는 바람에 의해 버섯 바위, 사구 등이 나타난다.
⑤ E에는 과거 빙하의 흔적인 모레인이 나타난다.

12 다음 설명에 해당하는 지역의 기후 그래프를 고른 것은?

끝없이 펼쳐지는 침엽수림. 뾰족한 잎을 가진 이 나무들은 추운 겨울을 이겨내려는 듯 한껏 몸을 움츠리고 있었다. 나무가 풍부한 이 지역에서는 펄프 공업이 아주 오래전부터 발달했다고 한다.

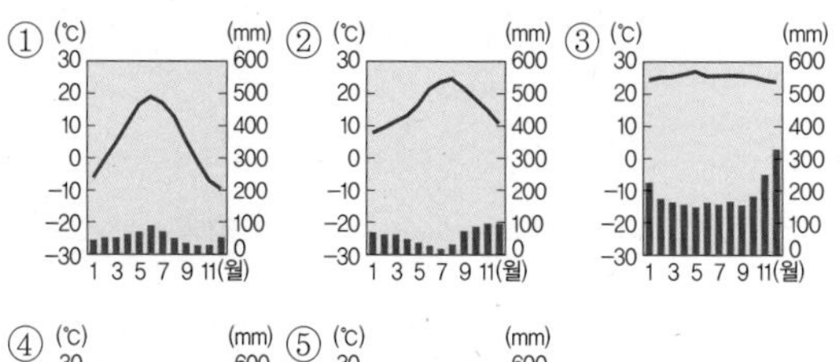

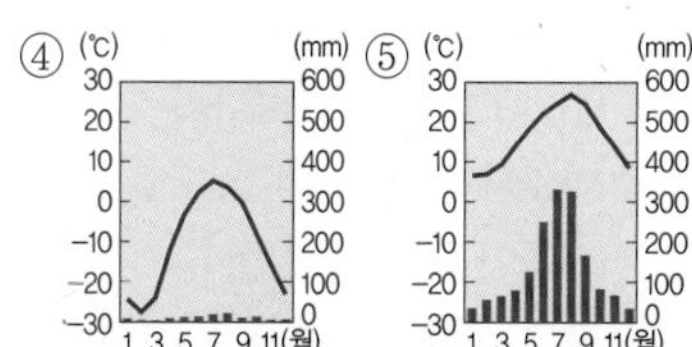

13 사진의 지형을 관찰할 수 있는 지역에 대한 설명으로 옳은 것을 |보기|에서 고른 것은?

보기

ㄱ. 여름철 곳곳에 호소가 형성될 것이다.
ㄴ. 사람들은 냉량성 작물인 밀과 옥수수를 재배한다.
ㄷ. 여름철 지표 근처 토양이 녹는 활동층이 나타난다.
ㄹ. 물리적 풍화보다 화학적 풍화가 활발하게 나타난다.

① ㄱ, ㄴ ② ㄱ, ㄷ ③ ㄴ, ㄷ
④ ㄴ, ㄹ ⑤ ㄷ, ㄹ

14 자료는 어느 두 지역의 기후 그래프이다. (가), (나) 지역에 대한 설명으로 옳은 것은?

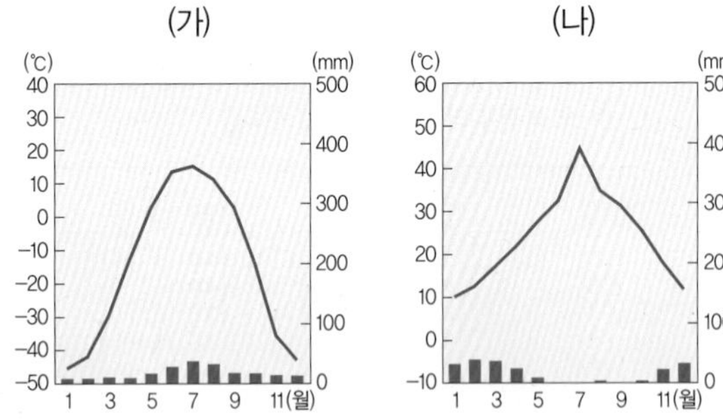

① (가)는 낮의 길이가 7월보다 1월이 길다.
② (가)와 (나)는 계절이 반대로 나타난다.
③ (가)는 기온의 연교차가 40℃ 이상 크게 나타난다.
④ (나)에서 고상 가옥이 주로 나타난다.
⑤ (나)는 연 강수량이 증발량보다 많을 것이다.

15 빈출 지도에 표시된 A 지역의 특징으로 옳은 것을 |보기|에서 고른 것은?

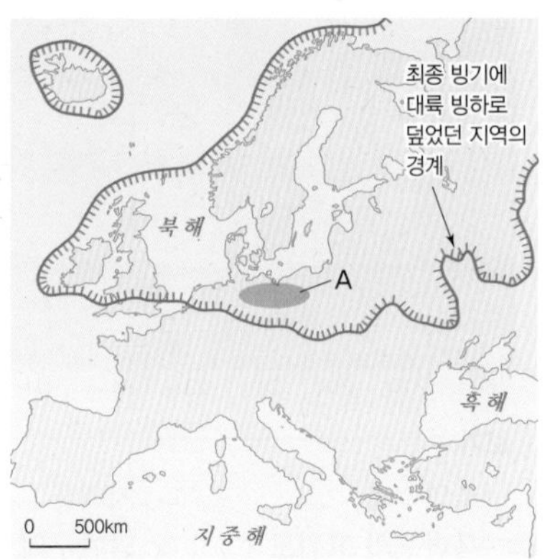

보기

ㄱ. 둑 모양의 에스커가 나타날 것이다.
ㄴ. 솔리플럭션 활동에 의해 구조토가 타나난다.
ㄷ. 퇴적물이 분급되지 않은 빙력토 평원이 나타난다.
ㄹ. 편서풍의 영향을 받아 기온의 연교차가 큰 기후가 나타난다.

① ㄱ, ㄴ ② ㄱ, ㄷ ③ ㄱ, ㄹ
④ ㄴ, ㄹ ⑤ ㄷ, ㄹ

16 다음 설명에 해당하는 지역의 기후를 고른 것은?

세종 과학 기지, 장보고 기지에서 이 지역에 대한 연구가 진행되고 있다. 이 대륙은 특정한 국가의 소유가 아니며, 과학 연구를 위해서 이용되고 있다.

① 빙설 기후
② 툰드라 기후
③ 냉대 습윤 기후
④ 냉대 겨울 건조 기후
⑤ 온대 겨울 건조 기후

서술형 문제

17 다음 지도를 보고 물음에 답하시오.

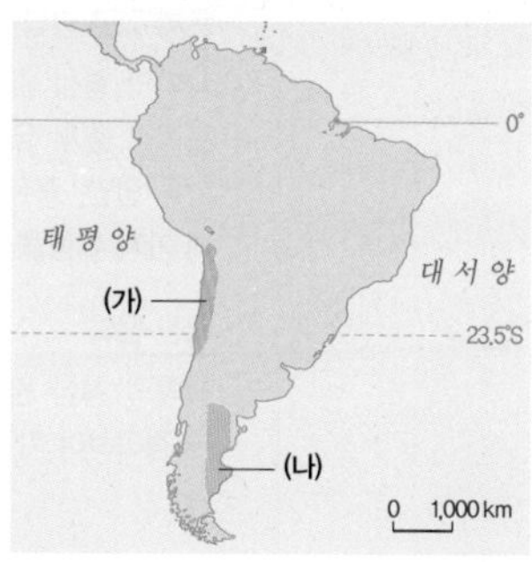

보기
• 한류 • 비그늘

(1) (가) 지역에 사막이 나타나게 된 원인을 |보기|의 제시어를 이용하여 서술하시오.

(2) (나) 지역에 사막이 나타나게 된 원인을 |보기|의 제시어를 이용하여 서술하시오.

서술형 문제

18 그래프를 보고 A 지역에서 어떤 기후가 나타날지 추론하여 서술하시오.

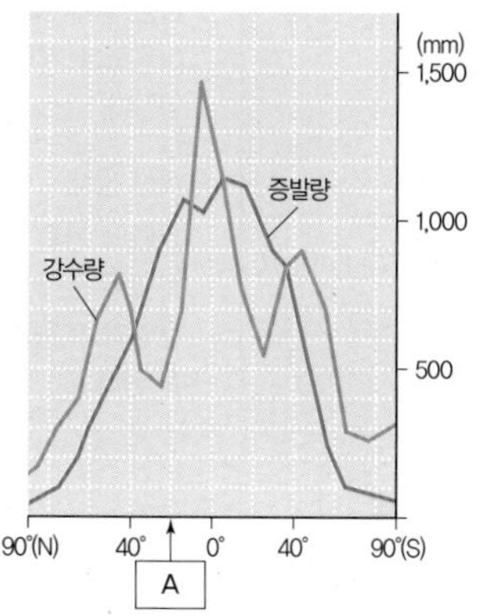

서술형 문제

19 다음과 같은 현상이 나타나는 기후를 쓰고, 이러한 현상을 막기 위한 대책을 서술하시오.

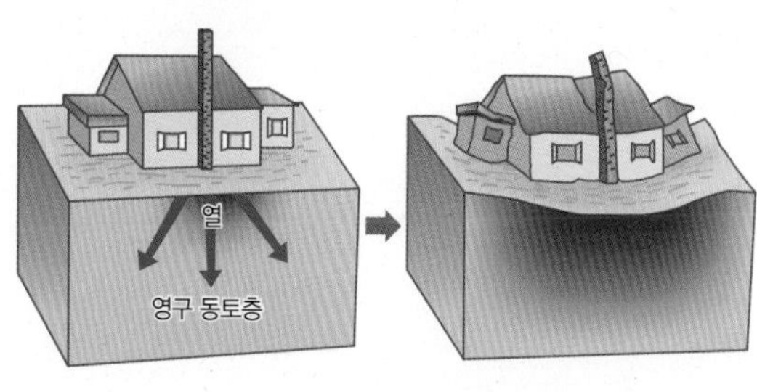

서술형 문제

20 다음은 빙하 말단부에서 나타나는 지형이다. A 지형의 이름을 쓰고 형성 과정을 서술하시오.

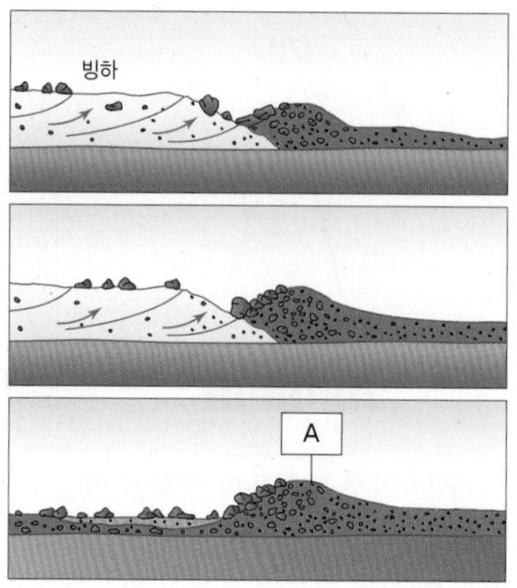

3단계 내신 만점 도전하기

01 지도의 A~E 지역에 나타나는 사막의 주된 형성 원인으로 가장 적절한 것은?

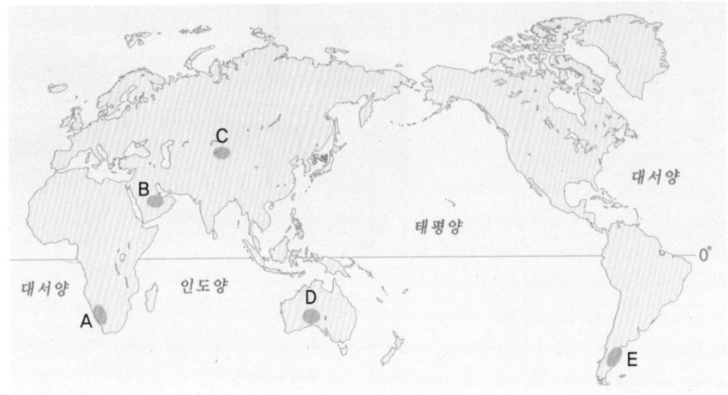

① A-난류의 영향으로 대기가 안정적이기 때문이다.
② B-내륙에 위치해 바다로부터 멀리 떨어져 있기 때문이다.
③ C-아열대 고압대의 영향으로 연중 하강 기류가 발생하기 때문이다.
④ D-한류가 흘러 상승 기류가 발생하지 않기 때문이다.
⑤ E-주변에 높은 산지가 있어 탁월풍의 비그늘이 되기 때문이다.

문제 접근 방법
사막의 형성 원인 구분하기는 가장 대표적인 출제 유형이다. 아열대 고압대, 한류 연안, 중위도 대륙 내부, 비그늘의 네 가지 유형을 지도에서 찾는다.

내신 전략
사막의 형성 원인과 위치를 반드시 함께 정리하여 기억한다.

02 그래프는 세 지역의 월평균 기온과 월 강수량을 나타낸 것이다. (가)~(다) 지역에 대한 설명으로 옳은 것은?(단, 세 지역은 비슷한 위도상에 위치함.)

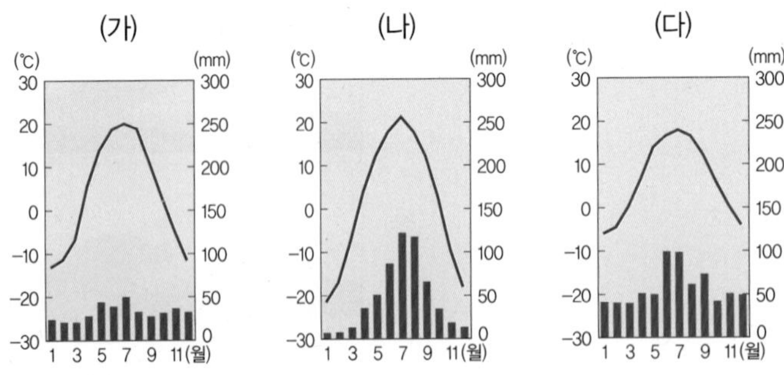

① (가)는 연중 무역풍의 영향을 받는다.
② (나)는 기온의 일교차가 연교차보다 크다.
③ (다)에서는 순록의 유목이 활발하게 이루어진다.
④ (나)는 (다)보다 대륙성 기후의 특징이 뚜렷하다.
⑤ (가)~(다)는 모두 7월보다 1월의 낮 길이가 길다.

문제 접근 방법
이 문제는 냉대와 건조 기후를 기후 그래프를 통해 구분하고, 그 특징을 이해하는 문제이다. 기온과 강수량의 특징을 이용하여 기후를 구분한 후 내용을 확인한다.

내신 전략
쾨펜의 기후 구분에 따른 기후 그래프를 모두 분류할 수 있어야 한다. 기온과 강수의 기준을 이용하여 구분하는 연습을 한다.

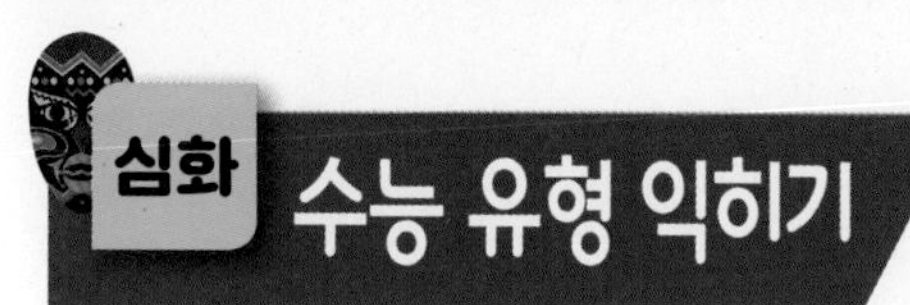

정답과 해설 ▸ 12쪽

2017학년도 9월 모의평가

01 그림은 건조 기후에서 발달하는 지형을 나타낸 것이다. |보기|에서 A~C에 대한 옳은 설명을 있는 대로 고른 것은?

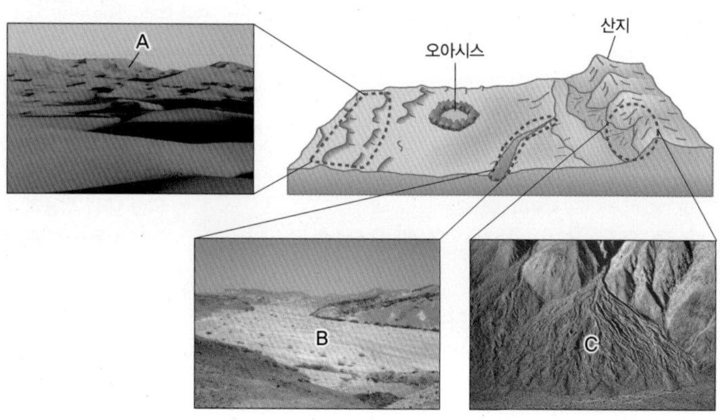

보기

ㄱ. A가 연속적으로 발달하면 바하다라고 부른다.
ㄴ. B는 비가 올 때만 일시적으로 흐르는 하천으로 교통로로 이용되기도 한다.
ㄷ. C는 산지에서 평지로 흘러나온 하천이 골짜기 입구에 형성한 지형이다.
ㄹ. A는 C보다 구성 물질의 평균 입자 크기가 크다.

① ㄱ, ㄴ ② ㄱ, ㄹ ③ ㄴ, ㄷ ④ ㄱ, ㄴ, ㄷ ⑤ ㄴ, ㄷ, ㄹ

출제 개념
건조 지형

자료 해설
A는 사구이다. 사구는 바람에 의해 운반되던 모래가 퇴적되어 형성된다. B는 와디이다. 와디는 일시적 하천으로 교통로로 이동되기도 한다. C는 선상지이다. 선상지는 경사 급변점에 형성되며, 특히 건조 지역에서 일시적으로 내린 호우에 의해 토사가 쓸려와 골짜기 입구에 퇴적되어 형성된다. 선상지가 연속되어 나타나면 바하다라고 부른다.

해결 비법
건조 기후와 빙하 기후는 모식도나 사진을 제시하고 이름과 특징을 물어보는 문제가 출제되므로 반드시 정리해 둔다.

2018학년도 9월 모의평가

02 다음 자료는 어느 지형 단면의 모식도와 땅속 온도 변화에 대한 그래프이다. 이 지형이 나타나는 지역의 기후 그래프를 A~E에서 고른 것은?

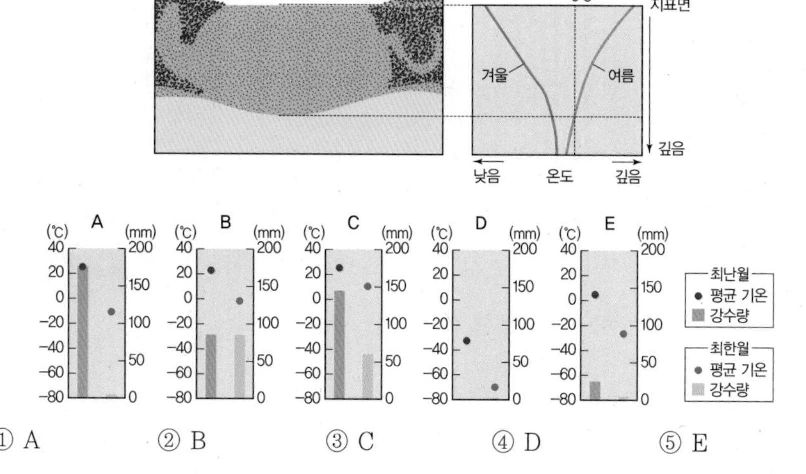

① A ② B ③ C ④ D ⑤ E

출제 개념
툰드라 기후의 영구 동토층과 활동층

자료 해설
모식도는 굵은 입자가 분급된 구조토의 모습이며, 땅속 온도를 통해 활동층 범위를 알 수 있다.
A는 기온의 연교차가 큰 냉대 겨울 건조 기후, B는 온대 서안 해양성 기후, C는 온대 겨울 건조 기후, D는 빙설 기후이다.

해결 비법
툰드라 기후에서는 반드시 활동층과 영구 동토층에 관한 문제가 출제된다. 땅속 온도 변화 그래프가 나오면 여름철 영상으로 올라가는 부분이 있는지 확인한다.

주제 7

세계의 대지형

교과서 50~55쪽

주제 흐름 읽기

세계의 대지형		
안정육괴	고기 습곡 산맥	신기 습곡 산맥
• 시 · 원생대 조산 운동 후 오랜 침식(순상지, 구조 평야) • 철광석 매장	• 고생대 조산 운동, 해발 고도 낮으며 기복 작음 • 석탄 매장	• 신생대 조산 운동, 해발 고도 높고 험준 • 석유 매장

1 대지형의 형성

1. 지형 형성 작용❶

(1) **내적 작용** 지구 내부의 에너지에 의한 작용, 조륙 운동(융기, 침강), 조산 운동(습곡, 단층으로 산맥 형성), 화산 활동, 지형의 규모가 큼

맨틀의 대류 작용에 의해 지각판이 이동하게 되는데 이 과정에서 내적 작용이 발생해.

(2) **외적 작용** 태양 에너지에 의해 대기와 물이 순환하며 만들어지는 작용, 풍화 · 침식 · 운반 · 퇴적 작용, 지형의 규모가 상대적으로 작음

2. 판 구조 운동과 대지형의 형성

(1) **판 구조 운동**

① 지각이 쪼개진 여러 개의 판(대륙판, 해양판)이 지구 내부 에너지에 의해 이동하는 것

② 판이 수렴하거나 분리됨에 따라 판의 경계부에서 지진과 화산 활동 등이 발생

(2) **판의 경계 유형** 수렴(두 대륙판, 대륙판과 해양판), 분리, 수평으로 어긋남 자료 1

2 세계의 대지형의 분포

1. 세계의 대지형 자료 2

(1) **안정육괴**

① 시 · 원생대에 조산 운동을 받았으나 이후 완만한 조륙 운동과 침식을 받아 기복이 작음

② 순상지: 안정육괴의 중심부, 기복이 매우 완만, 철광석 매장

③ 구조 평야❷: 순상지 주변의 수평에 가까운 지층, 케스타 지형❸이 나타나기도 함

(2) **고기 조산대(고기 습곡 산맥)**

① 고생대에 조산 운동을 받아 형성, 안정육괴 주변에 분포 예 애팔래치아산맥, 우랄산맥

② 오랜 침식을 받아 해발 고도가 낮고 기복이 작음, 지각 안정, 석탄 매장

(3) **신기 조산대(신기 습곡 산맥)**

① 신생대에 조산 운동을 받아 판의 경계부에 형성된 산지 예 환태평양 조산대❹, 알프스 · 히말라야 조산대

② 해발 고도가 높고 험준함, 지진 · 화산 활동 등 지각 변동 활발, 석유 매장

석유는 신생대 지층에 매장되어 있어. 신기 조산대 중 일부 배사 지역에서 석유가 채굴되기도 해.

2. 판의 경계에서의 삶

(1) **화산 활동, 지진 발생**

① 화산 분출: 인명 피해, 재산 피해, 항공 교통 불편

② 지진: 건축물 붕괴, 지진 해일이나 산사태 유발

(2) **장점**

① 화산 활동 지역에는 유황과 같은 광물 자원이 풍부, 지열을 이용한 전기 생산, 난방, 온수 공급

② 화산재: 미네랄이 풍부하여 토양이 비옥함, 농사에 유리

③ 관광 자원으로 가치가 높음

---

❶ 지형 형성 작용
지형 형성 작용은 지구 내부 에너지에 의한 내적 작용과, 태양 에너지에 의한 외적 작용으로 구분할 수 있다.

❷ 구조 평야
퇴적된 지층이 오랜 기간에 걸쳐 지각 변동을 받지 않고 수평 지층 상태를 유지하여 낮은 고도에 평탄한 지형을 이룬 평야를 의미한다.

❸ 케스타 지형
케스타 지형은 단단한 암석층과 무른 암석층이 교대로 나타나는 지층이 비스듬히 기울어져 있어, 침식의 결과 급경사 사면과 완경사 사면이 교대로 나타나는 지형을 의미한다.

❹ 환태평양 조산대
태평양을 둘러싸고 있는 조산대로 뉴질랜드에서 동남아시아, 일본, 로키산맥, 안데스산맥에 이르는 고리 모양의 조산대이다. 지구상의 지진과 화산이 이곳에 집중되어 '불의 고리'라고도 불린다.

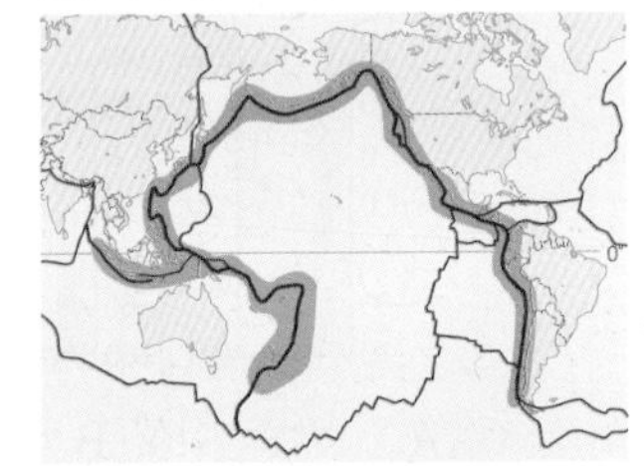

자료 1 판의 경계와 세계의 주요 지진, 화산 발생지

교과서 51쪽

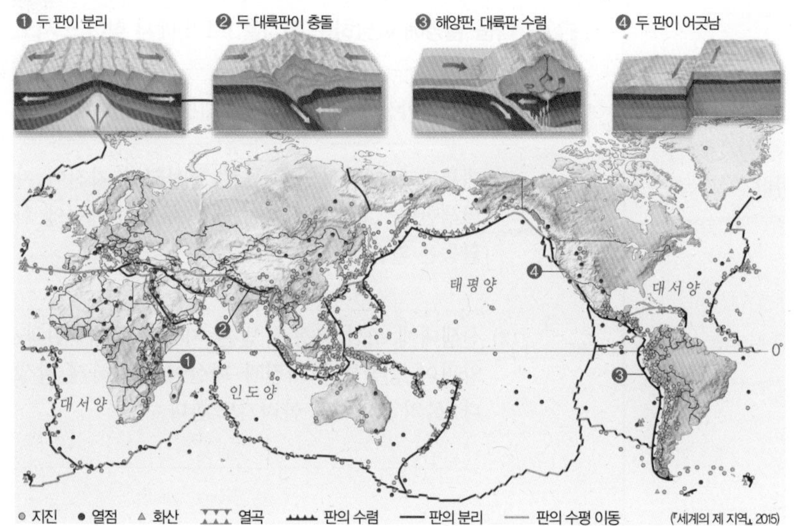

(『세계의 제 지역』, 2015)

자료 분석 ❶ 판이 분리(발산)되는 곳에서는 갈라진 판 사이로 마그마가 흘러나와 지각이 확장된다. 아이슬란드 부근에서는 해양판이 분리되며 대서양 중앙 해령이 형성되었다. 동아프리카 지구대에서는 대륙판이 갈라지며 지구대가 형성되었다. 판이 수렴하는 곳에서는 ❷ 대륙판끼리 충돌하는 경우 히말라야산맥과 같이 대규모 습곡 산맥을 형성하고 지진이 자주 발생한다. ❸ 대륙판과 해양판이 충돌하면 밀도가 큰 해양판이 대륙판 밑으로 밀려들어가는데, 이 과정에서 습곡 산맥이 형성되며 지진과 대규모 화산이 발생한다. 환태평양 조산대가 대표적이다. ❹ 판이 어긋나는 곳에서는 두 판이 수평으로 어긋나며 발생하는 마찰로 지진이 빈번하게 발생한다. 샌안드레아스 단층이 대표적이다.

자료 분석 포인트

판의 경계 유형을 알고, 경계에서 주로 나타나는 현상에 대해 이해한다.

Q1 다음 설명에 해당하는 지역(산맥)의 이름을 쓰시오.

(1) 두 대륙판이 충돌하여 대규모 습곡 산맥이 형성되고 지진이 발생한다. ( )

(2) 해양판이 분리되어 대서양 중앙 해령이 형성되며, 이 해령을 중심으로 섬이 형성되었다. ( )

자료 2 세계의 대지형

교과서 52쪽

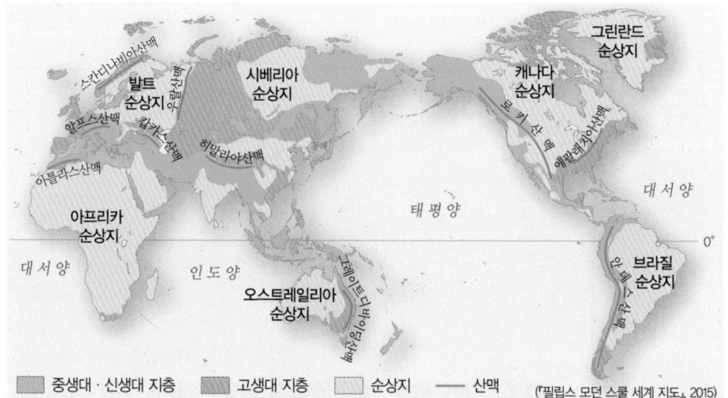

(『필립스 모던 스쿨 세계 지도』, 2015)

자료 분석 안정육괴는 시·원생대에 형성된 이후 오랜 침식을 받아 형성된 지층이다. 순상지는 발트순상지와 시베리아순상지, 캐나다순상지, 브라질순상지, 아프리카순상지가 대표적이다. 구조 평야는 유럽 대평원, 러시아 대평원, 북아메리카 중앙 평원, 오스트레일리아 중앙 평원 등이 있다.

고기 습곡 산맥은 고생대에 조산 운동을 받아 형성된 비교적 기복이 완만한 산맥이며, 신기 습곡 산맥은 신생대에 조산 운동을 받아 형성된 높은 산맥이다.

자료 분석 포인트

세계 대지형의 특징을 알고 그 지형이 어디에 나타나는지 찾을 수 있다.

Q2 다음 설명에 해당하는 지형을 아래에서 골라 기호를 쓰시오.

ㄱ. 안데스산맥
ㄴ. 애팔래치아산맥
ㄷ. 아프리카순상지

(1) 고생대에 조산 운동을 받아 형성되었으며, 비교적 해발 고도가 낮고 석탄이 매장되어 있다. ( )

(2) 신생대에 조산 운동을 받아 해발 고도가 높고 험준하다. ( )

답 Q1 (1) 히말라야산맥 (2) 아이슬란드 / Q2 (1) ㄴ (2) ㄱ

개념 익히기

정답과 해설 ▸ 12쪽

01 **다음 빈칸에 들어갈 알맞은 말을 쓰시오.**

(1) 고생대에 조산 운동을 받아 형성된 (   ) 은/는 비교적 해발 고도가 낮고 기복이 작다.

(2) 내적 작용 중에는 습곡·단층과 같은 (   ) 와/과 융기·침강과 같은 조륙 운동이 있다.

02 **다음 내용에서 설명하는 용어를 쓰시오.**

> 시·원생대에 조산 운동을 받은 이후 오랜 기간 침식 작용을 받아 형성된 지형으로 순상지와 구조 평야가 나타난다.

____

03 **다음 설명이 옳으면 ○, 틀리면 ×표 하시오.**

(1) 판이 분리되는 곳에서는 마그마가 분출되며 대서양 중앙 해령과 같은 해령을 만든다. (   )

(2) 대륙판과 대륙판이 충돌하는 곳에서는 한 판이 다른 판 밑으로 들어가며 마그마로 녹아 대규모의 화산 활동이 일어난다. (   )

(3) 동아프리카 지구대는 대륙판이 분리되며 대규모 지구대가 형성된 곳이다. (   )

04 **다음 설명에 해당하는 지역을 |보기|에서 찾아 쓰시오.**

> **보기**
> • 히말라야산맥 • 환태평양 조산대

(1) 대륙판과 대륙판의 충돌로 형성되어 지진이 자주 발생한다. 그러나 지각이 매우 두껍기 때문에 화산 활동은 활발하지 않다.

____

(2) 신생대에 조산 운동을 받은 지역으로 대륙판과 해양판이 충돌하여 지진과 화산이 빈번하게 발생한다. 불의 고리라고 불리기도 한다.

____

05 **다음 빈칸에 공통으로 들어갈 말을 쓰시오.**

> (   )이/가 폭발하면 용암의 분출로 인명 피해와 농작물이 파괴되는 재산 피해를 입을 수 있다. (   ) 주변 지역에서는 지열을 이용한 전기 생산과 온수 공급이 가능하다는 장점이 있다.

____

06 **다음 괄호 안에 들어갈 알맞은 말에 ○표 하시오.**

(1) 고기 습곡 산지는 지각이 안정되어 있으며 (석탄 / 석유)이/가 매장된 경우가 많다.

(2) 화산 지대에는 (유황 / 철광석)과 같은 광물 자원이 풍부하기 때문에 많은 사람들이 모여서 살고 있다.

(3) 아이슬란드는 대서양 중앙 해령이 노출되어 있으며, 이곳에서는 해양판이 (수렴 / 발산)하고 있다.

내신 유형 익히기

정답과 해설 ▸ 12쪽

01 빈출 **지도의 A~E에 대한 설명으로 옳지 않은 것은?**

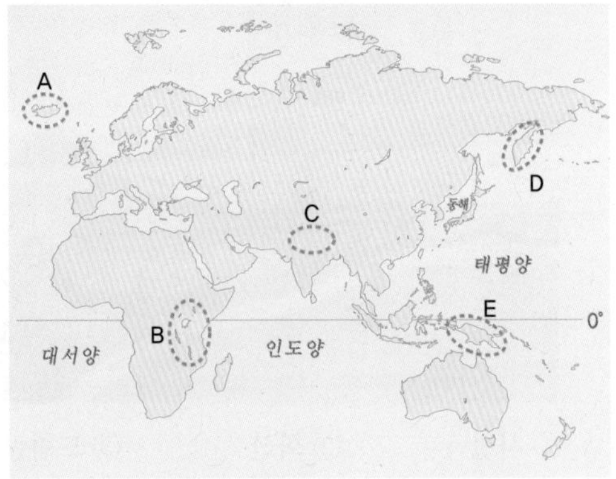

① A는 발산 경계로 화산 활동이 나타난다.
② B는 발산 경계로 동아프리카 지구대라 불린다.
③ C는 대륙판과 대륙판의 충돌로 지진 활동이 나타난다.
④ D는 고생대에 조산 운동을 겪어 낮은 산이 나타난다.
⑤ E는 환태평양 조산대로 지진과 화산 활동이 나타난다.

02 빈출 **지도의 A~E에 대한 설명으로 옳은 것은?**

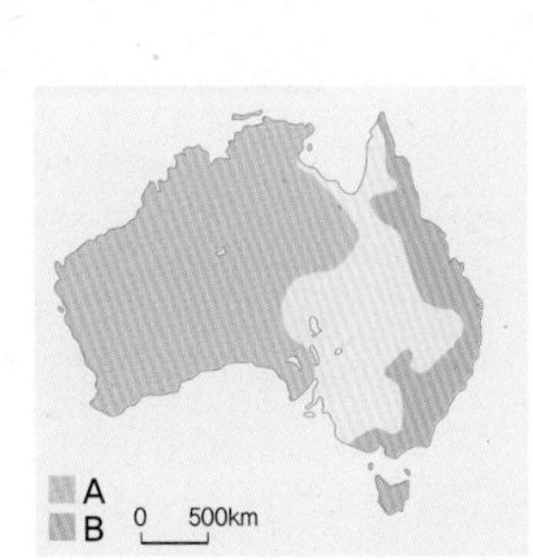

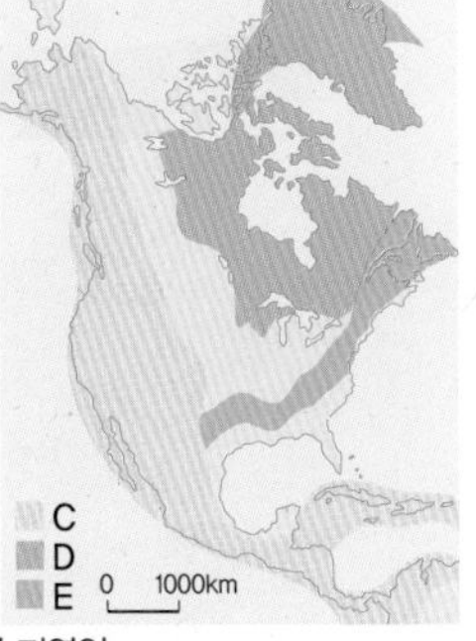

※ A~E는 지형 형성 시기에 따라 구분된 지역임

① A는 B보다 늦게 조산 운동을 받았다.
② A는 안정육괴로 석유가 많이 매정되어 있다.
③ B와 C는 환태평양 조산대에 속해 석탄이 산출된다.
④ D는 C, E에 비해 평탄하고 기복이 작다.
⑤ E는 신생대에 형성되어 석탄이 많이 매장되어 있다.

03 **다음 사례 지역들이 가지고 있는 공통된 특징을 고려할 때 (가)에 들어갈 내용으로 옳은 것은?**

> 발표 사례 지역
> (가) 지역의 다양한 주민 생활
> 사례 1. 미국 국립 공원의 간헐천 관광
> 사례 2. 이탈리아 에트나산의 포도 재배
> 사례 3. 뉴질랜드 와이라케이 지열 발전소

① 열대 ② 냉대 ③ 지진
④ 화산 ⑤ 해안

04 **밑줄 친 부분에 대한 설명으로 옳은 것을 |보기|에서 고른 것은?**

> 인공위성에서 찍은 영상을 보면 거대한 산맥과 고원 등 규모가 큰 지형들을 볼 수 있는데, 이와 같이 지구의 전체적 기복을 이루고 있는 지형을 세계의 대지형이라고 한다. 대지형은 ㉠ 내적 작용에 의하여 일차적으로 형성되고, ㉡ 외적 작용에 의하여 이차적으로 변형된다. 세계의 대지형은 크게 대륙과 해양으로 나누어지고, 대륙은 다시 오래되고 안정된 ㉢ 순상지와 그 바깥쪽에 형성된 ㉣ 습곡 산지로 구분될 수 있다.

| 보기 |
ㄱ. ㉠은 융기 · 침강 등의 조륙 운동이 있다.
ㄴ. ㉡은 지구 내부 에너지에 의해 나타난다.
ㄷ. ㉢는 기복이 완만하고 철광석이 매장되어 있다.
ㄹ. ㉣은 판이 벌어지는 곳에서 주로 나타난다.

① ㄱ, ㄴ ② ㄱ, ㄷ ③ ㄱ, ㄹ
④ ㄴ, ㄹ ⑤ ㄷ, ㄹ

05 다음 지형을 순서대로 관찰할 수 있는 이동 경로로 알맞은 것은?

> 고생대의 조산 운동 후 오랜 침식으로 형성된 저기복의 산지

⬇

> 시 · 원생대에 조산 운동을 받았으나 이후 침식을 받은 완만한 땅

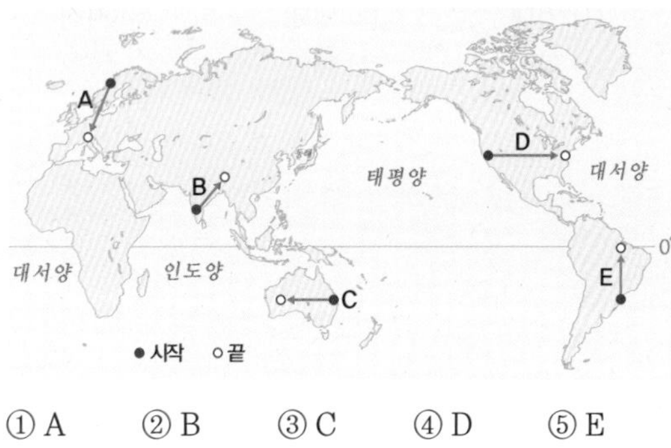

① A ② B ③ C ④ D ⑤ E

06 다음은 화산에 대한 두 학생의 대화이다. 다음 대화 내용 중 옳지 않은 것은?

> 갑: 하와이에서 화산이 폭발했대.
> 을: ① 화산은 주로 판의 내부에서 나타나.
> 갑: 그렇구나. ② 화산이 폭발하면 인명 피해, 재산 피해가 심각해서 걱정이야.
> 을: 그렇다고 해서 그 지역에서 빠져나오기도 쉽지 않나 봐. ③ 화산재 때문에 항공 교통에 장애를 겪기도 한대, 그런데도 왜 화산 주변에서 사는 걸까?
> 갑: ④ 유황과 같은 자원이 풍부해서 화산 주변에서 사는 경우도 있어.
> 을: ⑤ 화산재가 쌓인 곳은 미네랄이 풍부해서 농사에도 유리해.

07 그림은 지형의 형성 과정을 나타낸 것이다. (가)의 영향을 크게 받아 발달한 지형은?

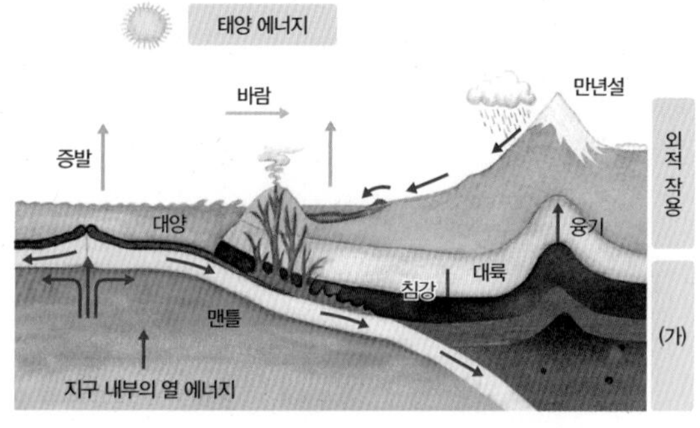

① 사빈 ② 화산 ③ 드럼린
④ 구조토 ⑤ 선상지

08 빈출 (가), (나)는 판의 경계 유형이다. 각 유형에 해당하는 지역을 지도의 A~E에서 골라 바르게 연결한 것은?

(가)

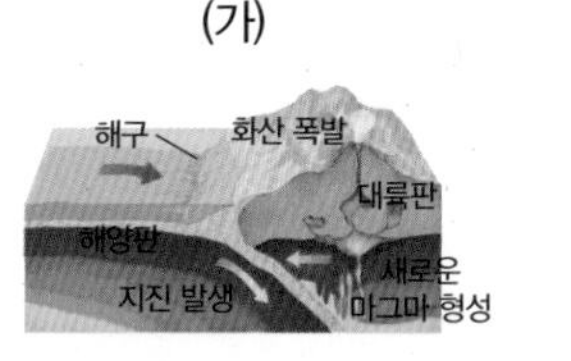

(나)

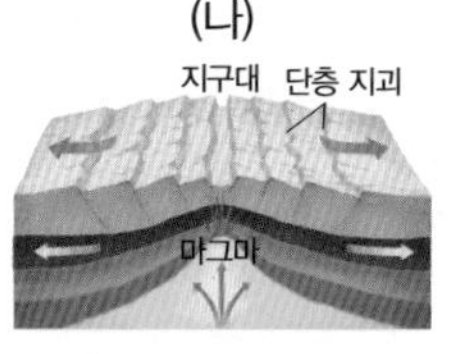

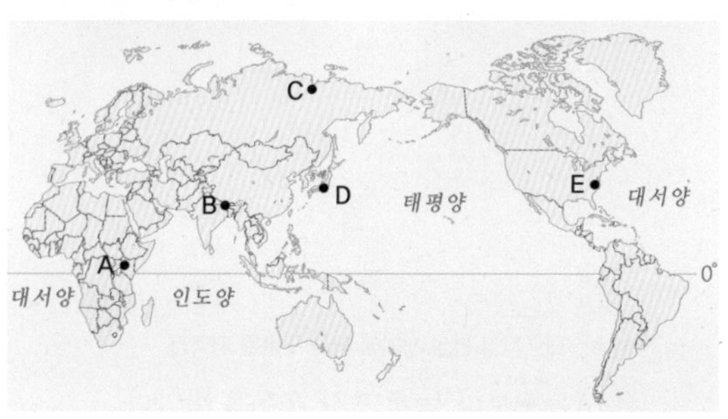

	(가)	(나)
①	A	D
②	B	A
③	D	C
④	D	A
⑤	E	C

서술형 문제

09 자료는 히말라야산맥을 나타낸 것이다. 인도판과 유라시아판의 경계 유형을 바탕으로 형성 원인을 서술하시오.

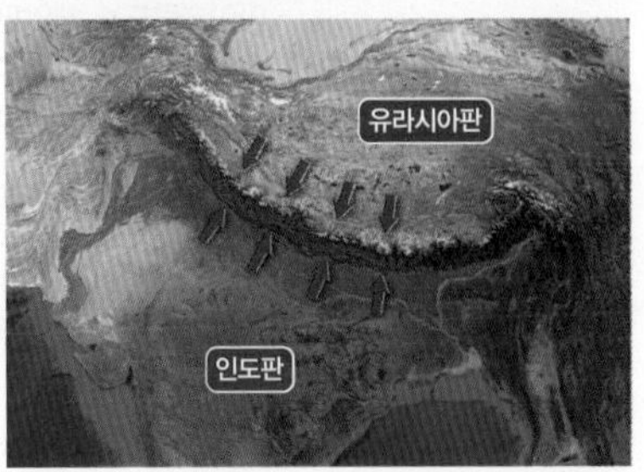

서술형 문제

10 다음은 인도네시아의 화산 분포와 인구 밀도를 나타낸 지도이다. 화산 분포가 높음에도 불구하고 인구가 밀집해 살아가는 이유를 세 가지 서술하시오.

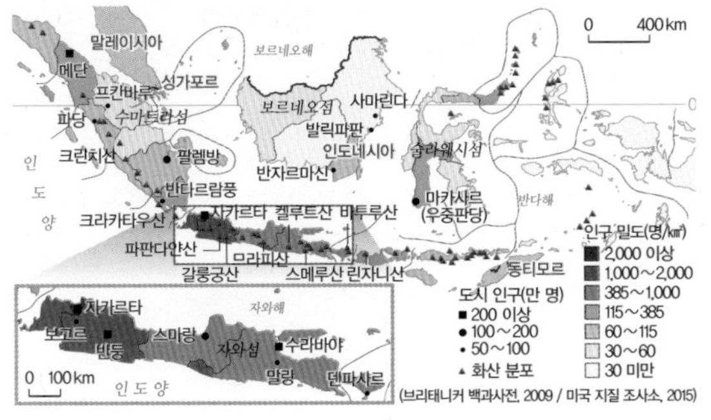

(브리태니커 백과사전, 2009 / 미국 지질 조사소, 2015)

서술형 문제

11 A와 비교한 B의 특징을 해발 고도, 자원, 지각의 안정성 차원에서 서술하시오.

서술형 문제

12 다음 지역에서 나타나는 지형 A, B를 쓰고, 이 지형이 나타나는 이유를 판구조 운동과 관련하여 서술하시오.

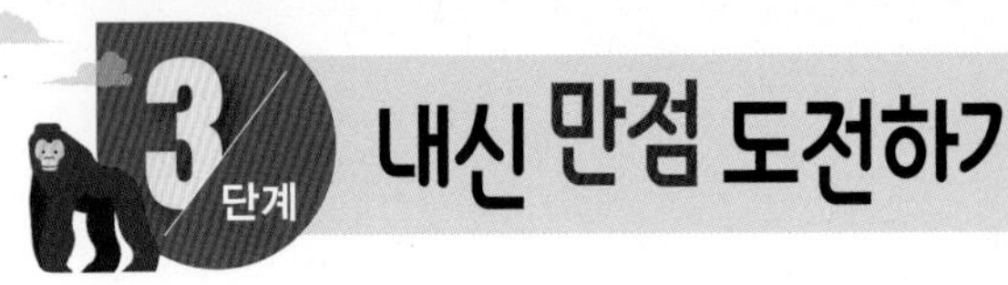

정답과 해설 ▸ 13쪽

01 지도에 표시된 A~E 지역에 대한 설명으로 옳은 것은?

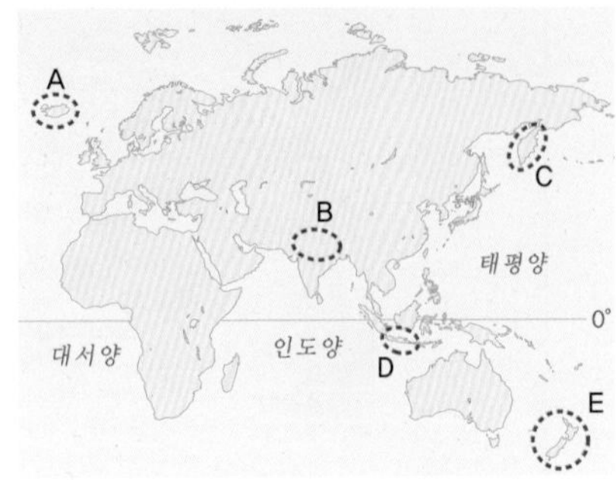

① A의 아이슬란드는 판이 발산되며 해령이 나타난다.
② B의 산맥은 대륙판과 해양판이 수렴하며 지진이 발생한다.
③ C의 산지는 고기 조산대에 속한다.
④ D는 대륙판이 벌어지고 있는 곳으로 거대한 지구대가 나타난다.
⑤ E의 환태평양 조산대에 속하며 높이가 낮고 완만한 산이 나타난다.

문제 접근 방법
아이슬란드는 해양판이 벌어지고 있는 곳에 위치하고 있으며 대서양 중앙 해령이 지난다. 히말라야산맥은 판의 충돌이 일어나고 있는 곳으로 대륙판과 대륙판이 충돌해 높은 습곡 산맥을 만들었다. 환태평양 조산대는 대륙판과 해양판이 충돌하는 곳으로 지진과 화산이 빈번하게 나타난다.

내신 전략
판이 벌어지는 지역과 충돌하는 지역, 각 지역에서 나타나는 대지형을 백지도에 표시하여 정리해 둔다.

02 지도의 A~D에 대한 옳은 설명을 |보기|에서 고른 것은?

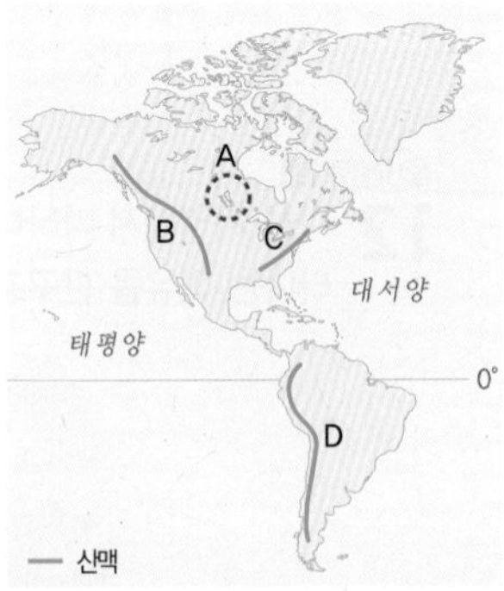

보기
ㄱ. A는 안정육괴에 속한다.
ㄴ. B는 C보다 해발 고도가 낮고 완만하다.
ㄷ. D에는 철광석이 많이 매장되어 있다.
ㄹ. D는 대륙판과 해양판의 충돌로 형성되었다.

① ㄱ, ㄴ ② ㄱ, ㄹ ③ ㄴ, ㄷ ④ ㄴ, ㄹ ⑤ ㄷ, ㄹ

문제 접근 방법
이 문제는 신기 조산대, 고기 조산대, 안정육괴의 위치를 알고, 그 특징을 비교하는 문제이다.

내신 전략
백지도에 신기 조산대, 고기 조산대, 안정육괴의 위치를 표시하고, 특징을 적어 정리해 둔다.

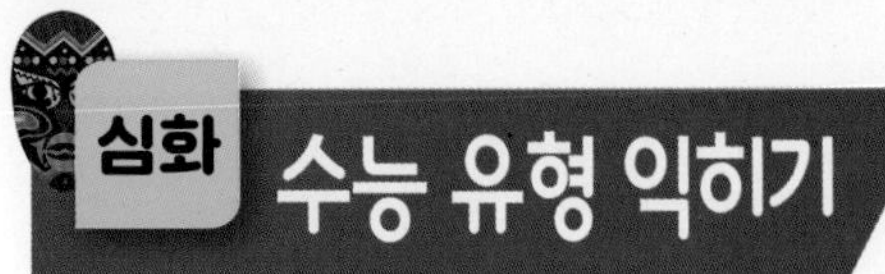

심화 수능 유형 익히기

정답과 해설 ▸ 13쪽

2017학년도 수능

01 지도의 A～E 대지형에 관한 설명으로 옳은 것은?

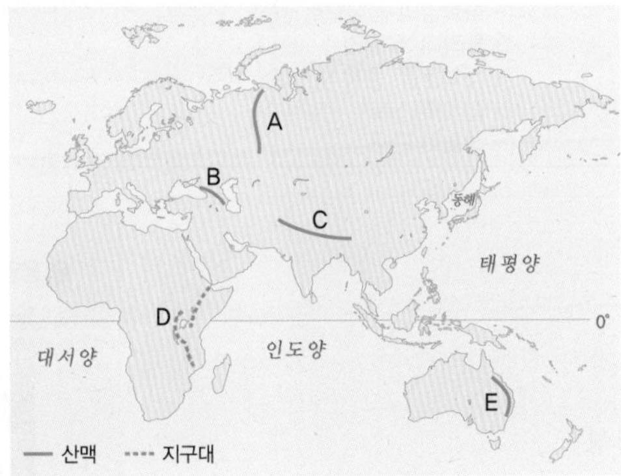

① A와 스칸디나비아산맥 사이에는 순상지가 있다.
② B의 습곡 산맥은 고생대에 조산 운동으로 형성되었다.
③ C는 두 대륙판의 수렴 경계에 발달한 습곡 산지로 화산이 연속적으로 분포한다.
④ D는 해양판이 대륙판 밑으로 밀려들어가며 형성되었다.
⑤ E는 대륙판과 해양판의 경계에 발달한 신기 습곡 산지이다.

출제 개념
세계의 대지형

자료 해설
우랄산맥(A)과 그레이트디바이딩산맥(E), 스칸디나비아산맥은 고생대에 조산 운동을 받은 고기 습곡 산맥으로 높이가 낮고 완만하다. 알프스산맥, 캅카스산맥(B), 히말라야산맥(D)은 알프스-히말라야 조산대로 신기 습곡 산맥에 속한다. 이 중 히말라야산맥은 대륙판의 충돌로 형성되어 화산이 나타나지 않는다. 동아프리카 지구대(D)와 아이슬란드는 판이 벌어지는 경계에 위치한다.

해결 비법
세계의 대지형과 판의 경계를 연계하여 물어보는 질문은 반드시 나오므로 위치와 특징을 정확히 정리한다.

2016학년도 6월 모의평가

02 그림 속의 산이 위치하고 있는 지역들의 공통점으로 옳은 것을 |보기|에서 고른 것은?

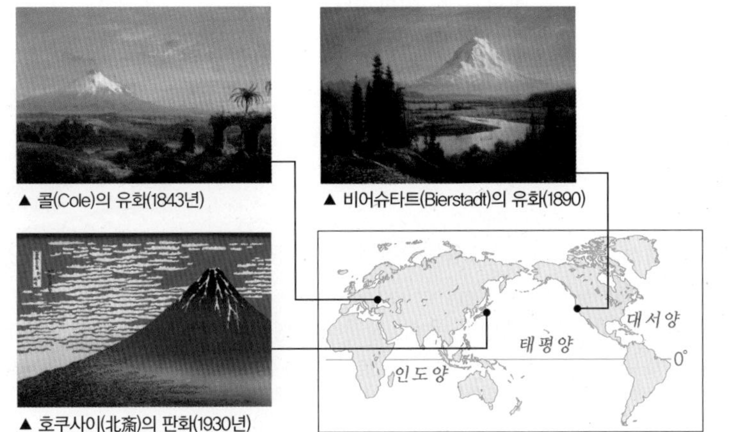

▲ 콜(Cole)의 유화(1843년)
▲ 비어슈타트(Bierstadt)의 유화(1890)
▲ 호쿠사이(北斎)의 판화(1930년)

보기

ㄱ. 지각판의 경계부에 위치하고 있다.
ㄴ. 석탄 매장량이 많은 주요 탄전 지대에 분포한다.
ㄷ. 신기 조산대에 위치하고 있어 지진이 자주 발생한다.
ㄹ. 빙력토 평원에 줄지어 나타난 활화산들을 볼 수 있다.

① ㄱ, ㄴ ② ㄱ, ㄷ ③ ㄴ, ㄷ ④ ㄴ, ㄹ ⑤ ㄷ, ㄹ

출제 개념
판의 경계의 특징

자료 해설
그림 속의 산은 모두 화산이며, 판의 경계에 위치하고 있다. 따라서 판의 경계 부분의 특징을 묻는 질문이다. 빙력토 평원은 과거 빙하가 존재한 지역에 분포하며, 캐나다를 포함한 미국 북부, 북유럽 등이 과거 빙하에 덮였던 지역이다. 일본은 빙하가 나타나지 않는다.

해결 비법
판의 경계의 특징을 물어보는 문제로 정확한 특징을 이해한다.

주제 8

독특하고 특수한 지형들

교과서 56~63쪽

주제 흐름 읽기

화산 지형	카르스트 지형
• 마그마의 분출로 형성 • 용암 대지, 주상 절리, 용암동굴 • 화산체, 칼데라, 이중 화산 • 간헐천, 온천	• 석회암의 용식으로 형성 • 돌리네, 우발라 • 석회동굴, 종유석, 석순, 석주 • 탑 카르스트 • 석회화 단구

1 화산 지형과 카르스트 지형

1. 화산 지형

(1) 형성 지역

① 판의 경계 지역에서 마그마가 지표로 분출되어 형성

② 열점: 지각이 약한 부분을 뚫고 마그마가 분출 예 하와이

마그마가 분출되는 특정 지점을 열점이라고 해.

(2) 주요 화산 지형

① 현무암질 용암 지형 (점성이 작고 유동성이 큰 용암이야.)

- 용암 대지❶: 용암이 골짜기와 분지를 메워 형성된 넓은 땅
- 주상 절리❷: 용암이 빠르게 냉각하여 형성되는 육각기둥 모양의 지형
- 용암동굴❸: 용암 표면이 빠르게 식고, 내부의 용암이 흘러내려 생긴 동굴

② 화산의 세부 지형 자료 1

- 화산(화산체): 마그마가 지표로 분출되어 퇴적된 지형
- 칼데라: 화산이 생긴 후 지하의 빈 공간이 무너지며 형성
- 이중 화산: 칼데라가 형성된 후, 소규모 분화가 일어나 칼데라 안에 화산 생성

③ 지하수에 의한 지형

- 간헐천: 지표수가 지하로 스며들어 마그마의 열기로 데워진 후 열과 압력으로 뿜어져 오름
- 온천: 마그마에 의해 데워진 따뜻한 물이 용출됨

2. 카르스트 지형

(1) 카르스트 지형의 형성 자료 2

① 석회암: 과거 비교적 따뜻하고 얕은 바다에서 산호초나 조개껍데기가 쌓여 형성된 퇴적암으로, 절리가 발달하여 물이 쉽게 스며듦 (암석이 쪼개진 균열을 절리라고 해.)

② 카르스트 지형: 석회암 절리를 따라 빗물이나 지하수가 기반암을 용식, 침전하여 형성

③ 고온 습윤한 기후에서 용식이 활발하게 진행되고 남은 물질은 붉은 색 토양을 형성

암석의 광물 성분이 물과 만나 화학적 풍화를 일으켜 물에 용해되는 현상을 용식이라 해.

(2) 석회암의 용식으로 형성되는 지형

① 돌리네: 석회암의 용식 작용으로 형성된 움푹 파인 땅, 배수가 잘되어 밭으로 이용

② 우발라: 돌리네가 합쳐져서 규모가 커진 지형

③ 석회동굴: 절리를 따라 지하수가 기반암을 용식하며 형성한 동굴 자료 3

④ 탑 카르스트: 절리 밀도가 낮은 부분이 용식되지 않고 탑처럼 남은 지형

(3) 석회암의 침전으로 형성되는 지형

지속적인 용식으로 석회 물질의 농도가 높아진 지하수가 동굴이나 야외로 노출되며 석회질이 다시 쌓이는 것을 침전한다고 해.

① 석회동굴 내: 종유석, 석순, 석주 등 복잡한 지형

② 석회화 단구❹: 석회질이 둑처럼 쌓여서 계단 모양의 지형 형성

❶ 용암 대지

❷ 주상 절리

❸ 용암동굴

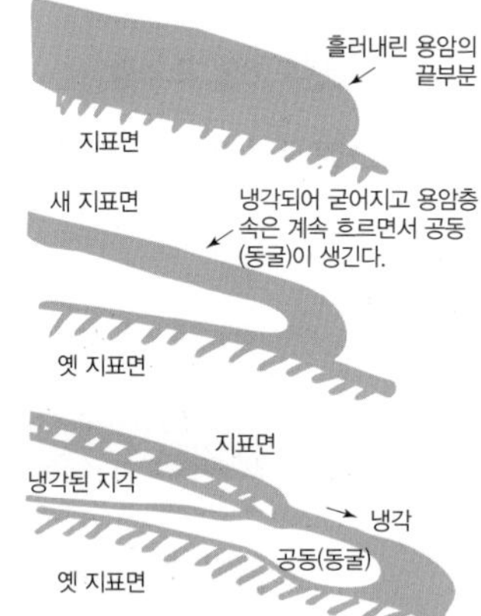

표면은 빠르게 식어 암석이 되었으나, 내부의 점성이 낮은 마그마는 굳지 않고 계속 흘러나가 속이 빈 형태의 동굴이 형성된다.

❹ 석회화 단구

석회질을 포함한 물이 흐르면서 석회질이 침전되어 여러 단의 둑과 같은 지형이 형성된다.

자료 1 화산 · 칼데라 · 이중 화산의 형성 과정

교과서 57쪽

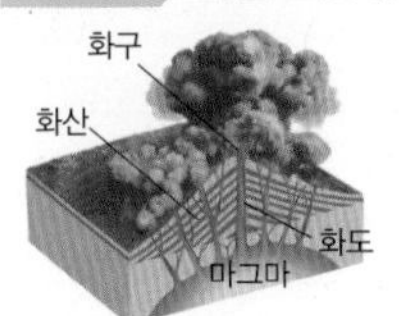

① 마그마가 지표로 분출되어 화산이 형성되고, 지하에는 빈 공간이 생기게 된다.

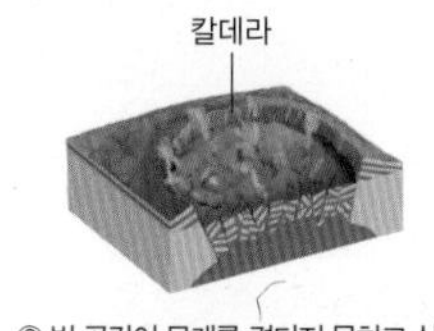

② 빈 공간이 무게를 견디지 못하고 산의 정상부가 붕괴되면서 꺼져 버린다.

③ 분화구 주변이 붕괴되어 칼데라가 형성되고, 이곳에 빗물과 지하수가 채워진다.

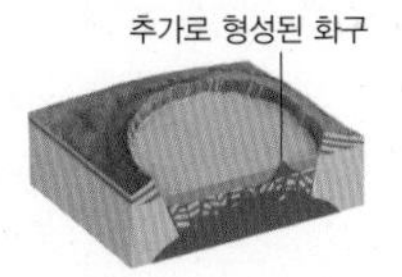

④ 이후, 소규모 분화가 더 일어나 이중 화산이 형성된다.

자료 분석 화산이 분출하며 여러 가지 독특한 지형을 형성한다. 마그마가 지표로 분출하는 입구를 화구라고 한다. 화구를 통해 마그마가 분출되고 난 후, 지하의 빈 공간이 무너지면 칼데라가 형성된다. 칼데라 내부에서 또다시 화산이 분출하여 다시 화산체가 형성된 지형을 이중 화산이라고 한다. 칼데라에 빗물과 지하수가 채워지면 칼데라호라고 한다.

자료 분석 포인트

화산, 칼데라, 이중 화산의 형성 과정을 알아보자.

Q1 화구와 칼데라의 차이는 무엇일까?

자료 2 카르스트 지형

교과서 58쪽

▲ 카르스트 지형

자료 분석 석회암은 빗물과 지하수에 의해 용식되면서 독특한 지형을 만든다. 지표에서 석회암이 용식되어 움푹하게 파여 나타나는 지형을 돌리네, 우발라라고 한다. 석회암이 빠르게 용식되고 남은 부분이 높은 탑처럼 형성된 지형을 탑 카르스트라고 한다. 지하에는 석회동굴이 형성된다.

자료 분석 포인트

카르스트 지형의 이름과 특징을 알아보자.

Q2 다음 설명에 해당하는 지형의 이름을 쓰시오.

(1) 석회암이 빠르게 용식되며 단단한 부분이 높은 탑처럼 남은 지형이다. (　　)

(2) 석회암이 용식되고 난 후 지표에 형성된 움푹 들어간 와지 지형이다. (　　)

자료 3 석회동굴의 형성

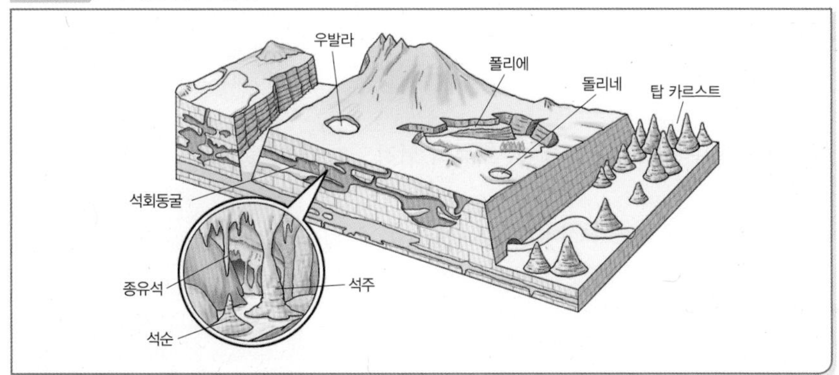

자료 분석 석회동굴은 지하수가 기반암인 석회암의 절리가 많은 부분을 용식하여 만들어지는데, 주변 하천의 하방 침식 등으로 지하수면이 하강하면 물이 빠지며 동굴이 드러나게 된다. 이후 이 동굴의 아래쪽으로 용식 작용이 계속되면서 새로운 동굴이 형성된다. 이러한 과정을 거치며 여러 층의 복잡한 동굴이 형성된다.

자료 분석 포인트

석회동굴의 형성 과정을 알아보자.

Q3 석회동굴이 드러나게 되는 이유는 무엇일까?

답 Q1 화구는 마그마가 분출되는 입구이며, 칼데라는 마그마가 분출된 후 화구와 화산 일부가 붕괴되어 형성된 지형이다. / Q2 (1) 탑 카르스트 (2) 돌리네 / Q3 지하수면이 하강하며 동굴의 물이 빠져 드러나게 된다.

주제 흐름 읽기

곶의 지형	만의 지형	
암석 해안	모래 해안	갯벌 해안
• 파랑의 집중으로 침식 작용 활발 • 해식애, 파식대, 시 스택, 시 아치, 해식 동굴(파랑)	• 파랑의 분산으로 퇴적 작용 활발 • 사빈, 사주, 육계도, 육계 사주, 석호(파랑과 연안류) • 해안 사구(바람)	• 조류의 퇴적 작용으로 형성 • 강한 조류, 약한 파랑, 하천 퇴적 물질이 많음

2 해안 지형

1. 해안 지형의 형성

(1) 해안과 해안선

① 단조로운 해안선: 지반이 융기하거나 해수면이 하강한 지역에 발달

② 복잡한 해안선: 지반이 침강하거나 해수면이 상승하여 침수된 지역에 발달

- 리아스 해안: 하천의 침식 작용으로 형성된 V자곡이 침수되며 발달
- 피오르 해안: 빙하의 침식 작용으로 형성된 U자곡이 침수되며 발달

(2) 해안 지형의 형성 요인

① 파랑: 해수면 위를 부는 바람의 영향으로 형성, 해안의 침식과 퇴적 작용을 일으킴

② 연안류❺: 파랑이 해안 가까이에 접근하며 해안선과 평행하게 이동하는 흐름, 해저의 물질을 육지로 운반, 모래·자갈 등의 퇴적물을 운반·퇴적

③ 조류❻: 조차가 큰 해안에서 밀물과 썰물 시 발생하는 바닷물의 흐름

④ 바람: 파랑을 만드는 원인, 해변의 모래를 육지 쪽으로 이동시켜 해안 사구를 형성

해안 사구는 모래가 쌓여서 형성된 언덕 모양의 지형이야.

(3) 곶과 만에서의 지형 형성

① 곶: 바다 쪽으로 돌출된 해안, 파랑 에너지가 집중되어 침식 활발 ← 암석 해안

② 만: 육지 쪽으로 들어간 해안, 파랑 에너지가 분산되어 퇴적 활발 ← 모래 해안

2. 해안 지형의 종류 자료 4

기반암의 약한 부분이 파랑에 의해 먼저 침식되는 것을 차별 침식이라고 해.

(1) 암석 해안

① 형성: 파랑의 차별 침식으로 기반암이 침식되며 형성

② 해식애, 파식대, 시 스택, 시 아치, 해식 동굴

(2) 모래 해안

① 형성: 파랑과 연안류의 모래 퇴적과 바람에 의한 퇴적으로 형성

② 사빈, 사주, 육계도, 육계 사주, 석호, 해안 사구

(3) 갯벌 해안

① 갯벌❼: 조수간만의 차이에 따라 밀물에 잠기고 썰물에 드러나는 지형, 조류의 퇴적 작용으로 형성됨

② 발달 지역: 조수간만의 차가 크고 파랑이 약하며, 하천에 의한 토사 공급량이 많은 곳

(4) 산호초 해안❽ 자료 5

① 형성: 석회질의 산호충 유해가 퇴적되어 형성

② 발달 지역: 수심이 얕은 열대·아열대의 도서 및 연안 지역

3. 해안 지역의 개발에 따른 피해

(1) 해안 지형 변화 인공 구조물 건설로 연안류의 흐름이 달라져 해안 지형 변화

(2) 해안 지역 오염 하수 및 폐수 유입, 쓰레기 폐기물 증가

❺ 연안류

연안류는 해안선을 따라 평행하게 이동하는 흐름을 의미하며, 이 흐름에 의해 모래나 자갈이 해안선을 따라 길게 수평으로 퇴적된다.

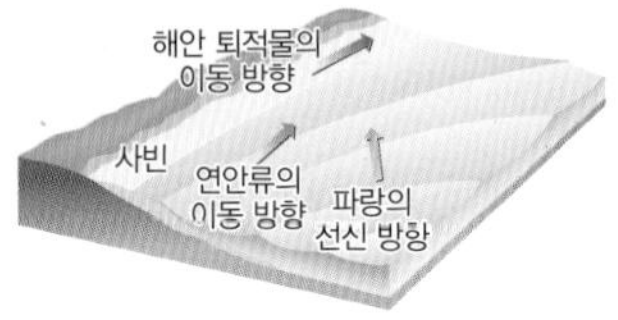

❻ 조류

지구·달·태양 간의 인력에 의해 해수면이 규칙적으로 오르내리며 발생하는 바닷물의 흐름을 의미한다.

❼ 갯벌

조차가 큰 지역에서 밀물 때 잠기고 썰물 때 드러나는 지형으로 우리나라의 서해안, 북해 연안, 캐나다 동부 연안이 대표적이다.

❽ 산호초 해안

기온이 높고 수심이 얕은 열대·아열대의 도서 및 연안 지역에서 형성되며, 오스트레일리아의 대보초는 거대한 규모를 자랑한다.

자료 4 해안 지형

교과서 60~61쪽

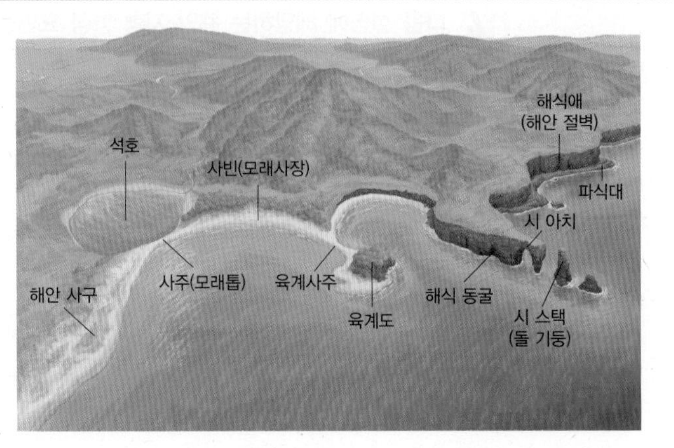

자료 분석

암석 해안	• 해식애: 파랑의 침식을 받아 형성된 절벽 • 파식대: 파랑의 침식을 받아 바다 쪽으로 평평하고 완만하게 펼쳐진 지형 • 시 스택: 기반암이 파랑의 침식을 받아 육지에서 분리된 기둥 모양의 지형 • 시 아치: 기반암이 파랑의 침식을 받아 형성된 아치 모양의 지형 • 해식 동굴: 기반암이 파랑의 침식을 받아 깎여 형성된 동굴
모래 해안	• 사빈: 하천이나 배후 산지에서 공급된 모래가 파랑과 연안류에 의해 해안을 따라 퇴적된 모래사장 • 사주: 사빈의 모래가 연안류를 따라 길게 퇴적된 지형 • 육계도: 사주의 성장으로 육지와 연결된 섬 • 석호: 사주가 만의 입구를 막으면서 형성된 호수 • 해안 사구: 사빈의 모래가 바람에 날려 내륙 쪽으로 쌓인 모래 언덕

자료 분석 포인트

해안 지형의 이름과 특징을 알아보자.

Q4 다음 중 암석 해안에서 나타나는 지형이 아닌 것은?

① 해식애
② 파식대
③ 석호
④ 시 스택
⑤ 해식 동굴

자료 5 산호초 해안과 피오르 해안

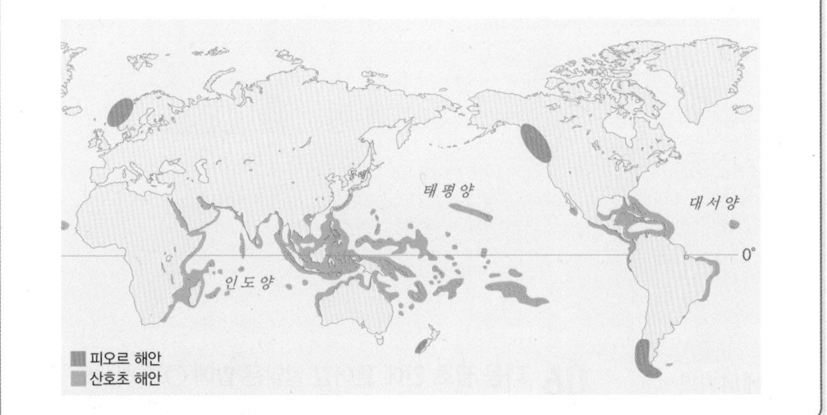

자료 분석 피오르는 빙하가 침식한 U자곡에 해수면이 상승하며 형성된 지형이다. 피오르는 과거 빙하가 확장되었던 지역과 현재 빙하가 존재하는 지역에 나타난다. 알래스카반도, 스칸디나비아반도 서해안, 칠레 남부, 뉴질랜드, 아이슬란드 등지에 위치한다. 산호초 해안은 기온이 따뜻하고 수심이 깊지 않은 열대·아열대 도서 지역이나 대륙 주변에서 발달한다.

자료 분석 포인트

산호초 해안과 피오르 해안이 나타나는 위치를 알아보자.

Q5 피오르 해안이 나타나는 지역을 쓰시오.

답 Q4 ③ / Q5 피오르 해안은 과거 빙하가 확장되었거나 현재 빙하가 존재하는 알래스카반도, 스칸디나비아반도 서해안, 칠레 남부, 뉴질랜드 등지에 위치한다.

개념 익히기

정답과 해설 ▸ 13쪽

01 다음 빈칸에 들어갈 알맞은 말을 쓰시오.

(1) 현무암질 용암은 유동성이 커서 낮은 곳으로 멀리 흐르는데, 넓은 골짜기를 메워 (　　　)이/가 형성되었다.

(2) 마그마가 지표로 분출되며 화산이 생긴 후 지하의 빈 공간이 무너지며 형성된 지형을 (　　　)(이)라고 한다.

02 다음 내용에서 설명하는 용어를 쓰시오.

> 석회암 지역에서 절리를 따라 빗물이나 지하수가 기반암을 용식하여 만든 독특한 지형으로, 돌리네, 우발라, 석회동굴 등의 지형을 의미한다.

03 다음 설명이 옳으면 ○, 틀리면 ×표 하시오.

(1) 기반암이 바다로 돌출된 만에서는 파랑 에너지가 분산되며 퇴적 작용이 활발하다. (　　)

(2) 갯벌은 조수간만의 차이가 크고 파랑이 강하며, 하천에 의한 토사 공급량이 많은 곳에 발달한다. (　　)

(3) 피오르는 빙하의 침식 작용으로 형성된 U자곡이 해수면 상승으로 침수되어 발달한다. (　　)

04 다음 설명에 해당하는 해안 지형 형성 요인을 |보기|에서 찾아 쓰시오.

> **보기**
> • 연안류　　　　• 바람

(1) 파랑을 만드는 힘으로, 사빈의 모래를 운반하여 퇴적하여 사구를 형성하기도 한다.

(2) 파랑이 연안 가까이에 접근하여 해안선과 평행하게 이동하는 흐름으로, 해안선을 따라 모래를 퇴적하여 사빈을 형성한다.

05 다음 빈칸에 공통으로 들어갈 말을 쓰시오.

> (　　　)은/는 석회암이 빗물에 의해 녹는 작용을 일컫는다. 절리가 발달한 지역에서 빠르게 (　　　)이/가 일어나면 탑 모양의 카르스트 지형을 형성한다.

06 다음 괄호 안에 들어갈 알맞은 말에 ○표 하시오.

(1) 파식대는 파랑의 침식으로 형성된 지형으로 (곶 / 만)에서 주로 나타난다.

(2) 수심이 얕은 열대·아열대의 도서 지역에서는 (피오르 / 산호초) 해안이 나타난다.

(3) 사주의 성장으로 육지와 연결된 섬인 육계도는 (암석 해안 / 모래 해안)에서 주로 나타난다.

01 다음 지역에서 나타나는 지형에 대한 설명으로 옳은 것은?

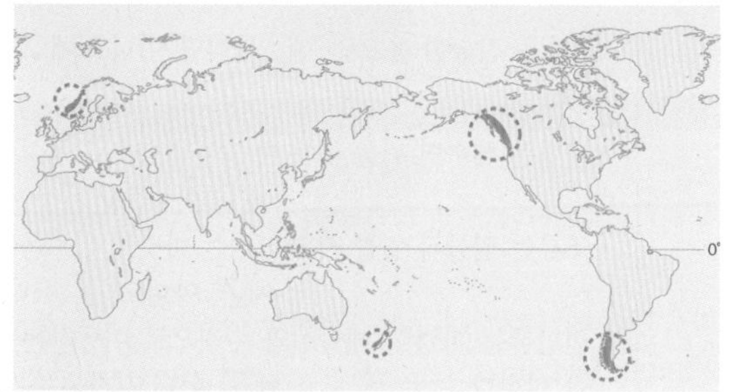

① 한류 연안의 사막이 나타난다.
② 형형색색의 산호초가 나타난다.
③ 바다로 유입되는 빙하가 나타난다.
④ 썰물 때 드러나는 갯벌이 나타난다.
⑤ 빙식곡이 침수된 피오르가 나타난다.

02 다음 자료를 보고 이 지역에 대한 설명 중 옳은 것을 |보기|에서 고른 것은?

독특한 자연 경관을 보기 위해 이곳을 찾는 사람들이 많다. 이곳의 가장 특이한 경치 중 하나는 루디옌 동굴로 갖가지 조명과 종유석, 석순들이 어우러져 마치 영화 세트처럼 환상적으로 보인다.

|보기|
ㄱ. 기반암은 현무암질 용암일 것이다.
ㄴ. 동굴은 용식 작용에 의해 형성되었다.
ㄷ. 종유석과 석순은 석회질의 침전으로 형성되었다.
ㄹ. 기반암에 절리가 적을수록 지형 형성이 활발할 것이다.

① ㄱ, ㄴ ② ㄱ, ㄷ ③ ㄴ, ㄷ
④ ㄴ, ㄹ ⑤ ㄷ, ㄹ

03 빈출 그림은 어떤 지형의 모식도이다. 이 지형에 대한 설명 중 옳은 것을 |보기|에서 고른 것은?

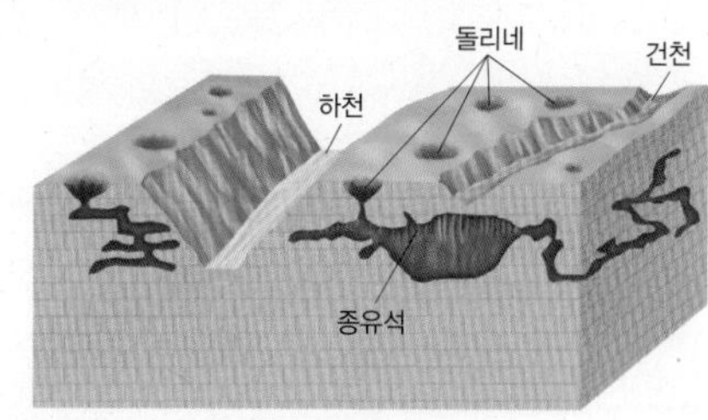

|보기|
ㄱ. 돌리네는 주로 밭으로 이용된다.
ㄴ. 지하 동굴은 수직·수평적으로 단조롭다.
ㄷ. 돌리네가 합쳐져 규모가 커지면 석회화 단구가 된다.
ㄹ. 따뜻한 바다에서 산호초가 퇴적되며 기반암을 형성하였다.

① ㄱ, ㄴ ② ㄱ, ㄹ ③ ㄴ, ㄷ
④ ㄴ, ㄹ ⑤ ㄷ, ㄹ

04 그림과 같은 지형 형성 작용이 빈번하게 발생하는 지역을 지도에서 고른 것은?

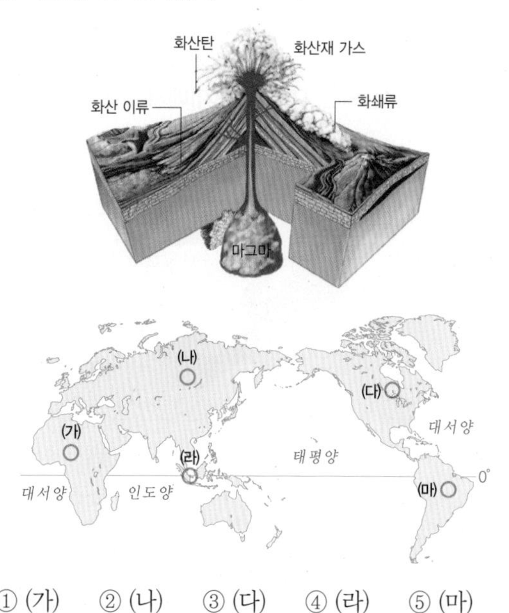

① (가) ② (나) ③ (다) ④ (라) ⑤ (마)

05 빈출 다음은 해안 지형의 모식도이다. A~E 지형에 대한 설명 중 옳지 않은 것은?

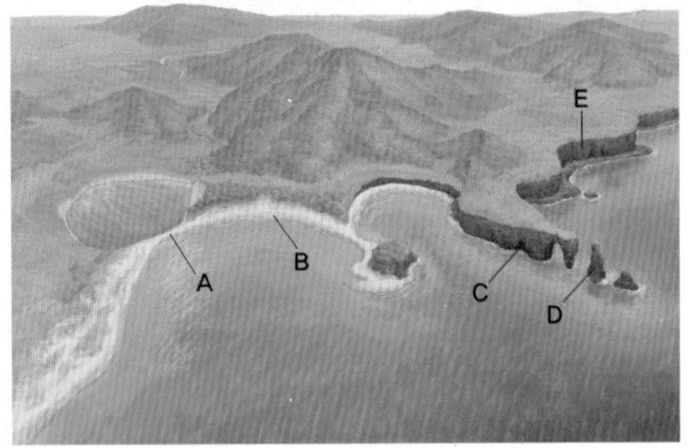

① A는 사빈의 모래가 연안류를 따라 길게 퇴적되었다.
② B는 파랑과 연안류에 의해 퇴적된 사빈이다.
③ C는 파랑의 침식으로 형성된 동굴이다.
④ D는 파랑이 집중되는 만에서 주로 형성된다.
⑤ E는 파랑의 침식으로 드러난 절벽이다.

06 다음은 해안선의 모습을 나타낸 그림이다. A 지점에서 많이 형성되는 지형을 |보기|에서 고른 것은?

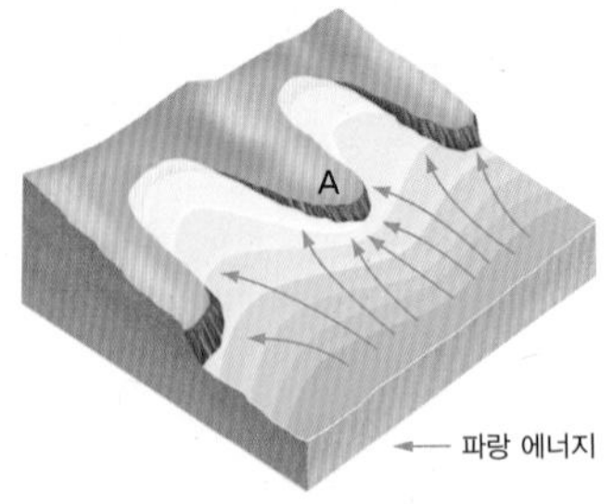

보기	
ㄱ. 석호	ㄴ. 파식대
ㄷ. 시 아치	ㄹ. 해안 사구

① ㄱ, ㄴ ② ㄱ, ㄷ ③ ㄴ, ㄷ
④ ㄴ, ㄹ ⑤ ㄷ, ㄹ

07 빈출 다음은 세계지리 수업에서 학생이 작성한 형성 평가지이다. ㉠~㉣ 중 답이 옳게 표시된 것은?

◎ 다음 진술이 옳으면 '예', 틀리면 '아니오'에 ✓표 하시오.
- 파랑은 해수면 위를 부는 바람의 영향으로 형성된다. 예□ 아니오☑ ……… ㉠
- 조류는 밀물과 썰물 시 발생하는 바닷물의 흐름이다. 예☑ 아니오□ ……… ㉡
- 연안류는 파랑이 해안선과 수직으로 이동하는 흐름을 말한다. 예□ 아니오☑ ……… ㉢
- 바람은 사빈의 모래를 육지로 이동시켜 사주를 만든다. 예☑ 아니오□ ……… ㉣

① ㉠, ㉡ ② ㉠, ㉢ ③ ㉡, ㉢
④ ㉡, ㉣ ⑤ ㉢, ㉣

08 화산 지형에 대한 발표 내용 중 옳지 않은 것은?

독특하고 아름다운 화산 지형에 대해 발표해 볼까요?

① 일운: 용암이 넓은 골짜기와 분지를 메워 용암 대지를 만들어요.
② 이운: 칼데라는 화산이 분출된 입구에 지하수가 고여 만들어져요.
③ 삼운: 주상 절리는 용암이 빠르게 냉각되며 형성된 육각기둥 모양의 지형이에요.
④ 사운: 칼데라가 형성된 후 소규모 분화가 일어나 칼데라 안에 이중 화산이 생겨요.
⑤ 오운: 지표수가 지하로 스며들어 마그마에 의해 데워져 뿜어 나오는 간헐천이 있어요.

서술형 문제

09 사진에 표시된 A 지형의 이름을 쓰고, 형성되는 과정을 제시어를 사용하여 서술하시오.

• 파랑 • 곶

서술형 문제

10 다음은 복잡한 해안선을 가진 두 지역의 지도이다. 두 지역 해안선의 형태를 나타내는 이름을 각각 쓰고 형성 원인을 서술하시오.

(가)

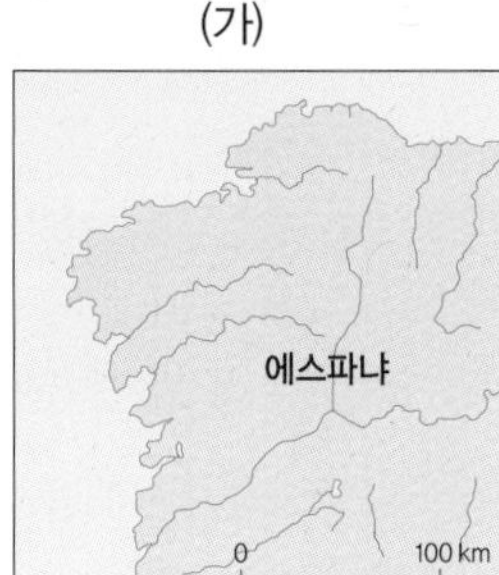

(나)

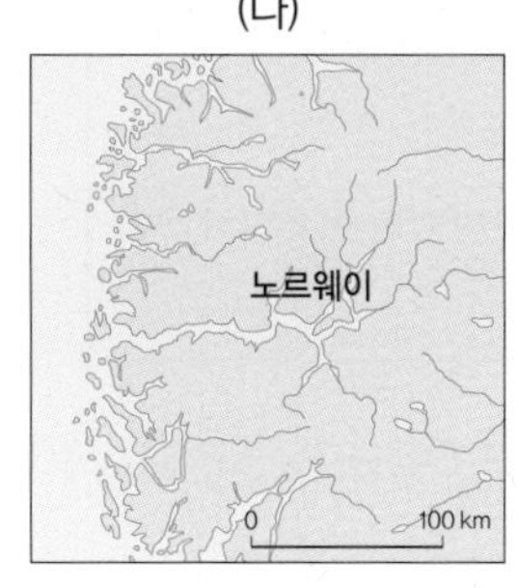

서술형 문제

11 다음 자료를 참고하여 카르스트 지형이 형성되는 과정을 제시어를 사용하여 서술하시오.

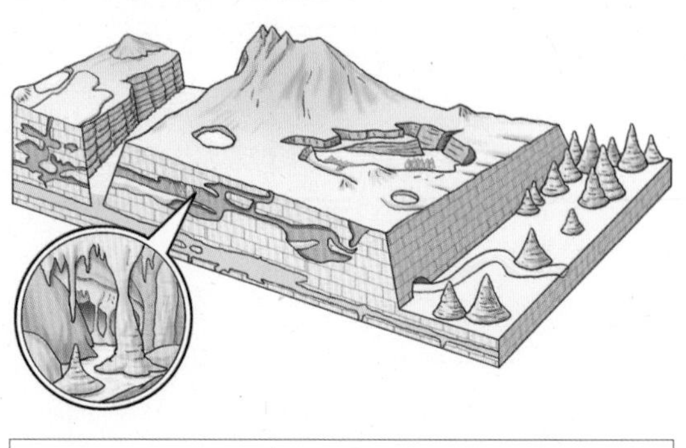

• 기반암 • 절리 • 용식

서술형 문제

12 현무암질 용암의 특징을 쓰고, 현무암질 용암 지대에서 관찰되는 지형들의 명칭과 그 특징을 서술하시오.

3단계 내신 만점 도전하기

정답과 해설 ▸ 14쪽

01 지도의 (가)~(라) 해안에 대한 옳은 설명을 |보기|에서 고른 것은?

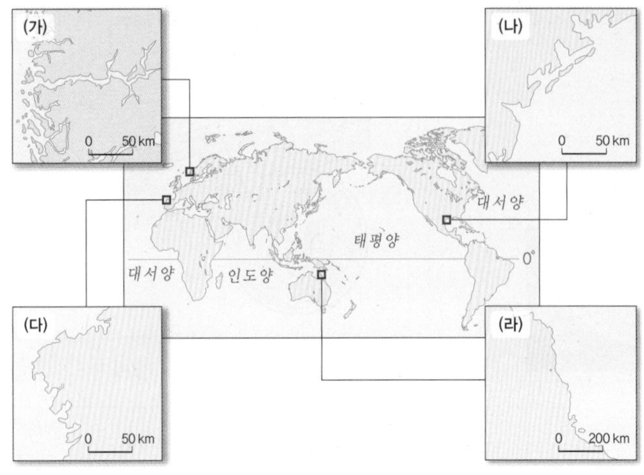

| 보기 |

ㄱ. (가)는 조차가 커서 갯벌이 넓게 발달한다.
ㄴ. (나)는 파랑과 연안류의 작용으로 사주가 길게 발달한다.
ㄷ. (다)는 빙하 침식에 의한 골짜기가 침수되어 형성되었다.
ㄹ. (라)는 열대의 청정 해역으로 산호초가 형성되어 있다.

① ㄱ, ㄴ ② ㄱ, ㄷ ③ ㄴ, ㄷ ④ ㄴ, ㄹ ⑤ ㄷ, ㄹ

문제 접근 방법

스칸디나비아반도 서해안, 뉴질랜드, 칠레에 피오르 해안이 나타나고, 남·북회귀선 안쪽 따뜻한 바다에 산호초 해안이 나타나는 것을 기억한다. 또한 만에서는 해안 퇴적 지형이, 곶에서는 침식 지형이 주로 나타나는 것을 기억한다.

내신 전략

해안 지형의 분포를 지도에서 확인하고 특징을 이해한다.

02 다음은 어떤 지형의 특징과 분포를 나타낸 것이다. 이 지형에 대한 설명으로 옳은 것은?

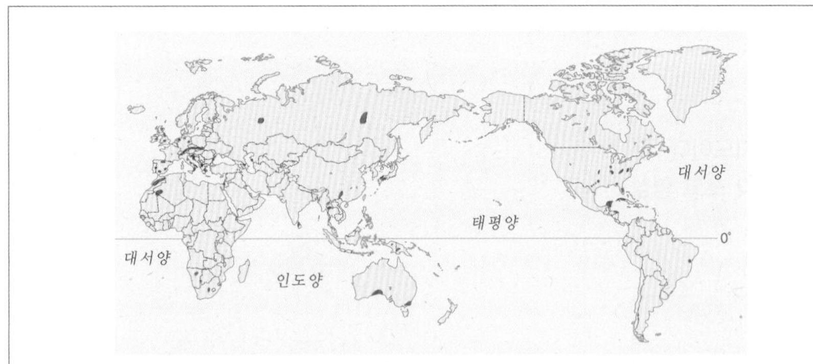

습윤한 기후 조건에서 암석이 용식되며 발달한 지형이다. 관광 자원으로 이용되며, 지형의 이름은 지명에서 유래된 것이다.

① 물리적 풍화 작용이 활발하며, 바르한과 플라야 등이 나타난다.
② 신생대에 형성되었으며, 높고 험준한 습곡 산지로 이루어져 있다.
③ 빙하 주변 지역 및 고산 지역에서 잘 발달하며, 구조토가 나타난다.
④ 절리가 많은 석회암 지역에서 잘 나타나며, 돌리네와 우발라 등이 나타난다.
⑤ 완만한 조륙 운동과 침식 작용으로 형성되었으며, 순상지와 구조 평야가 나타난다.

문제 접근 방법

카르스트 지형은 석회암 분포 지역에서 나타난다. 자세한 위치를 외우는 것보다는 설명에서 카르스트 지형에 대한 힌트(용식, 지형명) 등을 찾고 그것을 바탕으로 문제를 풀어 나가도록 한다.

내신 전략

카르스트 지형의 정의와 특징을 알아 둔다.

수능 유형 익히기

정답과 해설 ▸ 14쪽

2018학년도 수능

01 지도에 표시된 (가)~(라) 해안에 대한 설명으로 옳지 않은 것은?

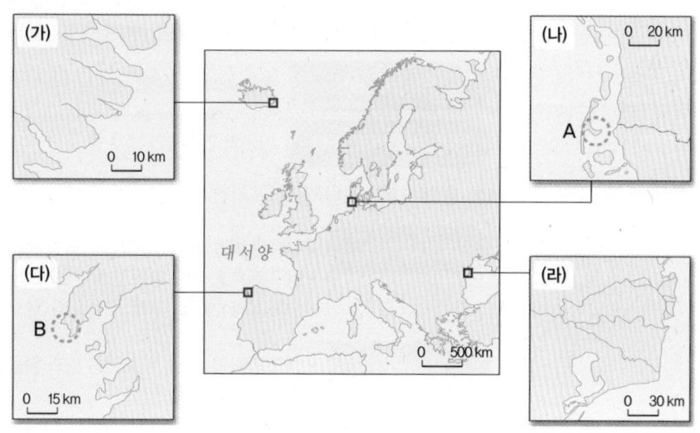

① A는 B에 비해 파랑의 침식 작용이 우세하다.
② (가)에서는 빙하에 의한 침식곡이 나타난다.
③ (가), (다)는 후빙기 해수면 상승에 따른 육지의 침수로 형성되었다.
④ (나), (라)에서는 사빈과 사주가 나타난다.
⑤ (라)는 (가)에 비해 하천에 의한 퇴적 작용이 활발하다.

출제 개념
해안지형

자료 해설
(가)는 아이슬란드로 피오르 지형이 나타난다. (나)는 바덴해 연안으로 해안 퇴적 지형이 넓게 나타난다. (다)는 하천에 의해 침식된 V자곡에 해수면이 상승하며 형성된 리아스 해안이다.

해결 비법
해안 지형 지도를 제시하고 지형을 물어보는 문제는 반드시 출제되므로, 피오르 해안과 산호초 해안의 위치는 암기한다. 나머지 지형은 곶과 만에 위치하는 여부를 가지고 해석한다.

2007학년도 4월 학력평가

02 다음은 중국 유학 중인 친구가 보내온 카르스트 지형에 관한 전자 우편이다. (가)~(마)의 내용 중 옳지 않은 것은?

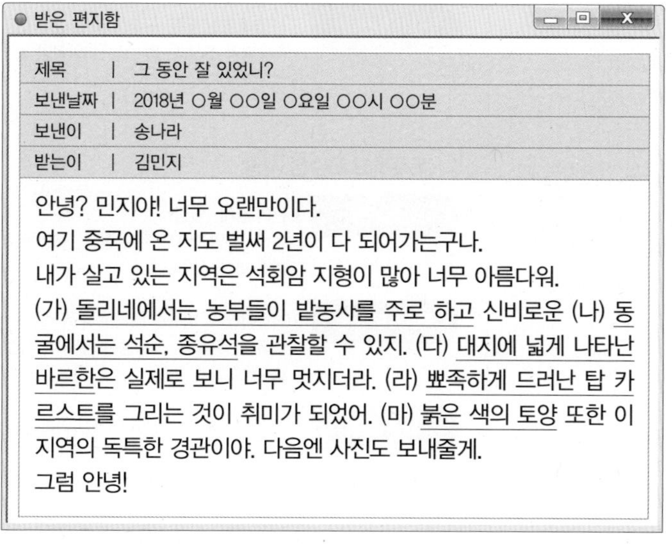
● 받은 편지함

제목	그 동안 잘 있었니?
보낸날짜	2018년 ○월 ○○일 ○요일 ○○시 ○○분
보낸이	송나라
받는이	김민지

안녕? 민지야! 너무 오랜만이다.
여기 중국에 온 지도 벌써 2년이 다 되어가는구나.
내가 살고 있는 지역은 석회암 지형이 많아 너무 아름다워.
(가) 돌리네에서는 농부들이 밭농사를 주로 하고 신비로운 (나) 동굴에서는 석순, 종유석을 관찰할 수 있지. (다) 대지에 넓게 나타난 바르한은 실제로 보니 너무 멋지더라. (라) 뾰족하게 드러난 탑 카르스트를 그리는 것이 취미가 되었어. (마) 붉은 색의 토양 또한 이 지역의 독특한 경관이야. 다음엔 사진도 보내줄게.
그럼 안녕!

① (가) ② (나) ③ (다) ④ (라) ⑤ (마)

출제 개념
카르스트 지형

자료 해설
자료는 카르스트 지형의 특징을 서술한 것이다. 카르스트 지형은 석회암의 용식으로 형성되며, 지하 동굴이 많이 존재해 지표는 배수가 잘되는 것이 특징이다. 용식되고 남은 물질(철)이 토양에 쌓이며 붉은 색의 토양이 주로 나타난다.

해결 비법
카르스트 지형의 형성 원인과 다양한 지형 명칭을 정확하게 알아둔다.

핵심 개념 정리하기

1 기후대별 특징

1. 열대 기후 최난월 평균 기온 18℃ 이상, 기온의 일교차 > 연교차

열대 우림(Af)
- 연중 열대 수렴대 영향, 스콜 → 강수량 풍부
- 열대 우림(상록 활엽수)
- 이동식 화전 농업, 플랜테이션, 고상 가옥

열대 몬순(Am)
- 열대 수렴대, 계절풍 영향 → 긴 우기, 짧은 건기
- 열대 우림(상록 활엽수)

사바나(Aw)
- 여름: 열대 수렴대 → 우기
- 겨울: 아열대 고압대 → 건기
- 사바나 초원(풀, 키 작은 관목)
- 유목 생활, 관목으로 지은 가옥

열대 고산(AH)
- 적도 주변 높은 산맥, 고원 지역
- 해발 고도가 높아 기온 낮음 → 상춘 기후
- 고대 문명, 고산 도시

2. 온대 기후 최한월 평균 기온 -3~18℃, 기후가 온화하여 인간 생활에 유리

서안 해양성(Cfb)
- 연중 편서풍의 영향 → 기온의 연교차 작고, 연 강수 차 작음
- 혼합림(낙엽수, 침엽수), 혼합 농업, 풍력 단지

지중해성(Cs)
- 여름: 아열대 고압대 → 고온 건조, 수목 농업
- 겨울: 한대 전선 남하 → 편서풍 → 온난 습윤, 곡물 농업
- 관광 산업, 이목, 하얀 집

온대 겨울 건조(Cw)
- 계절풍 뚜렷 → 여름 고온 다습, 겨울 한랭 건조
- 혼합림, 일부 상록 활엽수(조엽수), 벼농사, 차 재배

온대 습윤(Cfa)
- 계절풍, 온대 겨울 건조보다 해양의 영향을 더 받음
- 혼합림, 일부 상록 활엽수(조엽수)

3. 건조 기후

(1) 기후 특징 무수목 기후, 연 강수량 500mm 미만, 기온의 일교차가 매우 큼

사막(BW)
- 형성: 아열대 고압대, 중위도 내륙, 중위도 한류 연안, 대규모 산지의 비그늘 지역
- 연 강수량 250mm 미만, 식생 빈약
- 평평한 지붕의 가옥, 오아시스 농업, 긴 옷

스텝(BS)
- 연 강수량 250~500mm, 짧은 우기
- 초원 → 이동식 가옥, 게르, 유목

(2) 건조 지형 물리적 풍화, 포상 홍수의 침식과 퇴적, 바람의 영향

유수에 의한 지형	와디, 플라야, 선상지, 바하다
바람에 의한 지형	사구, 버섯 바위, 삼릉석, 사막 포도

4. 냉·한대 기후

(1) 냉대 기후 최한월 평균 기온 -3℃ 미만, 최난월 평균 기온 10℃ 이상, 타이가(냉대림), 남부 일부 혼합림, 통나무집, 포드졸

냉대 습윤(Df)	곡물 재배, 낙농업
냉대 겨울 건조(Dw)	기온의 연교차가 매우 큼

(2) 한대 기후 최난월 평균 기온 10℃ 미만, 무수목 기후

툰드라(ET)
- 최난월 평균 기온 0~10℃, 짧고 냉량한 여름 → 지의류
- 영구 동토층 위에 활동층 발달 → 고상 가옥
- 순록 유목, 물개·고래 등의 수렵 및 어로

빙설(EF)
- 연중 영하의 기온, 지표면은 눈과 얼음
- 인간 생활에 불리

(3) 빙하 지형 대륙 빙하(유럽, 북아메리카), 산악 빙하(고산 지역)

침식 지형	빙식곡, 피오르, 권곡, 호른, 현곡
퇴적 지형	빙력토 평원, 빙퇴석(모레인), 에스커, 드럼린

2 세계의 지형

1. 세계의 대지형

안정육괴
- 시·원생대 조산 운동 후 오랜 침식 → 기복이 작음
- 순상지, 구조 평야, 철광석

고기 조산대
- 고생대 조산 운동 → 해발 고도가 낮고 기복이 작음
- 석탄 매장

신기 조산대
- 신생대 조산 운동 → 해발 고도 높고 험준
- 환태평양 조산대, 알프스·히말라야 조산대
- 석유 매장

2. 독특하고 특수한 지형

화산 지형
- 판의 경계, 열점
- 화산, 용암 대지, 주상 절리, 용암동굴, 칼데라, 간헐천, 이중 화산

카르스트 지형
- 석회암(얕고 따뜻한 바다에서 퇴적), 용식, 침전
- 돌리네, 우발라, 석회동굴(종유석, 석순, 석주), 탑 카르스트, 석회화 단구

해안 지형
- 해수면 상승 → 복잡한 해안선(리아스 해안, 피오르 해안)
- 형성 요인: 파랑, 연안류, 조류, 바람
- 곶의 지형: 침식 집중 → 암석 해안(해식애, 파식대, 시 스택, 시 아치, 해안 동굴)
- 만의 지형: 퇴적 집중 → 모래 해안(사빈, 사주, 육계도, 석호, 해안 사구), 갯벌 해안(조차가 크고 파랑이 약함)

핵심 개념 적용하기

01 지도의 A~D의 기후 차이를 가져온 요인으로 올바른 것은?

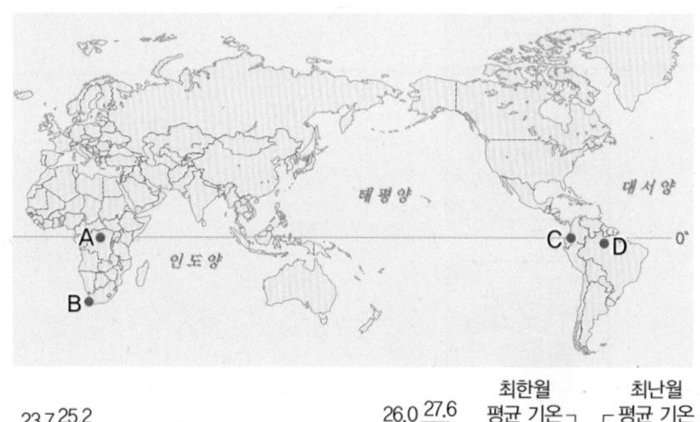

① A-B 위도가 높으면 기온이 낮아진다.
② A-B 내륙으로 갈수록 기온의 연교차가 커진다.
③ C-D 한류가 흐르는 해안은 기온이 낮다.
④ C-D 해발 고도가 높으면 기온이 높아진다.
⑤ C-D 대륙 동안의 기온과 강수차가 크다.

02 (가), (나) 기후에 대한 설명으로 옳은 것을 |보기|에서 고른 것은?

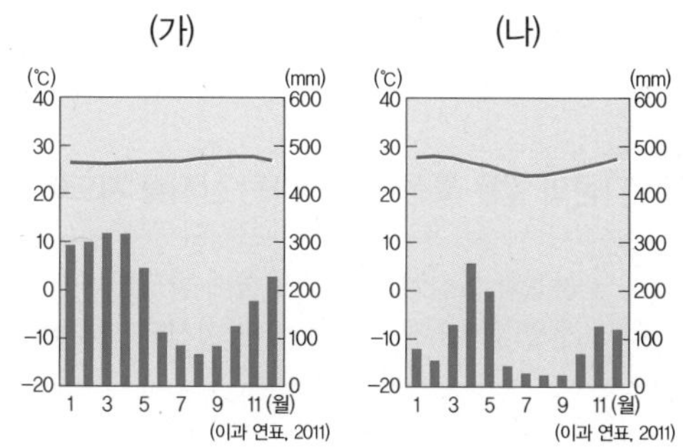

|보기|
ㄱ. (가)는 (나)에 비해 저위도 지역에서 나타난다.
ㄴ. (가)는 7월에 아열대 고압대의 영향을 받는다.
ㄷ. (나)는 기온의 일교차가 연교차보다 작게 나타난다.
ㄹ. (나)는 여름철인 1월에 열대 수렴대의 영향을 받는다.

① ㄱ, ㄴ ② ㄱ, ㄷ ③ ㄱ, ㄹ
④ ㄴ, ㄷ ⑤ ㄷ, ㄹ

03 지도의 A~D에 대한 설명 중 옳지 않은 것은?

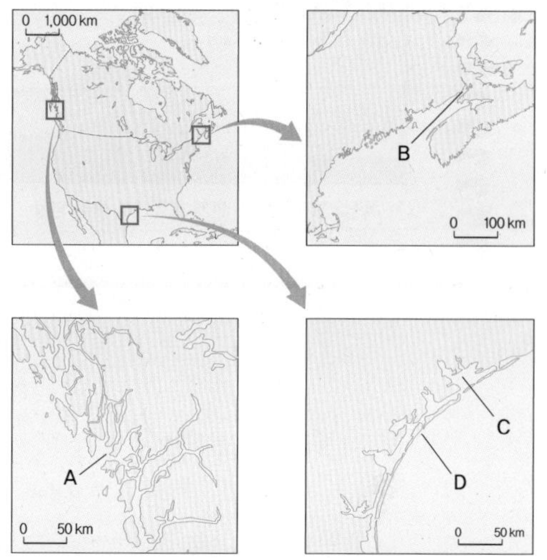

① A는 빙식곡이 침수되어 나타난 피오르 해안이다.
② B는 만으로 파랑의 퇴적이나 조류에 의한 퇴적 작용이 나타난다.
③ C는 만의 입구가 사주로 막힐 경우 석호가 된다.
④ D는 조류에 의해 퇴적된 사주이다.
⑤ C와 D는 퇴적 작용에 의해 형성된 지형이다.

04 엽서에 나타난 지역에서 볼 수 있는 지형이 아닌 것은?

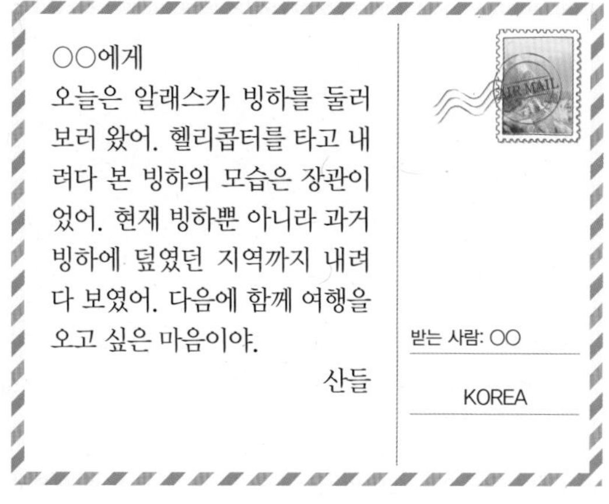

○○에게
오늘은 알래스카 빙하를 둘러보러 왔어. 헬리콥터를 타고 내려다 본 빙하의 모습은 장관이었어. 현재 빙하뿐 아니라 과거 빙하에 덮였던 지역까지 내려다 보였어. 다음에 함께 여행을 오고 싶은 마음이야.
산들
받는 사람: ○○
KOREA
AIR MAIL

① 권곡 ② 호른
③ 모레인 ④ 드럼린
⑤ 바하다

05 (가)에 해당하는 곳을 A~E에서 고르면?

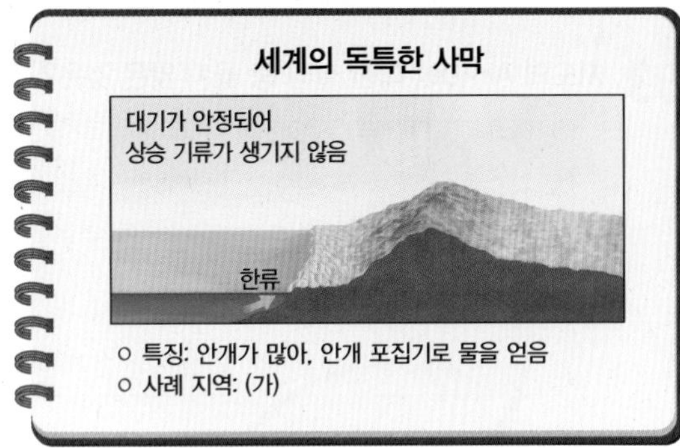

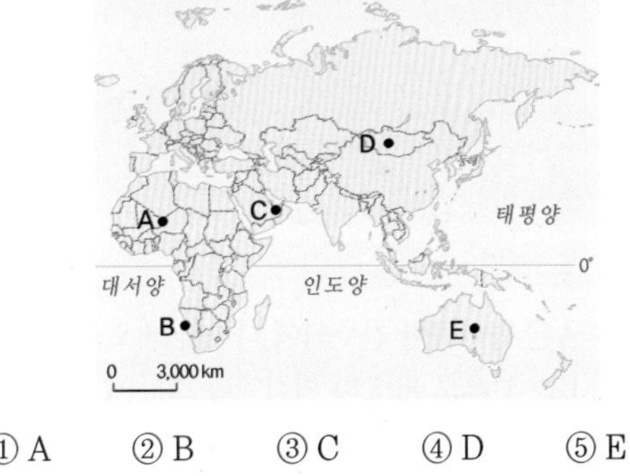

① A ② B ③ C ④ D ⑤ E

06 지역에 표시된 A~D에 대한 옳은 설명을 |보기|에서 있는 대로 고른 것은?

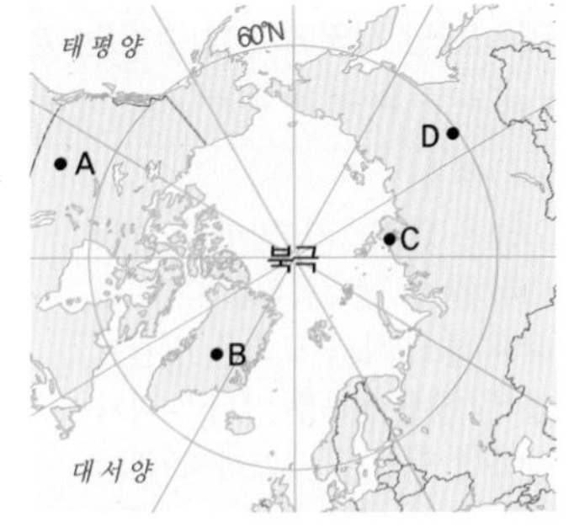

보기

ㄱ. A는 빙하 지형이 나타난다.
ㄴ. B는 순록 유목을 하는 사람들이 살아왔다.
ㄷ. C는 회백색의 포드졸 토양이 나타난다.
ㄹ. D는 기온의 연교차가 가장 큰 기후에 속한다.

① ㄱ ② ㄱ, ㄹ ③ ㄴ, ㄷ
④ ㄱ, ㄴ, ㄹ ⑤ ㄴ, ㄷ, ㄹ

07 모식도는 (가), (나) 시기의 열대 수렴대의 위치를 나타낸 것이다. A~C 지역에 대한 설명으로 옳은 것은?(단, (가), (나) 시기는 1월과 7월 중 하나임.)

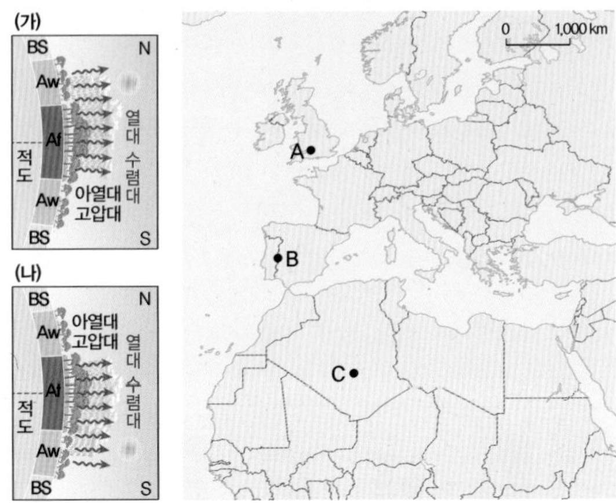

① A는 (가) 시기에 아열대 고압대의 영향을 받는다.
② A와 B는 (가)보다 (나) 시기에 낮의 길이가 길다.
③ B는 (나) 시기에 곡물 농사를 짓는다.
④ B는 (가) 시기에 A와 유사한 기후가 나타난다.
⑤ C는 (가) 시기에 북쪽으로 이동하는 누 떼를 볼 수 있다.

08 다음과 같은 특성이 나타나는 산지를 지도에서 찾으면?

- 지진과 화산이 모두 빈번하게 발생한다.
- 신생대에 조산 운동을 받아 형성된 산지이다.

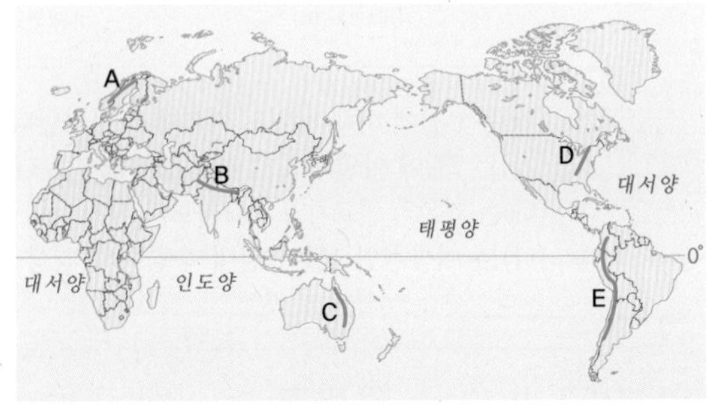

① A ② B ③ C ④ D ⑤ E

지리적 역량 기르기

❖ 최근 많은 사람들이 해외로 여행을 떠나고 있다. 다음은 1월에 여행 가기 좋은 지역을 소개하고, 그 이유를 기후 특징과 관련하여 설명한 것이다. 이 자료를 참고하여 여행 가기 좋은 지역을 고르고, 그 이유를 기후 특징을 바탕으로 설명해 보자.

〈1월에 여행 가기 좋은 곳〉

볼리비아 우유니사막

- 기후 특색: 볼리비아는 남반구에 위치하고 있으며 1월이 여름이다. 사바나와 스텝 기후의 경계 지역에 속하며, 여름철에는 짧게 열대 수렴대의 영향을 받아 강수가 내린다.
- 추천 이유: 강수가 내리면 우유니 소금 사막에 얕게 물이 고여 하늘이 소금 호수에 비치게 된다. 따라서 볼리비아 우유니사막을 여행하기에 좋은 시기는 우기인 1월이다.

더 알아보기

북반구와 남반구는 계절이 서로 반대로 나타난다. 따라서 북반구에 위치한 우리나라에서 남반구로 여행을 가면 여름에 겨울을, 겨울에 여름을 즐길 수 있을 것이다.

각 지역의 특성을 가장 잘 드러낼 수 있는 기후적 특징의 예는 다음과 같다. 지중해성 기후는 여름철 고온 건조한 여름 기후로 독특한 가옥 특성이 나타난다. 툰드라 기후 지역은 여름철 백야를 즐길 수 있으며, 겨울철에는 오로라를 볼 수 있다.

문제 해결 길잡이

해외로 여행을 갈 때 사람들은 가장 그 지역을 즐기기 좋은 시기이나 한국과 다른 경관을 볼 수 있는 시기를 찾아 여행을 가려고 할 것이다. 지역의 기후 그래프와 계절별 특징을 찾아보면 여행에 적절한 시기를 찾을 수 있을 것이다.

01 위의 자료를 참고하여 여행 갈 월을 정한 후, 여행 가기 좋은 지역에 대해 정리해 보자.

(1) 월	
(2) 지역	
(3) 기후 특징	
(4) 추천 이유	

대단원 3

세계의 인문 환경과 인문 경관

주제 9 세계의 주요 종교	쪽수	계획일	완료일	목표 달성도
Day 01 개념 정리, 핵심 자료 특강	96 ~ 97쪽	월 일	월 일	☆☆☆☆☆
Day 02 개념 익히기, 내신 유형 익히기	98 ~ 101쪽	월 일	월 일	☆☆☆☆☆
Day 03 내신 만점 도전하기, 수능 유형 익히기	102 ~ 103쪽	월 일	월 일	☆☆☆☆☆

주제 10 세계 인구의 변천과 인구 이주	쪽수	계획일	완료일	목표 달성도
Day 04 개념 정리, 핵심 자료 특강	104 ~ 107쪽	월 일	월 일	☆☆☆☆☆
Day 05 개념 익히기, 내신 유형 익히기	108 ~ 111쪽	월 일	월 일	☆☆☆☆☆
Day 06 내신 만점 도전하기, 수능 유형 익히기	112 ~ 113쪽	월 일	월 일	☆☆☆☆☆

학습 계획표

• 자신의 일정에 맞게 계획을 세우고, 실제 학습일을 적어 봅시다.
• 학습을 마무리한 후 스스로가 얼마나 학습 목표를 달성하였는지 점검해 봅시다.

주제 11 세계 도시의 등장과 세계 도시 체계	쪽수	계획일	완료일	목표 달성도
Day 07 개념 정리, 핵심 자료 특강	114~115쪽	월 일	월 일	☆☆☆☆☆
Day 08 개념 익히기, 내신 유형 익히기	116~119쪽	월 일	월 일	☆☆☆☆☆
Day 09 내신 만점 도전하기, 수능 유형 익히기	120~121쪽	월 일	월 일	☆☆☆☆☆

주제 12 세계의 식량 자원	쪽수	계획일	완료일	목표 달성도
Day 10 개념 정리, 핵심 자료 특강	122~123쪽	월 일	월 일	☆☆☆☆☆
Day 11 개념 익히기, 내신 유형 익히기	124~127쪽	월 일	월 일	☆☆☆☆☆
Day 12 내신 만점 도전하기, 수능 유형 익히기	128~129쪽	월 일	월 일	☆☆☆☆☆

주제 13 세계 주요 에너지 자원과 국제 이동	쪽수	계획일	완료일	목표 달성도
Day 13 개념 정리, 핵심 자료 특강	130~133쪽	월 일	월 일	☆☆☆☆☆
Day 14 개념 익히기, 내신 유형 익히기	134~137쪽	월 일	월 일	☆☆☆☆☆
Day 15 내신 만점 도전하기, 수능 유형 익히기	138~139쪽	월 일	월 일	☆☆☆☆☆
Day 16 대단원 마무리하기, 지리 역량 기르기	140~143쪽	월 일	월 일	☆☆☆☆☆

주제 9

세계의 주요 종교

교과서 68~73쪽

주제 흐름 읽기

세계의 종교	구분	• 보편 종교: 크리스트교, 이슬람교, 불교 • 민족 종교: 힌두교, 유대교 등
	종교 특징	• 크리스트교: 신자 수 세계 1위, 가장 넓게 분포, 십자가 • 이슬람교: 엄격한 5대 의무, 모스크와 첨탑, 아라베스크 문양 • 불교: 상좌부 불교, 대승 불교, 티베트 불교, 탑, 불상 • 힌두교: 다신교, 민족 종교, 신자 수 3위, 다신들의 신상

종교 전파	• 크리스트교: 팔레스타인 기원, 로마 제국 전역에 전파, 신대륙 발견 후 확산 가속화 • 이슬람교: 메카 기원, 서남아시아와 북부 아프리카, 동남아시아로 전파 • 불교: 인도 북동부 기원, 아시아 전역으로 전파

1 세계의 주요 종교별 특징과 전파 경로

1. 종교의 구분❶

(1) **보편 종교** 모든 인류를 포교 대상으로 삼음 예 크리스트교, 이슬람교, 불교 (세계 3대 종교라고 불러.)

(2) **민족 종교** 특정 민족에서 태생적으로 부여되는 종교, 다른 민족에게 적극적으로 포교하지는 않음 예 힌두교, 유대교 (힌두교는 인도에서 주로 믿는 종교이고, 유대교는 이스라엘을 건국한 유대인들의 종교야. 크리스트교는 유대교에서 갈라져 나왔어.)

2. 세계 주요 종교의 특징

구분	특징	기타
크리스트교	• 가장 넓게 분포하며 신자 수가 가장 많음 • 가톨릭교, 개신교, 정교회로 분화됨	유대교와 더불어 같은 유일신(여호와)을 신봉
이슬람교	• 엄격한 5대 종교 의무를❷ 강조 • 수니파와 시아파로 구분, 수니파가 다수임	유일신(알라)
불교	• 부처의 가르침을 포교 • 개인의 수양 및 해탈, 자비를 강조	대승 불교, 상좌부 불교, 티베트 불교로 구분❸
힌두교	• 인도의 민족 종교, 인도 인구의 80%가 신봉 • 윤회 사상❹, 카스트 제도 형성과 관련 있음	다신교, 선행과 고행을 통한 수련 중시

3. 세계 주요 종교의 기원과 전파 자료 1

(1) **크리스트교** 1세기 초 팔레스타인❺에서 기원했고, 4세기에 로마 황제에게 공인되어 로마 제국 전역에 전파, 신대륙 발견 후 아메리카 및 세계 각지로 전파❻

(2) **이슬람교** 이슬람 세력의 군사적 정복과 상업 활동 통해 전파됨(서남아시아, 북부 아프리카, 동남아시아)

(3) **불교** 인도 북동부에서 기원, 교역로를 따라 남부 · 동남 · 동부 아시아로 전파됨

(4) **힌두교** 인도 북서부에서 발생, 주로 남부 아시아(인도, 네팔, 인도네시아 등)에 분포

2 세계 주요 종교의 성지와 종교 경관의 상징적 의미

구분	성지	주요 경관 자료 2
크리스트교	예수의 행적이 있던 곳(예루살렘, 베들레헴, 갈릴리호 등)과 로마, 알렉산드리아, 안티오크 등	고딕 양식, 교회의 십자가, 종탑, 스테인드글라스
이슬람교	예언자 무함마드와 관련된 곳, 메카(무함마드의 탄생지), 메디나(무함마드의 묘지)	둥근 지붕인 모스크와 첨탑, 아라베스크 문양
불교	부처가 겪은 사건과 관련된 곳, 룸비니(부처의 탄생지), 부다가야(부처가 깨달음 얻은 곳), 사르나트(최초의 설법 장소), 쿠시나가라(열반 장소)	부처의 사리를 봉안하기 위해 만든 탑, 불상
힌두교	갠지스강(힌두교도들이 신성하게 여겨 목욕을 하면 영혼이 정화된다고 믿음), 바라나시는 최고의 성지	각양각색 신들의 정교한 조각으로 장식된 사원

❶ 세계 주요 종교별 신도 비중

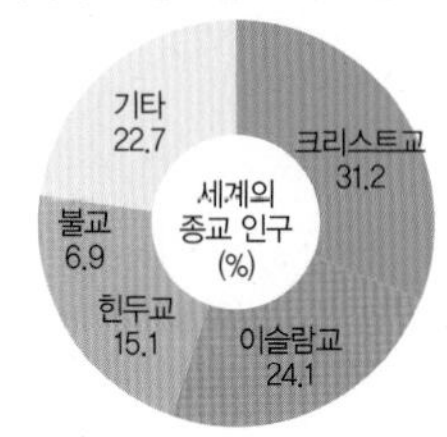

(퓨리서치센터, 2015)

❷ 이슬람교의 5대 의무
신앙 고백, 기도, 자선, 단식, 성지 순례

❸ 불교의 종파
대승 불교는 중생의 구제를 지향하고, 상좌부 불교는 개인의 해탈을 중시한다. 티베트 불교(라마교)는 티베트 고유의 종교와 인도에서 건너온 불교가 결합된 것이다.

❹ 윤회 사상
일정한 깨달음의 경지 또는 구원된 상태에 도달할 때까지 계속하여 이 세상으로 재탄생한다는 믿음이다.

❺ 팔레스타인

팔레스타인은 2013년에 수립된 나라 이름이기도 하나 이스라엘과 요르단의 여러 지역을 포함하는 역사적 지명이다. 팔레스타인은 유대교 · 크리스트교 · 이슬람교에서 모두 신성시하는 지역이다.

❻ 크리스트교 분포
• 가톨릭교: 남부 유럽, 라틴 아메리카
• 개신교: 북부 유럽, 앵글로아메리카, 오세아니아
• 정교회: 동부 유럽

자료 1 세계 주요 종교의 전파와 분포

교과서 70쪽

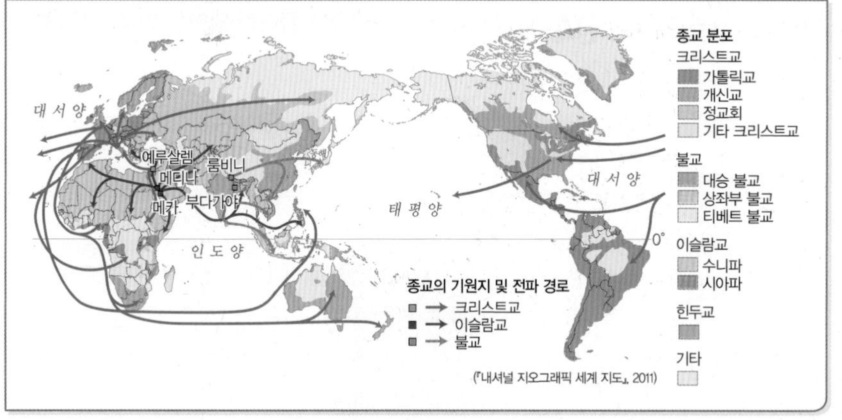

자료 분석 크리스트교는 1세기 초에 팔레스타인에서 시작되었는데 유대교에서 분화되어 가톨릭교, 개신교, 정교회로 분리되었다. 그 뒤 유럽 열강의 식민지 지배를 받는 지역을 중심으로 확산되었다.

불교는 기원전 6세기경에 인도 북부 지역에서 발생하여 동남아시아와 동부 아시아로 확산되었다. 불교의 발생지인 인도에서는 오히려 불교 신자의 비중이 적다.

이슬람교는 7세기 초에 서남아시아에서 발생하였고 정복 활동과 상인들의 무역 활동으로 아시아 및 북부 아프리카 일대로 전파되었다. 인구 밀도가 높은 인도네시아는 이슬람교의 신자 수가 최대인 나라가 되었다.

자료 분석 포인트

종교별 전파 과정과 분포 범위를 알아보자.

Q1 (가), (나) 국가들에서 각각 비중이 높은 종교는 무엇인지 쓰시오.

(가) 이란, 사우디아라비아, 이집트
(나) 미얀마, 부탄, 타이

(가) ( ), (나) ( )

Q2 크리스트교, 불교, 이슬람교 중 가장 넓은 범위로 확산된 종교는 무엇인지 쓰시오.

자료 2 이슬람교의 종교적 전통 복장과 갈등

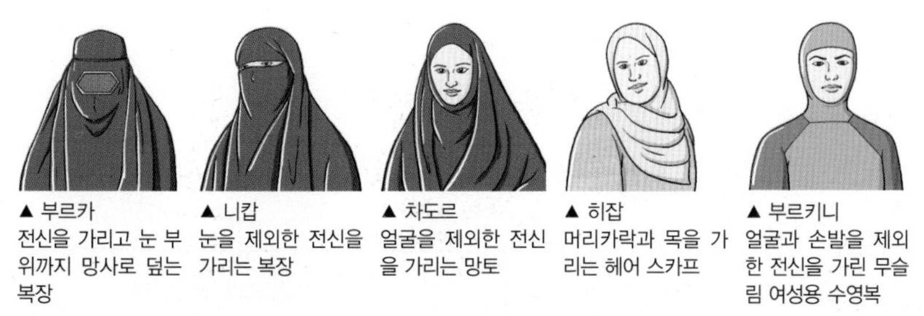

▲ 부르카
전신을 가리고 눈 부위까지 망사로 덮는 복장

▲ 니캅
눈을 제외한 전신을 가리는 복장

▲ 차도르
얼굴을 제외한 전신을 가리는 망토

▲ 히잡
머리카락과 목을 가리는 헤어 스카프

▲ 부르키니
얼굴과 손발을 제외한 전신을 가린 무슬림 여성용 수영복

자료 분석 이슬람 여성들은 신체 노출을 피하고 종교적 정체성을 드러내기 위해 전통 의상을 입는다. 유럽으로 이주해 온 무슬림 여성들이 종교적 전통 복장을 고수하면서 프랑스를 비롯한 일부 국가에서는 공공장소에서 히잡, 차도르 등 종교적 상징을 갖는 의상의 착용을 금지하였다. 이에 이슬람교도로부터 '종교 탄압'이라는 항의를 받고 있다.

한편 서구의 한 패션 업체가 '명품 히잡'을 출시하여 패션 아이템으로 등장하였고, 얼굴과 손발을 제외한 전신을 가린 이슬람 여성 수영복을 의미하는 부르키니도 유행하고 있다. 부르키니(Burkini)는 부르카(Burka)와 비키니(Bikini)의 합성어다. 2015년 파리 테러 이후 이슬람에 대한 프랑스인들의 감정이 악화되자 프랑스의 여러 지역에서 부르키니의 금지를 주장하였다.

자료 분석 포인트

이슬람교의 전통 복장이 유럽에서 일으키는 갈등 상황을 알아보자.

Q3 유럽에서 히잡, 부르카를 금지하는 이유는 무엇인가?

답 Q1 (가) 이슬람교 (나) 불교 / Q2 크리스트교 / Q3 공공 장소에서 종교적 상징을 갖는 의상을 금지하고 있기 때문이며, 반 이슬람 감정 때문이기도 하다.

개념 익히기

정답과 해설 ▸ 16쪽

01 다음 빈칸에 들어갈 알맞은 말을 쓰시오.

(1) 종교는 특정한 민족을 중심으로 포교된 (   ) 종교, 국경과 민족을 초월하여 전파된 (   ) 종교로 구분할 수 있다.

(2) (   )은/는 신자 수가 가장 많고, 선교 활동과 식민지 개척을 통해 신대륙으로 확산되었다.

(3) 이슬람교의 대표적인 종교 경관은 (   )인데, 둥근 지붕과 높은 첨탑, 기하학적 무늬 등으로 구성되어 있다.

(4) 세계 종교별 신자 수는 (   )>이슬람교>(   )>불교 순으로 많다.

02 다음은 두 종교의 전파 경로를 나타낸 것이다. (가), (나)에 해당하는 종교를 쓰시오.

(가) 팔레스타인 → 로마 → 유럽 → 신대륙
(나) 인도 북부 → 남부 아시아 → 동남아시아 및 동부 아시아

(가) ______________________

(나) ______________________

03 다음 (가)~(라)에 나열된 지역과 관련 깊은 종교를 |보기|에서 찾아 쓰시오.

(가) 예루살렘, 베들레헴, 알렉산드리아, 안티오크
(나) 메카, 메디나
(다) 룸비니, 부다가야, 사르나트, 쿠시나가라
(라) 갠지스강, 바라나시

|보기|
- 이슬람교
- 크리스트교
- 불교
- 힌두교

(가) ______________________

(나) ______________________

(다) ______________________

(라) ______________________

04 다음 (가), (나)의 빈칸에 들어갈 알맞은 말을 |보기|에서 골라 쓰시오.

|보기|
• 고딕 • 이슬람 • 아라베스크 • 식물 • 탑 • 불

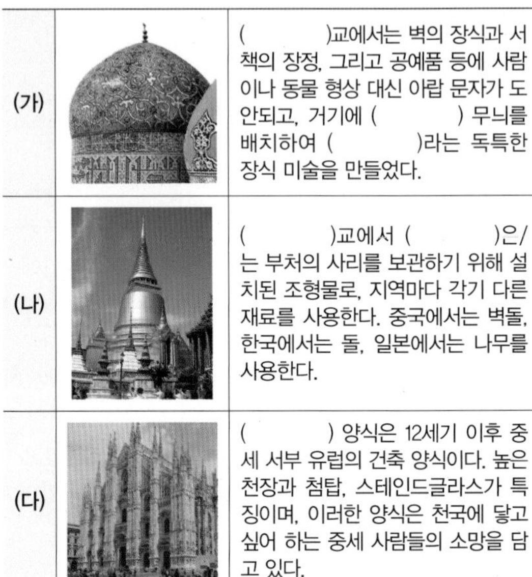

(가)		( )교에서는 벽의 장식과 서책의 장정, 그리고 공예품 등에 사람이나 동물 형상 대신 아랍 문자가 도안되고, 거기에 ( ) 무늬를 배치하여 ( )라는 독특한 장식 미술을 만들었다.
(나)		( )교에서 ( )은/는 부처의 사리를 보관하기 위해 설치된 조형물로, 지역마다 각기 다른 재료를 사용한다. 중국에서는 벽돌, 한국에서는 돌, 일본에서는 나무를 사용한다.
(다)		( ) 양식은 12세기 이후 중세 서부 유럽의 건축 양식이다. 높은 천장과 첨탑, 스테인드글라스가 특징이며, 이러한 양식은 천국에 닿고 싶어 하는 중세 사람들의 소망을 담고 있다.

05 (가) 종교와 관련된 자료를 보고 질문에 답하시오.

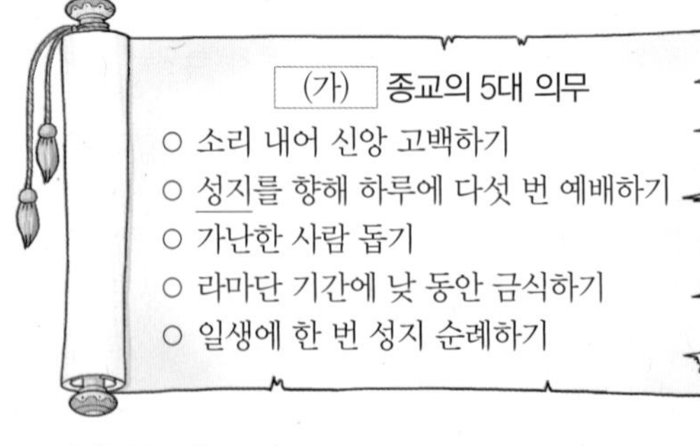

(가) 종교의 5대 의무
○ 소리 내어 신앙 고백하기
○ 성지를 향해 하루에 다섯 번 예배하기
○ 가난한 사람 돕기
○ 라마단 기간에 낮 동안 금식하기
○ 일생에 한 번 성지 순례하기

(1) (가) 종교를 쓰시오.

____

(2) 밑줄 친 성지는 어디인지 쓰시오.

____

2단계 내신 유형 익히기

정답과 해설 ▸ 16쪽

01 다음은 세계 주요 종교별 신도 비중을 나타낸 그래프이다. A~D 종교에 대해 설명한 것으로 옳은 것은?

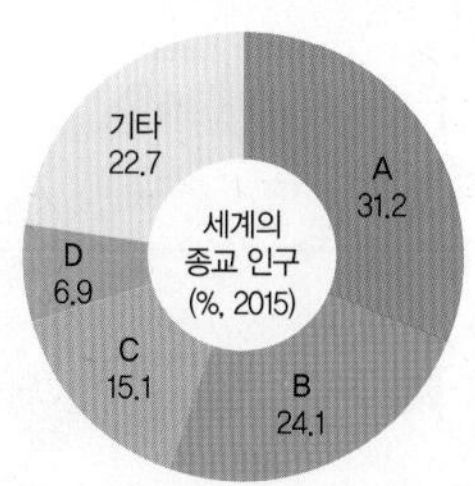

① A는 개인의 수양, 해탈, 자비를 강조한다.
② B는 가장 넓은 지역에 분포해 있다.
③ C는 수니파와 시아파로 종파가 구분된다.
④ D는 민족 종교이다.
⑤ A, B 모두 서남아시아가 발생지이다.

02 빈출 지도는 A~C 종교의 전파 경로를 나타낸 것이다. A~C 종교의 특징으로 옳은 것을 |보기|에서 고른 것은?

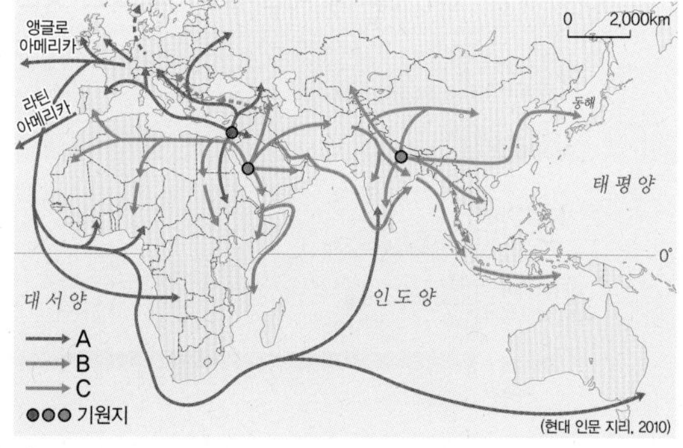

(현대 인문 지리, 2010)

| 보기 |
ㄱ. A는 식민지 개척 과정에서 신대륙으로 전파되었다.
ㄴ. B는 상업 및 정복 활동으로 확산되었다.
ㄷ. C는 발생 국가에서 신자 비율이 가장 높다.
ㄹ. 종교의 출현 시기는 A → B → C 순서이다.

① ㄱ, ㄴ ② ㄱ, ㄷ ③ ㄴ, ㄷ
④ ㄴ, ㄹ ⑤ ㄷ, ㄹ

03 ㉠ 종교와 관련된 내용을 |보기|에서 고른 것은?

㉠ 교는 브라흐마, 비뉴수, 시바 등의 많은 신을 믿는 다신교이다. 종교의 창시자나 특정한 종파와 교리, 위계 조직이 없이 지역에 따라 다양한 형태로 발달하였다. 그리고 사원을 신이 거주하는 곳으로 여기므로 매우 웅장하게 만들고 화려하게 장식한다. ㉠ 교에서는 종교적 명분으로 신분 제도를 정착시켜 사회적 차별을 양산하고 있다.

| 보기 |
ㄱ. 기원지가 서남아시아이다.
ㄴ. 쇠고기 먹는 것을 금기시한다.
ㄷ. 주요 성지는 메카와 메디나이다.
ㄹ. 갠지스강을 신성시하며, 민족 종교에 해당한다.

① ㄱ, ㄴ ② ㄱ, ㄷ ③ ㄴ, ㄷ
④ ㄴ, ㄹ ⑤ ㄷ, ㄹ

04 다음은 외국인 근로자들이 근무하는 ○○ 제조업체의 직원이 쓴 글이다. (가), (나) 종교에 대한 설명으로 옳은 것은?

우리 공장에는 동남아시아에서 온 근로자들이 많아. 그들과 함께 점심을 먹는데, (가) 종교 신자인 □□가 돼지고기를 먹지 않아서 주방에서는 닭고기로 따로 조리해서 제공하고 있어. 그 친구는 '라마단'이라는 금식 기간에는 낮 동안 아무것도 먹지 않아. 또 (나) 종교 신자인 △△는 고향에서 찍은 사진을 보여 주었어. '왓(Wat)'이라고 불리는 사원은 웅장한 목조 건물에 가파른 경사의 지붕이 인상적이야. 특히 사원 주변에 원뿔 모양의 탑이 있는데 사람들이 그 앞에서 두 손을 모으고 기도한다고 해.

① (가)는 육식과 음주를 금기시한다.
② (가)의 여자 신도들은 천으로 머리나 몸을 가리는 경우가 많다.
③ (나)는 라마단 금식, 성지 순례 등을 의무로 정하고 있다.
④ (나)는 대표적인 민족 종교로 카스트 제도와 깊은 관련이 있다.
⑤ (가), (나) 모두 유럽의 종교가 식민지 지배를 통해 동남아시아로 확산된 것이다.

05 다음은 세계 주요 종교 분포를 나타낸 지도이다. A~D 종교에 대한 설명으로 적절한 것은?

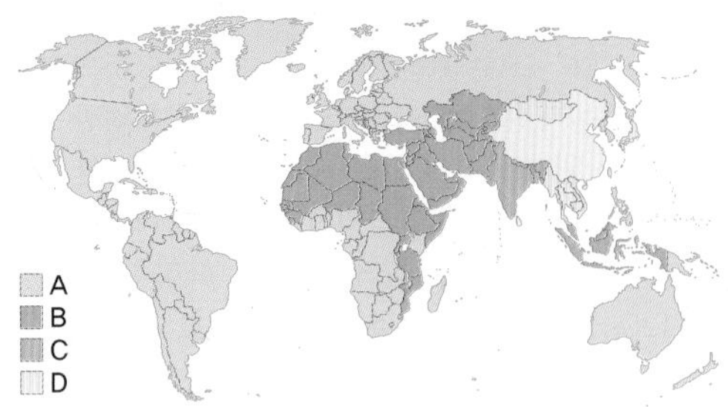

보기

ㄱ. A와 C는 민족 종교, B와 D는 보편 종교이다.
ㄴ. A는 세계에서 신도 수가 가장 많으며, 유일신을 신봉한다.
ㄷ. D의 신자들은 하루에 다섯 번씩 성지를 향해 예배를 한다.
ㄹ. A와 B는 서남아시아, C와 D는 남부 아시아에서 기원하였다.

① ㄱ, ㄴ ② ㄱ, ㄷ ③ ㄴ, ㄷ
④ ㄴ, ㄹ ⑤ ㄷ, ㄹ

06 다음 자료는 두 종교의 대표적 경관이다. (가)에 대한 (나) 종교의 상대적 특성에 대한 설명으로 옳은 것은?

(가) 사우디아라비아의 메카

(나) 타이의 치앙마이

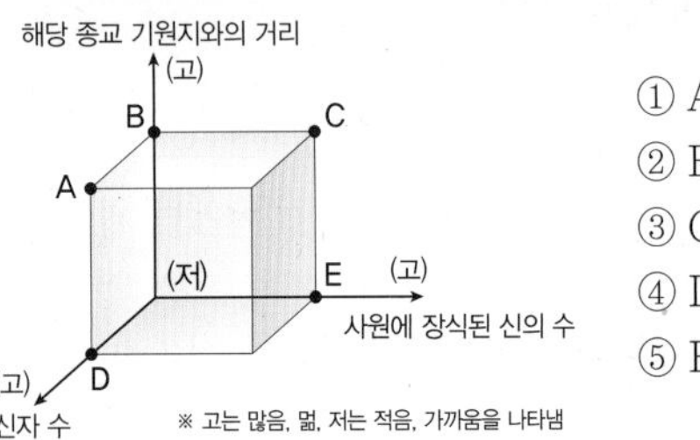

① A
② B
③ C
④ D
⑤ E

07 다음은 어떤 블로그에 게시된 여행기이다. 여행한 지역의 주민 생활을 설명한 것으로 적절한 것은?

이 지역에서는 하루에 다섯 번 기도 시간을 알리는 소리인 아잔(Azan)을 들을 수 있습니다. 사원의 벽면에는 사진과 같이 식물 장식에 둘러싸인 시계가 있습니다. 이 시계는 현재 시각과 다섯 번의 기도 시간을 알려줍니다.

① 쿠란의 가르침에 따라 생활한다.
② 주민들은 대부분 가톨릭교 신자이다.
③ 소를 신성시하여 쇠고기를 먹지 않는다.
④ 사원에서 각양각색으로 조각된 신들을 볼 수 있다.
⑤ 취업, 결혼 등에서 남녀 차별이 없는 평등한 사회를 이루고 있다.

08 그래프는 보편 종교의 지역별 신자 수 비중을 나타낸 것이다. (가)~(다) 종교에 대한 설명으로 옳은 것은?

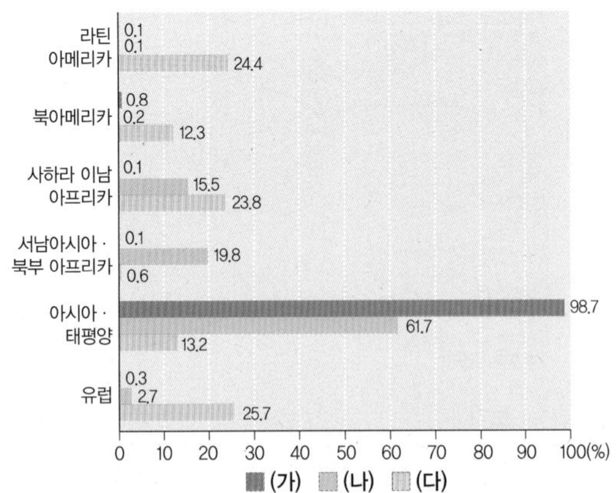

① (가)의 신자들은 십자가로 장식된 예배당에 모인다.
② (다)의 신자들은 라마단이라는 금식 기간을 갖는다.
③ (가), (나)의 발상지는 서남아시아에 위치한다.
④ (나)는 (가)보다 세계의 신자 수가 많다.
⑤ (나)는 (가)보다 먼저 발생하였다.

서술형 문제

09 남부 아시아의 (가)~(다) 종교에 대해 기술하시오.

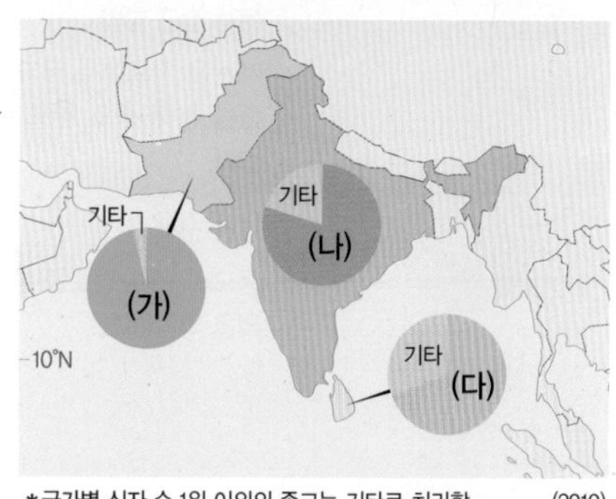

*국가별 신자 수 1위 이외의 종교는 기타로 처리함 (2010)

(1) (가)~(다) 종교가 각각 무엇인지 쓰시오.

(2) (가), (나) 종교는 두 국가 간 충돌의 원인이 되기도 한다. (가)와 (나)의 종교상 차이점은 무엇인지 서술하시오.

서술형 문제

10 다음 사진은 종교 경관을 장식한 대표적 상징물이다. (가), (나)가 어떤 종교인지 쓰고, 두 상징물의 특징과 기능을 비교하여 서술하시오.

(가)

(나)

서술형 문제

11 다음 글을 읽고 물음에 답하시오.

> 모스크 중앙의 둥근 지붕을 영어로는 돔, 아랍어로는 '꿉바'라고 하며 사원 양쪽에 있는 뾰족하게 솟은 첨탑을 '미나렛'이라고 부른다. 돔이나 첨탑과 같은 건축 양식은 이슬람교가 정복을 통해 각 제국으로 전파되는 과정에서 주변의 비잔틴 문화나 페르시아 문화의 영향을 받아 탄생한 것이다. 모스크의 돔은 아랍 유목민들이 낙타의 등 위에 싣고 다니던 조그만 가죽 천막의 둥근 모양에서 유래하였다고 한다. 첨탑은 기능면에서 두 가지 역할을 한다. 하나는 [ ]을/를 알리기 위해서이다. 사람이 하루 다섯 번 이 첨탑 위에 올라가 '아잔'을 외쳤는데, 이는 높은 데 올라가 소리 칠수록 멀리까지 잘 들리기 때문이다. 또 하나의 기능은 이방인들에게 그 지방의 모스크 위치를 쉽게 알려 주기 위함이다.

(1) 돔 건축 양식이 형성된 배경을 기후와 관련지어 서술하시오.

(2) 빈칸 부분에 들어갈 첨탑의 기능을 쓰시오.

서술형 문제

12 다음 글의 밑줄 친 상황이 발생하게 된 이유를 예멘인의 문화적 배경과 관련하여 서술하시오.

> 제주도에 체류 중인 예멘인 486명 중 247명이 도내 요식업과 농·어업 분야에 임시로 취업했다. 취업한 예멘인과 이들을 고용하는 주민의 갈등 분위기도 감지된다. <u>예멘인 파로(32세)씨는 삼겹살 식당에서 일하다 '돼지고기를 먹으라'는 식당 주인의 말에 일을 그만두었다.</u>
> 제주에서 양식장을 운영하는 A씨는 "<u>일하다 말고 예멘 친구가 메카를 향해 기도해 작업을 멈춘 경우도 있다.</u>"고 말했다.

3단계 내신 만점 도전하기

정답과 해설 ▸ 17쪽

01 다음 자료의 (가)~(다) 종교에 대한 설명으로 옳은 것은?

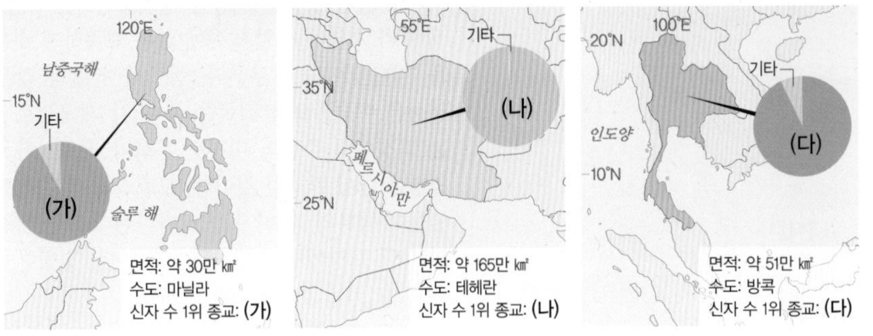

① (가)는 (나)보다 분포 범위가 넓다.
② (가)는 보편 종교, (다)는 민속 종교이다.
③ (나)는 개인의 수양, 해탈, 자비를 강조한다.
④ (나)는 남부 아시아에서, (다)는 서남아시아에서 기원하였다.
⑤ (가)~(다)는 모두 윤회 사상을 중시하고 있다.

문제 접근 방법
제시된 자료에서 국가별 종교 인구 비중을 통해 종교 분포 특성을 파악해야 한다.

내신 전략
종교의 전파 경로를 통해 종교 분포 지역을 파악한다.

02 다음 자료의 (가), (나)에 해당하는 종교의 경관을 A~C에서 고른 것은?

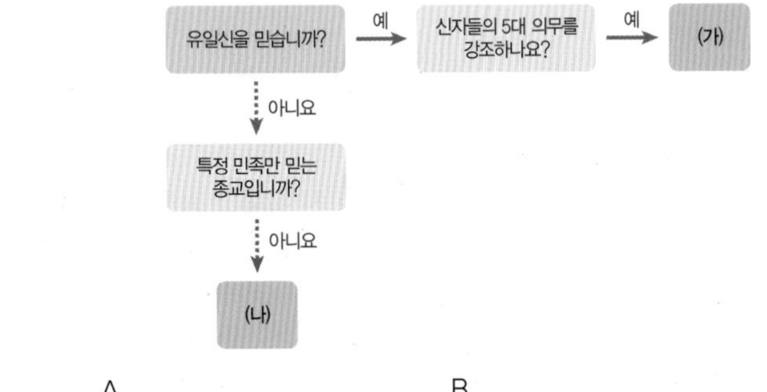

A

B

C

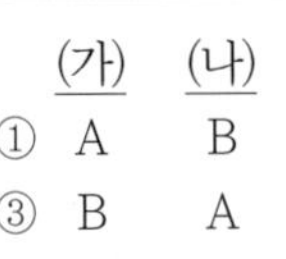

	(가)	(나)
①	A	B
②	A	C
③	B	A
④	B	C
⑤	C	A

문제 접근 방법
이 문제는 종교별 특성을 파악하여 종교 경관과 연결짓는 지식을 요구한다. 우선 A~C 종교 경관을 통해 종교를 파악한 뒤 (가), (나)와 관련성을 찾아야 한다.

내신 전략
종교가 가진 저마다의 특성과 종교 경관을 파악해 둔다.

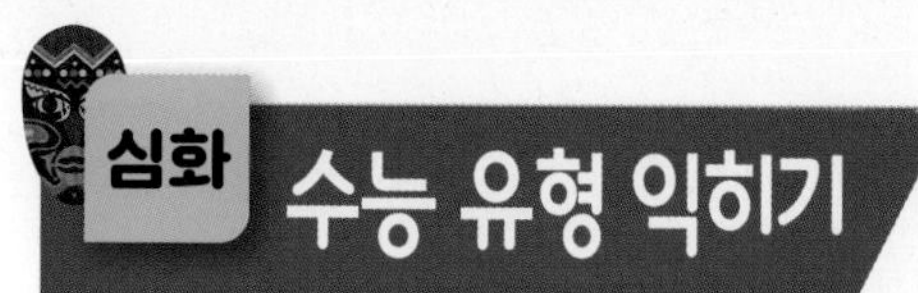

정답과 해설 ▸ 17쪽

2015학년도 3월 학력평가

01 그래프는 두 종교의 지역별 신자 수 비중을 나타낸 것이다. (가), (나) 종교에 대한 설명으로 옳은 것은?

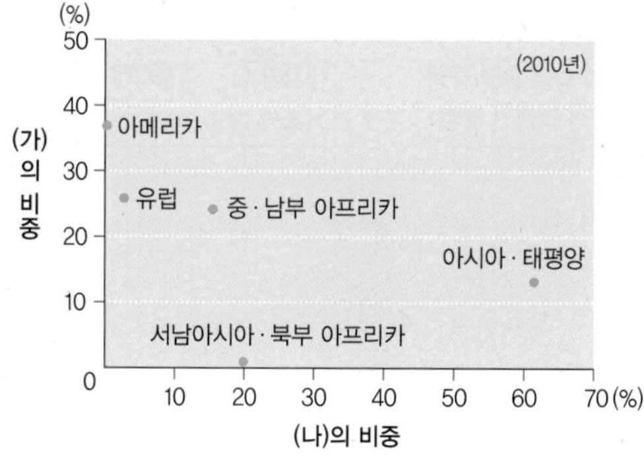

① (가)는 돼지고기와 술을 금기시한다.
② (나)의 대표적인 종교 경관은 불상과 불탑이다.
③ (나)는 (가)보다 세계 신자 수가 많다.
④ (가), (나)의 발상지는 서남아시아에 위치한다.
⑤ (가)는 보편 종교, (나)는 민족 종교에 해당한다.

출제 개념
세계 주요 종교의 분포

자료 해설
자료에 제시된 종교가 무엇인지 알아내고 각각의 특성 및 상대적 특성을 비교하는 문항이다. 종교의 발상지뿐만 아니라 지역별 신자 수 비중을 파악하는 종합적인 분석 능력이 필요하다.

해결 비법
아시아·태평양은 불교와 힌두교의 발상지, 서남아시아·북아프리카는 이슬람교와 크리스트교의 발상지이다. 하지만 이슬람교는 인구가 많은 아시아에 전파되었으며 특히 동남아시아에서 비중이 높게 나타나는 것을 이해해야 한다. 크리스트교는 아메리카와 유럽의 비중이 높다.

2015학년도 6월 모의평가

02 지도는 해당 국가별 신자 수가 가장 많은 종교의 인구 비율을 나타낸 것이다. A~D 종교에 대한 설명으로 옳지 않은 것은?

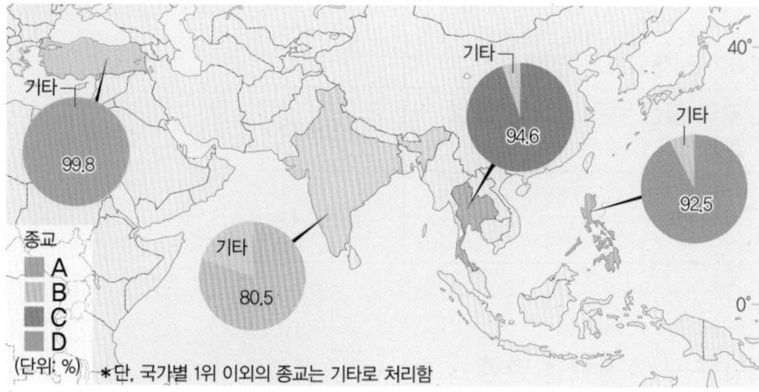

① A는 돼지고기를, B는 쇠고기를 금기시한다.
② A와 C의 사원에는 신들의 조각상이 장식되어 있다.
③ A와 D는 모두 유일신을 믿는다.
④ B와 C는 모두 남부 아시아에서 기원하였다.
⑤ B는 민족 종교이고, D는 보편 종교이다.

출제 개념
세계 주요 종교의 기원과 확산

자료 해설
아시아 지역에는 크리스트교, 이슬람교, 불교 등 보편 종교가 모두 분포하며 힌두교, 유대교 등 민족 종교도 다양하다. 종교 기원지와 전파 과정에 관한 문항이 주로 출제되므로 국가별 비중이 높은 종교를 파악하고 있어야 한다.

해결 비법
튀르키예는 이슬람교도가 많으며 서남아시아와 인접해 있다. 인도는 불교와 힌두교의 발상지이다. 타이를 포함한 인도차이나반도는 불교가 전파된 곳이다. 필리핀은 서양의 식민 지배를 거치면서 크리스트교가 전파되어 지금도 비중이 높은 지역이다.

주제 10

세계 인구의 변천과 인구 이주

교과서 74~79쪽

주제 흐름 읽기

인구 성장 모형
• 지속적인 인구 증가로 세계 인구는 현재 75억 명(도시 인구>농촌 인구) • 인구 성장은 경제 발전 수준에 좌우됨 • 인구 성장 모형 2단계는 개발 도상국, 4~5단계는 선진국

선진국과 개발 도상국의 인구 변화	
선진국	저출산, 고령화 현상이 나타나며 3차 산업 종사자 비율이 높음
개발 도상국	높은 출산율과 짧은 평균 수명, 1차 산업 종사자 비율이 높음

인구 이주	
인구 이주에는 배출 요인과 흡인 요인이 작동함	
경제적 요인	개발 도상국에서 선진국으로 일자리를 찾아 이동, 자발적 이동
정치적 요인	정치적 억압이나 전쟁, 강제적 이동
기후적 요인	사막화, 해수면 상승 등, 강제적 이동

1 세계의 인구 변천

1. 세계의 인구 증가 자료 1

(1) **인구 변화** 1800년 약 10억 명 → 1950년 약 25억 명 → 현재 약 75억 명

(2) **인구 증가 배경** 산업 혁명 이후 생활 환경 개선, 의학 기술 발전

(3) **지역 차이** 선진국 1950~2015년 동안 인구 약 1.5배 증가, 개발 도상국은 3.6배 증가❶

❶ **개발 도상국의 세계 인구 증가 주도**
2000년 이후 세계 인구 증가의 약 95%는 개발 도상국이 주도하였다. 세계 도시 인구는 1950년에 선진국이 32%, 개발 도상국이 68%였으나, 최근에는 개발 도상국의 비중이 증가하여 2015년에 선진국이 17%, 개발 도상국이 83%를 차지하고 있다.

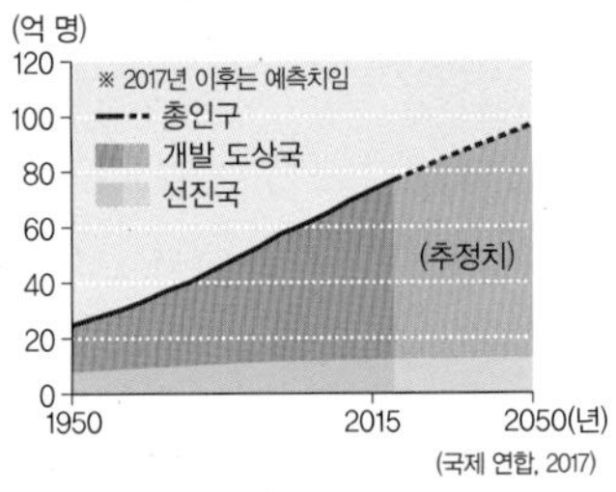

2. 경제 성장에 따른 인구 변천

(1) 한 국가의 출생률과 사망률은 경제 발전 수준에 따라 변화함

(2) **인구 성장 모형을 통해 본 인구 변천 단계**

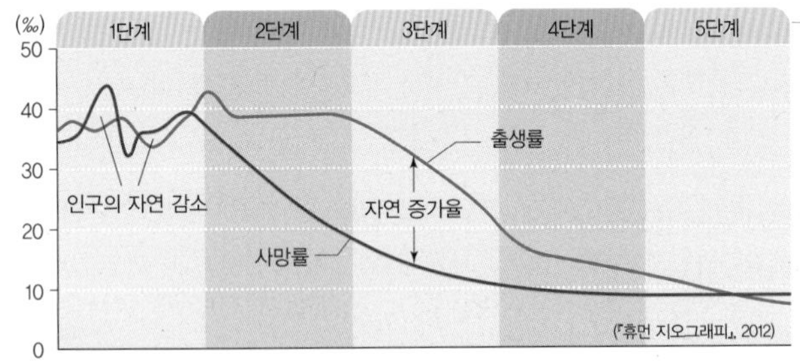

4단계와 5단계를 하나로 묶어 4단계로 구분하기도 해. 현재 개발 도상국은 주로 2단계, 선진국은 4~5단계에 속해 있어.

단계	특징	유형
1단계	출생률, 사망률 모두 높음, 인구 정체	다산다사
2단계	• 사망률 감소: 경제 성장, 생활 환경 개선, 의학 기술 발달 → 인구 급증 • 선진국은 산업 혁명 이후 진입 • 개발 도상국은 20세기 중반 이후 산업화가 진행되면서 진입	다산감사
3단계	출생률 감소: 여성의 사회 진출 확대, 정부의 출산 억제 정책 자료 2 → 여전히 출생률이 사망률보다 높아 인구 증가	감산소사
4단계	출생률, 사망률 모두 감소	소산소사
5단계	사망률이 출생률보다 높아짐	

3. 선진국과 개발 도상국의 인구 구조

(1) **인구 구조** 인구 집단의 연령별, 산업별, 성별 인구 구성 상태를 말함

(2) **선진국, 개발 도상국의 인구 구조 비교** 자료 3

구분	선진국	개발 도상국
연령별	• 저출산, 고령화 • 합계 출산율❷ 감소, 의학 기술 발달로 기대 수명 증가	높은 출산율로 유소년층 인구의 비율이 높음
산업별	3차 산업 종사자의 비중이 큼	1차 산업 종사자의 비중이 큼

❷ **합계 출산율**
한 여성이 평생 동안 낳을 것으로 예상되는 평균 자녀의 수

자료 1 세계 인구의 자연 증가율

교과서 75쪽

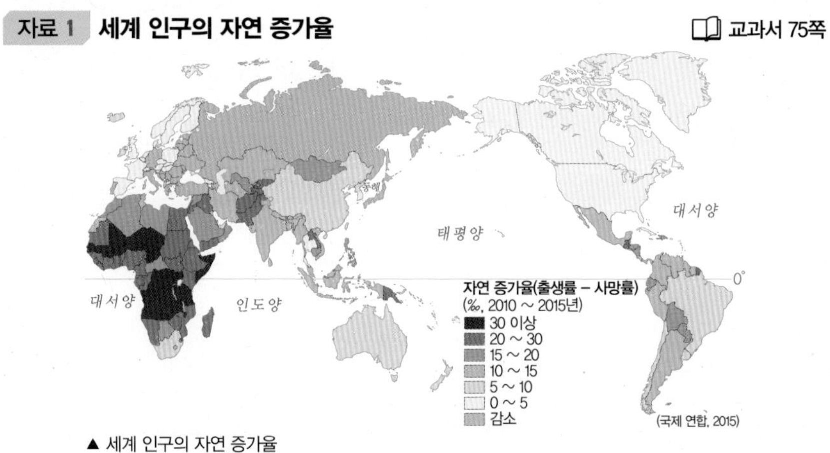

▲ 세계 인구의 자연 증가율

자료 분석 2010~2015년 세계의 평균 인구 증가율은 1.1%이다. 동유럽과 러시아는 해외 이민, 높은 사망률 등으로 인구가 빠르게 감소하고 있다. 반면 아프리카 국가들은 인구가 급격히 증가하고 있다. 인구 성장 국가들은 인구 과잉 문제와 정치적 불안, 경제 성장에 따른 환경 문제를 동시에 겪고 있다.

자료 분석 포인트

인구 증가율이 높고 낮은 지역을 파악하고 그 이유를 생각해 보자.

Q1 자연 증가율이 높은 지역은?

① 고위도의 국가들
② 해안에 가까운 국가들
③ 적도를 지나는 국가들
④ 북반구에 위치한 국가들
⑤ 일찍부터 산업이 발달한 국가들

자료 2 출산 억제 정책

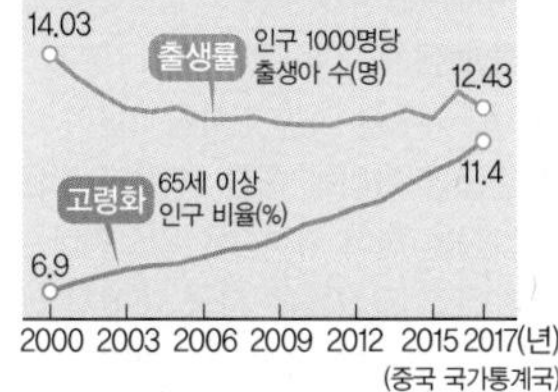

▲ 중국의 출생률과 고령화

12억(명)
8억
4억
0
중국 13억8200만 명
인도 13억2600만 명
1965 1980 1990 2000 2010 2016(년)
(세계은행)

▲ 중국과 인도의 인구 증가 추이

자료 분석 인구 급증의 시한폭탄을 안고 있는 인도에서는 일부 주(州)들이 출산율을 낮추기 위해 현금 인센티브를 제공하고 있다. 사타라시는 신혼부부가 출산을 2년간 늦출 경우 5천 루피(약 106달러)를 지급하는 프로그램을 실시하고 있다. 세계에서 가장 많은 인구를 지닌 중국은 경제 개혁 개방 정책의 시작과 함께 1가구 1자녀 낳기 산아 제한 정책을 1979년부터 실시하였다. 경제 발전을 위해서는 인구 급증을 제한해야 한다는 이유에서였다. 피임을 권장하고 결혼 적령기를 늦추게 하는 정책 시행과 더불어 두 번째 자녀부터는 벌금을 부과하고, 직장에서 불이익을 주거나 아이를 호적에 올리지 못하게 하는 등 대단히 엄격하게 실시했다. 그러나 1자녀 정책은 생산 연령 인구의 감소와 성비 불균형, 고령화를 초래하여 2016년에 폐지되었다.

자료 분석 포인트

인구 성장 모형의 각 단계별 인구 특성을 파악해 보자.

Q2 출산 억제 정책에 대한 설명으로 맞으면 ○, 틀리면 ×표 하시오.

(1) 인구 성장 단계의 4단계에서 실시한다. ( )
(2) 인도는 인구 증가를 우려하고 있다. ( )
(3) 중국은 한 자녀 갖기 정책으로 산아 제한의 효과를 거두었다. ( )

자료 3 선진국과 개발 도상국의 인구 피라미드

교과서 77쪽

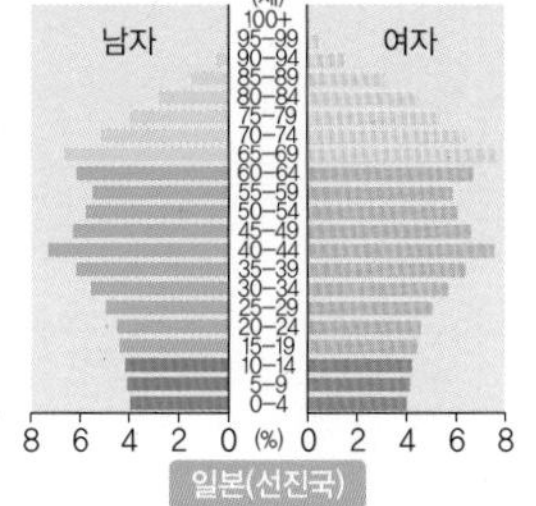

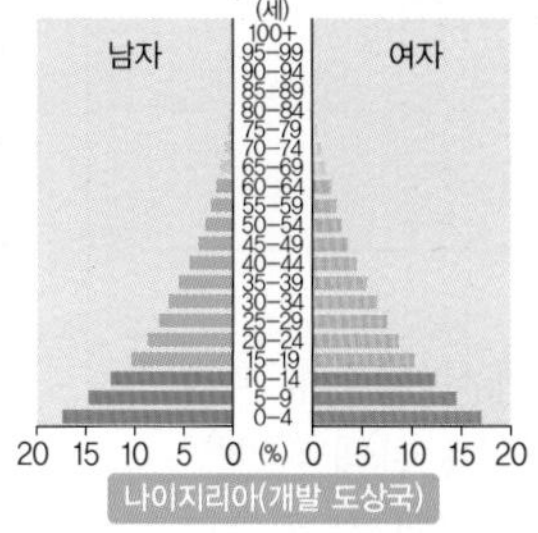

자료 분석 인구 피라미드는 왼쪽이 남성, 오른쪽이 여성이고, 세로축은 연령별, 가로축은 인구(비율 혹은 수)이다.
선진국은 저출산, 고령화로 종형, 방추형의 인구 피라미드가 나타난다. 개발 도상국은 평균 수명이 짧고, 출산율이 높아 피라미드형이 나타난다.

자료 분석 포인트

인구 피라미드를 통해 선진국과 개발 도상국의 인구 구조를 비교해 보자.

Q3 개발 도상국의 인구 피라미드에서 나이가 많아질수록 인구가 감소하는 이유는 무엇인지 쓰시오.

답 Q1 ③ / Q2 (1) × (2) ○ (3) ○ / Q3 평균 수명이 짧기 때문이다.

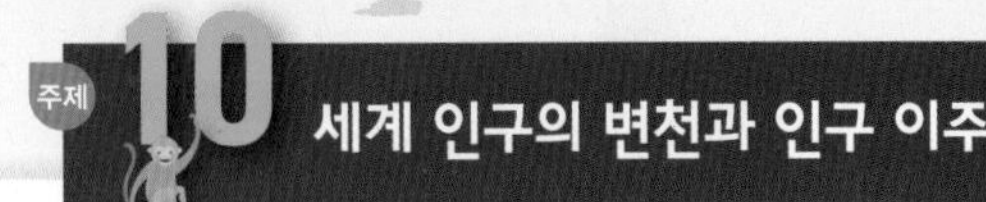

2 국제적 인구 이주의 요인과 유형

1. 인구 이주의 원인과 유형

(1) **원인** 정치, 경제❸, 종교, 문화, 환경 등 다양한 이유로 이주 → 주로 경제적 요인이 많음

(2) **종류**

① 이동 기간: 일시적 · 영구적 이주

② 이동 동기: 자발적 · 강제적 이주

③ 이동 원인: 경제적 · 정치적 · 환경적 · 종교적 이주

④ 이동 범위: 국내 · 국제 이주 자료 4

(3) **배출 요인과 흡인 요인**

구분	의미	사례
배출 요인	인구를 다른 지역으로 이동하게 만드는 요소	낮은 임금, 교육 · 문화 · 의료 시설 부족, 분쟁이나 전쟁, 종교 및 민족 억압 등
흡인 요인	다른 지역으로부터 인구를 끌어들이는 요소	풍부한 일자리, 우수한 교육 및 문화 시설, 쾌적한 주거 환경, 종교의 자유 등

(4) **지역별 이주 현황**

① 순유출❹지역: 아시아, 라틴 아메리카, 아프리카 등 주로 개발 도상국

② 순유입 지역: 유럽, 앵글로아메리카, 오세아니아 등 주로 선진국

순유출 지역은 임금 수준이 낮고 일자리가 부족한 지역이며, 순유입 지역은 임금 수준이 높고 일자리가 많은 곳이야.

2. 인구 이주의 요인

(1) **경제적 요인**

① 임금 수준이 낮고 일자리가 부족한 개발 도상국에서 임금 수준이 높고 일자리가 많은 선진국으로 인구가 이동 예 필리핀에서 선진국으로 가정부와 간호사 파견

② 사례: 아시아에서 유럽과 앵글로아메리카로, 라틴 아메리카에서 앵글로아메리카로 이주

(2) **정치적 요인**

① 정치적 억압이나 전쟁 등의 요인으로 인구가 이동

② 사례: 시리아, 아프가니스탄, 수단, 소말리아, 콩고 민주 공화국 등 내전이 발발한 나라에서 그리스, 파키스탄, 이란, 미국, 독일, 요르단 등지로 이주

(3) **기후적 요인** 자료 5

① 사막화, 해수면 상승 등의 기후 변화에 따른 환경 재앙으로 인해 안전한 국가로 이주하는 기후 난민이 발생

② 사례: 사막화 확대로 아프리카 사헬 지대의 난민 증가, 해수면 상승으로 투발루, 몰디브, 키리바시 등 섬나라와 필리핀, 방글라데시의 해안 지역이 침수되어 난민 발생

3. 인구 이주와 지역 변화

(1) **인구 이주로 인한 영향**

구분	영향
유출 지역	• 실업률 감소, 해외 이주 노동자들의 송금으로 인해 지역 경제 활성화 • 젊은 노동력 유출로 노동력 부족, 산업 성장 둔화
유입 지역	• 저임금 노동력 확보, 구인난 해소 • 이주민과의 경제적 경쟁, 문화적 차이로 갈등 발생

(2) **지역별 인구 이주에 따른 변화**

① 유럽: 크리스트교를 믿는 유럽인과 북부 아프리카 및 서남아시아에서 이주해 온 이슬람교도의 마찰 예 독일에서 모스크 건립 반대, 프랑스에서 히잡 착용 반대 논쟁❺

② 미국: 출신 지역에 따라 집단 거주지 형성(민족 앙클라브)❻, 독특한 경관 형성, 히스패닉❼ 비율이 높음

에스파냐어를 사용하는 중남미 출신 미국 이민자를 히스패닉(Hispanic)이라고 부르며 '라티노(Latino)'라고도 해. 흑인보다 인구가 많아져 미국 내 최대 소수 인종으로 영향력이 커지고 있어.

❸ **경제적 요인에 의한 이주**
개발 도상국에서 선진국으로 일자리를 찾아 이주하는 것이 대표적이다.

❹ **순유입과 순유출**
순유입: 유출 인구<유입 인구
순유출: 유출 인구>유입 인구

❺ **히잡 논쟁**
유럽으로 이주한 여성 이슬람교들이 머리나 얼굴을 가리는 히잡, 부르카 같은 전통 복장을 하여 거부감을 일으킨다는 이유로 유럽 국가들은 자국 내에서 이러한 복장 착용을 금지하는 법안을 시행하여 갈등이 발생하였다.

❻ **민족 앙끌라브(ethnic enclave)**
도시에서 특정 민족 집단이 압도적으로 많은 주거 및 상업 지구를 형성한 것이다. 예를 들어 차이나타운, 리틀 이탈리아 등이 있다.

❼ **히스패닉**
미국으로 이주한 라틴 아메리카 사람들을 가리키는 말이다.

자료 4 인구의 국제 이주

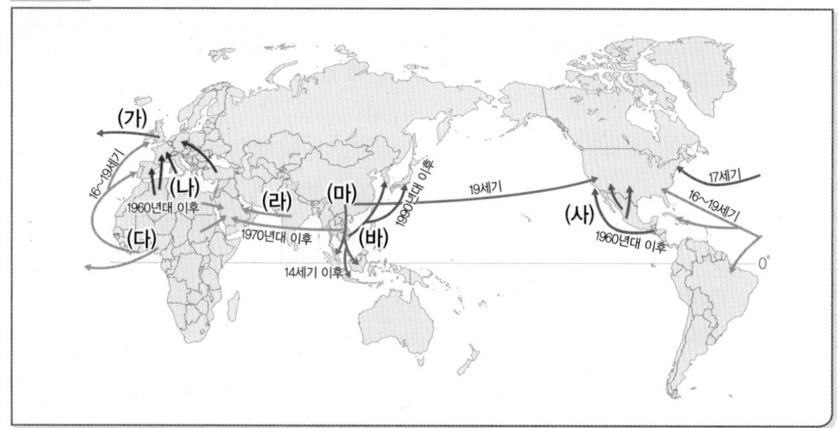

자료 분석

	이동 방향	이주자	성격	특징
(가)	영국 → 북아메리카	청교도의 이동	강제적	종교 박해를 피해 이주, 미국 건국
(나)	북부 아프리카, 서남아시아 → 유럽	미숙련 노동력	자발적, 경제적	유럽의 저임금 노동력 제공, 대부분 이슬람교 신자들로 종교 및 문화 갈등 유발
(다)	중·남부 아프리카 → 아메리카, 유럽	아프리카계 노예	강제적	대농장의 노예로 강제 이주됨
(라)	남부 및 동남아시아, 아프리카 → 산유국	미숙련 노동력	자발적, 경제적	산유국의 기간 산업 육성, 도시 개발에 필요한 노동력 제공
(마)	중국 → 동남아시아, 미국	중국 화교	자발적	말레이시아, 인도네시아 등 동남아시아에서 경제 주도권을 장악
(바)	동남아시아 → 한국, 일본	미숙련 노동력	자발적, 경제적	유입국에서 3D 업종에 종사함
(사)	멕시코 등 중남미 국가 → 미국	미숙련 노동력	자발적, 경제적	현재 미국 내 인구 비중 2위, 미국 남서부에 집중 거주

자료 5 기후 난민 발생 지역

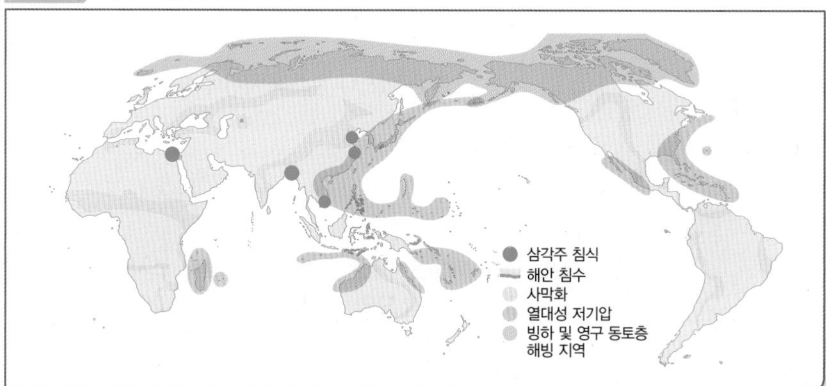

자료 분석 2050년경에 약 20억 명의 사람들이 기후 난민이 될 수 있다고 한다. 지구 온난화와 해수면 상승으로 농지 감소, 거주지 파괴가 가속화되면서 생존을 위해 이주를 할 수밖에 없는 상황에 놓인다는 것이다. 그러나 아직까지 기후 난민은 국제법상 인정되지 않고 있다. 선진국들이 자국의 경제적 피해를 우려해 적극적으로 난민을 수용하지 않기 때문이다. 그러나 이미 기후 난민이 대규모로 발생되고 있으므로 이주민들을 보호할 수 있는 법·제도적 차원의 준비와 보완이 절실하다.

자료 분석 포인트

지도에 나타난 인구 이동의 특징을 살펴보자.

Q4 (가)~(사) 인구 이동 중 유입국에서 종교 갈등이 크게 발생한 경우를 쓰시오.

Q5 (가)~(사) 이민자들 중 유입국에서 히스패닉으로 불리는 경우를 쓰시오.

Q6 (가)~(사)의 이민자들 중 유입국에서 신분 상승이 가장 많이 이루어진 이동을 쓰시오.

자료 분석 포인트

기후 난민이 발생하는 이유와 지역을 파악해 보자.

Q7 대륙 내부에서 기후 난민이 발생하는 이유는 무엇인지 쓰시오.

Q8 해안가나 섬에서 기후 난민이 발생하는 이유는 무엇인지 쓰시오.

답 Q4 (나) / Q5 (사) / Q6 (마) / Q7 사막화 현상 / Q8 해수면 상승

개념 익히기

정답과 해설 ▸ 17쪽

01 다음 빈칸에 들어갈 알맞은 말을 쓰시오.

(1) 유럽 인구는 19세기에 두 배 이상 증가하였다. 이는 (　　　)을/를 통해 생활 수준이 향상되고 의료 기술과 보건 위생 시설의 개선되었기 때문이다.

(2) 선진국에서는 (　　　)와/과 (　　　)(으)로 인해 노동력 부족, 인구 부양비 상승, 생산 연령층 감소, 노인 부양 부담 증가 등의 문제가 나타난다.

(3) 인구 성장 모형의 5단계 중에서 인구가 가장 급증하는 단계는 (　　　)이며, 산아 제한 정책을 통해 출산율이 낮아지는 단계는 (　　　)이다.

(4) 인구 이주의 요인 중 낮은 임금, 교육 문화 의료 시설 부족, 분쟁이나 전쟁, 종교 민족 억압 등은 (　　　)이며, 풍부한 일자리, 우수한 교육 및 문화 시설, 쾌적한 주거 환경, 종교의 자유 등은 (　　　)이다.

(5) 한 여성이 평생 동안 낳을 것으로 예상되는 평균 자녀의 수를 (　　　)(이)라고 한다.

02 다음 내용에서 설명하는 용어를 쓰시오.

> 사막화, 해수면 상승 등 기후 변화에 따른 환경 재앙을 피해 안전한 국가로 이주하는 사람들을 의미한다.

____

03 다음 설명이 옳으면 ○, 틀리면 ×표 하시오.

(1) 오늘날 세계 인구의 증가는 개발 도상국보다 선진국의 인구 증가에 따른 영향이 크다. (　　)

(2) 경제 발전 수준이 높을수록 인구 증가율이 높다. (　　)

(3) 아시아, 라틴 아메리카, 아프리카는 인구의 순유출 지역에 해당한다. (　　)

04 다음 (가), (나) 인구 피라미드가 나타나는 지역의 인구 특성을 묻는 물음에 답하시오.

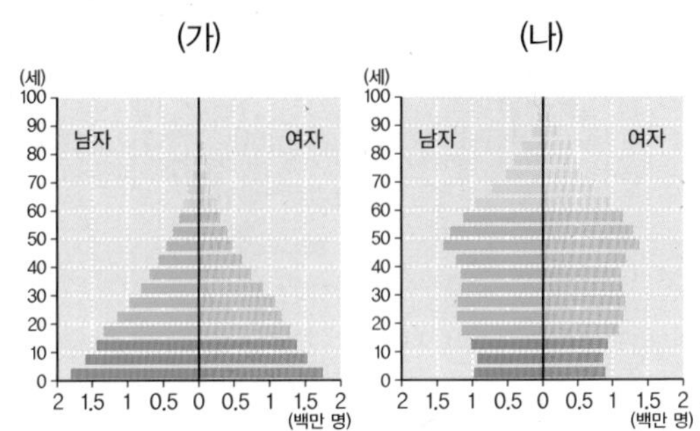

(1) (가)보다 (나)에서 값이 크게 나타나는 지표를 2개 고르시오.

> • 합계 출산율　　• 기대 수명
> • 인구 증가율　　• 노년층 인구 비율

____

(2) 출산 장려, 노인 복지 등의 인구 정책이 필요한 지역은 (가), (나) 중 어디인가?

____

05 다음 (　　) 안에 들어갈 알맞은 말을 쓰시오.(단 유입, 유출 중 하나임.)

> ① 인구가 (　　　)되는 지역은 실업률이 낮아지고, 해외 노동자의 송금으로 외화 유입이 증가한다.
> ② 인구가 (　　　)되는 지역은 저임금 노동력을 확보할 수 있으나 문화적 차이에 따른 갈등이 일어나기도 한다.

① (　　　　), ② (　　　　)

06 다음 이동은 어떤 유형의 이동인지 쓰시오.(단 정치적 요인, 경제적 요인, 기후적 요인 중 하나임.)

> ① 아프가니스탄에서 발생한 내전으로 이란, 파키스탄으로 인구가 이동하였다.
> ② 튀르키예에서 유럽으로, 멕시코에서 미국으로 일자리를 찾아 인구가 이동하였다.
> ③ 투발루에서 해수면 상승으로 해안이 침수되어 뉴질랜드와 오스트레일리아로 인구가 이동하였다.

① (　　　　), ② (　　　　), ③ (　　　　)

내신 유형 익히기

정답과 해설 ▸ 17쪽

01 빈출 **자료는 인구 성장 모형을 나타낸 것이다. 각 단계에 대해 설명한 것으로 옳은 것은?**

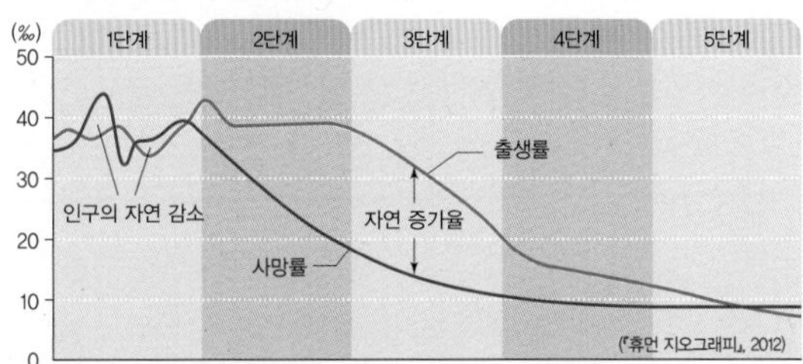

① 개발 도상국은 대부분 1단계에 해당한다.
② 경제 발전 수준이 높을수록 출생률이 높다.
③ 4, 5단계에서는 산아 제한 정책을 실시해야 한다.
④ 3단계의 출생률 변화는 여성의 사회 진출 증가와 관련 있다.
⑤ 인구의 자연 증가율은 1단계에서 5단계로 갈수록 높아진다.

02 **A, B에 해당되는 인구 이동 사례를 |보기|에서 고른 것은?**

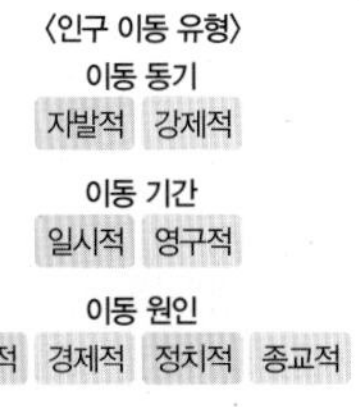

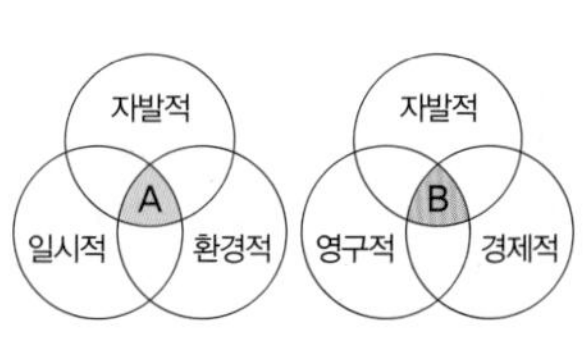

보기

ㄱ. 시리아 난민이 내전을 피해 남부 유럽 국가로 이주하였다.
ㄴ. 17세기경 아프리카 흑인이 미국의 남부 지역으로 이주하였다.
ㄷ. 동남아시아 여성들이 한국으로 국제결혼을 하기 위해 이주하였다.
ㄹ. 여름철 북서 유럽 주민들이 휴가를 보내기 위해 남부 유럽으로 이동하였다.

	A	B		A	B
①	ㄱ	ㄴ	②	ㄴ	ㄱ
③	ㄷ	ㄱ	④	ㄷ	ㄹ
⑤	ㄹ	ㄷ			

03 빈출 **(가), (나) 자료는 경제 발전 수준이 다른 두 국가의 인구 구조를 나타낸 것이다. (가), (나) 두 국가에 대한 설명으로 옳지 않은 것은?**

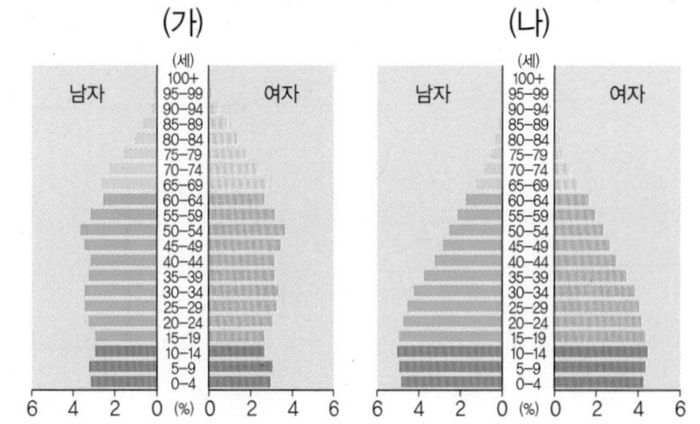

① (가)는 (나)보다 인구 증가율이 작다.
② (가)는 (나)보다 유소년 부양비가 작다.
③ (가)는 (나)보다 도시 인구 비율이 높다.
④ (나)는 (가)보다 평균 기대 수명이 길다.
⑤ (나)는 (가)보다 1차 산업 종사자 비율이 높다.

04 빈출 **자료는 국제 인구 이동의 유형별 사례를 나타낸 것이다. (가)~(다) 인구 이동에 대한 설명으로 옳은 것은?**

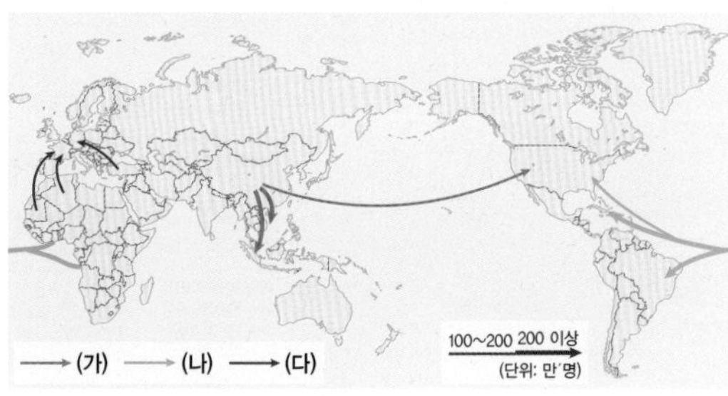

① (가)는 유입국의 노동력 공급을 위한 강제적 이동에 해당한다.
② (나)는 이동 후 유입국에서 경제의 주도권을 장악하고 있다.
③ (다)는 숙련 노동자의 이동 비중이 높다.
④ (가)는 (다)보다 이동 시기가 늦다.
⑤ (다)는 (나)보다 유입국에서 종교 차이로 인한 갈등이 심하다.

05 다음 지도에 나타난 인구 이동의 특성에 대한 설명으로 옳은 것은?

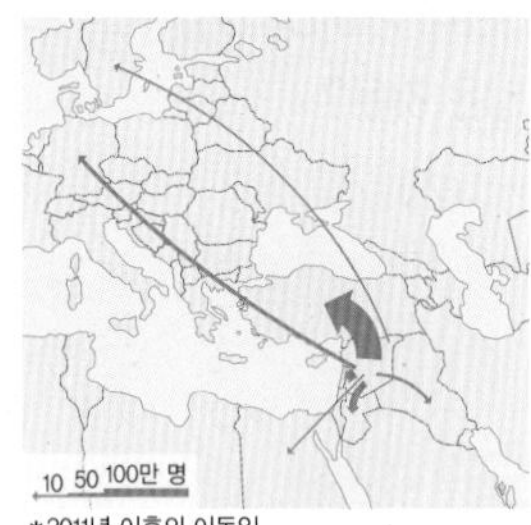

*2011년 이후의 이동임.

① 종교 성지를 순례하기 위한 이동이다.
② 쾌적한 주거 환경을 얻기 위한 자발적 이동이다.
③ 기후 변화로 인해 환경 재앙을 피하기 위한 이동이다.
④ 임금 수준이 낮은 나라에서 높은 나라로 일자리를 찾기 위한 이동이다.
⑤ 정치적 억압이나 내전, 전쟁 등의 정치적 요인 때문에 이동하는 강제적 이동이다.

06  자료는 두 지역에서의 국제 이동을 나타낸 것이다. (가), (나)에 대한 옳은 설명을 |보기|에서 고른 것은?

(가)의 이동

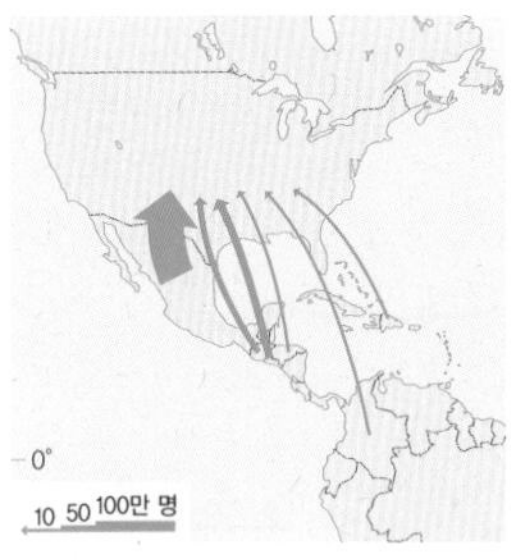

(나)의 이동

|보기|

ㄱ. (가)의 이주민들은 주로 저임금의 단순 직종에 종사한다.
ㄴ. (나)는 일자리를 얻기 위한 노동자들의 이동이다.
ㄷ. (가)는 (나)보다 자발적 이동의 성격이 강하다.
ㄹ. (가), (나) 모두 대부분 가톨릭 신자이다.

① ㄱ, ㄴ ② ㄱ, ㄷ ③ ㄴ, ㄷ
④ ㄴ, ㄹ ⑤ ㄷ, ㄹ

07 빈출 연령별 인구 구조를 나타낸 그래프의 (가)~(다) 국가에 대한 설명으로 옳은 것은?(단, (가)~(다)는 소말리아, 영국, 인도 중 하나임.)

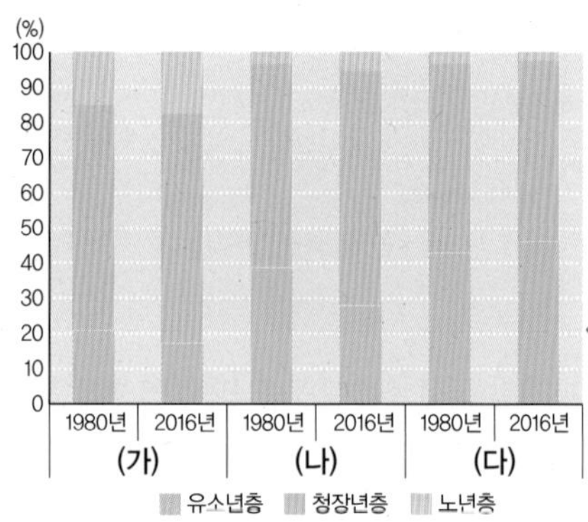

① (가)는 아프리카, (나)는 유럽에 위치한다.
② 2016년 중위 연령은 (가)가 가장 높을 것이다.
③ 2016년 (다)에서는 종형 인구 구조가 나타난다.
④ 1980년 대비 2016년에 (나)의 합계 출산율은 증가하였다.
⑤ 1980년 대비 2016년 모든 지역의 인구 부양비가 감소하였다.

08 다음과 같은 인구 정책이 시행되는 (가), (나) 국가를 자료의 A~E에서 골라 옳게 연결한 것은?

(가) 아이를 낳은 부부에게 16개월의 육아 휴직을 보장하며, 그중 2개월은 아버지에게 할당함
(나) 결혼 후 첫 출산을 연기하는 부부에게 출산 지연 장려금을 지급함
(다) 35년간 고수해온 '한 자녀 정책'을 폐기하고 경제 활동 인구 감소 및 고령화 문제를 해결하기 위해 부부가 자녀 2명을 낳는 것을 허용하기로 함

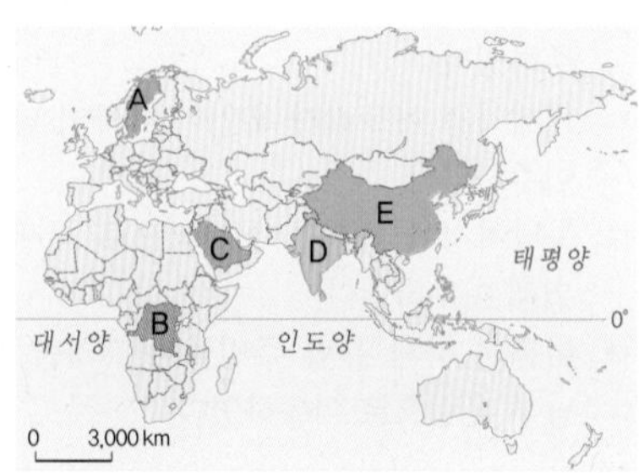

	(가)	(나)	(다)		(가)	(나)	(다)
①	A	B	C	②	A	D	E
③	B	D	E	④	C	B	E
⑤	D	A	C				

서술형 문제

09 자료를 읽고 물음에 답하시오.

> 미국 남서부의 로스앤젤레스는 멕시코 출신 히스패닉이 다른 나라 사람을 압도한다. 2000년에 히스패닉의 64%가 멕시코 출신이었다. 당시 주민들의 46.5%가 히스패닉이었으며, 비히스패닉 백인의 비율은 29.7%였다. …(중략)… 미국의 주요 도시 중 그 어디에서도 단 하나의 외국에서 그렇게 많은 학생들이 유입된 경험은 없다. 로스앤젤레스의 학교들은 멕시칸 학교가 되고 있다. 캘리포니아에서 태어난 아이들의 절대 다수가 히스패닉이었다.
>
> – 새뮤얼 헌팅턴의 『미국, 우리는 누구인가』 –

(1) 히스패닉이 어떤 사람들인지 기술하시오.

(2) 밑줄 친 현상이 발생한 배경을 기술하시오.

서술형 문제

10 그래프는 (가), (나) 국가에 각각 거주하는 이민자의 출신 국가별 비율을 나타낸 것이다. (가), (나)에 이민자들의 공통된 유입 배경과 이에 따른 (가), (나) 지역의 변화를 쓰시오.

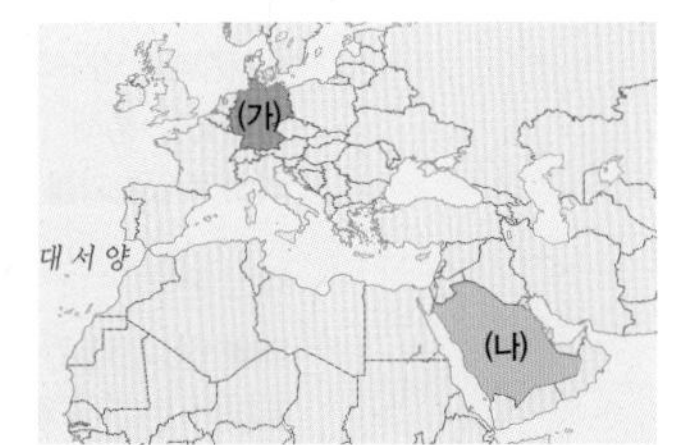

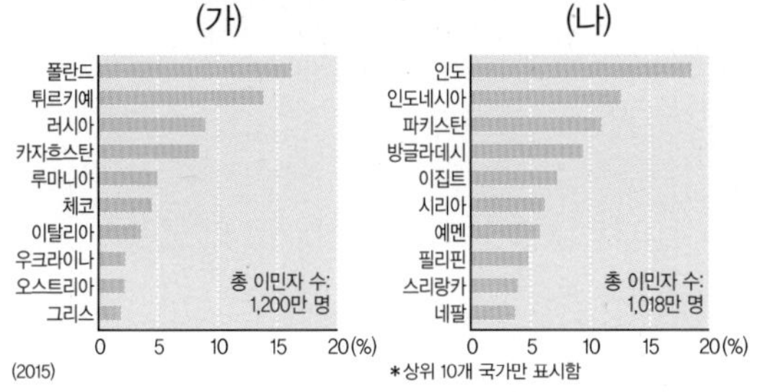

서술형 문제

11 (가)와 (나) 국가군에서 취해야 할 인구 정책을 각각 두 가지 이상 쓰시오.

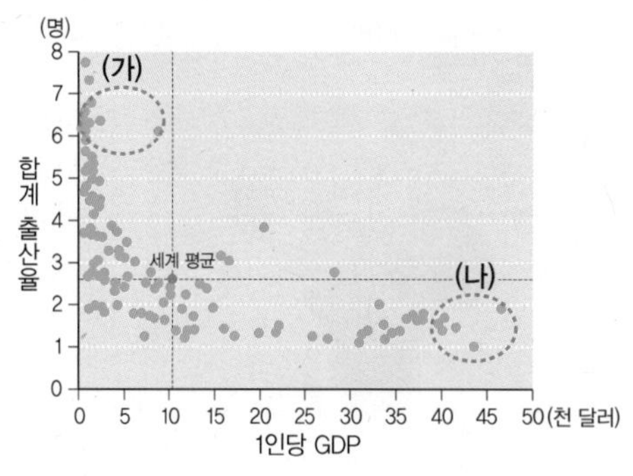

서술형 문제

12 다음은 국가별 인구 유입과 유출 자료이다. 순유입 10 이상 지역의 공통점을 쓰고, 흡인 요인을 두 가지 이상 기술하시오.(단, 아프리카 지역은 제외함.)

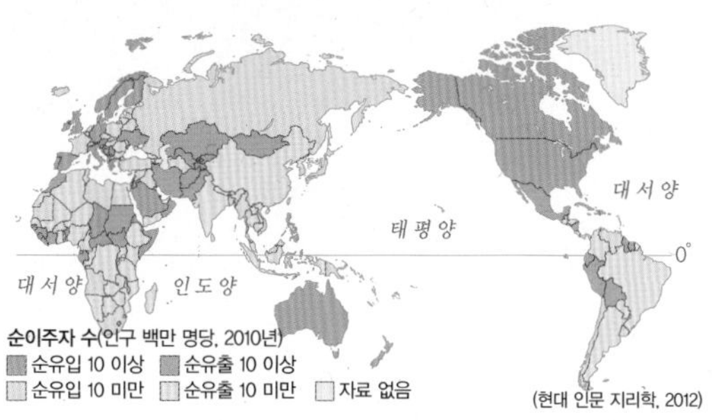

3단계 내신 만점 도전하기

정답과 해설 ▸ 18쪽

01 지도에 표시된 (가), (나) 국가군의 상대적 특성을 나타낸 그래프로 옳은 것은?

중요

자연 증가율(출생률 – 사망률)
(‰, 2010 ~ 2015년)
30 이상
20 ~ 30
15 ~ 20
10 ~ 15
5 ~ 10
0 ~ 5
감소

(가) (나) 대서양 인도양 0 1,000 km

> **개념 소개**
> • 중위 연령: 전체 인구를 일렬로 세웠을 때 가운데 나이
> • 합계 출산율: 가임 여성(15～49세) 1명이 평생 동안 낳을 것으로 예상되는 평균 출생아 수
> • 노령화 지수 = (노년 인구/유소년 인구) × 100

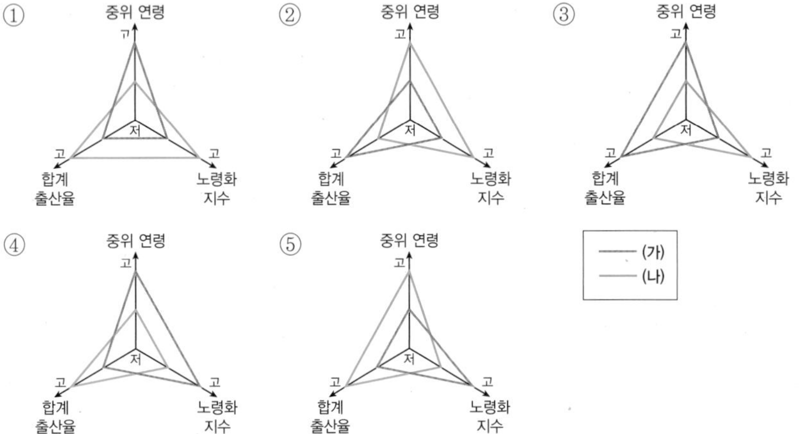

문제 접근 방법

이 문제는 선진국과 개발 도상국의 분포를 파악하고 각 국가군별 인구 특성을 이해하고 있는가를 확인하고 있다. 하나의 인구 현상은 사회 전체에 영향을 끼치며, 국가의 모습을 규정하는 요소가 되기 때문에 인구 현상에 대한 이해가 중요하다.

내신 전략

인구 증감과 인구 구조, 인구 분포는 인구를 주제로 한 단원에서 필수적으로 다루는 학습 요소이다. 인구의 상태와 현황을 표현하는 중위 연령, 합계 출산율, 노령화 지수 등의 개념들은 그 의미를 잘 이해하고 있어야 한다.

02 지도에 나타난 인구 이동의 공통된 특성으로 옳은 것은?

① 신앙의 자유를 찾기 위한 이동
② 종교 성지를 순례하기 위한 이동
③ 내전과 정치적 불안으로 인한 이동
④ 기후 변화로 생활 터전을 잃어 이동
⑤ 일자리와 높은 소득을 얻기 위한 이동

문제 접근 방법

이 문제는 인구의 이동 방향과 유입국, 유출국을 통해 인구 이동의 성격을 파악하고 있는가를 확인하고 있다.

내신 전략

대륙 간, 지역 간의 이동 사례를 정리해 두어야 한다. 또한 자발적, 강제적, 경제적, 종교적 등의 이동을 사례 중심으로 파악해야 한다.

심화 수능 유형 익히기

정답과 해설 ▸ 18쪽

2018학년도 9월 모의평가

01 그래프의 (가)~(다)에 해당하는 국가를 지도의 A~C에서 고른 것은?

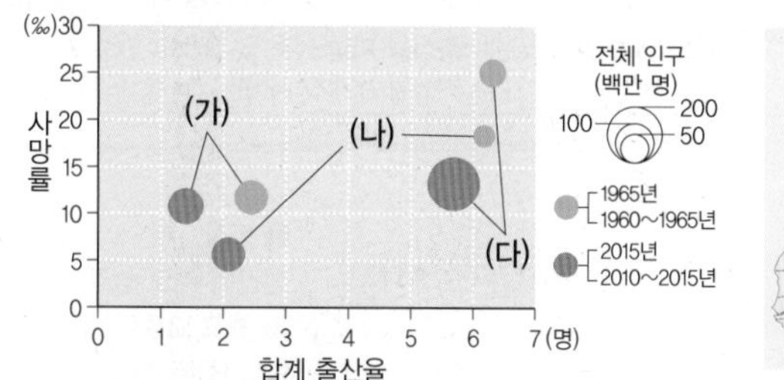

*합계 출산율과 사망률은 원의 중심값임
**전체 인구는 1965년과 2015년 기준이며, 합계 출산율과 사망률은 1960~1965년과 2010~2015년 기준임

	(가)	(나)	(다)
①	A	B	C
②	A	C	B
③	B	A	C
④	B	C	A
⑤	C	A	B

출제 개념

지역별 인구 특성 비교

자료 해설

지도에서 선진국과 개발 도상국을 제시하고 있다. 개발 도상국은 경제 성장이 활발한 곳과 더딘 곳으로 구분되어 있다. 이는 합계 출산율과 사망률로 파악할 수 있다.

사망률과 합계 출산율은 국가의 경제 성장 정도를 알려주는 지표이다. 개발 도상국은 사망률과 합계 출산율이 모두 높게 나타난다. 두 시기의 전체 인구수도 크게 증가했다면 개발 도상국이며 변화가 없다면 선진국으로 이해하면 된다.

해결 비법

합계 출산율이 높은 지역은 개발 도상국이며, 낮은 지역은 선진국이다. 경제 성장이 뚜렷한 지역은 합계 출산율도 급격하게 낮아진다. 이런 인구 특성을 적용하여 문제를 해결하면 된다.

2016학년도 수능

02 그래프의 A~E 대륙에 대한 설명으로 옳은 것은?(단, 아메리카는 앵글로아메리카와 라틴 아메리카로 구분됨.)

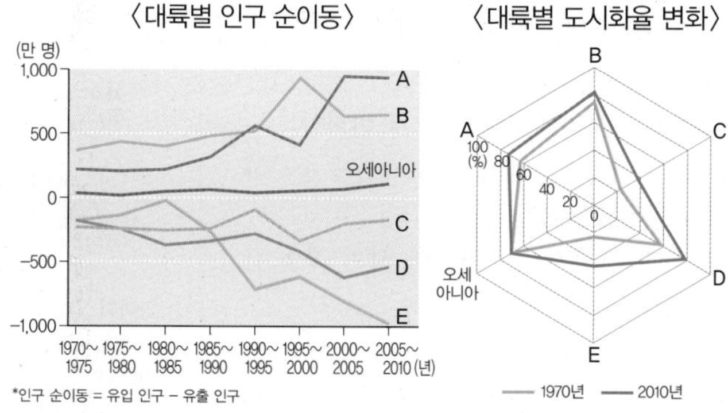

*인구 순이동 = 유입 인구 − 유출 인구

① A 대륙은 플랜테이션에 필요한 노동력을 위해 상당수의 흑인들이 강제로 유출되었던 역사가 있다.
② B 대륙은 세계 인구에서 차지하는 비중이 가장 크다.
③ C 대륙에는 국제 연합 본부를 비롯한 많은 국제기구가 위치해 있다.
④ D 대륙의 국가들은 대부분 에스파냐어나 포르투갈어를 공용어로 사용한다.
⑤ E 대륙에는 경제 블록을 결성하여 단일 화폐를 쓰고 있는 국가들이 있다.

출제 개념

국제적 인구 이동의 특징

자료 해설

대륙별 인구 이동 및 도시화율을 나타낸 자료를 통해 어떤 대륙인지 구분해 내는 능력을 확인하고자 하며, 각 대륙별 인구 및 지리적 지식을 확인하고 있는 문제이다.

해결 비법

대륙별 흡인 요인과 배출 요인을 파악하고 순이동 경향을 이해하고 있어야 한다. 도시화율 변화를 보면 어떤 대륙인지 파악하는 힌트가 된다. 도시화율이 계속 높은 곳은 유럽이나 앵글로아메리카이고 도시화율이 크게 증가한 곳은 아시아이다.

주제 11 세계 도시의 등장과 세계 도시 체계

교과서 80~85쪽

주제 흐름 읽기

도시의 성장	세계 도시의 특징	세계 도시의 계층 구조
• 세계는 현재 도시 인구가 촌락 인구보다 많음 • 개발 도상국의 도시화 속도는 선진국보다 빠름	• 세계 경제 활동의 중심지, 교통 통신의 결절 • 도시 내부의 양극화 현상이 심각함	• 세계 도시는 기능의 보유 정도와 영향력에 따라 계층성을 지님 • 최상위 세계 도시(런던, 뉴욕, 도쿄)

1 현대의 도시화와 도시❶ 성장

1. 도시화

(1) 전 세계 도시화율은 1800년경 약 3%에서 1950년에는 30%로 증가, 현재는 도시 인구가 촌락 인구보다 많음

도시화율은 전체 인구 중 도시에 거주하는 인구가 차지하는 비중을 의미하는데, 유엔에 따르면 세계 도시화율은 2015년 기준으로 54%라고 해.

(2) 선진국은 도시화가 일찍 시작되어 천천히 진행되었으나 개발 도상국은 20세기 후반부터 급속히 진행됨 자료 1

2. 세계화로 인한 도시 변화 한 국가 또는 지역의 중심지를 넘어서 국제적인 물류, 교통, 통신의 거점 도시 역할을 수행하는 도시가 증가하고 있음

2 세계 도시의 특징과 계층 체계

1. 세계 도시의 등장 배경

(1) **세계 도시** 세계의 경제 활동을 조절하고 통제하는 중심지로, 세계적인 교통·통신망의 핵심적인 결절❷인 동시에 세계 자본이 집적되는 장소 예 뉴욕, 런던, 도쿄, 파리 등

(2) **등장 배경**

교통·통신의 발달과 함께 경제 활동의 세계화가 진행됨 ⇨ • 각 국가 간 경제 개방 및 자유 무역 확대 • 다국적 기업의 활동 활발 • 자본·금융의 국제화 촉진 ⇨ 여러 도시 간 연계성과 통합이 중요해지면서 중심지 역할을 하는 도시가 필요해짐

(3) **선정 기준** 다국적 기업의 본사 및 국제기구 본부의 수 등과 같이 경제·정치 분야의 영향력과 도시 기반 시설, 문화 수준 등을 고려한 구체적인 지표❸에 따라 선정됨

2. 세계 도시의 특징

(1) **서비스업 중심** 세계 도시의 고용 구조가 제조업 대신 고차 서비스 산업으로 변화함

(2) **양극화 현상** 고소득의 전문 관리 계층이 증가, 단순 서비스업과 영세 소기업에 종사하는 개발 도상국 출신자의 비중이 높아지면서 양극화 현상 발생

(3) **사회 계층 간 거주지 분리** 고소득층과 저소득층 간의 거주지가 분리되어 사회 계층 간 갈등 발생

(4) 세계 도시들 간의 연계성이 자국 내 다른 도시들과의 연계성보다 높음❹

3. 세계 도시의 상호 작용과 계층 체계 자료 2

(1) **세계 도시의 계층 체계** 세계 도시는 도시의 규모와 기능 및 영향력에 따라 도시 간에 일정한 계층성이 형성됨

(2) 교통·통신 발달로 계층성이 심화됨

(3) **구분** 최상위 세계 도시(뉴욕, 런던, 도쿄), 상위 세계 도시(파리, 브뤼셀, 워싱턴, 싱가포르 등), 하위 세계 도시(토론토, 홍콩, 시드니, 서울 등)

(4) 상위의 세계 도시로 갈수록 도시 수가 적어지는 반면, 영향력은 커지고 기능은 많아짐

❶ **도시**
인간의 주요 정주 공간으로 인구 밀도가 높고 교통이 발달하였으며, 정치, 경제, 사회, 문화의 중심지 역할을 한다.

❷ **결절**
결절은 두 개 이상의 교통로가 만나는 지점을 말하며, 다른 지역으로 가는 통로가 되는 지점이다.

❸ **세계 도시 선정 기준**
• 경제적 측면: 다국적 기업의 본사 수, 금융 기관 수, 법률 회사 수
• 정치적 측면: 국제회의 개최 수, 국제기구의 본부 수
• 문화적 측면: 세계적 규모의 문화 예술 기관, 대중 매체, 스포츠 경기 및 시설, 교육 기관
• 도시 기반 시설 측면: 국제공항, 각종 편의 시설, 첨단 정보 통신 시스템 등

❹ **터널 효과**

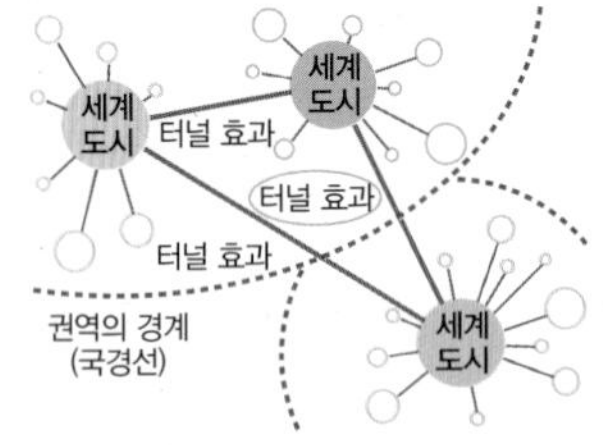

가까이 있는 도시들 간에는 서로 기능을 보완하기 위해 교류하며 권역을 형성한다. 인근 세계 도시와 권역을 형성한 도시들은 세계 도시들끼리의 연결망을 통해 먼 거리의 다른 세계 도시와도 교류가 수월해진다. 세계 도시들 간의 연결망은 주변 도시들이 다른 세계 도시와 만나는 터널 역할을 하는 것이다. 터널을 통해 인적·물적 및 정보의 교류가 활발해지면 사회적·심리적 거리가 물리적 거리보다 가까워질 수 있다.

자료 1 선진국과 개발 도상국의 도시화

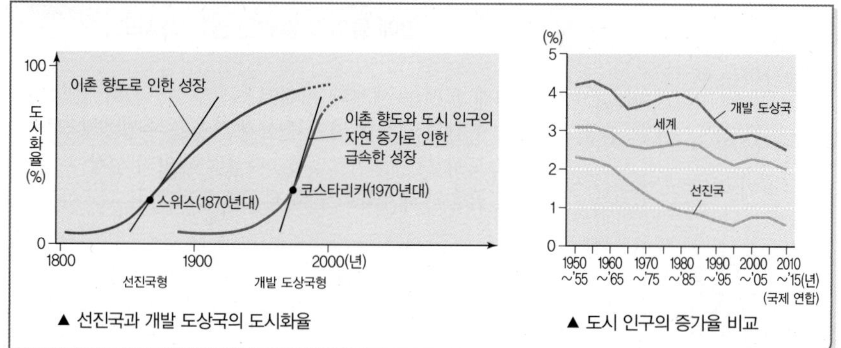

▲ 선진국과 개발 도상국의 도시화율 ▲ 도시 인구의 증가율 비교

자료 분석 선진국의 도시는 이촌 향도로 인해 도시 인구가 증가했지만, 개발 도상국은 이촌 향도와 더불어 도시 인구의 자연 증가로 인해 더욱 빠르게 성장하였다. 선진국의 도시들은 오랜 도시화 과정을 거치면서 도심이 노후화되고 슬럼화되는 도시 문제를 겪고 있다. 반면에 개발 도상국은 급속히 증가한 인구로 인하여 기반 시설의 부족과 인구 과밀 등의 도시 문제를 안고 있다. 이는 도시가 부양할 수 있는 능력보다 더 많은 인구가 유입했기 때문이다.

자료 분석 포인트

선진국과 개발 도상국의 도시화 과정을 비교해 보자.

Q1 개발 도상국의 도시화 특징을 기술한 내용이 맞으면 ○, 틀리면 ×표 하시오.

① 도시화 속도가 선진국보다 빠르다. ( )
② 도심의 쇠퇴 문제가 심각하다. ( )
③ 도시의 과밀화 현상이 나타난다. ( )

자료 2 세계 도시의 계층 체계

교과서 84쪽

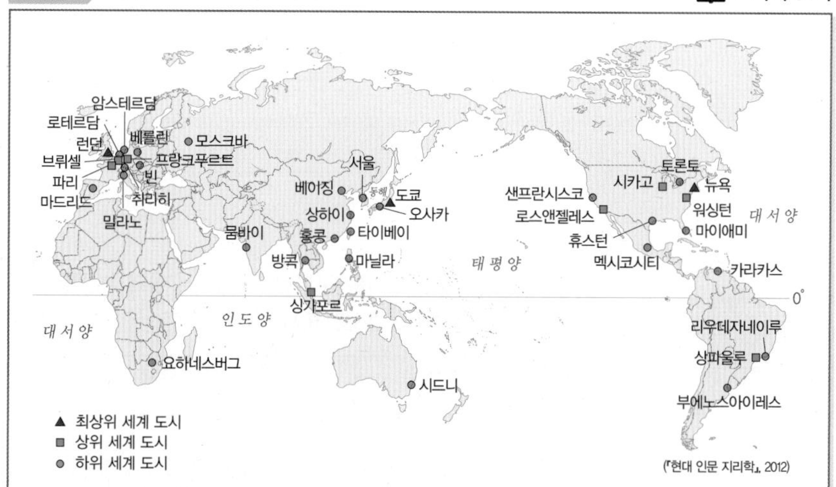

자료 분석 전 세계에 거미줄처럼 얽혀 있는 교통·통신망은 세계 도시를 긴밀히 연결시켜 상호 의존 관계와 계층성, 종주성을 강화시켰다. 최상위 세계 도시일수록 다국적 기업과 국제기구들이 더 많이 모여 있고, 이를 보조하는 금융 기관, 생산자 서비스업 등이 집중되어 있어 전 세계의 기업이나 시장을 지원하고 경제 활동을 조절하는 중추적 기능을 수행한다. 하위의 세계 도시로 갈수록 대륙별, 지역별 중심지로서의 기능을 한다.

자료 분석 포인트

세계 도시의 계층 구조를 파악해 보자.

Q2 세계 도시의 계층성을 결정하는 요소를 아래에서 있는 대로 고르시오.

ㄱ. 도시의 면적
ㄴ. 국제기구의 수
ㄷ. 다국적 기업의 본사
ㄹ. 국제공항의 항공 편수

답 Q1 ①○ ②× ③○ / Q2 ㄴ, ㄷ, ㄹ

1단계 개념 익히기

정답과 해설 ▸ 19쪽

01 다음 빈칸에 들어갈 알맞은 말을 쓰시오.

(1) 전체 인구 중 도시에 거주하는 인구가 증가하는 현상을 (　　　)(이)라고 한다.

(2) 국경을 초월하여 세계의 경제 중심지이자 의사 결정의 중추적 역할을 하는 도시를 (　　　)(이)라고 한다.

(3) 세계 도시 내에서는 고소득의 전문 관리 계층이 증가하는 한편, 단순 서비스업과 영세 소기업에 종사하는 개발 도상국 출신자의 비중도 높아지면서 고용의 (　　　) 현상이 심화되는 문제가 발생되기도 한다.

(4) 세계 도시는 도시의 규모와 기능 및 영향력에 따라 도시 간에 일정한 계층성이 형성되는데, 이를 (　　　)(이)라고 한다.

(5) 세계 도시 체계에서 최상위 세계 도시에 해당하는 도시는 (　　　), (　　　), (　　　) 등이 있다.

02 다음 빈칸에 들어갈 국가군을 일컫는 말을 각각 쓰시오.

> (㉠)은/는 산업 혁명 이후 200년이 넘는 기간 동안 점진적으로 도시화가 이루어졌지만 (㉡)은/는 20세기 중반 이후 급속한 산업화와 함께 빠르게 도시화가 이루어졌다.

㉠ ______________________

㉡ ______________________

03 다음 (　　) 안에 들어갈 용어를 쓰시오.

> 세계의 경제 활동을 조절하고 통제하는 중심지로, 세계적인 교통 · 통신망의 핵심적인 결절인 동시에 세계 자본이 집적되는 장소를 (　　　)(이)라고 한다.

____

04 다음 설명이 옳으면 ○, 틀리면 ×표 하시오.

(1) 오늘날 전 세계의 도시 인구는 촌락 인구보다 적다. (　　　)

(2) 세계 도시는 도시 내 고용 구조가 서비스업보다 제조업 중심으로 변화하고 있다. (　　　)

(3) 세계 도시 체계의 상위 계층 도시로 갈수록 도시 수가 적어지고 영향력은 커진다. (　　　)

05 다음 (　　) 안에 들어갈 알맞은 말을 쓰시오.

> 세계 도시는 세계화 시대에 (　　　)의 발달로 국가 간의 경계를 넘어 중심지 역할을 수행하게 되었고 도시 간 네트워크 형성, 다국적 기업의 성장, 자본 및 금융의 세계화로 인해 성장하게 되었다.

____

06 다음 설명의 밑줄 친 ㉠, ㉡에 해당하는 세계 도시의 특성을 |보기|에서 찾아 쓰시오.

> 세계 도시에서는 ㉠ <u>중산층은 사라지고 부유층과 빈곤층이 같이 증가하는 현상</u>이 나타나고 있다. 금융, 생산자 서비스업 등 고소득의 전문직 종사자는 증가하는 반면, 제조업이 쇠퇴하여 생산직 노동자는 감소하고 단순 서비스업과 영세 소기업에 종사하는 개발 도상국 출신자의 비중이 높아지면서 빈곤층도 증가하는 현상이 나타나고 있다. 한편 ㉡ <u>전문직 고소득층이 도시 중심부 혹은 부유한 동네로 모여들고, 가난한 이민자들과 저소득층은 도시 외곽으로 밀려나는 현상</u>이 마치 공식처럼 일어나고 있다.

보기
- 거주지 분리
- 양극화 현상

㉠ ______________________

㉡ ______________________

07 다음은 세계 도시를 구분한 표이다. (가)와 (나)를 비교하여 부등호(<, >)로 표시하시오.

구분	대표 도시
(가)	뉴욕, 런던, 도쿄
상위 세계 도시	파리, 로스앤젤레스, 싱가포르
(나)	서울, 홍콩, 토론토

(1) 해당 도시 개수 (가) (　　　) (나)

(2) 국제 항공 승객 수 (가) (　　　) (나)

(3) 다국적 기업 본사 수 (가) (　　　) (나)

(4) 생산자 서비스업 집중도 (가) (　　　) (나)

(5) 동일 계층 도시와의 평균 거리 (가) (　　　) (나)

01 다음은 전 세계 도시 및 촌락 인구 변화 추세를 나타낸 자료이다. 이에 대한 설명으로 옳지 않은 것은?

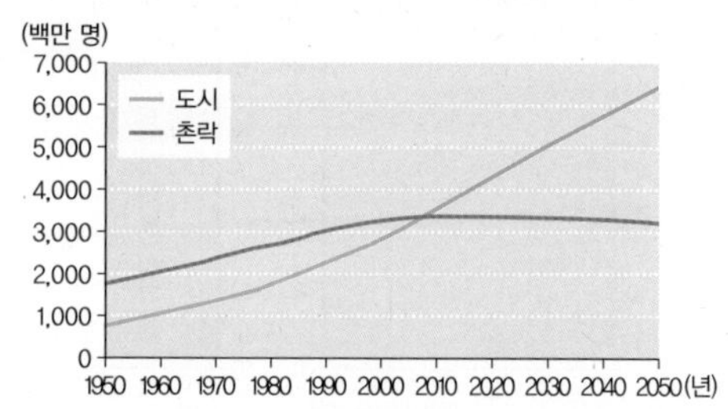

① 도시의 인구가 꾸준히 증가하고 있다.
② 1950년엔 촌락 인구가 도시 인구의 약 2배 정도이다.
③ 2010년은 세계의 도시화율이 약 50%이다.
④ 2010년 이후로 전 세계 인구는 감소할 것이다.
⑤ 2010년 이후는 이전에 비해 도시화 속도가 빠를 것이다.

02 빈출 자료는 주요 국가의 도시화율을 나타낸 그래프이다. (가)~(다) 국가를 A~C에서 골라 옳게 연결한 것은?

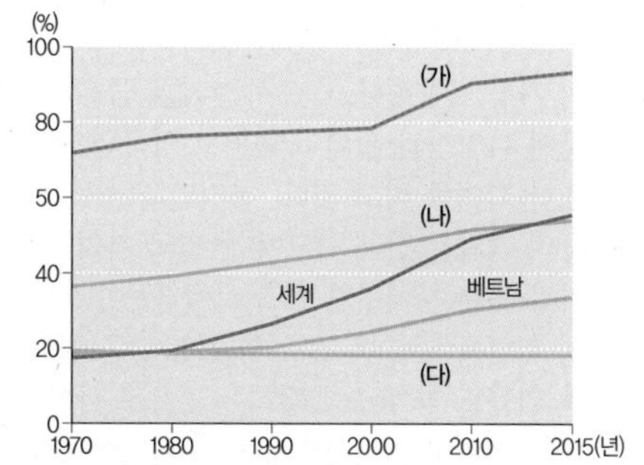

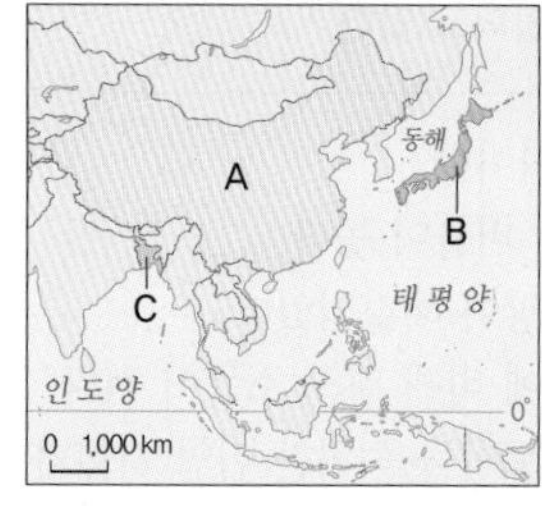

	(가)	(나)	(다)
①	A	B	C
②	A	C	B
③	B	A	C
④	B	C	A
⑤	C	A	B

03 자료의 밑줄 친 내용에 해당하지 않는 것은?

> 세계화 시대에 접어들면서 국가의 경계를 넘어 세계의 중심지 역할을 수행하는 세계 도시가 등장하였다. 이 도시는 세계적인 교통 · 통신망의 핵심적인 결절인 동시에 세계의 자본이 집적되는 장소이다. 세계 도시는 구체적인 지표에 따라 선정된다.

① 도시 인구수
② 금융 기관 수
③ 국제기구 본부 수
④ 다국적 기업의 본사 수
⑤ 국제공항 및 첨단 통신 정보 시스템 구비 정도

04 빈칸에 들어갈 내용으로 적절하지 않은 것은?

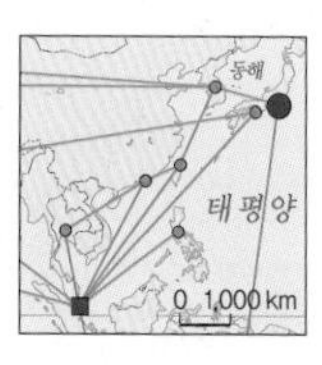

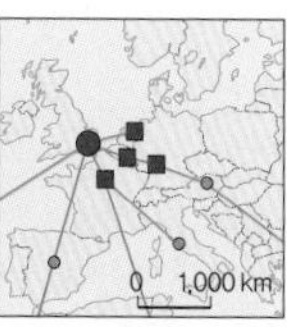

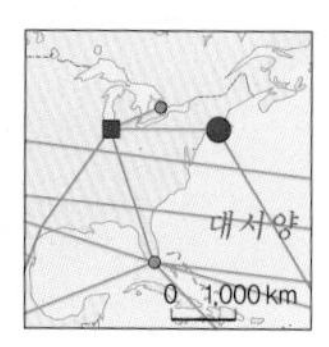

> 지도에 표시된 도시들이 세계의 경제, 정치, 문화 등에서 중심지로서 기능을 하도록 영향을 끼친 배경에는 [　　　] 등이 있다.

① 자본과 금융의 국제화
② 다국적 기업의 성장과 확장
③ 교통과 통신의 발달로 세계화의 진전
④ 세계화로 인한 도시 간 네트워크 형성
⑤ 세계 경제의 영역에서 국경 개념의 강화

05 빈출 다음 수업 장면에서 옳은 답을 한 학생들을 고른 것은?

두 도시는 미국과 남아프리카 공화국에 위치한 대도시이면서 세계 도시입니다. 사진으로 본 도시의 모습은 둘 다 비슷합니다. 하지만 세계 도시 체계로 보면 (A)이/가 더 상위 세계 도시입니다. 그 이유는 무엇일까요?

갑: A는 요하네스버그입니다.

을: A는 인구가 많고 면적이 넓어서 상위 세계 도시가 됩니다.

병: A가 더 많은 지역들과 다차원적으로 연결되기 때문입니다.

정: A에 국제기구와 다국적 기업이 더 많이 모여 있기 때문입니다.

① 갑, 을 ② 갑, 병 ③ 을, 병
④ 을, 정 ⑤ 병, 정

06 빈출 다음은 세계 도시의 도시 체계를 나타낸 지도이다. B와 비교한 A의 상대적인 특징으로 옳은 것은?

① 제조업의 비중이 높다.
② 도시 거주 인구수가 많다.
③ 같은 계층의 도시 수가 많다.
④ 다국적 기업의 본사 수가 많다.
⑤ 도시화 속도가 빠른 국가에 해당한다.

07 빈출 그래프는 두 시기의 대륙별 도시 인구와 촌락 인구를 나타낸 자료이다. 이를 해석한 것으로 옳은 것은?

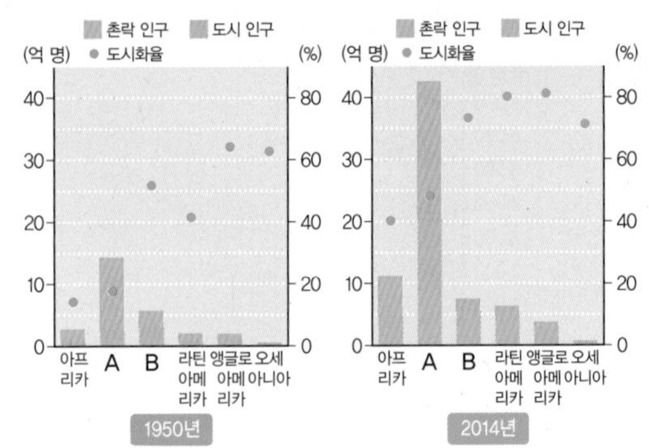

① A는 유럽, B는 아시아이다.
② A는 B보다 두 시기 모두 도시 인구 비율이 높다.
③ 도시화 속도가 가장 빠른 지역은 아프리카이다.
④ 라틴 아메리카는 앵글로아메리카보다 인구가 많이 증가하였다.
⑤ 1950년에 비하여 2014년 세계의 도시 인구 비율이 낮아졌다.

08 자료의 ○○시의 상황에 대한 설명으로 옳은 것은?

○○시는 인구수가 750만 명이며, 영국 내에서 인종이 가장 다양하다. ○○시는 세계 금융 시장의 중심지로서 다양성과 활력이 넘치고 영국의 경제 발전에 지대한 기여를 하고 있다. 하지만 고소득층과 최저소득층의 격차는 전국 최고이다. 영국 자치구 중 실업률이 가장 높은 자치구가 이 도시에 3곳이나 있다. 기혼 여성 취업률(56%)은 전국 평균(69%)을 밑돌며, 빈곤 아동 비율도 약 40%에 달하는 것으로 나타난다. 중산층이 교외로 빠져나가면서 거주 환경이 열악한 곳은 외국인 이민자들이 유입되고 있다.

① 출산율이 높은 도시이다.
② 외국인 이민자들의 비율이 높다.
③ 계층 간 양극화 현상이 해결되었다.
④ 영국 내 다른 도시에 비해 평균 소득이 적다.
⑤ 저소득층, 단순 노동자들을 위한 취업 기회가 많다.

서술형 문제

09 다음 글의 밑줄 친 부분처럼 예상되는 이유를 그래프를 활용하여 쓰시오.

> 2015년 전 세계 도시화율은 평균 54% 수준이다. 북미와 중남미 지역이 80% 초반으로 도시화가 가장 많이 진행되었다. 유럽은 73%, 오세아니아 지역은 71%, 아시아와 아프리카 지역이 각각 48%, 40%로 도시화율이 가장 낮은 편이다. 1950년대에 북미, 오세아니아, 유럽은 50~60%의 도시화율을 나타냈다. 중남미 지역은 1950년에 40%에서 오늘날 80% 초반까지 도시화율이 커져 북미 지역을 따라잡았다. 그런데 <u>앞으로 추가될 것으로 예상되는 24.5억 명의 도시 인구 대부분이 아프리카와 아시아에 집중되어 있다.</u>

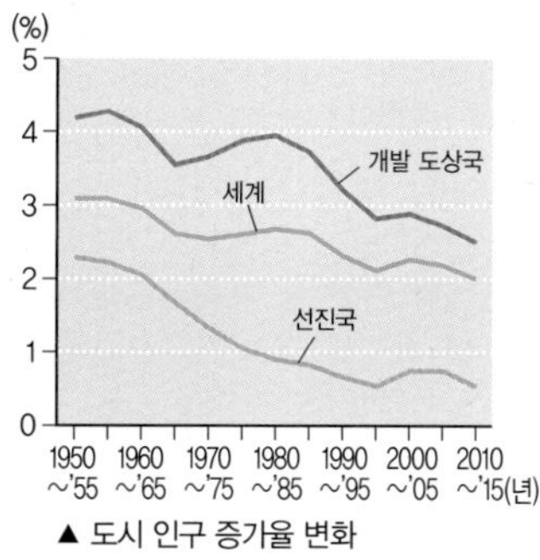

▲ 도시 인구 증가율 변화

서술형 문제

10 다음 자료에 표시된 도시들의 선정 기준을 <u>세 가지</u> 이상 쓰시오.

서술형 문제

11 다음은 런던의 인종별(민족별) 거주지와 자치구별 임대료 관련 자료이다. 외국인의 분포 특성을 두 자료를 이용하여 기술하시오.

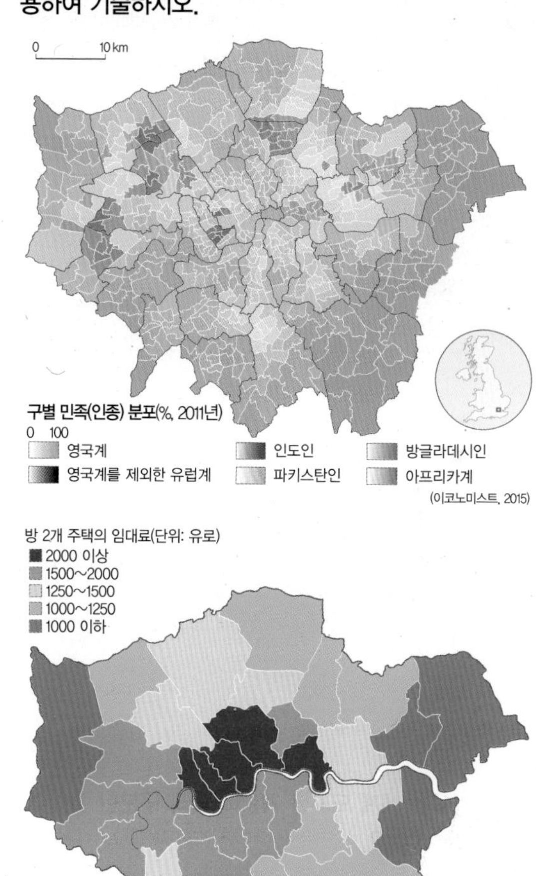

3단계 내신 만점 도전하기

정답과 해설 ▸ 20쪽

01 중요 다음 자료에 제시된 (가)~(라) 대륙을 바르게 연결한 것은?

대륙	촌락 인구(백만 명)		도시화율(%)	
	1970년	2015년	1970년	2015년
(가)	1,624	2,272	23.7	48.2
(나)	284	695	22.6	40.4
(다)	243	196	63.0	73.6
(라)	124	127	57.1	79.8
앵글로아메리카	61	66	73.8	81.6
오세아니아	6	12	71.3	70.8

	(가)	(나)	(다)	(라)
①	아시아	아프리카	라틴 아메리카	유럽
②	아시아	아프리카	유럽	라틴 아메리카
③	아프리카	아시아	유럽	라틴 아메리카
④	유럽	아시아	라틴 아메리카	아프리카
⑤	라틴 아메리카	아프리카	아시아	유럽

문제 접근 방법

대륙별 촌락 인구와 도시 인구의 변화를 나타낸 자료이다. 대륙별 인구 규모를 파악해야 하며 도시화율의 특성을 분석해야 한다.

내신 전략

선진국과 개발 도상국의 도시화 특징을 파악한다. 대륙별로 현재의 도시화율과 과거와 현재의 도사화율 차이에도 초점을 맞추어야 한다.

02 중요 지도는 세계 도시를 계층에 따라 구분한 것이다. B에 대한 A의 상대적 특징을 그림에서 고른 것은?

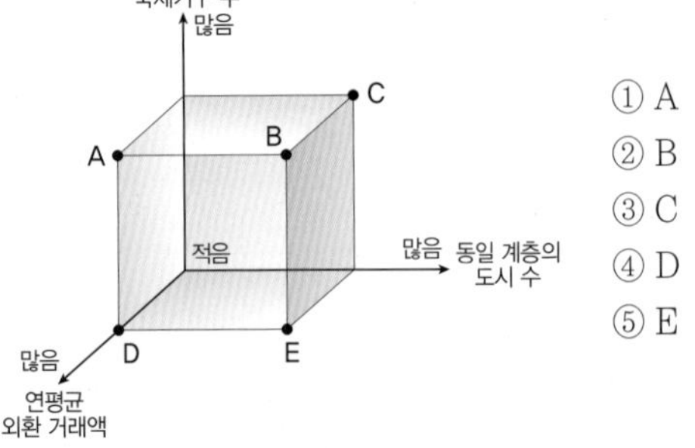

① A
② B
③ C
④ D
⑤ E

문제 접근 방법

이 문제는 세계 도시의 계층성을 이해하는 문제이다. 최상위 도시와 하위 도시의 분포 특징과 세계 도시 체계에 따른 특징을 적용하여 문제를 해결한다.

내신 전략

세계 도시 체계를 지도로 파악하고 최상위 세계 도시는 수가 적기 때문에 런던, 뉴욕, 도쿄라는 것을 기억해 둔다. 그리고 세계 도시의 계층성을 결정하는 기준을 파악해 둔다.

심화 수능 유형 익히기

정답과 해설 ▸ 20쪽

2014학년도 수능

01 다음 자료는 매출액 기준 세계 100대 기업에 관한 것이다. 이에 대한 설명으로 옳지 않은 것은?

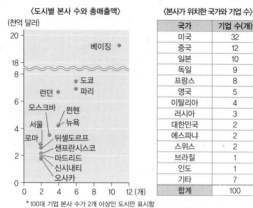

〈도시별 본사 수와 총매출액〉

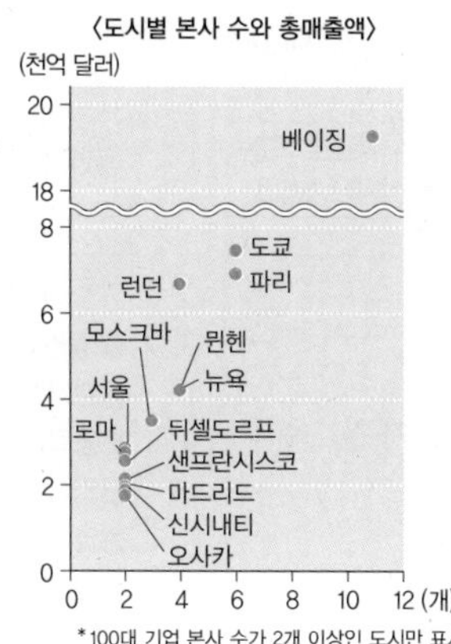

〈본사가 위치한 국가와 기업 수〉

국가	기업 수(개)
미국	32
중국	12
일본	10
독일	9
프랑스	8
영국	5
이탈리아	4
러시아	3
대한민국	2
에스파냐	2
스위스	2
브라질	1
인도	1
기타	7
합계	100

* 100대 기업 본사 수가 2개 이상인 도시만 표시함
** 도시별 본사 수와 총매출액은 2012년 4월~2013년 3월까지의 통계임

① 100대 기업의 본사는 대부분 북반구에 위치하고 있다.
② 도시별 100대 기업의 평균 매출액은 파리가 런던보다 많다.
③ 미국은 중국보다 특정 도시에 대한 100대 기업 본사의 집중도가 낮다.
④ 아시아에서 100대 기업의 본사는 대부분 동부 아시아에 위치해 있다.
⑤ 도시별 100대 기업의 총 매출액이 가장 많은 도시가 본사 수도 가장 많다.

출제 개념
세계 도시의 특징

자료 해설
매출액 기준 세계 100대 기업 본사가 주로 위치한 도시의 특징을 이해하는 문제이다. 대기업 본사는 세계 도시의 선정 기준이기도 하다. 이 도시들의 분포는 세계 도시의 분포 특성을 드러내 준다.

해결 비법
대표적 도시들의 위치를 파악하고 있어야 한다. 그래프와 표를 통해 답지에서 요구하는 요소들을 찾아서 대응시켜야 한다.

2016학년도 6월 모의평가

02 다음 글에서 (가)와 비교한 (나)의 상대적 특징을 그림의 A～E에서 고른 것은?(단, (가), (나)의 특징은 각 도시 계층의 평균을 기준으로 함.)

> 세계 도시 체계는 세계 경제의 중심지들이 기능적으로 연계된 체계를 의미한다. 세계 도시는 규모와 기능 및 영향력에 따라 (가) 최상위 세계 도시, 상위 세계 도시, (나) 하위 세계 도시 등 몇 개의 계층으로 구분된다. 최상위 계층에 속하는 도시로는 뉴욕, 런던, 도쿄가 있다. 반면, 이들 도시에 비해 상대적으로 영향력이 작은 도시들은 이보다 낮은 계층들로 분류된다.

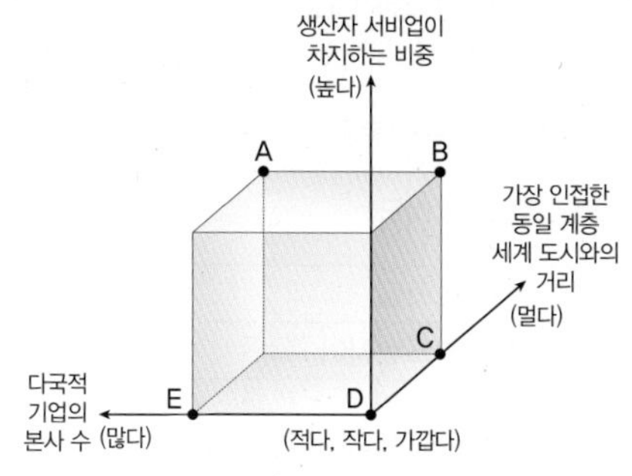

① A　② B　③ C　④ D　⑤ E

출제 개념
세계 도시의 계층성

자료 해설
세계 도시 내에서 계층성을 갖게 되는 배경과 계층 간의 기능, 분포의 차이를 파악하는 문제이다.

해결 비법
세계 도시의 선정 기준을 기억하고 이의 집중도가 계층성을 나누는 기준도 됨을 알아야 하며 공간적 분포 특성을 이해하고 있어야 한다.

주제 12

세계의 식량 자원

교과서 86~91쪽

주제 흐름 읽기

식량 자원의 지역적 차이	
생산량이 많은 지역	아시아, 아메리카, 오세아니아
생산량이 적은 지역	아프리카

곡물의 생산과 소비, 이동	
쌀	세계 생산량 2위, 아시아에서 주식으로 이용, 생산지에서 대부분 소비
밀	내한·내건성, 재배 지역이 넓고, 국제 이동량이 많음, 신대륙에서 구대륙으로 이동
옥수수	재배 지역이 넓고, 가축 사료· 바이오 에탄올의 원료로 사용되며 소비 비중이 높아짐(아프리카, 멕시코 등 식량난 원인)

육류의 생산과 소비	
생활 수준 향상, 냉장·냉동 기술 발달로 소비 증가	
소	신대륙에서 기업적 목축
돼지	번식력이 강하나 유목 지역은 부적합

1 식량 자원

1. 식량 자원의 의미 인간의 생존과 건강한 생활을 위해 필요한 먹을거리, 곡물 자원, 육류 자원, 수산물, 임산물

2. 식량 자원의 생산 및 수요

생산량이 많은 지역	생산량이 적은 지역
• 아시아: 생산량이 세계에서 가장 많으나 큰 인구 규모와 경제 성장으로 곡물 부족(수요>공급) • 아메리카, 오세아니아: 기계화된 대규모 상업 농업 발달, 높은 생산력(수요<공급, 수출 많음)	• 아프리카: 낮은 농업 기술력, 플랜테이션❶으로 특정 기호 작물을 집중 생산하여 토양 비옥도 저하(수요>공급, 수입에 의존)

2 세계의 주요 곡물 자료 1 자료 2

신대륙은 미국과 오스트레일리아에서 주로 수출해.

구분	재배 조건	이동 특징
쌀❷	• 성장기 고온 다습, 수확기 건조 • 계절풍이 부는 남부 아시아, 동남아시아, 동부 아시아 일대	생산지에서 대부분 소비하여 국제 이동량이 적음
밀❸	• 기후 적응력이 높아(내건성, 내한성) 서늘하고 건조한 지역에서 잘 자람 • 재배 지역이 넓음, 신대륙에서는 상업적으로 재배됨	신대륙에서 구대륙으로 이동
옥수수❹	• 기후 적응력이 높아 재배 지역이 넓음 • 중·남부 아메리카와 사하라 이남 아프리카에서 주식으로 소비함 • 국가별 생산과 수출 비중: 생산 비중은 미국, 중국이 매우 높고, 수출 비중은 브라질, 미국, 아르헨티나 등이 높음	• 미국, 유럽에서 가축 사료로 이용 • 미국에서 바이오 에탄올의 원료로 사용하면서 소비량 증가

내건성은 건조함을 잘 견딘다는 의미이고 내한성은 서늘한 기후를 견딘다는 의미야.

바이오 에탄올은 옥수수뿐만 아니라 카사바, 밀에서도 추출 돼. 대부분 식량 자원이라 식량 가격 상승을 유발하지만 비식량인 폐목재, 해조류에서 추출하는 방식도 개발되고 있어.

3 세계의 주요 육류

1. 육류 소비량의 증가 인구 증가, 생활 수준 향상, 냉장·냉동 기술 발달 등이 배경이 됨

2. 육류의 생산 자료 3

종류	특징	주요 분포
소	• 우유, 치즈 등 유제품, 육류를 제공 • 신대륙에서 기업적 목축으로 사육	인도, 브라질, 미국
돼지	번식력이 강하나 유목 지역에선 부적합	중국, 미국, 브라질
닭	전 세계적으로 소비	중국, 미국, 인도네시아
양	• 인간에게 고기, 젖, 가죽, 털 제공 • 기후 적응력이 높아 건조 기후 지역에서 적합 • 구대륙은 유목, 신대륙은 기업적 목축으로 사육	중국, 오스트레일리아, 인도, 이란

❶ 플랜테이션
플랜테이션은 선진국의 자본, 원주민의 노동력과 현지의 기후 조건을 이용하여 단일 상품 작물을 대량으로 재배하는 농업 방식이다. 플랜테이션이 이루어지는 지역은 현지 주민에게 필요한 식량 작물의 생산이 안 되고 토질 또한 나빠지는 악순환이 나타난다.

❷ 쌀의 생산과 수출

❸ 밀의 생산과 수출

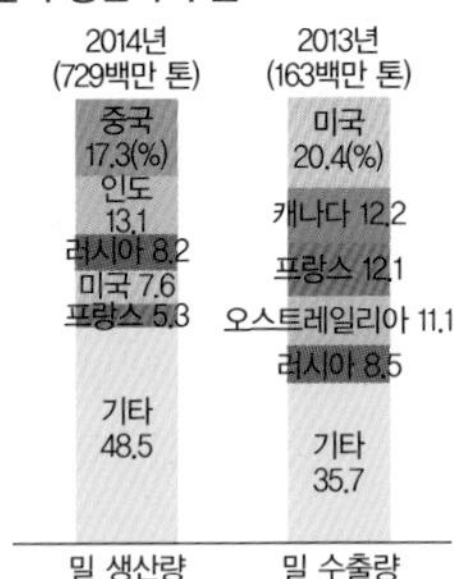

❹ 옥수수의 생산과 수출

2014년 (1,038백만 톤) / 2013년 (124백만 톤)

미국 34.8(%), 중국 20.8, 브라질 7.7, 아르헨티나 3.2, 우크라이나 2.7, 기타 30.8 — 옥수수 생산량

브라질 21.4(%), 미국 19.5, 아르헨티나 16.2, 우크라이나 13.5, 프랑스 5.1, 기타 35.7 — 옥수수 수출량

자료 1 쌀과 밀의 생산과 국제 이동

교과서 88쪽

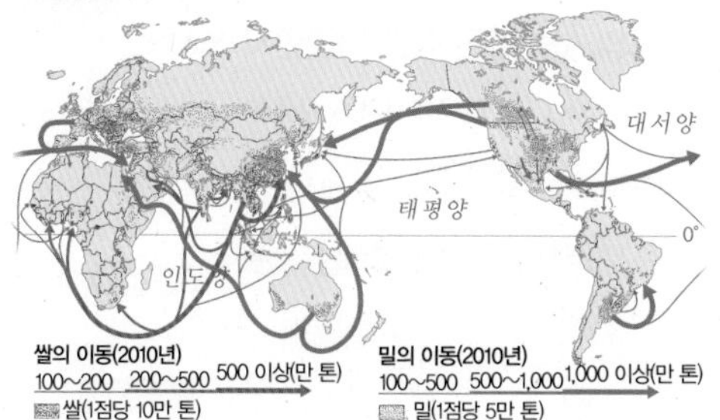

자료 분석 밀은 쌀보다 국제 이동량이 많다. 주로 아메리카, 오세아니아에서 기업적으로 대량 생산되며 유럽과 아시아로 수출된다. 남반구의 밀 수확 시기는 주요 소비지인 북반구에서 밀이 생산되지 않는 시기이므로 비싸게 팔린다. 쌀은 주로 아시아에서 생산되어 아시아에서 소비되므로 국제 이동량이 많지 않다.

자료 분석 포인트

곡물 메이저가 곡물 시장에 끼치는 영향을 파악해 보자.

Q1 다음은 밀과 쌀을 비교한 설명이다. 빈칸을 채우시오.

① 생산지에서 주로 소비되는 작물은 (   ) 이다.

② (   )은 신대륙에서 상업적으로 생산된다.

자료 2 옥수수의 국제적 이동과 다양한 이용

교과서 89쪽

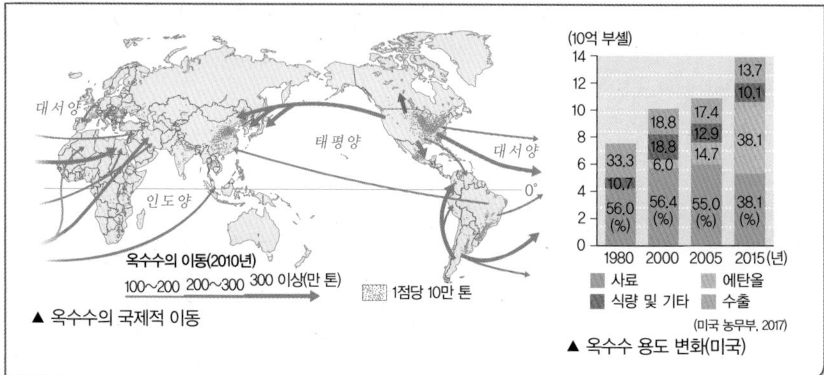

▲ 옥수수의 국제적 이동

▲ 옥수수 용도 변화(미국)

자료 분석 2000년대 들어 고유가에 대비하고 온실 가스를 감축하기 위해 대체 에너지인 바이오 에너지 생산량이 증가하였다. 바이오 에너지의 원료가 되는 옥수수의 수요가 급증하면서 국제 가격이 상승했고, 옥수수를 주식으로 삼고 있는 나라들의 식량난이 심각해졌다.

자료 분석 포인트

옥수수의 용도 변화와 그 배경과 영향을 파악해 보자.

Q2 옥수수에 대한 설명으로 옳은 것을 아래에서 있는 대로 고르시오.

ㄱ. 바이오 에너지는 화석 연료보다 지구 온난화를 더 유발한다.

ㄴ. 바이오 에너지의 성장으로 인해 옥수수의 국제 가격이 낮아졌다.

ㄷ. 옥수수는 석유를 대체하는 에너지 자원으로 이용되고 있다.

ㄹ. 옥수수는 사료용으로 이용되는 비중이 높다.

자료 3 세계 돼지, 소 사육 비중

교과서 90쪽

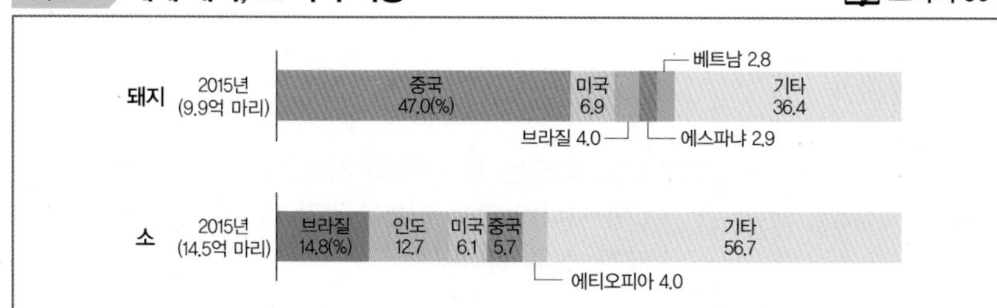

자료 분석 가축은 인류에게 양질의 단백질과 유제품을 제공해 준다. 또한 털과 가죽은 옷과 가옥의 재료로, 분뇨는 연료로 쓰였다. 농경에도 도움을 주어 쟁기로 깊게 밭을 갈 수 있게 되면서 곡물의 수확량을 늘렸다. 지구상의 야생 포유류 중에 가축화에 성공한 것은 14종에 불과하다. 이 중 주된 5종이 양, 염소, 돼지, 소, 말이다. 한편 육류에 대한 소비가 증가하면서 선진국에서는 소와 돼지, 닭 등을 대규모 공장식 축산 방식으로 사육하고 있어, 이러한 열악한 사육 환경과 비윤리적 사육 방식이 비판받고 있다.

자료 분석 포인트

가축 분포와 사육의 특성을 알아보자.

Q3 가축을 식용으로 이용하기 위해 선진국에서 대규모 사육하는 축산 방식의 명칭을 쓰시오.

답 Q1 ① 쌀 ② 밀 / Q2 ㄷ, ㄹ / Q3 공장식 축산

1단계 개념 익히기

정답과 해설 ▸ 20쪽

01 다음 빈칸에 들어갈 알맞은 말을 쓰시오.

(1) 식량 자원은 농업 기술의 발달과 더불어 육류 생산에 필요한 (　　　)용 곡물의 증가로 생산량이 많아지고 있다.

(2) (　　　)은/는 아시아 계절풍 기후 지역의 충적 평야에서 주로 재배되며 단위 면적당 생산량이 많다.

(3) (　　　)은/는 가축 사료용으로 많이 이용되나, 최근 바이오 에탄올의 원료로 이용되면서 수요가 급증하고 있다.

(4) (　　　)은/는 내한성·내건성이 큰 작물이며, 생산지와 소비지가 달라 국제 이동량이 많다.

(5) 번식력이 강해 유목 활동에 부적합한 (　　　)은/는 중국, 미국 등에서 많이 사육되고 있다.

(6) 우유, 치즈 등의 유제품과 아울러 육류를 제공해 주는 (　　　)은/는 인도, 브라질, 미국에서 사육 두수가 많다.

02 다음 설명에서 ㉠에 들어갈 알맞은 용어를 쓰시오.

> ㉠ 은/는 옥수수, 사탕수수, 밀, 감자 등 주로 녹말 작물을 발효시켜 만든 연료이다. 2000년대 들어 고유가 지속, 온실가스 감축 요구가 커지면서 대체 에너지의 생산이 급증하였다. 특히 ㉠ 의 생산량이 급증하면서 옥수수의 국제 가격이 상승하였다.

03 다음 설명이 옳으면 ○, 틀리면 ×표 하시오.

(1) 쌀은 밀에 비해 단위 면적당 생산량이 많아 인구 부양력이 크다. (　　)

(2) 남반구의 밀은 북반구와 수확 시기가 달라 상대적으로 낮은 가격에 북반구에 수출된다. (　　)

(3) 소는 신대륙에서 대기업 자본을 바탕으로 기업적 방목을 주로 한다. (　　)

04 다음 설명에서 ㉠에 들어갈 알맞은 말을 쓰시오.

> 세계 곡물 유통 시장을 독점하고 있는 몇몇의 다국적 기업을 ㉠ (이)라고 한다. 이들의 교역량은 전 세계 곡물 시장의 80% 이상을 차지하고 있으며 곡물 자원의 생산, 유통 및 가공에 이르는 전체 과정에 관여하고 있다.

05 다음 그래프의 A는 어떤 식량 자원인지 쓰시오.

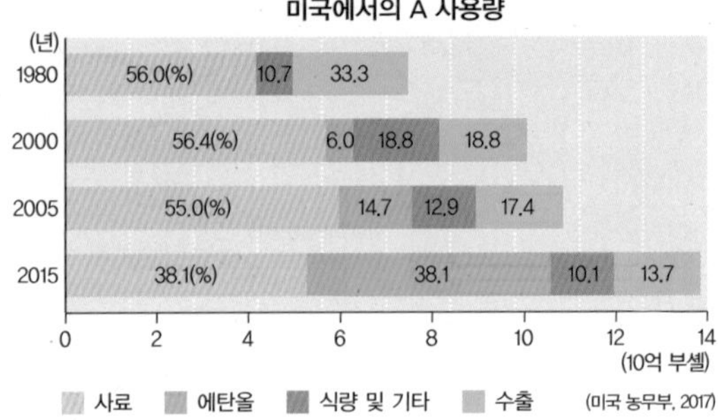

06 다음 빈칸에 해당되는 곡물을 써 넣으시오.

	곡물명	재배 환경	이동
(1)		고온 다습한 충적 평야	생산지와 소비지가 거의 일치함, 국제적 이동량이 적음
(2)		고위도, 건조 지역	신대륙에서 구대륙으로 이동
(3)		기후 적응력 높아 넓은 지역에서 연중 재배	미국, 아르헨티나에서 중남미, 아시아로

07 다음 지도는 두 가축의 사육 지역을 나타낸 것이다. (가)~(나)의 가축 이름을 각각 쓰시오.(단, (가)~(나)는 돼지, 소 중 하나임.)

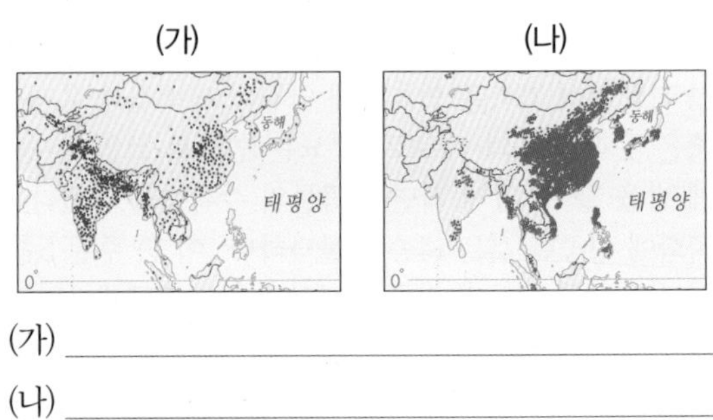

(가) ____________________

(나) ____________________

01 빈출 그래프는 주요 식량 작물의 대륙별 생산 비중을 나타낸 것이다. (가)~(다)에 대한 설명으로 옳은 것은?

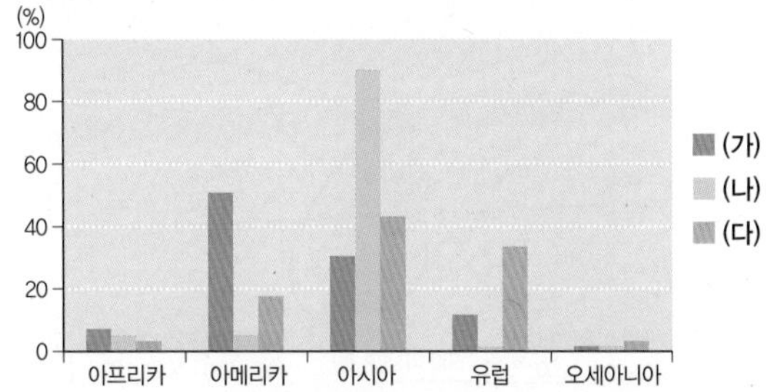

① (가)는 주로 구대륙에서 기업적 영농 방식으로 재배된다.
② (나)는 사료 작물 및 바이오 에너지 생산에 이용되면서 재배 지역이 확대되고 있다.
③ (다)는 고온 다습한 계절풍 기후 지역에서 주로 재배된다.
④ (나)는 (다)보다 단위 면적당 생산량이 많아 인구 부양력이 높다.
⑤ 아시아는 다른 지역에 비해 곡물 생산량이 많아 소비량보다 수출량이 많다.

02 지도는 어떤 식량 자원의 1인당 일별 소비량을 나타낸 것이다. 이에 대해 설명한 것으로 적절한 것은?

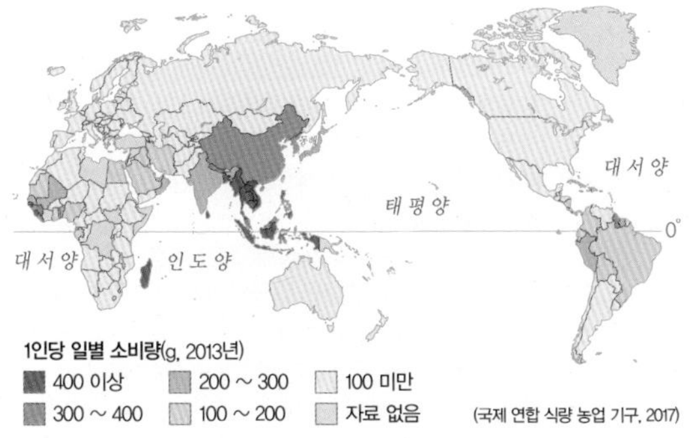

① 성장기에 고온 다습한 기후 환경이 유리하다.
② 주요 생산지와 소비지가 달라 이동량이 많다.
③ 식량 자원 중 단위 면적당 생산량이 가장 적다.
④ 기후 적응력이 높아 기온이 낮은 데서도 잘 자란다.
⑤ 바이오 에탄올을 생산하는 원료로 가장 많이 이용된다.

03 다음 자료는 미국의 (가) 곡물과 (나) 가축의 분포 지도이다. 이에 대한 설명으로 옳지 <u>않은</u> 것은?

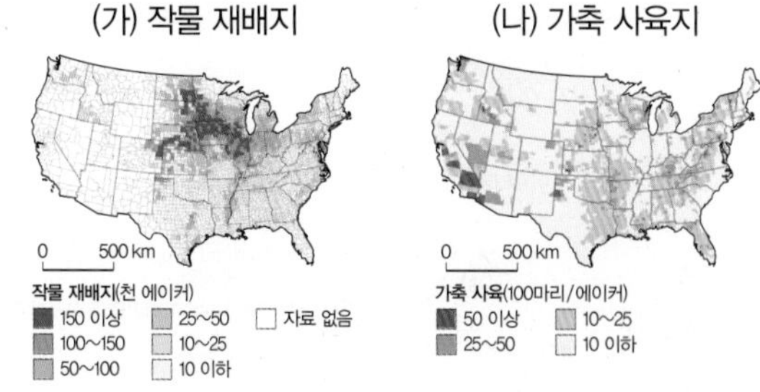

① (가)는 미국이 최대 수출국이다.
② (가)는 바이오 에너지의 원료로 이용된다.
③ (나)는 선진국보다 저개발국으로 많이 수출된다.
④ (나)는 미국에서 주로 기업적 방목의 형태로 사육된다.
⑤ (나) 사육의 증가는 (가)의 소비를 촉진시킨다.

04 빈출 (가), (나)는 주요 가축의 사육 두수를 나타낸 것이다. (가), (나)에 대한 설명으로 옳은 것은?

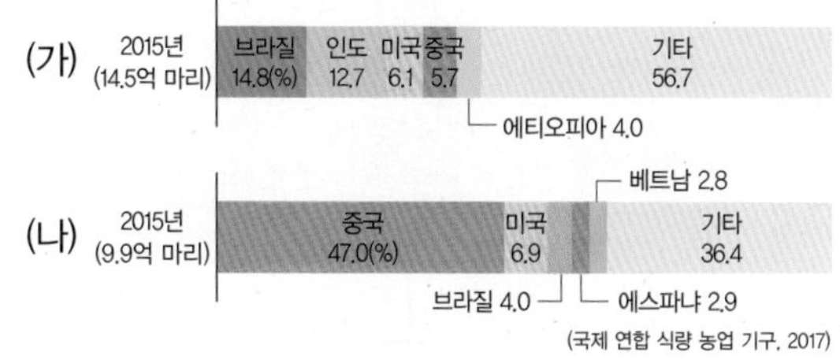

① (가)는 우유와 치즈 같은 유제품과 육류를 제공해 준다.
② (가)는 이슬람교에서 금기하는 음식 재료이다.
③ (나)는 육류 중 사육 두수가 가장 많다.
④ (나)는 남반구에서 북반구 지역으로 수출이 많다.
⑤ (나)는 (가)보다 유목 지역에서 사육하기에 적당하다.

05 빈출 그래프는 대륙별 세계 3대 식량 작물의 생산량 비중을 나타낸 것이다. A~C 작물에 대한 설명으로 옳지 않은 것은?

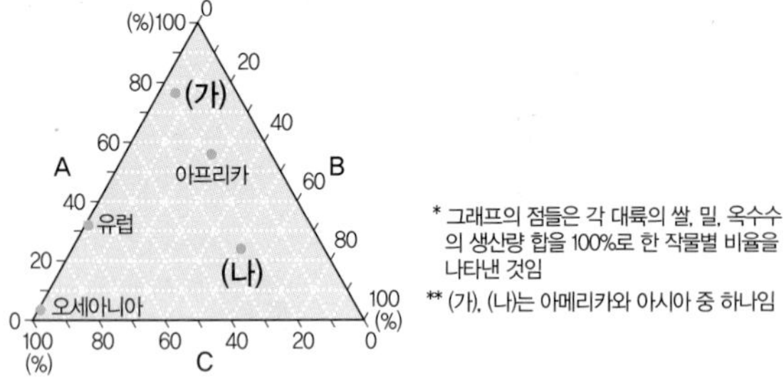

① A는 주로 계절풍 기후 지역에서 재배된다.
② A와 C의 최대 수출국은 (가)에 위치한다.
③ B와 C의 최대 생산국은 (나)에 위치한다.
④ A~C 중 단위 면적당 생산량은 A가 가장 많다.
⑤ C는 B보다 서늘하고 건조한 기후에서 주로 재배된다.

06 지도는 세계 3대 곡물 중 (가), (나)의 생산량 상위 5개국을 나타낸 것이다. (가), (나)의 특징을 그림의 A~C에서 고른 것은?

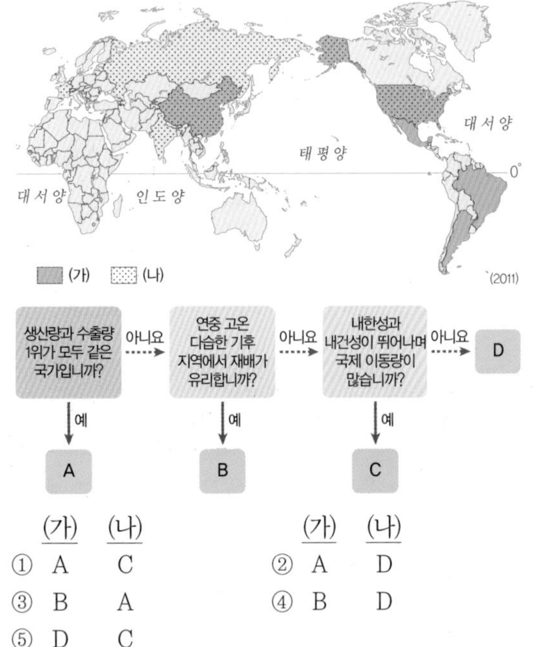

	(가)	(나)		(가)	(나)
①	A	C	②	A	D
③	B	A	④	B	D
⑤	D	C			

07 빈출 그림은 두 곡물의 생산지와 국제 이동을 나타낸 것이다. (가), (나) 작물에 대한 설명으로 옳지 않은 것은?

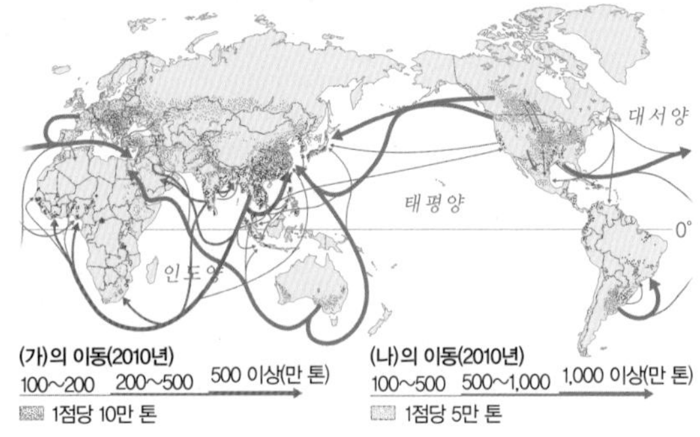

① (가)는 아시아인들이 주식으로 소비한다.
② (나)는 신대륙에서 자급적 곡물로 생산되고 있다.
③ (가)는 (나)보다 단위 면적당 생산량이 많다.
④ (나)는 (가)보다 국제 이동량이 많다.
⑤ (나)는 (가)보다 춥고 건조한 지역에서 더 잘 자란다.

08 자료는 주요 국가의 연간 1인당 육류 소비량을 나타낸 것이다. A, B에 대한 설명으로 옳은 것은?

① A는 돼지고기, B는 쇠고기이다.
② 육류 소비는 국가의 경제 수준에 비례한다.
③ 육류 소비가 많은 국가일수록 A의 소비량이 많다.
④ 이슬람교도가 많은 지역에서는 B의 소비량이 적다.
⑤ 아시아에 위치한 국가들은 모두 B의 소비 비중이 높다.

서술형 문제

09 다음과 같이 이동하는 식량 자원의 재배 조건을 서술하시오.

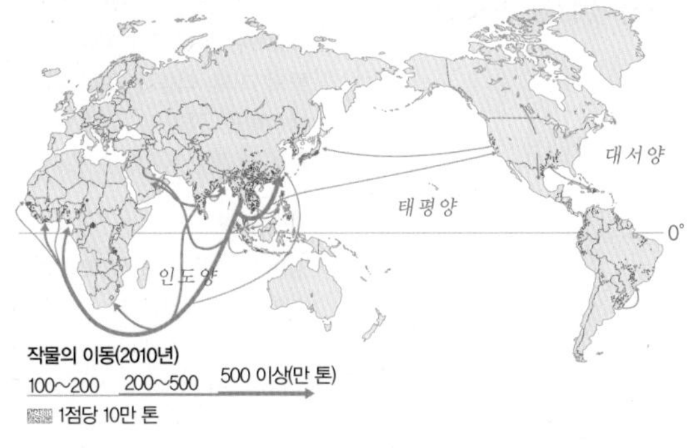

서술형 문제

10 다음 자료를 읽고 밑줄 친 현상으로 인해 발생할 수 있는 문제를 두 가지 이상 기술하시오.

> 옥수수는 세계에서 가장 많이 생산되는 곡물이며 다른 곡물과 달리 사람, 가축, 자동차 등이 함께 경합하는 곡물이다. 다시 말해 옥수수는 식량으로, 가공식품의 원료와 사료로 그리고 바이오 연료 등으로 사용되는 작물이다. 세계 옥수수 소비량의 61%가 사료로 소비되고 있다. 1990년도 사료용으로 사용된 옥수수가 3억 톤이었으며, 2000년 4억 톤에서 2010년 5억 톤으로 증가하였다. 이는 현재 전 세계에서 소비하는 쌀 소비량(4억 4천만 톤)보다 많은 양이다. 한편 미국은 옥수수를 전 세계에서 가장 많이 수출하는 국가이지만, 최근 바이오 에탄올 생산 증가로 국제 시장에 수출할 수 있는 물량이 줄어들었다.

서술형 문제

11 다음 자료를 읽고 곡물 메이저와 거래하는 국가에서 자연재해로 수확이 줄어 식량난이 발생하면 곡물 메이저는 이윤을 극대화하기 위해 어떤 입장을 취하게 될지 추론하시오.

> 곡물 메이저란 곡물을 수출하고 수입하는 세계적인 거대 곡물 회사를 말한다. 곡물 메이저는 곡물을 생산하기보다 생산·유통 라인을 장악하여 싸게 사서 비싸게 파는 방식으로 곡물 시장을 지배하고 있다. 세계 곡물 교역량의 80% 이상, 세계 곡물 저장 시설의 75%를 점유하며, 전 세계에서 생산된 곡물을 운송할 수 있는 선적 능력은 47%에 이른다. 이들 곡물 메이저를 통하지 않고서는 곡물의 국제 거래와 저장, 운송 자체가 불가능한 실정이다.

서술형 문제

12 다음 글을 읽고 [　　] 안에 공통으로 들어갈 말을 쓰고, 밑줄 친 부분으로 인해 생기는 문제점을 두 가지 이상 기술하시오.

> 마을 주민들이 쫓겨나야만 했던 원인은 바로 [　　]였다. 화석 연료와 달리 재생이 가능하고, 친환경적이라는 이유로 미국과 유럽은 보조금과 각종 세제 혜택을 제공하며 [　　] 산업의 성장을 독려했다. 이렇게 적극적인 지원 아래 개발 도상국의 드넓은 땅은 옥수수, 사탕수수, 콩, 팜 농장으로 바뀌어갔다. 문제는 [　　]의 원료 재배 농장이 커져가는 만큼 기업들에 땅을 빼앗기는 농민들도 늘어가고 있다는 것이다. 한편, 전 세계 4위의 팜유 생산국인 콜롬비아는 5년도 채 안 되어 팜 농장의 수가 두 배나 늘었으며, 유럽으로 수출하는 팜유의 양도 세 배나 증가했다. 하지만 이 대가로 50만 헥타르의 숲을 잃었다.

정답과 해설 ▸ 21쪽

01 다음은 세계 3대 곡물 (가)~(다)를 비교한 자료이다. (가)~(다)에 대한 설명으로 옳은 것만을 |보기|에서 있는 대로 고른 것은?(단, 그래프는 상대값을 나타낸 것으로 최댓값이 1임.)

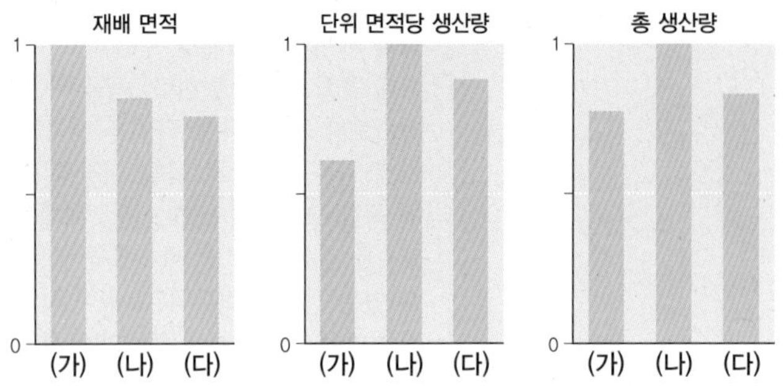

보기

ㄱ. (가)는 내한성과 내건성이 있어 고위도 지방에서도 재배된다.
ㄴ. (나)는 가축 사료용으로 주로 이용되며, 최근 바이오 에탄올 원료로 사용이 급증하고 있다.
ㄷ. (다)는 성장기에 높은 기온과 강수량이 필요하다.
ㄹ. (가)는 (다)보다 가족 노동력 중심의 노동 집약적 농업 형태로 이루어진다.

① ㄱ, ㄹ ② ㄴ, ㄷ ③ ㄱ, ㄴ, ㄷ
④ ㄱ, ㄷ, ㄹ ⑤ ㄴ, ㄷ, ㄹ

문제 접근 방법

세계 3대 곡물의 재배 면적, 생산량을 비교하는 문제이다. 재배 면적으로는 작물의 기후 적응 능력을 알 수 있으며, 생산량은 작물이 가진 인구 부양력과 사용 범위를 추측할 수 있다.

내신 전략

밀의 내한성, 내건성 특성과 쌀과 옥수수의 높은 생산량 등 곡물의 특성을 파악해야 한다.

02 중요 다음은 (가), (나) 곡물의 세계 생산량 10위 국가의 생산량과 수출량을 나타낸 것이다. 그래프를 옳게 해석한 학생을 고르면?

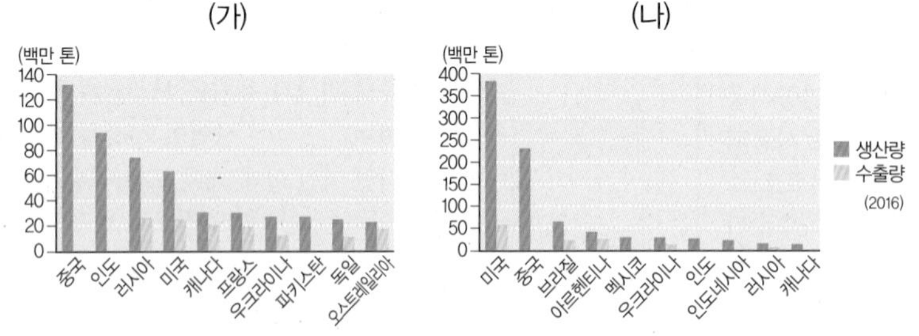

보기

갑: (가)는 밀, (나)는 옥수수입니다.
을: 생산량이 많은 국가일수록 수출량이 많습니다.
병: (가)는 (나)보다 10개국의 전체 생산량이 많습니다.
정: (나)는 (가)보다 사료용으로 소비되는 비중이 높습니다.

① 갑, 을 ② 갑, 정 ③ 을, 병 ④ 을, 정 ⑤ 병, 정

문제 접근 방법

국가별 곡물의 생산량과 수출량은 식량 자원에서 주로 다루는 학습 내용이다.

내신 전략

곡물별로 생산량과 수출량의 상위 국가별 순위를 기억해 두자. 아시아 지역의 국가가 주로 순위에 있다면 이는 쌀이다. 밀과 쌀은 중국이 최대 생산 국가이지만 중국의 자체 소비량이 많아 수입에 의존하므로 구분이 필요하다.

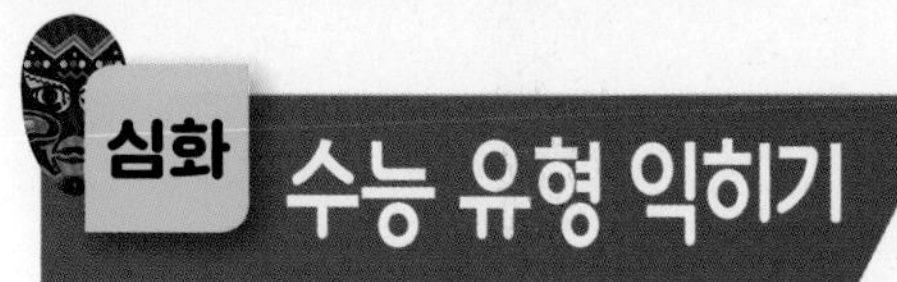

정답과 해설 ▸ 22쪽

2018학년도 수능

01 세계 3대 식량 작물 (가)~(다)의 대륙별 생산량과 수출입량을 나타낸 그래프이다. 이에 대한 설명으로 옳은 것은?(단, 아메리카는 앵글로아메리카와 라틴 아메리카로 구분함.)

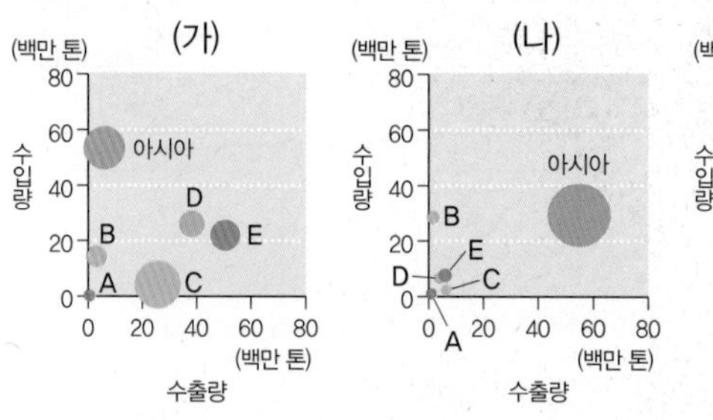

*대륙별 생산량은 원의 크기로, 수출입량은 원의 중심 위치로 표현함
**대륙별 수출입량에는 대륙 내 국가 간 수출입량도 포함됨

생산량(백만 톤)
500
500
20 미만
(2013)

① B는 아프리카, C는 앵글로아메리카에 해당한다.
② (가)의 최대 생산국은 아시아에 위치한다.
③ (나)는 (다)보다 국제적 이동량이 많다.
④ (다)는 (가)보다 가축 사료용으로 사용되는 비중이 높다.
⑤ 라틴 아메리카는 (다)의 생산량이 (가)보다 많다.

출제 개념
대륙별 곡물 생산량과 수출입량 비교

자료 해설
지역별로 주로 많이 생산되는 식량 자원을 고려해야 (가)~(다)를 구분할 수 있다. 원의 크기는 생산량이며, 수출·수입량은 가로 세로축을 살펴야 한다. 주로 세 식량 작물 모두를 수입하는 지역과 생산량이 세 작물 모두 적은 지역은 어떤 지역인지를 확인하는 문항이다.

해결 비법
수출량, 수입량이 모두 적거나, 수입량만 많은 지역이 대륙 중 어디인지 파악할 수 있을 것이다. A는 (다)만 수출량이 많다는 점을 활용해야 한다. (나)는 아시아가 수출량, 수입량 모두 많다는 점에 힌트가 있다.

2014학년도 6월 모의평가

02 다음 자료는 세계 주요 식량 자원 A, B에 대한 것이다. A, B의 국가별 생산 비중을 (가)~(다)에서 고른 것은?

○ 바이오 에탄올은 곡물에서 포도당을 추출한 뒤 이를 미생물로 발효시켜 만든다. [A]은/는 바이오 에탄올의 대표적 원료로서 [A]의 주요 재배 지역 중 하나인 미국 중서부 지역에는 한때 [A]을/를 주원료로 하는 수백 개소의 에탄올 공장이 들어서기도 하였다. − △△ 신문, 2013년 3월 ○○일 −

○ 인류가 소비하는 주요 식량 작물 중에서 기후 변화, 특히 지구 온난화의 영향을 크게 받는 작물이 [B]이다. 내한성 작물로 잘 알려져 있는 [B]은/는 이상 고온에 매우 취약하기 때문이다. 한 연구 보고서에 의하면 지난 50년 동안 지구 기온이 0.6℃ 상승할 때 [B]의 수확량은 5.5% 감소했다고 한다. − □□ 신문, 2013년 3월 ○○일 −

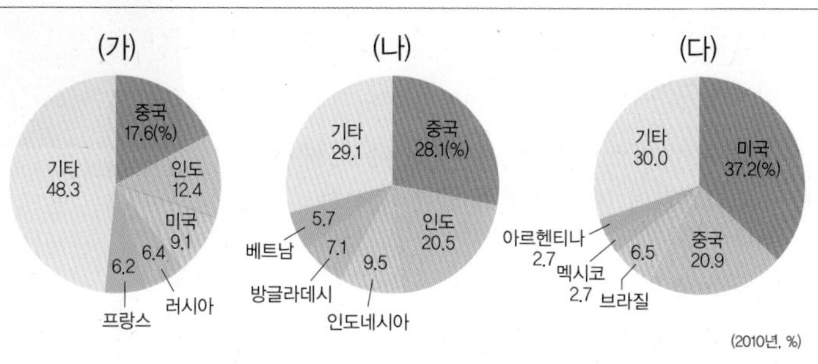

	A	B
①	(가)	(나)
②	(가)	(다)
③	(나)	(가)
④	(다)	(가)
⑤	(다)	(나)

출제 개념
세계 주요 식량 자원과 국가별 생산량

자료 해설
작물의 주요 특성과 국가별 생산 비중을 보고 어떤 자원인지를 확인할 수 있다.

해결 비법
세계 3대 식량 자원의 국가별 생산량 비중과 주요 특성을 파악해 두어야 한다.

주제 13

세계 주요 에너지 자원과 국제 이동

교과서 92~97쪽

주제 흐름 읽기

에너지 자원
• 가변성, 편재성, 유한성 • 재생 가능 vs 재생 불가능 • 대체 에너지 개발 필요

에너지 자원의 분포와 이용	
석탄	고기 조산대 주변에 주로 분포, 산업 혁명 이후 이용량 증가, 제철 및 발전용
석유	신생대 제3기층 배사 구조에 분포, 수송 연료, 석유 수출국 기구
신·재생 에너지	화석 연료의 대체 자원으로 등장, 에너지 효율은 낮음

에너지 자원 이동	
석유	국제적 이동이 가장 많은 에너지 자원임
천연가스	냉동 액화 기술로 장거리 수송이 가능해짐

1 에너지 자원의 의미와 종류

1. 자원의 의미와 특성

(1) **자원의 의미** 자연물 중 인간에게 쓸모가 있으며 기술적·경제적으로 개발이 가능한 것

(2) **자원의 특성**

① 가변성: 자원을 이용하는 기술 수준, 경제적 수준, 문화적 배경에 따라 가치가 변함

② 편재성: 지구상에 고르게 분포하지 않고 일부 지역에만 분포함, 자원의 생산지와 소비지가 일치하지 않아 국제적 이동이 발생

③ 유한성: 매장량이 한정되어 있어 언젠가는 고갈됨

2. 에너지 자원의 종류와 특성 자료 1

(1) **에너지 자원** 인간 생활과 경제 활동에 필요한 동력을 공급받을 수 있는 자원

(2) **에너지 자원의 종류**

구분	종류	특징
화석 에너지	석유, 석탄, 천연가스	• 재생 불가능한 에너지 • 효율성은 높으나 언젠가는 고갈되고, 편재성이 있으며, 대기 오염을 발생시킴
신·재생 에너지	수력, 풍력, 태양열, 지열 등	• 재생 가능한 에너지 • 효율성이 낮지만 청정 에너지임
원자력		• 원료는 저렴하고 발전량은 많아 발전 단가가 낮음 • 폐기물 처리가 어렵고, 방사능 누출의 위험이 있음

우라늄 1g이 분열할 때 생기는 에너지는 석탄 3톤이 만드는 에너지와 같다고 해.

원자력 발전의 원료는 우라늄이야. 우라늄 주요 수출국은 나미비아, 니제르, 오스트레일아, 말라위 등으로 기술 수준이 낮아 대부분 자국에서 원자력 발전을 할 수 없어.

(3) **에너지 자원의 중요성**

• 소비량의 지속적인 증가
• 에너지 확보를 위한 국가 간의 경쟁이 치열함
• 화석 에너지의 소비 비중이 가장 높음

⇨

• 새로운 매장지 탐사 및 발굴
• 자원의 효율성을 높이는 기술 육성
• 대체 에너지 개발
• 자원 절약형 산업을 육성

신·재생 에너지로 태양광, 지열, 풍력, 조력 등이 있어.

2 에너지 자원의 분포와 국제적 이동

1. 석탄의 생산과 이동 자료 2

(1) **석탄❶의 이용** 산업 혁명의 주요 동력원(증기 기관의 발명으로 널리 사용됨), 주로 제철용·발전용 등 산업용으로 이용(주로 역청탄), 온실가스와 미세 먼지의 배출이 심함

(2) **석탄의 분포와 이동**

① 고기 조산대 주변, 북반구 중위도 지역에 주로 분포

② 노천 탄전❷이 고갈되어 심층 채굴❸ 방식으로 바뀌면서 생산비 증가

③ 중국, 미국, 인도 등의 생산이 많으나 이들 국가는 소비도 많아 석탄을 수입하는 실정임

④ 수출은 오스트레일리아, 인도네시아 등에서 많이 함

❶ 석탄
식물이 땅속에 파묻혀 오랫동안 높은 압력과 열을 받아서 성질이 변한 것이다. 탄소를 많이 함유하여 고체 연료로 이용되고 있다. 석탄의 종류에는 무연탄, 역청탄, 갈탄, 토탄이 있다. 석유에 비해 분포 지역이 넓은 편이다.

2016년 (7,269백만 톤)	중국 44.6(%)	인도 9.7	미국 9.2	오스트레일리아 6.9	인도네시아 6.3	기타 23.3

▲ 석탄 생산국 순위

2016년 (1,213백만 톤)	오스트레일리아 32.1(%)	인도네시아 30.3	러시아 12.1	콜롬비아 6.8	남아프리카 공화국 6.3	기타 12.4

▲ 석탄 수출국 순위

❷ 노천 탄전
석탄을 채굴할 때 지표의 흙을 걷어내고 지하의 석탄층을 채굴하는 탄전이다. 석탄이 깊게 묻혀 있지 않은 곳에서 이루어지며 환경 훼손이 심하다.

▲ 오스트레일리아의 석탄 노천 광산

❸ 심층 채굴
지하 깊은 곳으로 파 들어가 채굴하는 방식이다. 비용이 많이 들고 채굴 과정에서 위험성도 커진다.

자료 1 세계 1차 에너지 소비 구조 변화와 최종 에너지

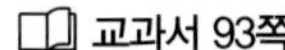

교과서 93쪽

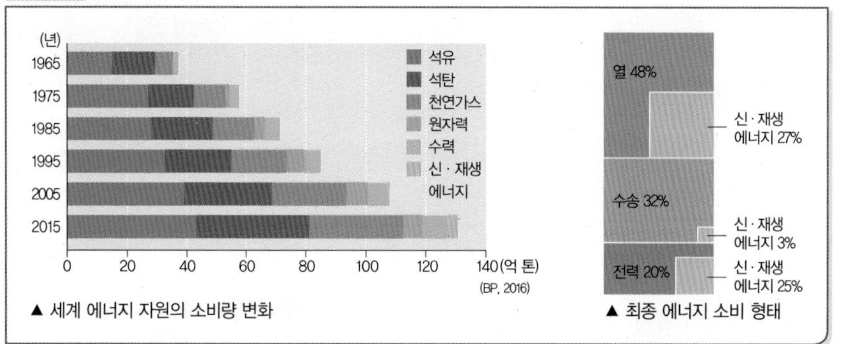

▲ 세계 에너지 자원의 소비량 변화 ▲ 최종 에너지 소비 형태

자료 분석 세계의 에너지 소비량은 산업 발달과 인구 증가로 인해 해가 갈수록 증가하고 있다. 개발 도상국의 경제 성장은 더 많은 에너지를 필요로 한다.

세계에서 가장 많이 쓰는 에너지 자원은 석유이며 2위는 석탄이었다. 석유와 석탄은 연소 시 오염 물질의 배출량이 많기 때문에 최근에는 국제 환경 규제가 강화되면서 천연가스 및 원자력 비중이 커지고 있다. 원자력은 주로 전력 자원으로 사용되며 방사능 누출 위험이 크고 폐기물 처리에 많은 비용이 든다는 문제점이 있다. 고유가가 지속되면서 신·재생 에너지 비중도 증가하고 있다. 최종 에너지는 열에너지 형태로 가장 많이 소비되며, 2위가 수송용, 3위는 전력 분야이다. 수송 에너지 분야에서 바이오 에너지가 차지하는 비중은 2.8%이다.

자료 2 석탄의 생산지와 국제 이동

교과서 94쪽

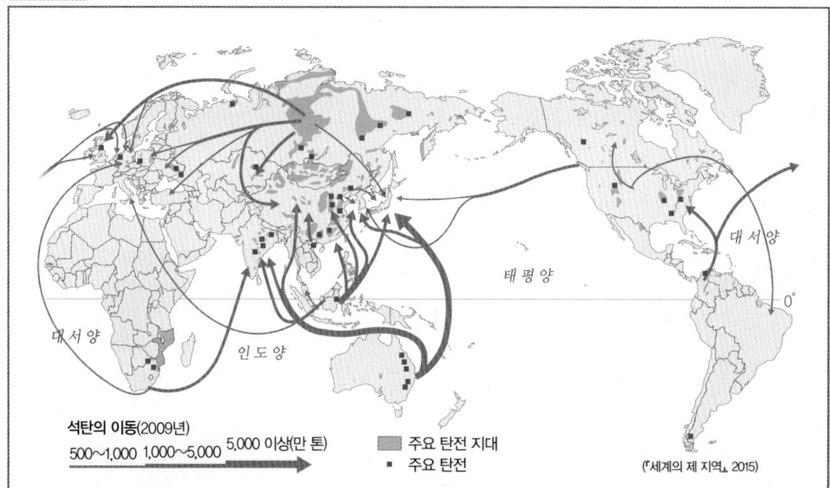

자료 분석 석탄은 고기 조산대 주변, 북반구 냉·온대 기후 지역 일대에 많이 매장되어 있다. 중국이 세계 석탄 생산량에서 1위를 차지하고 있지만, 사용량이 워낙 많아 수입량도 세계 1위를 차지한다. 주요 수출국은 오스트레일리아, 인도네시아, 러시아 등이다.

석탄이 본격적으로 사용되기 시작한 것은 산업 혁명 당시 증기 기관의 원료로 쓰이면서부터이며 화석 연료 중에서는 이용 역사가 가장 길다. 오늘날에도 제철 산업, 화력 발전소에서 많이 사용되는데 대기 오염 물질과 온실가스, 미세 먼지를 많이 배출한다. 중국에서는 난방용으로도 많이 사용되어 겨울철에 대기 오염이 특히 심하며, 이는 우리나라에까지 영향을 미친다.

자료 분석 포인트

세계 에너지 자원의 소비 구조를 파악해 보자.

Q1 세계에서 가장 많이 사용되는 에너지 자원은?

① 석유 ② 석탄 ③ 천연가스
④ 원자력 ⑤ 신·재생 에너지

Q2 세계 에너지 자원의 사용 특성에 대한 설명으로 옳은 것은?

① 최종 에너지에서 수송 분야의 에너지 소비가 가장 크다.
② 천연가스는 석탄보다 대기 오염 물질을 많이 배출한다.
③ 전체 에너지 중 석유의 이용 비중은 점차 증가하고 있다.
④ 개발 도상국의 경제 성장으로 에너지 소비가 감소하고 있다.
⑤ 신·재생 에너지는 수송 에너지보다 전력 분야에서 사용 비중이 크다.

자료 분석 포인트

석탄의 분포와 이용 역사, 연소 시 문제점을 파악해 보자.

Q3 석탄의 특징으로 옳은 것은?

① 석유보다 이용 역사가 길다.
② 신기 조산대에 주로 분포한다.
③ 수송용 연료로 주로 이용된다.
④ 중국은 생산과 수출이 모두 많다.
⑤ 오스트레일리아는 주요 수입국이다.

답 Q1 ① / Q2 ⑤ / Q3 ①

2. 석유의 생산과 이동 자료 3

(1) 석유의 이용

① 내연 기관 및 자동차의 보급으로 수요가 급증

② 자동차 연료, 난방, 발전용 연료, 화학 공업의 원료 등 다양한 용도를 지님

③ 현대 산업 사회에서 가장 중요한 에너지원임

(2) 석유[4]의 분포와 이동

① 신생대 제3기층 배사 구조에 주로 분포 (습곡에서 지층이 위를 향해 휜 구조를 배사 구조라고 해.)

② 사우디아라비아, 아랍 에미리트, 이라크 등 페르시아만 일대가 세계 매장량의 약 60% 차지

③ 개발 도상국 중 산유국들이 석유 수출국 기구(OPEC) 결성, 석유의 생산량과 가격을 조절하여 자국의 이익 추구 (사우디아라비아, 나이지리아, 리비아, 이라크, 이란, 쿠웨이트, 카타르, 베네수엘라 볼리바르, 에콰도르 등 14개국이 회원국이야.)

④ 편재성이 크고, 주요 생산지와 소비지가 달라 국제 이동량이 많음

3. 천연가스[5]의 생산과 이동 자료 4

(1) 천연가스의 분포와 이용

① 신생대 제3기층 주변에 주로 분포, 석유 매장지와 거의 일치함

② 미국과 러시아가 세계 생산량 40%, 러시아, 카타르, 노르웨이가 주요 수출국

③ 가정 난방용 및 화력 발전 연료로 이용, 다른 화석 연료에 비해 공해 물질 배출이 적음

④ 일부 생산 국가들이 가스 수출국 포럼 결성(러시아, 카타르 등 12개국)

⑤ 채굴 기술의 발달로 셰일 가스, 셰일 오일[6] 채굴 → 국제 유가 하락, 화석 연료 채굴 기간이 연장됨

(2) 천연가스의 이동

① 가스관 건설 확대와 냉동 액화 기술[7]의 발달로 장거리 수송이 가능해짐

② 러시아와 유럽 사이의 육상 구간에서는 주로 파이프라인을 이용

③ 동남 및 서남아시아에서 유럽, 동부 아시아로 갈 때는 액화 가스 수송선을 이용

4. 원자력 발전[8]의 특징

(1) **장점** 일정한 양의 지속적인 전력 생산 가능, 적은 연료로 많은 에너지를 생산

(2) **단점** 방사성 폐기물 처리가 어렵고, 방사능 유출 위험이 있음

(3) **입지 조건** 냉각수 공급이 유리하고 지반이 안정된 해안 지역

5. 신·재생 에너지의 특징

(1) **배경** 화석 연료의 고갈과 기후 변화에 대응하기 위해 개발이 필요함, 최근 기술 발달로 사용 비중이 증가하고 있음

(2) **종류** 수력, 풍력, 지열, 태양광, 태양열, 조력, 폐기물, 바이오 에너지 등

(3) **특징** 에너지 효율과 경제성이 낮음, 지형이나 기후의 제약에 따른 지역적 편재가 큼

(4) **분포 지역**

구분	특징	설비 용량 5위 이내 국가(2015)
수력	유량이 풍부하고 낙차가 큰 하천 상류	중국, 브라질, 미국, 캐나다, 러시아
풍력	특정 방향으로 바람의 빈도와 세기가 큰 지역	중국, 미국, 독일, 인도, 에스파냐
지열	지진 및 화산 활동이 활발한 지역	중국, 튀르키예, 일본, 아이슬란드, 인도
태양광	일조량이 풍부한 지역	중국, 독일, 일본, 미국, 이탈리아
조력	조석간만의 차가 큰 곳	한국, 프랑스, 캐나다, 중국, 러시아
바이오 에너지	바이오 에탄올: 사탕수수, 옥수수 등을 이용	미국, 브라질, 중국, 캐나다, 타이
	바이오 디젤: 콩, 유채, 팜유 등을 이용	미국, 브라질, 독일, 아르헨티나, 프랑스

④ 석유의 생산과 소비

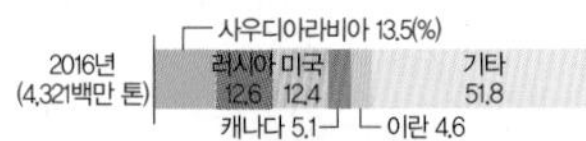

▲ 석유 생산국 순위

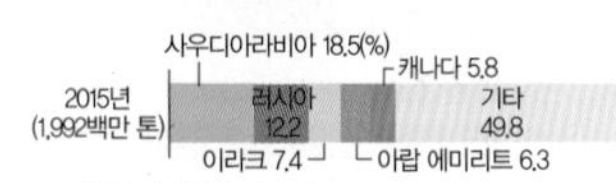

▲ 석유 수출국 순위

⑤ 천연가스의 생산과 소비

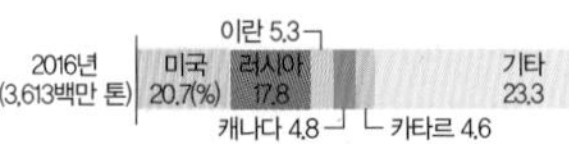

▲ 천연가스 생산국 순위

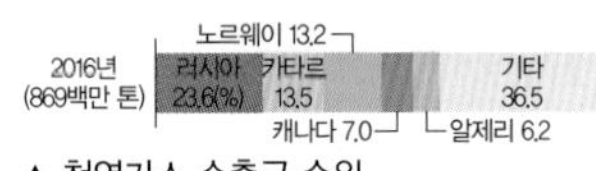

▲ 천연가스 수출국 순위

⑥ 셰일 가스, 셰일 오일

지하 퇴적암층 중 셰일층에 갇혀 있는 메탄가스와 석유를 가리킨다.

⑦ 냉동 액화 기술

기체 상태의 천연가스를 약 −162℃로 냉각하여 응축하는 기술이다. 천연가스를 액체로 만들면 운반이 쉬워진다.

⑧ 원자력의 국가별 생산

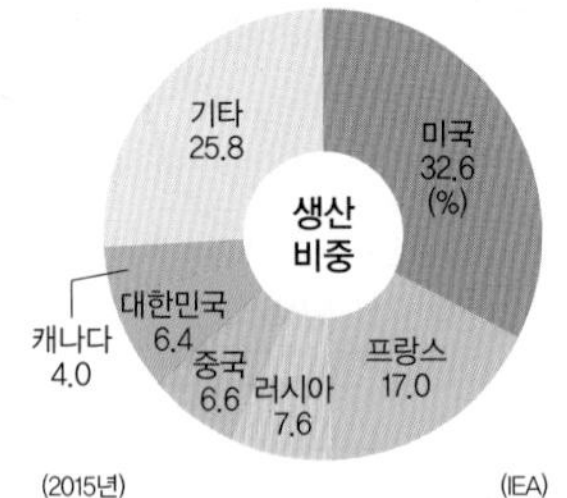

▲ 원자력의 국가별 생산 비중

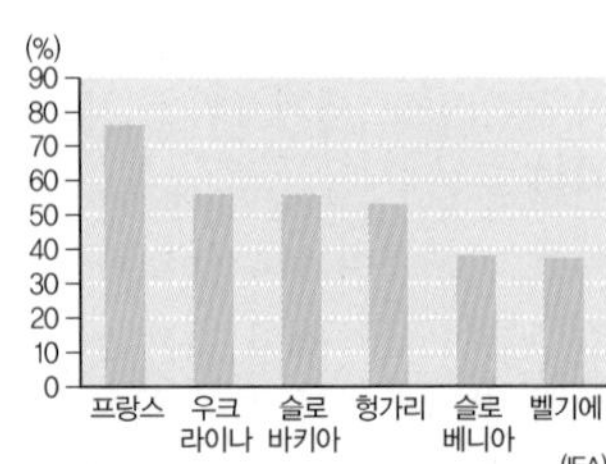

▲ 국가별 전력 생산에서 원자력 발전이 차지하는 비중

자료 3 석유와 천연가스의 생산지와 국제 이동

교과서 95, 96쪽

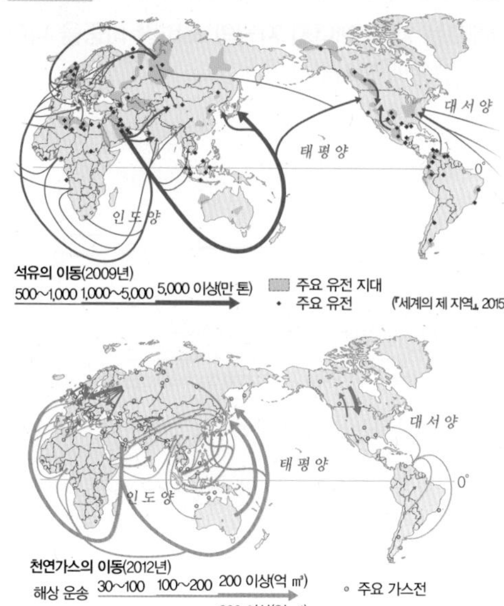

자료 분석 석유와 천연가스는 신생대 제3기층 배사 구조에 분포하기 때문에 분포지가 거의 일치한다. 두 자원 모두 세계적으로 소비량이 많아 국제 이동량이 많다.

석유와 달리 천연가스는 1970년대 이후 본격적으로 사용되기 시작했으며 액화 수송 선박이나 파이프라인으로 이동하는데, 파이프라인은 거리가 가까운 지역 간의 이동에 유리하다. 따라서 인접국들 간의 교역에 주로 이용된다. 러시아에서 생산된 천연가스는 주로 서부 유럽으로 이동된다.

자료 분석 포인트

석유의 특징과 석유의 이동 유형을 파악해 보자.

Q4 석유에 대한 설명으로 옳은 것은?

① 순환 자원이다.
② 석탄보다 이동량이 적다.
③ 냉동 액화 기술로 소비량이 증가했다.
④ 저위도에서 고위도 지역으로만 이동한다.
⑤ 오늘날 세계에서 가장 많이 쓰는 자원이다.

자료 4 셰일 가스, 셰일 오일 개발의 영향

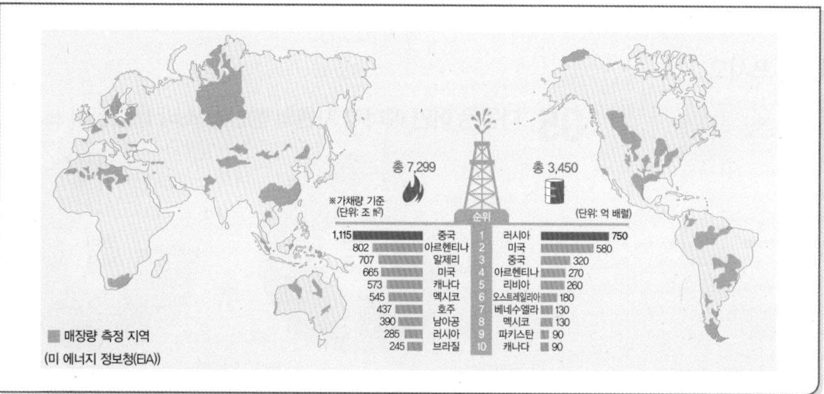

자료 분석 셰일 가스와 셰일 오일의 개발이 늦어진 것은 채굴 비용이 많이 든다는 이유 때문이었다. 하지만 유가가 상승하면서 생산이 가능하게 되었다. 또한 로봇과 센서를 동원한 채굴 기술의 발전으로 셰일 에너지의 채굴 비용이 낮아졌고 생산량은 더욱 늘었다. 미국은 셰일 에너지를 가장 많이 생산하는 나라가 되어, 사우디아라비아와 러시아에 대한 석유 의존도가 낮아졌다.

기존의 석유는 석유 수출국 기구가 생산량과 가격을 일방적으로 정할 수 있었지만, 셰일 오일과 셰일 가스가 미국 등에서 대량 생산되면서 그들의 시장 독점력이 줄어들었다. 산유국인 베네수엘라 볼리바르의 경우 최근 석유 수출의 이익이 감소하고 정치 불안으로 인플레이션이 심해져 큰 경제적 어려움을 겪고 있다. 셰일 에너지는 석유 가격의 영향을 받는 산업에도 영향을 주고 있다. 우리나라도 선박 및 해양 플랜트의 주문이 줄어들어 조선업이 큰 어려움을 겪고 있다. 한편 셰일 오일의 채굴 과정에서 땅속에 분사하는 물, 모래, 화학 약품들이 지하수와 토양을 오염시킨다는 비판이 거세지고 있다.

자료 분석 포인트

셰일 오일과 셰일 가스 생산으로 인한 영향과 문제점을 파악해 보자.

Q5 다음 기술이 맞으면 ○, 틀리면 ×표 하시오.

① 석유 가격이 상승하면 대체 에너지 개발이 활성화된다. ( )
② 석유 수출국 기구는 미국이 셰일 오일, 셰일 가스를 생산한 이후 수익이 안정되었다. ( )
③ 에너지 자원의 생산과 소비는 타 산업에 끼치는 영향이 크다. ( )
④ 석유는 국제 정세 불안에 따른 가격 변동이 크다. ( )

답 Q4 ⑤ / Q5 ① ○ ② × ③ ○ ④ ○

개념 익히기

정답과 해설 ▸ 22쪽

01 다음 설명과 관련된 자원을 쓰시오.

(1) (　　　　)은/는 제철 공업과 발전소 등 산업용으로 주로 이용되며 고기 조산대 주변에 주로 매장된 자원이다.

(2) (　　　　)은/는 세계 제1차 에너지 소비 구조에서 가장 높은 비중을 차지하고 신생대 제3기층 배사 구조에 주로 매장되어 있다.

(3) (　　　　)은/는 주로 가정용으로 사용되고, 냉동 액화 기술의 발달로 국제 수송량이 증가하였다.

(4) (　　　　) 발전은 신기 조산대나 해령이 분포하는 뉴질랜드, 일본, 아이슬란드 등에서 활발하게 이루어지고 있다.

(5) 전력 생산에서 비중이 높은 (　　　　)은/는 적은 연료로 많은 양의 전력을 생산할 수 있으며, 프랑스, 슬로바키아, 헝가리의 경우 국가 전체 발전량의 50% 이상을 차지한다.

(6) 산유국끼리 결성되어 석유의 생산량과 가격을 결정하여 세계에 큰 영향력을 미치고 있는 기구는 (　　　　)(이)다.

02 다음의 (가)~(다)에 해당하는 에너지 자원를 쓰시오.

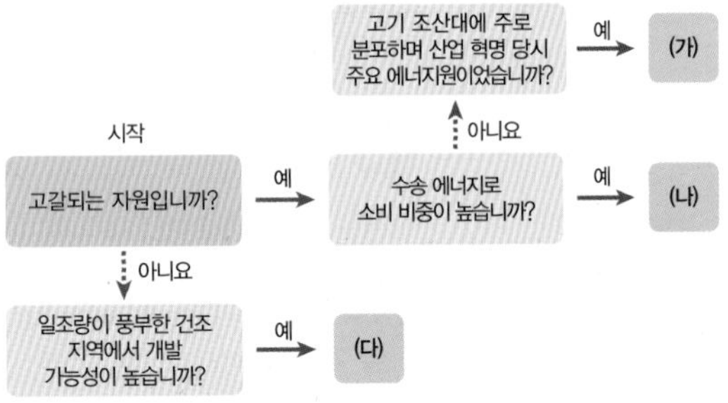

시작

고갈되는 자원입니까? → 예 → 수송 에너지로 소비 비중이 높습니까? → 예 → (나)

수송 에너지로 소비 비중이 높습니까? → 아니요 → 고기 조산대에 주로 분포하며 산업 혁명 당시 주요 에너지원이었습니까? → 예 → (가)

고갈되는 자원입니까? → 아니요 → 일조량이 풍부한 건조 지역에서 개발 가능성이 높습니까? → 예 → (다)

(가) ________________

(나) ________________

(다) ________________

03 다음 질문에 맞는 자원을 쓰시오.

(1) 중국이 세계 생산의 40% 이상을 차지하지만 사용량이 많아 수입도 가장 많이 하는 자원은? (　　　　)

(2) 셰일층에 갇혀 있어 개발이 어려운 천연가스인데, 최근 수압을 이용한 개발 방식이 생겨나면서 생산이 증가한 자원은? (　　　　)

(3) 러시아에서 유럽으로 이동할 때에는 파이프라인, 서남아시아에서 동부 아시아로 이동할 때에는 배로 이동하는 자원은? (　　　　)

04 다음 그래프는 세계 에너지 자원의 소비량 비중을 나타낸 것이다. 물음에 답하시오.

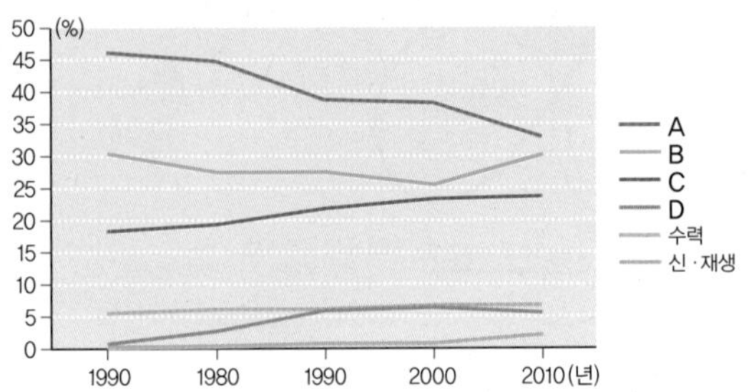

(1) A~D에 해당하는 자원을 쓰시오.

____

(2) 가동 시 온실가스는 배출되지 않으나 폐기물 처리의 어려움이 있고 방사능 누출 위험이 있는 자원의 기호를 쓰시오.

____

(3) A~C의 공통점은 무엇인지 쓰시오.

____

05 다음은 어떤 에너지 자원의 생산과 소비 비중인지 쓰시오.

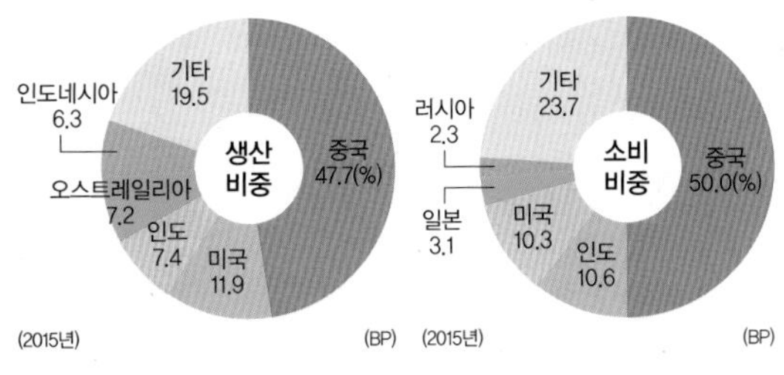

____

06 자원의 특성과 이에 대한 설명을 연결하시오.

(1) 자원은 기술 수준, 경제적 수준, 문화적 배경에 따라 가치가 변한다. • 　　　• ㉠ 편재성

(2) 자원은 매장량이 한정되어 있어 언젠가 고갈된다. • 　　　• ㉡ 유한성

(3) 자원은 일부 지역에 편재되어 있어 국제적 이동이 발생한다. • 　　　• ㉢ 가변성

내신 유형 익히기

정답과 해설 ▸ 22쪽

01 빈출 **다음은 세계지리 수업 장면이다. (가), (나) 자원의 특성에 대한 학생의 발표로 옳지 않은 것은?**

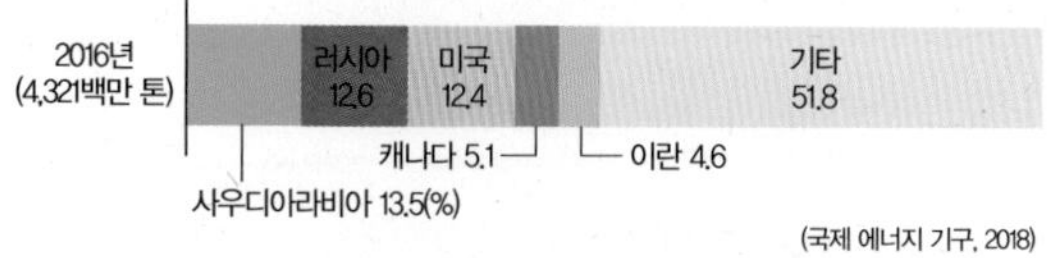

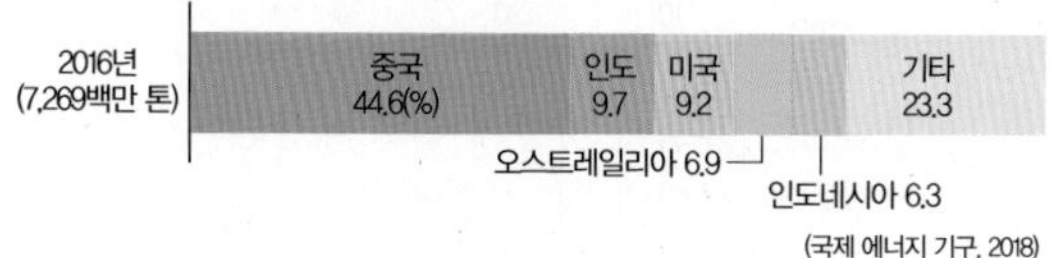

① (가)는 세계에서 에너지 소비 비중이 가장 높은 자원입니다.
② (가)는 국제 정세에 따른 가격 변동이 큽니다.
③ (나)는 고기 조산대 주변에 주로 분포합니다.
④ (가)와 (나)는 모두 재생 가능한 순환 자원입니다.
⑤ (가)는 (나)보다 국제 이동량이 많습니다.

02 **지도는 러시아로부터 수입하는 화석 연료와 관련된 것이다. 이 자원에 대한 설명으로 옳은 것은?**

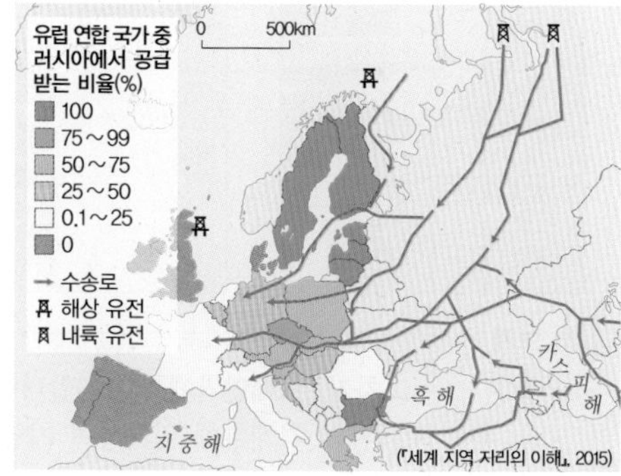

① 주로 수송용으로 이용된다.
② 화석 연료 중 편재성이 가장 낮다.
③ 유럽에서는 경제 발전 수준이 높을수록 공급 비중이 높다.
④ 세계 제1차 에너지 소비 구조에서 차지하는 비중이 가장 높다.
⑤ 냉동 액화 기술로 파이프라인과 선박을 이용하여 이동할 수 있게 되었다.

03 **자료는 (가), (나) 발전 설비 용량의 국가별 순위를 나타낸 것이다. (가), (나) 발전 양식의 특징을 바르게 설명한 것은?(단, (가), (나)는 각각 원자력, 수력, 태양광 중 하나임.)**

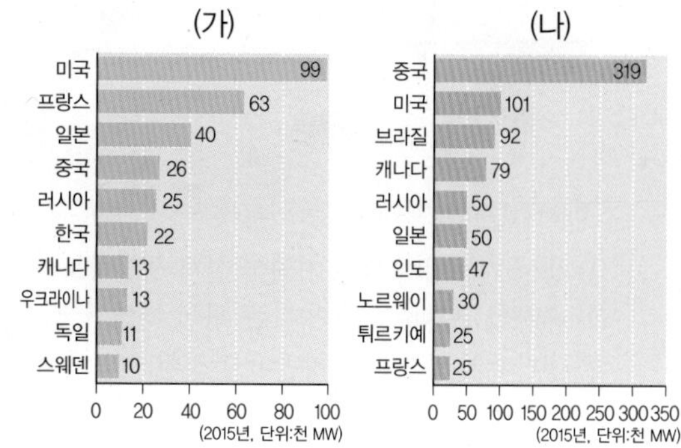

① (가)는 화산과 지진이 활발한 곳에서 유리하다.
② (나)는 일조량이 풍부한 곳이 유리하다.
③ (가)는 (나)보다 시간당 발전량이 규칙적인 편이다.
④ (가), (나) 모두 재생 가능한 순환 자원을 원료로 한다.
⑤ (나)는 (가)보다 기술 수준이 높은 나라에 주로 분포한다.

04 빈출 **그래프는 제1차 에너지 자원의 소비량 변화를 나타낸 것이다. A~E에 대한 설명으로 옳은 것은?(단, A~E는 석유, 석탄, 수력, 원자력, 천연가스 중 하나임.)**

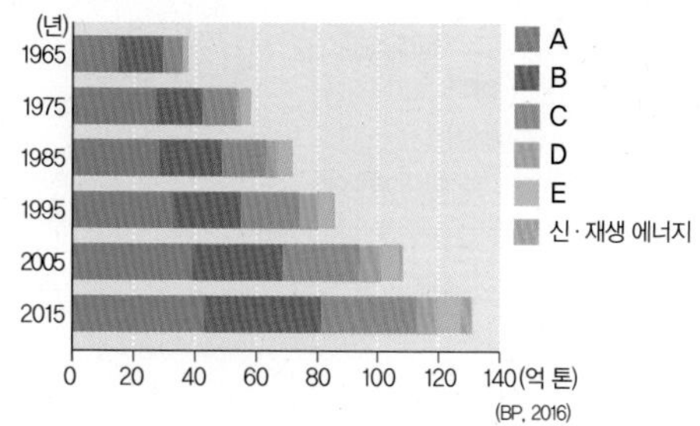

① A는 지역적인 편재성이 커 국제 이동량이 가장 많다.
② B는 재생 가능한 에너지이다.
③ C는 주로 고생대 지층에 매장되어 있다.
④ D는 상용화된 시기가 가장 이르다.
⑤ E는 대기 오염 물질을 많이 배출하는 에너지이다.

2단계 내신 유형 익히기

05 지도는 어느 신·재생 에너지의 생산 가능성을 나타낸 것이다. 해당 에너지에 관한 설명으로 옳은 것은?

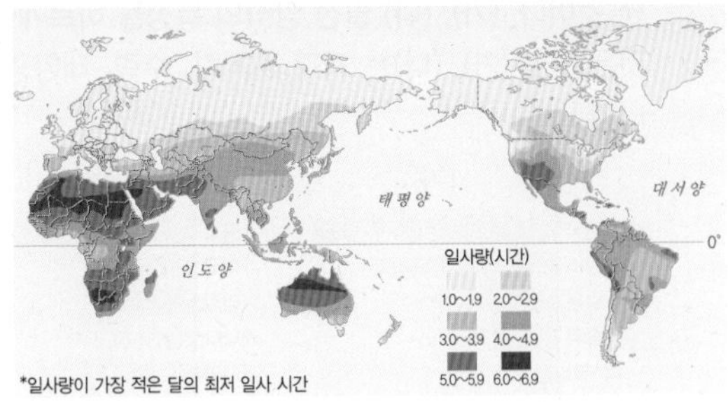

① 생산 가능성이 높은 지역이 실제 생산량도 많다.
② 유량이 풍부하고 낙차가 큰 하천 지역에 입지한다.
③ 냉각수가 풍부하고 지반이 안정된 지역에 주로 분포한다.
④ 대기가 맑고 일조량을 충분히 얻을 수 있는 지역이 유리하다.
⑤ 지각판의 경계부에 위치하여 지열이 풍부한 지역이 유리하다.

06 빈출 다음은 (가), (나) 에너지 자원의 생산량, 소비량 비중을 나타낸 그래프이다. (가)에 대한 (나) 자원의 상대적 특징을 그림에서 고른 것은?

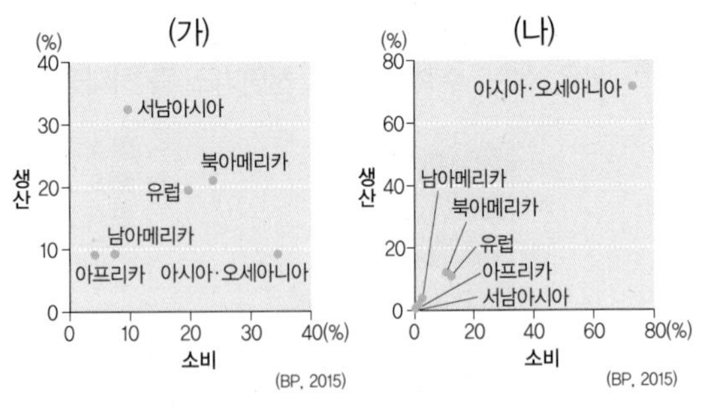

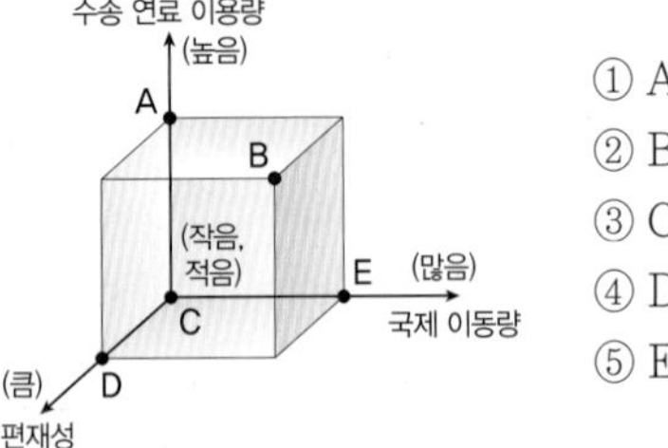

① A
② B
③ C
④ D
⑤ E

07 빈출 그래프는 화석 에너지 (가)~(다)의 국가별 소비량을 나타낸 것이다. 이에 대한 설명으로 옳은 것은?

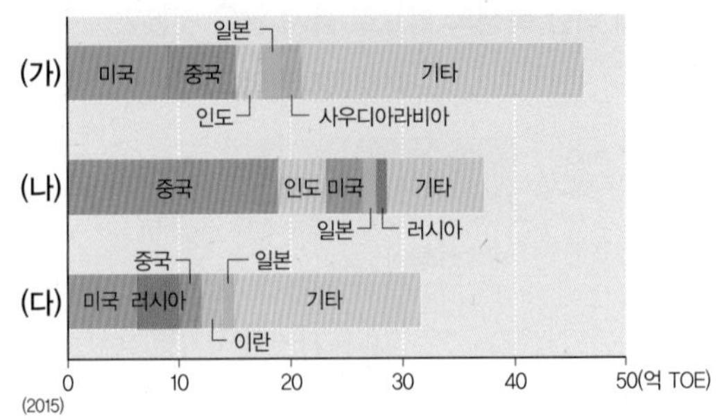

① (가)는 고생대 지층에 주로 매장되어 있다.
② (나)는 신생대 제3기층에 주로 매장되어 있다.
③ (다)는 발전용 및 제철용 연료로 주로 이용된다.
④ (가)는 (다)보다 연소 시 대기 오염 물질의 배출량이 적다.
⑤ (다)는 (나)보다 상용화된 시기가 늦다.

08 빈출 (가), (나)는 신·재생 에너지 자원의 국가별 생산 비중을 나타낸 것이다. 이에 대해 발표한 내용이 옳은 학생을 |보기|에서 고른 것은?

(가)

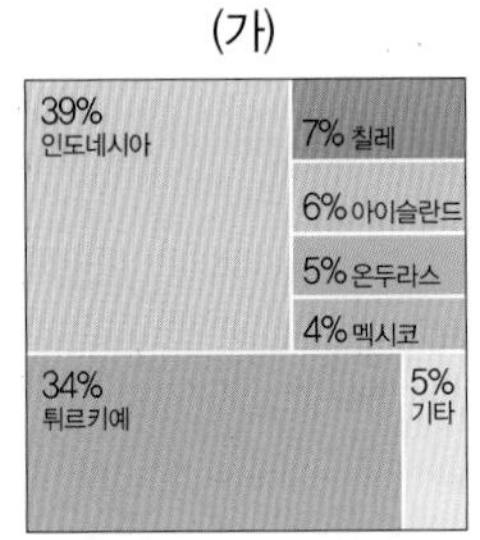

(나)

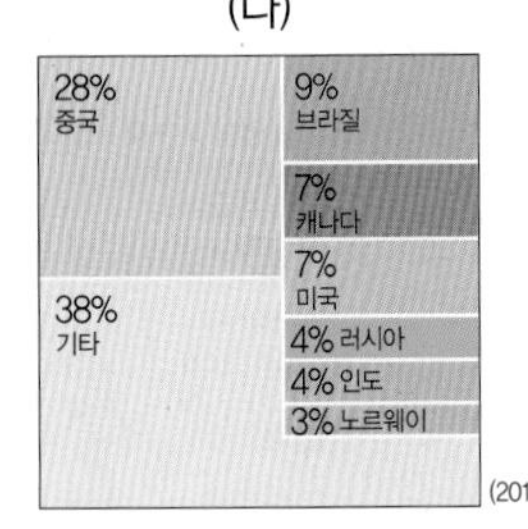

|보기|
- 갑: (가)는 조차가 큰 해안가에서 유리합니다.
- 을: (가) 지각판의 경계부에 위치하여 지열이 풍부한 지역이 유리합니다.
- 병: (나) 대기가 맑고 일조량을 충분히 얻을 수 있는 지역이 유리합니다.
- 정: (나)는 (가)보다 세계 에너지 생산에서 차지하는 비중이 더 높습니다.

① 갑, 을 ② 갑, 병
③ 을, 병 ④ 을, 정
⑤ 병, 정

서술형 문제

09 **자료는 지역별 에너지 자원의 소비 비중을 나타낸 것이다. 물음에 답하시오.**

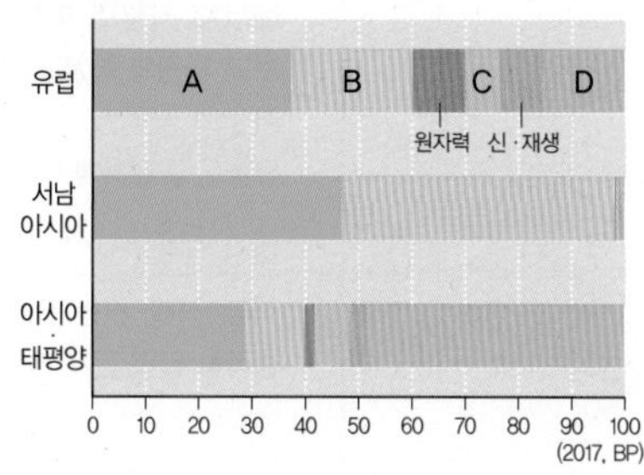

(1) A~D가 각각 어떤 자원인지 쓰시오.

(2) 서남아시아에서 C 자원이 발달하지 않은 이유를 쓰시오.

(3) 아시아·태평양 지역에서 D 자원의 소비 비중으로 인해 나타나는 문제점을 기술하시오.

서술형 문제

10 **다음 글을 읽고 밑줄 친 부분에 들어갈 신·재생 에너지의 등장 배경을 두 가지 쓰시오.**

> 신·재생 에너지는 신에너지와 재생 에너지를 합쳐 부르는 말이다. 기존의 화석 연료를 변환하여 이용하거나 햇빛, 물, 강수, 생물 유기체 등 재생 가능한 에너지를 변환하여 이용하는 에너지를 말한다. 재생 에너지에는 태양광, 태양열, 바이오, 풍력, 수력 등이 있고 신에너지에는 연료 전지, 수소 에너지 등이 있다. 초기 투자 비용이 많이 든다는 단점이 있지만 ______________이/가 대두되면서 신·재생 에너지에 대한 관심이 높아지고 있다.

서술형 문제

11 **다음 글을 읽고 물음에 답하시오.**

> 석유 수출국 기구(OPEC) 14개 회원국과 러시아를 포함한 비회원국 10개 등 24개 산유국이 증산에 합의했다. 산유국들은 지난 2016년부터 감산을 통해 국제 유가를 끌어올리고 있었다. 하지만 이번 증산의 폭이 크지 않아 감산 정책을 유지하는 수준이고, 유가 하락을 기대하는 시장을 만족시키지 못해 국제 유가는 소폭 상승세를 이어갔다. 다만 정유업계에서는 증산 규모와 상관없이 ㉠ 결국 국제 유가가 하락할 것이라 예상하고 있다. 이는 셰일 오일의 공급이 늘어날 것이라는 예상 때문이다. 세계 석유 시장의 한 축으로 부상한 셰일 오일은 연일 생산량이 늘어나고 있다. 셰일 오일 업체가 몰려 있는 [　　　]은/는 이제 세계 2위 산유국이라는 평가를 받는다. - ○○저널, 2018. 6. -

(1) 빈칸에 들어갈 국가를 쓰시오.

(2) ㉠이 예상되는 이유가 무엇인지 서술하시오.

서술형 문제

12 **제시된 자료는 어떤 에너지 자원의 국가별 생산 비중과 생산 원리를 나타낸 것이다. 이의 입지 조건과 에너지 이용의 장단점을 기술하시오.**

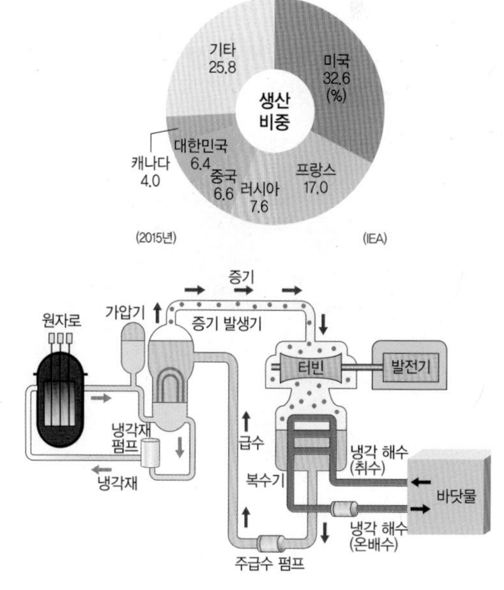

(1) 입지 조건:

(2) 장단점:

정답과 해설 ▸ 23쪽

01 중요 그래프는 주요 화석 연료의 이동을 나타낸 것이다. (가), (나) 자원에 대한 설명으로 옳은 것은?

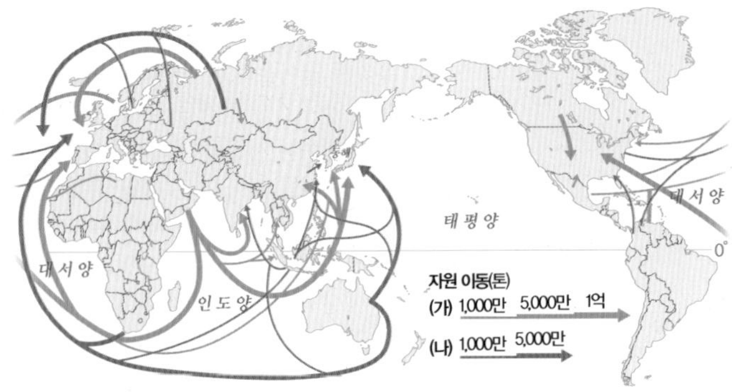

① (가)는 운송용 연료로 사용되는 비중이 더 높다.
② (가)는 최근 셰일 에너지 개발로 인해 가채 연수가 줄었다.
③ (가)는 (나)보다 상용화된 시기가 이르다.
④ (가)는 (나)보다 고생대 지층에 매장된 양이 많다.
⑤ (나)는 (가)보다 국제 이동량이 많다.

문제 접근 방법

에너지 자원의 이동 경로와 출발지를 보고 자원의 특성을 파악하는 문제이다. 자원의 지역별, 국가별 생산량과 이동 유형은 중요하게 다루는 평가 요소이다.

내신 전략

석유, 석탄, 천연가스의 주요 매장지, 수출국을 알면 문제 해결이 수월하다.

02 중요 지도는 주요 국가의 신·재생 에너지 발전량을 나타낸 자료이다. (가)~(다) 자원에 대한 설명으로 옳은 것은?

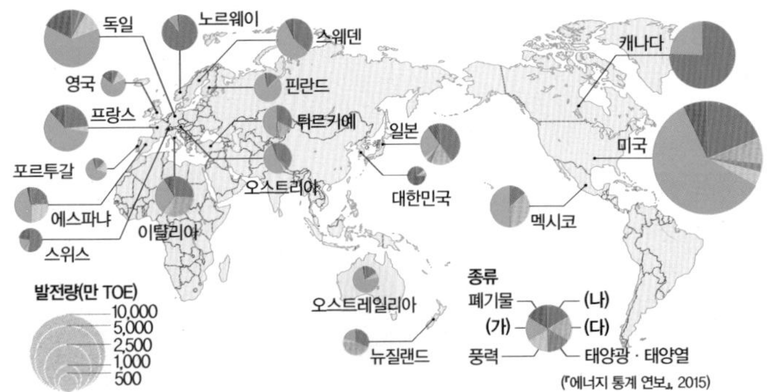

① (가)는 지각판의 경계 지역에서 개발이 유리하다.
② (나)는 농작물을 에너지로 전환한 것이다.
③ (다)는 낙차가 크고 수량이 풍부한 지역이 생산에 유리하다.
④ (나)는 (다)보다 생산량이 기후 조건에 영향을 많이 받는다.
⑤ (가)는 (나)보다 상용화된 시기가 이르다.

문제 접근 방법

신·재생 에너지는 최근 개발 속도와 생산 비중이 점점 높아지고 있다. 신·재생 에너지는 기후와 지형 조건에 영향을 많이 받아 편재성이 크므로 지역별 국가별 생산 비중을 파악하는 것이 중요하다.

내신 전략

수력, 지열이 유리한 환경 조건에 대해 이해하고, 바이오 에너지의 생산 비중이 높은 국가들을 확인해야 한다.

심화 수능 유형 익히기

정답과 해설 ▸ 23쪽

2016학년도 수능

01 그래프는 해당 국가의 에너지 소비 구조를 나타낸 것이다. A~D 에너지에 대한 설명으로 옳은 것은?(단, A~D는 석유, 석탄, 수력, 천연가스 중 하나임.)

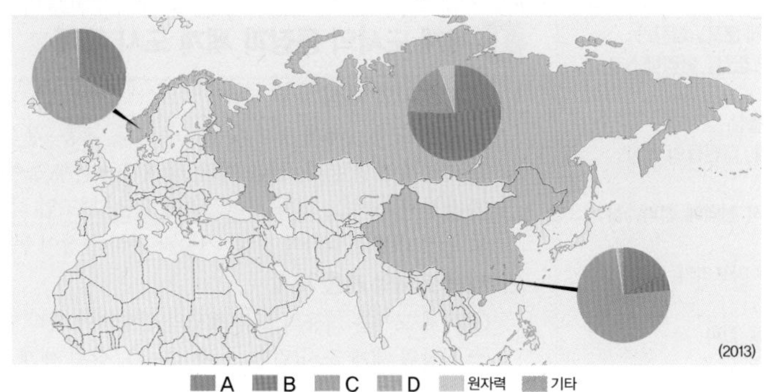

① A는 산업 혁명 시기의 주요 에너지 자원이었다.
② B는 액화 기술의 발달과 수송관 건설로 국제 이동량이 급증하였다.
③ C는 신생대 제3기층의 배사 구조에 주로 매장되어 있다.
④ D는 A보다 수송 부문에서 이용되는 비중이 높다.
⑤ A~D 중 오염 물질의 배출량이 가장 많은 에너지 자원은 D이다.

출제 개념
국가별 에너지 자원의 소비 구조

자료 해설
국가별 자원의 소비 비중은 국가마다 지닌 자원 생산량과 산업 구조의 특성, 자연환경을 모두 고려해야 파악하기 쉽다.

해결 비법
B는 러시아에서 비중이 높고, 다른 지역에서 비중은 높지 않으므로 러시아에서 직접 생산하는 자원인 천연가스이다. C는 중국에서 가장 많이 사용하는 자원이므로 석탄이다. D는 노르웨이에서 비중이 높은데 노르웨이는 빙하 지형을 이용한 수력 발전량이 많은 국가이다. A는 각 지역에서 2위를 차지하는 에너지 자원이므로 석유에 해당한다.

2017학년도 6월 모의평가

02 그래프는 대륙별 제1차 에너지 소비 구조를 나타낸 것이다. (가), (나) 대륙과 A~C 에너지에 대한 설명으로 옳은 것은?(단, (가), (나)는 아시아·오세아니아, 유럽 중 하나임.)

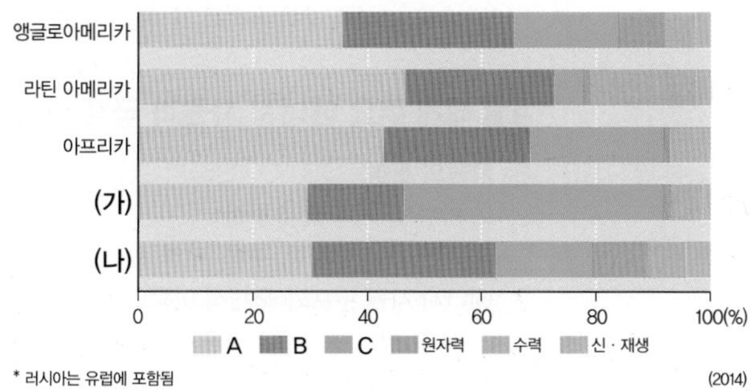

* 러시아는 유럽에 포함됨 (2014)

① (가)는 유럽에 해당한다.
② (나) 내에서는 석탄의 소비 비중이 가장 높다.
③ A는 냉동 액화 기술의 발달로 사용량이 증가하였다.
④ B는 산업 혁명 시기에 주요 동력원으로 사용되었다.
⑤ C는 A에 비해 국제 이동량이 적다.

출제 개념
제1차 에너지의 대륙별 소비 구조

자료 해설
대륙별 에너지 소비 비중을 통해 나머지 자원과 대륙을 구분해 내는 문제이다. 한정된 정보를 통해 자원을 유출한 뒤 대륙을 구분해야 한다.

해결 비법
앵글로아메리카와 라틴 아메리카는 석유와 천연가스를 직접 생산하고 지역 내 사용 비중도 높다. 그중 더 많이 사용하는 A가 석유, B가 천연가스이다. 나머지 C는 석탄이 된다. (가)는 석탄의 사용 비중이 높으므로 아시아·오세아니아가 된다. (나)는 유럽이며 원자력의 비중이 높음을 보고도 알 수 있다.

대단원 3 마무리하기

핵심 개념 정리하기

1 세계의 주요 종교

1. 세계의 주요 종교별 특징과 전파 경로

종교 특징	• 크리스트교: 신자 수 세계 1위, 가장 넓게 분포, 십자가 • 이슬람교: 엄격한 5대 의무, 모스크와 첨탑, 아라베스크 문양 • 불교: 대승, 상좌부, 티베트 불교, 탑, 불상 • 힌두교: 다신교, 민족 종교, 신자 수 3위, 다신들의 신상
종교 전파	• 크리스트교: 팔레스타인 기원, 로마 제국 전역에 전파, 신대륙 발견 후 확산 가속화 • 이슬람교: 메카 기원, 서남아시아, 북부 아프리카, 동남아시아로 전파 • 불교: 인도 북동부 기원, 아시아 전역으로 전파

2. 세계 주요 종교의 성지와 종교 경관의 상징적 의미

구분	성지	주요 경관
크리스트교	예루살렘, 베들레헴, 로마, 알렉산드리아, 안티오크 등	고딕 양식, 교회의 십자가, 종탑, 스테인드글라스
이슬람교	메카(무함마드의 탄생지), 메디나(무함마드의 묘지)	둥근 지붕의 모스크와 첨탑, 아라베스크 문양
불교	룸비니(부처의 탄생지), 부다가야(부처가 깨달음 얻은 곳), 사르나트(최초의 설법 장소), 쿠시나가라(열반 장소)	부처의 사리를 봉안하기 위해 만든 탑, 불상
힌두교	갠지스강, 바라나시는 최고의 성지	각양각색의 신들을 표현한 정교한 조각

2 세계 인구의 변천과 인구 이주

1. 세계 인구 변천의 지역 차이

(1) 세계 인구의 증가

① 산업 혁명 이후 생활 환경 개선, 의학 기술의 발전으로 사망률 감소
② 오늘날은 선진국보다 개발 도상국의 인구 증가율 높음

(2) 경제 성장에 따른 인구 변천

① 인구 성장은 경제 발전 수준에 좌우됨
② 인구 성장 모형 2단계는 개발 도상국, 4~5단계는 선진국

(3) 선진국과 개발 도상국의 인구 변천

① 선진국은 저출산, 고령화 현상, 3차 산업 종사자의 비율 높음
② 개발 도상국은 높은 출산율, 1차 산업 종사자의 비율 높음

2. 국제적 인구 이주

(1) 인구 이주의 유형

① 경제적 요인: 개발 도상국에서 선진국으로 일자리를 찾아 이동, 자발적 이동
② 정치적 요인: 정치적 억압이나 전쟁, 강제적 이동
③ 기후적 요인: 사막화, 해수면 상승, 강제적 이동

(2) 인구 이주와 지역 변화

① 유출 지역: 실업률 감소, 노동력 유출로 산업 성장 둔화
② 유입 지역: 대부분 선진국으로 저임금 노동력 확보, 이주민과의 문화, 경제적 갈등

3 세계 도시의 등장과 세계 도시 체계

1. 세계 도시의 특징

① 세계 도시는 세계 경제 활동의 중심지, 교통·통신의 결절이 됨
② 다국적 기업 본사, 금융 기관, 국제기구 본부 등이 입지
③ 생산자 서비스, 고차 서비스업이 발달, 제조업 쇠퇴
④ 도시 내부의 양극화 현상, 거주지 분리 현상이 문제가 됨

2. 세계 도시의 계층 체계

① 세계 도시는 기능의 보유 정도와 영향력에 따라 계층성을 지님
② 최상위 세계 도시(런던, 뉴욕, 도쿄), 상위 세계 도시(파리, 로스앤젤레스, 싱가포르 등), 하위 세계 도시(서울, 홍콩, 시드니 등)

4 세계의 식량 자원

1. 세계 주요 식량 자원의 생산과 수요의 지역적 차이

① 생산량이 많은 지역: 아시아(소비도 많아 수입에 의존), 아메리카 및 오세아니아(기계화된 대규모 농업, 수출이 많음)
② 생산량이 적은 지역: 아프리카(낮은 농업 기술, 기호 작물 위주의 생산)

2. 세계 주요 곡물의 분포와 이동

쌀	세계 생산량 2위, 생산지에서 대부분 소비
밀	내건·내한성 있어 재배 지역 넓음, 국제 이동량이 많음, 주로 신대륙에서 구대륙으로 이동
옥수수	세계 생산량 1위, 재배 지역이 넓음, 사료와 바이오 에탄올 원료로 소비 비중이 높아짐(아프리카, 멕시코 등 식량난의 원인)

3. 세계 주요 육류의 생산지와 소비지

① 생활 수준의 향상, 냉장·냉동 기술 발달로 육류 소비와 이동 증가
② 소: 신대륙에서 기업적 목축, 인도, 브라질, 미국 등
③ 돼지: 번식력 강하나 유목 지역은 부적합, 중국, 미국, 브라질 등

5 세계 주요 에너지 자원과 국제 이동

1. 자원의 특성

① 가변성, 편재성, 유한성
② 재생 가능(태양광, 수력, 지열, 풍력 등), 재생 불가능(화석 연료)

2. 에너지 자원 분포와 국제적 이동의 특징

① 석탄: 고기 조산대에 매장, 산업 혁명 이후 이용됨, 제철 및 발전용
② 석유: 신생대 제3기층 배사 구조에 분포, 화학 제품 및 수송 연료로 이용, 세계 에너지 자원 중 소비량과 이동량이 가장 많음, 셰일 오일 생산으로 석유 수출국 기구의 영향력 감소
③ 천연가스: 신생대 제3기층에 분포, 냉동 액화 기술로 장거리 수송
④ 원자력 발전: 적은 연료로 많은 에너지 생산, 방사능 유출 위험, 냉각수가 필요하여 해안가에 입지
⑤ 신·재생 에너지: 에너지 효율 낮음, 사용량 증가 추세

핵심 개념 적용하기

01 다음은 (가)~(라) 종교의 성지를 나타낸 지도이다. 각 종교에 대한 설명으로 옳은 것은?(단, (가)~(라)는 각각 불교, 이슬람교, 크리스트교, 힌두교 중 하나임.)

① (가)는 카스트 제도와 깊은 관련이 있다.
② (나)의 분포 지역은 유럽 문화권과 대체로 일치한다.
③ (다)는 하루 다섯 번 기도하는 의무를 강조한다.
④ (나)는 (가)보다 발생 시기가 이르다.
⑤ (라)는 (다)보다 전 세계 신자 수가 많다.

02 그래프는 두 국가의 인구 구조를 나타낸 것이다. (가)와 비교한 (나)의 상대적 특성을 그림의 A~E에서 고른 것은?

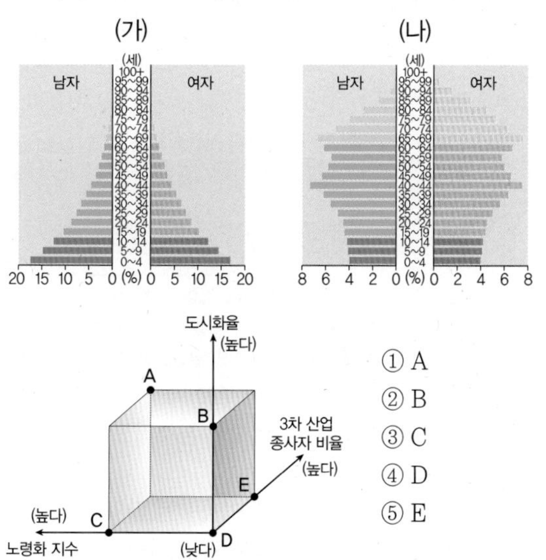

① A
② B
③ C
④ D
⑤ E

03 (가), (나) 인구 이동에 대한 설명을 순서도 A~D에서 옳게 고른 것은?

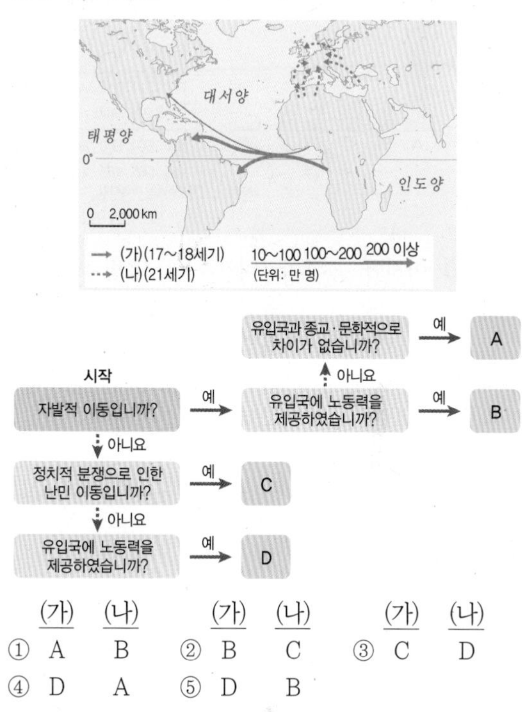

	(가)	(나)		(가)	(나)		(가)	(나)
①	A	B	②	B	C	③	C	D
④	D	A	⑤	D	B			

04 지도는 세계 도시를 계층에 따라 구분한 것이다. A, B에 대한 옳은 설명을 고른 것은?

① A는 개발 도상국에 분포하고 있다.
② B는 국제 항공 여객 수가 최대인 교통 중심지에 해당된다.
③ A는 B보다 전문화된 생산자 서비스업의 발달 수준이 높다.
④ A는 B보다 고용 구조가 제조업 중심으로 빠르게 변화하고 있다.
⑤ 교통·통신의 발달로 A와 B 간의 상호 작용이 점차 감소하고 있다.

05 그래프의 A~C에 해당하는 지역으로 옳은 것은?

〈도시 인구와 촌락 인구〉 〈도시 인구 연평균 증가율〉

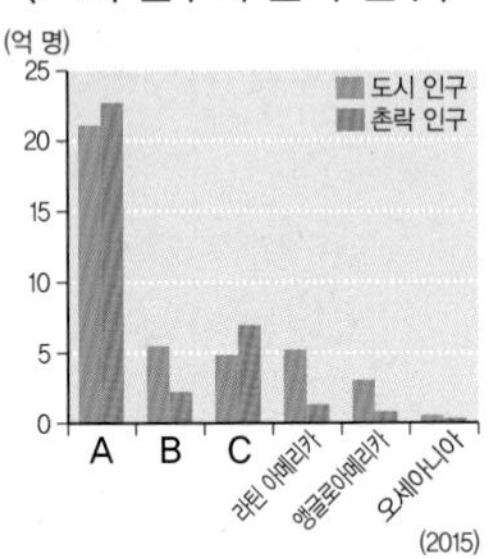

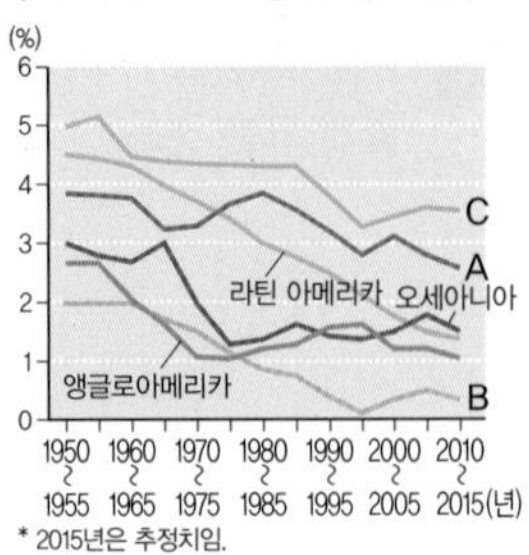

	A	B	C
①	아시아	아프리카	유럽
②	아시아	유럽	아프리카
③	아프리카	유럽	아시아
④	아프리카	아시아	유럽
⑤	유럽	아프리카	아시아

06 지도는 세계 3대 곡물 자원의 기원과 확산을 나타낸 것이다. A~C 작물에 대한 옳은 설명을 |보기|에서 고른 것은?

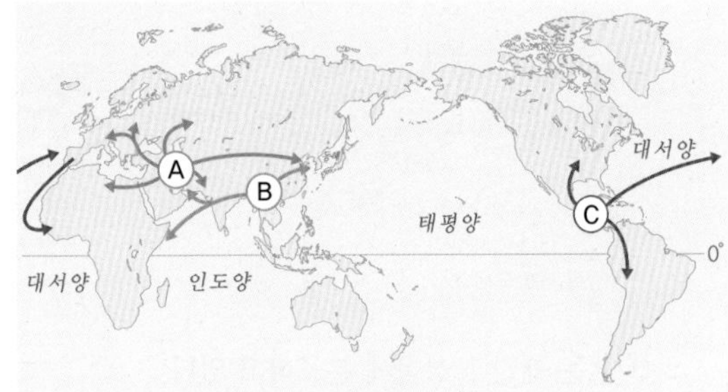

보기
ㄱ. A는 B보다 국제 이동량이 적다.
ㄴ. B는 A보다 단위 면적당 생산량이 많다.
ㄷ. B는 C보다 가축의 사료로 이용되는 비중이 높다.
ㄹ. C는 A보다 바이오 연료로 이용되는 양이 많다.

① ㄱ, ㄴ ② ㄱ, ㄷ ③ ㄴ, ㄷ
④ ㄴ, ㄹ ⑤ ㄷ, ㄹ

07 그래프는 (가), (나) 에너지 자원의 국가별 이용량을 나타낸 것이다. (가), (나) 자원에 대한 설명으로 옳은 것을 |보기|에서 고른 것은?(단, (가), (나)는 태양광 발전, 지열 발전, 원자력 발전 중 하나임.)

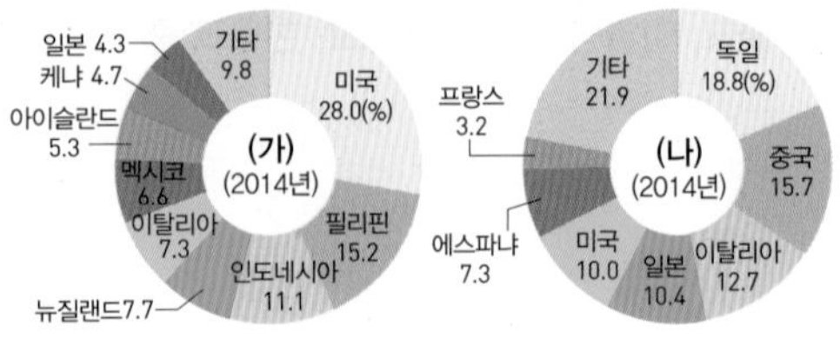

보기
ㄱ. (가)는 냉각수 확보에 유리한 해안가에 입지한다.
ㄴ. (가)는 지각판의 경계 지역이 개발에 유리하다.
ㄷ. (나)는 일사량이 많은 지역이 개발에 유리하다.
ㄹ. (가)는 (나)보다 기상 상태에 따른 생산량의 변화가 크다.

① ㄱ, ㄴ ② ㄱ, ㄷ ③ ㄴ, ㄷ
④ ㄴ, ㄹ ⑤ ㄷ, ㄹ

08 자료는 두 화석 에너지의 국가별 생산량 및 소비량을 나타낸 것이다. (가), (나)에 대한 설명으로 옳은 것은?

(가)

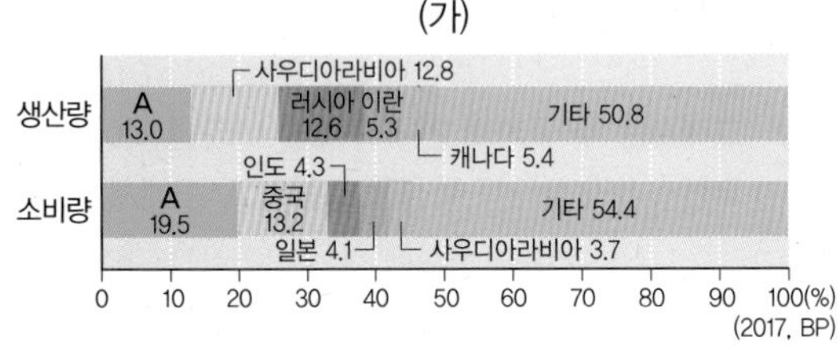

(나)

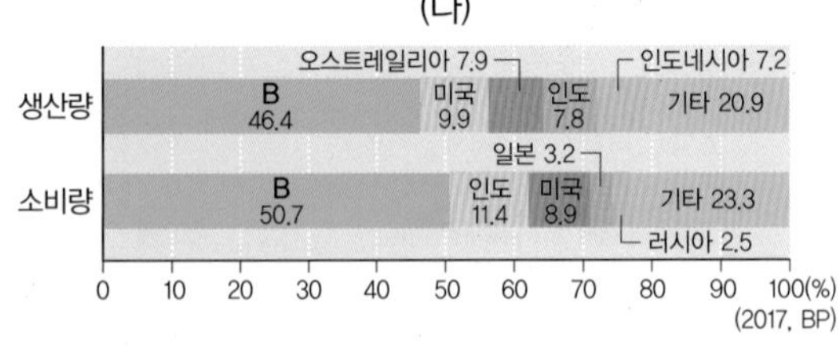

① (가)는 냉동 액화 기술 발달로 소비가 급증하였다.
② (나)는 신생대 지층에 주로 매장되어 있다.
③ (가)는 (나)보다 산업화에 본격적으로 이용된 시기가 이르다.
④ (가)는 (나)보다 국제 이동량이 많다.
⑤ A는 아시아, B는 아메리카에 위치한 국가이다.

지리적 역량 기르기

정답과 해설 ▸ 24쪽

❖ 다음 자료를 읽고 물음에 답하시오.

체중 1kg 늘리는 데 필요한 사료량 (단위: kg)

	소	돼지	닭
사료량	10	5	2.5
식용 가능한 비율 (단위: %)	40	55	55

피멘틀 박사의 연구에 따르면 1kg의 소고기가 식탁에 오르기 위해서는 7kg의 사료와 10만L의 물을 소모하는 것으로 나타났다. 쇠고기 1kg을 생산하는 데 들어가는 물로 같은 양의 단백질을 함유하는 곡물이나 야채를 100kg이나 얻을 수 있다. 1kg의 곡물을 생산하는 데 콩의 경우 2,000L의 물이 필요했으며 쌀은 1,912L, 밀은 900L, 감자는 500L가 소비될 뿐이었다. 햄버거 하나에 들어가는 쇠고기를 생산하기 위해 1.5평의 숲이 벌거숭이 신세로 전락한다. 소 한 마리가 1년 동안 먹어치우는 식물이 무려 5,000kg이다. 이렇게 식물이 짓밟히고 사라질수록 땅은 약해지고, 바람과 물에 쉽게 침식당할 수밖에 없다. 사료용 곡물이 생산되는 토양에서 일어나는 연간 토양 침식량이 연간 1ha당 약 13t에 이른다. 12억여 마리의 소를 비롯해 돼지, 양, 염소 등의 가축 40억 마리가 지구를 뒤덮고 있다. 그런 식으로 사막화의 위기에 놓여 있는 면적이 전 세계 땅의 29%나 된다.

다른 문제점은 산업 축산(공장식 축산) 방식이다. 이는 육류 생산량을 최대화하고 비용을 최소화하는 집약적인 생산 라인을 이용하여 동물을 사육하는 시스템이다. 산업 축산의 특징은 높은 사육 밀도, 밀폐된 공간, 무리하게 유도되는 성장, 고도의 기계화 그리고 적은 노동 요구량 등이다. 닭들은 배터리 케이지(Battery cage)라는 거의 움직일 수 없는 비좁은 공간에서 사육되며, 송아지도 사육 상자(Veal crate) 안에서 길러진다. 열악하고 불결한 생육 환경에서 전염병으로 죽기도 하고 이를 막기 위해 항생제도 대거 투입된다. 근래에는 유전자가 조작된 농장 동물을 이용하는 사육 관행으로까지 확대되고 있다.

더 알아보기

먹거리 문제는 인류의 생존을 좌우할 문제이다. 먹거리는 지속 가능한 환경 조건에서 유지될 수 있다. 하지만 선진국에 팔릴 육류를 대량으로 생산하기 위해 개발 도상국의 환경과 노동력은 빠른 속도로 악화되고 있다. 중국과 같이 인구가 많은 국가의 소득이 올라가면 이런 현상은 더 심해질 것이다. 게다가 우리 식생활은 그다지 건강하지 못하다. 불균형적이고 낭비적인 음식 소비 습관을 가지고 있는 것도 식량 자원을 불안하게 만드는 요인이 된다.

문제 해결 길잡이

육류가 포함된 식단은 높은 소득과 풍요로운 생활을 보여 주는 증거가 된다. 이런 부분을 기억해서 육류 소비의 장점을 기술하면 된다. 한편 문제점은 제시된 글에서 환경 문제와 생산 방식으로 정리할 수 있다.

01 육류 소비가 증가하게 되면 나타나는 장점을 제시하고, 생산 방식 및 환경적으로 나타나는 문제점을 정리해 보자.

(1) 장점

(2) 문제점

02 육류 소비의 문제를 해결하기 위한 방안을 개인적 측면과 사회적 측면 등 다양한 입장에서 제시해 보자.

대단원 4

몬순 아시아와 오세아니아

학습 계획표

• 자신의 일정에 맞게 계획을 세우고, 실제 학습일을 적어 봅시다.
• 학습을 마무리한 후 스스로가 얼마나 학습 목표를 달성하였는지 점검해 봅시다.

주제 14 몬순 아시아의 전통 생활 모습	쪽수	계획일	완료일	목표 달성도
Day 01 개념 정리, 핵심 자료 특강	146~147쪽	월 일	월 일	☆☆☆☆☆
Day 02 개념 익히기, 내신 유형 익히기	148~151쪽	월 일	월 일	☆☆☆☆☆
Day 03 내신 만점 도전하기, 수능 유형 익히기	152~153쪽	월 일	월 일	☆☆☆☆☆

주제 15 주요 자원의 분포 및 이동과 산업 구조 주제 16 민족 및 종교의 다양성과 지역 갈등	쪽수	계획일	학습일	목표 달성도
Day 04 개념 정리, 핵심 자료 특강	154~157쪽	월 일	월 일	☆☆☆☆☆
Day 05 개념 익히기, 내신 유형 익히기	158~161쪽	월 일	월 일	☆☆☆☆☆
Day 06 내신 만점 도전하기, 수능 유형 익히기	162~163쪽	월 일	월 일	☆☆☆☆☆
Day 07 대단원 마무리하기, 지리 역량 기르기	164~167쪽	월 일	월 일	☆☆☆☆☆

주제 14

몬순 아시아의 전통 생활 모습

교과서 102~107쪽

주제 흐름 읽기

자연환경	• 몬순(계절풍)의 영향을 받음 • 여름: 해양에서 대륙으로 바람이 불어감 → 우기 • 겨울: 대륙에서 해양으로 바람이 불어감 → 건기
주민 생활	• 여름의 높은 기온과 많은 강수량으로 쌀농사가 활발함 • 몬순의 영향이 적은 내륙 지역에서는 밭농사, 유목도 나타남

1 몬순 아시아의 자연환경

몬순 아시아는 계절풍의 영향을 받는 유라시아 대륙 동안의 남부 아시아, 동남아시아, 동아시아에 해당하는 지역이야.

1. 몬순(계절풍)❶의 발생 원인 대륙과 해양의 비열❷ 차로 발생

2. 몬순에 따른 계절별 기후 차이 자료 1

여름	• 풍향: 해양에서 대륙으로(남풍, 남서풍, 남동풍 계열) • 발생 과정: 대륙에 저기압이 발달하여 해양에서 대륙으로 바람이 불게 됨 → 몬순 아시아의 우기, 높은 기온과 많은 강수량 • 몬순과 히말라야산맥이 만나 바람받이 사면 지역에 매우 많은 강수 발생 예 체라푼지❸
겨울	• 풍향: 대륙에서 해양으로(북풍, 북서풍, 북동풍 계열) • 발생 과정: 대륙에 고기압이 발달하여 대륙에서 해양으로 바람이 불게 됨 → 몬순 아시아의 건기, 적은 강수량

2 몬순 아시아의 주민 생활

1. 몬순의 영향이 강한 곳에서의 주민 생활

동남 및 남부 아시아의 넓고 비옥한 충적 평야에서는 높은 기온과 많은 강수량을 바탕으로 벼의 2기작이나 3기작을 하는 곳이 많아.

(1) **농업** 자료 2

① 높은 기온과 풍부한 강수량을 이용해 벼농사 활발

② 벼는 단위 면적당 생산량이 많아 인구 부양력❹이 높음 → 인구 밀집

(2) **식생활** 쌀을 이용한 다양한 음식 발달

주요 지역	특징
한국, 일본, 중국 북부	상대적으로 둥글고 점성이 높은 쌀 → 젓가락 사용
인도, 동남아시아, 중국 남부	상대적으로 길쭉하며 점성이 낮은 쌀 → 볶음밥, 전병이나 국수

(3) **주생활**

① 고온 다습한 기후의 영향으로 통풍이 잘되며 개방적인 편임

② 고상 가옥: 지면의 습기와 열을 피하고, 짐승과 해충의 침입 방지를 위해 건축

③ 회랑: 비나 햇볕을 피해 보행할 수 있도록 건물 앞에 설치

(4) **의생활**

① 고온 다습한 기후의 영향으로 비교적 간단하고 개방적인 옷차림

② 뜨거운 햇볕과 잦은 비에 대비한 삿갓 모양의 모자

2. 몬순의 영향이 적은 지역의 주민 생활

(1) **밭농사** 연 강수량 500~1,000mm 지역 → 밀로 만든 국수와 빵을 섭취

① 중국의 화베이 및 둥베이 지방 → 밀, 콩, 옥수수 재배

② 인도의 데칸고원 → 목화 재배

(2) **유목** 연 강수량 500mm 이하의 건조 기후 지역

몬순 아시아의 비그늘(바람그늘) 지역과 내륙 지역에서 건조 기후가 나타나.

(3) **이동식 화전 농업❺** 동남아시아의 열대 우림 기후 지역에서 이루어짐 → 근대 이후 플랜테이션 농장이 늘어나면서 상업적 농업 발달

---

❶ 몬순(monsoon)
계절이라는 뜻의 아랍어 '마우심(mausim)'에서 유래한 용어로, 대륙과 해양의 비열 차로 계절에 따라 풍향이 바뀌는 바람을 말한다.

❷ 비열
어떤 물질 1g의 온도를 1℃만큼 올리는 데 필요한 열량을 말한다.

❸ 체라푼지
계절풍이 산지와 만나는 바람받이 사면에 위치한 체라푼지는 최다우월인 7월에 3,000mm 이상의 많은 비가 내린다.

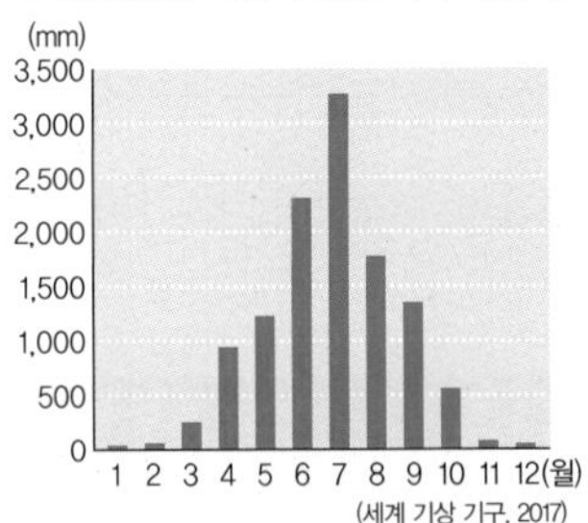

▲ 체라푼지의 월별 강수량 그래프

❹ 인구 부양력
한 지역에서 주어진 자원을 이용하여 인구를 얼마나 부양할 수 있는가를 나타낸 지표이다.

❺ 이동식 화전 농업
열대 우림 기후 지역은 토양이 척박하여 나무나 식물을 태우고 그 재를 거름으로 이용하여 농사를 짓는다. 3~4년 후 땅의 지력이 쇠하면 다른 곳으로 이동하여 다시 화전 농업을 한다.

자료 1 몬순 아시아의 계절풍과 강수량

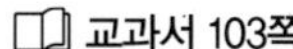

교과서 103쪽

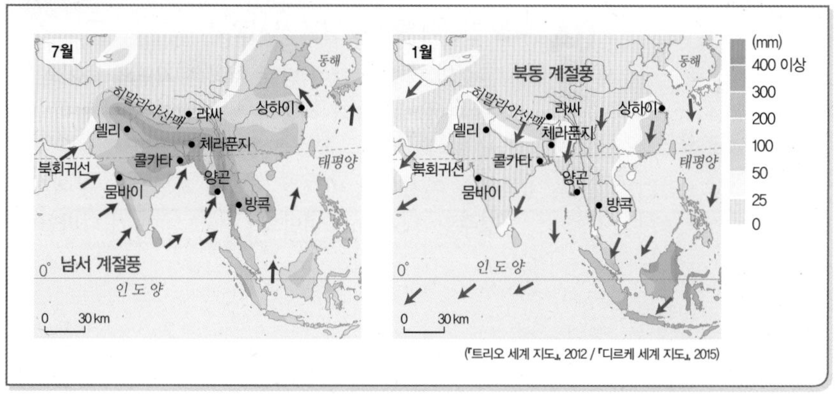

(『트리오 세계 지도』, 2012 / 『디르케 세계 지도』, 2015)

자료 분석 몬순 아시아의 계절풍은 대륙과 해양의 비열 차에 의해 발생한다. 해양에서 대륙으로 바람이 부는 7월은 몬순 아시아의 우기에 해당한다. 특히 남서 계절풍이 불 때 히말라야 산맥의 바람받이 사면은 강수량이 매우 많다. 반면 대륙에서 해양으로 바람이 부는 1월은 건기에 해당한다. 지형의 영향으로 일부 지역에 비가 내리기도 하나, 7월에 비해 강수량이 매우 적은 편이다.

자료 분석 포인트

몬순의 발생 원인을 알아보고, 그 영향을 파악해 보자.

Q1 빈칸에 들어갈 알맞은 말을 쓰시오.

> 몬순은 대륙과 해양의 비열 차로 발생하는데, (㉠)에는 해양에서 대륙으로, (㉡)에는 대륙에서 해양으로 바람이 분다.

㉠ (　　　　　　), ㉡ (　　　　　　)

자료 2 몬순 아시아의 주요 농업

교과서 106쪽

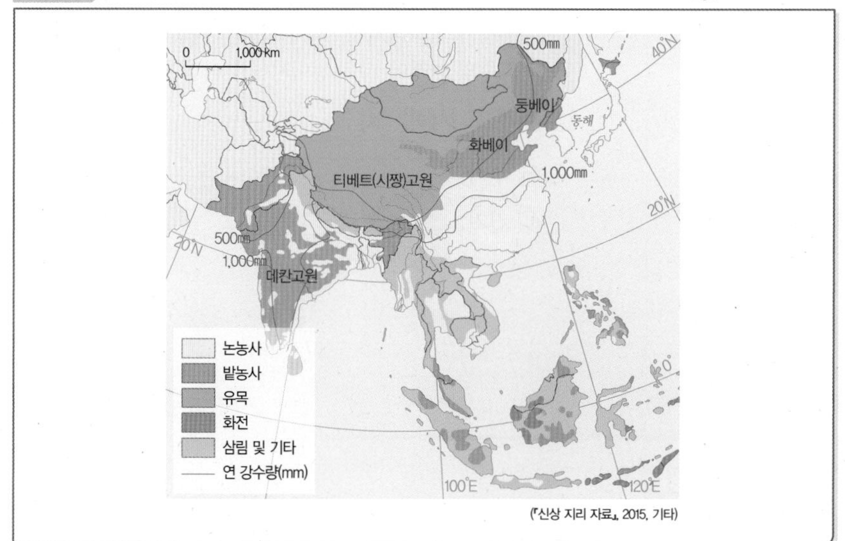

(『신상 지리 자료』, 2015, 기타)

자료 분석 몬순 아시아의 농업은 기후와 밀접한 관련이 있다. 기온이 높고 강수량이 많은 지역에서는 벼농사가 활발하고, 강수량이 상대적으로 적은 지역에서는 밭농사가 주를 이루며, 몬순의 영향을 거의 받지 못해 건조 기후가 나타나는 내륙에서는 주로 유목을 통해 가축을 사육하며 생활한다. 한편 고온 다습하더라도 토양이 척박한 열대 우림 지역에서는 이동식 화전 농업이 행해지기도 한다. 또 근대 이후에는 유럽의 식민 지배를 받으면서 플랜테이션도 발달하였다.

자료 분석 포인트

몬순이 지역 주민의 전통 생활에 미치는 영향을 알아보자.

Q2 몬순 아시아의 농업에 대한 설명으로 옳지 않은 것은?

① 저위도에서 고위도로 갈수록 벼의 2기작이 활발하다.
② 기온이 높고 강수량이 많은 중국 남부 지역에서는 논농사가 활발하다.
③ 토양이 척박한 열대 우림 지역에서는 이동식 화전 농업이 이루어진다.
④ 강수량이 1,000mm보다 적은 중국 북부 지역에서는 밭농사가 우세하다.
⑤ 몬순의 영향력이 적은 티베트 지역의 주민들은 가축을 사육하며 생활한다.

답 Q1 ㉠ 여름, ㉡ 겨울 / Q2 ①

01 다음 빈칸에 들어갈 알맞은 말을 쓰시오.

(1) (　　　　)은/는 계절에 따라 풍향이 바뀌는 계절풍을 의미한다.

(2) 여름과 겨울에 따라 바람의 방향이 바뀌는 계절풍은 (　　　　　)(으)로 발생한다.

02 다음 내용에서 설명하는 작물을 쓰시오.

> 이 작물은 성장기에 고온 다습하고 수확기에는 건조한 기후 지역에서 재배하기에 유리하다. 주요 재배지는 계절풍 기후가 나타나는 남부 아시아와 동남아시아, 동부 아시아 일대이다.

____

03 다음 설명이 옳으면 ○, 틀리면 ×표 하시오.

(1) 계절에 상관없이 항상 같은 방향으로 부는 바람을 몬순이라고 부른다. (　　)

(2) 여름철의 계절풍은 대륙에 저기압이 발달함에 따라 해양에서 대륙으로 바람이 분다. (　　)

(3) 몬순 아시아 지역은 여름에는 계절풍의 영향으로 강수량이 적다. (　　)

(4) 히말라야산맥의 바람받이 사면에 위치한 체라푼지는 여름 강수량이 매우 많다. (　　)

04 다음 빈칸에 들어갈 말을 쓰시오.

(1) 몬순의 영향을 많이 받는 지역은 지면의 습기와 열을 피하고 짐승과 해충의 침입 방지를 위해 바닥에서 띄워 (　　　　)을/를 짓고 살아간다.

(2) 몬순 아시아의 비그늘 지역에 해당하는 곳에서는 강수량이 500mm 미만의 (　　　　)이/가 나타난다.

05 다음 글의 ㉠, ㉡에 해당하는 시기를 |보기|에서 찾아 쓰시오.

| 보기 |
- 6～10월
- 11～5월

> 캄보디아의 톤레사프호는 ㉠ 우기에는 호수 면적이 많이 늘어나고 수심이 깊어지지만, ㉡ 건기에는 호수 면적이 줄어든다. 건기 때 드러난 호수 바닥에서는 벼농사가 이루어지며, 우기 때에는 메콩강이 역류하여 호수의 면적이 더욱 넓어지면서 어업 활동이 주로 이루어진다.

㉠ 우기: ________________

㉡ 건기: ________________

06 다음 빈칸에 들어갈 알맞은 말에 ○표 하시오.

(1) 벼는 단위 면적당 생산량이 (많고 / 적고), 인구 부양력이 (높아 / 낮아) 몬순 아시아에 인구가 밀집하였다.

(2) 한국, 일본, 중국 북부 등지에서는 상대적으로 (둥글고 / 길쭉하고) 점성이 (높은 / 낮은) 쌀을 주식으로 섭취하였다.

2단계 내신 유형 익히기

정답과 해설 ▸ 25쪽

01 몬순에 대한 설명으로 옳지 않은 것은?

빈출

① 대륙과 해양의 비열 차로 발생한다.
② 1월에 아시아 대륙 내부에 고기압이 발달한다.
③ 7월에 히말라야산맥의 북사면에 강수량이 많다.
④ 해양에서 대륙으로 바람이 부는 시기가 우기이다.
⑤ 북반구에서는 7월에 바람이 해양에서 대륙으로 분다.

02 지도는 몬순 아시아의 풍향을 나타낸 것이다. (가), (나)에 대한 옳은 설명을 |보기|에서 고른 것은?(단, (가), (나)는 여름과 겨울 중 하나임.)

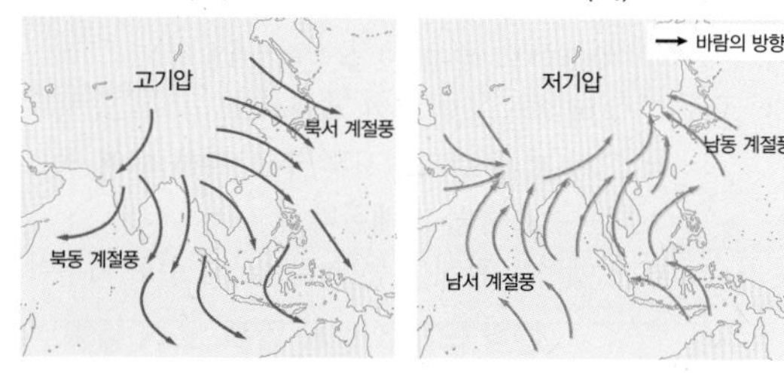

|보기|

ㄱ. (가) 계절에 남부 아시아에는 많은 비가 내린다.
ㄴ. (나) 계절풍은 벼농사 발달에 큰 영향을 주었다.
ㄷ. 중위도에서 (가) 계절풍은 (나) 계절풍보다 풍속이 약하다.
ㄹ. (가), (나) 계절풍은 대륙과 해양의 비열 차이 때문에 생긴다.

① ㄱ, ㄴ　② ㄱ, ㄷ　③ ㄴ, ㄷ
④ ㄴ, ㄹ　⑤ ㄷ, ㄹ

03 A, B 지역의 강수량 차이가 나타나게 된 주된 원인으로 옳은 것은?

A는 세계에서 비가 가장 많이 내리는 곳이다. 그러나 A에서 북쪽으로 불과 500km 떨어져 있는 B는 비가 매우 적게 내린다.

① 위도와 전선의 영향　② 지형과 바람의 영향
③ 해류와 전선의 영향　④ 해류와 극동풍의 영향
⑤ 해발 고도와 해류의 영향

04 기후 그래프를 보고 런던과 비교한 서울의 상대적 기후 특징을 |보기|에서 고른 것은?

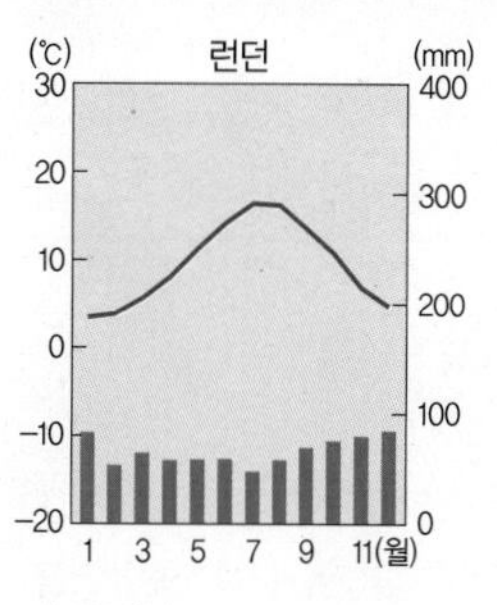

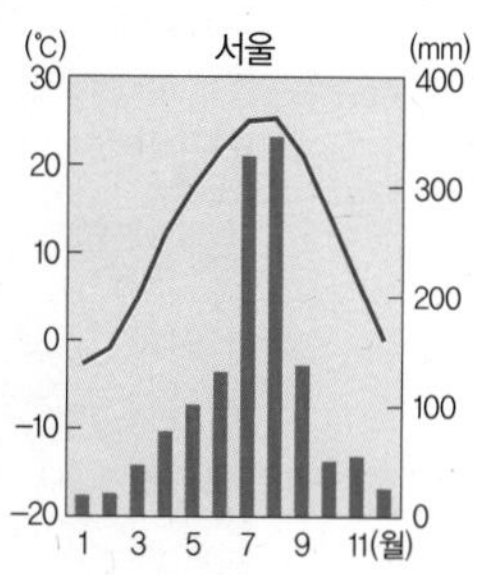

|보기|

ㄱ. 기온의 연교차가 크다.
ㄴ. 겨울 강수 집중률이 높다.
ㄷ. 최난월(여름) 평균 기온이 높다.
ㄹ. 바다의 영향을 크게 받아 강수량이 고르다.

① ㄱ, ㄴ　② ㄱ, ㄷ　③ ㄴ, ㄷ
④ ㄴ, ㄹ　⑤ ㄷ, ㄹ

05 자료는 수업 시간의 필기 내용의 일부이다. (가) 식량 작물에 대한 설명으로 옳은 것은?

- 세계 주요 식량 작물: (가)
- 재배 조건: 성장기 고온 다습한 기후, 충적토, 수리 관개 시설의 발달
- 재배 지역: 동아시아, 동남아시아, 남부 아시아 등

① 밀보다 단위 면적당 수확량이 많다.
② 주로 바이오 에탄올의 원료로 이용된다.
③ 넓은 지역에서 조방적인 방식으로 재배된다.
④ 생산지와 소비지가 달라 국제적 이동이 많다.
⑤ 식민지 시대에 플랜테이션 작물로 재배되기 시작했다.

06 사진은 아시아 어느 지역에서 농사짓는 모습을 나타낸 것이다. 이 지역에 대한 설명으로 옳은 것은?

① 대륙 서안에 위치한다.
② 계절풍의 영향을 받는다.
③ 하천의 유량은 연중 일정하다.
④ 회백색의 산성 토양이 분포한다.
⑤ 드문드문 서 있는 나무 사이로 넓은 초원이 펼쳐져 있다.

07 지도는 여름과 겨울의 몬순 아시아의 계절풍과 강수량 분포를 나타낸 것이다. 이에 대한 설명으로 옳지 않은 것은?

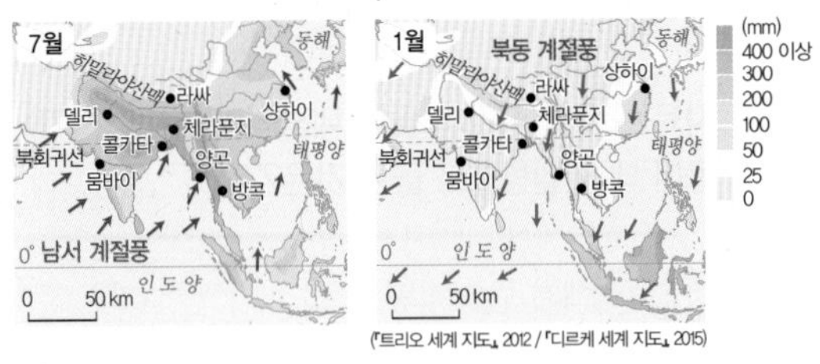

(『트리오 세계 지도』 2012 / 『디르케 세계 지도』 2015)

① 계절풍은 대륙과 해양의 비열 차로 발생한다.
② 대체적으로 여름 계절풍은 겨울 계절풍보다 고온 다습하다.
③ 1월에는 장마 전선이 남하해 동부 아시아에 강수량이 많다.
④ 7월에는 적도 수렴대가 북상해 북반구의 몬순 아시아 지역에 강수량이 많다.
⑤ 여름 계절풍은 남풍 계열의 바람이, 겨울 계절풍은 북풍 계열의 바람이 탁월하다.

08 지도는 몬순 아시아의 주요 농업 지역을 나타낸 것이다. A~C 농업 지역에 대한 옳은 설명을 |보기|에서 고른 것은?

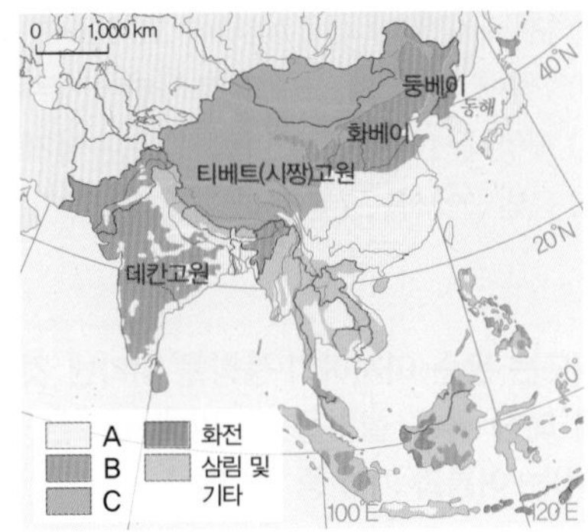

보기

ㄱ. 강수량은 A>B>C 순으로 많다.
ㄴ. A에서는 주로 벼가 재배된다.
ㄷ. B의 경우 중국에서는 주로 목화 재배, 인도에서는 주로 콩을 재배한다.
ㄹ. C에서는 관개를 통한 밀농사가 주로 이루어진다.

① ㄱ, ㄴ ② ㄱ, ㄷ ③ ㄴ, ㄷ
④ ㄴ, ㄹ ⑤ ㄷ, ㄹ

09 다음 모식도는 몬순 아시아 어느 지역의 목축 방식을 그린 것이다. 이에 대한 설명으로 옳은 것은?

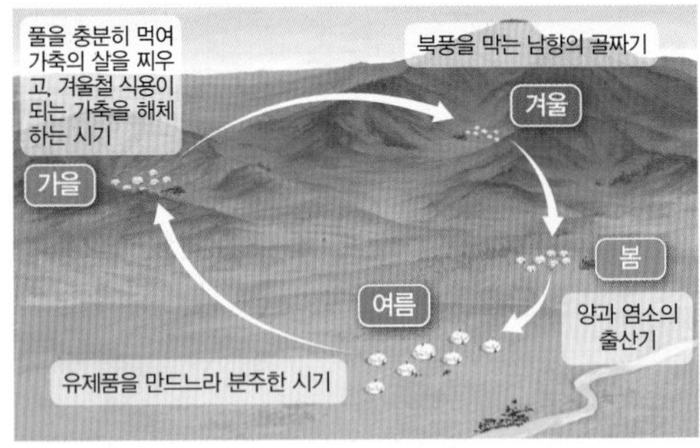

① 한 지역에서 농경과 목축이 함께 이루어진다.
② 목초 재배에 적합한 지역을 따라 계절적으로 이동한다.
③ 봄에는 시장에 내다 팔기 위한 유제품을 주로 생산한다.
④ 겨울에는 차가운 계절풍을 막기 위해 남사면의 골짜기에 위치한다.
⑤ 건조한 여름에는 산지의 초지에서 방목하고 겨울에는 영구 거주지에서 사육하는 이목이다.

서술형 문제

10 자료를 보고 물음에 답하시오.

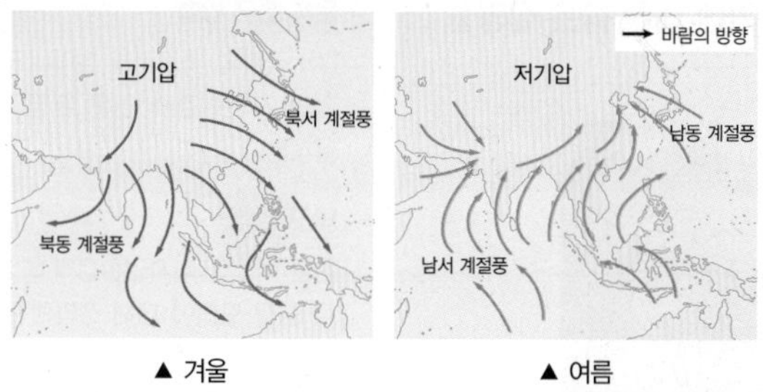

▲ 겨울 ▲ 여름

> 계절에 따라 풍향이 바뀌는 바람을 (㉠)(이)라고 한다. 우리나라의 경우 겨울에는 육지에서 불어오고, 여름에는 바다에서 불어온다.

(1) ㉠에 들어갈 알맞은 말을 쓰시오.

(2) 여름철 바람과 겨울철 바람의 특성을 비교하여 설명하시오.

서술형 문제

11 다음 톤레사프호의 우기와 건기의 경관을 보고 주민 생활 모습을 비교하여 서술하시오.

우기 건기

서술형 문제

12 지도에 표시된 A 지역에서 주로 이루어지는 농업을 쓰고, 이와 같은 농업이 발달한 이유를 기후와 관련하여 서술하시오.

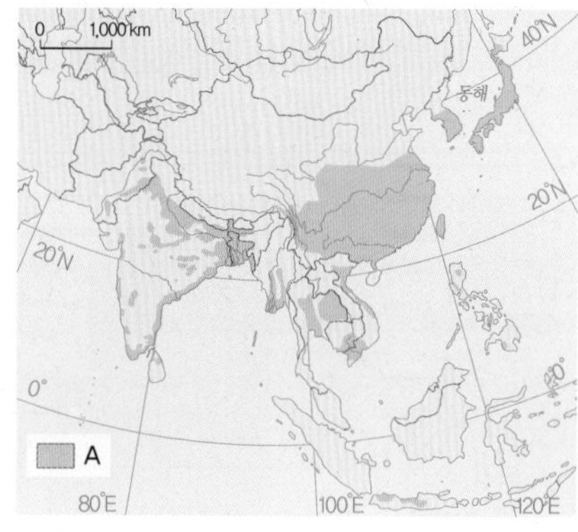

서술형 문제

13 사진을 보고 몬순 아시아 지역의 전통 가옥의 특징을 찾아보고, 기후와 관련하여 설명하시오.

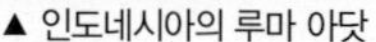

▲ 인도네시아의 루마 아닷 ▲ 인도 벵골의 방갈로

01 중요 다음 자료는 (가) 국가에서 행해지는 축제를 소개한 것이다. 이 국가에 대한 옳은 설명을 |보기|에서 고른 것은?

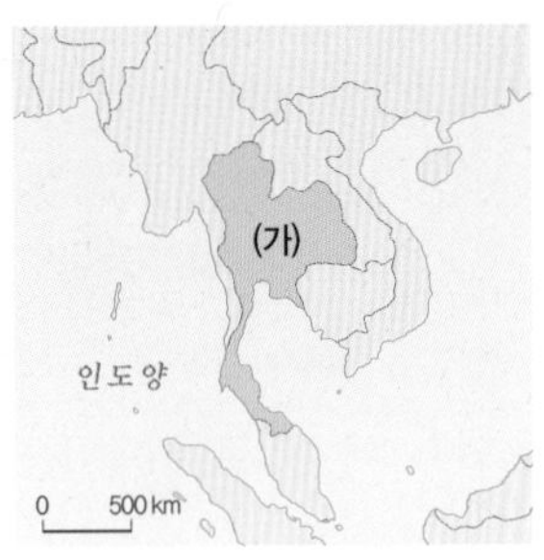

이 축제는 원래 불상(佛像)을 씻는 행사였으나, 점차 새로운 한 해가 시작되는 것을 기념하면서 물을 뿌리는 축제로 발전하였다.

| 보기 |

ㄱ. 세계적인 관광지로 할롱베이가 있다.
ㄴ. 계절풍의 영향으로 여름철에 고온 다습하다.
ㄷ. 주민들은 대부분 상좌부(소승) 불교를 신봉한다.
ㄹ. 점성이 높은 쌀의 생산량이 많아, 식사할 때 주로 숟가락을 사용한다.

① ㄱ, ㄴ ② ㄱ, ㄷ ③ ㄴ, ㄷ ④ ㄴ, ㄹ ⑤ ㄷ, ㄹ

문제 접근 방법

(가) 국가의 국가명을 찾아내고, (가) 국가의 자연환경과 인문 환경의 특징을 살펴본다.

내신 전략

몬순 아시아의 자연환경의 특징과 전통적 생활 모습에 대해 정리해 두도록 한다.

02 중요 그래프는 (가), (나) 지역의 월별 강수량 자료이다. (가), (나) 지역의 기후 특성에 대한 설명으로 옳은 것은?

(가)

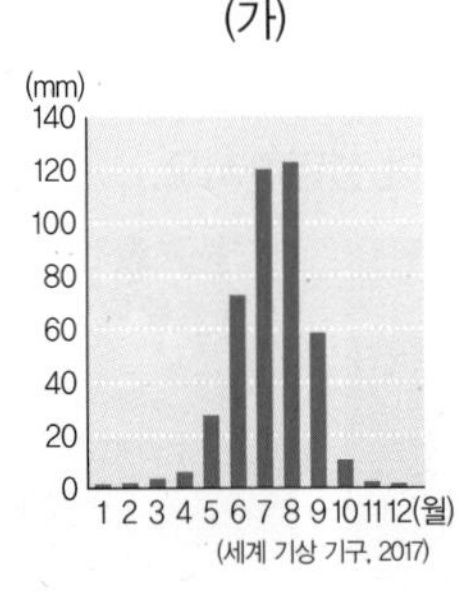

(나)

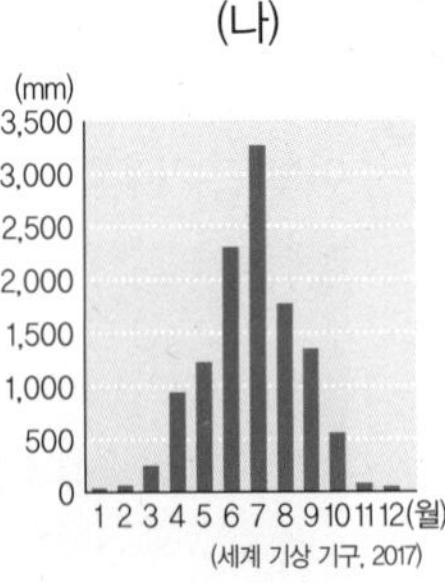

① (가)는 연중 하강 기류가 발생하여 강수량이 적다.
② (나)는 7월에 대륙 고기압의 영향을 받는다.
③ (나)는 여름 계절풍이 바람받이 사면에 해당한다.
④ (가)는 (나)보다 스콜 발생 빈도가 높다.
⑤ 연중 (가)는 편서풍, (나)는 무역풍의 영향을 받는다.

문제 접근 방법

(가) 지역과 (나) 지역 기후의 공통점과 차이점을 비교해 보고, 차이가 발생하는 원인을 지형과 관련지어 생각해 보자.

내신 전략

바람받이 지역과 비그늘(바람그늘) 지역의 강수량 차이가 발생하는 원인을 지형성 강수 원리를 중심으로 정리해 둔다.

정답과 해설 ▸ 26쪽

2017학년도 10월 학력평가

01 그래프는 (가)~(다) 작물의 국가별 생산 비중을 나타낸 것이다. 이에 대한 설명으로 옳은 것은?(단, (가)~(다)는 각각 쌀, 밀, 옥수수 중 하나임.)

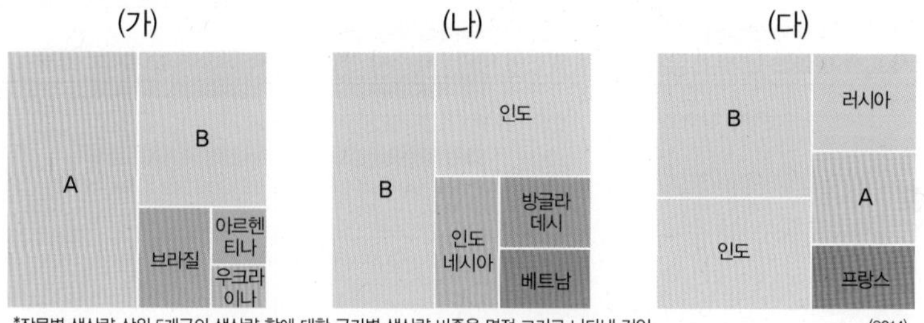

① (가)는 주로 아시아 계절풍 기후 지역에서 생산된다.
② (나)는 (다)보다 재배 시 단위 면적당 농업용수 사용량이 적다.
③ (다)는 (가)보다 바이오 에탄올의 원료로 많이 이용된다.
④ A는 B보다 (나)의 소비량이 많다.
⑤ A는 B보다 (다)의 수출량이 많다.

출제 개념
몬순 아시아의 주요 재배 작물

자료 해설
(가)~(다) 작물의 생산량 비중이 높은 국가를 살펴보면, (가)~(다) 작물을 추측할 수 있다.

해결 비법
쌀과 밀은 중국, 옥수수는 미국의 생산량이 가장 많다.

2017학년도 10월 학력평가 응용

02 그래프는 지도에 표시된 이동 경로의 지점별 기후 자료이다. 이에 대한 설명으로 옳은 것은?

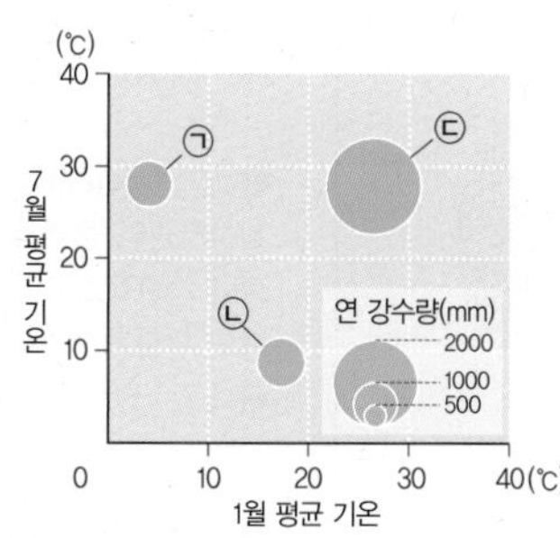

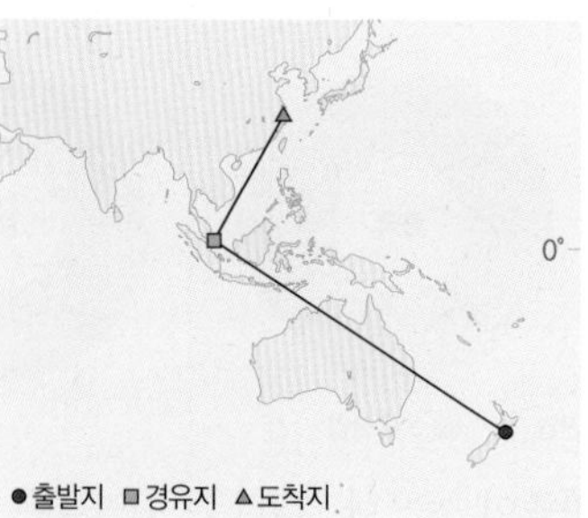

① 출발지는 ㉡, 도착지는 ㉠이다.
② 기온의 연교차는 ㉡이 ㉠보다 크다.
③ 7월에 ㉠은 벼농사가, ㉡은 수목 농업이 행해진다.
④ 1월에 ㉢은 ㉡보다 낮의 길이가 길다.
⑤ ㉠, ㉡, ㉢ 모두 온대 기후에 속한다.

출제 개념
몬순 아시아와 오세아니아의 기후

자료 해설
지도에 표시된 지점 중 출발지는 웰링턴, 경유지는 싱가포르, 도착지는 상하이를 표시한 것이다. 자료는 1월과 7월의 월평균 기온과 연 강수량이 제시되어 있다. ㉠은 7월이 1월보다 월평균 기온이 높으며, 반대로 ㉡은 1월이 7월보다 월평균 기온이 높고, ㉢은 1월과 7월의 월평균 기온이 비슷하다. 연 강수량은 ㉢이 가장 많고, ㉠과 ㉡은 비슷하다.

해결 비법
북반구는 7월이 1월보다 월평균 기온이 높고, 남반구는 1월이 7월보다 월평균 기온이 높다. 적도 주변은 연평균 기온이 가장 높다.

주제 15 주요 자원의 분포 및 이동과 산업 구조

교과서 108~117쪽

주제 흐름 읽기

자원 분포와 이동	• 주요 자원: 석탄, 철광석, 주석, 천연고무, 식물성 기름 등 • 자원 수출국: 오스트레일리아(석탄, 철광석), 인도네시아(철광석, 식물성 기름) 등 • 자원 수입국: 한국, 중국, 일본 등
경제 발전에 따른 산업 구조	• 경제 선진국: 3차 산업의 비중이 높고, 1차 산업의 비중이 낮음(일본, 오스트레일리아, 한국 등) • 개발 도상국: 1차 산업 종사자 비중이 높은 편이나, 국가별 경제 발전에 따라 2차, 3차 산업 종사자 비중이 높아지고 있음

1 몬순 아시아와 오세아니아의 자원 분포

1. 주요 자원

(1) 주요 자원의 분포 자료 1

쌀은 전 세계 생산량의 90% 이상을 몬순 아시아에서 생산해.

① 풍부한 자원: 곡물 자원(쌀, 밀), 에너지 자원(석탄, 천연가스), 광물 자원(철광석, 주석), 식물 자원(커피, 차, 기름야자)

② 주요 자원 분포[1]: 석탄(오스트레일리아, 인도네시아), 철광석(오스트레일리아), 주석(인도네시아), 천연고무(타이, 인도네시아)

2. 주요 자원의 이동

몬순 아시아는 주로 오세아니아의 풍부한 자원을 수입하여 공업을 발달시키고, 이를 통해 생산한 공산품을 다시 오세아니아로 수출하고 있어.

(1) 철광석 오스트레일리아 → 한국, 중국, 일본 등

(2) 석탄 오스트레일리아, 인도네시아 → 한국, 일본 등

주로 산업용 연료로 사용되는 석탄은 공업이 발달한 국가에서 수요가 많아. 특히 오스트레일리아에서 생산된 석탄은 동부 아시아 지역으로 많이 수출해.

2 몬순 아시아와 오세아니아의 자원 분포와 산업 구조

1. 주요 국가의 산업 특색

(1) 산업 구조 몬순 아시아와 오세아니아에 속한 국가들은 경제 발전 수준에 따라 산업 구조가 다양함

(2) 1차 산업의 비중이 높은 국가 경제 발전 수준이 낮은 국가

(3) 2차 산업의 비중이 높은 국가 광업, 제조업이 발달한 국가

(4) 3차 산업의 비중이 높은 국가 탈공업화 과정[2]을 겪은 경제 선진국, 관광 산업이 발달한 국가

2. 주요 국가의 산업 구조 자료 2

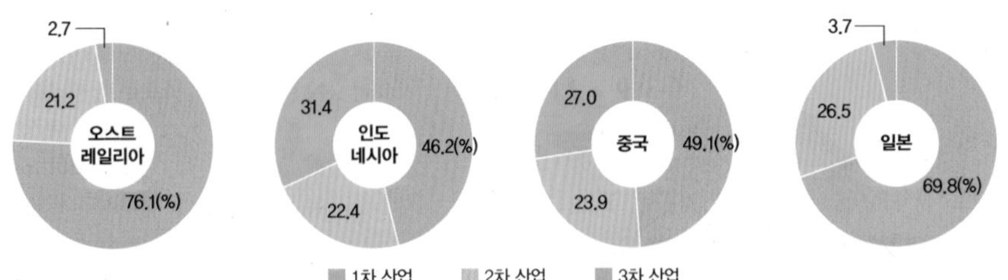

(1) 오스트레일리아[3] 농산물과 광산물의 수출 비중이 높으나, 대다수 주민들은 3차 산업에 종사함

본격적인 석탄 개발을 통해 최근 세계적인 석탄 수출국이 되었어.

(2) 인도네시아 농산물과 광산물의 수출 비중이 높고 1차 산업 종사자 비중이 상대적으로 높음, 인건비가 낮아 최근 제조업이 빠르게 성장함

(3) 일본 공업 제품의 수출액 비중이 매우 높으며, 3차 산업 종사자 비중도 높은 편임

(4) 중국[4] 공업 제품의 수출액 비중이 매우 높으며, 1차 산업 종사자 비중도 높은 편임

---

❶ 주요 자원의 국가별 수출 비중

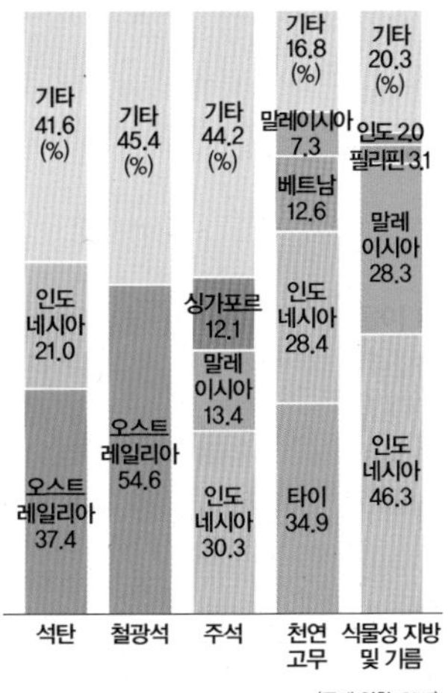

(국제 연합, 2015)

❷ 탈공업화 과정
2차 산업이 쇠퇴하고 3차 산업 중심으로 변화하는 과정을 말한다.

❸ 오스트레일리아의 산업 구조
지하자원이 풍부하여 광업이 발달하였으나 전반적으로 임금이 높고, 국내 시장의 규모가 작아 공업의 발달이 미약하다.

❹ 중국의 산업 구조
중국은 1970년대 말부터 개방 정책을 통해 본격적으로 산업을 육성하였다. 경제특구, 개방 도시 등을 중심으로 외국의 자본과 기술을 받아들였으며, 풍부한 노동력과 자원을 이용하여 세계적인 공업국으로 성장하였다.

자료 1 오스트레일리아의 철광석 수출 상대국 변화

교과서 109쪽

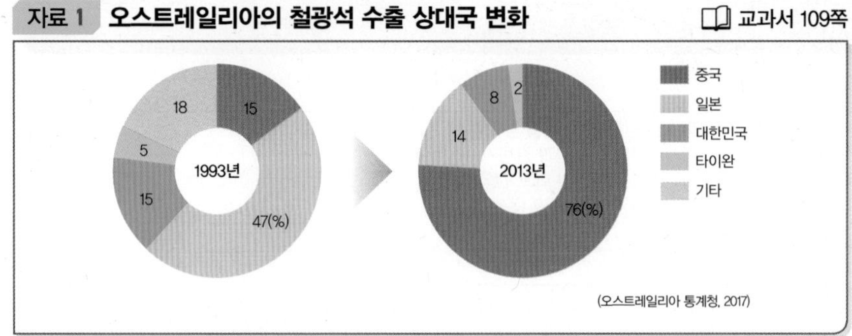

(오스트레일리아 통계청, 2017)

자료 분석 오스트레일리아는 세계적인 철광석 수출국이다. 1993년에는 일본으로 수출하는 철광석의 양이 많았으나, 중국의 제조업이 급성장하면서 중국으로 수출하는 비중이 급증하였다. 특히 중국은 전 세계 철강 생산량의 절반 정도를 생산하고 있고, 인도가 5.9%, 한국이 4.2%(2016년 기준)를 생산하고 있다. 따라서 오스트레일리아의 철광석 수출 상대국이 아시아 지역으로 집중되는 현상은 자연스러운 변화이다.

자료 분석 포인트

몬순 아시아와 오세아니아의 대표적인 자원을 알아보자.

Q1 몬순 아시아와 오세아니아의 수출 비중이 세계의 절반 이상을 차지하는 자원으로 옳지 않은 것은?

① 석탄
② 주석
③ 철광석
④ 천연가스
⑤ 식물성 지방 및 기름

Q2 다음과 관련이 깊은 국가를 각각 쓰시오.

- 세계 1위의 석탄 수출국
- 세계 1위의 철광석 수출국
- 세계 4위의 육류 수출국

- 세계 3위의 석탄 수입국
- 세계 1위의 철광석 수입국
- 세계 2위의 육류 수입국

자료 2 주요 국가별 수출입 품목 구성

교과서 111쪽

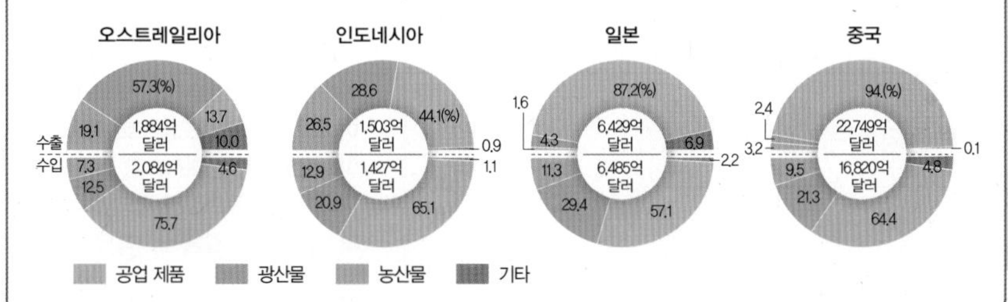

자료 분석 오스트레일리아의 수출품은 철광석, 석탄과 같은 광물 자원, 쇠고기와 같은 농축산물이 큰 비중을 차지한다. 오스트레일리아는 인구가 적어 시장 규모가 작고, 임금이 비싸 제조업의 경쟁력이 약하기 때문에 공업 제품의 대부분은 수입(75.7%)에 의존하고 있다.

인도네시아의 대표적 수출품으로는 석탄과 같은 광물 자원, 식물성 지방 및 기름과 같은 농산물이 많다. 반면 수입품은 공업 제품의 비중이 높다.

일본은 가공 무역이 일찍부터 발달하였는데, 최근에는 고임금과 노령화 현상으로 인해 고부가 가치 공업 제품의 수출에 주력하고 있다. 공업 제품을 가장 많이 수출하고, 광산물과 농산물의 수입 비중이 높다.

세계의 공장이라 불리는 중국은 공업 제품의 수출 비중이 압도적으로 높고, 농산물과 광산물의 수입 비중이 높다.

자료 분석 포인트

몬순 아시아와 오세아니아의 국가별 산업 구조를 알아보자.

Q3 베트남, 인도네시아 등 동남아시아 국가에서 최근 제조업 종사자 비중이 증가하는 이유를 조사해 보자.

답 Q1 ④ / Q2 오스트레일리아, 중국 / Q3 중국의 인건비 상승으로 다국적 기업들이 동남아시아로 생산 공장을 이전하고 있어 동남아시아 국가들의 제조업 비중이 높아지고 있다.

주제 16

민족 및 종교의 다양성과 지역 갈등

교과서 112~117쪽

주제 흐름 읽기

민족 구성의 다양성과 민족 갈등	• 동부 아시아: 다민족 국가인 중국의 소수 민족 분리 독립 움직임 • 남부 아시아: 다양한 언어로 인한 의사소통의 어려움과 갈등 • 동남아시아: 다민족 국가가 많음, 원주민과 이주민인 화교 간의 경제적 갈등 • 오세아니아: 다수 민족인 유럽계 주민에 의한 인종 차별 문제 발생
종교의 다양성과 종교 갈등	• 세계 주요 종교가 모두 분포 • 여러 종교 간 종교 분쟁이 발생하고 있음

1 몬순 아시아와 오세아니아의 민족(인종)❶ 갈등

1. 몬순 아시아의 주요 민족과 갈등
─ 민족과 종교가 다양한 몬순 아시아에서는 갈등과 분쟁이 자주 발생하고 있어.

(1) 동부 아시아의 민족과 갈등

① 중국: 다수 민족인 한족 이외에 위구르족, 몽골족, 티베트족 등 55개의 소수 민족으로 구성 → 위구르족, 티베트족 등의 분리·독립 움직임이 있음 자료 1

② 일본: 류큐인, 아이누족 등 소수 민족이 거주

(2) 남부 아시아의 민족과 갈등

① 북부: 인도·유럽어족에 속하는 언어를 사용하는 주민들이 다수임

② 남부: 드라비다어족에 속하는 언어를 사용하는 주민들이 다수임

③ 히말라야 산지: 중국·티베트어족에 속하는 언어를 사용하는 주민들이 다수임

④ 인도: 국가 공용어인 힌디어 우선 정책에 대한 비힌디어 사용자들의 반발이 있음

(3) 동남아시아의 민족과 갈등

① 대부분의 국가가 다민족으로 구성되어 주요 민족과 소수 민족 간의 갈등을 겪음

② 유럽의 식민 지배를 거치면서 중국, 인도 출신의 이주민이 정착

③ 화교❷들의 사회·경제적 영향력을 둘러싼 원주민과의 갈등 발생

2. 오세아니아의 주요 인종과 인종 문제

(1) **오스트레일리아** 유럽계 주민들의 원주민(애버리지니)이나 아시아계에 대한 인종 차별 사건이 종종 발생함

(2) **뉴질랜드** 원주민(마오리족)의 언어와 문화가 보존되는 등 공존하고 있음

2 몬순 아시아와 오세아니아의 종교적 차이

1. 몬순 아시아의 종교 분포

(1) **힌두교** 남부 아시아의 인도, 네팔, 인도네시아의 발리 섬에 분포

(2) **이슬람교** 파키스탄, 방글라데시, 말레이시아, 인도네시아 등에 분포

(3) **불교** 스리랑카, 타이, 미얀마, 라오스, 캄보디아 등에 분포

(4) **크리스트교** 필리핀, 동티모르 등에 분포

2. 몬순 아시아의 종교 분쟁

(1) **카슈미르❸** 힌두교와 이슬람교 간의 분쟁

(2) **스리랑카❹** 불교와 힌두교 간의 분쟁

(3) **미얀마의 라카인주** 불교와 이슬람교 간의 분쟁

(4) **필리핀의 민다나오섬** 크리스트교와 이슬람교 간의 분쟁

(5) **인도네시아의 말루쿠 제도** 크리스트교와 이슬람교 간의 분쟁 자료 2

(6) **인도네시아의 발리섬** 힌두교와 이슬람교 간의 분쟁

(7) **타이 남부** 불교와 이슬람교 간의 분쟁

❶ 민족과 인종
인류는 언어, 종교, 생활 양식 등 문화적 차이에 따라 민족으로 구분하고, 피부색, 머리 색깔, 체형, 골격 등 생물학적인 특성에 따라 인종으로 구분한다.

❷ 화교
중국을 떠나 해외로 이주하여 생활하면서 중국과 문화적·법률적·정치적으로 유기적인 관계를 맺고 있는 중국인과 그 후손을 말한다.

❸ 카슈미르 분쟁

1947년 영국으로부터 인도와 파키스탄이 독립하면서 인도령으로 귀속되었다. 이슬람교도가 상대적으로 많음에도 불구하고 인도령으로 귀속되면서 인도와 파키스탄 간의 갈등이 지속되고 있다.

❹ 스리랑카 분쟁

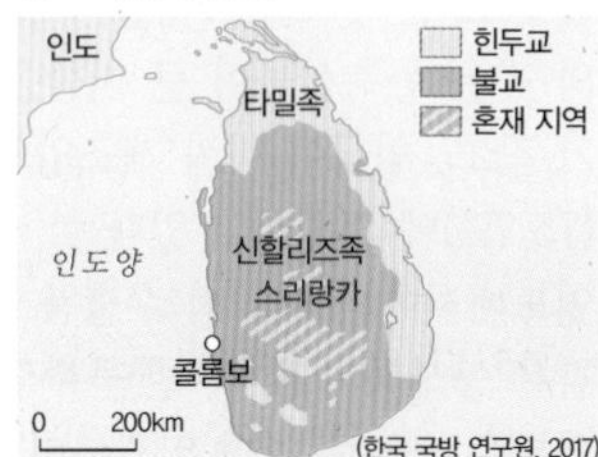

스리랑카 북부에는 불교를 믿는 신할리즈족과 힌두교를 믿는 타밀족 간 갈등이 26년간 지속되었다. 내전은 2009년에 종식되었지만, 타밀족에 대한 신할리즈족의 차별이 여전히 지속되고 있다.

자료 1 중국의 민족 분포와 민족 갈등

교과서 113쪽

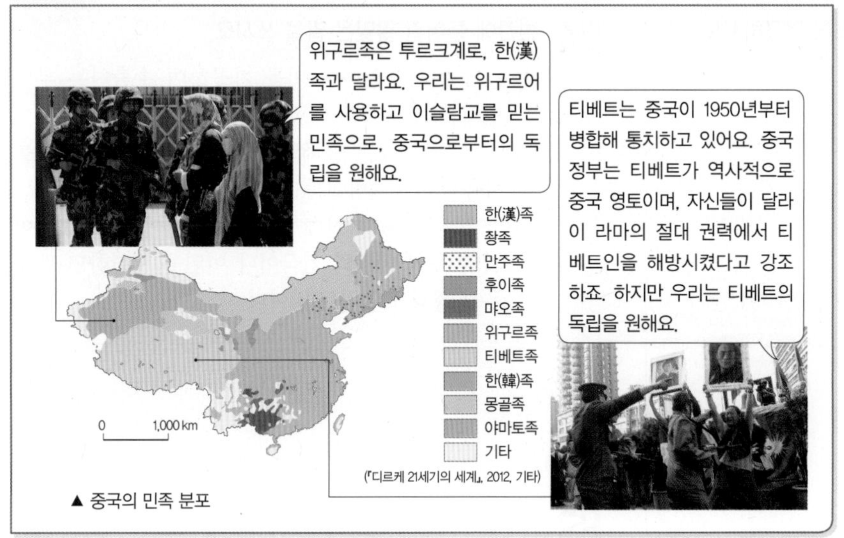

위구르족은 투르크계로, 한(漢)족과 달라요. 우리는 위구르어를 사용하고 이슬람교를 믿는 민족으로, 중국으로부터의 독립을 원해요.
티베트는 중국이 1950년부터 병합해 통치하고 있어요. 중국 정부는 티베트가 역사적으로 중국 영토이며, 자신들이 달라이 라마의 절대 권력에서 티베트인을 해방시켰다고 강조하죠. 하지만 우리는 티베트의 독립을 원해요.
한(漢)족
좡족
만주족
후이족
먀오족
위구르족
티베트족
한(韓)족
몽골족
야마토족
기타
0 1,000 km
(『디르케 21세기의 세계』, 2012, 기타)

▲ 중국의 민족 분포

자료 분석 중국은 크게 서부의 산지와 고원 지대, 동부의 평야 지대로 나눌 수 있는데, 소수 민족은 주로 서부에 거주한다. 중국의 일부 소수 민족은 중국으로부터 분리·독립을 시도하고 있다. 위구르족은 주로 중국 서부의 신장 웨이우얼 자치구에 거주하는데, 독자적인 위구르어를 사용하고 이슬람교를 믿는다. 티베트족은 주로 시짱(티베트) 자치구에 거주하는데, 티베트어를 사용하고 티베트 불교(라마교)를 믿는다. 이들 민족은 중국의 다수 민족인 한족과는 언어, 종교, 역사적 배경 등이 달라 중국으로부터의 분리 움직임이 강하다.

자료 분석 포인트

중국의 소수 민족에 대해 알아보자.

Q1 지도의 (가), (나) 지역에 거주하는 최대 소수 민족을 쓰시오.

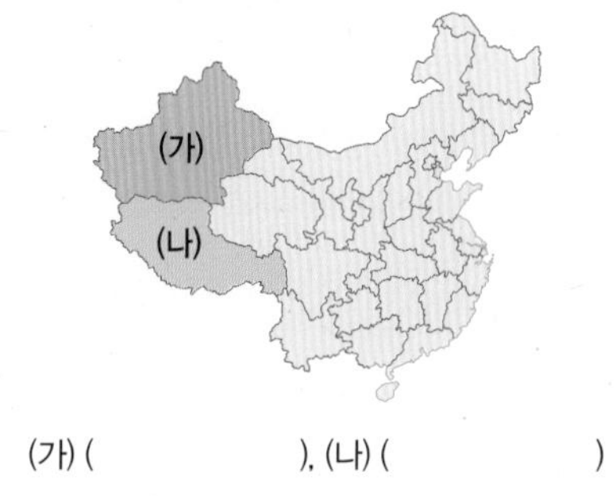

(가) (　　　　　　), (나) (　　　　　　)

자료 2 인도네시아의 종교 분포와 종교 갈등

교과서 116쪽

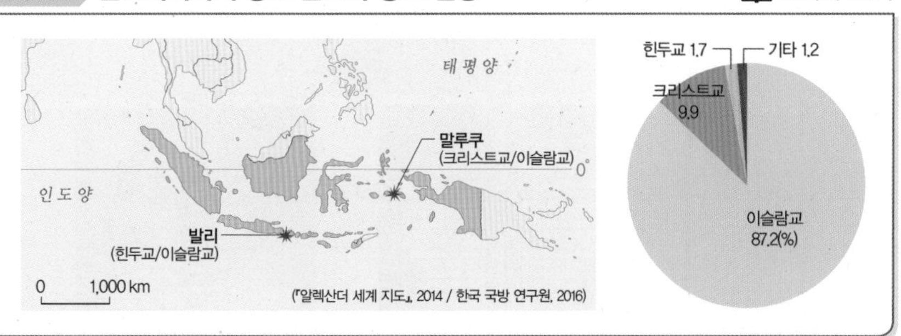

자료 분석 동남아시아에 위치한 인도네시아는 크고 작은 1만 8천여 개의 섬들로 이루어진 세계 최대의 도서 국가로, 동서 교통의 요지에 위치하여 예로부터 다양한 민족의 교류와 이동이 빈번했던 지역이다. 인도네시아에 가장 먼저 전래된 종교는 힌두교와 불교였고, 이후 아랍 상인의 진출과 함께 이슬람교가 전파되었다. 또 유럽(네덜란드)의 식민 지배를 받으면서 크리스트교도 전파되어, 다양한 종교가 자리 잡게 되었다. 전체적으로는 이슬람교가 다수이나 지역에 따라서는 힌두교(발리섬)나 크리스트교(말루쿠 제도)가 다수인 지역도 있어 종교 갈등이 발생하고 있다.

자료 분석 포인트

인도네시아의 종교 분포와 종교 갈등에 대해 알아보자.

Q2 빈칸에 들어갈 알맞은 말을 쓰시오.

인도네시아에서 신자가 가장 많은 종교는 (㉠)이지만, 지역에 따라서는 크리스트교, 힌두교가 다수인 경우도 있다. 특히 관광지로 유명한 (㉡)은/는 힌두교 신자가 다수이다.

㉠ (　　　　　　), ㉡ (　　　　　　)

답 Q1 (가) 위구르족, (나) 티베트족 / Q2 ㉠ 이슬람교, ㉡ 발리섬

1단계 개념 익히기

정답과 해설 ▸ 27쪽

01 다음 자원의 주요 수출 국가를 골라 바르게 연결하시오.

(1) 철광석 • • ㉠ 타이
(2) 식물성 지방 및 기름 • • ㉡ 오스트레일리아
(3) 천연고무 • • ㉢ 인도네시아

02 다음을 읽고 내용이 옳으면 ○, 틀리면 ×표 하시오.

(1) 오스트레일리아와 인도네시아에서 많이 생산되는 석탄은 한국, 중국, 일본, 인도 등의 국가로 이동하여 공업에 이용된다. ( )
(2) 주석은 오스트레일리아에서 한국, 중국, 일본으로 주로 이동하며, 철강으로 만들어 자동차, 선박, 기계를 만드는 데 이용된다. ( )
(3) 인도는 공용어로 힌디어와 영어를 사용하고 있다. ( )
(4) 오스트레일리아의 원주민은 마오리족이다. ( )

03 빈칸에 들어갈 알맞은 말을 쓰시오.

(1) 전 세계 석탄 수출의 대표적인 국가는 오세아니아의 ( )와/과 동남아시아의 ( )이다.
(2) 중국 출신의 ( )은/는 아시아 곳곳에 흩어져 살며 사회·경제적으로 중요한 위치를 차지하고 있으나, 원주민과의 갈등도 적지 않게 겪고 있다.
(3) 오스트레일리아의 원주민인 ( )은/는 과거 유럽계 주민의 차별을 받았으나, 정부는 갈등을 해결하고자 꾸준히 노력하고 있다.

04 빈칸에 들어갈 알맞은 말을 쓰시오.

(1) 원자재를 수입하여 이를 가공하여 수출하는 무역 형태를 ( )(이)라고 한다.
(2) ( )은/는 중국의 소수 민족으로 위구르어를 사용하고 이슬람교를 믿는다.
(3) ( )은/는 한때 오스트레일리아에서 백인 이외의 유색 인종의 입국이나 이민을 제한하던 백인 우선 정책을 일컫는 말이다.

05 다음 설명에 해당하는 국가를 쓰시오.

- 전통 농업, 전통 수공업에서 첨단 산업에 이르기까지 산업의 범위가 다양하다.
- 벵갈루루, 하이데라바드 등의 내륙 도시에서는 정보 통신 기술도 발달하고 있다.

06 다음 종교 분쟁이 발생하는 지역을 지도에서 찾아보자.

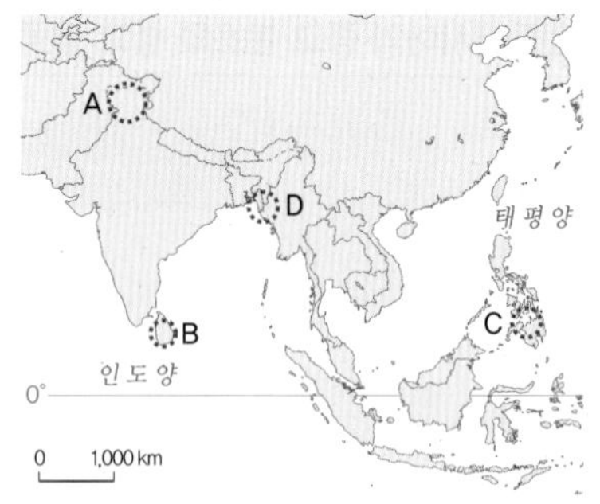

(1) 이슬람교가 다수인 카슈미르 지역의 편입을 둘러싼 종교 갈등 ( )
(2) 원주민인 이슬람교도와 이주민인 가톨릭교도와의 종교 분쟁 ( )
(3) 원주민인 불교도와 플랜테이션 농장의 노동자로 이주한 힌두교와의 종교 갈등 ( )
(4) 불교도가 다수인 국가에서 이슬람교도인 소수 민족 로힝야족의 지위를 둘러싼 종교 갈등 ( )

정답과 해설 ▸ 27쪽

01 지도는 오스트레일리아의 A, B 자원의 수출 경로를 나타낸 것이다. A, B 자원에 대한 설명으로 옳은 것은?(단, A, B는 광물 자원과 에너지 자원에 속함.)

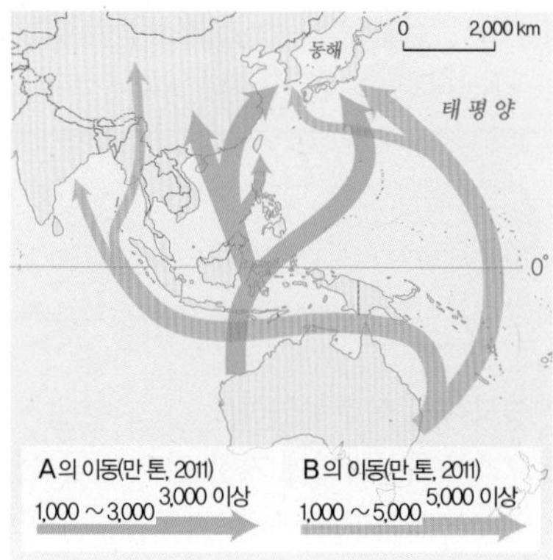

보기

ㄱ. A는 액화 기술의 발전으로 국제 이동량이 증가하였다.
ㄴ. A는 주로 한국, 중국, 일본과 같이 제조업이 발달한 국가로 수출된다.
ㄷ. B는 화력 발전용 연료로 사용한다.
ㄹ. B는 동부의 신기 조산대에 많이 매장되어 있다.

① ㄱ, ㄴ ② ㄱ, ㄷ ③ ㄴ, ㄷ ④ ㄴ, ㄹ ⑤ ㄷ, ㄹ

02 표는 (가) 자원의 주요 국가별 수출 · 입 비중을 나타낸 것이다. 이에 대한 설명으로 옳은 것은?

(가)			
수출		수입	
국가	비중	국가	비중
A	54.6	B	64.0
브라질	20.9	일본	10.3
캐나다	4.2	한국	5.4
남아프리카 공화국	3.9	독일	3.1
우크라이나	3.1	프랑스	0.9

* A, B는 몬순 아시아와 오세아니아 권역에 속하는 국가임

① (가)는 고기 습곡 산지에 매장되어 있는 에너지 자원이다.
② (가)는 가볍고 부식에 강해 주로 항공기 제작에 이용되는 광물 자원이다.
③ A는 2차 산업 종사자 비율이 3차 산업 종사자 비율보다 높다.
④ A는 B보다 1인당 국내 총생산이 많다.
⑤ B는 A보다 도시에 거주하는 인구 비율이 높다.

03 빈출 그래프는 몬순 아시아에 위치한 (가), (나) 국가의 산업별 종사자 비율을 나타낸 것이다. (가)에 비해 (나)에서 높게 나타나는 지표로 옳은 것은?

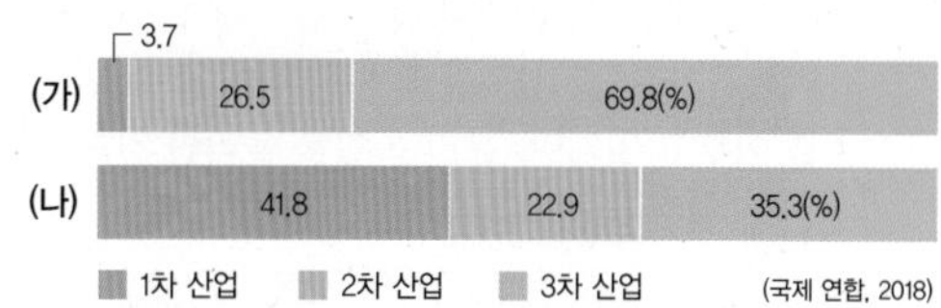

① 유소년층 비율 ② 고령 인구 비율
③ 1인당 국내 총생산 ④ 도시 거주 인구 비율
⑤ 1인당 에너지 소비량

04 그래프는 몬순 아시아에 위치한 A, B 국가의 산업별 종사자 비율을 나타낸 것이다. 이에 대한 설명으로 옳은 것은?

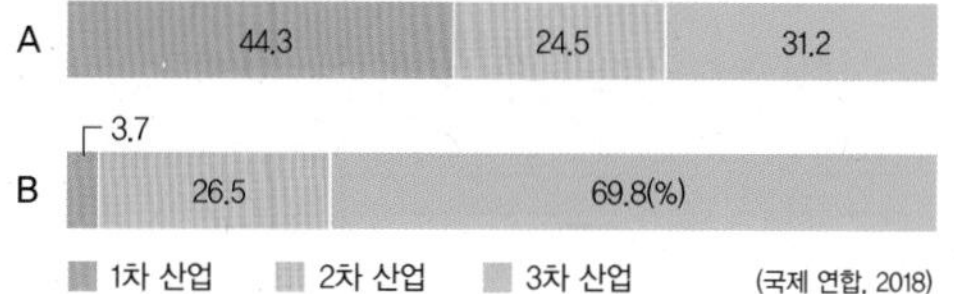

① A는 유소년층 인구보다 노년층 인구가 많을 것이다.
② B는 도시보다 농촌에 거주하는 인구가 많을 것이다.
③ A는 B보다 1인당 국내 총생산이 적을 것이다.
④ B는 A보다 평균 임금이 낮을 것이다.
⑤ A, B 모두 경제 발전의 초기 단계에 해당할 것이다.

05 그래프는 주요 자원의 국가별 수출 비중을 나타낸 것이다. (가)~(다) 자원으로 옳은 것은?

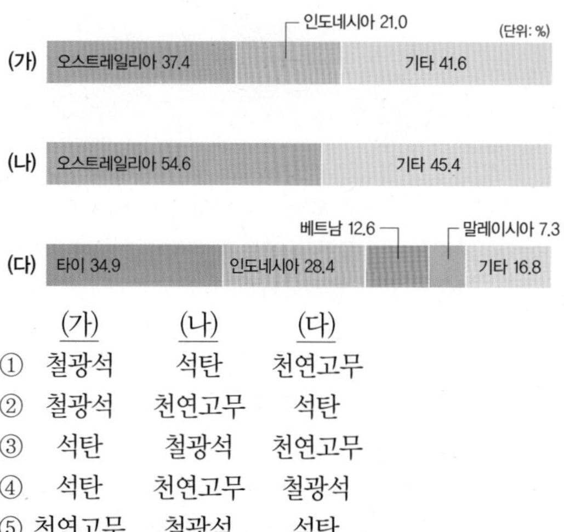

	(가)	(나)	(다)
①	철광석	석탄	천연고무
②	철광석	천연고무	석탄
③	석탄	철광석	천연고무
④	석탄	천연고무	철광석
⑤	천연고무	철광석	석탄

06 다음 글에서 설명하고 있는 지역을 지도에서 옳게 고른 것은?

> 세계적인 고원 지대로 해발 고도가 높아 고산 기후가 나타난다. 겨울이 길며 춥고 건조하여 농경에 매우 불리하다. 티베트 불교를 믿는 민족이 소수 민족 자치구를 이루고 있지만, 분리 독립을 둘러싼 갈등이 있다.

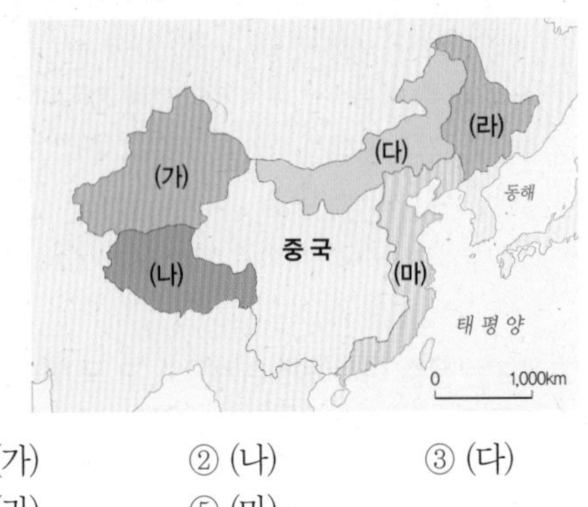

① (가) ② (나) ③ (다)
④ (라) ⑤ (마)

07 다음 자료는 (가) 민족의 동남아시아 국가별 분포에 대한 것이다. (가)에 대한 설명으로 옳은 것은?

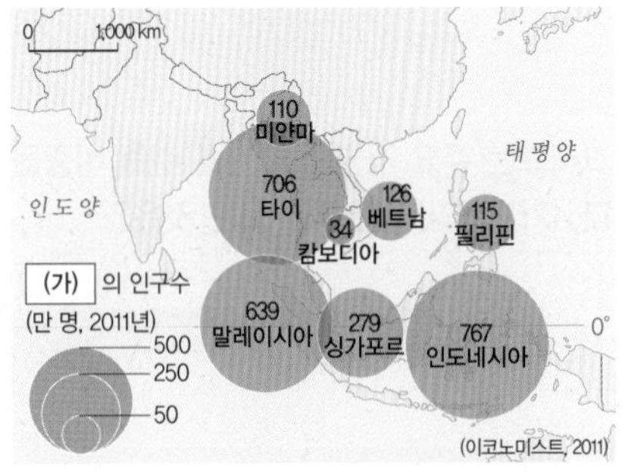

> (가)는 지연과 혈연으로 맺어져 단결력이 강하다. 또 자신의 고유문화를 강하게 지켜가고 있어 현지인들과 갈등을 겪는 경우도 많다.

① 남부 아시아 출신의 이주민이다.
② 대다수가 이슬람교를 믿고 있다.
③ 동남아시아 각국의 경제권을 장악하고 있다.
④ 동남아시아에서 인구가 가장 많은 민족이다.
⑤ 동남아시아를 식민 지배한 사람들의 후손이다.

08 지도에 표시된 지역에 주로 집중 거주하는 민족(인종)에 대한 설명으로 옳은 것은?

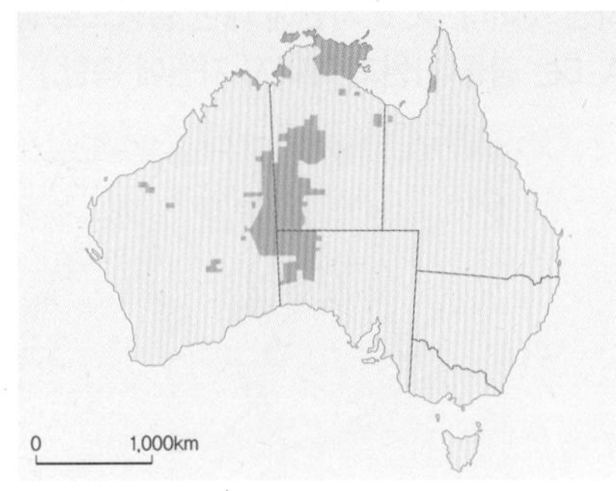

① 영국에서 이주하였다.
② 오스트레일리아에 가장 먼저 정착하였다.
③ 인구는 소수이나 사회 지도층을 구성하고 있다.
④ 아시아 출신으로 최근 경제적 이유로 이주하였다.
⑤ 가톨릭교를 믿으며 출생률이 높아 인구가 급증하고 있다.

09 지도에 표시된 국가들의 공통적인 특성으로 옳은 것은?

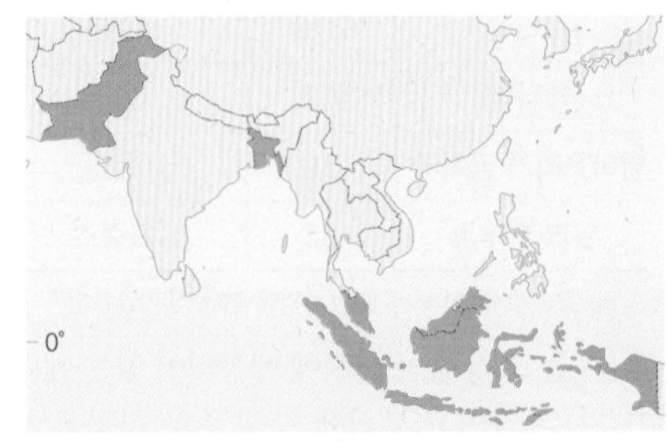

① 세계적인 쌀 수출국이다.
② 세계적인 철광석 수출국이다.
③ 화교들이 경제권을 장악하고 있다.
④ 이슬람교를 믿는 주민의 비율이 높다.
⑤ 영국의 식민 지배를 받아 영어가 공용어이다.

✐ 서술형 문제

10 A는 남부 아시아에서 지역 갈등이 발생하고 있는 대표적인 지역이다. 다음 물음에 답하시오.

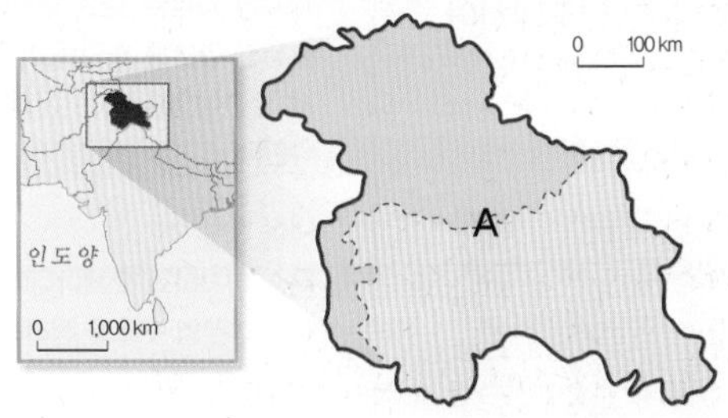

(1) A 지역의 지명을 쓰시오.

(2) A 지역을 둘러싼 분쟁의 원인을 설명하시오.

✐ 서술형 문제

11 지도의 (가), (나) 지역에 거주하는 소수 민족을 쓰고, 이들이 분리 독립하려는 이유를 설명하시오.

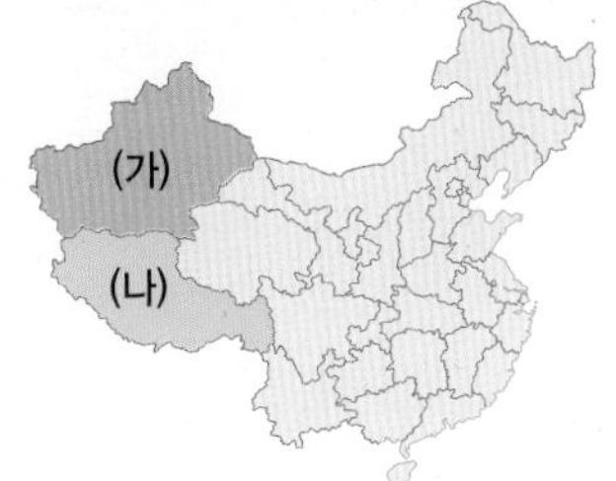

✐ 서술형 문제

12 다음은 몬순 아시아 및 오세아니아 지역 주요 국가의 산업별 종사자 수 비중 및 품목별 수출입 비중을 나타낸 것이다. 그래프를 보고 물음에 답하시오.(단, (가)~(다)는 일본, 베트남, 오스트레일리아 중 하나임.)

〈산업별 종사자 수 비중〉

(가) 3.7 / 26.5 / 69.8
(나) 41.8 / 22.9 / 35.3
(다) 2.7 / 21.2 / 76.1

0 20 40 60 80 100(%)

1차 산업 2차 산업 3차 산업

〈품목별 수출입 비중〉

(가) 수출 6,429억 달러: 87.2(%), 4.3, 1.6, 6.9 / 수입 6,485억 달러: 11.3, 29.4, 57.1, 2.2
(나) 수출 1,621억 달러: 81.4(%), 3.4, 15.2 / 수입 1,661억 달러: 11.2, 8, 75, 5.7
(다) 수출 1,884억 달러: 57.3(%), 19.1, 13.7, 10.0 / 수입 2,084억 달러: 7.3, 12.5, 75.7, 4.6

농산물 광산물 공업 제품 기타 (세계 무역 기구, 2016)

(1) (가)~(다)에 해당하는 국가명을 쓰시오.

(가):

(나):

(다):

(2) (다) 국가의 공업 제품 수출액에 비해 수입액이 더 큰 이유를 서술하시오.

3단계 내신 만점 도전하기

정답과 해설 ▸ 28쪽

01 중요 자료는 몬순 아시아와 오세아니아에 속한 주요 국가의 국내 총생산과 산업별 비중을 나타낸 것이다. 이에 대한 설명으로 옳은 것은?(단, (가)~(라)는 인도, 일본, 인도네시아, 오스트레일리아 중의 하나임.)

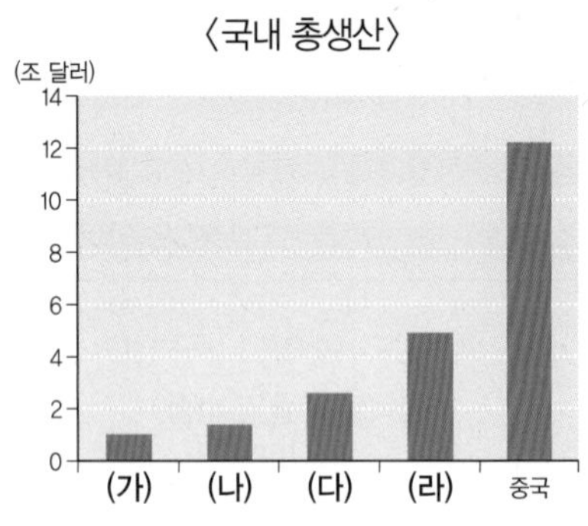

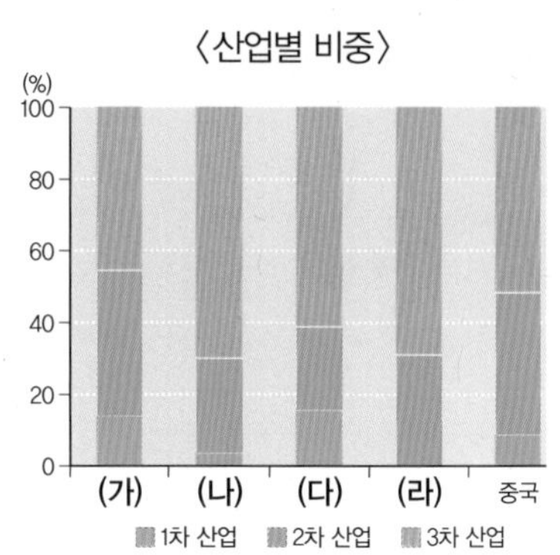

① (가)는 (나)보다 1인당 국내 총생산이 많다.
② (나)는 (다)보다 도시화율이 높다.
③ (다)는 중국보다 1차 산업의 생산액이 많다.
④ (라)는 (가)보다 인구가 많다.
⑤ (가)~(라) 중 (가)의 국토 면적이 가장 넓다.

문제 접근 방법
제시된 자료를 보고 주요 국가의 국내 총생산 규모를 파악하고, 각 국가의 경제 발전에 해당하는 산업별 비중을 파악한다.

내신 전략
몬순 아시아와 오세아니아에 속한 주요 국가의 산업 구조를 정리해 둔다.

02  지도의 (가)~(라) 지역의 갈등에 대한 옳은 설명을 |보기|에서 고른 것은?

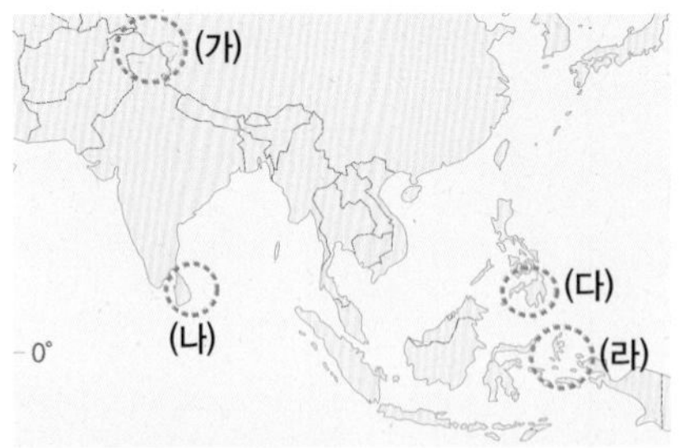

보기

ㄱ. (가)는 보편 종교와 민족 종교 간의 갈등이다.
ㄴ. (가), (나) 모두 힌두교와 관련된 분쟁이다.
ㄷ. (다)의 소속 국가는 이슬람교도가 다수이다.
ㄹ. (라)는 같은 종교 내의 종파가 다른 집단 간의 분쟁이다.

① ㄱ, ㄴ　② ㄱ, ㄷ　③ ㄴ, ㄷ　④ ㄴ, ㄹ　⑤ ㄷ, ㄹ

문제 접근 방법
몬순 아시아의 종교적 다양성과 종교 갈등을 파악하는 문제이다. (가)~(라)의 종교 갈등을 분석하여 문제를 해결한다.

내신 전략
몬순 아시아의 종교별 분포를 정리하고, 종교 갈등이 발생하는 지역의 위치를 확인한다.

정답과 해설 ▸ 28쪽

2017학년도 6월 모의평가

01 다음 자료의 A～D 종교에 대한 설명으로 옳지 않은 것은?

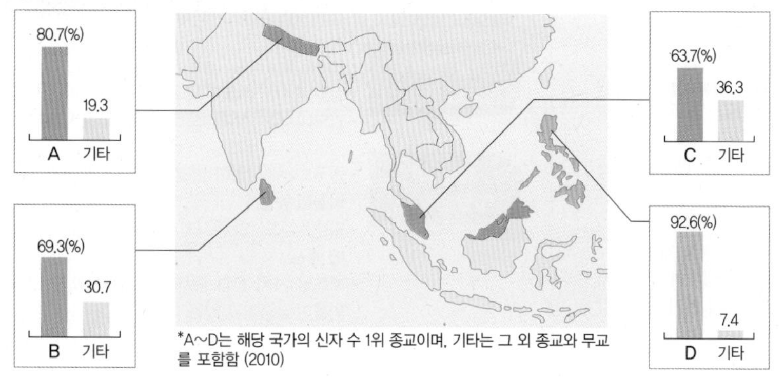

① A 신자 수가 세계에서 가장 많은 국가는 인도이다.
② B의 대표적 종교 경관은 첨탑과 둥근 지붕이 있는 모스크이다.
③ C의 주요 성지는 서남아시아의 메카와 메디나이다.
④ A는 쇠고기를, C는 돼지고기를 먹는 것을 금기시한다.
⑤ C와 D는 모두 유일신을 믿는 종교이다.

출제 개념
몬순 아시아의 종교 분포

자료 해설
자료에 제시된 국가는 네팔, 스리랑카, 말레이시아, 필리핀이다. 네팔은 힌두교와 불교 신자의 비중이 높고, 스리랑카는 불교와 힌두교 신자의 비중이 높다. 말레이시아는 이슬람교 신자의 비중이 가장 높다. 필리핀은 크리스트교 신자의 비중이 매우 높다.

해결 비법
각 국가에서 신도 수 비중이 가장 높은 종교를 파악해 둔다.

2015학년도 수능 응용

02 그래프는 몬순 아시아와 오세아니아에 위치한 3개국의 무역 구조를 나타낸 것이다. (가)～(다) 국가를 지도의 A～C에서 고른 것은?

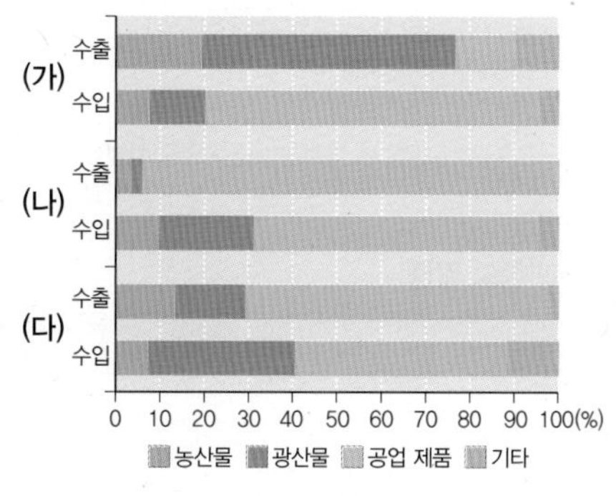

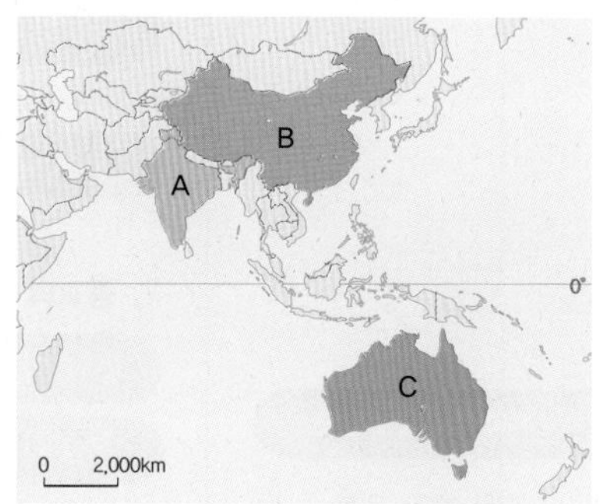

	(가)	(나)	(다)
①	A	B	C
②	A	C	B
③	B	A	C
④	C	A	B
⑤	C	B	A

출제 개념
몬순 아시아와 오세아니아 주요 국가의 무역 구조

자료 해설
지도에 표시된 국가는 인도, 중국, 오스트레일리아이다. 세 국가 중 인도는 경제 발전 수준이 가장 낮으며, 1차 산업의 비중이 높은 편이다. 중국은 세계적인 제조업 국가로 무역에서 공산품이 차지하는 비중이 매우 높다. 오스트레일리아는 자원이 풍부하여, 수출품에서 광산물이 차지하는 비중이 절반 이상이다.

해결 비법
세 국가의 산업 구조를 바탕으로 무역 구조의 특징을 파악해 둔다.

대단원 4 마무리하기

핵심 개념 정리하기

1 몬순 아시아의 자연환경과 전통 생활 모습

1. 계절풍 기후

구분	특성
여름	• 풍향: 해양에서 대륙으로(남풍, 남서풍, 남동풍 계열) • 발생 과정: 뜨거워진 대륙에 저기압이 발달하여 해양에서 대륙으로 바람이 불게 됨 → 몬순 아시아의 우기, 높은 기온과 많은 강수량 • 몬순과 히말라야산맥이 만나 바람받이 지역에 매우 많은 강수 발생 예 체라푼지
겨울	• 풍향: 대륙에서 해양으로(북풍, 북서풍, 북동풍 계열) • 발생 과정: 차가워진 대륙에 고기압이 발달하여 대륙에서 해양으로 바람이 불게 됨 → 몬순 아시아의 건기, 적은 강수량

2. 주민 생활

구분	특성
농업	• 여름철 높은 기온과 풍부한 강수량을 이용해 벼농사 활발 • 겨울에 날씨가 온화하면 벼의 2기작 가능 • 벼는 단위 면적당 생산량이 많아 인구 부양력이 높음 → 인구가 밀집함
의	• 고온 다습한 기후의 영향으로 비교적 간단하고 개방적인 옷차림 • 뜨거운 햇볕과 잦은 비에 대비한 삿갓 모양의 모자
식	• 쌀을 이용한 다양한 음식 발달 • 물고기 섭취가 많음 → 젓갈 문화
주	• 고온 다습한 기후의 영향으로 통풍이 잘되며 개방적인 편임 • 고상 가옥: 지면의 습기와 열을 피하고, 짐승과 해충의 침입 방지를 위해 건축 • 회랑: 비나 햇볕을 피해 보행할 수 있도록 건물 앞에 설치

2 주요 자원 분포와 산업 구조

1. 주요 자원과 국제 이동

자원	지역 내 주요 생산국	지역 내 주요 수입국
철광석	오스트레일리아	한국, 중국, 일본
주석	인도네시아, 말레이시아	한국, 중국, 일본
석탄	오스트레일리아, 인도네시아	한국, 중국, 일본
천연고무	타이, 인도네시아	중국, 일본
식물성 기름	인도네시아, 말레이시아	인도, 중국

2. 주요 국가의 산업 구조

구분	특성
자원 수출이 많은 국가	• 오스트레일리아: 높은 임금 수준, 작은 소비 시장으로 2차 산업 종사자 비율이 낮고 3차 산업 종사자 비율이 매우 높음 • 인도네시아: 상대적으로 1차 산업 종사자 비율이 높음
제조업이 발달한 국가	• 중국: 2차 산업이 발달했지만, 아직까지 1차 산업 종사자 비율이 높음 • 일본: 1차 산업 종사자 비율이 매우 낮고, 대부분 3차 산업에 종사 • 베트남: 1차 산업 종사자 비율이 높지만, 2차 산업 종사자 비율이 급증하고 있음

3 민족 및 종교의 다양성과 지역 갈등

1. 문화적 다양성과 지역 갈등

지역	문화적 다양성	지역 갈등
동부 아시아	다민족 국가 중국	위구르족, 티베트족의 분리주의 움직임
동남아시아	• 다양한 민족으로 구성 • 식민 지배 후 화교, 인도인 이주	화교의 경제적 주도권을 둘러싼 갈등
남부 아시아	• 세 개의 인종 • 다양한 언어를 사용	힌디어 사용에 대한 갈등
오세아니아	유럽계 이주민이 다수	• 인종 차별 문제 • 원주민 차별 문제

2. 종교의 다양성과 종교 갈등

지역	종교 분포	종교 갈등
동남아시아	• 반도 국가는 불교가 우세 • 섬 국가는 이슬람교가 우세	• 민다나오(크리스트교, 이슬람교) • 라카인(불교, 이슬람교) • 말루쿠(크리스트교, 이슬람교)
남부 아시아	• 힌두교-인도, 네팔 • 이슬람교-파키스탄, 방글라데시 • 불교-스리랑카, 부탄	• 카슈미르(힌두교, 이슬람교) • 스리랑카(힌두교, 불교)

핵심 개념 적용하기

●●○

01 (가), (나)는 주요 식량 작물의 국가별 생산 비율을 나타낸 것이다. (가)에 대한 (나)의 상대적 특성을 그림의 A~E에서 고른 것은?

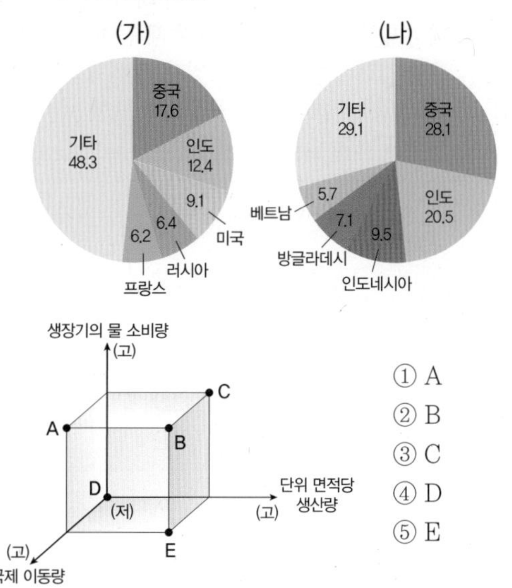

① A ② B ③ C ④ D ⑤ E

●●●

02 다음 자료에 소개된 지역의 기후 유형에 해당하는 그래프를 A~E에서 고른 것은?

○○의 거대 건축물

○○는 놀랄 만한 건축물이 많이 있지만, 그중에서도 거대한 계단식 우물은 매우 경이롭다. 찬드바오리라는 우물은 계단 수가 3,500개로 깊이가 30m에 이른다. 이런 거대한 우물을 만든 이유는 몬순의 영향으로 계절마다 강수량이 달라 우기에 내린 비로 각종 생활용수를 확보해야 하기 때문이다.

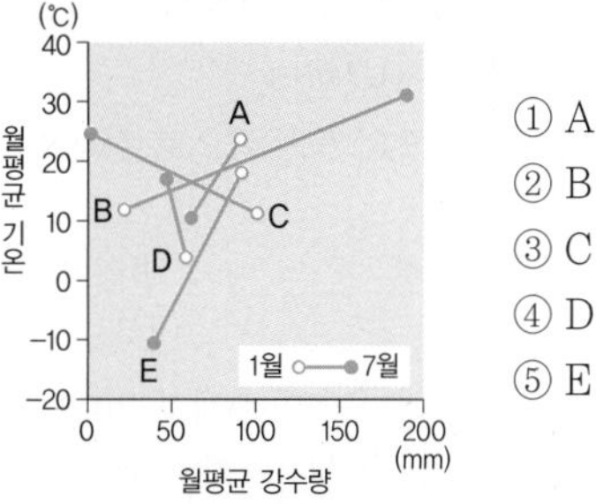

① A ② B ③ C ④ D ⑤ E

●●○

03 다음은 동남아시아의 기후 특색과 주민 생활을 주제로 학생들이 나눈 대화 내용이다. ㉠~㉣에 대한 옳은 설명을 |보기|에서 고른 것은?

매일 오후에는 ㉠ 짧은 시간에 많은 비가 내린대.
이곳 주민들은 ㉡ 고상 가옥에서 지내고 있어.
주민들은 주로 벼농사를 짓고, ㉢ 쌀이 주식이야.
논에서 일하는 사람들은 ㉣ 삿갓 모양의 모자를 쓰고 있어.

보기

ㄱ. ㉠-스콜이라 불리며, 성질이 서로 다른 공기가 만나 내리는 강수이다.
ㄴ. ㉡-열기와 높은 습도에 대비한 가옥이다.
ㄷ. ㉢-인도에서는 가루로 만들어 빵이나 난의 재료로 이용한다.
ㄹ. ㉣-뜨거운 햇볕과 잦은 비에 대비하기 위함이다.

① ㄱ, ㄴ ② ㄱ, ㄷ ③ ㄴ, ㄷ ④ ㄴ, ㄹ ⑤ ㄷ, ㄹ

●●●

04 자료는 (가), (나) 자원의 주요 국가별 수출입 비율을 나타낸 것이다. 이에 대한 설명으로 옳지 않은 것은?(단, (가), (나)는 석탄과 철광석 중 하나임.)

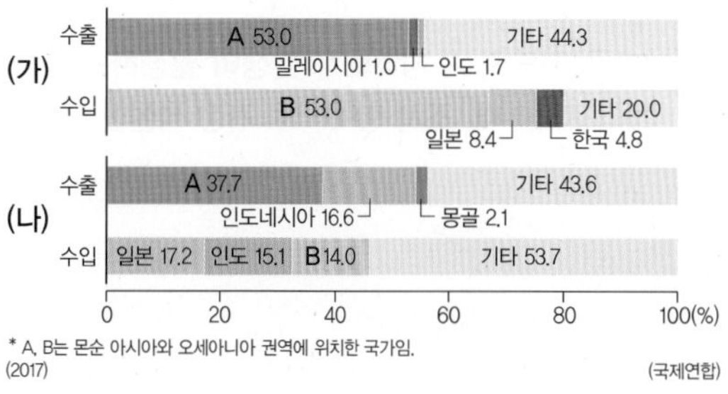

① (가)는 자동차, 선박 등을 제작할 때 사용되는 광물 자원이다.
② (나)는 주로 발전용, 제철용으로 소비되는 에너지 자원이다.
③ 세계에서 (가)는 B가, (나)는 A가 가장 많이 생산한다.
④ A는 B보다 1인당 국내 총생산이 높다.
⑤ B는 A보다 총 수출액에서 공업 제품이 차지하는 비율이 높다.

정답과 해설 ▸ 28쪽

05 그래프는 몬순 아시아에 위치한 (가)~(다) 국가의 국내 총생산에서 각 산업이 차지하는 비율을 나타낸 것이다. 이에 해당하는 국가를 지도의 A~C에서 고른 것은?

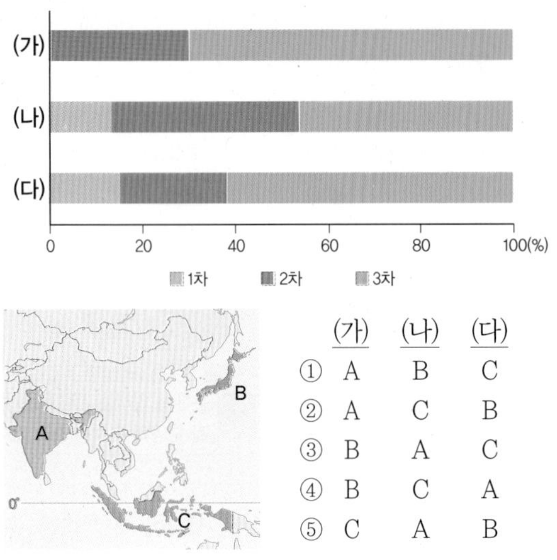

	(가)	(나)	(다)
①	A	B	C
②	A	C	B
③	B	A	C
④	B	C	A
⑤	C	A	B

06 다음 지도의 A 지역에서 분쟁이 발생하는 원인을 탐구하고자 할 때, 조사 항목으로 가장 적절한 것은?

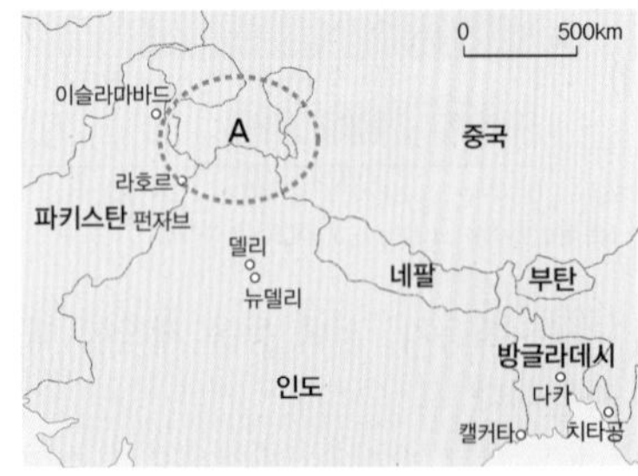

① 인종 차별 정책의 실시 여부
② 석유와 천연가스의 분포 상황
③ 외국인 노동자의 불법 입국 현황
④ 국가별 경제적 소득 수준의 차이
⑤ 분쟁 지역 및 주변 국가의 종교 분포

07 다음 글에서 밑줄 친 '이 국가'를 지도의 A~E에서 고른 것은?

> 이 국가에 언제 평화가 올 것인가? 과거 영국의 식민지였던 이 국가는 53년 군부 집권을 끝낸 후, '기회의 땅'이 될 것으로 여겨졌다. 이 국가에는 불교 국가답게 수많은 사찰이 있고, 아직 때 묻지 않은 순수한 영혼을 가진 사람들이 살고 있다. 그러나 소수 이슬람을 믿고 있는 사람들과의 분쟁으로 다시 국가가 시끄러워지고 있다.

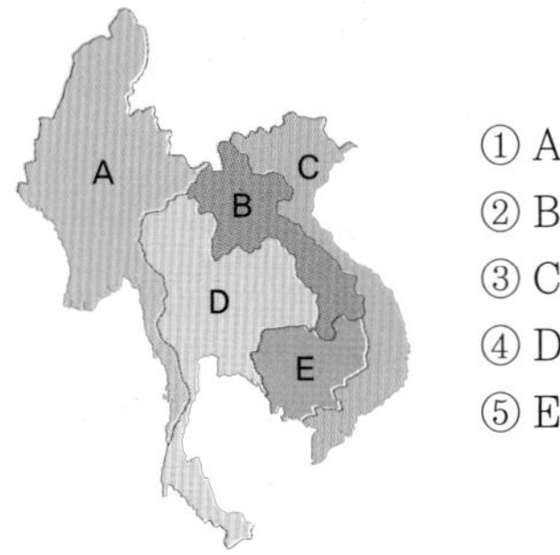

① A
② B
③ C
④ D
⑤ E

08 다음 자료는 말레이시아의 민족과 종교에 대한 것이다. 이에 대한 설명으로 옳은 것은?

> 말레이시아는 영국의 식민 지배를 받으면서 광산 노동자와 농업 노동자로 ㉠ 중국인(화교)과 ㉡ 인도인이 이주하면서 다민족 사회로 변모하였다. 또 민족마다 종교가 달라 주요 종교의 축일을 휴일로 지정함으로써 민족·종교 간의 공존을 꾀하고 있다.

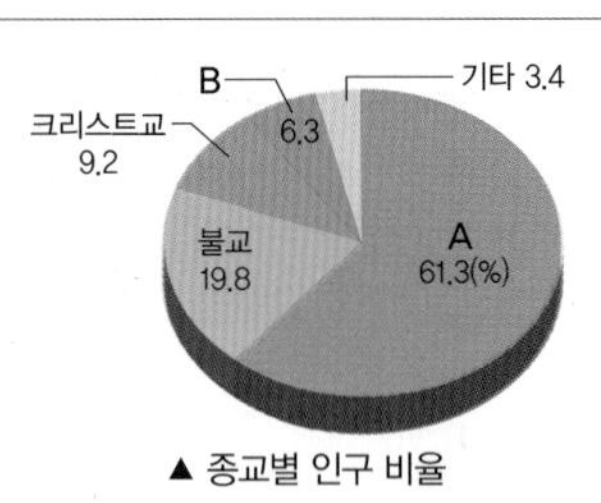

▲ 종교별 인구 비율

① ㉠은 주로 A 종교를 신봉한다.
② ㉡은 플랜테이션 농장의 노동력으로 강제 이주를 당하였다.
③ ㉠은 경제적 주도권을, ㉡은 정치 권력을 분점하고 있다.
④ B의 종교 축일에는 디파발리 축제가 있다.
⑤ A 신자는 쇠고기를, B 신자는 돼지고기를 금기시한다.

지리적 역량 기르기

정답과 해설 ▸ 29쪽

❖ **최근 세계 곳곳에서 인종 · 민족 · 언어 · 종교의 차이로 인한 갈등이 발생하고 있다. 다음은 미얀마의 소수 민족인 로힝야족에 대한 신문 기사의 일부이다. 로힝야족은 대부분이 이슬람교를 믿고 있어, 불교를 믿고 있는 다수 민족인 버마족과 종교가 다르다. 로힝야족을 둘러싼 두 민족의 입장 차이를 알아보고, 로힝야 난민 문제를 해결하기 위한 방안을 생각해 보자.**

현재 소수 민족 문제가 가장 심각한 곳은 미얀마이다. 미얀마에는 현재 130여 개의 소수 민족이 살고 있는데, 이 중 로힝야족에 대한 미얀마 정부의 탄압과 박해가 국제적인 문제로 번지고 있다. 로힝야족은 원래 방글라데시 등 벵골만 주변에 살던 민족으로 대부분이 이슬람교도이다. 로힝야족에 따르면 이들은 9세기 경 미얀마에 정착한 아랍 상인의 후손이며, 오랫동안 미얀마에 살아왔다. 전체 250만 명의 로힝야족 중 현재 130만 명이 미얀마에 살고 있으며 이들은 불교 국가인 미얀마에서 이슬람을 믿는 유일한 민족이다.

그러나 미얀마인들에게 이들은 19세기 무렵 영국 식민지하에서 대거 미얀마로 이주한 모슬렘일 뿐이다. 실제로 9세기 무렵부터 미얀마에 살아온 로힝야족도 존재하겠으나 불교 국가인 미얀마에 모슬렘이 늘어난 것은 식민지 미얀마의 자원을 수탈하기 위해 영국이 주변의 인도 모슬렘들을 대거 이주시키면서부터다. 이들은 미얀마 내에서 영국의 하수인 노릇을 하며 중간 지배층으로 군림해왔다. 제1차 세계 대전 이후 미얀마인들의 어려운 경제 사정을 이용해 고리대금업을 하고, 토지를 수탈했다. 종교적 이질감이 강했던 모슬렘에 대한 미얀마인들의 적대감은 이런 과정을 거치면서 더욱 커졌다.

– ○○ 신문, 2017. 10. 27. –

더 알아보기

미얀마는 인구의 약 30%를 차지하는 소수 민족과 다수인 버마족 간의 갈등 역사가 깊다. 미얀마에는 버마족(68%)과는 언어와 문화가 다른 소수 민족이 많은데, 샨족(9%), 카렌족(7%) 등이 있다. 이들 소수 민족들은 무장 반군을 만들어서 정부군에 대항하여 왔다. 최근에는 모슬렘인 로힝야족 문제도 발생하였는데, 미얀마에서는 이들을 '벵갈리'(방글라데시에서 넘어온 모슬렘)라고 부르는데, 시민권을 주지 않아 소수 민족에 포함되지도 않는다.

문제 해결 길잡이

서로 대립되는 민족 간에는 입장 차이가 분명하고, 타협도 쉽지 않다. 그러나 인종 · 민족 · 언어 · 종교 등의 분쟁이 발생하면 인권 유린 문제도 발생하기 쉽다. 특히 노약자, 어린이, 여성의 인권 침해가 자주 발생한다. 보편적 인권 보호의 측면에서 난민 문제를 해결할 방안을 제시하여 보자.

01 신문 기사를 참고하여 로힝야족에 대한 입장 차이를 정리해 보자.

구분	민족의 기원	유입 시기	쟁점
버마족의 입장			
로힝야족의 입장			

02 로힝야 난민 문제를 해결하기 자신의 생각을 적어 보자.

대단원 5

건조 아시아와 북부 아프리카

학습 계획표

- 자신의 일정에 맞게 계획을 세우고, 실제 학습일을 적어 봅시다.
- 학습을 마무리한 후 스스로가 얼마나 학습 목표를 달성하였는지 점검해 봅시다.

주제 17 자연환경에 적응한 생활 모습	쪽수	계획일	완료일	목표 달성도
Day 01 개념 정리, 핵심 자료 특강	170 ~ 171쪽	월 일	월 일	☆☆☆☆☆
Day 02 개념 익히기, 내신 유형 익히기	172 ~ 175쪽	월 일	월 일	☆☆☆☆☆
Day 03 내신 만점 도전하기, 수능 유형 익히기	176 ~ 177쪽	월 일	월 일	☆☆☆☆☆

주제 18 주요 자원의 분포와 산업 구조 주제 19 사막화에 따른 지역 문제	쪽수	계획일	학습일	목표 달성도
Day 04 개념 정리, 핵심 자료 특강	178 ~ 181쪽	월 일	월 일	☆☆☆☆☆
Day 05 개념 익히기, 내신 유형 익히기	182 ~ 185쪽	월 일	월 일	☆☆☆☆☆
Day 06 내신 만점 도전하기, 수능 유형 익히기	186 ~ 187쪽	월 일	월 일	☆☆☆☆☆
Day 07 대단원 마무리하기, 지리 역량 기르기	188 ~ 191쪽	월 일	월 일	☆☆☆☆☆

자연환경에 적응한 생활 모습

교과서 122~127쪽

주제 흐름 읽기

의식주와 경제 활동	의	온몸을 감싸는 의복
	식	고기와 밀빵
	주	지붕이 평평한 흙집, 이동식 가옥
	경제 활동	유목과 오아시스 농업, 대상

건조 환경의 활용	관개 수로(카나트)
	천연 에어컨(바드기르)
	스프링클러
	태양열 발전소

1 주민들의 의식주와 경제 활동

1. 건조 기후 지역의 의식주

(1) 의복

① 뜨거운 햇볕, 강한 모래 바람, 큰 일교차의 영향

② 긴 천으로 온몸을 감싸는 형태의 의복❶이 발달

(2) 음식

① 가축을 활용한 음식: 염소와 양의 고기, 가축의 젖을 발효시켜 만든 유제품

② 밀로 만든 빵: 밀은 건조한 환경에서 잘 자라고, 밀로 빵을 만들 때 비교적 물이 적게 들며, 빵은 저장과 운반이 편리함

서남아시아가 원산지인 밀은 내건성, 내한성 작물이야.

(3) 가옥

① 오아시스 주변에 마을이 발달

② 흙집: 나무는 구하기 어렵지만, 흙은 주변에서 쉽게 구할 수 있음

③ 작은 창문과 두꺼운 벽: 뜨거운 햇볕과 강한 모래 바람 차단

④ 평평한 지붕: 강수량이 적기 때문에 지붕에 경사가 없음

⑤ 촘촘하게 붙여서 지은 가옥: 그늘을 만들어 햇볕을 가리기 위함

⑥ 유목민의 이동식 가옥❷: 쉽게 설치하고 철거할 수 있는 이동식 가옥, 나무로 된 뼈대를 설치하고 동물의 가죽이나 털로 짠 두꺼운 천을 두르는 천막 형태의 가옥 자료 1

이동식 가옥을 몽골에서는 '게르', 중국에서는 '파오'라고 해.

2. 경제 활동

(1) **유목❸과 대상** 목초지를 찾아 이동하면서 가축을 사육하며 생활, 정착민을 상대로 상업을 하기도 함, 최근에는 국경이 설정되면서 이동이 제한되고 도시화로 정착이 늘어남에 따라 유목민의 수가 감소하고 있음

(2) **오아시스 농업** 오아시스나 외래 하천 주변에서 대추야자❹, 밀 등을 경작, 대추야자는 내염성 작물이기 때문에 건조 기후 지역의 중요한 식량 자원임

사막에서 낙타를 타고 무리지어 이동하는 상인을 대상(隊商) 또는 카라반(caravane)이라고 해.

2 주민들의 건조 환경 활용

1. 관개 수로(카나트) 수분 증발을 막기 위해 지하에 관개 수로 설치 → 생활용수, 대추야자, 채소 재배에 활용 자료 2

2. 바드기르(윈드 타워) 자연 바람을 활용하여 공간을 서늘하게 만드는 친환경 공법

3. 스프링클러 사막에 농경지 조성

4. 태양열 발전소 대기 중에 구름과 수증기가 적어 일조량이 풍부함

❶ 건조 기후 지역의 의복

❷ 이동식 가옥의 설치 과정

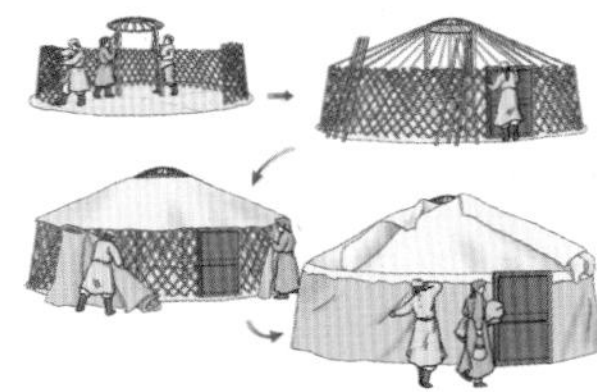

❸ 유목(遊牧)
거처를 정하지 않고 물과 목초지를 따라 가축 떼를 몰고 다니는 목축 방식이다.

❹ 대추야자의 국가별 생산 비중

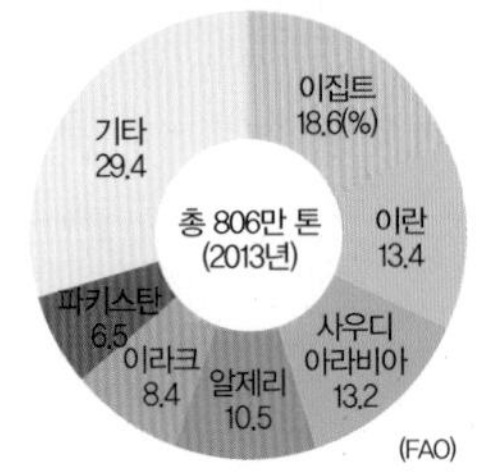

자료 1 **유목민의 이동식 가옥** 교과서 124쪽

▲ 이동식 가옥, 유르트(키르기스스탄) ▲ 이동식 가옥의 내부

자료 분석 스텝 기후 지역은 농사를 지을 수 있을 만큼 강수량이 충분하지 않다. 따라서 가축을 키우며 풀을 찾아 계절마다 먼 거리를 이동해야 하는 유목이 발달하였다. 유목을 위해 사용되는 이동식 가옥을 중앙아시아에서는 유르트, 몽골에서는 '게르'라고 한다. 게르는 이동할 때 4~5명의 공동 작업으로 1시간이면 쉽게 분해할 수 있다. 몽골의 유목민들은 일 년에 많게는 30번까지도 이사한다.

자료 분석 포인트

스텝 기후 지역 주민들의 생활 모습을 파악해 보자.

Q1 스텝 기후 지역의 초원에서 거주하는 유목민의 생활과 관련이 먼 것은?

① 이동식 천막 가옥
② 이동식 화전 농업
③ 대상이라고도 불리는 상업 활동
④ 말, 낙타, 염소, 양 등 가축 사육
⑤ 가축의 젖을 이용한 유제품 생산

자료 2 **관개 수로(카나트)의 구조** 교과서 126쪽

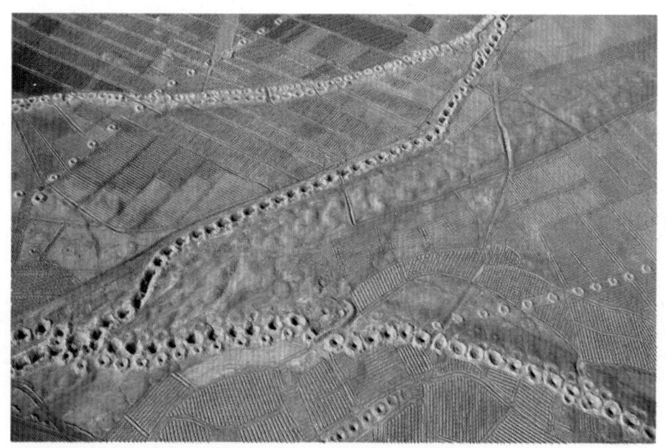

자료 분석 지표에서 물을 구하기 어려운 건조 지역에서 지하수를 생활 및 농업용수로 사용하기 위해 설치한 관개 수로이다. 산지에 내린 강수가 선상지에 아래 지하수로 흐를 때 우물을 파서 물을 취수한다. 이후 이 물은 마을로 보내는 과정에서 증발로 손실되는 것을 방지하기 위해서 지하 수로를 통해 송수된다. 지하 수로의 길이는 지역에 따라 다르지만, 긴 것은 40~50km에 이르는 것도 있다. 중국에서는 카얼징, 북부 아프리카에서는 포가라라고 불린다.

자료 분석 포인트

건조 기후 지역에서 관개 수로를 지하에 건설하는 이유를 알아보자.

Q2 관개 수로(카나트)를 지하에 건설하는 가장 주된 이유로 옳은 것은?

① 수질 악화를 막기 위해서이다.
② 수온 변화를 줄이기 위해서이다.
③ 지하 공간의 활용도를 높이기 위해서이다.
④ 지상은 물의 증발이 매우 빠르기 때문이다.
⑤ 지상은 물리적 풍화가 매우 활발하기 때문이다.

답 Q1 ② / Q2 ④

개념 익히기

정답과 해설 ▸ 30쪽

01 다음 빈칸에 들어갈 알맞은 말을 쓰시오.

(1) 건조 기후 지역의 주민은 주로 가축의 고기를 활용한 음식을 먹거나 (   )(으)로 만든 빵을 만들어 먹는다.

(2) (   )은/는 사막의 오아시스에서 가장 많이 재배되는 작물이다. 이 작물은 염분에 잘 견디는 내염성 작물이기 때문에 건조 기후 지역 주민의 중요한 식량 자원이다.

02 다음 내용에서 설명하는 용어를 쓰시오.

> 건조 기후 지역에서 무리를 이루어 이동하며 물건을 사고파는 상인을 의미하며, 카라반(caravane)이라고도 한다. 대체적으로 건조 기후 지역에서는 이동 및 운송 수단으로 낙타를 이용하는 경우가 많다.

____

03 다음 설명이 옳으면 ○, 틀리면 ×표 하시오.

(1) 이란에서는 지하 관개 수로를 카나트라고 한다. (   )

(2) 건조 기후 지역의 가옥은 한낮의 무더위에 대비하기 위해 크기가 큰 창문을 사방에 배치한다. (   )

(3) 사막 기후 지역의 주민들은 온몸을 감싸는 헐렁한 옷을 입는다. (   )

04 다음에서 (가), (나)는 무엇을 지칭하는 용어인지 각각 쓰시오.

(가)	(나)
• 몽골의 게르 • 중국의 파오 • 중앙아시아의 유르트	• 중국의 카얼징 • 북부 아프리카의 포가라 • 아프가니스탄과 파키스탄의 카레즈

(1) ______________________

(2) ______________________

05 다음 설명에서 밑줄 친 '이것'이 의미하는 용어를 쓰시오.

> <u>이것</u>은 햇볕이 강해 기온이 크게 올라가는 시기에 자연 바람을 활용하여 공간을 서늘하게 만드는 친환경 공법의 시설로, 천연 에어컨의 역할을 한다. 지표에서 15m 이상 높이에 설치하는 경우가 많은데, 이 지점은 지표에 비해 바람의 속도가 빠른 대신 모래가 덜 포함되어 있다. 내부에 설치된 굴뚝이 바람을 아래로 내려 보내 공기를 순환시킨다.

____

06 다음 빈칸에 들어갈 알맞은 말에 ○표 하시오.

(1) 건조 기후 지역에서 건물 사이의 간격이 좁은 까닭은 (그늘을 만들어 햇볕을 가리기 위해서 / 차가운 바람이 유입되는 것을 막기 위해서)이다.

(2) 거처를 정하지 않고 물과 목초지를 따라 가축 떼를 몰고 다니는 목축 방식을 (유목 / 방목)이라고 한다.

(3) 최근 국경 설정과 도시화로 유목민의 수는 (증가 / 감소)하고 있다.

01 (가)~(다)의 의복을 입는 지역에서 주로 볼 수 있는 A~C 전통 가옥을 바르게 연결한 것은?

(가) (나) (다)

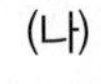

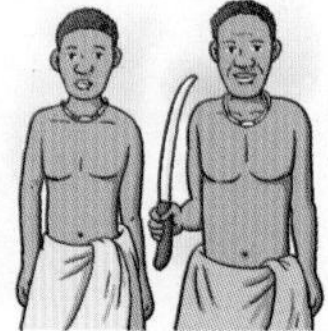

A B C

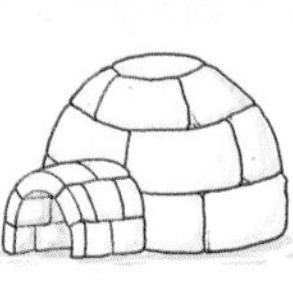
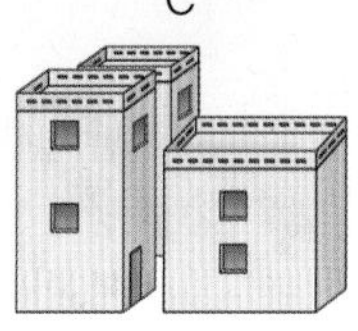

	(가)	(나)	(다)
①	A	B	C
②	A	C	B
③	B	A	C
④	B	C	A
⑤	C	B	A

02 빈출 다음은 건조 지형의 모식도이다. A 지역에서 이루어지는 농업에 대한 설명으로 옳은 것은?

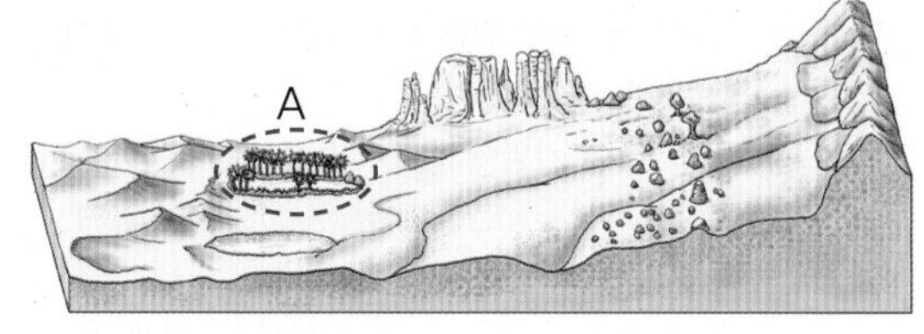

① 카사바를 재배한다.
② 바나나, 카카오 등을 재배한다.
③ 소, 돼지 등의 가축을 사육한다.
④ 밀, 대추야자 등의 작물을 재배한다.
⑤ 호수의 물은 염분이 많아 작물 재배가 불가능하다.

03 다음은 세계지리 스피드 퀴즈 장면이다. (가)에 들어갈 내용으로 가장 적절한 것은?

① 지하에 건설된 관개 수로
② 전기로 가동되는 대형 바람개비
③ 겨울철 차가운 바람을 막기 위한 방풍벽
④ 안개 입자를 모아 물을 생산하는 담수 시설
⑤ 자연 바람을 활용하여 공간을 서늘하게 만드는 친환경 공법

04 그림은 두 기후 지역의 전통 가옥이다. (나) 기후 지역과 비교한 (가) 기후 지역의 특징을 그림의 A~E에서 고른 것은?

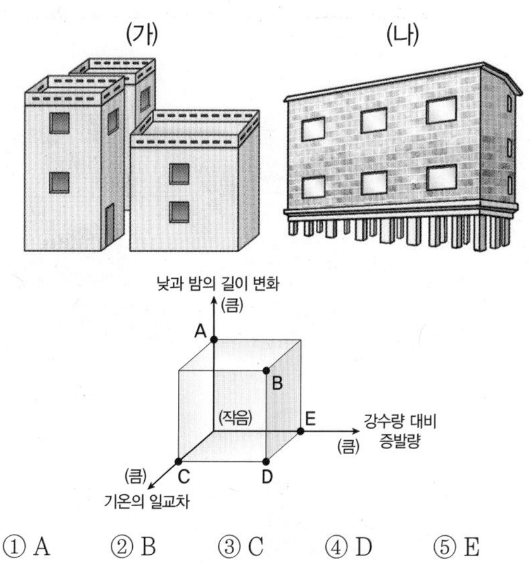

① A ② B ③ C ④ D ⑤ E

05 다음 자료가 나타내는 하천을 지도의 A~E에서 고른 것은?

- 하천 주변으로 건조 기후가 나타남
- 여러 국가에 걸쳐서 흐르며 외래 하천임
- 하천의 발원지는 신기 습곡 산지가 아님
- 아스완 하이댐 건설

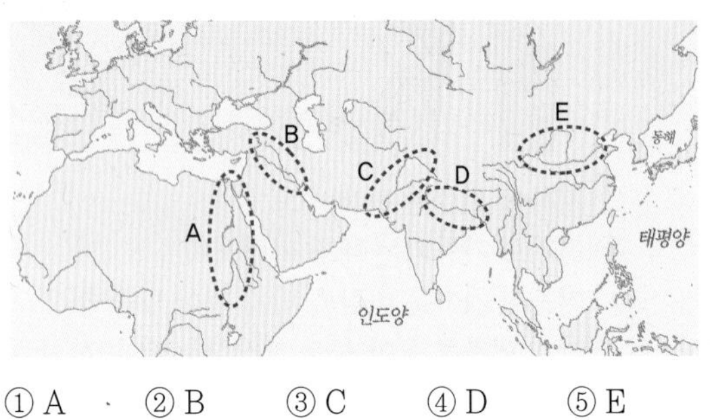

① A ② B ③ C ④ D ⑤ E

06 다음 자료에 제시된 지역의 전통 가옥으로 가장 적절한 것은?

이 지역의 유목민은 생존에 필요한 물건을 대부분 가축으로부터 얻는다. 양, 염소, 낙타 등의 가죽이나 털로 옷이나 양탄자를 만들고, 가축의 배설물은 연료로 사용한다.

①

②

③

④

⑤
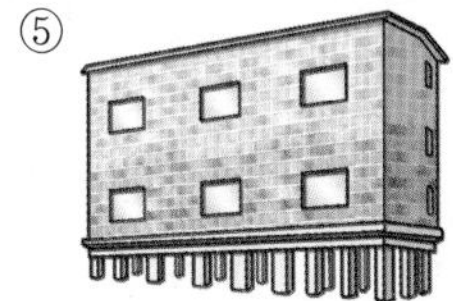

07 그림은 지하 관개 수로의 건설 모습이다. 이와 같은 시설이 나타나는 지역으로 옳지 않은 것은?

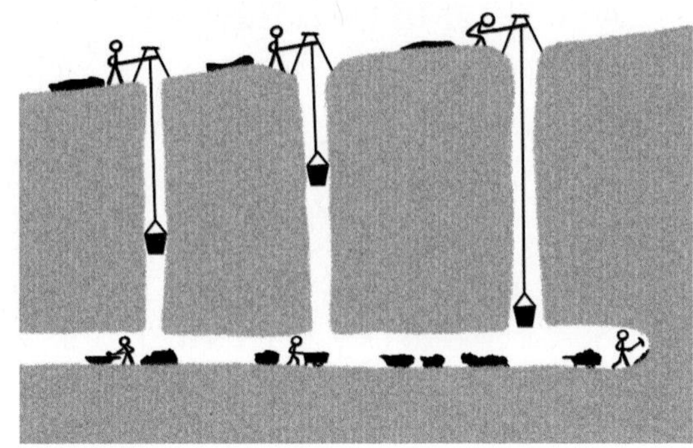

① 서남아시아
② 중앙아시아
③ 북부 아프리카
④ 중국의 투루판 분지
⑤ 오스트레일리아의 찬정 분지

08 다음은 '건조 기후 지역 주민들의 생활 모습'에 관한 세계지리 쪽지 시험지이다. 이 학생이 받은 점수로 옳은 것은?

세계지리 쪽지 시험

2학년 △반 △△△

※ 내용이 옳으면 오른쪽 괄호 안에 ○, 옳지 않으면 ×표 하시오.(맞으면 1점을 부여하며, 틀려도 감점은 없음)

1. 오아시스에서 재배되는 대추야자는 염분에 잘 견디는 내염성 작물이다. (○)
2. 건조 기후 지역에서 무리를 이루어 이동하며 물건을 사고파는 상인을 대상(隊商)이라고 한다. (○)
3. 사막 기후 지역의 흙집은 통풍을 위해 가옥 간에 간격을 많이 두어 집을 짓는다. (×)
4. 건조 기후 지역은 일조량이 많아 태양열 발전에 유리하다. (○)

① 0점 ② 1점 ③ 2점 ④ 3점 ⑤ 4점

서술형 문제

09 다음 대화 장면을 보고 학생의 질문에 대한 답을 문화, 기후, 경제 활동 측면에서의 공통점을 서술하시오.

다음 시간의 학습 주제는 건조 아시아와 북부 아프리카의 주민 생활이야.
건조 아시아와 북부 아프리카는 서로 다른 대륙인데 왜 같이 공부하나요?
교사
학생

서술형 문제

11 뉴스에 소개된 지역에서 개발 가능성이 큰 발전(發電) 방식을 제시하고, 그와 같은 발전 방식이 유리한 이유를 서술하시오.

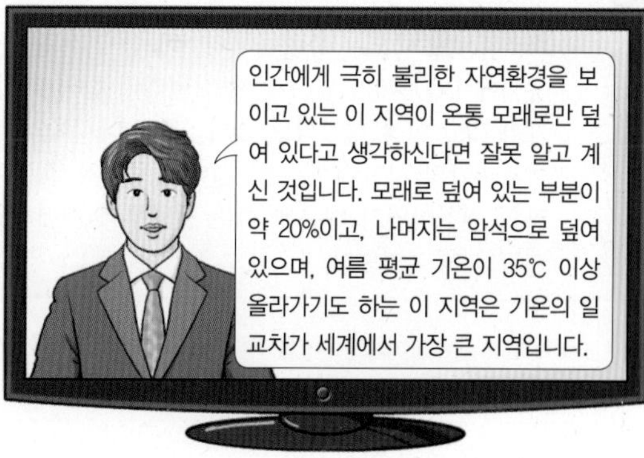

인간에게 극히 불리한 자연환경을 보이고 있는 이 지역이 온통 모래로만 덮여 있다고 생각하신다면 잘못 알고 계신 것입니다. 모래로 덮여 있는 부분이 약 20%이고, 나머지는 암석으로 덮여 있으며, 여름 평균 기온이 35℃ 이상 올라가기도 하는 이 지역은 기온의 일교차가 세계에서 가장 큰 지역입니다.

서술형 문제

10 자료는 (가) 지역의 월별 기온과 강수량을 나타낸 것이다. 이 기후 지역의 농목업과 주거 특징을 서술하시오.

(위: 월평균 기온 ℃, 아래: 월 강수량 mm)

지역 \ 월	1	2	3	4	5	6	7	8	9	10	11	12
(가)	20.5	20.2	20.6	21.1	22.4	25.4	26.9	27.3	27.5	27.4	25.4	22.6
	0.6	0.7	0	0	0	8.8	54.1	141.8	121.9	21.4	1.0	1.1

서술형 문제

12 다음 자료에서 밑줄 친 현상이 나타나는 원인 두 가지를 서술하시오.

> 유목민은 한 곳에 정착하지 않고 다른 장소로 이동하면서 생활하는 사람들을 일컫는다. 현재 세계에는 유목민이 3,000만 명에서 4,000만 명 있으나, 그 수는 계속 감소하고 있다.

3단계 내신 만점 도전하기

정답과 해설 ▸ 31쪽

01 자료의 밑줄 친 A 작물의 특징으로 옳은 것은?

A 작물은 고대 아랍인들을 먹여 살린 생명의 열매로, 성서에 나오는 종려나무의 열매를 가리킨다. 한 송이에 1,000개가 넘는 열매가 달리며 한 송이의 무게가 8kg 이상 나가기도 한다. 건조 아시아와 북부 아프리카의 사막에서는 이 열매가 중요한 식량이고 부의 원천이었기 때문에 아주 옛날부터 재배해왔으며 귀하게 여겨왔다.

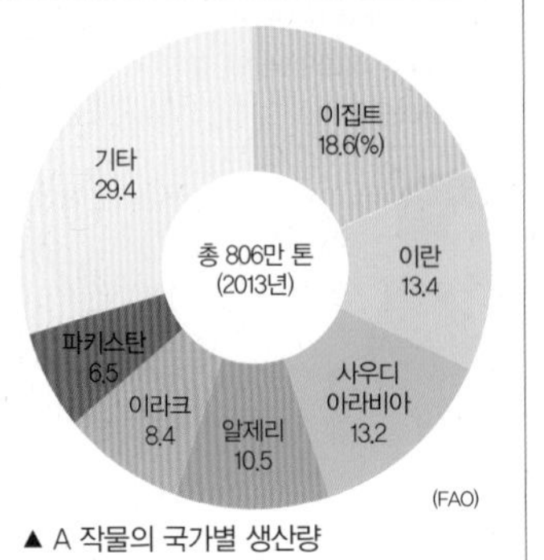

▲ A 작물의 국가별 생산량

① 염분에 강한 작물이다.
② 3대 식량 작물 중 하나이다.
③ 주로 식용유 생산을 목적으로 재배된다.
④ 선진국의 기술과 원주민의 노동력을 결합하여 생산된다.
⑤ 씨를 볶아 만든 가루에 여러 첨가물을 넣어 초콜릿을 만든다.

문제 접근 방법

국가별 생산량 자료에서 이집트, 이란, 사우디아라비아 등 건조 기후 지역에서 주로 재배된다는 점에 주목해야 한다. 또한 왼쪽 자료에서 아랍인들을 먹여 살린 생명의 열매로, 중요한 식량의 역할을 했다는 점도 중요한 힌트이다.

내신 전략

건조 아시아와 북부 아프리카의 오아시스에서 주로 재배되는 밀, 대추야자의 특징에 대해 미리 정리해 둔다.

02 다음 그림과 같은 시설이 건조 아시아 및 북부 아프리카에서 발달하게 된 배경은?

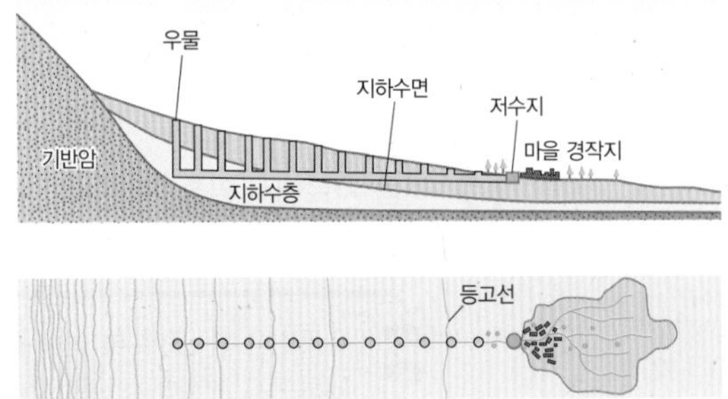

① 기온의 일교차가 매우 크다.
② 지각이 불안정하여 지진이 잦다.
③ 건조하여 물의 증발이 매우 빠르다.
④ 세계 석유 매장량의 절반 이상이 집중되어 있다.
⑤ 물과 풀을 찾아 가축과 이동하는 유목민이 많다.

문제 접근 방법

그림을 통해 산지에서 취수된 물이 지표가 아니라 지하로 수로를 통해 마을과 경작지로 보내진다는 점을 잘 파악해야 한다.

내신 전략

건조 아시아와 북부 아프리카의 주민 생활, 즉 의식주와 경제 활동을 그 지역의 건조 환경과 연관시켜 이해하고 있어야 한다.

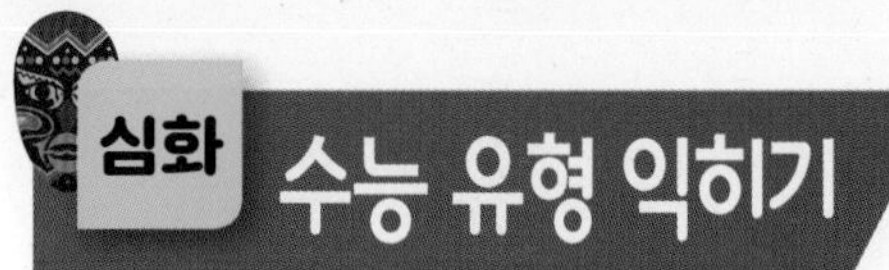

정답과 해설 ▸ 31쪽

2013학년도 3월 학력평가

01 다음과 같은 영화를 제작하고자 할 때 선택할 수 있는 장면으로 적절하지 않은 것은?

○ 영화 제목: ○○○○
○ 줄거리: △△지역에 대한 지배권을 두고 여러 국가들이 서로 대립하던 시기에 주인공은 아랍 부족을 연합하여 전략적 요충지인 아카바를 탈취하고 전쟁의 영웅이 되었다. (후략)

▲ 영화 촬영지 및 이동 경로

① 농민들이 카카오를 수확하는 장면
② 상인들이 바르한을 넘어가는 장면
③ 주민들이 메카를 향해 기도하는 장면
④ 베두인족이 낙타를 타고 이동하는 장면
⑤ 병사들이 오아시스에서 휴식을 취하는 장면

출제 개념
건조 기후 지역의 주민 생활

자료 해설
자료에는 아랍 부족에 대한 내용이 제시되어 있고, 지도는 사우디아라비아를 보여 주고 있다. 아랍 부족은 서남아시아와 북부 아프리카에 거주하며 아랍어를 사용하는 여러 민족을 일컫는다. 이들은 주로 이슬람교를 신봉하고 있다. 사우디아라비아는 대표적인 이슬람 국가이며, 전 국토의 거의 대부분이 사막 기후 지역에 해당한다.

해결 비법
영화의 장소적 배경이 건조 기후 지역, 이슬람교를 믿는 지역이라는 점에 집중하여 이것과 배치되는 장면을 잘 파악하고 찾아내야 한다.

2015학년도 4월 학력평가

02 자료는 학생의 여행기 중 일부이다. 밑줄 친 '이 지역'에 해당하는 곳을 지도의 A～E에서 고른 것은?

<u>이 지역</u> 사람들은 모두 햇빛을 잘 반사시키는 흰색 옷을 입고 있을 것이라 생각했는데, 검은색 옷을 입고 다니는 베두인을 보니 의아했다. 검은색 옷을 입으면 옷 안의 온도가 더 높아지지만, 이때 데워진 공기는 옷 위로 빠져나가고 외부의 공기가 옷 아래를 통해 들어온다고 한다. 이 과정에서 땀이 증발되면서 옷 안의 온도를 낮춰 몸을 시원하게 해주는 것이다. 그래서 이들은 온몸을 감싸고 통풍이 잘되는 검은색 옷을 입고 다닌다고 한다.

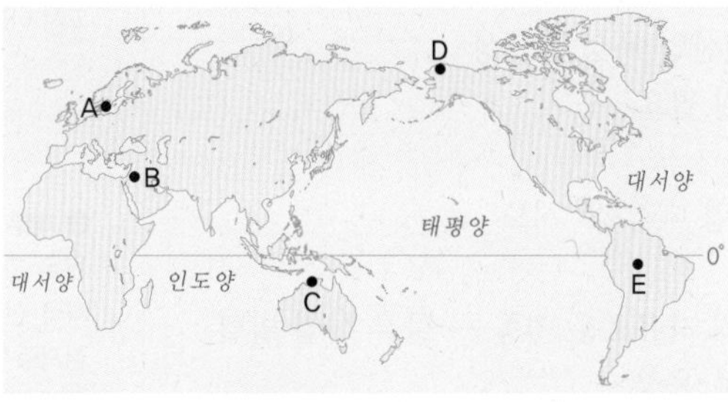

① A ② B ③ C ④ D ⑤ E

출제 개념
건조 기후 지역의 의복 특징

자료 해설
햇빛을 잘 반사시켜야 한다는 점, 온몸을 감싸고 통풍이 잘되는 옷을 입고 다닌다는 점, 그리고 베두인족이 생활하는 지역이라는 점 등을 고려하면 강한 햇볕, 모래 바람, 큰 일교차로 인해 온몸을 감싸는 헐렁한 옷을 즐겨 입는 건조 기후 지역에 대한 내용이라는 것을 알 수 있다.

해결 비법
건조 기후의 분포를 파악해야 한다. 연중 아열대 고압대의 영향을 받아 넓은 지역에서 건조 기후가 나타나는 북부 아프리카와 서남아시아의 위치를 정확히 알아두어야 한다.

주제 18

주요 자원의 분포와 산업 구조

교과서 128~133쪽

주제 흐름 읽기

화석 에너지 분포와 이동

- 페르시아만: 세계 석유·천연가스의 절반 가량 매장
- 석유 수출국: 사우디아라비아, 이란, 이라크, 쿠웨이트
- 천연가스 수출국: 카타르, 이란

주요 국가의 산업 구조

화석 에너지가 풍부한 국가: 2차 산업 비중↑, 1차 산업 비중↓
화석 에너지가 부족한 국가: 3차 산업 비중↑, 1차 산업 비중↑

화석 에너지 위주의 산업 구조를 벗어나기 위한 방안

산업 다각화 추진: 관광, 물류, 금융, 항공 산업

1 화석 에너지 자원의 분포와 이동 특징 자료 1

1. 풍부한 석유와 천연가스

(1) **주요 매장지** 지중해 연안, 페르시아만❶ 연안, 카스피해 연안에 집중 분포

(2) **석유의 주요 수출국** 사우디아라비아, 이란, 이라크, 쿠웨이트

(3) **천연가스의 주요 수출국** 카타르, 이란

2. 석유와 천연가스의 이동

(1) 주요 생산지와 소비지가 달라 국제적인 이동량이 많음

(2) 주로 유조선과 파이프라인, LNG❷선을 통해 운반

천연가스는 파이프라인이 없을 경우에 천연가스를 액화시켜 운송하는 LNG선을 이용해.

(3) 대규모 항만, 페르시아만과 지중해 항구를 연결하는 파이프라인 건설

2 주요 국가의 산업 구조 특징 자료 2

1. 화석 에너지가 풍부한 국가 예 사우디아라비아, 카자흐스탄

(1) 높은 2차 산업 비중, 낮은 1차 산업 비중

(2) 석유를 수출하고, 기계, 자동차, 전자 제품 등의 공업 제품을 수입

2. 화석 에너지가 상대적으로 부족한 국가 예 이집트, 튀르키예

(1) 2차 산업의 비중이 낮고, 1차 산업이나 3차 산업의 비중이 큼

(2) 광물 및 에너지 자원의 수입이 많음. 이집트와 튀르키예 등은 고대 유산을 이용한 관광 산업 발전

(3) **최근 산업의 다변화를 꾀함**

① 이집트: 지중해성 기후를 이용한 농작물 수출

② 튀르키예: 유럽과의 인접성, 저렴한 인건비를 활용하여 자동차 공업 육성

3 화석 에너지 위주의 산업 구조에서 벗어나기 위한 노력

1. 화석 에너지 위주의 산업 구조에서 벗어나려는 이유

(1) 장기간의 채굴로 화석 에너지 생산량 감소 추세

(2) 급속한 인구 증가로 많은 사람을 고용할 수 있는 신산업 육성 필요성

(3) 화석 에너지의 가격 변동이 심하여 안정적인 수입원 필요

2. 산업 구조 변화 노력

(1) 화석 에너지 중심의 산업 구조를 벗어나기 위한 산업 다각화❸ 시도

(2) **아랍 에미리트 두바이의 사례**

① 제벨 알리 경제 자유 구역❹: 외국 자본·노동력의 자유로운 이동 → 물류 산업 발달

② 두바이를 중계 무역, 물류, 관광 산업의 중심지로 육성

(3) 서남아시아의 의료 허브로 떠오르는 요르단

❶ 페르시아만

바레인, 이란, 아랍 에미리트, 오만, 사우디아라비아, 카타르, 쿠웨이트, 이라크와 맞닿아 있다. 페르시아만과 주변국가에서 세계 총 석유 생산량의 약 1/4이 생산되고 있으며, 전 세계 석유 매장량의 절반 이상이 이 지역에 매장되어 있다.

❷ LNG(액화 천연가스)

천연가스는 −162℃ 이하로 온도를 내리면 액체가 되는데, 액화된 천연가스는 기체 상태보다 부피가 1/600 정도로 크게 줄어든다. 이 때문에 천연가스를 액화함으로써 수송·저장이 수월해지는 이점이 있다.

❸ 산업 다각화

특정 산업 분야의 비중이 과도하게 클 경우 경제의 불안정성이 커지게 된다. 따라서 다양한 산업을 균형있게 발달시키고자 하는 정책을 산업 다각화라 한다.

❹ 제벨 알리 경제 자유 구역

원유 고갈에 대비하여 제조업 중심의 자국 산업을 육성하고 중계 무역의 중심지로 발전하기 위하여 설치하였다. 이곳에서는 외국인의 경영권을 인정하고 세금을 면제해 주는 등의 혜택이 있다.

자료 1 화석 에너지의 분포와 이동

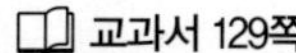

교과서 129쪽

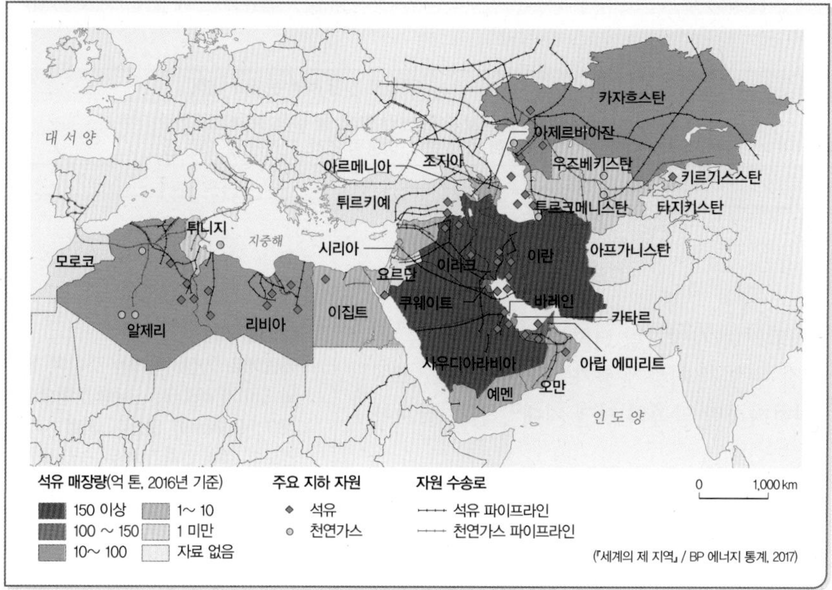

(『세계의 제 지역』 / BP 에너지 통계, 2017)

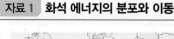

자료 분석 지중해 연안, 페르시아만 연안, 카스피해 연안에 석유와 천연가스가 집중적으로 분포한다. 이 지역에 전 세계 매장량 중 절반 정도가 매장되어 있다. 사우디아라비아, 이란, 이라크, 쿠웨이트 등은 세계적인 석유 수출국이며, 카타르와 이란은 세계적인 천연가스 수출국이다.

자료 분석 포인트

석유 매장량이 어느 지역에 집중되어 있는지 알아보자.

Q1 건조 아시아 및 북부 아프리카에서 석유 매장량이 가장 많은 지역은?

① 흑해 연안
② 홍해 연안
③ 지중해 연안
④ 카스피해 연안
⑤ 페르시아만 연안

자료 2 주요 국가의 상품 무역 구조

교과서 130쪽

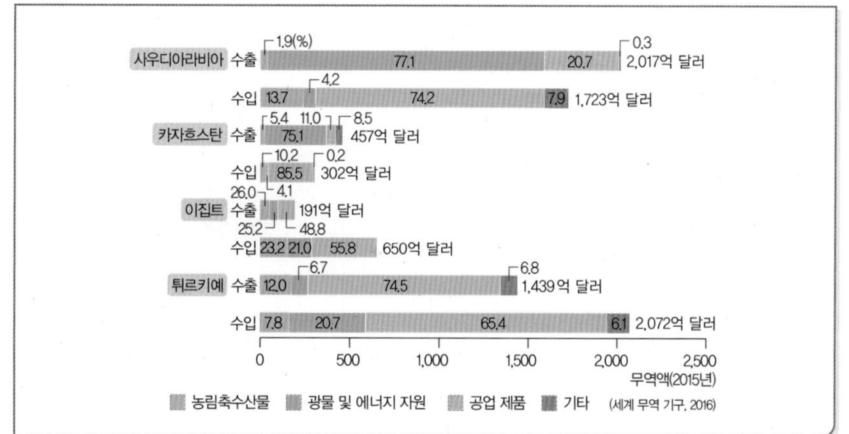

(세계 무역 기구, 2016)

자료 분석 석유가 풍부한 사우디아라비아와 카자흐스탄은 광물 및 에너지 자원의 수출이 많고, 공업 제품의 수입이 많다. 석유가 상대적으로 부족한 이집트와 튀르키예는 상대적으로 광물 및 에너지 자원의 수입이 많다. 이집트는 지중해성 기후를 활용하여 오렌지 등 농산물을 수출하며, 튀르키예는 유럽과 인접한 지리적 특성을 이용하여 자동차 공장을 유치하였다.

자료 분석 포인트

화석 에너지가 풍부한 국가와 화석 에너지가 상대적으로 부족한 국가로 구분하여 상품 무역 구조의 특징을 파악해 보자.

Q2 다음 특징에 해당하는 국가는?

> 아랍어가 공용어가 아닌 국가이다. 유럽과의 인접성, 저렴한 인건비를 활용하여 자동차 공장을 유치하였다. 광물 및 에너지 자원의 수출은 적지만, 공업 제품의 수출이 많다.

① 튀르키예
② 이집트
③ 이라크
④ 쿠웨이트
⑤ 사우디아라비아

답 Q1 ⑤ / Q2 ①

주제 19

사막화에 따른 지역 문제

교과서 134~139쪽

주제 흐름 읽기

사막화 발생 지역과 사막화의 원인
- 발생 지역: 주로 건조 및 반건조 지역, 특히 사헬 지대
- 원인: 가뭄, 온난화, 과도한 경작, 과잉 방목, 삼림 벌채

사막화로 인한 지역 문제와 대책
- 지역 문제: 식량 부족, 난민 발생, 물 부족, 토양 염류화
- 대책: 사막화 방지 협약, 방풍림 조성, 재래종 풀 보존 등

1 사막화 발생 지역과 사막화의 원인

1. 사막화의 발생 지역 자료 1

(1) **의미** 자연적 · 인위적 요인으로 토양이 황폐화되거나 사막처럼 변하는 현상

(2) **영향** 토질이 저하되어 작물 재배가 불가능해짐 → 인간 거주가 불가능한 지역으로 변화

(3) **주요 발생 지역** 건조 및 반건조 지역, 특히 사하라사막 남쪽의 사헬 지대❶, 건조 아시아의 아랄해와 카스피해 주변

2. 사막화의 원인

(1) **자연적 요인** 장기간의 가뭄, 지구 온난화 — 지구 온난화로 기온이 상승하면 증발량도 증가하여 더욱 건조한 환경이 돼.

(2) **인위적 요인** 인구 증가

① 과도한 경작: 삼림과 재래종 풀❷ 제거 후 농경지 개간

② 과도한 목축: 사막 주변의 건조한 지역까지 방목지 확대

③ 삼림 벌채: 농경지 확대와 땔감 이용을 위해 무분별한 삼림 벌채 — 나무와 풀이 제거되어 토양이 노출되면, 수분이 말라버리고 바람에 쉽게 침식되면서 토양이 황폐해지는 사막화가 발생해.

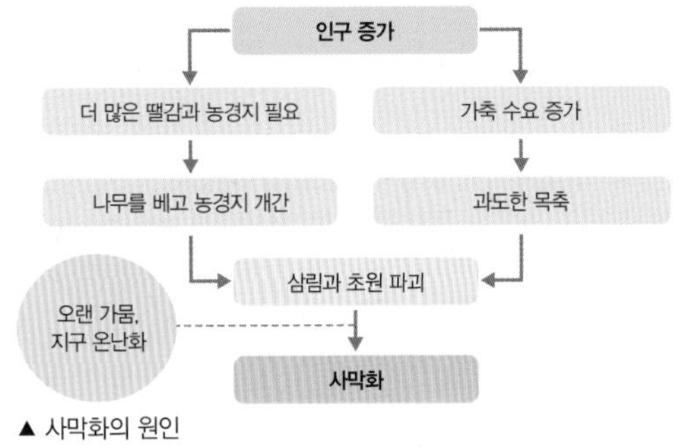

▲ 사막화의 원인

2 사막화로 인한 지역 문제와 대책

1. 사막화로 인한 지역 문제

(1) 토양의 황폐화 → 식량 부족

(2) 정치 · 경제 불안정 → 기후 난민❸ 발생 예 다르푸르 분쟁❹ — 사막화는 지역의 정치 · 경제 상황을 불안정하게 만들어 난민 발생을 촉진한다고 볼 수 있어.

(3) 하천 유량과 지하수 감소 → 물 부족 현상 발생

(4) 아랄해 축소 → 토양 염류화 자료 2

2. 사막화 방지 대책

(1) 사막화 방지 협약(UNCCD)❺ 체결

(2) 지나친 방목과 경작 규제

(3) 방풍림 조성과 재래종 풀 보존 사업, 등고선식 경작 및 섞어짓기 — 바람에 의한 침식을 예방할 수 있어.

(4) 녹색 댐 사업, 관개 방식 개선 사업 자료 3

(5) 연료용 목재 채취 감소를 위한 태양광 시설 보급

---

❶ 사헬 지대
아랍어로 '가장자리'라는 뜻이며, 동서의 길이가 4,800km, 남북 방향으로는 480~800km에 달한다. 사헬 지대는 연도별 강수 편차가 매우 크기 때문에 계획적인 농업을 하기 어렵다.

❷ 재래종 풀
건조 지역의 재래종 풀은 건조함과 바람을 극복하기 위해 뿌리를 깊게 내려 토양을 보존하도록 진화해 왔다. 풀들은 죽은 후 토양 속에 검은색의 두꺼운 부식층으로 변환되어 비옥한 토양을 형성한다. 주민들은 재래종 풀을 제거하고 경제성이 높은 밀과 목화를 심는다.

❸ 기후 난민
오랜 가뭄과 사막화, 기후 변화에 의한 해수면 상승 등에 의해 삶의 터전을 떠나야 하는 사람들을 가리키는 말이다.

❹ 다르푸르 분쟁 지역

❺ 사막화 방지 협약
1994년 프랑스 파리에서 체결된 협약으로 공식 명칭은 '심각한 한발 또는 사막화를 겪고 있는 아프리카 지역 국가 등 일부 국가들의 사막화 방지를 위한 국제 연합 협약'이다. 사막화 방지 협약은 가입국들에게 일관성 있는 사막화 방지 전략을 세울 것을 촉구하고, 이를 빈곤 퇴치 전략과 통합시킬 것을 주문하고 있다. 특히 비정부 기구와 여성 및 청소년의 경각심을 일깨워 이들의 참여를 촉진할 것을 강조한다.

자료 1 사막화 취약 지역

교과서 135쪽

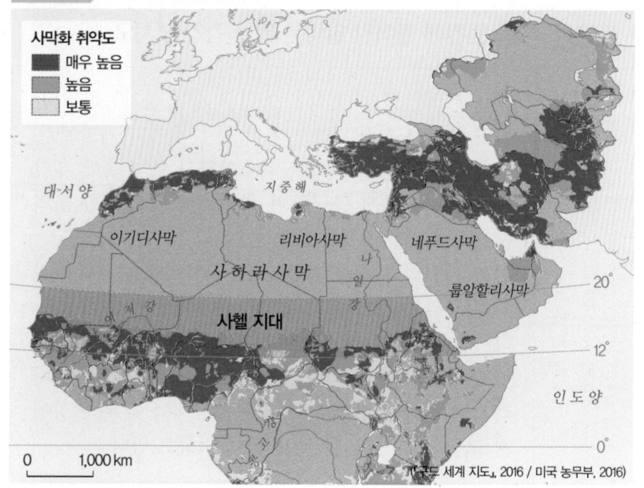

자료 분석 사막화는 건조 및 반건조 지역에서 나타난다. 특히 아프리카 사하라사막 남쪽의 사헬 지대와 건조 아시아의 아랄해, 카스피해 주변에서 사막화가 급속하게 진행되고 있다.

자료 분석 포인트

사막화 취약도가 높은 지역 중에서 사헬 지대, 카스피해, 아랄해 등의 위치를 살펴보자.

Q1 사헬 지대의 위치는?

① 아랄해 주변
② 카스피해 주변
③ 사하라사막 북쪽 지역
④ 사하라사막 남쪽 지역
⑤ 티그리스·유프라테스강 유역

자료 2 아랄해의 면적 감소

교과서 136쪽

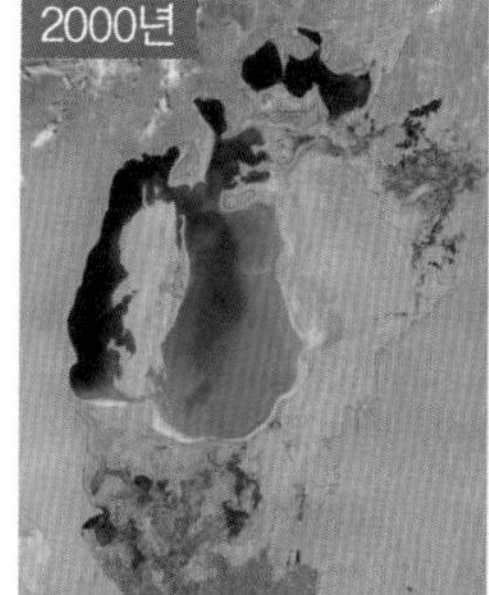

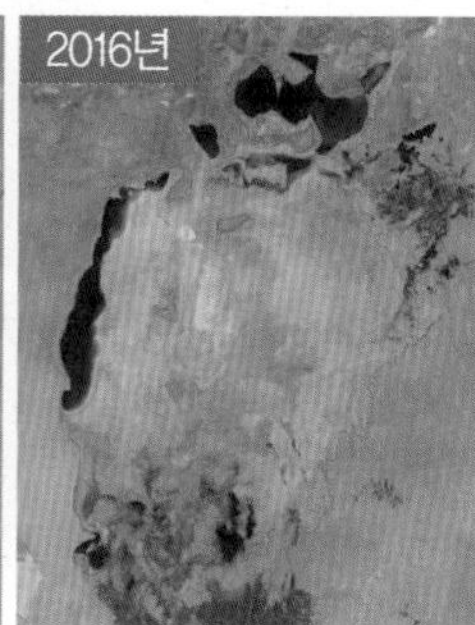

자료 분석 세계에서 네 번째로 큰 호수였던 아랄해의 면적과 수량은 크게 줄어들었다. 호수 주변에 농경과 목축에 필요한 관개 시설이 증가하면서 아랄해에 도달하는 하천의 수량이 급속히 감소하였고, 과거 호수였던 지역이 사막으로 변하고 소금으로 뒤덮이게 되었다.

자료 분석 포인트

아랄해가 축소되면서 발생한 문제점을 알아보자.

Q2 자료와 같이 토양에 염분이 집적되어 토양이 황폐화되는 현상을 무엇이라고 하는지 쓰시오.

자료 3 관개 방식 개선 사업

교과서 137쪽

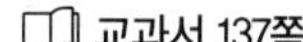

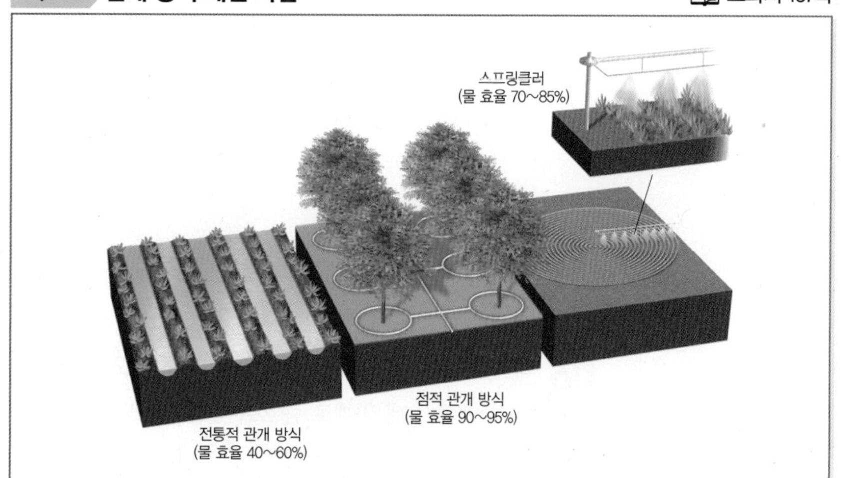

자료 분석 최근 대량의 지하수를 사용하는 전통적 관개 농업보다 적은 양의 물을 사용하는 농업 방법이 각광받고 있다. 점적 관개 방식은 가는 구멍이 뚫린 관을 이용해 작물마다 물방울 형태로 물을 주는 방식이다. 전통적인 관개 방식은 물 효율이 40~60% 정도이지만, 점적 관개 방식은 물 효율이 90~95%에 이른다.

자료 분석 포인트

전통적인 관개 방식에 비해 스프링클러, 점적 관개 방식 등이 물 효율이 높음을 알아보자.

Q3 빈칸에 들어갈 알맞은 말을 쓰시오.

> 점적 관개 방식은 작은 관을 따라서 흐르는 물이 원하는 지점에서 방울방울 배출되도록 하는 관개 방법이다. 물을 공급하는 속도가 매우 느리기 때문에 유실되는 양이 적고, 전체 토양 표면을 적시지 않고 식물 가까이에 적정량의 물을 공급하기 때문에 매우 효율적인 관개 방법이다. 이것은 건조 지역의 (　　　) 예방에 효과적이다.

답 Q1 ④ / Q2 토양 염류화 / Q3 사막화

1단계 개념 익히기

정답과 해설 ▸ 31쪽

01 다음 빈칸에 들어갈 알맞은 말을 쓰시오.

(1) (　　　　)의 세계적인 수출국은 카타르와 이란이다.

(2) (　　　　)의 세계적인 수출국은 사우디아라비아, 이란, 이라크, 쿠웨이트 등이다.

02 다음 빈칸에 들어갈 알맞은 말을 쓰시오.

> 석유는 편재성이 심하고 주요 생산지와 소비지가 달라 국제적 이동 규모가 다른 자원에 비해 큰 편이다. 이로 인해 석유를 둘러싼 국가 간 갈등이 발생하기도 하며, 일부 국가는 (　　　　)을/를 결성하여 석유의 생산량과 가격을 조절함으로써 자국의 이익을 극대화하고 자원 민족주의를 부추기기도 한다.

____

03 다음 설명이 옳으면 ○, 틀리면 ×표 하시오.

(1) 건조 아시아의 세계적인 생산량 비중은 천연가스보다 석유가 더 높다. (　　)

(2) 일반적으로 화석 에너지가 풍부한 국가들은 1차 산업의 비중이 상대적으로 큰 편이다. (　　)

(3) 카자흐스탄에 비해 이집트와 튀르키예는 광물 및 에너지 자원의 수출액 비중이 낮다. (　　)

04 다음 빈칸에 들어갈 알맞은 말을 각각 쓰시오.

> 바람에 의한 토양 침식은 농업 자체를 불가능하게 만들기 때문에 지력 저하보다 더 큰 문제이다. 구소련은 바람에 의한 농업 피해를 최소화하고 토양 속에 유기물질을 원활하게 공급하기 위해 총길이 5,300km의 (㉠)을/를 조성하였다.
> 건조 지역의 재래종 풀은 건조함과 바람을 극복하기 위해 뿌리를 깊게 내려 토양을 보존하도록 진화해 왔다. 재래종 풀을 제거하고 밀과 목화를 심으면 뿌리가 얕아 바람과 물에 의한 토양 침식이 커지게 된다. 따라서 선진국의 반건조 지역에서는 이와 같은 현상에서 교훈을 얻어 (㉡) 등을 장려하고 있다.

㉠ ____________, ㉡ ____________

05 다음에서 설명하고 있는 분쟁 지역을 쓰시오.

> 이 지역의 내전은 종교와 자원을 둘러싼 갈등, 종족 분쟁 등 다양하지만, 그 이면에는 사막화라는 환경 문제가 숨어 있다. 사헬 지대의 지속되는 가뭄으로 수단 북동부의 아랍계 유목민들이 가축에게 먹일 풀을 찾아 수단 남동부에 정착한 아프리카계 농부의 거주 지역으로 내려오면서 분쟁이 시작되었다. 정착 농부와 유목민 사이의 분쟁은 종족 분쟁으로 번졌고, 수많은 난민이 발생하였다.

____

06 다음 빈칸에 들어갈 알맞은 말에 ○표 하시오.

(1) 세계에서 네 번째로 큰 호수였던 (아랄해 / 카스피해)의 면적과 수량은 크게 줄어들었다.

(2) 밀과 목화는 뿌리가 (얕아 / 깊어) 재래종 풀에 비해 바람과 물에 의한 토양 침식에 (약하다 / 강하다).

(3) 건조 아시아의 여러 국가들은 화석 에너지 중심의 경제 구조에서 벗어나기 위해 (산업 다각화 / 산업 공동화)를 위한 여러 가지 노력을 하고 있다.

내신 유형 익히기

정답과 해설 ▸ 31쪽

01 자료와 같은 지리 정보를 가진 국가를 지도의 A~E에서 고른 것은?

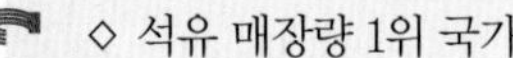

> ◇ 석유 매장량 1위 국가
> ◇ 석유 수출량 1위 국가
> ◇ 메카의 카바 신전
> ◇ 수도는 리야드

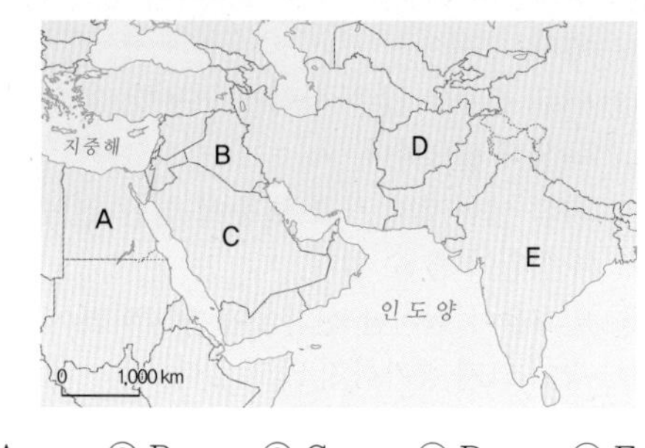

① A ② B ③ C ④ D ⑤ E

02 빈출 지도의 (가)~(다) 국가에 대한 설명으로 옳은 것은?

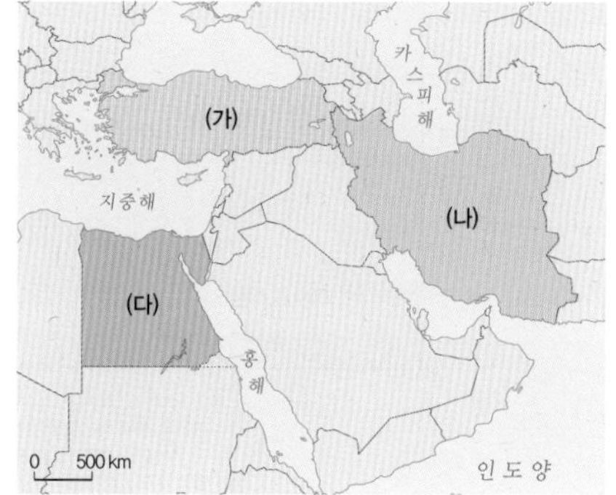

① (가)는 광물 및 에너지 자원의 수출이 수입보다 많다.
② (나)는 세계적인 천연가스 수출국이다.
③ (다)는 세계적인 석유 수출국이다.
④ (가)는 (다)보다 사막화의 취약도가 낮다.
⑤ (나)는 (다)보다 오렌지 수출량이 많다.

03 빈출 자료는 아랄해의 면적 변화를 나타낸 것이다. 이러한 변화의 원인에 대한 설명으로 가장 적절한 것은?

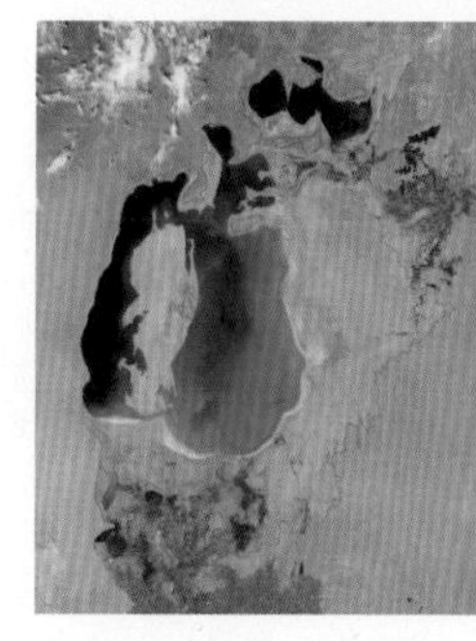
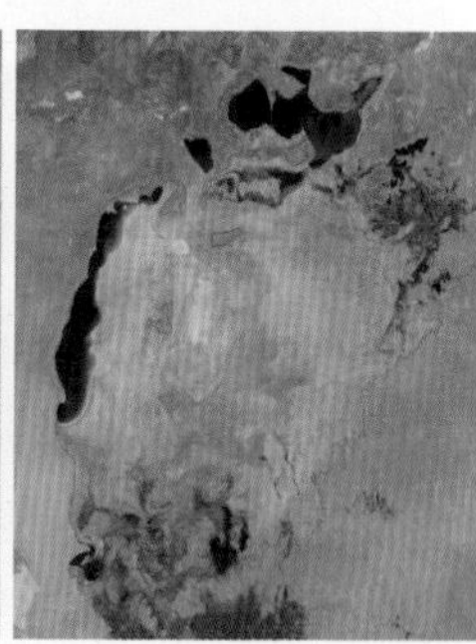

① 대규모 공단 건설로 공업 용수의 사용량이 크게 증가하였다.
② 농경지 확대로 인해 관개 용수의 사용량이 크게 증가하였다.
③ 인구 증가와 도시화의 영향으로 호수를 매립하여 시가지를 넓혔다.
④ 지구 온난화로 인해 호수와 그 주변 지역의 강수량이 크게 감소하였다.
⑤ 유입되는 하천 상류의 산불과 삼림 파괴로 토사 유입량이 크게 증가했다.

04 그림은 아프리카의 모식도이다. 그림의 A~E 중에서 다음에서 설명하는 (가) 지역의 위치로 옳은 것은?

> (가) 지역은 아랍어로 '가장자리'라는 뜻이며, 동서의 길이가 4,800km, 남북 방향으로는 480~800km에 달한다. (가) 지역은 연도별 강수 편차가 매우 크기 때문에 계획적인 농업을 하기 어렵다.

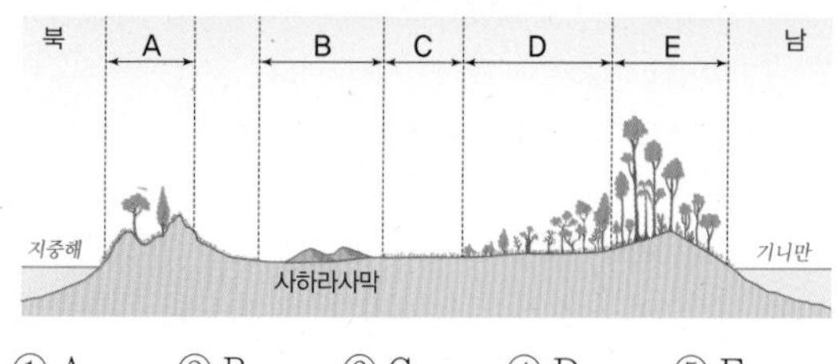

① A ② B ③ C ④ D ⑤ E

05 그래프는 두 화석 에너지의 국가별 생산 비중을 나타낸 것이다. (가), (나) 국가에 대한 설명으로 옳은 것은?(단, (가), (나) 국가는 건조 아시아에 위치함.)

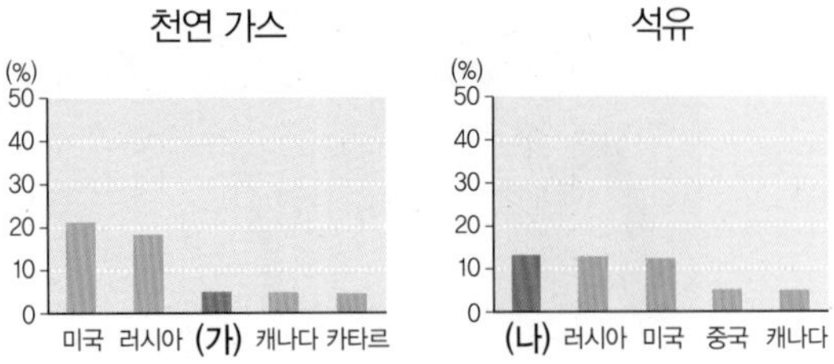

① (가)는 주민의 대부분이 아랍어를 사용한다.
② (나)는 주민의 대부분이 시아파 이슬람교도이다.
③ (가)는 (나)보다 1인당 국내 총생산(GDP)이 많다.
④ (나)는 (가)보다 많은 수의 카나트를 보유하고 있다.
⑤ (가), (나) 모두 페르시아만에 위치한다.

06 자료는 사막화의 원인을 모식적으로 나타낸 것이다. A~D에 들어갈 말을 바르게 연결한 것은?

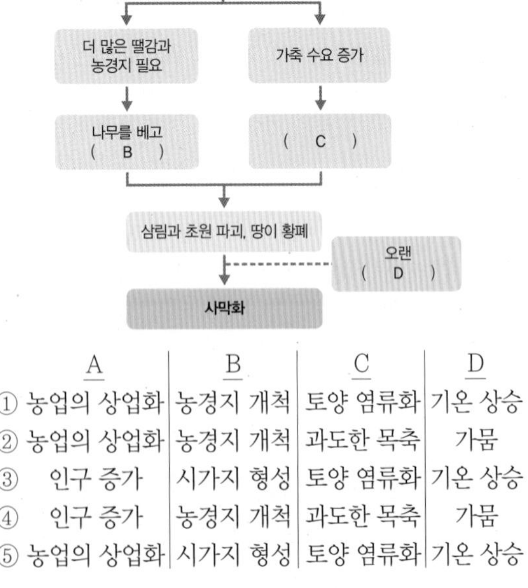

	A	B	C	D
①	농업의 상업화	농경지 개척	토양 염류화	기온 상승
②	농업의 상업화	농경지 개척	과도한 목축	가뭄
③	인구 증가	시가지 형성	토양 염류화	기온 상승
④	인구 증가	농경지 개척	과도한 목축	가뭄
⑤	농업의 상업화	시가지 형성	토양 염류화	기온 상승

07 다음 질문에 대한 답변으로 옳지 않은 것은?

화석 에너지 중심의 산업 구조가 나타나는 건조 아시아와 북부 아프리카의 국가들은 최근 화석 에너지 중심의 경제 구조에서 벗어나려는 정책을 펴고 있습니다. 그 이유는 무엇일까요?

① 신재생 에너지에 비해 화석 에너지가 경제성이 낮다.
② 장기간의 채굴로 화석 에너지의 생산량이 줄어들고 있다.
③ 인구 증가로 많은 사람을 고용할 수 있는 신산업의 육성이 필요하다.
④ 화석 에너지의 가격 변동이 심한 편이라 안정적인 수입원이 될 수 없다.
⑤ 열효율이 뛰어난 신기술이 개발되면서 석유의 소비량이 크게 증가하지 않고 있다.

08 빈출 자료는 건조 아시아 국가들의 1인당 국내 총생산과 화석 에너지 생산량을 나타낸 것이다. (가)에 대한 (나)의 특징으로 옳지 않은 것은?

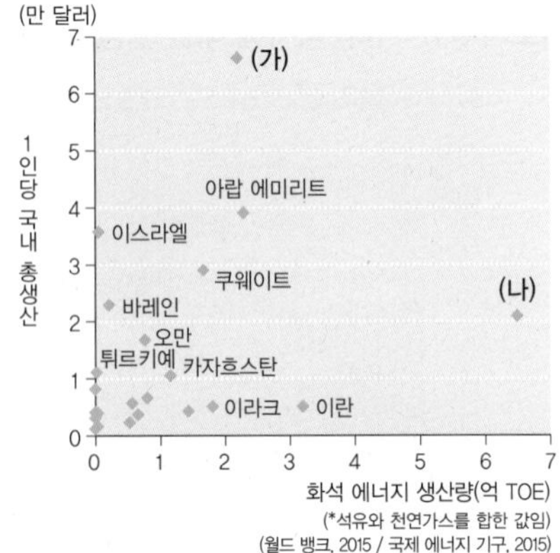

① 국토 면적이 넓다.
② 인구 밀도가 낮다.
③ 유아 사망률이 낮다.
④ 석유의 수출량이 많다.
⑤ 천연가스의 생산량이 많다.

서술형 문제

09 자료는 (가), (나) 두 화석 에너지의 대륙별 생산량 비중을 나타낸 것이다. 이를 보고 물음에 답하시오.(단, (가), (나)는 석유와 천연가스 중 하나임.)

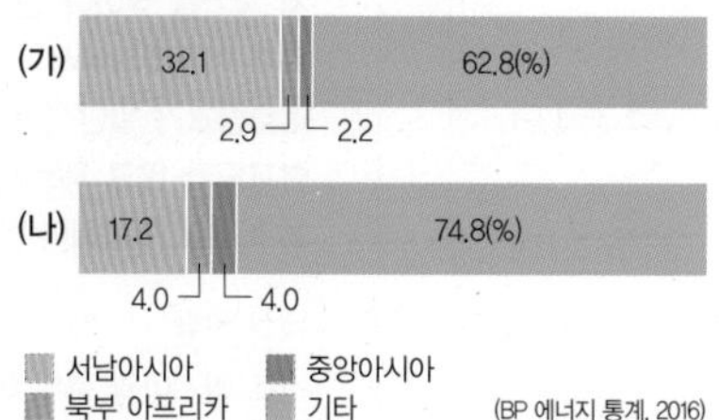

(1) (가), (나)에 해당하는 화석 에너지와, 서남아시아에서 (가), (나)의 수출이 가장 많은 국가를 각각 쓰시오.

(2) 서남아시아에서 화석 에너지의 생산이 많은 국가의 산업 구조 특징을 서술하시오.

서술형 문제

10 반건조 지역에서 최근 재래종 풀의 중요성이 커지고 있으며, 재래종 풀을 보존하고 확대하려는 움직임이 있는 이유를 서술하시오.

서술형 문제

11 자료는 사막화의 원인과 영향을 모식도로 표현한 것이다. (가)에 들어갈 두 가지 자연적 요인과 그 영향에 대해서 서술하시오.

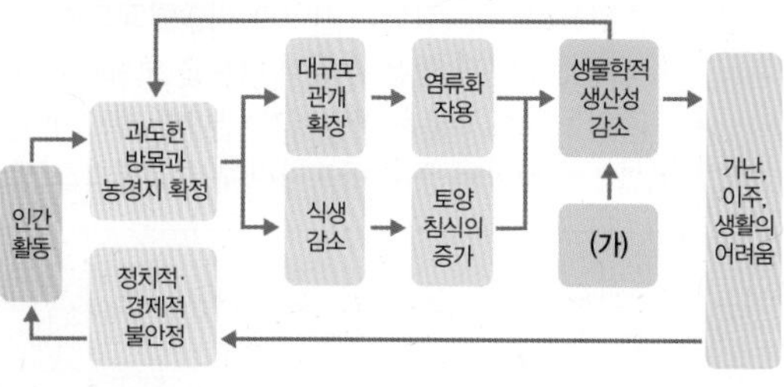

서술형 문제

12 다음 지도의 (가), (나) 지역에서 발생하고 있는 환경 문제를 각각 쓰고, 두 환경 문제의 공통점을 서술하시오.

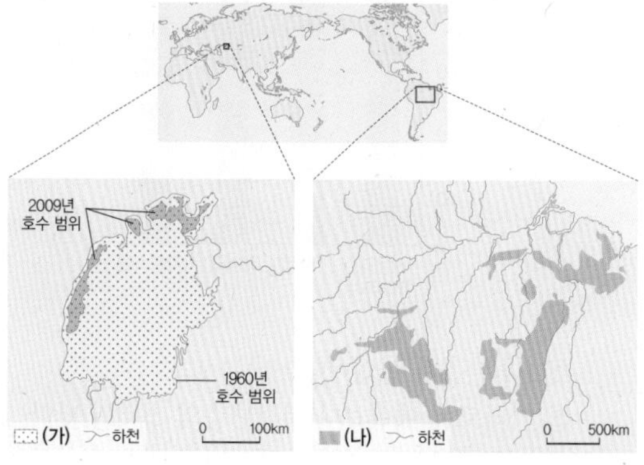

정답과 해설 ▸ 32쪽

01 다음과 같은 특징을 가진 국가를 지도에서 고른 것은?

- 주민들의 90% 정도는 시아파 이슬람교도이다.
- 세계에서 가장 많은 수의 카나트를 보유하고 있다.
- 주민들의 대부분은 아랍어가 아니라 페르시아어를 사용한다.
- 건조 아시아와 북부 아프리카에서 천연가스 생산량이 가장 많다.

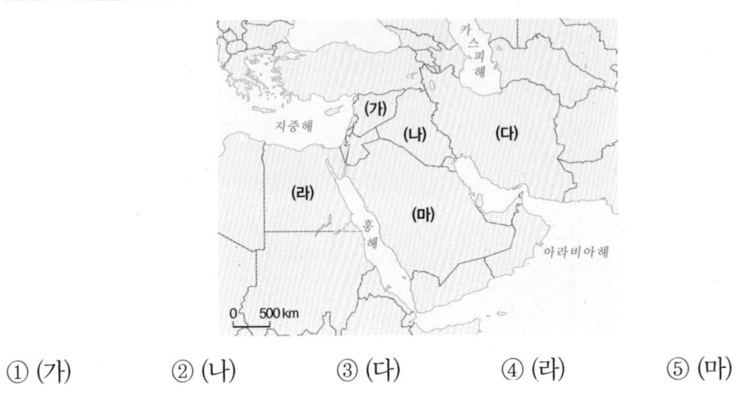

① (가) ② (나) ③ (다) ④ (라) ⑤ (마)

문제 접근 방법

제시된 특징에서 특이한 점을 잘 살펴서 국가를 찾아야 한다. 건조 아시아와 북부 아프리카에서 아랍 민족과 수니파 이슬람교가 일반적이지만, 시아파 이슬람교도가 많고 페르시아어를 사용한다는 특징에 주목해야 한다.

내신 전략

건조 아시아와 북부 아프리카에서 중요도가 높은 국가의 특징, 위치 등을 정리해 둔다. 튀르키예와 이란은 아랍 민족이 아니며, 이란과 이라크는 시아파 이슬람교도가 수니파 이슬람교도보다 많다. 이 지역에서 석유의 생산량은 사우디아라비아가 가장 많지만, 천연가스의 생산량은 이란이 가장 많다.

02 중요 자료는 국가별 산업 구조를 나타낸 그래프이다. 이에 대한 설명으로 옳은 것은?(단, (가)~(다)는 1차, 2차, 3차 산업 중 하나임.)

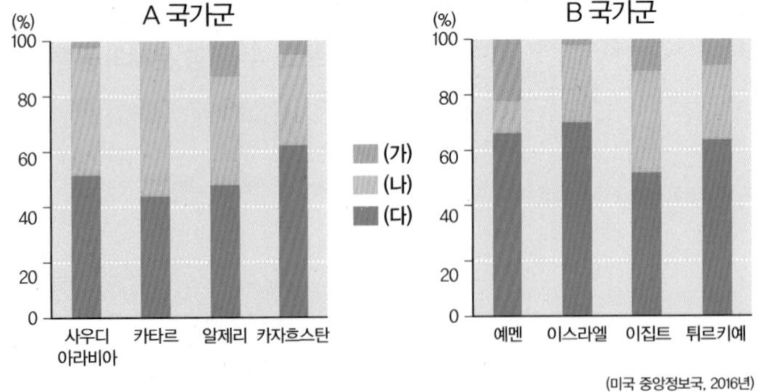

(미국 중앙정보국, 2016년)

① (나)는 2차 산업이다.
② 카타르는 예멘보다 청장년층의 성비가 낮다.
③ B 국가군은 천연가스 생산량이 많은 국가들이다.
④ 석유 생산이 많은 국가들은 대체로 (다)의 비중이 높다.
⑤ A 국가군은 인구 순유출, B 국가군은 인구 순유입 지역이다.

문제 접근 방법

이 문제는 석유 생산이 많은 국가와 석유 생산이 적거나 없는 국가의 산업 구조를 비교하는 문제이다. 두 국가군의 산업 구조 특징을 분석하여 문제를 해결한다.

내신 전략

석유 생산이 많은 국가와 석유 생산이 상대적으로 적거나 없는 국가들을 미리 파악해 둔다.

수능 유형 익히기

정답과 해설 ▸ 32쪽

2017학년도 10월 학력평가

01 (가) 환경 문제에 대한 옳은 설명으로 |보기|에서 고른 것은?

○○ 신문 ○○○○년 ○○월 ○○일

녹색 장벽(Great Green Wall) 조성 현장에 가다!

사헬 지역 국가들은 (가) 에 공동 대응하고 있다. 사헬의 서쪽 끝 세네갈부터 동쪽 끝 지부티까지 폭 약 15km, 길이 약 7,700km의 숲을 조성하여 (가) 을/를 막기 위한 사업이 진행중이다.

보기

ㄱ. 사막 주변 지역에서 주로 발생한다.
ㄴ. 장기간 가뭄과 과도한 경작이 주요 원인이다.
ㄷ. 호수의 산성화와 건물 부식 피해를 일으킨다.
ㄹ. 국제 사회가 몬트리올 의정서를 채택하는 계기가 되었다.

① ㄱ, ㄴ ② ㄱ, ㄷ ③ ㄴ, ㄷ ④ ㄴ, ㄹ ⑤ ㄷ, ㄹ

출제 개념
사막화 현상의 원인과 대책

자료 해설
사헬 지역은 사하라사막 남쪽에 위치하며 사막화가 급속히 진행되고 있는 지역이다. 녹색 장벽 조성은 사막화 지역에 나무를 심어 숲을 조성하는 녹색 댐 사업이다.

해결 비법
사막화의 원인과 대책을 물어보는 문제가 반드시 출제되며, 온난화, 산성비, 오존층 파괴, 열대림 파괴 등의 다른 환경 문제와의 차이점과 유사점을 파악하고 있어야 한다.

2006학년도 수능

02 아랄해 주변 지역의 변화를 나타낸 모식도이다. 아랄해의 문제점을 해결할 수 있는 적절한 방안을 |보기|에서 모두 고른 것은?

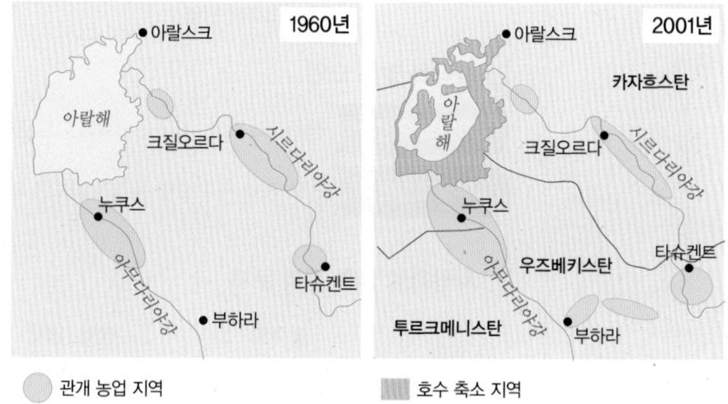

보기

ㄱ. 관개 시설을 확충하여 농업 지역을 확대한다.
ㄴ. 아랄해 주변 국가들 간의 협력 체제를 구축한다.
ㄷ. 아랄해 주변에 초지를 조성하여 목축업을 장려한다.
ㄹ. 수로를 정비하여 아랄해로 물의 공급을 원활하게 한다.

① ㄱ, ㄴ ② ㄱ, ㄷ ③ ㄴ, ㄷ ④ ㄴ, ㄹ ⑤ ㄷ, ㄹ

출제 개념
아랄해의 축소와 사막화

자료 해설
1960년에 비해 2001년에 아랄해가 크게 축소되었고, 아랄해로 유입되는 아무다리야강과 시르다리야강 유역에 대규모 관개 농업 지역이 분포한다는 것을 알 수 있다. 따라서 대규모 관개 농업의 발달이 아랄해 축소의 원인이 되었음을 알 수 있다.

해결 비법
사막화의 우려가 높은 반건조 지역에서 관개 농업의 확대, 과도한 농경, 과도한 목축 등이 사막화를 부추길 수 있다는 점을 파악하고 있어야 한다. 사막화 현상은 국제적인 환경 문제이므로 다른 환경 문제와 마찬가지로 관련된 국가 간의 협력 체제 구축이 필수적이다.

핵심 개념 정리하기

1 자연환경에 적응한 생활 모습

1. 건조 기후 지역의 의식주

의	긴 천으로 온몸을 감싸는 형태
식	빵, 유제품, 양고기
주	흙벽돌집(사막), 이동식 가옥(스텝 초원)

2. 건조 기후 지역의 경제 활동

유목	목초지를 찾아 이동하면서 가축을 사육
대상	무리를 이루어 이동하며 물건을 사고파는 상인
오아시스 농업	대추야자, 밀 재배
관개 농업	대추야자, 밀, 채소

3. 건조 환경의 활용

관개 수로	수분 증발을 막기 위해 지하 관개 수로인 카나트 설치 → 생활 및 농업 용수로 이용
바드기르(윈드 타워)	자연 바람을 활용하여 공간을 서늘하게 만드는 친환경 공법
태양열 발전	대기가 건조하여 햇볕이 강하고 일조량이 많아 태양열 발전에 유리

2 주요 자원의 분포와 산업 구조

1. 화석 에너지 자원의 분포 및 이동 특징

(1) 건조 아시아 지역 전 세계 석유와 천연가스의 절반 정도 매장

(2) 석유, 천연가스의 주요 생산 지역

① 지중해 연안
② 카스피해 연안
③ 페르시아만 연안

(3) 주요 수출국

석유	사우디아라비아, 이란, 이라크, 쿠웨이트
천연가스	카타르, 이란

(4) 석유와 천연가스의 이동

① 석유는 화석 에너지 중에서 이동량이 가장 많음
② 유조선과 파이프라인 이용
③ 페르시아만과 지중해 항구 간 파이프라인 건설

2. 주요 국가의 산업 구조 특징

(1) 화석 에너지가 풍부한 국가

① 2차 산업의 비중이 높고, 1차 산업의 비중이 낮음
② 석유 수출, 자동차·전자 제품 등의 공업 제품 수입

(2) 화석 에너지가 상대적으로 부족한 국가

① 1차 또는 3차 산업의 비중이 크고, 2차 산업의 비중이 작음
② 광물 및 에너지 자원의 수입이 많음
③ 이집트는 농산물 수출액이 많고, 튀르키예는 공업 제품의 수출액이 많음

3. 화석 에너지 위주의 산업 구조에서 벗어나기 위한 방안

(1) 화석 에너지 중심의 산업 구조에서 벗어나려는 이유

① 장기간의 채굴로 화석 에너지 생산량 감소
② 많은 사람을 고용할 수 있는 신산업 육성 필요성
③ 안정적인 수입원 필요: 화석 에너지의 가격 변동이 심함

(2) 산업 다각화 시도

두바이	중계 무역, 물류, 관광 산업 육성
요르단	의료 산업 육성

3 사막화에 따른 지역 문제

1. 사막화의 주요 발생 지역

사막화의 의미	자연적, 인위적 요인으로 토양이 황폐화되거나 사막처럼 변하는 현상
주요 발생 지역	주로 건조 및 반건조 지역에서 발생, 특히 사하라사막 남쪽의 사헬 지대, 건조 아시아의 아랄해 주변, 카스피해 주변 지역에서 급속히 진행

2. 사막화 발생 요인

자연적 요인	장기간의 가뭄, 지구 온난화에 따른 증발량 증가
인위적 요인	인구 증가 → 과도한 농경과 과도한 목축, 무분별한 삼림 벌채

3. 사막화로 인한 지역 문제

사막화 ⇨ 물 부족, 식량 부족 ⇨ 정치·경제 상황의 불안정 ⇨ 난민 발생

4. 다양한 사막화 방지 정책

(1) 국가 간 협력 확대 사막화 방지 협약 체결
(2) 농목업 규제 지나친 방목과 경작 규제
(3) 방풍림 조성 바람에 의한 토양 침식 억제 효과
(4) 재래종 풀 보존 뿌리가 깊어 토양 보존에 유리
(5) 녹색 댐 사업 숲 조성 사업
(6) 관개 방식 개선 사업 전통적 관개 → 점적 관개
(7) 태양광 시설 보급 연료용 목재 채취 감소 효과

핵심 개념 적용하기

●●●

01 **자료에서 밑줄 친 (가) 국가를 지도의 A~E에서 고른 것은?**

> (가)는 건조 아시아 국가 중 흔하지 않은 비산유국으로, 원유를 포함한 천연자원 보유량이 매우 적다. 최근 (가)는 건조 아시아 의료 허브 국가로 성장하고 있다. 매년 환자 유입이 급증하면서 병동 건설 및 기자재 수요도 증가하는 추세이다.

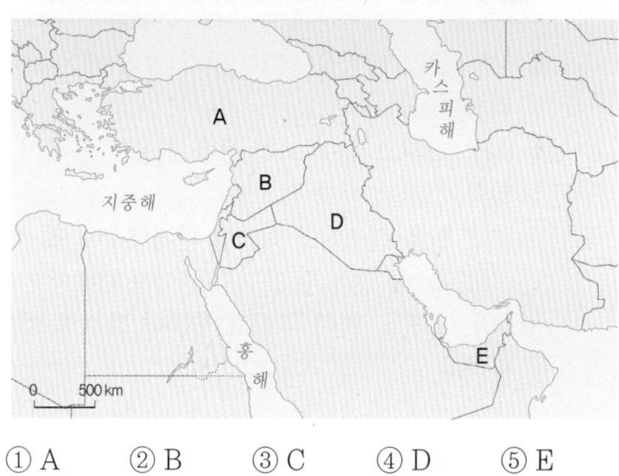

① A ② B ③ C ④ D ⑤ E

●●○

02 **사막 지역에 다음과 같은 사업이 활성화된다고 가정했을 때 예상되는 변화로 가장 적절한 것은?**

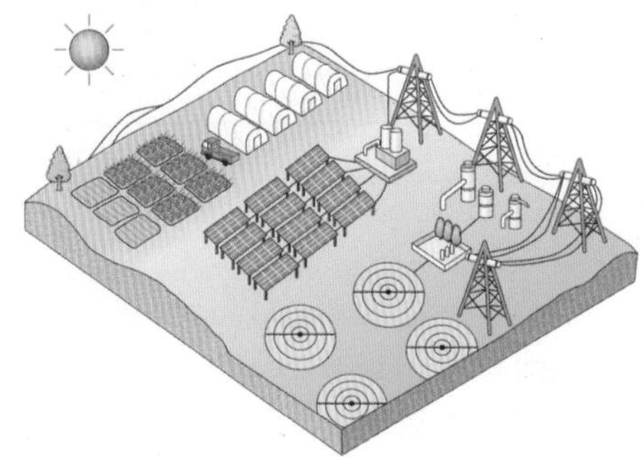

① 사막화 현상이 심화된다.
② 지하수의 수위가 높아진다.
③ 토양의 염류화 현상이 사라진다.
④ 화석 에너지에 대한 의존도가 낮아진다.
⑤ 이동 생활을 하는 유목민의 비중이 증가한다.

●●○

03 **그림과 같은 지형 경관이 나타나는 지역에 대한 설명으로 옳은 것은?**

① 연중 수분의 증발량이 많아 상대 습도가 높다.
② 토양은 붉은색이며, 염기가 용탈되어 척박하다.
③ 통풍을 위해 가옥과 가옥 사이를 띄어서 짓는다.
④ 키가 큰 풀이 초원을 이루며, 관목이 드문드문 분포한다.
⑤ 관개가 가능한 지역에서는 밀과 대추야자 농사가 이루어진다.

●●○

04 **탐구 활동 계획서의 (가)~(마)의 조사 내용에 대한 설명으로 옳지 않은 것은?**

탐구 활동 계획서

1. 단원: 사막화로 인한 지역 문제와 대책
2. 조사 내용
   (가) 사막화로 인한 식량 부족과 내전
   (나) 아랄해 축소의 원인과 문제점
   (다) 사막화 피해를 줄이기 위한 국가 간 협력
   (라) 관개 방식의 개선을 통한 사막화 방지
   (마) 바람에 의한 토양 침식을 막기 위한 방풍림 조성

① (가): 식량 부족과 빈곤은 시리아 내전에도 영향을 미쳤다.
② (나): 구소련 정부의 목화 증산이 아랄해 축소에 영향을 미쳤다.
③ (다): 대표적인 사례로는 람사르 협약이 있다.
④ (라): 전통적 관개보다는 점적 관개 방식이 물 효율이 높다.
⑤ (마): 방풍림은 한 종류보다는 키가 다른 여러 나무들로 구성하는 것이 유리하다.

05 자료에서 밑줄 친 (가)에 해당하지 않는 것은?

화석 에너지 중심의 산업 구조가 나타나는 건조 아시아 및 북부 아프리카의 국가들은 최근 화석 에너지 중심의 경제 구조에서 벗어나려는 다양한 정책을 펴고 있다고 하는데, (가) 그 배경을 아랍 에미리트 두바이의 통신원을 연결하여 들어보도록 하겠습니다.

① 보다 안정적인 수입원의 필요성
② 급속한 인구 감소로 인한 성장 동력의 저하
③ 장기간의 채굴로 인한 화석 에너지 생산량 감소
④ 화석 에너지 소비를 줄이기 위한 국제적인 노력
⑤ 국제 정세에 따른 화석 에너지의 급격한 가격 변동

06 자료에 제시된 국가를 지도의 A～E에서 고른 것은?

자료

최근 두바이가 주목받고 있는 분야는 관광 산업이다. 두바이에 건설된 인공 섬 바깥쪽에는 관광객을 위한 맞춤 숙소가 준비되어 있다. 이 외에도 두바이는 세계 최고 높이를 자랑하는 전망대, 사막을 활용한 사막 투어 프로그램, 세계 최대의 쇼핑몰 등을 활용하여 관광의 중심지로 거듭나고 있다.

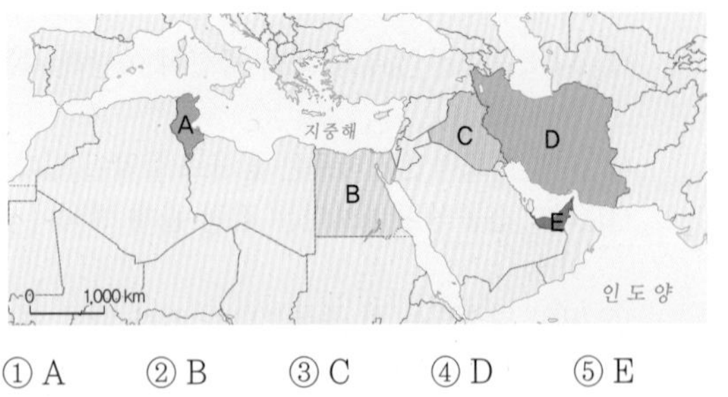

① A ② B ③ C ④ D ⑤ E

07 자료는 사막 기후 지역의 의식주에 대하여 정리한 것이다. (가)～(마)에 대한 설명으로 옳지 않은 것은?

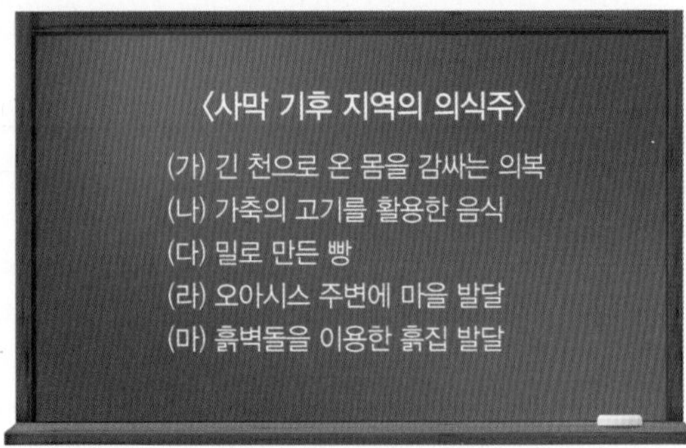

〈사막 기후 지역의 의식주〉
(가) 긴 천으로 온 몸을 감싸는 의복
(나) 가축의 고기를 활용한 음식
(다) 밀로 만든 빵
(라) 오아시스 주변에 마을 발달
(마) 흙벽돌을 이용한 흙집 발달

① (가): 모래 바람을 막고, 낮과 밤의 체온 유지에 유리하다.
② (나): 돼지고기, 쇠고기 등을 활용한 음식이 발달해 있다.
③ (다): 밀은 건조하고 척박한 환경에서도 잘 자란다.
④ (라): 담수를 얻을 수 있고, 대추야자 재배가 가능하다.
⑤ (마): 흙집은 벽이 두껍고 창문이 작으며 지붕이 평평하다.

08 표의 (가)에 들어갈 환경 문제가 초래하는 지역 문제로 옳은 것을 보기에서 모두 고른 것은?

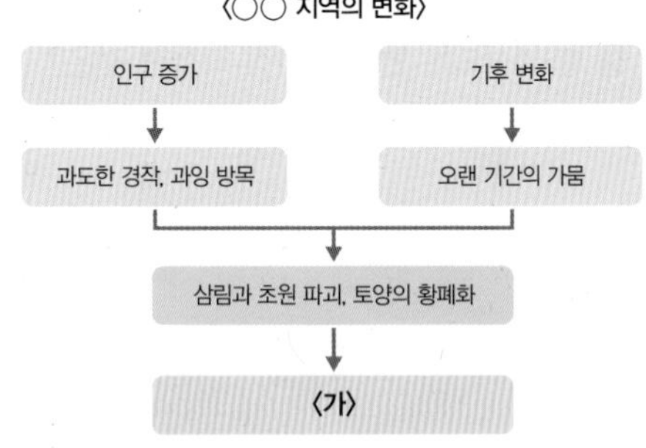

보기

ㄱ. 물 부족 현상
ㄴ. 재래종 풀의 확산
ㄷ. 토양 속 검은색의 부식층 증가
ㄹ. 정치·경제 상황의 불안정성에 따른 내전

① ㄱ, ㄴ ② ㄱ, ㄹ ③ ㄴ, ㄷ
④ ㄴ, ㄹ ⑤ ㄷ, ㄹ

지리적 역량 기르기

정답과 해설 ▸ 33쪽

❖ 사막 지역을 관통하는 외래 하천에 댐을 건설하는 것에 대해 찬성과 반대 의견이 공존하고 있다. 다음은 이집트 나일강의 아스완 하이댐 건설에 대한 가상 토론을 벌인 것이다. 아스완 하이댐 건설과 관련하여 찬성과 반대의 관점에서 생각해 보자.

> 사회자: 안녕하십니까? 나일강은 매년 6월이 되면 범람하여 주변 농경지와 가옥에 침수 피해를 입히고 있습니다. 주기적인 범람으로 나일강 연안에 비옥한 토양을 제공하는 장점도 있지만, 나일강 연안에 인구가 늘어나면서 더 많은 물을 더 안정적으로 공급할 필요가 있습니다. 하지만 대규모 댐 건설에 반대하는 분들도 꽤 많습니다. 오늘은 아스완 하이댐 건설에 직접 연관된 분들을 모시고 댐 건설의 필요성, 문제점, 해결 방안에 관해 토론을 하겠습니다.
>
> 주민 1: 나일강 연안에 인구가 증가하여 홍수 피해도 커지고 있습니다. 인구 증가의 영향으로 관개 용수에 대한 수요도 증가하고, 관개 농경지 확대도 필요합니다. 아스완 하이댐 건설로 홍수 예방, 관개용수 확보, 관개 농경지 확대 모두 가능합니다. 더불어 수력 발전을 통해 농업용, 생활용 전기 공급이 원활하게 됩니다.
>
> 주민 2: 댐 건설로 거대한 담수호가 생겨나서 9만 명이나 되는 주민들이 정든 주거지를 떠나야 합니다. 뿐만 아니라 아부심벨 신전을 포함한 총 24개의 유적지가 물에 잠기게 됩니다. 홍수는 예방하지만 농경지의 비옥도가 낮아지기에, 생산량을 유지하기 위해서는 많은 화학 비료가 사용되어야 합니다. 지중해 연안에서는 어업이 쇠퇴하게 됩니다. 관개 농업이 활성화되겠지만, 시간이 흐르면 염분 축적, 토양 침식 등의 문제가 발생하게 됩니다. 과연 댐 건설이 이집트의 발전에 진정 도움을 주는 사업인지 다시 한번 생각해봐야 합니다.

더 알아보기

나일강 연안에 인구가 증가하면서 홍수 피해가 커지고 있으며 농업용수 및 생활용수에 대한 수요도 증가하고 있다. 이와 같은 이유에서 대규모 댐 건설을 통해 여러 문제를 한꺼번에 해결하려는 시도가 있지만, 댐 건설에 따른 여러 가지 문제점을 지적하는 견해도 있다.

문제 해결 길잡이

댐 건설에 대한 토론은 어떤 입장이 옳고 그르냐의 문제가 아니다. 서로 지향하는 가치가 다를 뿐 찬성과 반대 측 모두 선택에 합당한 근거를 가지고 있다. 따라서 다양한 계층의 시각을 기반으로 찬성 또는 반대의 관점에서 답안을 서술하되, 각각의 주장을 뒷받침할 수 있는 적절한 근거를 제시해야 한다.

01 주민들의 의견을 참고하여 댐 건설의 장점과 문제점을 정리해 보자.

(1) 장점

(2) 문제점

02 아스완 하이댐 건설에 관한 자신의 생각을 적어 보자.

대단원 6

유럽과 북부 아메리카

학습 계획표

• 자신의 일정에 맞게 계획을 세우고, 실제 학습일을 적어 봅시다.
• 학습을 마무리한 후 스스로가 얼마나 학습 목표를 달성하였는지 점검해 봅시다.

주제 20 주요 공업 지역의 형성과 변화	쪽수	계획일	완료일	목표 달성도
Day 01 개념 정리, 핵심 자료 특강	194~195쪽	월 일	월 일	☆☆☆☆☆
Day 02 개념 익히기, 내신 유형 익히기	196~199쪽	월 일	월 일	☆☆☆☆☆
Day 03 내신 만점 도전하기, 수능 유형 익히기	200~201쪽	월 일	월 일	☆☆☆☆☆

주제 21 현대 도시의 내부 구조와 특징 주제 22 지역의 통합과 분리 운동	쪽수	계획일	학습일	목표 달성도
Day 04 개념 정리, 핵심 자료 특강	202~205쪽	월 일	월 일	☆☆☆☆☆
Day 05 개념 익히기, 내신 유형 익히기	206~209쪽	월 일	월 일	☆☆☆☆☆
Day 06 내신 만점 도전하기, 수능 유형 익히기	210~211쪽	월 일	월 일	☆☆☆☆☆
Day 07 대단원 마무리하기, 지리 역량 기르기	212~215쪽	월 일	월 일	☆☆☆☆☆

주제 **20**

주요 공업 지역의 형성과 변화

교과서 144~149쪽

주제 흐름 읽기

유럽의 공업 지역 변화	북부 아메리카의 공업 지역 변화
• 중화학 공업: 석탄 산지 → 항구, 내륙 수로 연안 • 첨단 산업: 대도시, 대학 · 연구 기관 인접 지역	• 러스트 벨트의 중화학 공업 쇠퇴 • 선벨트의 석유 화학, 항공, 컴퓨터 · 전자 공업 발달

1 유럽의 공업 지역 변화 자료 1

1. 유럽의 전통 공업 지역

(1) 자원 산지 중심의 공업 지역 형성

① 석탄 산지: 영국의 랭커셔와 요크셔, 독일의 루르와 자르

② 철광석 산지: 프랑스의 로렌

(2) 전통 공업 지역의 쇠퇴

① 석탄 매장량 고갈, 탄광을 비롯한 각종 산업 시설의 노후화

② 에너지원의 변화: 석탄 → 석유, 천연가스, 전력

2. 유럽의 새로운 공업 지역

(1) 신흥 중화학 공업 지역의 발달

① 원료 수입과 제품 수출에 유리한 항구나 내륙 수로 연안

② 영국의 카디프와 미들즈브러, 프랑스의 리옹, 네덜란드의 로테르담❶, 독일의 쾰른과 슈투트가르트

(2) 첨단 산업❷의 발달

첨단 산업은 원료의 해외 의존도가 낮고 전문 인력의 확보가 중요해.

① 대도시, 대학과 연구 기관 인접 지역에 클러스터❸ 형태의 첨단 산업 단지 형성

② 영국의 케임브리지 사이언스 파크, 프랑스의 소피아 앙티폴리스❹, 스웨덴의 시스타 사이언스파크, 핀란드의 오울루

③ 이탈리아의 제3 이탈리아: 전통적 장인의 제조업으로 육성한 고부가 가치 산업 단지

2 북부 아메리카의 공업 지역 변화 자료 2

1. 북부 아메리카의 전통 공업 지역

최근 주력 산업이 의료, 생명 공학, 교육, 로봇 공학 등으로 바뀌고 있다.

(1) 미국 북동부와 오대호 연안에 집중 풍부한 자원, 편리한 수운, 넓은 소비 시장, 축적된 자본, 발달한 기술, 풍부한 노동력 → 피츠버그(철강), 디트로이트(자동차)

(2) 캐나다는 세인트로렌스강 연안과 온타리오호 북쪽 연안에 집중 풍부한 수력 → 알루미늄 공업, 제지 공업 발달, 최근 자동차 부품, 정보 통신 산업 성장

2. 북부 아메리카의 새로운 공업 지역

(1) 공업 중심의 이동 북동부 및 중서부의 러스트 벨트 → 남부 및 서부의 선벨트❺

(2) 선벨트의 입지적 장점 온화한 기후, 쾌적한 생활 환경, 풍부한 석유, 우수한 노동력, 넓은 토지, 각종 세금 혜택

멕시코만 연안	항공 우주 산업(휴스턴), 석유 화학 공업(텍사스주 일대)
태평양 연안	항공, 컴퓨터 관련 산업 발달, 첨단 산업(특히 실리콘 밸리❻)

3 전통 공업 지역의 변화

1. 유럽 옛 산업 시설 → 전시관, 박물관, 아트 센터 등의 문화 관련 시설로 사용

2. 미국 일부 제조업의 부활(리쇼어링❼), 지역 활성화를 위한 자구책 마련, 새로운 산업 육성

❶ **로테르담**
네덜란드 남서부에 있는 유럽 최대의 무역항이다. 라인강 중 · 하류의 공업 지대와 대소비 시장을 끼고 있어 무역과 공업이 함께 발전하고 있으며, 석유의 대량 수입항으로 유명하다.

❷ **첨단 산업**
기술 집약도가 높아 관련 산업에 대한 기술 파급 효과가 크고 부가 가치가 높으며, 에너지 절약형 산업으로 산업 구조의 고도화에 기여할 수 있는 산업을 의미한다.

❸ **클러스터**
공장과 기업, 대학, 연구 기관 등이 함께 입지하여 상호 연계를 통해 경쟁력을 확보하는 새로운 개념의 산업 단지이다.

❹ **소피아 앙티폴리스**
소피아 앙티폴리스는 1960년대 후반부터 개발되기 시작하여 현재 정보 통신 산업, 생명 과학 산업 등 다국적 기업이 집중된 첨단 산업 단지로 변모하였다.

❺ **선벨트**
북위 37° 이남의 남부 및 서부 지역을 가리킨다. 북동부의 추운 겨울에 대비하여 기후가 따뜻하고 온화하여 붙은 이름이다. 온화한 기후, 넓은 용지, 주정부의 정책적 지원 등의 요인들이 결합하여 1980년대부터 첨단 산업이 크게 성장하고 있다.

❻ **실리콘 밸리**
미국 캘리포니아주 샌타클래라 일대의 첨단 기술 연구 단지를 말한다.

❼ **리쇼어링(reshoring)**
해외에 나가 있는 자국 기업들이 각종 세제 완화 혜택과 규제 완화 등을 통해 본국으로 회귀하는 현상을 말한다.

자료 1 유럽 공업 지역의 변화와 첨단 산업 허브 교과서 146쪽

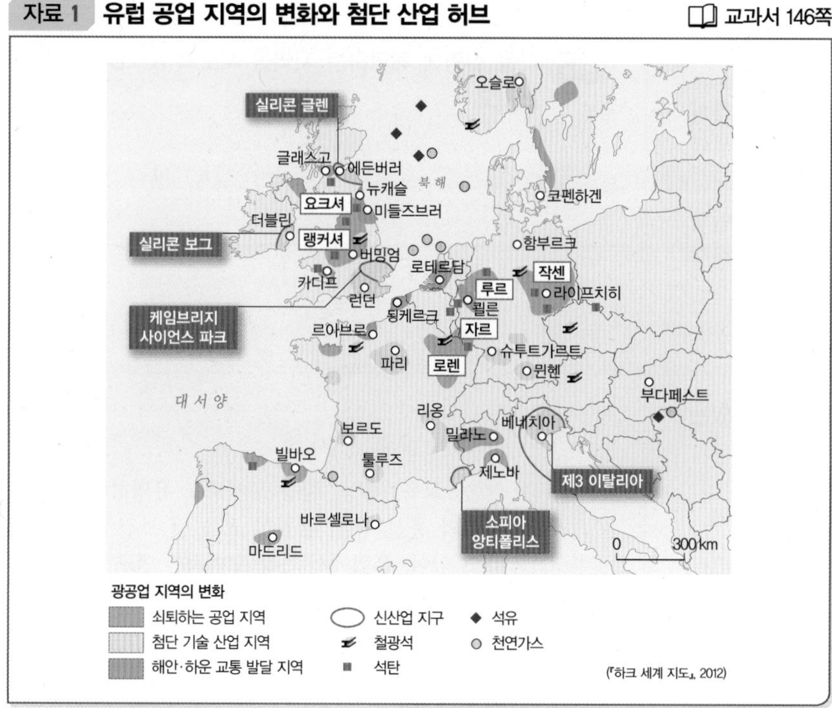

(『하크 세계 지도』, 2012)

◎ **자료 분석** 쇠퇴하는 공업 지역은 내륙의 석탄 산지를 중심으로 발달한 전통적인 중화학 공업 지역이다. 석탄 매장량이 고갈되고 주요 에너지원이 변화한 이후 해안·하운 교통 발달 지역을 중심으로 중화학 공업이 발달하고 있다. 또한 대학과 연구 기관이 인접한 지역을 중심으로 첨단 산업 중심의 신산업 지구가 형성되고 있다.

자료 분석 포인트

유럽의 공업 지역 분포와 변화 특징을 파악해 보자.

Q1 다음 중 전통적 장인의 제조업으로 육성한 고부가 가치 산업 단지가 위치한 지역은?

① 루르
② 로테르담
③ 슈투트가르트
④ 제3 이탈리아
⑤ 소피아 앙티폴리스

자료 2 미국의 공업 지역 교과서 148쪽

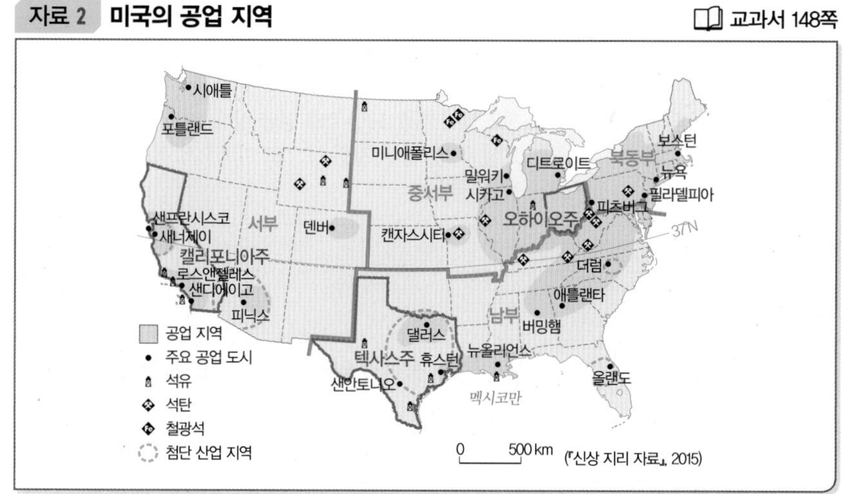

(『신상 지리 자료』, 2015)

◎ **자료 분석** 북동부 및 중서부는 러스트 벨트(rust belt)라고 불리며, 남부 및 서부는 선벨트(sun belt)라고 불린다. 미국의 공업 중심은 러스트 벨트 지역에서 선벨트 지역으로 이동하였다. 선벨트는 특히 멕시코만 연안과 태평양 연안 일대에 항공, 우주, 컴퓨터 등의 첨단 산업과 석유 화학 산업이 발달해 있다.

자료 분석 포인트

러스트 벨트(rust belt)에 비해 선벨트(sun belt) 지역이 가지고 있는 입지적 장점을 알아보자.

Q2 러스트 벨트와 비교했을 때 선벨트 지역의 입지적 장점으로 옳지 않은 것은?

① 풍부한 석유
② 편리한 수운 교통
③ 넓은 토지와 저렴한 지가
④ 지방 정부의 각종 세금 혜택
⑤ 온화한 기후와 쾌적한 생활 환경

답 Q1 ④ / Q2 ②

개념 익히기

정답과 해설 ▸ 34쪽

01 다음 빈칸에 들어갈 알맞은 말을 쓰시오.

(1) 산업 혁명이 가장 먼저 일어난 서부 유럽 지역에서는 (　　　) 산지를 중심으로 공업 지역이 형성되었다.

(2) 대도시나 핵심 도시 또는 대학과 연구 기관이 인접한 지역에 (　　　) 형태의 첨단 산업 단지가 형성되고 있다.

02 다음 내용에서 설명하는 미국 펜실베이니아주에 있는 도시의 이름을 쓰시오.

> 철강 공장에서 뿜어져 나오는 매연으로 '뚜껑 열린 지옥'이라고 불릴 정도로 미국에서 대기 오염이 가장 심한 도시였다. 값싼 외국산 철강이 수입되면서 높은 실업률로 힘들어 했지만, 주력 산업이 의료, 생명 공학, 교육, 로봇 공학, 금융 서비스 산업으로 바뀌면서 이제는 살기 좋은 도시로 손꼽히고 있다.

03 다음 내용에서 설명하는 지역의 이름을 쓰시오.

> 미국 캘리포니아주 샌타클래라 일대의 첨단 기술 연구 단지이다. 첨단 산업체, 대학, 연구소가 밀집하여 유기적인 협력 관계 속에서 공동의 연구를 통해 고도의 기술 및 지식 집약적인 산업이 발달해 있는 대표적인 첨단 산업 클러스터이다.

04 다음 설명이 옳으면 ○, 틀리면 ×표 하시오.

(1) 유럽에서 전통 공업 지역의 쇠퇴는 탄광을 비롯한 각종 산업 시설의 노후화, 에너지원의 변화와 관련이 깊다. (　　)

(2) 미국의 캘리포니아주는 텍사스주에 비해 석유 화학 공업의 출하액 비중은 높고, 컴퓨터 및 전자 제품의 출하액 비중은 낮다. (　　)

(3) 로테르담은 네덜란드 남서부에 있는 유럽 최대의 무역항으로, 석유의 대량 수입항으로 유명하다. (　　)

05 다음 설명에 해당하는 지역을 지도의 A～D에서 찾아 쓰시오.

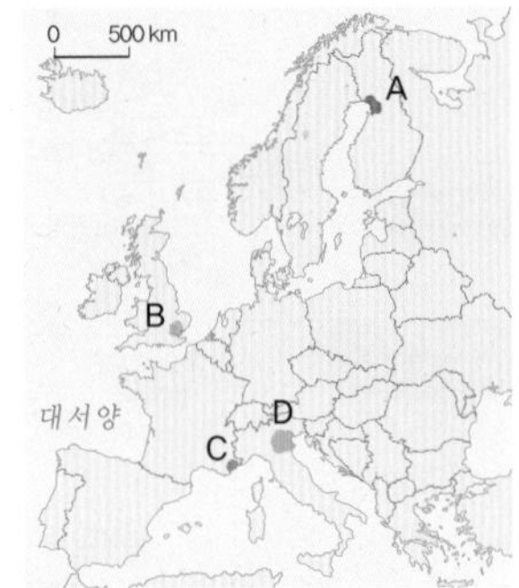

(1) 예술, 교육, 휴양, 관광 도시로도 유명하며 편리한 교통과 통신 시설, 훌륭한 교육 및 보건 시설을 갖추고 있어, 유럽에서 가장 모범적인 연구 도시로 급성장하였다.

(2) 장인의 기술이 전수되어 섬유, 의류, 가죽 등의 전통적인 소비재 경공업이 발달해 있다. 소규모 생산자들의 유기적인 협력과 분업을 통해 다품종 소량 생산을 중심으로 고부가 가치를 실현하고 있다.

06 다음 빈칸에 공통으로 들어갈 말을 쓰시오.

> 오대호 연안 공업 지역은 (　　　)(으)로 일부 제조업이 부활하고 있다. (　　　)은/는 미국을 떠났던 제조업이 개발 도상국의 임금 상승, 미국 소비자의 중요성 증대, 정부 지원 등으로 미국으로 복귀하는 현상을 말한다.

07 다음 빈칸에 들어갈 알맞은 말에 ○표 하시오.

(1) 미국 북동부와 오대호 연안은 풍부한 철광석과 (석탄 / 석유)을/를 바탕으로 공업이 발달하였다.

(2) 미국 항공 우주국(NASA)이 위치한 (휴스턴 / 디트로이트)은/는 북부 아메리카에서 우주 항공 산업의 중심에 해당한다.

(3) 캐나다는 풍부한 (알루미늄 / 수력)을 바탕으로 알루미늄 공업과 제지 공업이 발달해 있다.

2단계 내신 유형 익히기

정답과 해설 ▸ 34쪽

01 자료는 독일의 석탄 산업에 관한 것이다. 이를 보고 추론한 내용으로 옳지 않은 것은?

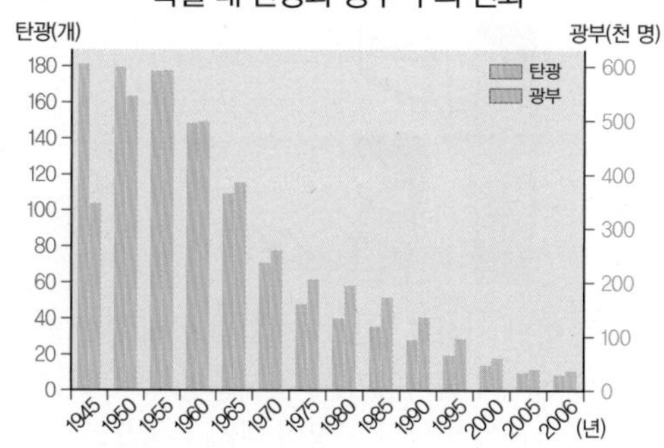

① 오랜 채굴로 석탄 매장량이 감소했을 것이다.
② 탄광을 비롯한 각종 산업 시설이 노후하였을 것이다.
③ 공업 원료로 석탄보다 석유의 중요도가 높아졌을 것이다.
④ 중화학 공업의 중심이 해안에서 내륙으로 이동했을 것이다.
⑤ 독일산 석탄보다는 수입산 석탄의 경쟁력이 높아졌을 것이다.

02 지도에 표시된 지역의 공통점으로 옳은 것은?

① 석탄 산지를 중심으로 중화학 공업이 발달해 있다.
② 철광석 산지를 중심으로 중화학 공업이 발달해 있다.
③ 해안과 내륙 수로 연안에 입지한 새로운 공업 지역이다.
④ 항공 우주, 정보 통신, 생명 공학 등 첨단 산업이 발달해 있다.
⑤ 전통적 장인의 제조업으로 육성한 고부가 가치 산업 단지가 있다.

03 지도에 표시된 지역에서 공통적으로 발달한 공업의 특징으로 가장 적절한 것은?

① 산업 발달의 역사가 오래된 중화학 공업이다.
② 동력 산지와 원료 산지의 접근성이 중요한 공업이다.
③ 석유, 석탄 등 화석 에너지의 소비량이 많은 공업이다.
④ 노동 집약적인 공업으로 값싼 노동력이 풍부한 지역에 입지한다.
⑤ 대학 또는 연구 시설과의 접근성이 높은 지역에 입지하는 것이 유리하다.

04 지도는 유럽의 공업 지역을 나타낸 것이다. (가)~(다) 공업 지역에 대한 설명으로 옳은 것은?

① (가)는 최근 문화 시설의 공업 시설로의 전환이 활발하다.
② (나)는 생산비에서 노동비의 비중이 큰 경공업이 발달해 있다.
③ (다)는 석탄 매장량 감소, 시설 노후화로 공업의 쇠퇴가 뚜렷하다.
④ (나)는 (가)보다 제품의 평균적인 수명 주기가 짧다.
⑤ (다)는 (나)보다 제품 생산 과정에서 천연 자원의 소비량이 적다.

05 지도는 미국의 주(州)별 제조업 종사자 수 변화를 나타낸 것이다. A에 대한 B 지역의 상대적 특징을 그림의 A~E에서 고른 것은?

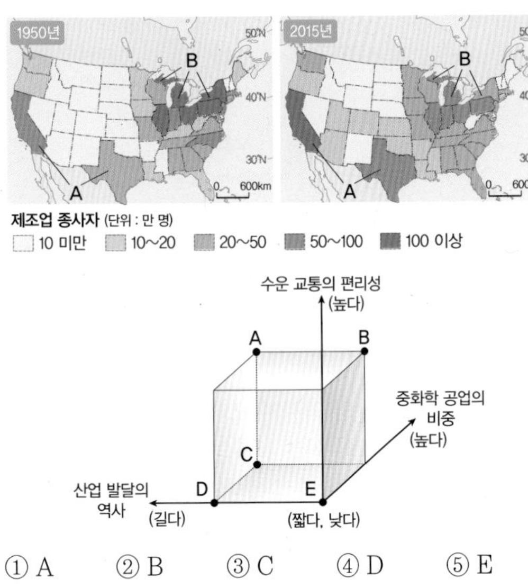

① A ② B ③ C ④ D ⑤ E

06 다음 글의 ㉠~㉤에 대한 설명으로 옳은 것은?

> 보스턴을 중심으로 한 ㉠ 뉴잉글랜드 지역은 과거에는 섬유 산업이 중심이었으나 최근에는 정밀 기기, 의약품, 컴퓨터 등 첨단 산업이 발달하고 있다. 시카고, 디트로이트 등을 중심으로 한 ㉡ 오대호 연안 지역에는 철강·기계·금속 공업 등이 입지해 있다. 휴스턴을 중심으로 한 ㉢ 멕시코만 연안 지역은 [㉣] 산업 등이 발달하였다. 쾌적한 기후가 나타나는 ㉤ 태평양 연안 지역은 항공기·정보 통신·컴퓨터 산업 등이 발달하였다.

① ㉠에는 첨단 산업 시설이 집적해 있는 실리콘 밸리가 있다.
② ㉡은 넓은 토지, 세금 혜택에 힘입어 공업 성장의 속도가 빠르다.
③ ㉢은 러스트 벨트(rust belt)에 속한다.
④ ㉣에는 '석유 화학·우주 항공'이 들어갈 수 있다.
⑤ ㉤은 산업 구조 조정, 집적의 불이익 등으로 쇠퇴하고 있다.

07 다음은 세계지리 스피드 퀴즈 장면이다. (가)에 들어갈 내용으로 가장 적절한 것은?

① 항만 시설과 철도가 연결된 임해 공업 단지
② 집적의 불이익이 커서 제조업이 쇠퇴하는 지역
③ 본국을 떠났던 공장이 다시 본국으로 이전해 들어오는 지역
④ 원료 산지와 동력 산지를 철도 및 파이프라인으로 연결한 지역
⑤ 첨단 산업체, 대학, 연구소가 함께 입지하여 유기적인 협력이 이루어지는 지역

08 자료에 제시된 지역을 지도의 A~E에서 고른 것은?

> 1884년부터 100년 간 광산이 운영되던 곳이었다. 석탄 산업이 사양되면서 10여 년간 방치되었던 폐광산이 박물관, 극장, 카페, 디자인 스쿨, 문화 예술 공간으로 탈바꿈하였다. 루르 공업 지역의 산업 유산을 새로운 문화 시설로 변모시켜 석탄 대신 문화와 창조 정신을 캐는 '세계에서 가장 아름다운 탄광 문화 예술 공간'으로 변신하였다.

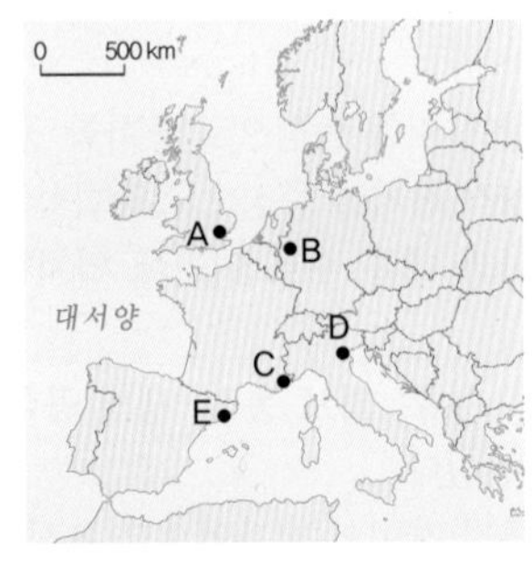

① A ② B ③ C ④ D ⑤ E

서술형 문제

09 자료를 통해 추론할 수 있는 '말뫼'의 변화를 산업 구조, 에너지 자립도, 성비 세 가지 측면에서 서술하시오.

> 스웨덴의 조선 공업 도시 말뫼는 조선 산업의 경쟁력 약화로 도시의 상징물이었던 크레인을 팔아야만 했다. 크레인이 있던 자리에 친환경 에너지 자립 건물 '터닝 토르소'가 세워졌으며, 옛 조선소 터는 의학과 바이오, 정보 기술 분야 기업들의 본사와 대학교가 입지해 있다.

서술형 문제

11 지도에 표시된 지역에서 공통적으로 발달한 산업의 특징을 제품의 수명 주기, 생산비에서 운송비가 차지하는 비중 두 가지 측면에서 서술하시오.

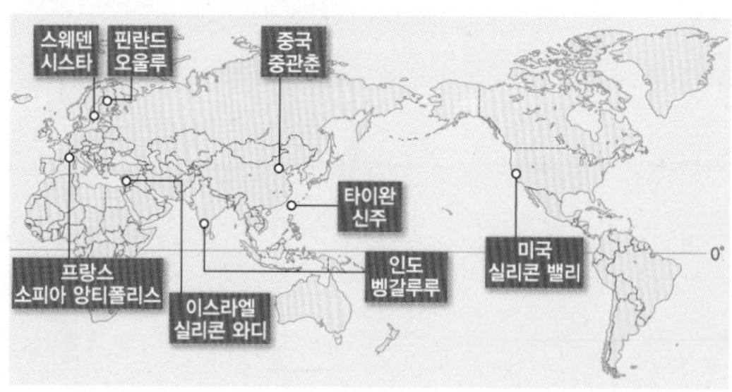

서술형 문제

10 (나)에 대한 (가) 공업 지역의 상대적 특징을 공업 지역의 형성 시기, 첨단 산업의 비중, 주요 산업의 화석 연료 의존성 세 가지 측면에서 서술하시오.

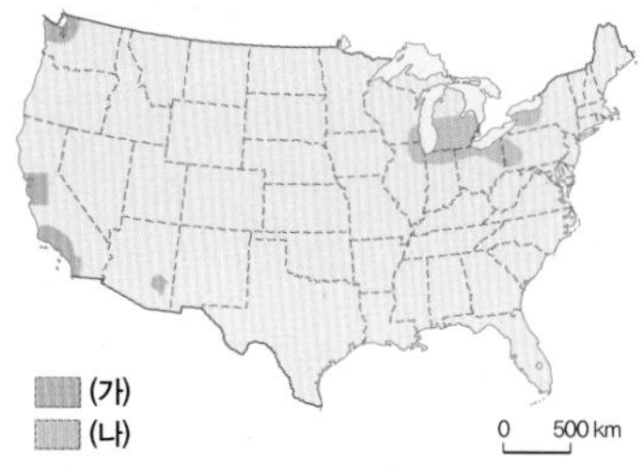

서술형 문제

12 자료에서 밑줄 친 '석탄 산업 합리화' 정책 시행 이후 '더럼'의 변화를 인구, 성비, 산업 구조 등의 세 가지 측면에서 추론하여 서술하시오.

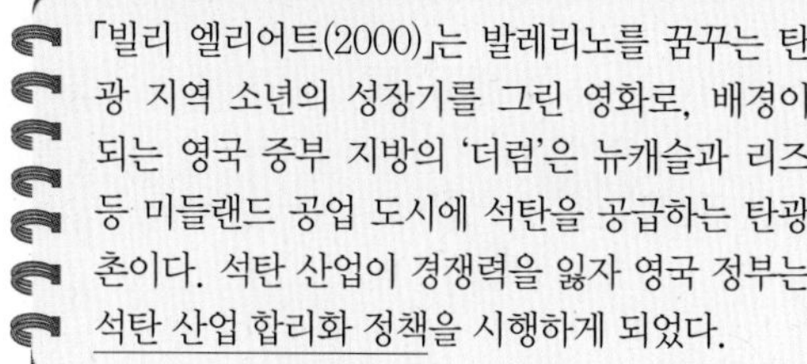

「빌리 엘리어트(2000)」는 발레리노를 꿈꾸는 탄광 지역 소년의 성장기를 그린 영화로, 배경이 되는 영국 중부 지방의 '더럼'은 뉴캐슬과 리즈 등 미들랜드 공업 도시에 석탄을 공급하는 탄광촌이다. 석탄 산업이 경쟁력을 잃자 영국 정부는 석탄 산업 합리화 정책을 시행하게 되었다.

3단계 내신 만점 도전하기

정답과 해설 ▸ 35쪽

01 중요 지도에 표시된 (가)~(다) 지역과 A~C 산업 구조 그래프를 바르게 연결한 것은?

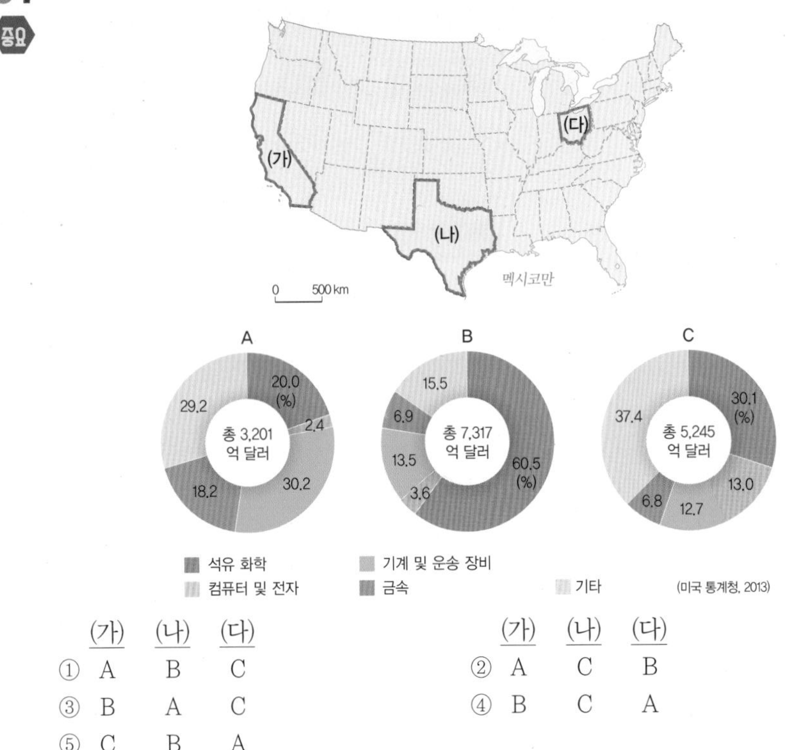

	(가)	(나)	(다)
①	A	B	C
②	A	C	B
③	B	A	C
④	B	C	A
⑤	C	B	A

문제 접근 방법
세 개의 주를 러스트 벨트(rust belt) 공업 지역과 선벨트(sun belt) 공업 지역으로 구분하여 이해하도록 한다.

내신 전략
선벨트 공업 지역 중에서 태평양 연안과 멕시코만 연안의 주요 공업을 정리해 두도록 한다.

02 두 학생의 대화 내용에 등장하는 (가), (나) 두 지역의 연결이 옳은 것은?

(가) 지역은 원료의 수입과 제품의 수출에 유리한 지역이야. 이런 조건을 바탕으로 최근에 신흥 중화학 공업 지역으로 발전하고 있어.

(나) 지역은 석탄, 철광석 등이 풍부한 원료 산지를 중심으로 공업이 발달한 지역이야. 하지만 석탄 산업의 쇠퇴와 에너지원의 변화로 많은 공장이 이전해 나가고 있어.

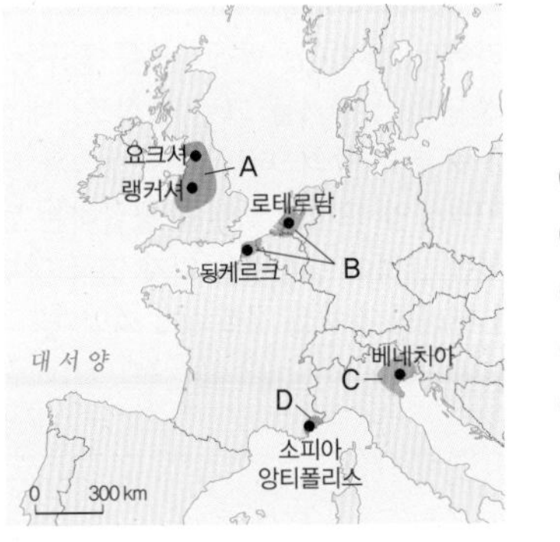

	(가)	(나)
①	A	D
②	B	A
③	B	C
④	C	B
⑤	C	D

문제 접근 방법
유럽의 공업 지역을 쇠퇴하는 전통 공업 지역, 첨단 기술 산업 지역, 해안·하운 교통 발달 지역으로 구분하여 이해해야 한다.

내신 전략
유럽의 세 가지 유형의 공업 지역의 특징과 위치를 연결하여 파악해 둔다.

정답과 해설 ▸ 35쪽

2017학년도 6월 모의평가

01 지도의 A~C 지역에 대한 옳은 설명만을 |보기|에서 있는 대로 고른 것은?

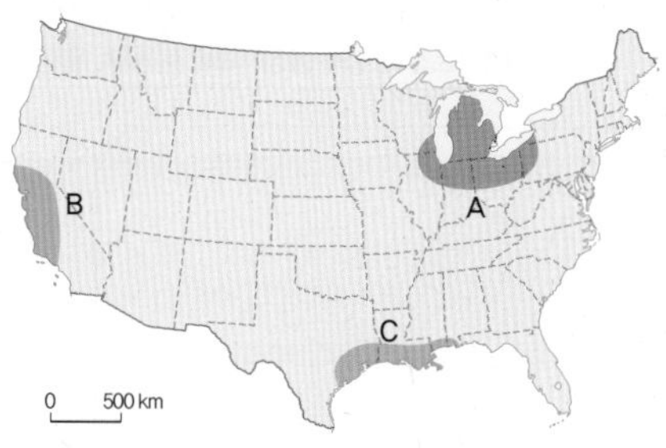

보기

ㄱ. A에서는 최근 디트로이트를 중심으로 우주 항공 산업이 급속히 성장하고 있다.
ㄴ. B는 온화한 기후 조건과 고급 기술 인력을 바탕으로 영화 제작, 컴퓨터 관련 산업 등이 발달하였다.
ㄷ. C에는 석유 자원을 바탕으로 대규모 석유 화학 공업 단지가 조성되어 있다
ㄹ. 철강 산업의 중심은 최근 B에서 원료 산지 주변인 A로 이동하였다.

① ㄱ, ㄴ ② ㄴ, ㄷ ③ ㄷ, ㄹ ④ ㄱ, ㄴ, ㄹ ⑤ ㄴ, ㄷ, ㄹ

출제 개념
미국의 공업 지역

자료 해설
지도는 러스트 벨트(rust belt) 공업 지역에 해당하는 오대호 연안 공업 지역과 선벨트(sun belt) 공업 지역에 해당하는 태평양 연안 공업 지역, 멕시코만 공업 지역이 제시되어 있다.

해결 비법
러스트 벨트(rust belt) 공업 지역의 특징과 입지적 장점, 선벨트(sun belt) 공업 지역의 특징과 입지적 장점을 정리해 둔다. 또한 선벨트 공업 지역 중에서 태평양 연안 공업 지역과 멕시코만 연안 공업 지역의 차이점도 정리해 둘 필요가 있다.

2017학년도 7월 학력평가

02 지도는 유럽의 주요 공업 지역을 나타낸 것이다. (가)~(다) 지역에 대한 설명으로 옳은 것은?

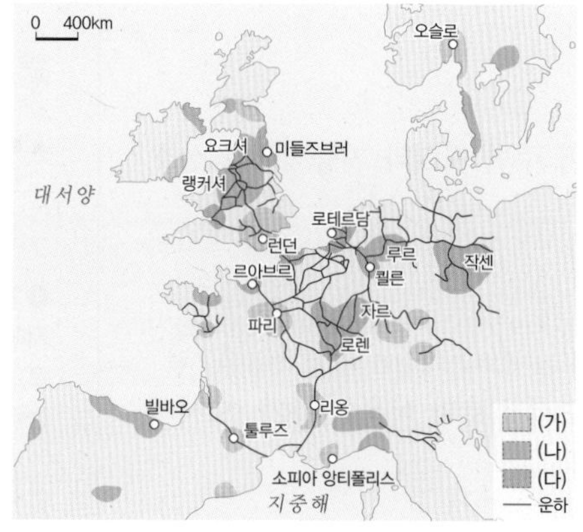

① (가)는 풍부한 석탄과 철광석을 바탕으로 공업이 발달했다.
② (나)는 자원의 해외 의존도 증가로 공업이 성장하였다.
③ (다)는 대도시와 연구소, 대학 등을 중심으로 발달한 첨단 산업 지역이다.
④ (가)는 (다)보다 공업 지역 형성 시기가 늦다.
⑤ 운하의 발달로 (가)의 주요 생산 시설이 (나)로 이전되었다.

출제 개념
유럽의 공업 지역

자료 해설
지도에 유럽의 첨단 기술 산업 지역, 쇠퇴하는 공업 지역, 해안·하운 교통 발달 지역이 제시되어 있다.

해결 비법
유럽의 공업 지역을 세 가지 유형의 공업 지역으로 구분하여 위치와 특징을 명확히 학습하고, 다양한 사례에 적용시킬 수 있는 문제 해결 능력을 기른다.

주제 21

현대 도시의 내부 구조와 특징

교과서 150~155쪽

주제 흐름 읽기

현대 도시의 내부 구조 특징	현대 도시의 대도시권 특징
• 도시 지역 분화의 원인: 접근성·지대·지가의 차이, 도시 계획 • 도시 지역 분화: 업무 지역, 상업 지역, 주거 지역, 공업 지역 등	• 대도시권의 형성: 대도시 과밀 → 위성 도시, 교통 발달, 통근·통학권 확대 • 메갈로폴리스의 형성: 미국 북동부, 일본 도카이도, 영국 남서 잉글랜드

1 현대 도시의 내부 구조 특징

1. 도시 지역 분화

(1) 도시 지역 분화의 의미와 원인

① 의미: 유사한 기능끼리 모이고 서로 다른 기능끼리 분리되는 현상

② 원인: 도시 규모가 커짐에 따라 지역별 접근성❶, 지대❷, 지가의 차이 발생

(2) 도시 지역 분화 특징

① 특징: 도시 규모가 작을 때는 각 기능들이 혼재되어 나타나지만, 도시가 점차 성장하면서 기능 지역별로 공간 분화가 나타남

② 업무 지역, 상업 지역, 주거 지역, 공업 지역 등

(3) 유럽과 북부 아메리카의 도시 내부 구조 차이❸

도시를 구성하는 기능 지역의 공간적 배열 상태를 도시 내부 구조라고 해.

① 유럽: 도심의 구시가지가 존속하면서 도시 외곽에 새로운 중심지 형성

② 북부 아메리카: 도시 형성 역사가 짧아 지역에 따른 토지 이용의 차이가 명확

2. 도시의 내부 구조 특징

(1) **도심** 접근성, 지대, 지가가 가장 높음, 지대 지불 능력❹이 큰 업종 입지, 집약적 토지 이용, 고층 건물 밀집, 중심 업무 지구(CBD) 형성, 인구 공동화❺ 현상

(2) **도시 내부 지역**: 오래되고 낡은 공장과 주택, 도심 재개발(젠트리피케이션) 활발 자료 1

(3) **도심과 가까운 근교 지역**: 주차장이 있는 중간 규모의 주택 입지

(4) **도심에서 먼 근교 지역**: 현대식의 대규모 주택, 소규모 공장, 대형 쇼핑센터 입지

2 현대 도시의 대도시권 특징

1. 대도시권의 형성 자료 2

(1) **의미** 중심 대도시의 통근·통학권, 상권 등이 확대되어 주변 지역과 기능적으로 상호 밀접한 관계를 갖는 대도시와 그 주변 지역

(2) 형성 배경

① 대도시의 과밀화: 주택 및 용지 부족, 지가 상승

② 교통 발달과 위성 도시 건설

대도시의 인구나 기능, 시설 등이 대도시 주변 지역으로 확산되는 현상을 교외화 현상이라고 해.

(3) **대도시 주변 지역의 변화** 중심 도시로의 접근성 향상, 도시적 토지 이용의 증가, 도시적 생활 양식의 확대, 기능적으로 대도시에 밀접하게 연결

2. 메갈로폴리스의 형성

(1) **의미** 여러 대도시권이 띠 모양으로 연속되어 발달해 있는 거대 도시군

(2) 대표적인 메갈로폴리스

① 미국 북동부의 메갈로폴리스: 보스턴~뉴욕~필라델피아~볼티모어~워싱턴

② 일본 도카이도 메갈로폴리스: 도쿄~나고야~오사카

③ 영국 남서 잉글랜드 메갈로폴리스: 런던~리버풀

---

❶ 접근성
여러 지점에서 특정 지역이나 시설에 도달하기 쉬운 정도를 말한다. 일반적으로 교통수단이 편리한 곳은 접근성이 좋기 때문에 교통 기능이 집중된 도심의 접근성이 가장 좋고, 외곽으로 갈수록 떨어진다.

❷ 지대
토지 이용에서 얻을 수 있는 수익 또는 임대료를 의미한다.

❸ 도시 내부 구조

주거 지역 / 공업 지역 / 신흥 업무 지역 / 오래된 도심 / 근대 도시 구역

▲ 역사가 오래된 유럽의 도시

▲ 빠르게 성장한 미국의 도시

❹ 지대 지불 능력
지대(임대료)를 감당할 수 있는 능력으로, 수익성이 큰 업종일수록 지대 지불 능력이 크다.

❺ 인구 공동화
지대 지불 능력이 큰 상업 및 업무 기능이 도심에 집중하고, 지대 지불 능력이 낮은 주거 기능은 도심에서 밀려나면서, 도심에서 상주 인구가 감소하는 현상을 인구 공동화라고 한다.

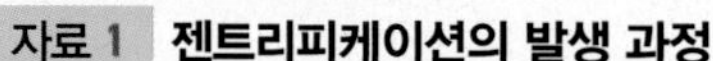

자료 1 젠트리피케이션의 발생 과정

교과서 153쪽

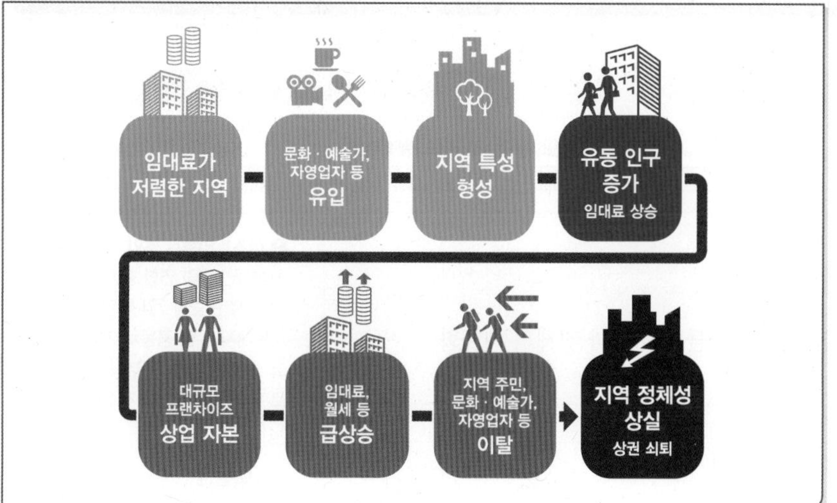

자료 분석 도심 근처의 오래되어 낙후된 지역은 임대료가 저렴하다. 저렴한 임대료 때문에 문화·예술가, 자영업자 등이 유입되면서 과거에 비해 고급 상업 및 주거 지역으로 탈바꿈하는 현상이 나타나는데, 이를 젠트리피케이션이라고 한다. 그러나 유동 인구 증가, 대규모 상업 자본의 유입, 그에 따른 임대료 및 월세의 급상승으로 지역 주민, 문화·예술가, 자영업자 등이 이탈하게 되면서 지역 정체성이 상실되고 상권이 쇠퇴하는 문제점이 발생하기도 한다.

자료 분석 포인트

젠트리피케이션의 개념을 파악하고, 어떤 과정을 거쳐 발생되는지 살펴보자.

Q1 다음 중 젠트리피케이션의 개념과 가장 거리가 먼 것은?

① 도심 재활성화
② 지역 내 사회 계층의 변화
③ 보다 풍요로운 주민의 유입
④ 슬럼 지역의 거주 환경 개선
⑤ 대도시 외곽의 대규모 신도시 건설

자료 2 도시권의 다양한 형태

교과서 154쪽

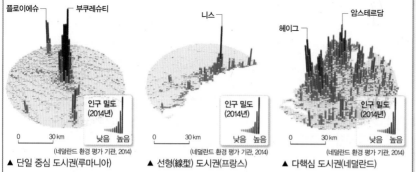

플로이에슈 / 부쿠레슈티
인구 밀도 (2014년) 낮음 높음
0 30 km
(네덜란드 환경 평가 기관, 2014)
▲ 단일 중심 도시권(루마니아)

니스
인구 밀도 (2014년) 낮음 높음
0 30 km
(네덜란드 환경 평가 기관, 2014)
▲ 선형(線型) 도시권(프랑스)

헤이그 / 암스테르담
인구 밀도 (2014년) 낮음 높음
0 30 km
(네덜란드 환경 평가 기관, 2014)
▲ 다핵심 도시권(네덜란드)

자료 분석 단일 중심 도시권은 루마니아처럼 수위 도시의 발달이 뚜렷한 곳에서 나타나고, 선형 도시권은 프랑스 남부에서처럼 해안을 따라 도시가 발달할 때 나타난다. 네덜란드, 독일, 영국 등에서는 인접한 도시가 밀접하게 연결되는 다핵심 도시권이 나타난다.

자료 분석 포인트

서로 다른 형태의 도시권 형성에 어떤 측면이 영향을 미쳤는지를 살펴보자.

Q2 다음 설명에 해당하는 도시권 형태를 아래에서 골라 기호를 쓰시오.

> ㄱ. 단일 중심 도시권
> ㄴ. 선형 도시권
> ㄷ. 다핵심 도시권

(1) 수위 도시의 발달이 뚜렷한 곳에서 나타나는 도시권 형태 ( )

(2) 해안을 따라 도시가 발달할 때 나타나는 도시권 형태 ( )

답 Q1 ⑤ / Q2 (1) ㄱ (2) ㄴ

주제 22 지역의 통합과 분리 운동

교과서 156~161쪽

주제 흐름 읽기

유럽의 지역 통합과 분리 운동	북부 아메리카의 지역 통합과 분리 운동
• 지역 통합: 유럽 공동체 → 유럽 연합 • 분리 운동: 문화적 차이, 경제적 상황	• 지역 통합: 북미 자유 무역 협정(NAFTA) 출범 • 분리 운동: 캐나다의 퀘벡주(州)

1 유럽의 지역 통합과 분리 운동

1. 유럽의 지역 통합

(1) **지역 통합 요인** 자원의 공동 이용, 평화 정착, 강대국들의 부상과 경제의 세계화

(2) **유럽 연합의 성립 과정** 자료 1

1952	유럽 석탄·철강 공동체
1967	유럽 공동체(EC) 출범: 역내 관세 철폐, 공동 관세 제도
1993	마스트리히트 조약[❶] 체결: 통화 및 정치 동맹 추진
1994	유럽 연합(EU) 출범: 프랑스, 독일, 이탈리아, 네덜란드, 벨기에, 룩셈부르크, 영국, 덴마크, 아일랜드, 그리스, 에스파냐, 포르투갈 등의 12개국 → 현재는 28개국(영국 탈퇴 예정)

유럽 연합 본부는 벨기에의 브뤼셀에 위치해.

(3) **유럽 연합의 특징**

① 외교, 국방, 사법, 내무 각 부문에 걸친 연방 형태 추구 → 경제적, 정치적 통합
② 자본, 노동력, 서비스 등의 자유로운 이동과 교류 진행 → 역내 무역 비중이 높음
③ 경제 수준이 높은 북서부 유럽 국가들, 심각한 경제난을 겪고 있는 남부 유럽 국가들, 최근에 자본주의 시장 경제에 편입된 동부 유럽 국가들 간의 심한 경제 격차
④ 다른 대륙 국가들의 외국인 노동자 유입에 따른 문화적 갈등 발생
⑤ 분쟁 지역 난민 수용을 둘러싼 회원국 간의 갈등

2. 유럽의 분리·독립 움직임 자료 2

(1) **경제력의 차이** 에스파냐의 카탈루냐[❷], 이탈리아의 북부 지역
(2) **민족의 차이** 에스파냐의 바스크[❸], 영국의 스코틀랜드, 유고슬라비아 연방[❹]의 분리 자료 3
(3) **언어의 차이** 벨기에의 플랑드르[❺]
(4) **종교의 차이** 영국의 북아일랜드

북아일랜드는 개신교도와 가톨릭교도 간의 갈등 발생 지역으로 가톨릭교 주민들이 분리·독립을 원하고 있어.

2 북부 아메리카의 지역 통합과 분리 운동

1. 북부 아메리카의 지역 통합

(1) **북아메리카 자유 무역 협정(NAFTA)**

유럽 연합에 비해 회원국 수는 적지만, 전체 국내 총생산(GDP)과 역내 교역 비중은 더 크게 나타나.

① 미국, 캐나다, 멕시코가 1992년 자유 무역 협정 체결로 1994년 단일 경제권 형성
② 상품 교역, 서비스 교역, 투자 및 지적 재산권에 관한 자유 무역 시행
③ 자본과 상품의 자유로운 이동이 이루어지면서 경제적 의존과 역내 교역 급증

(2) **북아메리카 자유 무역 협정의 부정적 측면**

① 공장이 멕시코로 이전함에 따라 미국과 캐나다에서의 일자리 감소
② 멕시코 농업의 취약성 심화, 멕시코 내 미국 공장에서의 노동자 인권 문제

2. 캐나다 퀘벡주의 분리·독립 움직임

(1) **언어 차이** 프랑스계 주민이 다수이며, 프랑스어 사용 인구가 80% 차지
(2) **분리·독립 추진** 퀘벡주(州) 경제 번영 이후 분리·독립 추진 → 주민 투표 부결

---

❶ 마스트리히트 조약
공식적인 유럽 연합 출범에 관한 조약이다. 1992년 2월 7일 네덜란드 마스트리흐트에서 유럽 공동체 가입국이 서명하고 1993년 11월 1일부터 발효한 조약으로 유럽 연합의 기초가 된다.

❷ 카탈루냐
카탈루냐인은 에스파냐의 주 민족인 카스티야인과 구별되는 정체성을 가지고 있지만, 근본적으로 분리 독립을 원하는 것은 경제적인 이유 때문이다. 카탈루냐는 에스파냐에서 지역 내 총생산(GRDP)이 가장 많으며, 세금도 많이 내는 지역이다. 이 세금들이 카탈루냐는 내버려두고, 중앙 정권인 카스티야 지방과 상대적으로 빈곤한 남부 지방에 사용되는 것에 불만이 높다.

❸ 바스크
바스크 민족은 이베리아반도에서 가장 오래된 역사를 가진 민족으로, 독자적인 언어를 사용하는 등 게르만·라틴족과는 뚜렷이 구분되는 문화를 유지해 왔다. 이들이 사용하는 언어, 즉 바스크어는 어떤 어족에 속하는지 알 수 없는 계통상의 고립어이다.

❹ 유고슬라비아 연방
발칸반도에 위치한 옛 유고슬라비아 연방은 사회주의의 몰락 후 민족과 종교의 차이로 슬로베니아, 크로아티아, 마케도니아, 보스니아 헤르체고비나, 세르비아, 몬테네그로, 코소보의 7개 나라로 분리·독립하면서 심각한 내전을 경험하였다.

❺ 플랑드르
벨기에 북부에 위치한 지역으로, 남부 왈롱 지방에서 프랑스어를 주로 사용하는 것과 달리 주민들의 대부분이 네덜란드어를 사용한다.

자료 1 유럽 연합 회원국의 변천

교과서 157쪽

자료 분석 1994년 프랑스, 독일, 이탈리아, 네덜란드, 벨기에, 룩셈부르크, 영국, 덴마크, 아일랜드, 그리스, 에스파냐, 포르투갈 등의 12개국으로 유럽 연합이 출범했다. 이후 북부·동부 유럽 국가가 추가로 가입하며 현재 28개의 회원국이 되었다. 유럽 연합 국가 중 19개국이 유로화를 사용하며 영국, 덴마크, 헝가리, 체코, 크로아티아 등은 유로화를 사용하지 않는다. 아이슬란드, 스위스, 노르웨이, 리히텐슈타인은 유럽 연합 회원국이 아니며 유럽 자유 무역 연합을 결성해 상품의 자유 무역을 실시하고 있다. 영국은 2016년 국민 투표에서 '유럽 연합 탈퇴'가 가결되었다.

자료 분석 포인트

최근에 많은 동부 유럽 국가들이 유럽 연합에 가입되었음을 확인하고, 더불어 비회원국의 분포도 파악해 보자.

Q1 다음 중 유럽 연합의 회원국이 아닌 두 국가는?

① 그리스
② 덴마크
③ 스위스
④ 노르웨이
⑤ 에스파냐

자료 2 유럽의 분리·독립 움직임

교과서 158쪽

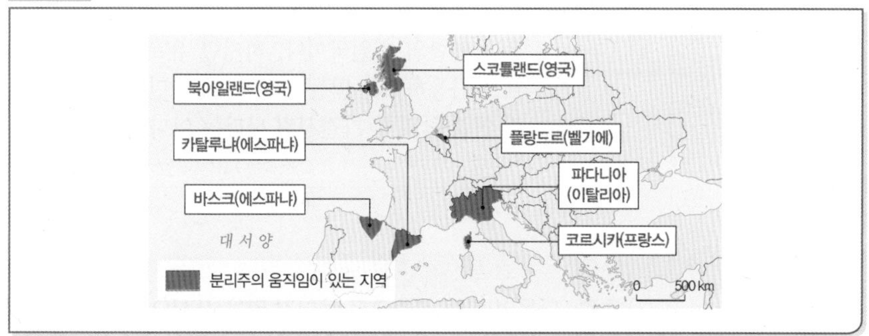

자료 분석 유럽은 언어의 차이(플랑드르), 민족의 차이(바스크, 스코틀랜드, 코르시카), 종교의 차이(북아일랜드), 경제력의 차이(카탈루냐, 파다니아)에 따른 갈등으로 여러 지역에서 분리·독립의 움직임이 나타나고 있다.

자료 분석 포인트

분리·독립 움직임이 있는 지역의 위치와 분리·독립의 요인을 함께 살펴보자.

Q2 괄호 A, B에 들어갈 언어를 각각 쓰시오.

벨기에 북부의 플랑드르 지방에서 주민들이 주로 사용하는 언어는 (A)이며, 벨기에 남부의 왈롱 지방에서 주민들이 주로 사용하는 언어는 (B)이다.

자료 3 유고슬라비아 연방의 분리 과정

교과서 158쪽

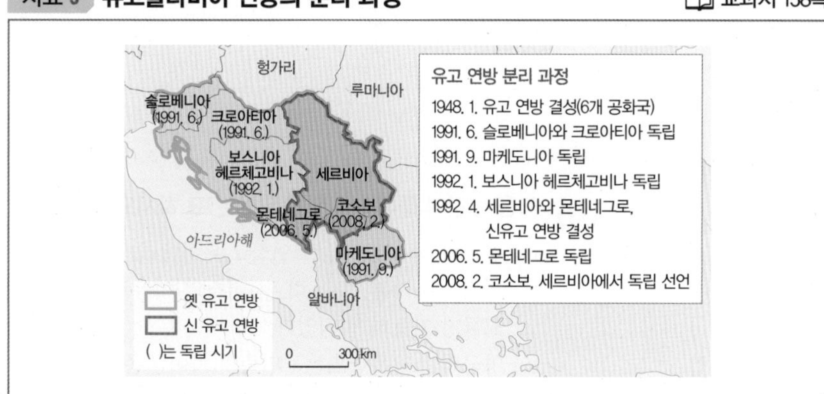

자료 분석 발칸반도에 위치한 옛 유고슬라비아 연방은 사회주의 몰락 후 민족과 종교 차이에 따른 갈등으로 오랜 내전을 겪으며 슬로베니아, 크로아티아, 마케도니아, 보스니아 헤르체고비나, 세르비아, 몬테네그로, 코소보 등의 7개 나라로 분리되었다.

자료 분석 포인트

오랜 내전 끝에 7개 나라로 분리된 유고슬라비아 연방의 위치를 확인해 보자.

Q3 구 유고슬라비아 연방이 위치한 반도는?

답 Q1 ③, ④ / Q2 A: 네덜란드어, B: 프랑스어 / Q3 발칸반도

01 다음 빈칸에 들어갈 알맞은 말을 쓰시오.

(1) 도심에서는 높은 ( )을/를 지불할 수 있는 업종이 들어서게 되고 토지 이용이 집약적으로 이루어진다.

(2) 도심에서는 주거 기능이 상업 기능에 밀려나면서 상주인구가 외곽으로 빠져나가고 있는데, 이와 같이 도심에서 유동 인구는 증가하지만, 상주인구가 감소하는 것을 ( ) 현상이라 한다.

02 다음 내용에서 설명하는 용어를 쓰시오.

> '낙후된 지역을 고급화하다'라는 뜻을 가지고 있지만, 현실에서는 임대료가 저렴한 낙후된 지역에 다시 중산층 이상의 사람들이 몰리고, 지역이 발전하면서 기존에 거주 중이던 원주민을 밀어내는 현상을 말한다.

____

03 다음 설명이 옳으면 ○, 틀리면 ×표 하시오.

(1) 도심은 도시에서 가장 오래된 곳으로, 중심 업무 지구(CBD)라고 불린다. ( )

(2) 여러 대도시권이 띠 모양으로 연속하여 발달해 있는 거대 도시군을 메트로폴리스라고 한다. ( )

(3) 일반적으로 단일 중심 도시권은 수위 도시의 발달이 뚜렷한 곳에서 나타난다. ( )

04 다음 설명에 해당하는 국가를 지도의 A～E에서 찾아 쓰시오.

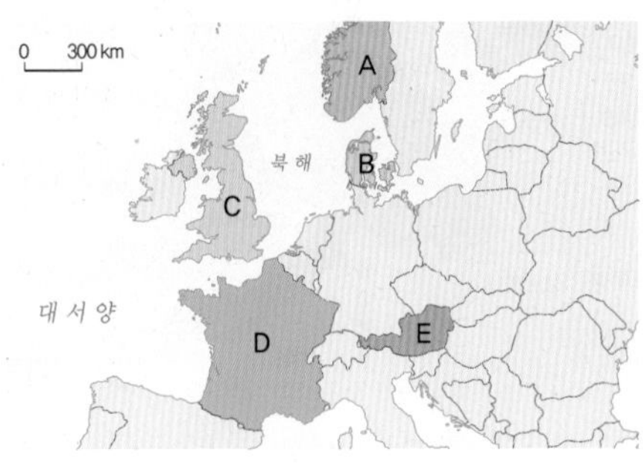

(1) 유럽 연합의 회원국이 아니다. 아이슬란드, 스위스, 리히텐슈타인과 함께 유럽 자유 무역 연합(EFTA)을 결성하여 자본과 상품의 자유 무역을 실시하고 있다.

____

(2) 유럽 연합의 회원국이다. 하지만 유로화를 공식 화폐로 사용하지는 않는다. 최근에 국민 투표에서 '유럽 연합 탈퇴'를 가결시킨 나라는 아니다.

____

05 다음 빈칸에 공통으로 들어갈 말을 쓰시오.

> 코르시카는 ( )(으)로부터 분리·독립의 움직임이 있다. 벨기에의 북부에 해당하는 플랑드르 지방에서는 주민들의 대부분이 네덜란드어를 사용한다. 반면 벨기에의 남부에 해당하는 왈롱 지방에서는 주민들의 대부분은 ( )어를 사용한다.

____

06 다음 빈칸에 들어갈 알맞은 말에 ○표 하시오.

(1) 협정의 체결로 (유럽 연합 / 북아메리카 자유 무역 협정)은 자본, 노동력, 서비스의 자유로운 이동과 교류가 가능하게 되었다.

(2) 영국의 스코틀랜드는 (민족의 차이 / 종교의 차이)로 인해 분리·독립 움직임이 나타나고 있다.

(3) 에스파냐의 카탈루냐와 이탈리아의 파다니아는 공통적으로 (종교의 차이 / 경제력의 차이)로 인해 분리·독립 움직임이 나타나고 있다.

01 그림은 대도시의 내부 구조를 모식적으로 표현한 것이다. A, B 지역의 상대적 특징의 연결이 옳은 것은?

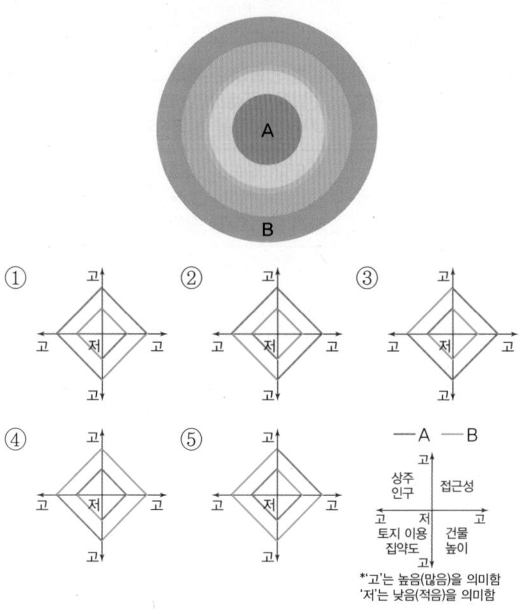

02 빈출 두 지도에 표시된 지역의 공통적인 특징으로 옳은 것을 |보기|에서 모두 고른 것은?

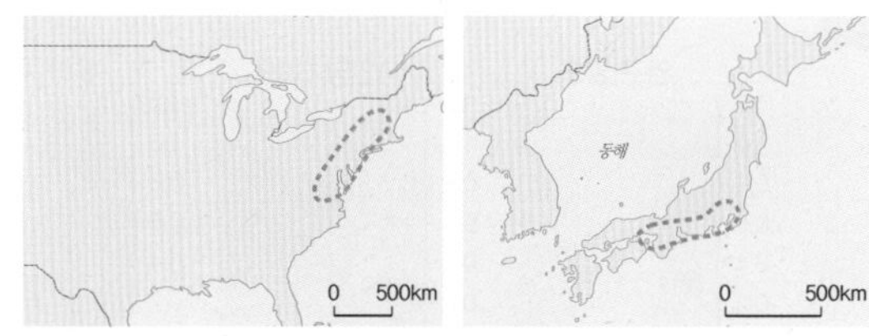

|보기|
ㄱ. 최상위 세계 도시가 위치한다.
ㄴ. 메갈로폴리스가 형성되어 있다.
ㄷ. 분리·독립의 움직임이 나타나고 있다.
ㄹ. 집적의 불이익이 작아 공업 집중이 뚜렷하다.

① ㄱ, ㄴ ② ㄱ, ㄹ ③ ㄴ, ㄷ
④ ㄴ, ㄹ ⑤ ㄷ, ㄹ

03 빈출 그림은 젠트리피케이션의 발생 과정을 나타낸 것이다. (가), (나)에 들어갈 내용의 연결이 옳은 것은?

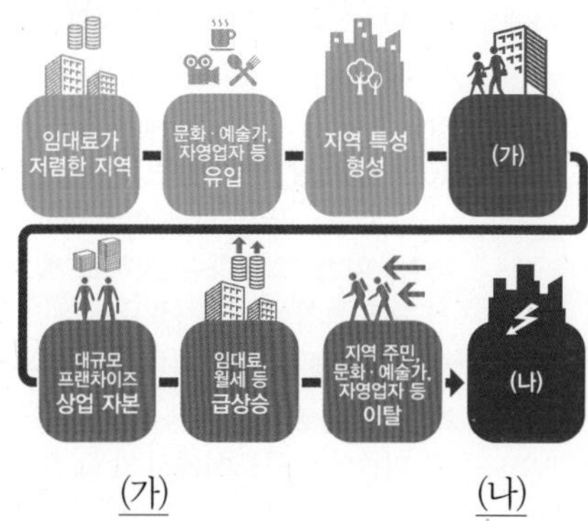

	(가)	(나)
①	상주인구 감소, 임대료 하락	유동 인구 증가, 상권 부활
②	지역 정체성 확립, 상권 부활	유동 인구 감소, 임대료 하락
③	유동 인구 감소, 임대료 하락	지역 정체성 확립, 상권 부활
④	지역 정체성 상실, 상권 쇠퇴	유동 인구 증가, 임대료 상승
⑤	유동 인구 증가, 임대료 상승	지역 정체성 상실, 상권 쇠퇴

04 (가)에 대한 (나) 지역 경제 협력체의 상대적 특성을 그림의 A～E에서 고른 것은?

> (가) 미국과 인접 국가들이 자유 무역 추진을 위해 1992년 협정을 체결하였다. 높은 기술 수준, 풍부한 자본 및 자원, 값싼 노동력 등을 상호 보완적으로 결합하여 각국의 비교 우위를 강화함으로써 회원국들의 경제 발전을 추구하고 있다.
> (나) 유럽 석탄 철강 공동체를 모태로 1994년에 출범하였다. 단일 시장 구축과 단일 통화 실현을 통한 경제적 통합과 각종 공동 정책의 수립 및 이행을 통해 정치적·사회적 통합을 목적으로 한다.

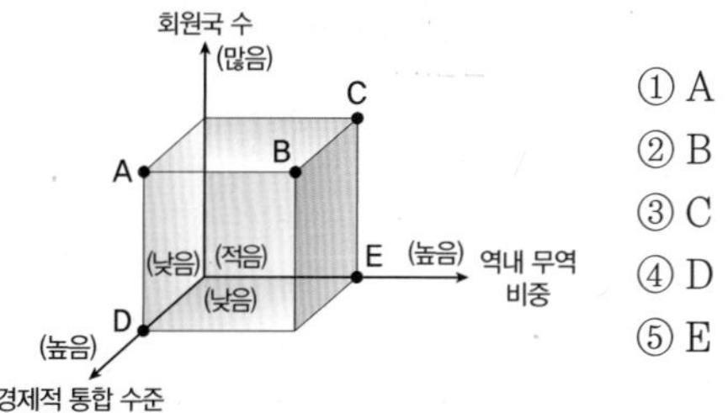

① A
② B
③ C
④ D
⑤ E

05 다음 자료의 (가)에 들어갈 내용으로 가장 적절한 것은?

> 보고서 주제: (가)
>
> 사례 1: '라데팡스'라 불리는 현대식의 업무 및 상업 지역은 파리의 구도심에서 8km 정도 떨어진 지점에 위치한 센강변에 조성된 부도심이다. 46만 평의 땅 위에 업무, 상업, 판매, 주거 시설이 고층·고밀도로 들어섰고 고속 도로, 지하철, 일반 도로 등은 지하로 배치해 지상에서 교통 혼잡이 거의 없다.
>
> 사례 2: 템스강변에 위치한 '카나리 워프'는 런던의 새로운 금융 중심지로 성장하였다. 구도심이 너무 비좁아서 구도심에서 8km 정도 떨어진 낡은 부둣가 주변의 슬럼가와 황무지에 건설되었으며, 구도심과는 경전철로 연결되어 있다.

① 구도심의 재활성화
② 메갈로폴리스의 형성
③ 단일 중심 도시권의 발달
④ 젠트리피케이션의 발생 과정
⑤ 유럽 대도시의 도시 재개발 특징

06 지도는 분리주의 움직임이 있는 지역을 나타낸 것이다. 갈등 요인과 지역의 연결이 옳은 것은?

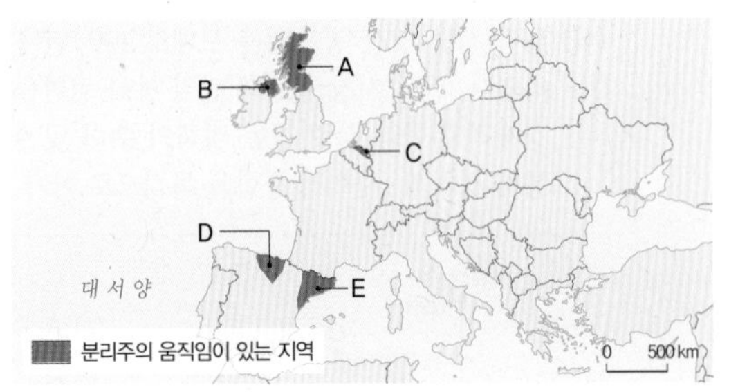

	종교	언어		종교	언어
①	A	B	②	A	C
③	B	C	④	C	D
⑤	D	E			

07 다음 자료의 (가), (나)에 들어갈 국가를 지도의 A~D에서 고른 것은?

촬영 국가	주제	촬영 내용
(가)	통합	유럽 연합의 본부와 그 앞에 내걸린 유럽 연합 깃발을 클로즈업, 그 다음에 유럽 연합 본부 내부의 모습을 촬영한다.
(나)	갈등	이슬람 세력과 세르비아 정교회 세력 간의 내전으로 붕괴된 오래된 다리라는 뜻을 가진 '스타리 모스트'를 촬영한다.

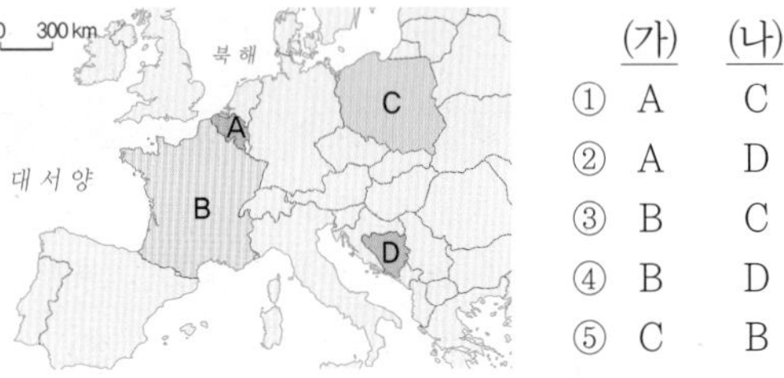

	(가)	(나)
①	A	C
②	A	D
③	B	C
④	B	D
⑤	C	B

08 빈출 그래프는 북미 자유 무역 협정(NAFTA) 회원국에 관한 것이다. (가)~(다) 국가의 연결이 옳은 것은?

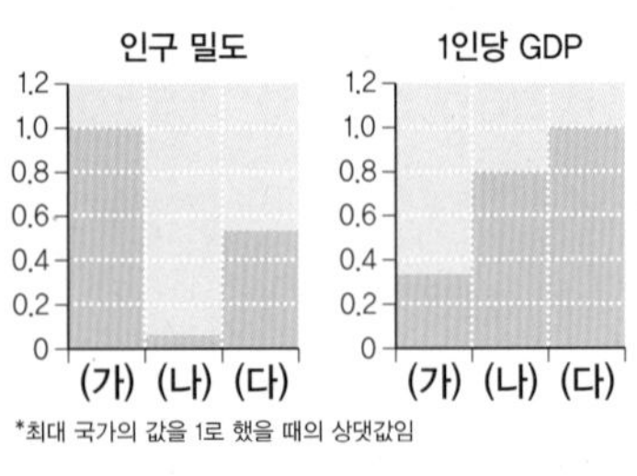

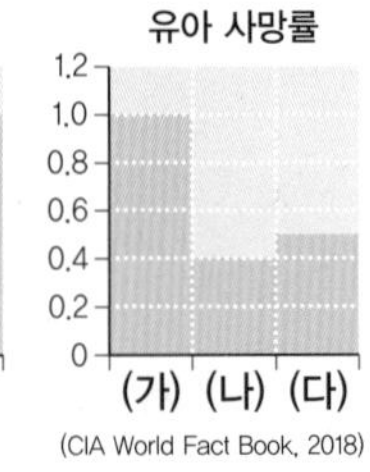

	(가)	(나)	(다)
①	멕시코	미국	캐나다
②	미국	캐나다	멕시코
③	멕시코	캐나다	미국
④	미국	멕시코	캐나다
⑤	캐나다	멕시코	미국

서술형 문제

09 자료의 밑줄 친 '젠트리피케이션'의 긍정적인 측면과 부정적인 측면을 각각 한 가지씩 서술하시오.

> 런던의 쇼디치 마을은 젠트리피케이션을 상징하는 지역으로, 원래는 범죄율이 높은 슬럼가였습니다. 1980년대 후반부터 싼 임대료 덕에 가난한 예술인들이 이곳에 모여 살기 시작했습니다. 분위기에 따라 갤러리, 공연장 등도 입주했습니다. 이후 마을은 "세계 트렌드가 궁금하면 쇼디치를 보라."는 말이 나올 정도로 유명해집니다. 하지만 이 때문에 부동산 가격과 임대료는 상승했고, 높은 임대료를 감당 못한 예술인들은 마을을 떠나게 되었습니다.

서술형 문제

10 자료의 밑줄 친 '유럽 통합'의 필요성이 제기되는 데 영향을 미친 세 가지 요인을 서술하시오.

> 1952년 유럽 석탄·철강 공동체로 시작된 유럽 통합의 움직임은 유럽 공동체(EC)를 거쳐 유럽 연합(EU)의 결성으로 이어졌다. 회원국도 초기의 6개국에서 시작되어 유럽 연합 결성 당시에는 12개국, 2017년 현재 28개국(영국 탈퇴 예정)에 이른다.

서술형 문제

11 유럽 연합(EU)과 북미 자유 무역 협정(NAFTA)을 회원국 수, 전체 국내 총생산(GDP), 역내 교역 비중 세 가지 측면에서 비교하여 서술하시오.

서술형 문제

12 다음에서 밑줄 친 (가)처럼 예측하는 이유를 경제적인 측면과 문화적인 측면으로 나누어 각각 서술하시오.

> 유럽 연합(EU)이 출범하고 단일 화폐인 유로화도 부분적으로 유통되고 있지만, (가) 유럽 연합의 앞길은 순탄치만은 않다.

내신 만점 도전하기

정답과 해설 ▸ 37쪽

01 유럽 연합과 관련된 A～E 국가에 대한 설명으로 옳지 않은 것은?

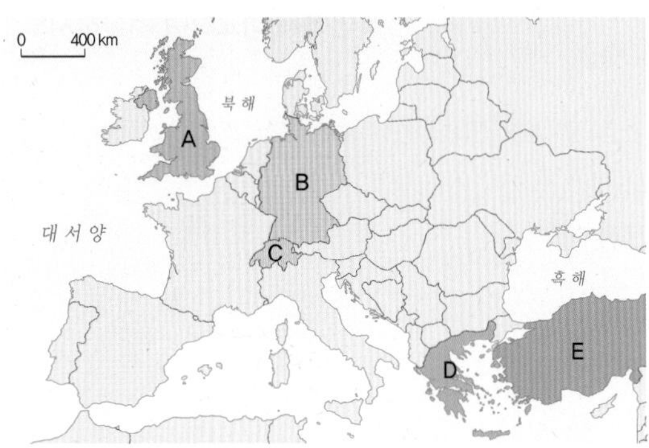

① A는 난민 유입과 분담금 부담으로 국민 투표에서 유럽 연합 탈퇴가 가결되었다.
② B는 유로화를 공식 화폐로 사용하며, 유럽 연합 내 제1의 경제 대국이다.
③ C는 유럽 연합에 가입하지 않은 중립국으로 많은 국제기구가 위치해 있다.
④ D는 유로화 도입 이후 재정 위기를 경험하고 있으며, 실업률이 높다.
⑤ E는 국토의 3% 정도만 유럽에 속하지만, 최근 유럽 연합에 가입되었다.

문제 접근 방법

유럽 지도에서 유럽 연합(EU)의 주요 회원국, 유럽 자유 무역 연합(EFTA)의 4개 회원국의 위치를 파악하고, 유럽 연합과 관련된 주요 국가의 입장과 특징을 살피도록 한다.

내신 전략

유럽 연합에서 기존 회원국과 추가로 가입한 국가들을 미리 정리해 두도록 한다.

02 그림은 유럽 대도시의 도시 내부 구조를 모식적으로 나타낸 것이다. |보기|에서 A～D 지역에 대한 옳은 설명을 고른 것은?

중요

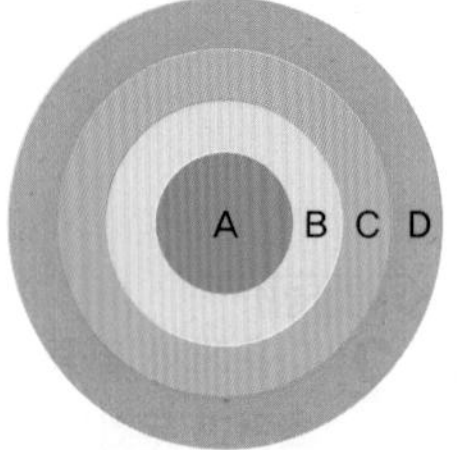

보기

ㄱ. A는 역사가 가장 오래된 시가지이다.
ㄴ. B는 공장 이전과 함께 도시 재개발이 활발하다.
ㄷ. C는 주로 지대 지불 능력이 큰 기능이 위치한다.
ㄹ. D는 도시 내에서 가장 접근성이 좋은 지역이다.

① ㄱ, ㄴ　② ㄱ, ㄹ　③ ㄴ, ㄷ　④ ㄴ, ㄹ　⑤ ㄷ, ㄹ

문제 접근 방법

유럽 대도시의 도시 내부 구조를 도심을 포함한 4개 권역으로 구분하여 그 특징에 유의하여 문제를 해결한다.

내신 전략

도시 내부 구조에서 특히 도심과 도시 내부 지역의 특징을 시가지 역사, 접근성, 지대, 지가, 도시 재개발 등의 개념에 유의해서 정리해 둔다.

심화 수능 유형 익히기

정답과 해설 ▸ 37쪽

2015학년도 3월 학력평가

01 다음 자료의 (가)에 들어갈 내용으로 가장 적절한 것은?

교사: 지도의 A, B 지역에는 공통적으로 (가) 이/가 나타나고 있습니다.

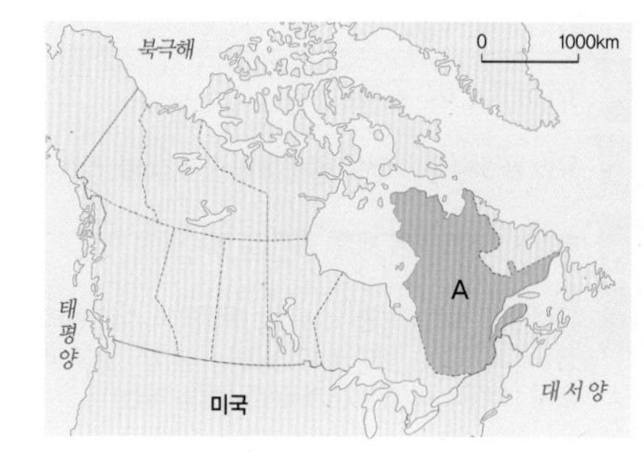

① 언어 차이에 따른 갈등
② 댐 건설을 둘러싼 물 분쟁
③ 이슬람교와 크리스트교의 대립
④ 석유 자원 소유권을 둘러싼 갈등
⑤ 종족을 무시한 국경 획정에 따른 갈등

출제 개념

분리·독립 움직임

자료 해설

A는 캐나다의 퀘벡주, B는 벨기에이다. 캐나다의 공용어는 영어와 프랑스어이다. 벨기에의 공용어는 네덜란드어, 프랑스어, 독일어이다. 공통적으로 2개 이상의 언어를 공용어로 사용하는 국가라는 특징이 있다.

해결 비법

세계의 갈등 지역 중에서 언어 차이, 종교 차이, 민족 차이 등 다양한 갈등 유형과 그 사례를 묻는 문제가 자주 출제된다. 캐나다 퀘벡주와 벨기에를 복수의 공용어 사용과 분리·독립 움직임을 결부시켜 파악한다.

2015학년도 10월 학력평가

02 지도의 표시된 (가)~(다) 국가군에 대한 설명으로 옳은 것은?

(가)

(나)

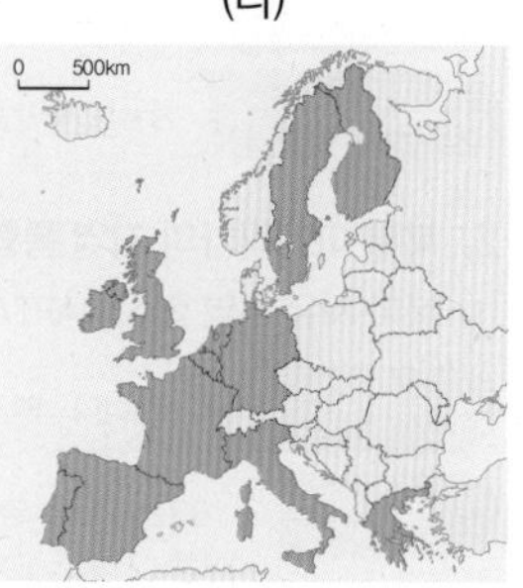

(다)

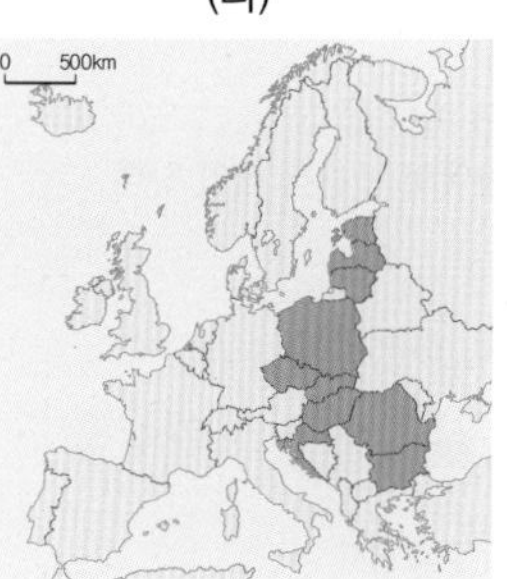

① (가)는 경제 통합을 넘어 정치 통합을 추구한다.
② (나)의 모든 국가는 유로화를 단일 통화로 사용한다.
③ (나)는 (다)보다 유럽 연합에 가입한 시기가 이르다.
④ (다)는 (가)보다 현재 1인당 지역 내 총생산이 많다.
⑤ 노동력의 이동은 주로 (나)에서 (다)로 이루어진다.

출제 개념

유럽의 통합

자료 해설

(가)는 아이슬란드, 노르웨이, 스위스, 리히텐슈타인으로 유럽 자유 무역 협정(EFTA) 가입국들이다. (나)는 유럽 연합의 기존 가입국, (다)는 2004년 이후의 신규 가입국이다.

해결 비법

유럽 자유 무역 협정(EFTA) 회원국, 유럽 연합의 기존 가입국, 신규 가입국을 미리 정리해 두도록 한다. 또한 유럽 연합의 기존 가입국 중에서 유로화를 공식 화폐로 사용하지 않고 있는 국가들을 파악해 두자.

핵심 개념 정리하기

1 주요 공업 지역의 형성과 변화

1. 유럽의 공업 지역

구분	내용
전통 공업 지역	석탄 및 철광석 산지 중심
신흥 공업 지역	원료 수입과 제품 수출에 유리한 항구나 내륙 수로 연안
첨단 산업 발달 지역	대도시나 대학과 연구 기관의 인접 지역에 클러스터 형태

2. 북부 아메리카의 공업 지역

(1) 북부 아메리카의 전통 공업 지역

구분	내용
미국	북동부와 오대호 연안: 풍부한 석탄과 철광석, 편리한 수운, 넓은 소비 시장, 자본 및 기술, 노동력 풍부
캐나다	세인트로렌스강 연안, 온타리오호 북쪽 연안: 풍부한 수력 → 알루미늄 제련 공업, 제지 공업

(2) 북부 아메리카의 새로운 공업 지역

① 공업의 중심 이동: 러스트 벨트 → 선벨트

② 선벨트 지역의 입지적 장점: 온화한 기후, 쾌적한 생활 환경, 풍부한 석유, 유능한 노동력, 넓은 토지, 각종 세금 혜택

구분	내용
멕시코만 연안	우주 항공 산업(휴스턴), 석유 화학 공업(텍사스주 일대)
태평양 연안	항공, 컴퓨터 관련 산업 발달, 첨단 산업(특히 실리콘 밸리)

3. 전통 공업 지역의 변화

구분	내용
유럽	옛 산업 시설 → 전시관, 박물관, 아트 센터
미국	일부 제조업의 부활(리쇼어링), 지역 활성화를 위한 자구책 마련, 새로운 산업 육성

2 현대 도시의 내부 구조와 특징

1. 현대 도시의 내부 구조와 특징

(1) **지역 분화** 유사한 기능들끼리 모이고 서로 다른 기능들끼리는 분리되는 현상 → 도시 내부 구조 형성

① 지역 분화 요인: 접근성, 지대, 지가, 도시 계획 등

② 도시 내부 구조: 도시를 구성하는 기능 지역의 공간적 배열 상태

(2) 도시 내부 구조

구분	내용
도심	쇼핑·업무·금융 관련 기능 집중, 인구 공동화
도시 내부 지역	공장 이전과 함께 도시 재개발이 활발
도심 인접한 근교	주차장이 있는 중간 정도 규모의 주택 입지
도심과 먼 근교	대규모의 주택과 쇼핑 센터, 소규모 공장 입지

2. 현대 대도시의 대도시권 특징

(1) 대도시 과밀 → 주변 위성 도시 발달 → 대도시권의 형성

(2) **메갈로폴리스의 형성** 여러 대도시권이 띠 모양으로 연속되어 발달해 있는 거대 도시군

3 지역의 통합과 분리 운동

1. 유럽의 지역 통합과 분리 운동

(1) 유럽 연합(EU) 형성

① 유럽 연합의 성립 과정

연도	내용
1952년	유럽 석탄·철강 공동체
1967년	유럽 공동체(EC) 출범: 역내 관세 철폐, 공동 관세 제도
1993년	마스트리흐트 조약 체결: 통화 및 정치 동맹 추진
1994년	유럽 연합 출범: 프랑스, 독일, 이탈리아, 네덜란드, 벨기에, 룩셈부르크, 영국, 덴마크, 아일랜드, 그리스, 에스파냐, 포르투갈 등의 12개국 → 현재 28개국(영국 탈퇴 예정)

② 유럽 연합의 특징

구분	내용
경제적 통합	자본, 노동력, 서비스의 자유로운 이동 지역 경제 협력체 중 가장 높은 역내 교역 비중
정치적 통합	외교, 국방, 사법, 내무 각 부문에 걸친 연방 형태 추구

③ 유럽 통합의 걸림돌

구분	내용
경제 격차	경제 수준이 높은 북서부 유럽 국가들, 심각한 경제난을 겪고 있는 남부 유럽 국가들, 최근에 자본주의 시장 경제에 편입된 동부 유럽 국가들 간의 심한 경제 격차
문화 갈등	다른 대륙 국가들의 외국인 노동자 유입에 따른 문화적 갈등 발생
난민 문제	분쟁 지역 난민 수용을 둘러싼 회원국 간의 갈등

(2) 유럽의 분리 독립 움직임

구분	내용
경제력 차이	에스파냐의 카탈루냐, 이탈리아의 북부 지역
민족 차이	에스파냐의 바스크, 영국의 스코틀랜드, 옛 유고 연방
언어 차이	벨기에의 플랑드르
종교 차이	영국의 북아일랜드

2. 북부 아메리카의 지역 통합과 분리 운동

(1) 북미 자유 무역 협정(NAFTA)

구분	내용
회원국	미국, 캐나다, 멕시코
특징	• 1992년 자유 무역 협정 체결로 1994년 단일 경제권 형성 • 상품·서비스 교역, 투자 및 지적 재산권에 관한 자유 무역 시행 • 자본·상품의 자유로운 이동으로 회원국 간의 경제적 의존과 역내 교역이 급증함

(2) 캐나다 퀘벡주의 분리·독립 움직임

① 프랑스계 주민이 다수이며, 프랑스어 사용 인구가 80%를 차지

② 제2차 세계 대전 이후 퀘벡주 경제 번영 이후 분리·독립 추진

③ 캐나다 정부의 반대, 주민 투표 부결로 실현 가능성은 낮아짐

핵심 개념 적용하기

●●○
01 다음은 학생이 세계지리 시간에 필기한 내용이다. 밑줄 친 (가)~(마) 중에 필기한 내용이 옳지 않은 것은?

〈대도시권의 형성〉
1. 원인 (가) 중심 도시의 과밀
(나) 교통의 발달
(다) 위성 도시의 발달
2. 영향 도시적 토지 이용의 증가
(라) 통근권과 통학권의 확대
(마) 중심 도시의 영향력 축소

① (가) ② (나) ③ (다) ④ (라) ⑤ (마)

●●●
02 A~D 공업 지역에 대한 설명으로 옳은 것은?

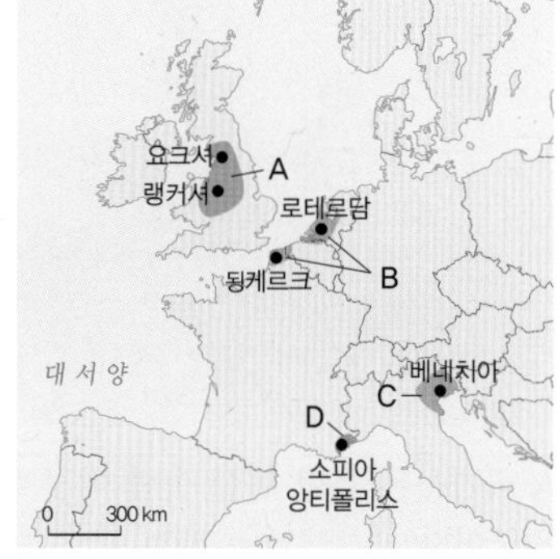

① A는 B보다 공업 발달 시기가 늦다.
② B는 C보다 소비재 경공업의 비중이 높다.
③ C는 D보다 전통적인 제조업 형태가 많다.
④ D는 A보다 생산 제품의 수명 주기가 길다.
⑤ A, B는 C, D보다 제품 출하액 대비 부가 가치액이 많다.

●●○
03 A~E 공업 지역에 대한 설명으로 옳은 것은?

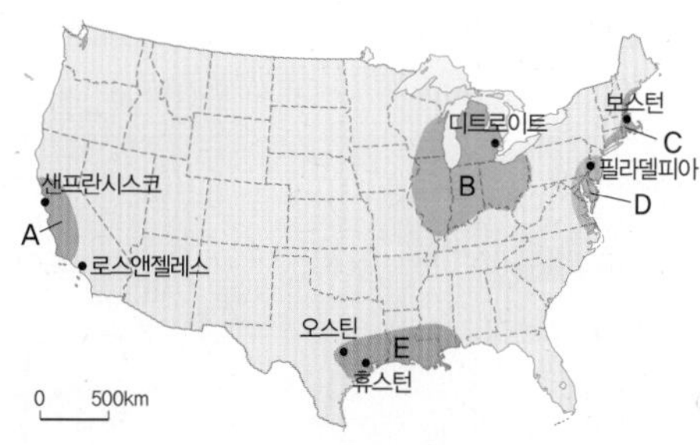

① A는 B보다 기계, 금속 공업의 생산액이 많다.
② B는 C보다 소비재 경공업이 발달하였다.
③ B는 석탄이 풍부하고, E는 석유가 풍부하다.
④ D는 A보다 컴퓨터 · 전자 공업의 생산액 비중이 높다.
⑤ A, E는 러스트 벨트, B, C, D는 선벨트로 불린다.

●●○
04 지도의 A 지역에 발달한 공업에 대한 옳은 설명을 고른 것은?

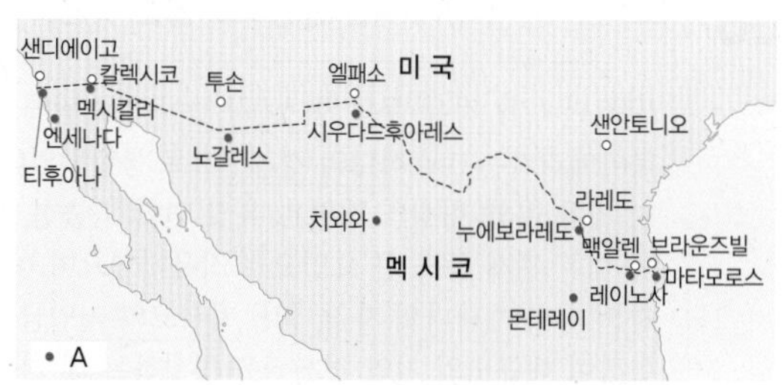

보기
ㄱ. 고급 기술 인력의 수요가 높은 공업이다.
ㄴ. 북미 자유 무역 협정 체결 이후에 급성장했다.
ㄷ. 주로 미국을 비롯한 외국계 기업의 비중이 높다.
ㄹ. 대학, 연구소, 공항과의 접근성이 중요한 입지 요인이다.

① ㄱ, ㄴ ② ㄱ, ㄹ ③ ㄴ, ㄷ
④ ㄴ, ㄹ ⑤ ㄷ, ㄹ

05 다음은 북아메리카의 어느 대도시를 여행하며 스케치한 것이다. (나)지역과 비교한 (가) 지역의 상대적 특징으로 옳은 것은?

(가)

(나)

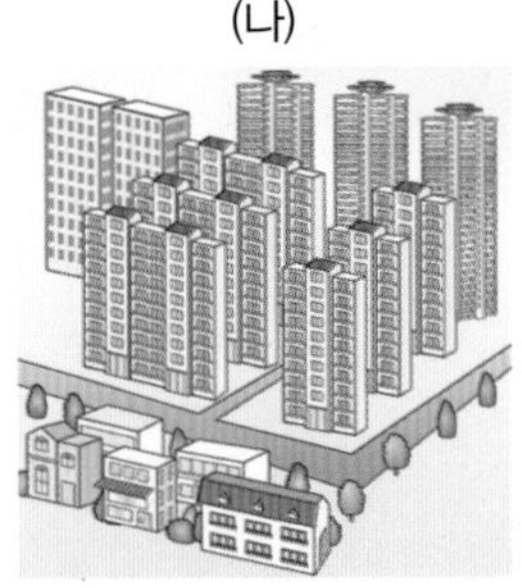

① 시가지의 역사가 짧다.
② 토지 이용의 집약도가 높다.
③ 유동 인구 대비 상주인구가 많다.
④ 공용 주차장의 주차 요금이 저렴하다.
⑤ 주민들의 평균적인 통근 거리가 멀다.

06 자료의 (가)~(마)에 대한 설명으로 옳은 것은?

> 1994년 (가) 자유 무역 협정(FTA)이 발효됨에 따라 북아메리카는 (나) 하나의 경제권으로 통합되었다. 북미 자유 무역 협정의 체결은 유럽 연합의 출현, 일본에 대한 견제 등도 큰 요인으로 작용하였으며 미국의 자본, (다) 캐나다의 자원, (라) 멕시코의 저임금을 결합하여 대규모의 지역 경제권을 형성하는 데 가장 큰 목적이 있다. 협정이 발효되면서 (마) 역내의 관세 및 비관세 장벽이 철폐되었고, 투자 금융·육상 수송 등 교역의 자유화가 확대되었다.

① (가): 공산품만 자유 무역 대상이다.
② (나): 역내에서 단일 화폐를 사용한다.
③ (다): 석유, 천연가스, 수력 등이 풍부하다.
④ (라): 역내에서 노동력의 국가 간 이동이 자유롭다.
⑤ (마): 대외적으로 공동의 관세 제도를 채택하고 있다.

07 다음 자료에 대한 설명으로 옳은 것은?

(가)국의 언어 분포 / (나)국의 언어 분포

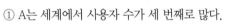

0 50km 네덜란드 독일 브뤼셀 프랑스 룩셈부르크
A / B / 네덜란드어 / 둘 이상의 언어 사용
(르 그랑드 세계 지도, 2010)

0 50km 독일 프랑스 리히텐슈타인 오스트리아 스위스 제네바 이탈리아
C / D / 이탈리아어 / 로만슈어
(신편 지리 자료, 2012)

① A는 세계에서 사용자 수가 세 번째로 많다.
② D는 캐나다의 퀘벡주에서 공용어로 사용된다.
③ A와 D는 같은 언어이며, B와 C도 동일한 언어이다.
④ (가)국의 A 사용 지역은 분리·독립의 욕구가 강하다.
⑤ (가)는 (나)보다 언어 차이에 따른 갈등 표출이 뚜렷하다.

08 지도의 A, B 국가군에 대한 설명으로 옳은 것은?

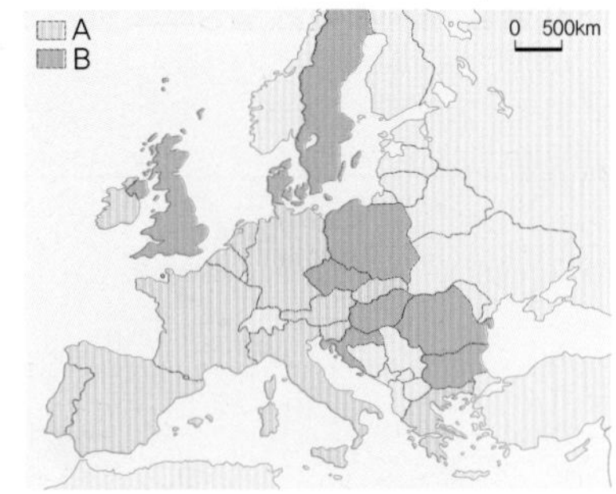

① A 국가군은 유럽 연합 출범 이전 유럽 공동체의 회원국이다.
② A 국가군은 재정 위기의 영향이 크지 않은 국가들이다.
③ B는 최근 유럽 연합 탈퇴를 공식적으로 선언한 국가군이다.
④ B는 유로화를 단일 통화로 사용하지 않는 국가군이다.
⑤ A는 유럽 연합, B는 유럽 자유 무역 연합(EFTA)의 회원국이다.

정답과 해설 ▸ 38쪽

❖ **유럽의 각 지역에서는 유럽 통합에 찬성하는 사람도 있지만 비판적인 의견이나 반대의 움직임도 있다. 다음은 유럽 통합에 관한 가상 토론을 벌인 것이다. 유럽 통합에 관한 생각을 찬성과 반대의 관점에서 생각해 보자.**

> 사회자: 안녕하십니까? 유럽 통합의 노력은 제2차 세계 대전 이후 시작되었습니다. 유럽의 평화 정착과 자원의 공동 이용이라는 목표로 시작되었고, 경제의 세계화 흐름 속에서 통합 속도가 빨라졌습니다. 그 과정에서 전쟁의 위협이 사라지고, 경제 규모가 커지고 경제가 활성화되었다는 입장이 있지만, 유럽 통합에 따른 문제점을 걱정하는 회원국들도 많습니다. 오늘은 유럽 연합 회원국 중에서 서로 입장이 다른 영국과 독일의 대표를 모시고 유럽 통합의 장점, 문제점과 나아갈 방향에 관해 토론을 하겠습니다.
>
> 독일 대표: 유럽의 통합으로 상호 보완성에 입각하여 경제 교류가 늘어나고 시장이 확대되면서 세계화 흐름 속에서 유럽의 경쟁력이 강화되었습니다. 공동의 경제 정책을 시행함으로써 회원국은 안정적으로 비교 우위가 있는 산업 분야에 전문화할 수 있었습니다. 그 과정에서 경제 규모가 확대되었을 뿐만 아니라 경제 수준도 높아졌습니다. 역내 국가 간 경제적·정치적·사회적 교류가 확대되면서 국가 간 장벽이 사라지고 장기간 평화가 유지되고 있습니다.
>
> 영국 대표: 유럽 통합 이후 동유럽 주민들이 국내에 들어와서 저소득층의 일자리를 빼앗아갔고, 그로 인해 실업률이 높아졌습니다. 심지어 아시아, 아프리카 출신의 난민들이 유입되어 실업률은 더욱 악화되고, 복지 예산 지출이 늘어나고, 범죄율이 높아졌습니다. 이들 난민들의 종교적 차이에 따른 갈등도 상당히 큽니다. 영국은 유로화를 단일 화폐로 쓰지 않지만, 성급히 유로화를 도입한 남부 유럽 국가들은 재정이 부실해져 부채가 발생하게 되었고, 나머지 국가들이 공동으로 부채를 떠맡아야 합니다. 그에 따라 영국의 분담금 부담도 상당하고요. 이러한 이유로 인해 2016년 국민 투표에서 '유럽 연합 탈퇴'가 가결되었습니다.

더 알아보기

오랜 기간에 걸쳐 유럽 통합의 과정이 있었지만, 최근 영국이 국민 투표에서 '유럽 연합 탈퇴'가 가결되면서 유럽 통합의 장점과 문제점을 지적하는 논쟁이 발생하고 있다. 유럽 통합의 걸림돌은 유럽 연합의 재정 위기, 인구 이동과 같은 내부적인 문제와 난민 유입과 같은 외부적인 문제에서 촉발되고 있다. 또한 유럽 통합의 찬성과 반대는 각 국가가 처한 상황에도 큰 영향을 받는다.

문제 해결 길잡이

유럽 통합 찬반에 대한 토론은 어떤 입장이 옳고 그르냐의 문제가 아니다. 각 국가가 처한 상황에 따라 다를 뿐 찬성과 반대 측 모두 선택에 합당한 근거를 가지고 있다. 따라서 다양한 시각을 기반으로 찬성 또는 반대의 관점에서 답안을 서술하되, 그 주장을 뒷받침할 수 있는 적절한 근거를 제시해야 한다.

01 두 국가 대표의 의견을 참고하여 유럽 통합의 장점과 문제점을 정리해 보자.

(1) 장점

(2) 문제점

02 유럽 통합에 관한 자신의 생각을 적어 보자.

대단원 7

사하라 이남 아프리카와 중 · 남부 아메리카

학습 계획표

- 자신의 일정에 맞게 계획을 세우고, 실제 학습일을 적어 봅시다.
- 학습을 마무리한 후 스스로가 얼마나 학습 목표를 달성하였는지 점검해 봅시다.

주제 23 도시 구조에 나타난 도시화 과정의 특징	쪽수	계획일	완료일	목표 달성도
Day 01 개념 정리, 핵심 자료 특강	218 ~ 219쪽	월 일	월 일	☆☆☆☆☆
Day 02 개념 익히기, 내신 유형 익히기	220 ~ 223쪽	월 일	월 일	☆☆☆☆☆
Day 03 내신 만점 도전하기, 수능 유형 익히기	224 ~ 225쪽	월 일	월 일	☆☆☆☆☆

주제 24 사하라 이남 아프리카의 분쟁과 저개발 주제 25 자원 개발을 둘러싼 과제	쪽수	계획일	학습일	목표 달성도
Day 04 개념 정리, 핵심 자료 특강	226 ~ 229쪽	월 일	월 일	☆☆☆☆☆
Day 05 개념 익히기, 내신 유형 익히기	230 ~ 233쪽	월 일	월 일	☆☆☆☆☆
Day 06 내신 만점 도전하기, 수능 유형 익히기	234 ~ 235쪽	월 일	월 일	☆☆☆☆☆
Day 07 대단원 마무리하기, 지리 역량 기르기	236 ~ 239쪽	월 일	월 일	☆☆☆☆☆

주제 23

도시 구조에 나타난 도시화 과정의 특징

교과서 166~171쪽

주제 흐름 읽기

도시화 과정과 민족 분포의 특성	
도시화 과정	• 과도시화 • 스프롤 현상 • 종주 도시화
민족 분포	다양한 민족 분포

도시 구조의 특징과 도시 문제	
도시 구조	• 식민 지배의 영향 • 교통 중심의 도시 발달 • 이중적 도시 구조
도시 문제	• 도시 내 지역 격차 • 도시 간 발전 격차

1 중 · 남부 아메리카의 도시화 과정과 민족(인종) 분포의 특성

1. 중 · 남부 아메리카의 도시화 과정의 특성

(1) **과도시화**❶ 다른 대륙보다 도시화 진행 속도가 빠름 → 부양 가능한 인구보다 더 많은 인구가 도시에 몰리면서 각종 도시 문제가 발생함

(2) **스프롤 현상**❷ 도시의 과밀화 현상 → 도시 외곽 지역으로 도시가 무질서하게 확대 → 토지 이용과 도시 시설 부족 등 다양한 문제가 발생

(3) **종주 도시화**❸ 사회적 거주 환경이 잘 갖추어진 수위 도시로 인구가 집중 → 도시 간 격차가 심화됨

2. 다양한 인종의 분포 특성 자료 1

유럽인이 이주하면서 다양한 인종이 분포하게 되었어.

(1) **원주민** 안데스 산지와 아마존강 유역에 분포했으나 식민 지배 후 해안 지역에 거주하는 인구가 증가 → 페루, 볼리비아 등

(2) **아프리카계** 아프리카에서 주로 노예로 이주하여 카리브해 연안 등 열대 기후 지역에 정착 → 자메이카, 브라질의 북동부 지역

(3) **유럽계** 기후가 온화하고 항구가 발달한 남동부 해안 지역에 주로 거주 → 아르헨티나, 우루과이, 브라질 등

(4) **혼혈족**❹ 다양한 인종의 유입으로 혼혈족이 많으며 해안 지역에 주로 분포 → 멕시코, 콜롬비아, 베네수엘라, 칠레, 파라과이, 쿠바 등

2 중 · 남부 아메리카의 도시 구조❺의 특징과 도시 문제

1. 도시 구조

(1) **배경** 도시 구조가 에스파냐와 포르투갈의 식민 지배에 영향을 받은 경우가 많음

(2) **도시 구조의 특징** 자료 2

① 불완전한 지역 분화: 식민지 시대 정착촌이 발전한 형태가 많으며, 도시 내부 지역 분화가 선진국에 비해 뚜렷하지 않음

② 경제 · 정치의 핵심 지역은 도심부에 위치, 도시 외곽에 대규모의 저급 주택지 발달

③ 유럽과 연결하기 위해 건설된 교통 중심의 도시가 많음

④ 이중적인 도시 경관: 원주민의 전통적인 문화 요소와 유럽에서 전파된 문화 요소가 혼합된 경관이 발달

2. 도시 문제

(1) **도시 내 양극화 현상** 고소득층과 저소득층 간 거주지 분리에 따른 사회적 갈등 발생

(2) **도시 간 양극화 현상** 식민지의 중심지 역할을 한 도시와 그 외 도시의 발전 격차 발생

(3) **기타** 빈민 문제, 교통 혼잡, 환경 오염 등

❶ **과도시화**
농촌의 인구 과잉, 일자리 부족이라는 배출 요인과 도시의 풍부한 일자리, 편리한 시설이라는 흡인 요인으로 도시 인구가 급증하여 기반 시설에 비해 지나치게 많은 인구와 기능이 도시에 집중하는 현상이다. 이로 인해 주택난, 각종 공해, 공공시설 부족 등의 도시 문제가 나타난다.

❷ **스프롤 현상**
도시 계획 또는 정비 사업이 도시의 발전을 따르지 못하거나 처음부터 고려되어 있지 않을 때 발생하는 무분별한 도시 확장 현상이다.

❸ **종주 도시**
어느 국가에서 제1 도시의 인구 규모가 제2 도시의 2배 이상일 경우 제1 도시를 '종주 도시'라고 한다.

❹ **혼혈족**
메스티소(유럽계와 원주민), 물라토(유럽계와 아프리카계), 삼보(원주민과 아프리카계) 외에도 다양한 혼혈족이 분포한다.

❺ **중 · 남부 아메리카의 도시 구조**
유럽인이 조성한 도심부에는 규칙적인 가로망과 중앙 광장을 중심으로 성당, 공공 기관, 상업 시설이 배치되어 있다. 이는 유럽인의 권력과 식민 통제 의지를 나타낸다.

자료 1 중·남부 아메리카의 민족(인종) 분포

교과서 168쪽

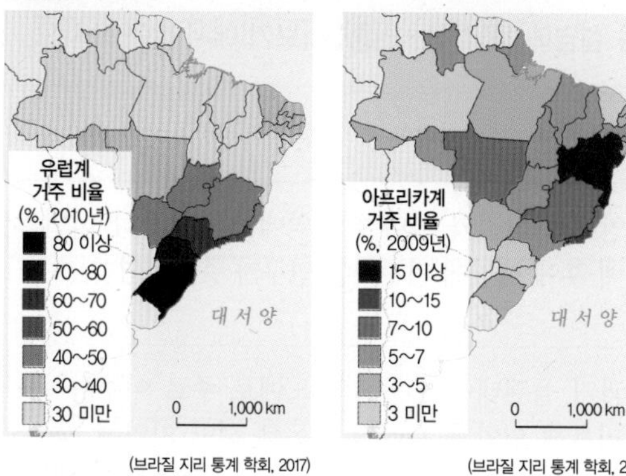

(브라질 지리 통계 학회, 2017) (브라질 지리 통계 학회, 2017)

▲ 브라질의 인종 분포

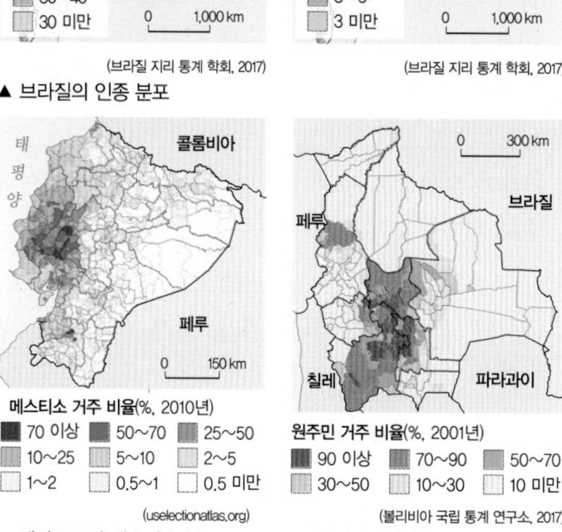

(uselectionatlas.org) (볼리비아 국립 통계 연구소, 2017)

▲ 에콰도르의 메스티소 분포 ▲ 볼리비아의 원주민 분포

자료 분석 브라질의 인종 분포를 살펴보면 유럽계 인종은 기후가 온화한 남동부 해안 지역에 거주하는 비율이 높으며, 아프리카계 인종은 플랜테이션 농장이 있는 북동부 열대 기후 지역에 주로 분포한다. 에콰도르에는 해안의 평지에 혼혈족인 메스티소의 분포가 높으며, 원주민은 산지가 많은 볼리비아와 페루 등지에서 비율이 높게 나타난다.

자료 분석 포인트

중·남부 아메리카의 민족 분포의 특징을 파악해 보자.

Q1 중·남부 아메리카의 민족(인종) 분포의 특징으로 옳지 않은 것은?

① 다양한 민족(인종)이 분포한다.
② 해안 지역에 인구가 많이 분포한다.
③ 원주민은 산지 지역에 많이 분포한다.
④ 유럽계는 열대 기후 지역에 많이 거주한다.
⑤ 아프리카계는 주로 노예로 끌려와서 정착하였다.

자료 2 중·남부 아메리카의 도시 발달 과정

교과서 169쪽

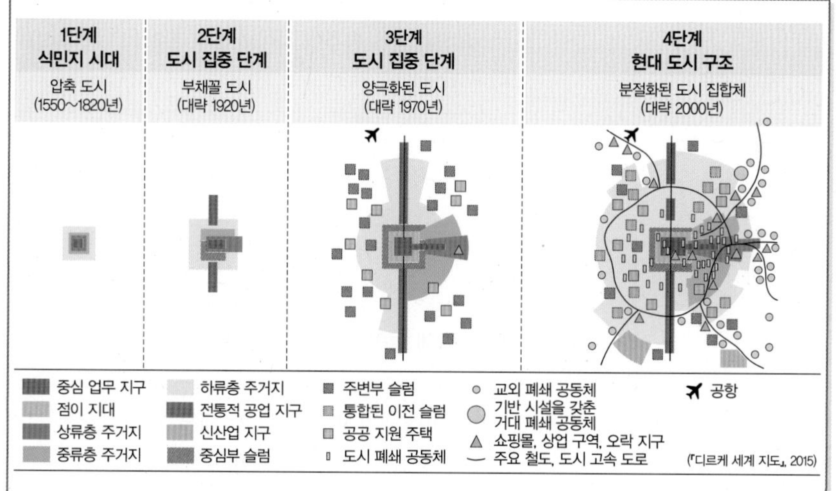

(『디르케 세계 지도』, 2015)

자료 분석 식민지 시기에는 압축적인 도시 구조가 형성되었고, 독립 이후에는 교통로를 따라 산업 지구가 형성되고 거주지가 확장되는 부채꼴 형태의 도시 구조로 발달하였다. 도심 지역은 상류층이 살고 외곽 지역은 빈곤층이 사는 이분법적 공간 구조가 형성되었으나 최근에는 공간 구조가 다원화되고 있다.

자료 분석 포인트

중·남부 아메리카의 도시 발달 과정을 알아보자.

Q2 빈칸에 들어갈 알맞은 말을 차례대로 쓰시오.

> 중·남부 아메리카의 도시는 거주지의 분리 현상이 뚜렷하다. 도심 지역에는 (　　　)이/가 살고 외곽 지역에는 (　　　)이/가 사는 이분법적 공간 구조가 나타난다.

답 Q1 ④ / Q2 상류층, 하류층

개념 익히기

정답과 해설 ▸ 39쪽

01 다음 그래프가 나타내는 현상을 무엇이라 하는지 쓰시오.

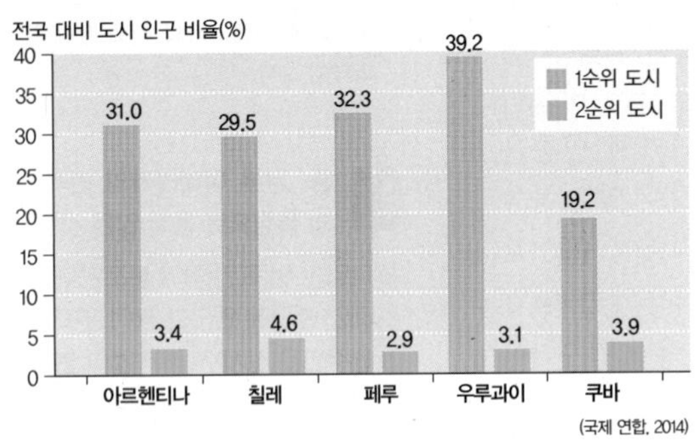

02 다음 내용에서 설명하는 용어를 쓰시오.

> 도시의 기반 시설에 비해 지나치게 많은 인구와 기능이 도시에 집중하는 현상으로 각종 도시 문제의 발생 원인이 된다.

03 다음 설명이 옳으면 ○, 틀리면 ×표 하시오.

(1) 중·남부 아메리카를 과거에 식민 지배한 대표적인 나라는 에스파냐와 포르투갈이다. ( )

(2) 중·남부 아메리카는 다양한 민족(인종)이 분포하고 있다. ( )

04 다음 설명에 해당하는 인종을 |보기|에서 찾아 쓰시오.

> **보기**
> • 원주민 • 유럽계 • 혼혈족 • 아프리카계

(1) 안데스 산지와 아마존 유역에 분포했으나 식민 지배 후에 해안에 거주하는 인구가 증가하였다.

(2) 과거 플랜테이션 농장의 노예로 주로 이주하여 카리브해 연안과 브라질 북동부 해안 지역에 거주하는 비율이 높다.

(3) 기후가 온화하고 항구가 발달한 남동부 해안 지역에 주로 거주하고 있다.

(4) 멕시코, 콜롬비아, 베네수엘라, 칠레, 파라과이, 쿠바에서 인구 비율이 높게 나타난다.

05 다음 빈칸에 들어갈 말을 쓰시오.

> 중·남부 아메리카에는 다양한 혼혈족이 분포하는데 그 중 유럽계와 원주민 사이의 혼혈족을 ( )(이)라고 한다.

06 다음 빈칸에 들어갈 알맞은 말에 ○표 하시오.

(1) 중·남부 아메리카의 도시는 식민지 시대 정착촌이 발전한 형태가 많으며, 도시 내부 지역 분화가 선진국에 비해 (뚜렷하다 / 뚜렷하지 않다).

(2) 경제와 정치 핵심 지역이 (도심부 / 주변부)에 위치하며, 슬럼으로 대표되는 저급 주택지는 (도심부 / 주변부)에 위치한다.

(3) 식민지 시대에 중심지 역할을 한 도시와 그 외 도시의 발전 격차가 (크다 / 작다).

정답과 해설 ▸ 39쪽

01 중 · 남부 아메리카의 도시화 과정에 대한 설명으로 옳지 않은 것은?

① 과도시화 현상이 나타난다.
② 도시화의 진행 속도가 빠르다.
③ 스프롤 현상이 나타나기도 한다.
④ 종주 도시화 현상이 나타나는 국가가 많다.
⑤ 도시 간의 발전 격차가 대체로 완화되고 있다.

02 빈출 다음은 중 · 남부 아메리카의 도시 내부 구조를 나타낸 것이다. 이에 대한 설명으로 옳지 않은 것은?

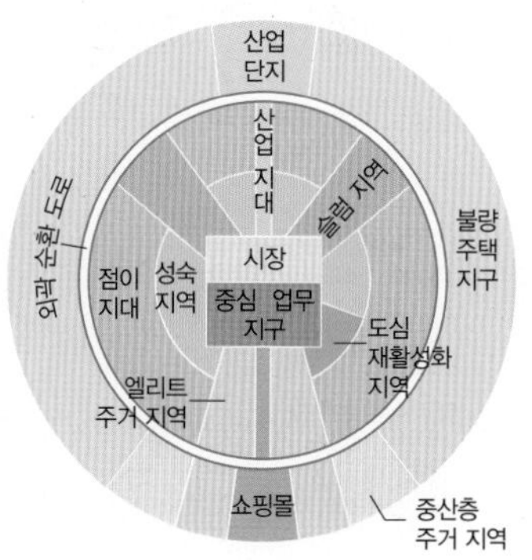

① 도심 쪽에 불량 주거 지역이 나타난다.
② 경제와 정치 핵심 지역이 도심 쪽에 위치한다.
③ 선진국에 비해 도시 내부 지역 분화가 뚜렷하지 않다.
④ 도시 내부 구조에 식민 지배의 영향이 반영되어 있다.
⑤ 무역을 위한 항구 지역이 도시 성장의 거점이 된 경우가 많다.

03 다음과 같은 현상에 대한 설명으로 옳은 것은?

> 어느 국가의 수위 도시의 인구 규모가 제2 도시 인구 규모보다 두 배 이상 많은 현상을 의미한다.

보기

ㄱ. 과도시화 현상이라고 한다.
ㄴ. 종주 도시화 현상이라고 한다.
ㄷ. 도시 간 발전 정도의 차이가 크다.
ㄹ. 선진국이 개발 도상국보다 발생 빈도가 높다.

① ㄱ, ㄴ ② ㄱ, ㄷ ③ ㄴ, ㄷ
④ ㄴ, ㄹ ⑤ ㄷ, ㄹ

04 다음은 중 · 남부 아메리카의 도시 발달 과정을 나타낸 모식도이다. 이에 대한 설명으로 옳지 않은 것은?

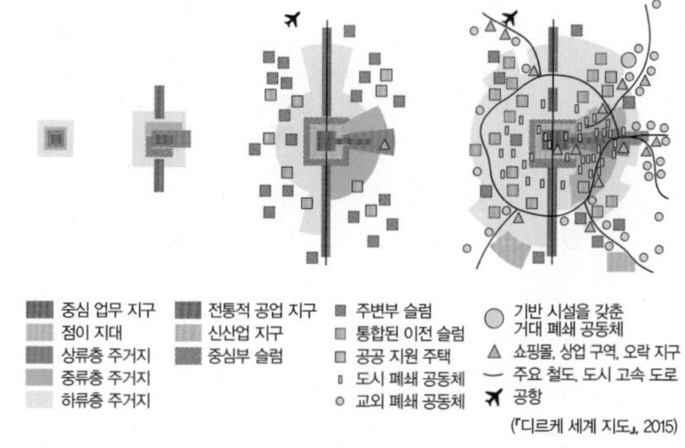

(『디르케 세계 지도』, 2015)

① 식민 시기에는 압축적인 도시 구조를 보였다.
② 슬럼 지역이 도시의 중심 지역 쪽에 발달하였다.
③ 상류층과 하류층의 거주지가 분리되어 나타난다.
④ 식민 지배의 영향을 반영한 도시 구조가 나타난다.
⑤ 독립 이후에는 교통로를 따라 산업 지구가 형성되었다.

05 다음 그림을 보고 학생들이 나눈 대화 내용으로 옳지 않은 것은?

① 갑: 중 · 남부 아메리카의 도시 구조이다.
② 을: 도시 내 양극화 문제가 나타나고 있다.
③ 병: 도시 내부의 지역이 고르게 발전하였다.
④ 정: 경제 수준에 따라 주거지가 분리되어 있다.
⑤ 무: 식민 시대의 지배 계층은 주로 도심에 정착하였다.

06 다음은 세계지리 수업의 한 장면이다. 밑줄 친 (가)에 들어갈 말로 옳은 것은?

교사: 다음은 브라질의 어느 민족(인종) 분포를 나타낸 지도입니다. 이 민족(인종)이 지도와 같이 분포하는 이유는 무엇 때문일까요?
학생: (가)

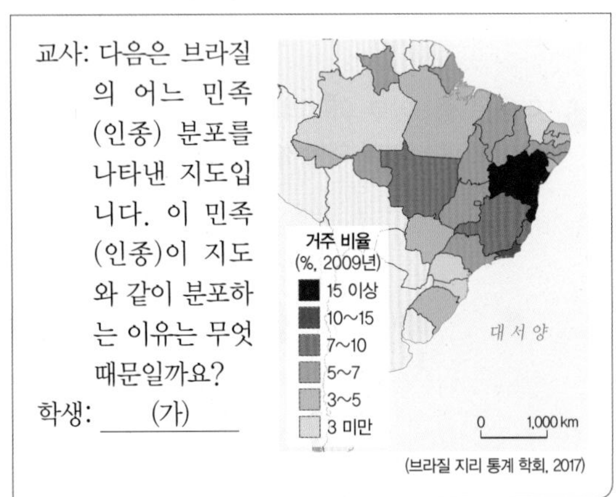

(브라질 지리 통계 학회, 2017)

① 온화한 기후 지역에 살기 위해서입니다.
② 고산 기후가 사람이 살기에 적당하기 때문입니다.
③ 열대 기후의 플랜테이션 농장과 관련이 있습니다.
④ 유럽계 백인을 피해 해당 지역에 정착하였기 때문입니다.
⑤ 고대 문명의 발상지로 오래 전부터 살아왔기 때문입니다.

07 중 · 남부 아메리카의 민족 분포에 대한 설명으로 옳지 않은 것은?

① 다양한 민족(인종)이 어울려서 살고 있다.
② 아프리카계 인종은 주로 강제로 이주하였다.
③ 메스티소는 유럽계와 원주민의 혼혈 인종이다.
④ 에스파냐와 포르투갈에 의해 주로 지배를 받았다.
⑤ 안데스 산지와 멕시코 일부 지역은 유럽계의 비율이 높다.

08 빈출 지도는 중 · 남부 아메리카의 인종(민족) 분포를 나타낸 것이다. A~D를 연결한 것으로 옳은 것은?

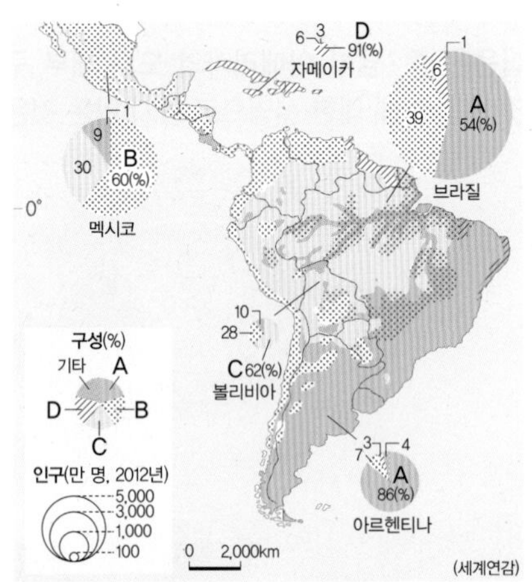

(세계연감)

	A	B	C	D
①	유럽계	혼혈	원주민	아프리카계
②	유럽계	원주민	아프리카계	혼혈
③	원주민	혼혈	아프리카계	유럽계
④	혼혈	원주민	유럽계	아프리카계
⑤	아프리카계	유럽계	혼혈	원주민

✐ 서술형 문제

09 사진은 중·남부 아메리카의 어떤 도시 경관을 나타낸 것이다. 이를 보고 물음에 답하시오.

(1) (가) 지역과 (나) 지역의 주거 경관의 특징에 대해 서술하시오.

(2) 위와 같은 주거 경관의 특징이 나타나게 된 배경에 대해 서술하시오.

✐ 서술형 문제

10 다음과 같은 현상이 나타나는 원인을 쓰고, 이로 인해 발생하는 문제점을 서술하시오.

> 도시의 기반 시설에 비해 지나치게 많은 인구와 기능이 도시에 집중하는 현상

✐ 서술형 문제

11 사진은 중·남부 아메리카의 도심 중앙에서 주로 볼 수 있는 광장의 한 경관이다. 이와 같은 도심 중앙에 위치한 광장의 의미에 대해 서술하시오.

▲ 페루 쿠스코의 도시 경관

✐ 서술형 문제

12 다음은 중·남부 아메리카의 민족(인종)이다. 각 민족(인종)의 분포 특징에 대해 서술하시오.

> • 원주민 • 유럽계 • 아프리카계 • 혼혈인

3단계 내신 만점 도전하기

정답과 해설 ▸ 40쪽

01 사진은 브라질 리우데자네이루에 위치한 어느 두 지역의 경관을 나타낸 것이다. (가), (나) 지역에 대한 설명으로 옳은 것은?

중요

(가)

▲ 리우데자네이루의 해안

(나)

▲ 리우데자네이루의 산지

① (가)에는 아프리카계 인종의 거주 비율이 높다.
② (나)에는 유럽계 인종의 비율이 높게 나타난다.
③ (나)에는 도시의 기반 시설이 잘 정비되어 있다.
④ (가)와 (나)는 거주지 분리 현상을 보여 주고 있다.
⑤ (가)는 (나)보다 일반적으로 도심에서 먼 곳에 위치한다.

문제 접근 방법

제시된 사진을 통해 중·남부 아메리카의 일반적인 도시 내부 구조의 모습을 알 수 있어야 한다. 특히, 도시 중앙의 광장 또는 주요 항구를 중심으로 식민 시절에 지배 계층이었던 백인들의 고급 주거 지역이 나타나고, 외곽에 저급 주거 지역이 나타난다는 것을 파악한다.

내신 전략

중·남부 아메리카의 도시 내부 구조 및 인종(민족) 분포와 특징을 파악해 둔다.

02 다음은 창우가 여행하면서 찍은 사진과 그에 대한 설명이다. 이러한 경관이 나타나는 이유로 옳은 것은?

에콰도르 키토의 건축물은 건물 아래 어두운 색 돌로 된 부분 위에 흰색의 건물이 올려 있는 것이 특이하다.

① 지반이 약해 아래쪽을 돌로 장식하였다.
② 아프리카 문화 위에 유럽 문화가 올려졌다.
③ 원주민이 살던 곳에 유럽계 백인이 이주하였다.
④ 연 강수량이 많은 지역으로 건물을 높게 지었다.
⑤ 고온 건조한 지역으로 외부 열을 차단하기 위함이다.

문제 접근 방법

이 문제는 유럽계 백인의 이주로 인해 나타나는 여러 가지 변화에 관한 문제이다. 지역의 인종(민족) 분포의 특징을 고려하여 문제를 해결한다.

내신 전략

중·남부 아메리카의 인종(민족) 분포의 특징과 그로 인해 나타나는 여러 가지 현상에 대해 파악해 둔다.

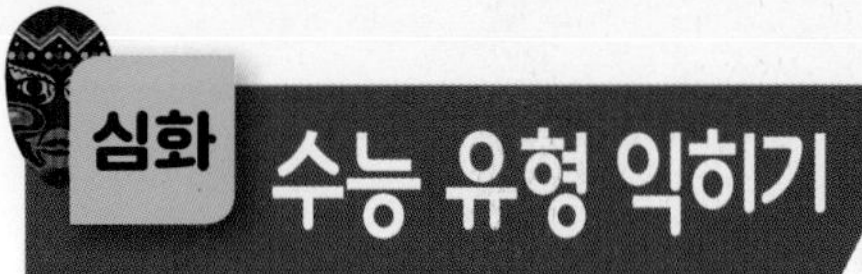

정답과 해설 ▸ 41쪽

2018학년도 6월 모의평가

01 그래프는 지도에 표시된 (가)~(다) 국가의 인종(민족)별 인구 구성비를 나타낸 것이다. 이에 대한 설명으로 옳은 것은?(단, A~C는 원주민, 유럽계, 혼혈 중 하나임)

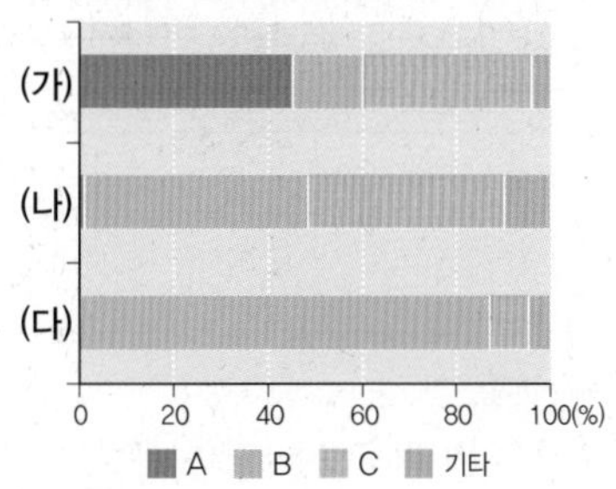

① 라틴 아메리카 전체 인구에서 차지하는 비중은 C가 가장 낮다.
② 라틴 아메리카에 정착한 시기는 B가 A보다 늦다.
③ (나)에서 A는 B보다 경제적 지위가 높다.
④ (다)에는 한류의 영향을 받아 형성된 해안 사막이 있다.
⑤ (가)는 포르투갈어, (나)는 에스파냐어를 공용어로 사용한다.

출제 개념
라틴 아메리카의 인종(민족)의 특징

자료 해설
지도에서 표시된 국가의 인종(민족) 분포 특징을 알고 있어야 한다. (가)는 페루, (나)는 브라질, (다)는 우루과이다.

해결 비법
인종(민족) 분포의 특징과 각 인종(민족)이 많이 분포하는 국가를 알아두어야 한다. 또한, 인종(민족) 분포에서 대표적인 국가의 인종(민족) 구성 비율, 정착 시기, 경제적 지위, 사용하는 언어 등을 종합적으로 파악하고 있어야 한다.

2017학년도 9월 모의평가

02 그래프는 A~C 인종(민족)의 국가별 인구의 합을 나타낸 것이다. 이에 대한 옳은 설명을 |보기|에서 고른 것은?(단, (가)~(다)는 지도에 표시된 국가 중 하나임.)

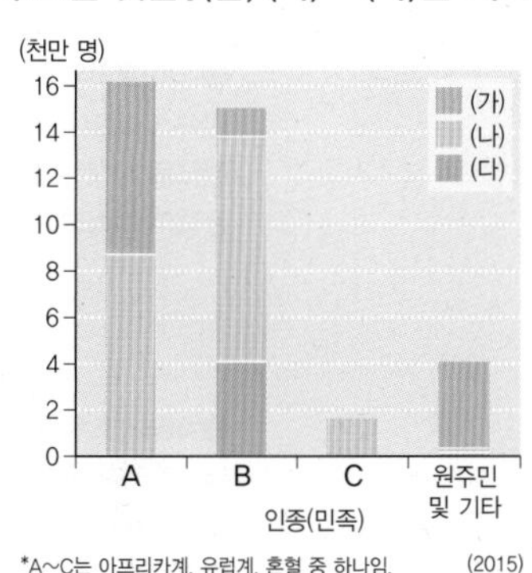

*A~C는 아프리카계, 유럽계, 혼혈 중 하나임. (2015)

보기

ㄱ. 유럽계 인구는 아르헨티나가 가장 많다.
ㄴ. (가)는 에스파냐어를 공용어로 사용한다.
ㄷ. (나)에서는 매년 리우 카니발이 개최된다.
ㄹ. 브라질은 멕시코보다 국가 전체 인구에서 A의 비중이 높다.

① ㄱ, ㄴ ② ㄱ, ㄷ ③ ㄴ, ㄷ ④ ㄴ, ㄹ ⑤ ㄷ, ㄹ

출제 개념
라틴 아메리카의 인종(민족) 특징 및 문화

자료 해설
지도에 표시된 국가를 파악하고, 해당 국가의 인종(민족) 구성 비율을 분석한 후 각 인종(민족)의 특징을 분석하는 문제이다. 라틴 아메리카에서 인종(민족)과 관련한 문제는 지속적으로 출제되는 중요한 주제이다.

해결 비법
인종(민족)별 분포 특징을 파악하고 있어야 한다. 또한, 인종과 관련한 다양한 문화도 자주 출제되는 주제로 관심을 가지고 살펴보아야 한다.

주제 24 사하라 이남 아프리카의 분쟁과 저개발

교과서 172~177쪽

주제 흐름 읽기

민족과 종교		분쟁과 원인	저개발 원인과 과제
민족	종교		
국경과 민족·부족 경계가 일치하지 않음	• 북부: 이슬람교 • 중남부: 크리스트교	• 직선으로 된 국경선 • 이슬람교와 크리스트교의 경계	• 잦은 내전 • 정치, 사회, 산업 구조적 측면

1 민족과 종교

1. 다양한 민족과 식민지 경험 자료 1

(1) 다양한 민족이 독자적 언어와 문화를 유지하며 생활

(2) 유럽인들에 의해 민족·부족 등에 대한 고려 없이 일방적으로 국경이 분할됨

2. 종교 분포

(1) 과거 지역별로 다양한 토착 종교를 신봉함

(2) 20세기 이후 토착 종교 신봉자는 감소하고 크리스트교와 이슬람교 신봉자 비율이 증가

(3) 중남부 지역은 크리스트교, 북부 지역은 이슬람교 신자가 우세함

2 잦은 분쟁의 원인과 문제

1. 민족 및 종교 차이에 따른 분쟁

(1) **직선으로 된 국경선** 강대국들이 민족·부족 분포, 문화적 동질성 등을 고려하지 않은 채 일방적으로 국경선을 정함으로써 민족·부족 간의 분쟁 발생 가능성이 커짐

(2) **종교 갈등** 이슬람교와 크리스트교의 경계를 따라 종교적 분쟁이 자주 발생

(3) **주요 분쟁 지역** 나이지리아❶, 수단❷, 남아프리카 공화국❸ 자료 2 자료 3

대서양
인도양
0°
— 국경
— 부족 경계
0 1,000 km

국경과 부족 경계가 일치하지 않는데, 이는 유럽 강대국들이 식민 지배 당시 민족·부족의 분포, 문화적 동질성을 고려하지 않은 채 위도와 경도 등 인위적인 경계로 국경선을 확정했기 때문이야.

2. 분쟁으로 인한 다양한 문제

(1) 인명 피해 및 난민 문제

(2) 사회 기반 시설 파괴, 해외 투자 자본 감소

(3) 빈곤, 저개발

3 저개발 원인과 과제

1. 저개발

(1) **현황**

① 높은 유아 및 산모 사망률과 잦은 전염병

② 식수 부족, 기아, 빈곤 등 저개발 문제

(2) **원인**

① 잦은 분쟁

② 정치·사회: 민주적 정치 체제의 부족, 비효율적인 행정 시스템, 신뢰 부족

③ 산업 구조: 원유, 광산물, 농작물 등 1차 생산품에 의존하는 경제 구조

④ 사회 간접 자본: 사회 기반 시설이 잘 갖추어져 있지 않음

2. 저개발 해결을 위한 노력

국제 사회, 개별 국가, 비정부 기구, 개인 등의 다양한 지원이 필요함

---

❶ 나이지리아
다민족 국가로 이슬람교와 크리스트교가 접하는 지역에 위치하고 있으며, 1960년 부족 간 갈등으로 내전 발생 및 특정 종교 단체에 의해 테러가 지속적으로 발생하고 있다. 또한 유전 지대의 이권을 둘러싸고 갈등이 계속되고 있다.

❷ 수단
북부 지역과 남부 지역의 인종, 종교, 지리적 차이가 주요 분쟁의 원인으로 북부는 이슬람교를 믿는 아랍계 주민이, 남부는 크리스트교 및 토착 종교를 믿는 흑인 토착민이 주로 거주하고 있다. 정치 권력을 독점한 아랍계 주민이 남부 토착민을 차별하면서 내전이 발생하였다. 2011년에는 남수단이 분리 독립하였으나 석유 자원의 배분과 국경선 획정 문제로 갈등이 지속되고 있다.

❸ 남아프리카 공화국
한때 아파르트헤이트❹라는 인종 차별 정책을 시행했었으며, 여전히 인종 차별 논쟁이 지속되고 있다.

❹ 아파르트헤이트
남아프리카 공화국의 극단적인 인종 차별 정책으로 전 국민의 16%에 불과한 백인들에 의한 흑인 및 토착인 차별 법률이었다. 여기에는 흑인 및 토착인의 직업 제한, 노동 조합 결성 금지, 도시 외곽 지역의 토지 소유 금지, 백인과의 결혼 금지, 백인과 흑인이 같은 버스를 타지 못하도록 승차 분리, 공공 시설 사용 제한, 선거인 명부의 차별적 작성 등이 포함되었으나, 1994년 최초의 흑인 정권이 탄생하며 철폐되었다.

자료 1 사하라 이남 아프리카의 다양한 민족·부족 분포

교과서 174쪽

자료 분석 사라하 이남 아프리카는 다양한 민족·부족이 분포하고 있다. 특히, 사하라사막을 포함하는 지역은 셈족과 함족이 주로 분포하고, 중남부 아프리카에는 반투족, 코이산족을 비롯한 다양한 민족·부족들이 분포하고 있다.

자료 분석 포인트

아프리카의 다양한 민족·부족 분포에 대해 살펴보자.

Q1 아프리카의 민족·부족 분포의 특징에 대해 설명하시오.

자료 2 분쟁이 잦은 나이지리아

교과서 174쪽

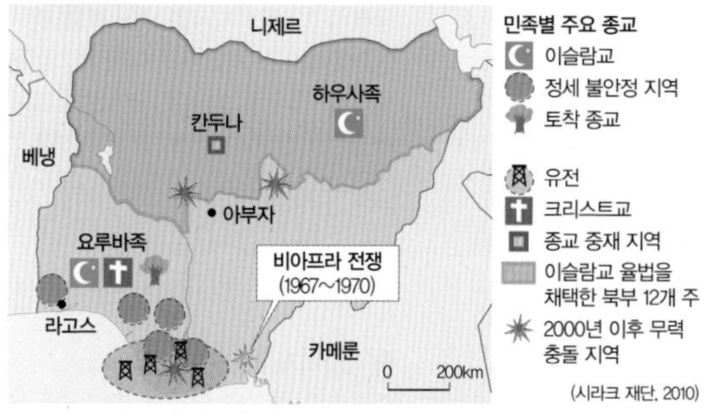

자료 분석 나이지리아는 다민족 국가로 하우사족과 요루바족 등 다양한 민족이 살고 있다. 또한 이슬람교와 크리스트교가 접하는 지역에 위치하며, 1960년대 말 부족 간 갈등으로 발생한 내전 이후에 특정 종교 단체에 의해 테러가 발생하였다. 특히 남부 유전 지대의 이권을 둘러싸고 민족 간, 종교 간 갈등이 고조되고 있다.

자료 분석 포인트

나이지리아에서 분쟁이 잦은 이유를 알아보자.

Q2 나이지리아의 분쟁 원인을 아래에서 모두 고르시오.

ㄱ. 민족·부족
ㄴ. 종교
ㄷ. 석유 자원

자료 3 수단 – 남수단 분쟁

교과서 174쪽

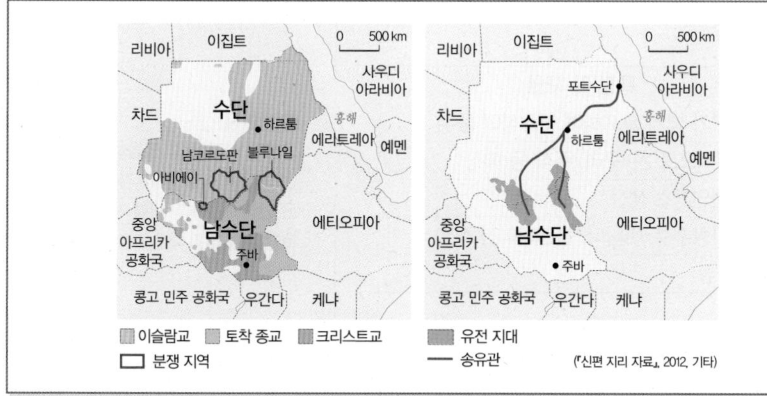

자료 분석

국가	수단	남수단
자연환경	사막이 넓음	초원이 넓고 일부 밀림
종교	이슬람교	크리스트교, 토착 종교
인종	아랍계	흑인 원주민
특징	송유관, 항구	유전 지대

자료 분석 포인트

수단 – 남수단의 분쟁 원인을 비교해 보자.

Q3 수단과 남수단의 분쟁 원인을 종교와 민족·인종과 관련하여 서술하시오.

답 Q1 다양한 민족이 분포한다. / Q2 ㄱ, ㄴ, ㄷ / Q3 수단은 이슬람교를 믿는 아랍계 민족이 많으며, 남수단은 크리스트교나 토착 종교를 믿는 원주민이 주로 거주한다.

주제 25 자원 개발을 둘러싼 과제

교과서 178~183쪽

주제 흐름 읽기

사하라 이남 아프리카	
풍부한 자원	자원 개발을 둘러싼 갈등
• 풍부한 광물 및 에너지 자원 • 기호 작물	• 내전 • 인권 문제 • 환경 오염

중·남부 아메리카	
풍부한 자원	자원 개발을 둘러싼 갈등
• 풍부한 귀금속 자원과 광물 자원 • 세계적인 농축산물 생산지	• 소득 격차 심화 • 특정 자원에 대한 높은 의존도 • 환경 문제

1 사하라 이남 아프리카의 자원과 갈등

1. 현황

(1) **풍부한 광물 및 에너지 자원** 광물 자원(백금, 크롬, 망간, 코발트, 금, 은, 다이아몬드)과 에너지 자원(석유)이 풍부함 자료 1

(2) **열대 기후를 이용한 기호 작물** 커피, 카카오의 생산량이 많음, 다국적 기업❶ 진출

(3) **높은 성장 잠재력** 자원 개발, 해외 투자 유치, 기술 개발 등 노력

2. 자원 개발을 둘러싼 갈등

(1) **정치적 불안정** 자원 개발로 얻은 이익으로 무기 구입 → 내전 지속 → 정부군, 무장 단체가 자원 개발을 위해 강제 노동·아동 노동력 동원 → 인권 문제 발생

(2) **다국적 기업** 불공정 거래, 노동자의 열악한 근로 조건, 상업용 작물 재배를 위한 토지 임대로 주민 삶터를 잃는 문제 발생

(3) **환경 오염 문제** 채굴이 끝난 광산을 방치

3. 해결 방안

정치적 불안 해소, 아프리카 연합❷ 등 국가 간 협력체 증가로 부정한 자원 개발 감독 및 공정한 거래를 유도함 ─ 윤리적으로 올바르고 환경을 보호하는 제품을 구입하자는 공정 무역 운동도 나타났어.

2 중·남부 아메리카의 자원 개발과 문제점

1. 현황

과거 유럽인들이 금과 은 등을 채굴하여 반출하였으며, 현재도 자원 채굴용 광산이 분포함

2. 주요 자원 자료 2

브라질은 에너지 자원, 광물 자원, 식량 자원, 삼림 자원 등이 풍부해.

자원	국가 및 지역	특징 및 자원
광물 및 에너지 자원	브라질	순상지❸가 넓게 분포하여 철광석이 풍부
	멕시코, 안데스 산지 국가	화산 지역으로 은, 구리, 주석 등 매장
	베네수엘라 볼리바르	석유, 천연가스 생산
농축산물	열대 기후 지역	커피, 사탕수수, 바나나, 플랜테이션 작물
	온대 기후 지역	밀과 육류

3. 자원 개발로 인한 문제점

(1) **소득 격차 심화** 식민 지배의 흔적인 대토지 소유제❹가 남아 있어 소수의 특권 계층이 소득을 독점

(2) **특정 자원에 대한 의존도 높음** 국제 가격 변동에 취약 자료 3

(3) **다국적 기업** 다국적 기업이 주로 운영하여 지역 주민의 소득 증가는 미약 → 자원의 국유화 정책 추진

(4) **자원 개발로 인한 인명 피해 및 환경 문제 발생** 광산에서의 인명 피해, 원주민의 삶의 터전 훼손, 열대 우림 파괴, 토양 침식, 생태계 파괴, 기후 변화 등 발생

❶ **다국적 기업**
하나 혹은 둘 이상의 국가에서 법인을 등록하고 여러 지사를 거느리고 경영 활동을 벌이는 기업이다. 다국적 기업은 국가적, 정치적 경계에 구애받지 않고 세계적인 범위와 규모로 활동을 한다.

❷ **아프리카 연합(African Union)**
아프리카 국가의 단결과 협력 증진을 위해 조직된 국제 기구로, 2002년 아프리카 통일 기구(OAU)를 승계하여 설립되었고, 에티오피아의 아디스아바바에 본부를 두고 있다.

❸ **순상지**
고생대 이래 지각 변동을 겪지 않고 오랜 기간 침식을 받아 기복이 대체로 작은 안정육괴이다. 대륙 지각의 핵심부에 해당하며, 철광석이 매장되어 있는 경우가 많다.

❹ **대토지 소유제**
대토지 소유제는 에스파냐어로 '아시엔다'라고 불리며, 평야 지대의 거대한 농장을 뜻하나 과거 유럽인들이 중·남부 아메리카 지역을 식민 지배할 때 만든 대규모 농장을 지칭하는 말이다.

자료 1 아프리카 주요 광물 자원의 생산 비중

교과서 179쪽

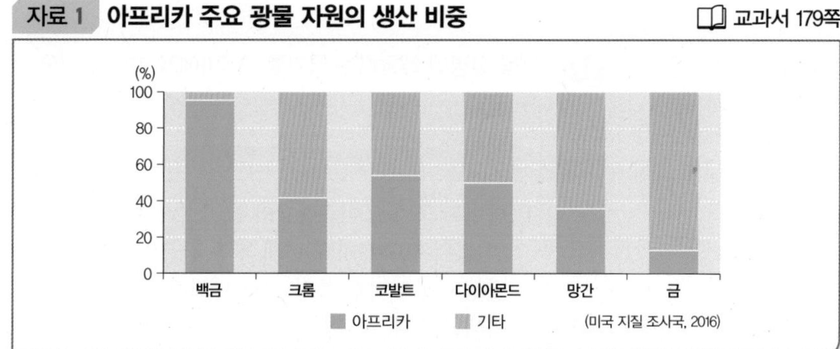

자료 분석 아프리카 주요 광물 자원의 생산 비중을 나타낸 것이다. 아프리카는 전 세계 광물 자원의 생산에서 그 비중이 매우 높다. 백금은 90% 이상, 리튬 이온 전지 등의 제조에 쓰이는 코발트의 50% 이상, 다이아몬드의 50% 이상이 아프리카에서 생산되고 있다. 하지만 아프리카는 내전과 영토 분쟁 등 불안정한 정치 상황으로 광물 자원의 안정적인 공급이 어려운 경우가 발생하기도 한다.

자료 분석 포인트

아프리카의 주요 광물 자원의 생산 비중을 살펴보자.

Q1 주요 광물 자원의 생산 비중이 아프리카에 집중되면서 나타나는 문제점을 쓰시오.

자료 2 중·남부 아메리카 주요 자원의 생산 비중

교과서 181쪽

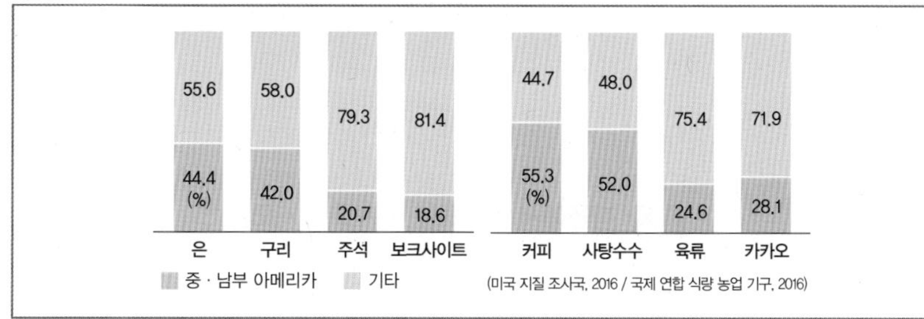

자료 분석 중·남부 아메리카는 많은 광물 자원이 매장되어 있다. 멕시코와 안데스 산지 국가에서는 은, 구리의 생산이 많아 전 세계 생산의 40% 이상을 차지하고 있다. 농축산물의 생산 비중 또한 높아 2013년 기준으로 커피의 55.5%, 사탕수수의 52.0%, 카카오의 28.1%, 육류의 24.6%가 생산되고 있다. 이는 열대 기후 지역의 플랜테이션에서 주로 생산된다.

자료 분석 포인트

중·남부 아메리카의 주요 자원의 생산 비중에 대해 살펴보자.

Q2 빈칸에 들어갈 알맞은 말을 쓰시오.

> 중·남부 아메리카에서는 은, 구리, 주석, 보크사이트 등 광물 자원의 생산 비중이 높다. 또한, 열대 기후 지역의 (　　　)을/를 이용하여 커피, 사탕수수, 카카오와 같은 기호 작물을 대량으로 생산하고 있다.

자료 3 국제 가격 변동과 국내 총생산

교과서 182쪽

▲ 구리 가격 변동과 칠레의 국내 총생산

자료 분석 칠레의 1위 수출품은 구리이다. 구리의 국제 가격 변동은 칠레 국내 총생산과 직접적인 상관관계가 있는데, 구리 가격이 떨어진 2009년의 경우, 칠레 국내 총생산은 전년도에 비해 약 6% 정도 낮아졌다. 이처럼 특정 자원에 대한 의존도가 높은 경우 자원의 국제 가격 변동에 매우 취약한 구조를 보이게 된다.

자료 분석 포인트

칠레의 구리에 대한 높은 의존도가 국내 총생산에 미치는 영향에 대해 알아보자.

Q3 칠레의 구리처럼 한 국가가 특정한 자원에 대한 의존도가 높을 경우의 문제점을 적으시오.

답 Q1 광물 자원의 안정적인 공급이 어려울 수 있다. / Q2 플랜테이션 / Q3 자원의 국제 가격 변동에 취약하다.

개념 익히기

정답과 해설 ▸ 41쪽

01 다음 빈칸에 들어갈 알맞은 용어를 각각 쓰시오.

> 사하라 이남 아프리카 지역은 다양한 토착 종교를 신봉하고 있었으나 20세기 이후 크리스트교와 이슬람교의 신도가 증가하였다. 중·남부 아프리카 지역은 (   ), 북부 지역은 (   )을/를 신봉하는 사람들이 두드러지게 증가하였다.

02 다음 지도를 참고하여 아프리카에서 분쟁이 잦은 이유를 적으시오.

03 다음 설명이 옳으면 ○, 틀리면 ×표 하시오.

(1) 사하라 이남 아프리카는 민족·부족 간 분쟁이 자주 발생하는 지역이다. (   )

(2) 남아프리카 공화국에서는 과거 인종 차별 정책인 아파르트헤이트라는 인종 차별 정책을 실시하였었고, 아직도 인종 차별에 대한 논쟁이 지속되고 있다. (   )

04 다음 설명에 해당하는 국가를 |보기|에서 찾아 쓰시오.

| 보기 |
• 나이지리아   • 수단

(1) 다민족 국가로 이슬람교와 크리스트교가 접하는 지역에 위치하며, 1960년대 부족 간 갈등으로 내전이 발생하였고 이후 특정 종교 단체에 의해 테러가 지속되고 있다.

(2) 북부 지역과 남부 지역의 인종, 종교, 지리적 차이가 주요 분쟁의 원인으로 2011년에 두 지역으로 분리 독립하였다.

05 다음에서 설명하는 국가를 쓰시오.

> 순상지가 넓게 분포하여 철광석의 주요 산지이고, 에너지 자원, 광물 자원, 삼림 자원 등이 풍부한 중·남부 아메리카의 국가이다.

06 다음 빈칸에 들어갈 알맞은 말에 ○표 하시오.

(1) (사하라 이남 아프리카 / 중·남부 아메리카)는 식민 지배의 흔적인 대토지 소유제가 남아 있어 소수의 특권 계층이 대부분의 토지를 소유하고 있다.

(2) (사하라 이남 아프리카 / 중·남부 아메리카)는 이슬람교와 크리스트교의 경계 지역을 따라 종교적 분쟁이 자주 발생하고 있다.

01 빈출 (가), (나) 국가에 대한 설명으로 옳지 않은 것은?

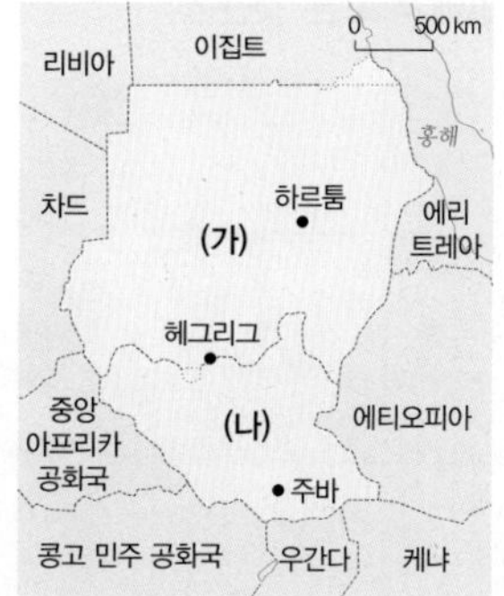

① (가)의 주요 종교는 이슬람교이다.
② (나)의 주요 종교는 크리스트교와 토착 종교이다.
③ (가)는 (나)보다 석유 매장량이 많다.
④ (가)는 (나)보다 아랍어 사용 비중이 높다.
⑤ (나)는 (가)로부터 분리 독립하였다.

02 다음과 같은 현상에 대한 설명으로 옳은 것은?

> 볼리비아 정부는 에스파냐 회사가 소유한 주요 공항 3곳을 국유화하였다. 이는 과거 천연가스와 전력 등 에너지 산업 국유화 정책의 연장선에 있다. 볼리비아 정부는 최근 1년 사이 여섯 차례에 걸쳐 전력 회사, 서비스 업체 등 에스파냐 기업에 대한 국유화 조치를 발표하였다.

① 자원 수입국의 다변화를 위한 방안이다.
② 국가의 간섭을 최소화하기 위한 방안이다.
③ 국제 사회에 대한 의존도를 높이는 정책이다.
④ 다국적 기업의 이윤을 높이기 위한 정책이다.
⑤ 국가 및 지역 주민의 소득을 높이기 위한 정책이다.

03 사하라 이남 아프리카에서 분쟁이 잦은 이유로 옳지 않은 것은?

① 다양한 종교의 분포
② 자원을 둘러싼 갈등
③ 민주적인 정치 체제
④ 다양한 민족(종족)의 분포
⑤ 문화적 동질성을 무시한 국경 설정

04 다음은 아프리카의 종교 분포를 나타낸 것이다. A, B 종교를 연결한 것으로 옳은 것은?

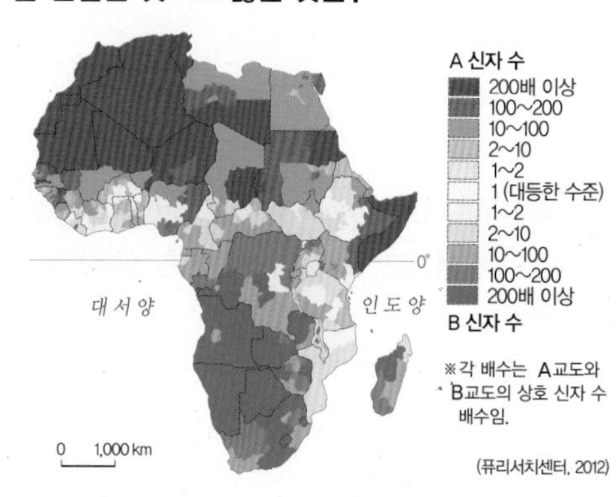

	A	B
①	이슬람교	크리스트교
②	이슬람교	불교
③	크리스트교	불교
④	크리스트교	이슬람교
⑤	불교	크리스트교

05 다음은 사하라 이남 아프리카의 현황을 나타낸 것이다. 이와 같은 현상이 발생하는 요인으로 옳지 않은 것은?

> 이 지역 국가들은 유아 및 산모 사망률이 높고, 말라리아를 비롯한 각종 전염병에 취약하다. 그리고 식수 부족, 기아, 빈곤 등이 발생하고 있다.

① 잦은 분쟁
② 사회 기반 시설의 부족
③ 민주적인 정치 체제의 부족
④ 부족한 광물 및 에너지 자원
⑤ 1차 생산품에 의존하는 산업 구조

06 사하라 이남 아프리카는 자원의 개발을 둘러싸고 많은 문제점이 발생하고 있다. 이와 관련한 설명으로 옳지 않은 것은?

① 아동 일꾼을 동원하여 인권 문제가 발생하기도 한다.
② 자원 개발을 위해 주민에게 강제 노동을 강요하기도 한다.
③ 아마존의 열대림이 파괴되는 등 환경 문제를 일으키기도 한다.
④ 자원 개발을 통해 얻은 수익이 무기 구입으로 연결되기도 한다.
⑤ 다국적 기업의 비윤리적인 경영으로 환경 오염을 일으키기도 한다.

07 빈출 사진은 어떤 지역의 변화를 나타낸 것이다. 이와 같은 변화에 대한 다양한 주체의 일반적인 입장으로 옳은 것을 |보기|에서 고른 것은?

▲ 열대 우림에 불을 질러 개간하고 있는 모습

보기
ㄱ. 원주민: 삶의 터전이 사라지면서 토착 문화가 더욱 발달할 것이므로 개발에 찬성합니다.
ㄴ. 개발업자: 열림의 파괴는 환경 문제를 가속화하기 때문에 개발을 하지 말아야 합니다.
ㄷ. 환경 운동 단체: 열대림 파괴로 지구 곳곳에서 기상 이변이 발생하고 있습니다.
ㄹ. 정부 관계자: 도시 개발 및 도로 건설로 주민의 삶의 질이 좋아질 것입니다.

① ㄱ, ㄴ ② ㄱ, ㄷ ③ ㄴ, ㄷ
④ ㄴ, ㄹ ⑤ ㄷ, ㄹ

08 중 · 남부 아메리카의 다음과 같은 현상에 대한 설명으로 옳지 않은 것은?

> 브라질 상위 3%의 인구가 전체 토지의 약 60%를 소유하고 있다.

① 대다수의 주민은 소작농으로 살아간다.
② 주민의 소득 격차를 심화시키는 원인이다.
③ 중 · 남부 아메리카에서는 '아시엔다'라고 한다.
④ 정부에서 대토지 소유제를 더욱 권장하고 있다.
⑤ 식민 지배의 흔적으로 대토지 소유제의 영향이다.

서술형 문제

09 표는 사하라 이남 아프리카의 대표적인 분쟁 지역인 수단과 남수단의 특징을 나타낸 것이다. 이를 보고 물음에 답하시오.

국가	수단	남수단
자연환경	사막이 넓게 분포	넓은 초원
종교	(가)	크리스트교, 토착 종교
민족(인종)	아랍계	(나)
특징	송유관, 항구, 정유 시설	유전 지대

(1) (가)에 해당하는 종교와 (나)의 민족(인종)을 쓰시오.

(2) 수단과 남수단의 분쟁 원인을 종교, 민족(인종), 특징을 들어서 서술하시오.

서술형 문제

10 다음과 같은 인증 마크가 나온 배경과 이러한 제품의 소비가 가져올 수 있는 변화에 대해 서술하시오.

▲ 공정 무역 다이아몬드 인증 마크

서술형 문제

11 다음 국가에서 생산되는 대표적인 자원을 지역의 지리적 특성과 연관하여 서술하시오.

• 브라질 • 칠레

서술형 문제

12 다음 자료를 보고 사하라 이남 아프리카의 저개발 원인에 대해 서술하시오.

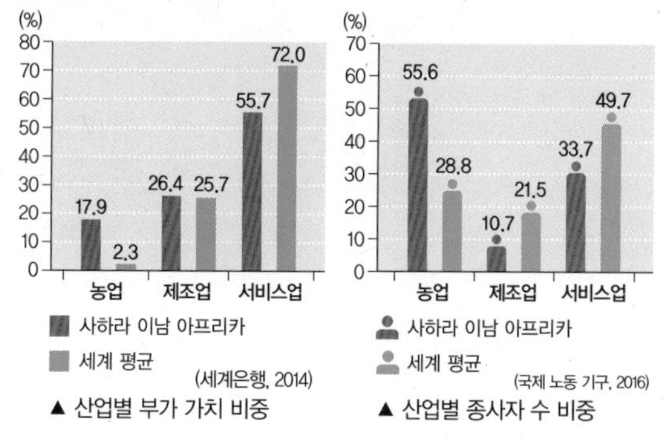

▲ 산업별 부가 가치 비중 ▲ 산업별 종사자 수 비중

3단계 내신 만점 도전하기

정답과 해설 ▸ 42쪽

01 다음 지도에 대한 설명으로 옳지 않은 것은?

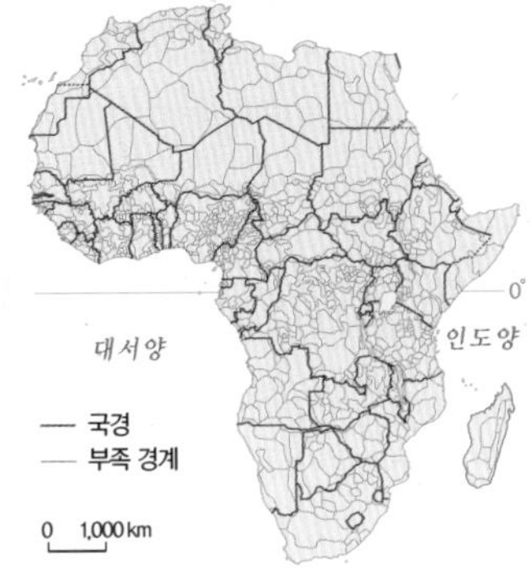

① 민족(부족) 간 갈등의 가능성이 크다.
② 국경과 부족의 경계가 다르게 나타난다.
③ 강대국에 의해 국경선이 임의로 정해졌다.
④ 국경은 문화적 동질성을 기준으로 나눠졌다.
⑤ 국경의 일부가 직선으로 된 부분이 존재한다.

문제 접근 방법

제시된 지도를 통해 사하라 이남 아프리카의 국경과 부족 경계의 특징을 파악한다.
국경과 부족의 경계가 일치하지 않는 것은 유럽 강대국들이 식민 지배 당시 문화적 동질성을 고려하지 않고 국경을 설정하였기 때문이며, 이로 인해 아프리카는 잠재적인 분쟁의 가능성을 안고 있다는 것을 파악한다.

내신 전략

아프리카의 분쟁의 원인에 대해 파악해 둔다.

02 다음은 아프리카의 주요 분쟁 지역 중 하나인 나이지리아이다. 이 지역에 대한 설명으로 옳지 않은 것은?

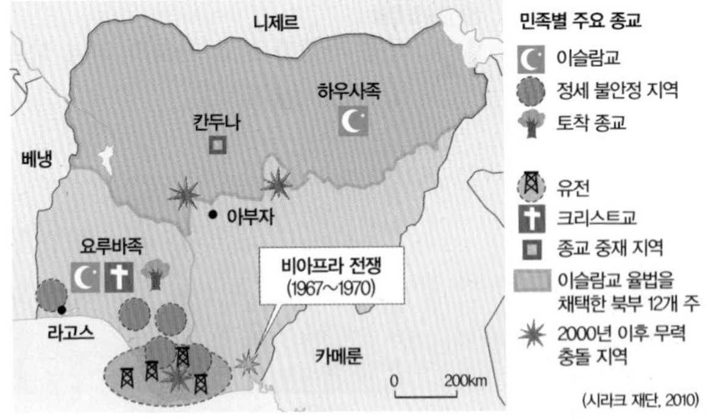

(시라크 재단, 2010)

① 부족 간의 내전이 일어났다.
② 다양한 민족이 살던 국가이다.
③ 남부 유전 지대를 중심으로 정세가 불안하다.
④ 크리스트교와 이슬람교의 접경 지역에 분포한다.
⑤ 분쟁의 주요한 원인은 인접 국가와의 영토 갈등이다.

문제 접근 방법

아프리카의 대표적인 분쟁 지역인 나이지리아에 관한 문항이다. 지도에서 주어진 정보를 통해 분쟁의 원인을 파악하여야 한다.

내신 전략

사하라 이남 아프리카의 대표적인 분쟁 지역인 나이지리아, 수단 등의 분쟁에 대해 파악해 둔다.

심화 수능 유형 익히기

정답과 해설 ▸ 42쪽

2013학년도 3월 학력평가

01 자료를 보고 옳게 추론한 학생만을 |보기|에서 있는 대로 고른 것은?

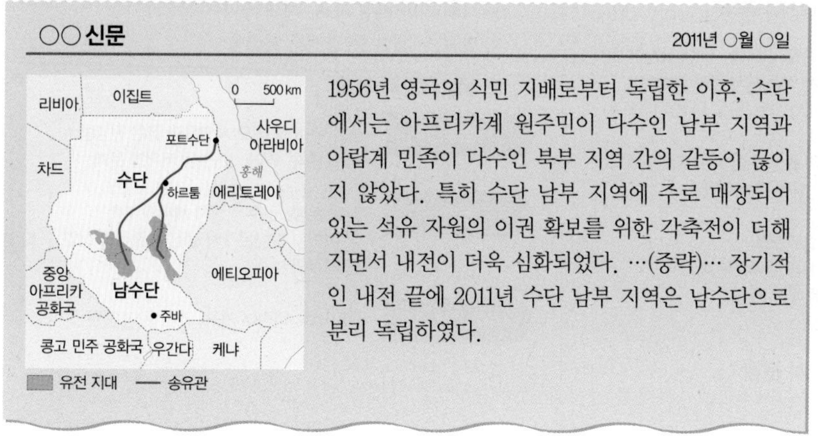

1956년 영국의 식민 지배로부터 독립한 이후, 수단에서는 아프리카계 원주민이 다수인 남부 지역과 아랍계 민족이 다수인 북부 지역 간의 갈등이 끊이지 않았다. 특히 수단 남부 지역에 주로 매장되어 있는 석유 자원의 이권 확보를 위한 각축전이 더해지면서 내전이 더욱 심화되었다. …(중략)… 장기적인 내전 끝에 2011년 수단 남부 지역은 남수단으로 분리 독립하였다.

보기

갑: 분쟁은 이슬람교 종파 간의 대립이었어.
을: 분쟁은 종교뿐 아니라 자원 분쟁이기도 해.
병: 남수단이 석유를 수출하기 위해서는 수단과의 협력이 필요할 거야.
정: 식민 지배 당시 종족 분포 범위를 고려하지 않고 국경을 설정한 것도 분쟁의 배경 중 하나야.

① 갑, 을　② 을, 병　③ 갑, 을, 병　④ 갑, 병, 정　⑤ 을, 병, 정

출제 개념
아프리카의 분쟁 지역

자료 해설
자료에서 설명하는 지역을 알고 분쟁의 원인에 대해 알아야 한다. 수단과 남수단의 분쟁 지역이다.

해결 비법
아프리카의 분쟁 지역에 대한 문제가 자주 출제되고 있다. 특히 대표적인 분쟁 지역인 수단, 나이지리아 등에 대한 정확한 이해가 필요하다. 최근에는 여러 분쟁 지역을 같이 물어보는 문항이 출제되어 다른 대륙의 분쟁 지역도 알아 두어야 한다.

2017학년도 7월 학력평가

02 지도 (가), (나)는 두 지역에서 발생하는 환경 문제를 나타낸 것이다. 이에 대한 설명으로 옳지 않은 것은?

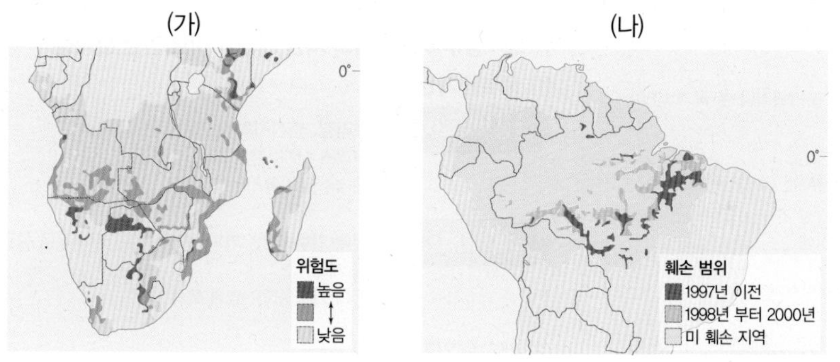

① (가)의 사례 지역으로 사헬 지대를 들 수 있다.
② (나)로 인해 토양의 침식이 심화된다.
③ (나)는 (가)보다 생물종 다양성 감소에 큰 영향을 준다.
④ (가)와 (나)는 과도한 목축과 경작지 확대가 공통된 원인이다.
⑤ (가)는 제네바 협약, (나)는 람사르 협약을 통해 문제 해결을 모색하고 있다.

출제 개념
사막화와 열대림 파괴

자료 해설
지도에 표시된 환경 문제가 무엇인지 알고, 특징을 맞추는 문제이다. 아프리카의 저개발 원인 중 하나로는 사막화와 같은 환경 문제를 들 수 있고, 라틴 아메리카는 개발로 인한 열대림 파괴 문제가 발생하고 있다.

해결 비법
저개발의 원인으로써의 환경 문제와 개발로 인해 나타나는 환경 문제에 대해 파악하고 있어야 한다. 8단원의 '환경 문제와 국제 협약'과 연결하여 공부한다.

핵심 개념 정리하기

1 도시 구조에 나타난 도시화 과정의 특징

1. 중·남부 아메리카의 도시화 과정과 민족(인종) 분포

도시화 과정	• 과도시화 양상: 도시화 진행 속도가 빠름, 부양 가능한 인구보다 많은 인구가 집중되면서 각종 도시 문제 발생 • 스프롤 현상: 도시의 과밀화 현상으로 도시 외곽 지역으로 무질서하게 도시 확대 • 종주 도시화 현상: 사회적 거주 환경이 잘 갖추어진 수위 도시로 인구가 집중하여 도시 간 발전 격차 심화
민족 분포	• 원주민: 안데스 산지 국가에 주로 분포 • 아프리카계: 카리브해 연안, 브라질 북동부 해안 • 유럽계: 기후가 온화한 남동부 해안 지역 • 혼혈족: 해안 지역에 주로 분포

2. 중·남부 아메리카 도시 구조의 특징과 도시 문제

도시 구조	• 불완전한 도시 내부 지역 분화 • 계층 또는 인종에 따른 주거지 분리 현상 • 식민지 시대에 건설된 도시들은 전통적인 문화 요소와 유럽에서 전파된 요소가 결합된 이중 구조
도시 문제	• 도시 내 양극화 현상: 고소득층과 저소득층으로 계층 간 거주 공간의 분리 현상이 나타남 • 도시 간 양극화 현상: 식민 시기의 중심 도시와 그 외 도시 간 발전 정도의 차이가 심함 • 기타: 빈민 문제, 교통 혼잡, 환경 오염

2 사하라 이남 아프리카의 분쟁과 저개발

1. 사하라 이남 아프리카의 민족과 종교의 차이

(1) 민족과 종교

민족	• 유럽의 식민 지배 과정에서 강대국의 이해관계에 따라 국경선을 설정 • 하나의 부족이 서로 다른 국가로 분리되거나 한 국가 내 여러 부족이 존재
종교	• 아프리카 북부는 이슬람교, 중남부는 크리스트교와 토착 종교의 비율이 높음 • 종교가 혼재한 지역에서는 갈등 발생

(2) 분쟁이 잦은 지역

나이지리아	다민족 국가이고 이슬람교와 크리스트교가 접하는 지역에 위치하여 잦은 내전이 발생, 유전을 둘러싼 갈등
수단	수단과 남수단 간에 인종, 언어, 종교, 자원의 보유 정도가 달라 내전이 자주 발생
남아프리카 공화국	'아파르트헤이트'라는 인종 차별 정책을 시행했던 국가로 여전히 인종 간 갈등 발생

(3) 분쟁으로 인한 다양한 문제

① 인명 피해 및 난민 문제
② 사회 기반 시설 파괴, 해외 투자 자본 감소
③ 빈곤, 저개발 등 경제적 어려움

2. 저개발 원인과 과제

현황	• 높은 유아 및 산모 사망률과 잦은 전염병 • 식수 부족, 기아, 빈곤 등 저개발 문제
원인	• 잦은 분쟁, 민주적 정치 체제의 부족 • 부가 가치가 낮은 1차 생산품 중심의 산업 구조 및 사회 기반 시설의 부족
해결을 위한 과제	국제 사회, 비정부 기구, 개인 등의 지원

3 자원 개발을 둘러싼 과제

1. 사하라 이남 아프리카의 자원과 이로 인해 발생한 갈등

현황	• 광물 및 에너지 자원: 백금, 크롬, 망간, 코발트, 금, 은, 다이아몬드 및 석유 • 기호 작물: 열대 기후를 이용한 커피, 카카오 등의 플랜테이션 작물
갈등	• 정치적 불안정: 내전 발생, 노동력 착취 등 인권 문제 발생 • 다국적 기업: 불공정 거래, 열악한 근로 조건 • 환경 오염: 채굴이 끝난 광산 방치
해결 방안	• 정치적 불안 해소 • 아프리카 연합 등 국가 간 협력체 증가로 자원 개발에 대한 감독 및 공정 거래 유도

2. 중·남부 아메리카의 자원 개발과 이로 인한 문제점

(1) 풍부한 자원

광물 및 에너지	• 브라질: 순상지의 분포로 철광석이 풍부 • 안데스 산지: 은, 구리, 주석 등 • 베네수엘라 볼리바르: 석유, 천연가스
농축산물	• 열대 기후 지역: 커피, 사탕수수, 바나나 등 플랜테이션 작물 재배 • 온대 기후 지역: 밀과 육류

(2) 개발로 인한 문제점

① 소득 격차 심화: 대토지 소유제의 영향으로 소수의 특권 계층이 소득을 독점
② 특정 자원에 대한 의존도 높음: 국제 가격 변동에 취약
③ 다국적 기업이 개발을 주도하여 지역 주민의 소득 증가는 미약
④ 환경 문제: 열대 우림 파괴, 토양 침식, 생태계 파괴로 기후 변화에 영향

핵심 개념 적용하기

●●●

01 중·남부 아메리카의 도시 내부 구조를 나타낸 것이다. 이에 대한 옳은 설명을 |보기|에서 고른 것은?

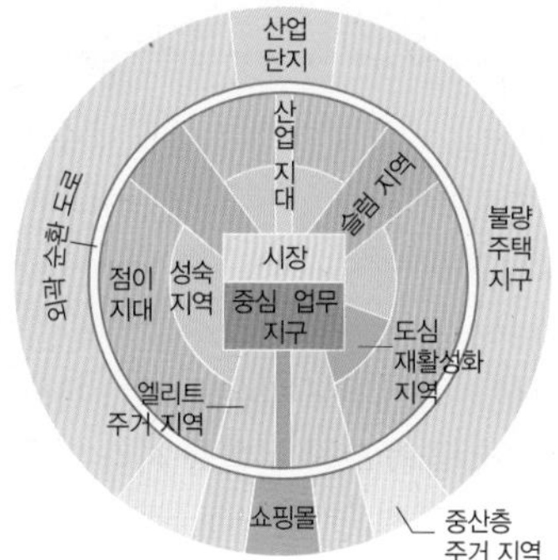

| 보기 |
ㄱ. 외곽 지역에 주로 고급 주거 지역이 나타난다.
ㄴ. 외부 간섭 없이 독자적으로 도시가 발달하였다.
ㄷ. 경제 및 계층에 따른 거주지 분리 현상이 나타난다.
ㄹ. 선진국에 비해 도시 내부 지역 분화가 뚜렷하지 않다.

① ㄱ, ㄴ ② ㄱ, ㄷ ③ ㄴ, ㄷ
④ ㄴ, ㄹ ⑤ ㄷ, ㄹ

●●○

02 중·남부 아메리카의 민족(인종) 분포에 대한 설명으로 옳은 것은?

① 온화한 기후 지역에는 원주민이 주로 살고 있다.
② 플랜테이션 농장에서는 백인들이 주로 분포한다.
③ 메스티소는 백인과 아프리카계의 혼혈 인종이다.
④ 고산 기후 지역에는 원주민의 비율이 높게 나타난다.
⑤ 고대 문명의 발상지에는 아프리카계가 전통적으로 살고 있다.

●●○

03 다음은 중·남부 아메리카의 도시 현상을 나타낸 것이다. 이에 대한 설명으로 옳은 것은?

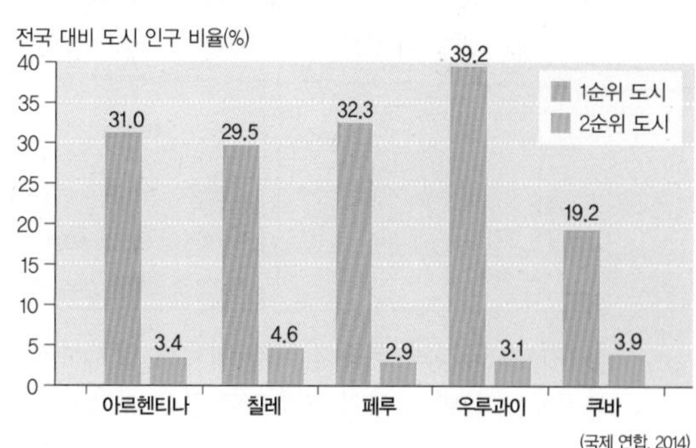

① 도시 간 발전 정도의 차이가 작다.
② 개발 도상국보다 선진국에서 주로 잘 나타난다.
③ 도시화가 천천히 진행된 국가에서 주로 나타난다.
④ 식민 시대의 주요 도시에 개발이 집중된 경우가 많다.
⑤ 도시의 수용 범위를 초과한 인구의 증가 현상을 의미한다.

●●○

04 사진은 사하라 이남 아프리카의 난민 이동을 보여 주고 있다. 이와 관련한 설명으로 옳지 않은 것은?

① 아프리카의 잦은 분쟁이 주요한 원인이다.
② 난민 발생국의 노동 인구를 감소시키게 된다.
③ 사하라 이남 아프리카의 인구 증가를 가져온다.
④ 난민들의 의식주와 안전에 관한 문제가 발생한다.
⑤ 인접국에서는 난민 수용으로 갈등이 나타나기도 한다.

05 (가), (나)에 대한 설명으로 옳지 않은 것은?

(가)

대서양
인도양
0°
— 국경
— 부족 경계
0 2,000 km

(나)

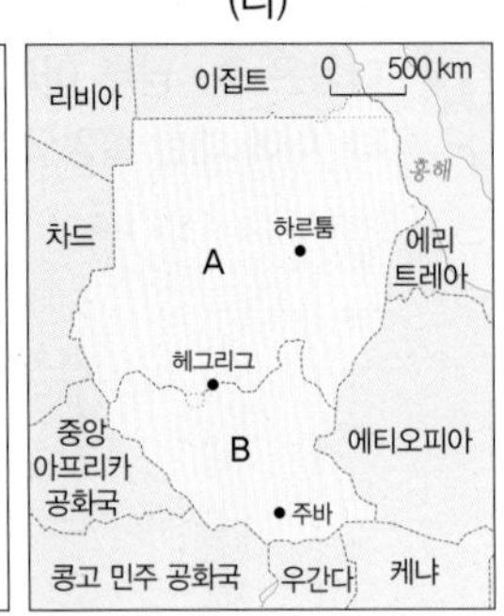

① (가)는 국경과 부족 경계가 대체로 일치하지 않는다.
② (가)는 식민 지배의 영향으로 잦은 분쟁이 발생한다.
③ (나)의 A, B 국가는 (가) 대륙의 서안에 위치한다.
④ A는 이슬람교를 신봉하는 주민의 비율이 높다.
⑤ B는 A보다 국가로 독립한 시기가 늦다.

06 아프리카의 자원 개발에 대한 글이다. 이와 관련한 설명으로 옳지 않은 것은?

> 블러드 다이아몬드는 전쟁 자금을 마련하기 위해 무장 세력들이 현지인을 강제로 동원하여 채취한 다이아몬드를 일컫는 말이다. 이 말은 아프리카에는 다이아몬드는 풍부하지만, 주민들은 가난하여 심지어 생명까지 위협받고 있는 현실을 풍자한 것이다.

① 공정 무역의 필요성이 강조되고 있다.
② 주민들의 인권 문제가 발생하기도 한다.
③ 풍부한 자원을 바탕으로 내전이 사라지고 있다.
④ 자원 개발로 얻은 수익이 전쟁 자금으로 연결되기도 한다.
⑤ 자원 개발을 위해 주민들의 강제 노동이 강요되기도 한다.

07 다음은 어떤 환경 문제를 나타낸 것이다. 이와 관련한 설명으로 옳은 것은?

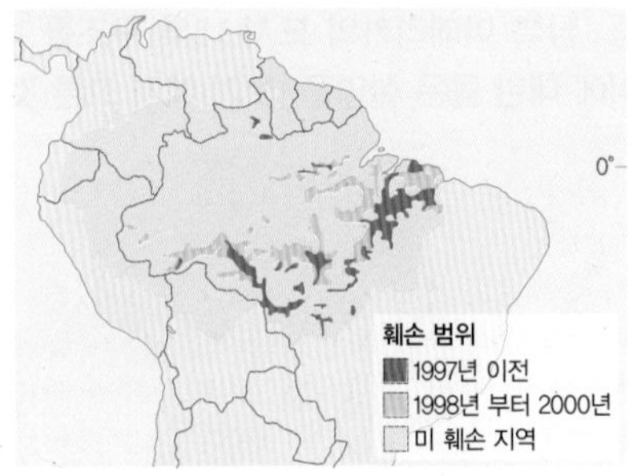

① 사헬 지대에서도 같은 문제가 나타나고 있다.
② 원주민들의 토착 문화를 사라지게 하고 있다.
③ 정부와 환경 단체는 적극적인 개발을 강조한다.
④ 생물 종의 다양성을 증가시키는 데 영향을 준다.
⑤ 이것의 훼손 면적과 북극 빙하의 면적은 비례한다.

08 다음 글의 '아시엔다'와 관련한 설명으로 옳은 것은?

> 에스파냐어로 '아시엔다'는 대토지 소유제를 의미한다. 원래는 평야 지대의 거대한 농장을 뜻하나 과거 유럽인들이 중·남부 아메리카 지역을 식민 지배할 때 만든 대규모 농장을 지칭하는 말이 되었다.

① 대다수의 주민들은 아시엔다를 보유하고 있다.
② 정부에서 대토지 소유제를 더욱 권장하고 있다.
③ 주민의 소득 격차를 완화시켜주는 역할을 한다.
④ 중·남부 아메리카의 전통적인 토지 소유 형태이다.
⑤ 자원 개발로 얻은 이익을 소수의 특권 계급이 독점한다.

지리적 역량 기르기

❖ 최근 사하라 이남 아프리카에서 매년 수백만 명의 난민들이 발생하여 국제 사회의 문제가 되고 있다. 다음 자료를 참고하여 난민 문제를 합리적으로 해결하기 위한 우리나라의 난민 수용에 대해 찬성과 반대의 관점을 생각해 보고, 자신의 생각을 정리해 보자.

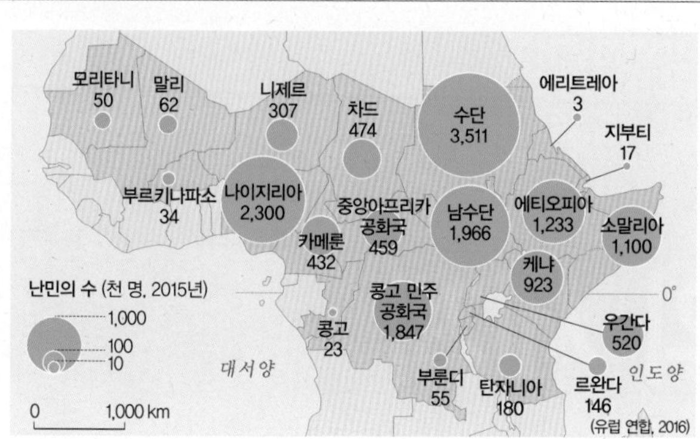

▲ 사하라 이남 아프리카 난민의 수

난민이 다른 국가에 정착해 살아가기 위해서는 해당 국가가 국제 연합 난민 협약에 가입된 국가여야 하며, 그 국가에서 난민 신청을 한 후 심사를 통과해야 한다. 우리나라 또한 난민 협약 가입국으로서 난민 신청을 받으면 난민 심사를 진행해야 하며, 심사 기간 동안 난민 신청자를 보호할 의무가 있다. 그동안 우리나라에서 난민 신청을 하는 사람의 수가 적었지만 최근 그 수가 증가하고 있다. 난민 신청자들이 국내에 머물게 되면서 난민 수용을 둘러싼 여러 의견이 오가고 있다.

더 알아보기

최근 늘어나는 난민 문제는 국제 사회에서 커다란 이슈가 되고 있다. 인도주의적인 차원에서는 난민을 받아주어야 하지만, 최근 난민에 호의적이던 유럽의 국가들조차도 난민에 대해 고민에 빠진 경우가 많다. 난민 수용이 갖는 긍정적인 면 못지않게 부정적인 면도 많기 때문이다.

문제 해결 길잡이

우리나라의 난민 수용에 대한 의견은 어떤 입장이 옳고 그르냐의 문제가 아니다. 서로 지향하는 가치가 다를 뿐 찬성과 반대 측 모두 선택에 합당한 근거를 가지고 있다. 따라서 다양한 측면의 시각을 기반으로 찬성 또는 반대의 관점에서 답안을 서술하되, 각각의 주장을 뒷받침할 수 있는 적절한 근거를 제시하는 것이 중요하다.

01 우리나라의 아프리카 난민 수용에 관한 찬성과 반대의 근거를 정리해 보자.

(1) 찬성

(2) 반대

02 우리나라의 난민 수용에 관한 자신의 생각을 써 보자.

대단원 8

공존과 평화의 세계

학습 계획표

- 자신의 일정에 맞게 계획을 세우고, 실제 학습일을 적어 봅시다.
- 학습을 마무리한 후 스스로가 얼마나 학습 목표를 달성하였는지 점검해 봅시다.

주제 26 경제의 세계화와 경제 블록	쪽수	계획일	완료일	목표 달성도
Day 01 개념 정리, 핵심 자료 특강	242~243쪽	월 일	월 일	☆☆☆☆☆
Day 02 개념 익히기, 내신 유형 익히기	244~247쪽	월 일	월 일	☆☆☆☆☆
Day 03 내신 만점 도전하기, 수능 유형 익히기	248~249쪽	월 일	월 일	☆☆☆☆☆

주제 27 지구적 환경 문제 해결을 위한 노력 주제 28 세계 평화와 정의를 위한 노력	쪽수	계획일	학습일	목표 달성도
Day 04 개념 정리, 핵심 자료 특강	250~253쪽	월 일	월 일	☆☆☆☆☆
Day 05 개념 익히기, 내신 유형 익히기	254~257쪽	월 일	월 일	☆☆☆☆☆
Day 06 내신 만점 도전하기, 수능 유형 익히기	258~259쪽	월 일	월 일	☆☆☆☆☆
Day 07 대단원 마무리하기, 지리 역량 기르기	260~263쪽	월 일	월 일	☆☆☆☆☆

주제 26

경제의 세계화와 경제 블록

교과서 188~191쪽

주제 흐름 읽기

경제의 세계화	경제 블록의 형성
• 교통과 정보 통신 기술의 발달 • WTO의 출범 → 세계 자유 무역의 확산 • 다국적 기업의 활동 증대	• 경제 블록: 회원국 간 관세 및 무역 장벽을 없애거나 완화 • 다양한 유형의 경제 통합 → 자유 무역 협정, 관세 동맹, 공동 시장, 완전 경제 통합

1 세계화로 인한 세계 경제의 영향

1. 상호 의존성의 심화

(1) 교통과 정보 통신 기술의 발달

(2) 세계 무역 기구(WTO)❶의 출범 자료 1

(3) 다국적 기업❷의 활동 증대

2. 유통 측면

(1) 농산물, 공산품의 국가 간 교역이 활발해짐

(2) 소비자는 상품 선택의 폭이 넓어짐

(3) 기업은 수출 시장 확대, 경제적 효율성이 증대됨

(4) 국제 경쟁력이 약한 기업, 산업, 국가는 경쟁력이 더욱 약화되거나 대외 의존도가 증가

3. 금융 측면

(1) 국제 금융 서비스 수요 증가

(2) 특정 지역, 국가의 경제 불안이 세계적인 금융 위기로 발생할 위험성 증가 → 주요 20개국(G20) 정상 회의, 세계 경제 포럼 등 국제 사회의 경제 문제 논의

2 세계 국가들의 지역 경제 통합

1. 경제 블록의 형성

(1) 자유 무역을 추구하는 세계화 경향 속에서 인접 국가 간 자유 무역 협정(FTA)을 체결함

(2) **경제 블록❸의 장단점**

장점	• 회원국 간의 상호 의존성을 높이고 무역 증대 • 생산비 절감, 자원의 효율적 이용 • 약소국도 세계 경제 질서에 자국의 입장을 반영할 수 있음
단점	• 비회원국에 대한 차별 • 무역 분쟁 발생 가능성이 있음

(3) **사례** 유럽 연합(EU), 북아메리카 자유 무역 협정(NAFTA), 동남아시아 국가 연합(ASEAN), 아시아·태평양 경제 협력체(APEC) 등 자료 2

2. 다양한 유형의 경제적 통합

자유 무역 협정(FTA)	회원국 간에 무역 장벽 해소 및 관세 축소 예 북아메리카 자유 무역 협정(NAFTA), 유럽 자유 무역 협정(EFTA) 등
관세 동맹	회원국 간 관세를 낮추거나 무관세, 비회원국에는 공통의 수입 관세를 부과 예 남아메리카 공동 시장(MERCOSUR) 등
공동 시장	관세 동맹에 더해서 자본·노동 등 생산 요소의 자유로운 이동을 보장 예 중앙아메리카 공동 시장(CACM) 등
완전 경제 통합	회원국의 공동 의회 설치 및 단일 통화와 같은 정치적·경제적인 통합 예 유럽 연합(EU)

❶ **세계 무역 기구(WTO)**
국제 무역 확대, 회원국 간의 통상 분쟁 해결, 세계 교역 및 통상 논점에 관한 연구 등을 위해 1995년에 설립된 국제 기구이다.

❷ **다국적 기업**
하나 혹은 둘 이상의 국가에서 법인을 등록하고 여러 지사를 거느리고 경영 활동을 벌이는 기업이다. 다국적 기업은 국가적, 정치적 경계에 구애받지 않고 세계적인 범위와 규모로 활동을 한다.

❸ **경제 블록**
지리적으로 인접해 있으며 경제적으로 상호 의존도가 높은 국가들이 공동의 이해 증진을 위해 경제적으로 협력하는 현상이다. 국가 간 관세나 무역 장벽을 철폐 또는 완화함으로써 국가 간의 교역량 확대, 자원의 효율적 이용, 투자의 활성화, 규모의 경제 효과 등을 기대할 수 있다.

자료 1 세계 무역 기구(WTO)

교과서 189쪽

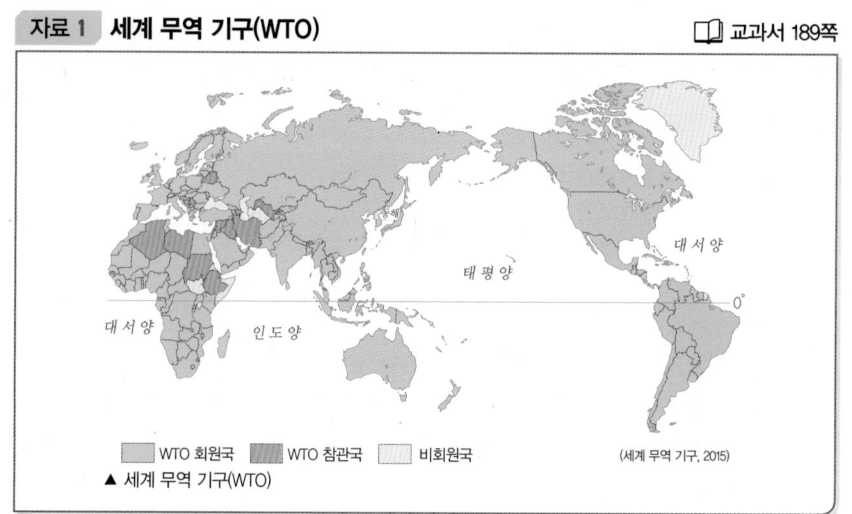

▲ 세계 무역 기구(WTO)

자료 분석 1995년 세계 무역 기구(WTO, World Trade Organization) 설립 당시 가입한 국가는 총 76개국이었으나, 회원국이 꾸준히 늘어 2017년 회원국은 총 164개국이 되었다. 세계 무역 기구의 출범과 다국적 기업의 활동 증대 등으로 세계화가 더욱 가속화되고 있다.

자료 분석 포인트

교통 및 정보·통신 기술의 발달과 세계 무역 기구 출범의 영향, 세계 무역 기구의 회원국을 알아본다.

Q1 세계 무역 기구 체제에서의 전 세계 무역에 대한 설명으로 옳지 않은 것은?

① 전 세계 무역액이 증가하였다.
② 다국적 기업의 활동이 증대되었다.
③ 세계 각국은 상호 의존성이 증대되었다.
④ 국경의 의미와 역할이 더 강화되고 있다.
⑤ WTO 회원국은 출범 이후 증가하고 있다.

자료 2 세계의 주요 경제 블록

교과서 190쪽

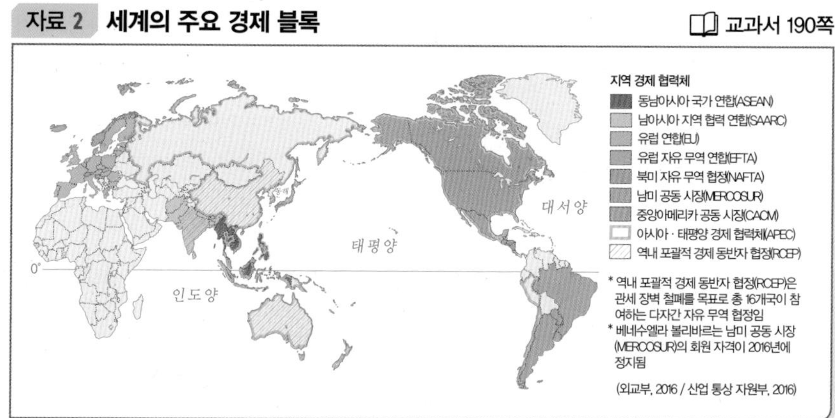

자료 분석 오늘날 세계 여러 나라는 경제적으로 치열한 경쟁을 하고 있다. 공간적으로 접근성이 높고 경제적으로 상호 보완성이 큰 국가 간에는 공통의 이해 증진을 위해 지역 경제 협력체의 결성이 활발하게 이루어졌다. 그 결과 세계 여러 지역에 다양한 경제 블록이 결성되었다.

구분	내용
유럽 연합(EU)	28개의 회원국 간의 상품·자본·노동력의 이동을 보장 → 일부 단일 화폐 사용, 상호 보완성이 높아 역내 무역액이 많음
북아메리카 자유 무역 협정(NAFTA)	캐나다·미국·멕시코 간의 자유 무역 협정, 멕시코에 외국 기업의 투자가 증가하는 배경이 됨 → 상호 보완성이 높음
아시아·태평양 경제 협력체(APEC)	태평양 연안 국가들의 지역 경제 협력 강화를 목적으로 설립 → 세계 최대의 경제 협력체이나 구속력이 낮음
동남아시아 국가 연합(ASEAN)	동남아시아 10개국의 국가 간 기술 및 자본의 상호 교류와 자원 공동 개발을 추진하기 위해 설립 → 회원국의 경제 구조가 유사하여 상호 보완성 낮음
남아메리카 공동 시장(MERCOSUR)	브라질·아르헨티나·우루과이·파라과이·베네수엘라 볼리바르 5개국(2013년)으로 구성, 회원국 간에 생산 요소의 자유로운 이동을 보장함

자료 분석 포인트

세계의 주요 경제 블록의 종류와 위치 및 특징에 대해 알아보자.

Q2 빈칸에 들어갈 알맞은 말을 쓰시오.

> 지리적으로 인접해 있으며 경제적으로 상호 의존도가 높은 국가들이 공통의 이해 증진을 위해 경제적으로 협력하는 것을 (　　　)(이)라고 한다.

답 Q1 ④ / Q2 경제 블록

개념 익히기

정답과 해설 ▸ 44쪽

01 다음 설명에 해당하는 것을 |보기|에서 찾아 쓰시오.

| 보기 |
• 다국적 기업 • 세계 무역 기구(WTO)

(1) 세계 여러 지역에 자회사, 지사, 생산 공장 등을 보유하고, 제품을 생산·판매하고 있다.

(2) 자유 무역을 통한 세계 무역 증진을 위해 설립되어 회원국 간 무역 분쟁과 마찰을 조정하고, 자유 무역 중심의 세계 경제 체제의 확립을 목표로 한다.

02 다음 내용에서 설명하는 용어를 쓰시오.

지리적으로 인접해 있으며 경제적으로 상호 의존도가 높은 국가들이 공통의 이해 증진을 위해 경제적으로 협력하는 현상이다.

03 다음은 세계화로 인한 세계 경제의 영향에 대한 설명이다. 옳으면 ○, 틀리면 ×표 하시오.

(1) 교통·통신의 발달로 무역량과 국가 간 상호 의존도가 증가하고 있다. ( )

(2) 다국적 기업의 성장으로 국경의 의미가 과거에 비해 더욱 강화되고 있다. ( )

(3) 특정 지역이나 국가의 경제 불안이 세계적인 금융 위기로 발생할 위험성이 증가하였다. ( )

04 다음 설명에 해당하는 지역 경제 협력체를 |보기|에서 찾아 쓰시오.

| 보기 |
• 유럽 연합(EU)
• 북아메리카 자유 무역 협정(NAFTA)
• 동남아시아 국가 연합(ASEAN)
• 아시아·태평양 경제 협력체(APEC)

(1) 캐나다·미국·멕시코 간의 자유 무역 협정으로 멕시코에 외국 기업 투자가 증가하는 배경으로 작용하고 있다.

(2) 회원국 28개국(2016년 기준) 간의 상품·자본·노동력의 이동을 보장, 역내 관세 철폐 및 단일 화폐를 사용(현재 19개국이 단일 화폐인 유로화를 사용)하고 있다.

(3) 태평양 연안 국가들의 지역 경제 협력 강화를 목적으로 맺어진 경제 협력체로 우리나라도 가입하고 있다.

05 다음에서 설명하는 지역 경제 통합의 유형을 쓰시오.

회원국 간 무역 장벽 해소와 관세 축소를 통한 자유 무역을 추구하며, 대표적인 사례로는 북아메리카 자유 무역 협정(NAFTA), 유럽 자유 무역 협정(EFTA)이 있다.

06 아래의 경제 협력체와 지역 경제 통합 유형을 관계된 것끼리 연결하시오.

(1) 유럽 연합 • • ㉠ 자유 무역 협정
(2) 남미 공동 시장 • • ㉡ 관세 동맹
(3) 중앙아메리카 공동 시장 • • ㉢ 공동 시장
(4) 북아메리카 자유 무역 협정 • • ㉣ 완전 경제 통합

2단계 내신 유형 익히기

정답과 해설 ▸ 44쪽

01 세계화가 세계 경제에 미친 영향에 대한 설명으로 옳지 않은 것은?

① 국가 간 상호 의존성이 증가
② 다국적 기업의 활동 무대가 확장
③ 세계 무역 기구의 출범으로 자유 무역이 증가
④ 경쟁력이 약한 국가의 경우 대외 의존도 감소 우려
⑤ 특정 국가의 불안이 세계적인 금융 위기를 발생시킬 위험성이 증가

02 다음에서 설명하는 것으로 옳은 것은?

> 자유 무역을 통한 세계 무역 증진을 위해 설립되어 회원국 간 무역 분쟁과 마찰을 조정하고, 자유 무역 중심의 세계 경제 체제의 확립을 목표로 한다.

① 세계 무역 기구(WTO)
② 자유 무역 협정(FTA)
③ 동남아시아 국가 연합(ASEAN)
④ 아시아 · 태평양 경제 협력체(APEC)
⑤ 북아메리카 자유 무역 협정(NAFTA)

03 세계 무역 기구(WTO)의 출범으로 인해 나타나는 현상으로 옳지 않은 것은?

① 소비자의 상품 선택의 폭이 넓어졌다.
② 보호 무역을 중시하는 경향이 강화되었다.
③ 세계의 무역량이 증가하는 경향이 나타난다.
④ 농산물, 공산품의 국가 간 교류가 활발해진다.
⑤ 국가 간 무역 분쟁 시 강제적 조정이 가능해졌다.

04 다음과 같은 현상에 관한 설명으로 옳지 않은 것은?

> 지리적으로 인접해 있으며 경제적으로 상호 의존도가 높은 국가들이 공통의 이해 증진을 위해 경제적으로 협력하는 현상이다.

① 회원국 간의 상호 의존성을 높이고 무역이 증대된다.
② 회원국뿐만 아니라 비회원국에 대해서도 차별하지 않는다.
③ 약소국도 세계 경제 질서에 자국의 입장을 반영할 수 있다.
④ 배타적 경제 블록의 형성으로 무역 분쟁이 발생할 수 있다.
⑤ 기업은 생산비를 절감하고 자원을 효율적으로 이용할 수 있다.

05 다음에서 설명하는 경제 협력체로 옳은 것은?

> 동남아시아 10개국의 국가 간 기술 및 자본의 상호 교류와 자원 공동 개발을 추진하기 위해 설립하였다.

① 유럽 연합(EU)
② 동남아시아 국가 연합(ASEAN)
③ 남아메리카 공동 시장(MERCOSUR)
④ 북아메리카 자유 무역 협정(NAFTA)
⑤ 아시아 · 태평양 경제 협력체(APEC)

06 빈출 지도에 표시된 (가), (나) 지역 경제 협력체에 대한 설명으로 옳은 것은?

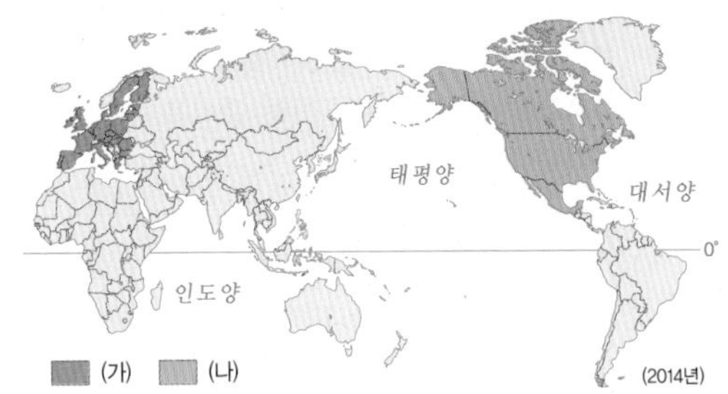

① (가)는 동남아시아 국가 연합이다.
② (가)는 단일 통화를 사용하는 국가가 많다.
③ (나)는 아시아 · 태평양 경제 협력체이다.
④ (가)는 (나)보다 회원국 수가 적다.
⑤ (나)는 (가)보다 경제적 통합 수준이 높다.

07 다음 글에서 설명하고 있는 지역 경제 협력체를 지도에서 고른 것은?

> 1967년 설립된 이후 회원국이 늘어 현재 10개국(2016년 기준)이 참가하고 있는 경제 협력체로 국가 간 기술 및 자본의 상호 교류와 자원 공동 개발을 추진하고 있다.

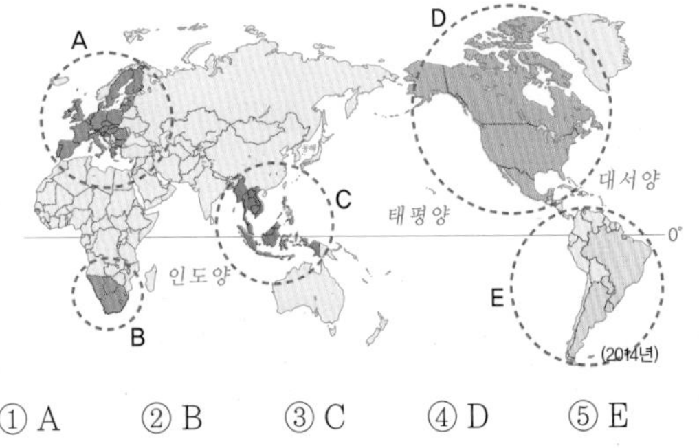

① A ② B ③ C ④ D ⑤ E

08 (가), (나) 경제 협력체에 대한 옳은 설명을 |보기|에서 고른 것은?

> **보기**
> ㄱ. (가)는 비회원국에 공통의 관세를 부과하고 있다.
> ㄴ. (나)는 동남아시아 국가 연합(ASEAN)이다.
> ㄷ. (나)는 단일 통화인 유로화를 사용하고 있다.
> ㄹ. (가)는 (나)보다 정치 · 경제적 통합의 수준이 높다.

① ㄱ, ㄴ ② ㄱ, ㄷ ③ ㄴ, ㄷ
④ ㄴ, ㄹ ⑤ ㄷ, ㄹ

09 다음 글에서 설명하고 있는 지역 경제 협력체로 옳은 것은?

> 1989년 설립 이후 21개국(2016년 기준)이 참가하고 있는 경제 협력체로 세계 인구의 40%, GDP의 52%, 교역량의 45%를 차지하며 우리나라가 포함되어 있다.

① 유럽 연합(EU)
② 동남아시아 국가 연합(ASEAN)
③ 남아메리카 공동 시장(MERCOSUR)
④ 북아메리카 자유 무역 협정(NAFTA)
⑤ 아시아 · 태평양 경제 협력체(APEC)

서술형 문제

10 자료는 세계 각국의 자유 무역 협정(FTA) 체결 현황을 나타낸 것이다. 이와 같은 자유 무역 협정의 확대가 주는 장점과 단점을 각각 한 가지씩 서술하시오.

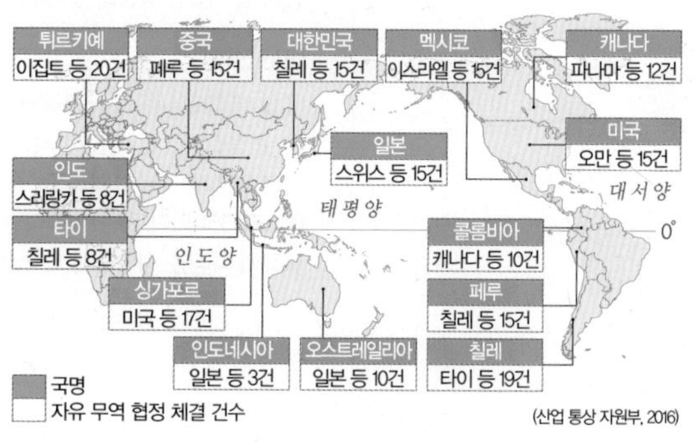

서술형 문제

11 (가), (나)는 경제 협력체에 대한 설명이다. (가)에 대한 (나)의 상대적인 특징을 아래 제시어를 모두 활용하여 서술하시오.

(가)	캐나다 · 미국 · 멕시코 간의 자유 무역 협정, 멕시코에 외국 기업의 투자가 증가하는 배경이 되었다.
(나)	동남아시아 10개국의 국가 간 기술 및 자본의 상호 교류와 자원 공동 개발을 추진하기 위해 설립하였다.

• 역내 총생산액 • 회원국 간 상호 보완성

서술형 문제

12 (나)에 대한 (가) 경제 협력체의 특징을 아래 제시어를 모두 활용하여 서술하시오.

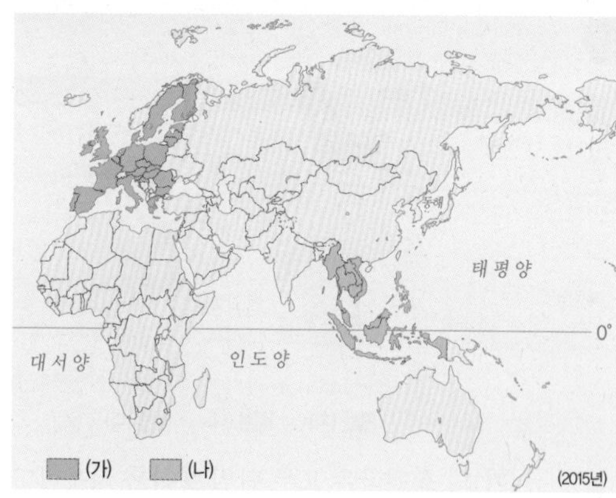

• 역내 총생산액
• 총 무역액에서 역내 무역액이 차지하는 비중

서술형 문제

13 세계 각국이 경제 블록을 형성하는 이유와 그로 인해 발생할 수 있는 문제점을 각각 한 가지씩 서술하시오.

3단계 내신 만점 도전하기

정답과 해설 ▸ 45쪽

01 중요 지도는 경제 협력체를 나타낸 것이다. (가)~(다) 경제 협력체에 대한 설명으로 옳은 것은?

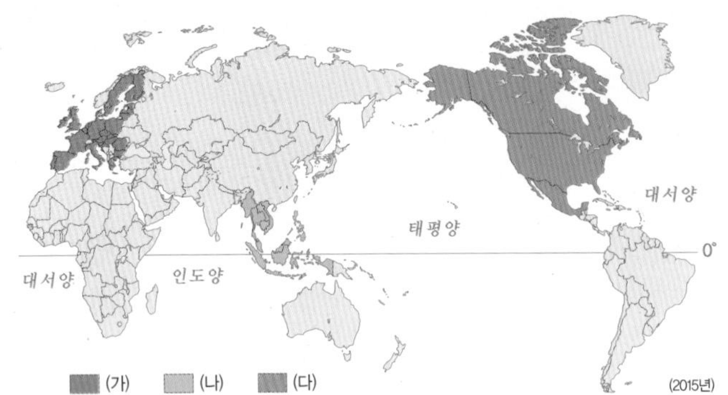

① (가)의 회원국은 모두 단일 통화를 사용한다.
② (가)는 (나), (다)보다 경제적 통합 수준이 낮다.
③ (나)는 (가), (다)보다 총 무역액이 많다.
④ (나)는 (가), (다)보다 역내 무역의 비중이 낮다.
⑤ (다)는 (가), (나)보다 회원국 수가 많다.

문제 접근 방법
지도에서 경제 협력체를 구분하고, 각 경제 협력체의 특징을 알아두어야 한다.

내신 전략
유럽 연합(EU), 북아메리카 자유 무역 협정(NAFTA), 동남아시아 국가 연합(ASEAN), 남아메리카 공동 시장(MERCOSUR)과 같은 대표적인 경제 협력체의 특징을 정확하게 파악해 둔다.

02 그래프는 경제 통합의 수준을 나타낸 것이다. (가), (나) 수준에 해당하는 경제 협력체로 옳은 것은?

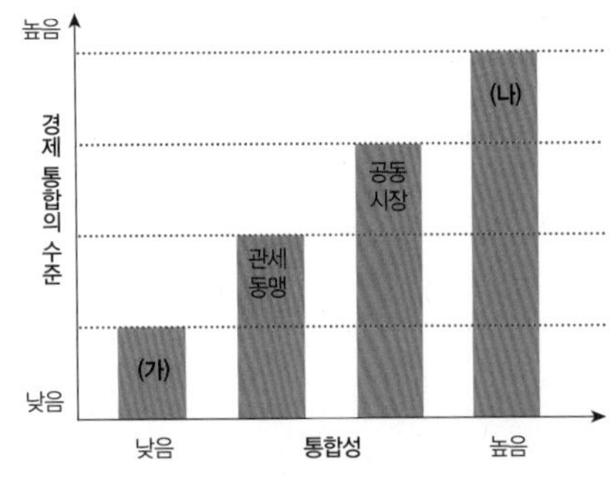

	(가)	(나)
①	유럽 연합	남아메리카 공동 시장
②	유럽 연합	북아메리카 자유 무역 협정
③	남아메리카 공동 시장	유럽 연합
④	북아메리카 자유 무역 협정	유럽 연합
⑤	북아메리카 자유 무역 협정	남아메리카 공동 시장

문제 접근 방법
이 문제는 경제 협력체별 경제 통합 수준에 관한 문제이다. 각 경제 통합 수준에 해당하는 경제 협력체를 파악해 둔다.

내신 전략
경제 협력체에 관한 문제는 자주 출제되는 문제이다. 경제 통합 수준별 대표적인 경제 협력체를 파악해 둔다.

정답과 해설 ▸ 45쪽

2017학년도 4월 학력평가

01 다음 글의 (가)에 대한 (나) 지역 경제 협력체의 상대적 특성을 그림의 A～E에서 고른 것은?

- 미국은 인접 국가들과 (가) 을/를 체결하고 상호 간의 관세를 철폐하였다. 그 결과 미국 시장으로 진출하려는 세계 기업들의 투자가 인접국으로 확대된 반면, 미국에서는 일자리 부족 문제가 발생했다. 이로 인해 미국에서는 (가) 의 재협상 또는 탈퇴를 주장하는 목소리가 커지고 있다.
- 영국의 (나) 탈퇴를 의미하는 브렉시트(Brexit)가 국민 투표를 통해 결정되었다. 이는 영국으로의 난민 증가와 분담금 부담 문제 등이 배경이 되었다. 브렉시트의 영향으로 (나) 에서 사용하는 단일 통화의 가치가 하락하였으며, 다른 회원국들 사이에서도 탈퇴를 주장하는 여론이 일부 형성되고 있다.

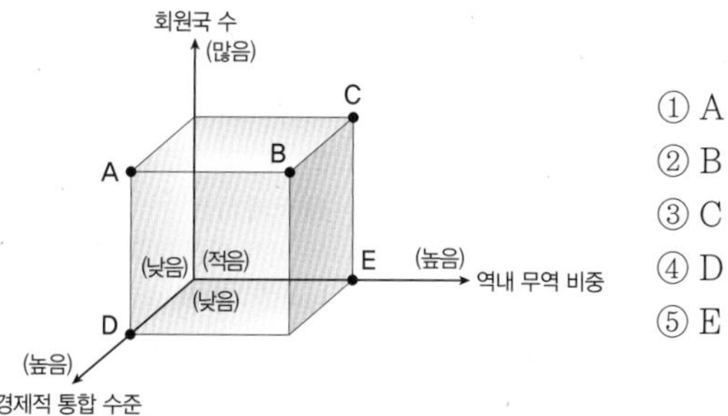

① A
② B
③ C
④ D
⑤ E

출제 개념
경제 협력체의 특징

자료 해설
제시된 자료는 북아메리카 자유 무역 협정(NAFTA)과 유럽 연합(EU)에 관한 설명이다. (가)는 북아메리카 자유 무역 협정(NAFTA), (나)는 유럽 연합(EU)에 해당한다.

해결 비법
경제 협력체별 특징에 관한 문제가 자주 출제되고 있다. 특히, 경제 협력체별 회원국 수, 경제적 통합 수준, 역내 무역 비중, 총 무역액 등에 관한 내용은 각 경제 협력체별로 정리해 두어야 한다.

2014학년도 9월 모의평가

02 지도에 표시된 (가), (나) 지역 경제 협력체의 통합 수준에 해당하는 것을 A～D에서 고른 것은?

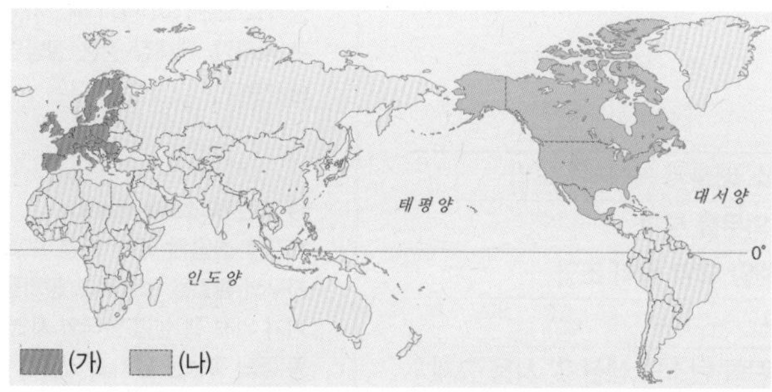

구분	역내 관세 철폐	역외 공동 관세 부과	역내 생산 요소의 자유로운 이동	역내 공동 경제 정책 수행	초국가적 기구 설치 및 운영
A	◀				▶
B	◀		▶		
C	◀	▶			
D	◀▶				

	(가)	(나)
①	A	C
②	A	D
③	B	C
④	B	D
⑤	C	D

출제 개념
유럽 연합(EU)과 북아메리카 자유 무역 협정(NAFTA)의 경제 통합 수준

자료 해설
지도의 (가)는 유럽 연합(EU), (나)는 북아메리카 자유 무역 협정(NAFTA)이다.

해결 비법
경제 협력체의 위치를 지도에서 구분해야 하며, 각 경제 협력체별 경제 통합 수준을 파악해야 한다.

주제 27

지구적 환경 문제 해결을 위한 노력

교과서 192~197쪽

주제 흐름 읽기

지구적 환경 문제와 국제 사회의 노력		
환경 문제의 발생 원인	환경 문제의 사례	환경 문제의 해결 노력
• 산업화, 도시화 • 자원 개발, 농경지 확대	• 지구 온난화 • 오염 물질의 국제적 이동 • 오존층 파괴	• 국제 협약 • 비정부 기구의 활동

1 지구적 환경 문제

1. 지구 온난화

(1) **발생 원인** 온실가스[1] 배출량의 급격한 증가

① 산업화, 도시화로 인한 화석 연료의 사용 급증

② 자원 개발과 농경지 확대로 인한 삼림 파괴의 증가

(2) **지구 온난화의 영향** 자료 1

① 빙하가 녹아 해수면이 상승하면서 해안 저지대 및 섬 지역 침수

② 동식물 서식 환경 변화로 인해 일부 동식물은 멸종 위기에 처함

③ 극심한 가뭄과 홍수, 폭염, 한파 등과 같은 기상 이변 발생

고산 극지 식물의 분포 한계 고도가 높아지고 냉대림 남한계가 북쪽으로 이동해. 반면 열대림 북한계는 높아져.

2. 오염 물질의 국제적 이동

(1) **현황** 오염 물질이 인접 국가로 확산되어 이로 인한 국가 간 분쟁이 발생하기도 함

(2) **국경을 초월하는 환경 문제**

산성비	• 원인: 대기 오염 물질이 수증기와 만나 빗물을 산성으로 변화시켜서 발생 • 영향: 삼림 파괴, 토양·하천·호수 산성화, 대리석과 시멘트 건축물 부식 등
미세 먼지	• 원인: 사막화, 가뭄, 화석 연료 사용 및 자동차 배기가스의 배출량 증가 등 • 영향: 호흡기 질환 유발, 첨단 산업의 불량률 증가, 비행기 운항 장애 등
국제 하천[2] 및 해양 오염	• 원인: 하천 상류국의 오염 물질이 하류국으로 이동, 하천 및 해양에 쓰레기 투기 등 • 영향: 물 오염, 하천 상류국과 하류국의 갈등, 하천 및 해양의 생태계 변화, 토양 오염으로 인한 농작물 피해 등

2 지구적 환경 문제에 대한 국제 사회의 노력

1. 국제 협약을 통한 노력 자료 2

교토 의정서(1997년)	선진국의 온실가스 감축 목표치를 규정, 탄소 배출권 거래제[3] 도입
파리 협정(2015년)	선진국과 개발 도상국 모두 온실가스 감축 의무를 부과
런던 협약(1972년)	폐기물이나 다른 물질의 투기를 규제하는 해양 오염 방지 조약
람사르 협약(1971년)	습지 보호 및 습지의 지속 가능한 이용 추구
몬트리올 의정서(1987년)	오존층 파괴[4] 물질을 규정하고 염화플루오린화 탄소의 생산 및 사용 규제

2. 비정부 기구(NGO)의 노력

(1) **비정부 기구의 등장 배경** 국가 간의 이해관계가 엇갈릴 경우 민간 차원의 노력이 필요

(2) **다양한 비정부 기구** 그린피스(Greenpeace)[5], 지구의 벗(Friends of Earth)[6], 세계 자연 기금, 국제 습지 연대, 국제 강 네트워크 등

(3) **비정부 기구 활동 사례** 지구의 기후 변화 억제, 삼림 보호, 사막화 방지, 방사성 폐기물의 해양 투기 저지, 야생 동물 보호 활동 등

---

❶ 온실가스
온실가스는 지구 표면이나 대기에서 방출되는 복사 에너지를 흡수하여 지표와 대기권의 평균 기온을 일정하게 유지하는 역할을 하는 기체이다. 이산화 탄소, 메탄가스, 질소 산화물 등이 있다.

❷ 국제 하천
두 국가 이상의 국경을 이루거나 여러 나라를 거쳐서 흐르는 강이다.

❸ 탄소 배출권 거래제
온실가스를 목표량 이상으로 감축한 국가가 목표량을 달성하지 못한 국가에 초과분만큼 배출권을 팔 수 있도록 하는 제도이다.

❹ 오존층 파괴
염화플루오린화탄소(CFCs)의 사용량 증가로 오존층이 파괴되면 자외선 증가로 피부암, 백내장 같은 질병의 발병률 증가한다.

❺ 그린피스(Greenpeace)
1971년 설립된 국제 환경 보호 단체로 지구의 환경을 보존하고 평화를 증진시키기 위해 핵 실험 반대와 자연 보호 운동 등의 활동을 펼치고 있다.

❻ 지구의 벗(Friends of Earth)
1969년 데이비드 블로워(David Brower)가 미국에서 설립한 환경 단체이다. '지구의 벗'은 지구 온난화 방지, 삼림 보존, 생물 다양성 보존 등 다양한 분야에서 활동한다.

자료 1 기후 변화에 따른 세계 여러 지역의 피해

교과서 193쪽

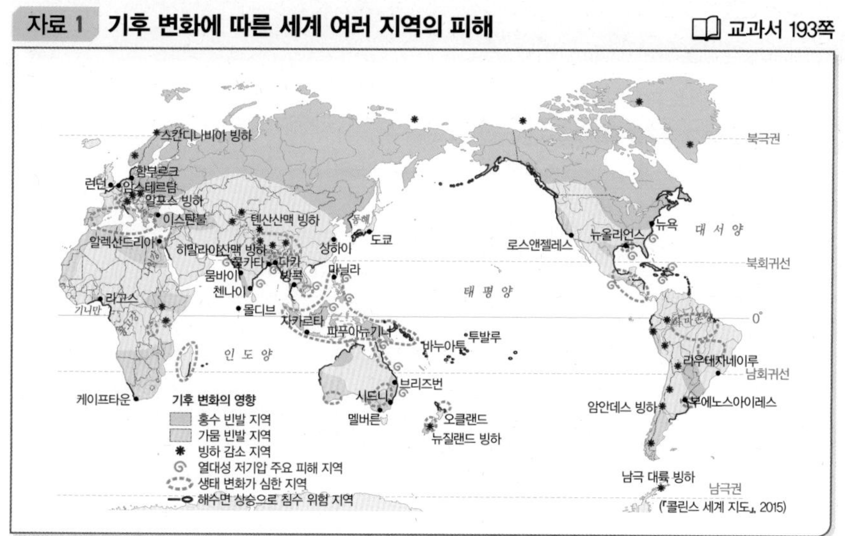

(『콜린스 세계 지도』, 2015)

자료 분석 기후 변화는 세계 여러 지역에 다양한 피해를 일으키고 있다. 기온, 강수량의 변화에 의해 가뭄, 홍수, 폭설 등 이상 기후 현상이 증가하게 되고, 식생 분포, 생물 종의 다양성 감소, 해수면 상승에 의한 해안 지형의 침식 및 해안 저지대 침수, 강수량과 하천 유량의 변화에 따른 물 부족 현상 등을 일으킨다.

자료 분석 포인트

기후 변화에 따른 유형별 피해 지역을 파악하자.

Q1 기후 변화로 인해 남태평양의 투발루, 인도양의 몰디브에서 겪는 피해로 가장 심각한 것은?

① 침수 피해
② 잦은 가뭄
③ 빙하 감소
④ 산성비 증가
⑤ 생물 종의 다양성 감소

자료 2 환경 협약과 탄소 배출권

교과서 195쪽

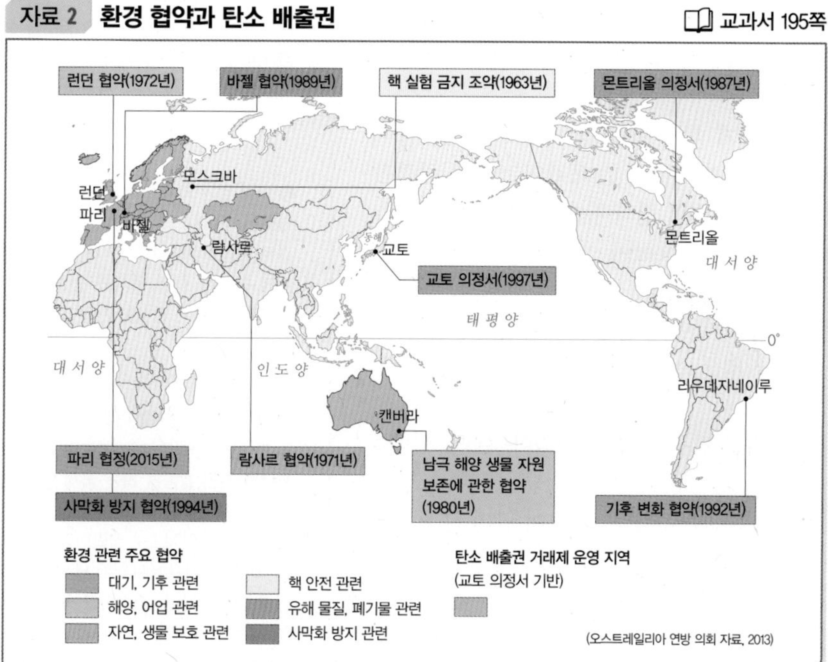

(오스트레일리아 연방 의회 자료, 2013)

자료 분석 지구적 환경 문제를 해결하기 위하여 세계 각국은 국제적인 협약을 체결하여 국가 간 협력과 규제를 통해 환경 문제를 해결하고자 노력하고 있다. 지구 온난화를 방지하기 위하여 기후 변화 협약, 교토 의정서, 파리 협정을 체결하였고, 해양 오염을 방지하기 위하여 런던 협약, 유해 폐기물의 국가 간 이동 및 처리에 관해서는 바젤 협약, 습지 보호를 위해서 람사르 협약 등을 체결하였다.

자료 분석 포인트

환경 문제 해결을 위한 국제 협약에는 어떤 것이 있는지 살펴보자.

Q2 다음 중 지구 대기 및 기후와 관련한 협약이 아닌 것은?

① 파리 협정
② 런던 협약
③ 교토 의정서
④ 기후 변화 협약
⑤ 몬트리올 의정서

답 Q1 ① / Q2 ②

주제 28

세계 평화와 정의를 위한 노력

교과서 198~203쪽

주제 흐름 읽기

평화와 정의를 위한 노력	
세계 평화를 위한 노력	세계 정의 실현을 위한 노력
• 분쟁 당사국 간의 평화적 협상 • 국제 사회의 중재와 조정 • 국제 난민 지원	• 공정 무역 • 교육 격차 해소 • 여성의 정치 참여 보장

1 세계 평화를 위한 지구촌의 노력

1. 세계의 지역 분쟁

(1) **지역 분쟁** 영역, 자원, 민족, 종교 등 다양한 이유로 국지적 수준으로 나타나며, 여러 가지 원인이 결합되어 발생하기도 함

① 국경이 명확하게 설정되지 않은 지역

② 타국의 영역을 무단으로 점령한 역사가 있는 지역

③ 민족·종교의 차이를 보이는 소수 민족이 분리 독립하려는 지역

(2) **주요 분쟁 지역**

① 아프리카의 여러 국가: 유럽의 식민 지배에서 독립한 후 강대국들의 이해관계에 따라 정한 국경선과 민족·부족의 경계선이 달라서 갈등이 발생함

② 쿠르디스탄: 쿠르드족이 약 4,000년 전부터 거주해 왔으나 제1차 세계 대전 이후 인접 4개국에 분할됨, 현재 쿠르드족은 독립국 건설을 위해 투쟁하고 있음 자료 1

③ 기타: 주체가 명확하지 않은 각종 테러가 곳곳에서 발생

2. 평화를 위한 노력

(1) **분쟁 당사국 간의 평화적 협상** 외교 협상, 중재, 국제 심사 및 조정, 제3자가 개입된 다자간 협상 등을 통해 분쟁 당사국 간 외교적 교섭과 합의를 통한 해결이 가장 바람직함

(2) **국제 사회 차원의 노력** 국제 사법 재판소(ICJ)❶, 국제 연합 평화 유지군❷ 자료 2

(3) **비정부 기구의 활동** 국경 없는 의사회❸, 그린피스(Greenpeace), 국제 사면 위원회❹

3. 국제 난민의 실태와 인도적 지원

(1) **난민의 정의와 실태** 인종, 종교 또는 정치적·사상적 차이로 인한 박해와 전쟁, 테러, 극도의 빈곤, 자연재해 등을 피해 외국이나 다른 지역으로 탈출하는 사람을 지칭하며, 전 세계 인구의 약 1% 정도가 해당함

(2) **주요 발생 지역** 아프가니스탄, 수단, 소말리아, 콩고 민주 공화국, 시리아, 예멘, 팔레스타인 등 개발 도상국에서 발생

(3) **국제적 노력** 국제 연합(UN)에서는 유엔 난민 기구(UNHCR)❺를 만들어 난민 문제에 대처하나 인접국에서 이들의 수용을 둘러싼 갈등이 커지고 있음

2 세계 정의 실현을 위한 노력

분야	정의 실현을 위한 노력
경제	경제적 불평등 해소를 위해 공정 무역 운동 실시
교육	교육 격차를 줄이고자 하는 시도 자료 3
정치	여성의 정치 참여 보장과 내각의 남녀 비율을 같게 구성하려는 노력
범죄	다른 나라로 도피하는 범죄자를 국제 법정에 세우고, 불법을 사용하는 다국적 기업에 과징금 부과

❶ 국제 사법 재판소(ICJ)
국제 연합의 주요 사법 기관으로 국제 분쟁의 법적 해결을 위해 설치된 기관이며, 국제 사법 재판소의 판결은 국제 사회에서 법적 구속력이 있다.

❷ 국제 연합 평화 유지군
국제 연합 산하의 국제 연합군으로 각국 정부가 파병한 병사들로 구성된 기구이다. 전 세계 분쟁 지역에서 감시와 관찰, 평화 협정 이행을 위한 임무를 수행하며, 유사시에는 민간인을 보호하기 위한 치안 유지 및 지역 사회 지원 활동을 수행한다.

❸ 국경 없는 의사회
1968년 나이지리아 비아프라 내전에 파견된 프랑스 적십자사의 대외 구호 활동에 참가한 청년 의사와 언론인들이 1971년 파리에서 결성한 긴급 의료 단체이다.

❹ 국제 사면 위원회(AI)
'국제 앰네스티'라고도 부르며, 인권과 관련된 시민 활동을 하는 국제 인권 단체로 국가 권력에 의해 구금된 양심수들의 구제를 목적으로 설립되었다. 비영리·비정부 기구(NGO)로 세계 각국의 인권 침해 상황을 고발하고 국제 연합의 '세계 인권 선언'에 명시된 인권이 보장되는 사회를 목표로 활동하고 있다.

❺ 유엔 난민 기구(UNHCR)
각국 정부나 유엔의 요청에 의해 난민들을 보호하고 돕기 위해 설립되었다. 1950년 12월 14일 스위스의 제네바에 설립되었다.

자료 1 쿠르드족의 거주 지역

교과서 199쪽

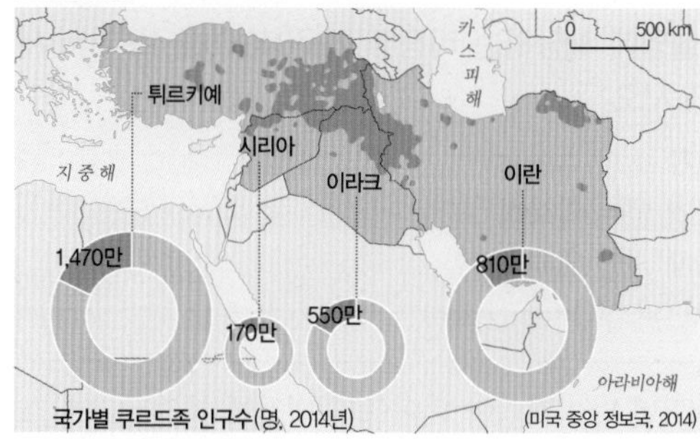

▲ 쿠르드족의 분포 현황

자료 분석 쿠르드족은 아나톨리아반도 동남부의 해발 고도 3,000m가 넘는 산악 지대 지역에 주로 거주하며, 이슬람교를 신봉하는 비율이 높다. 이곳은 이란·이라크·튀르키예·시리아에 속하는 지역이다. 한편 쿠르드족은 현재 부족들까지 포함해 약 3,000만 명 정도로 추정된다. 한 번도 독립된 국가였던 적이 없었으나, 현재 독립국 건설을 위해 투쟁하고 있다.

자료 분석 포인트

쿠르드족의 거주 지역과 특징에 대해 살펴보자.

Q1 쿠르드족이 투쟁하고 있는 이유는 무엇 때문인지 쓰시오.

자료 2 국제 연합 평화 유지군의 활동

교과서 200쪽

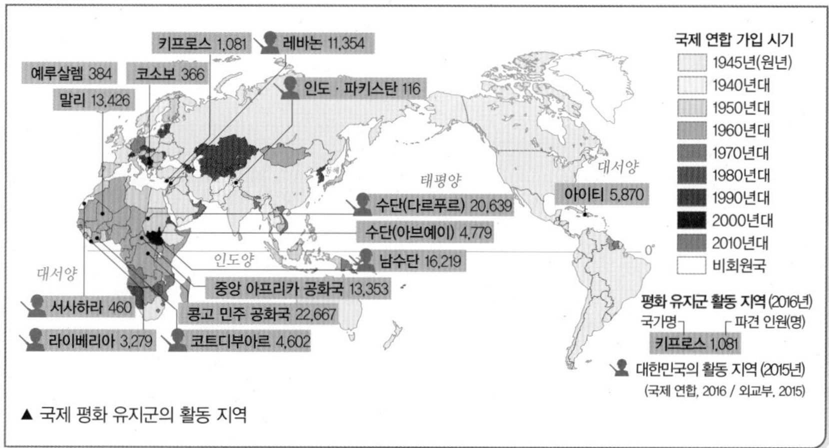

▲ 국제 평화 유지군의 활동 지역

자료 분석 국제 연합 평화 유지군의 활동 지역을 나타낸 것으로 평화 유지군은 아프리카와 서남아시아 지역에서 가장 많이 활동하고 있다. 우리나라 군인도 서사하라, 라이베리아, 코트디부아르, 레바논, 인도·파키스탄, 수단, 남수단에서 활동하고 있다.

자료 분석 포인트

국제 연합 평화 유지군이 활동하고 있는 지역의 특징을 파악해 보자.

Q2 국제 연합 평화 유지군이 가장 많이 활동하고 있는 대륙을 쓰시오.

자료 3 교육 기회의 공간적 불평등

교과서 202쪽

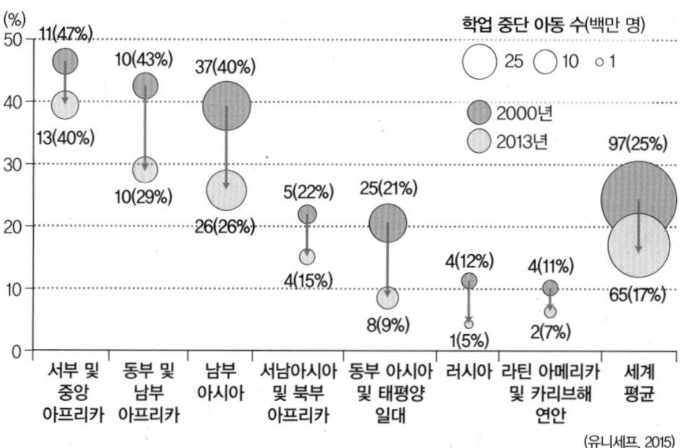

자료 분석 학업 중단 아동 수를 통한 교육 기회의 공간적 불평등 정도를 나타낸 그래프이다. 전 세계적으로 학업 중단 아동의 비율은 줄어들고 있으나, 아프리카 및 남부 아시아 지역은 세계 평균보다 높게 나타난다.

자료 분석 포인트

교육 기회의 공간적 불평등 정도의 특징을 파악해 보자.

Q3 학업 중단 아동의 비율이 가장 높은 지역을 쓰시오.

답 Q1 독립 국가 건설을 위해서 투쟁하고 있다. / Q2 아프리카 / Q3 서부 및 중앙아프리카

01 다음과 같은 원인에 의해 발생하는 전 지구적 환경 문제는 무엇인지 쓰시오.

- 산업화, 도시화로 인한 화석 연료의 사용 급증
- 자원 개발과 농경지 확대로 인한 삼림 파괴의 증가

02 다음은 어떤 민족(종족)을 나타낸 지도와 설명이다. 이 민족(종족)의 이름을 적으시오.

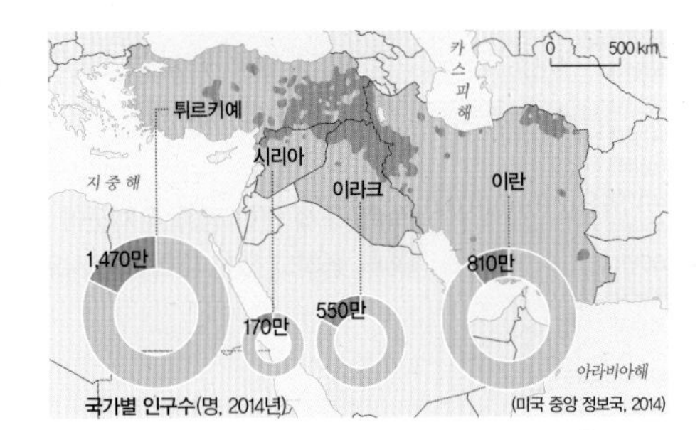

아나톨리아반도 동남부의 해발 고도 3,000m가 넘는 산악 지대 지역에 주로 거주하며, 현재 부족들까지 포함해 약 3,000만 명 정도로 추정된다. 한 번도 독립된 국가였던 적이 없었으나, 현재 독립국 건설을 위해 투쟁하고 있다.

03 다음 설명이 옳으면 ○, 틀리면 ×표 하시오.

(1) 국제 사법 재판소는 국제 연합(UN)의 주요 사법 기관으로 국제 분쟁의 법적 해결을 위해 설치된 기관이지만, 국제 사법 재판소의 판결은 국제 사회에서 법적 구속력을 가지지는 않는다. ( )

(2) 국제 연합 평화 유지군은 국제 연합 산하의 국제 연합군으로 각국 정부가 파병한 병사들로 구성되어 있으며, 전 세계 분쟁 지역에서 감시와 관찰, 평화 협정 이행을 위한 임무를 수행한다. ( )

04 다음 설명에 해당하는 비정부 기구(NGO)를 |보기|에서 찾아 쓰시오.

보기
- 국경 없는 의사회
- 국제 사면 위원회
- 그린피스(Greenpeace)

(1) 1968년 나이지리아 비아프라 내전에 파견된 프랑스 적십자사의 대외 구호 활동에 참가한 청년 의사와 언론인들이 1971년 파리에서 결성한 긴급 의료 단체이다.

(2) 인권과 관련된 시민 활동을 하는 국제 인권 단체로 국가 권력에 의해 구금된 양심수들의 구제를 목적으로 설립되었다.

(3) 1971년 설립된 국제 환경 보호 단체로 지구의 환경을 보존하고 평화를 증진시키기 위해 핵 실험 반대와 자연 보호 운동 등의 활동을 펼치고 있다.

05 다음 빈칸에 들어갈 말을 쓰시오.

UN 기후 변화 협약 195개 참가국은 '교토 의정서'를 대신할 (   )을/를 만장일치로 채택하였다. 이 협약의 당사국들은 2050년 이후에는 인간의 온실가스 배출량과 지구가 흡수하는 능력이 균형을 이루어야 한다고 촉구했다. 또한, 이 협약에는 선진국뿐만 아니라 개발 도상국에도 온실가스 감축 의무를 부여하고 기후 변화 피해 국가를 돕는 내용도 포함되었다.

06 전 지구적 환경 문제와 이를 해결하기 위한 국제 협약을 선으로 연결하시오.

환경 문제	국제 협약
(1) 지구 온난화 •	• ㉠ 파리 협정
(2) 습지 보호 •	• ㉡ 런던 협약
(3) 해양 오염 •	• ㉢ 람사르 협약

내신 유형 익히기

정답과 해설 ▸ 45쪽

01 빈출 **지구의 기온이 지속적으로 상승할 때 나타날 현상으로 옳지 않은 것은?**

① 일부 해안 지대의 침수 위험성 증가한다.
② 극지방 빙하가 나타나는 위도가 낮아진다.
③ 열대성 작물의 재배 가능 범위가 넓어진다.
④ 고위도 지역의 냉대림의 북한계가 높아진다.
⑤ 고산 지대의 빙하가 나타나는 고도가 높아진다.

02 **지도는 어떤 환경 문제를 나타낸 것이다. A 환경 문제에 대한 옳은 설명을 고른 것은?**

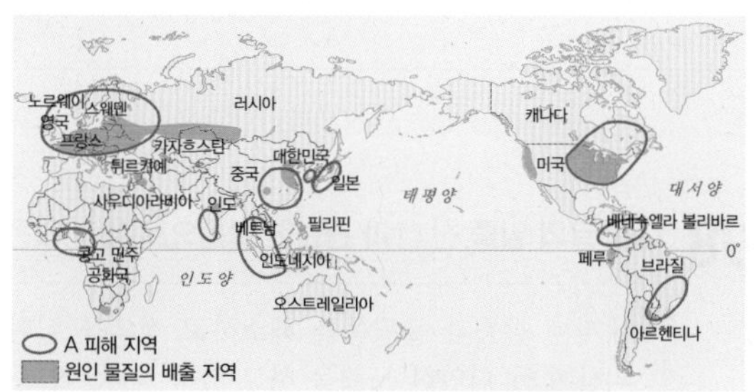

보기

ㄱ. 대리석으로 된 조각의 부식을 일으킨다.
ㄴ. 원인 물질 배출 지역과 피해 지역은 일치한다.
ㄷ. 피해 지역의 범위는 바람에 의한 확산과 관련된다.
ㄹ. 이 문제의 해결을 위해서 람사르 협약을 채택하였다.

① ㄱ, ㄴ ② ㄱ, ㄷ ③ ㄴ, ㄷ
④ ㄴ, ㄹ ⑤ ㄷ, ㄹ

03 **다음에서 설명하는 제도와 관련된 설명으로 옳은 것은?**

> 온실가스를 목표량 이상으로 감축한 국가가 목표량을 달성하지 못한 국가에 초과분만큼 배출권을 팔 수 있도록 하는 제도이다.

① 파리 협정이 발표되면서 도입되었다.
② 탄소 배출권 거래제에 관한 설명이다.
③ 자외선 투과량을 줄이기 위한 노력이다.
④ 사막화를 방지하기 위하여 만든 제도이다.
⑤ 유해 폐기물의 국가 간 교역을 규제하였다.

04 **다음 글에서 설명하는 단체로 옳은 것은?**

> 1971년 설립된 국제 환경 보호 단체로 지구의 환경을 보존하고 평화를 증진시키기 위해 핵 실험 반대와 자연 보호 운동 등의 활동을 펼치고 있다.

① 그린피스
② 국제 연합
③ 지구의 벗
④ 국제 사면 위원회
⑤ 국경 없는 의사회

05 다음은 어떤 환경 문제를 나타낸 것이다. 이 환경 문제에 대한 설명으로 옳지 <u>않은</u> 것은?

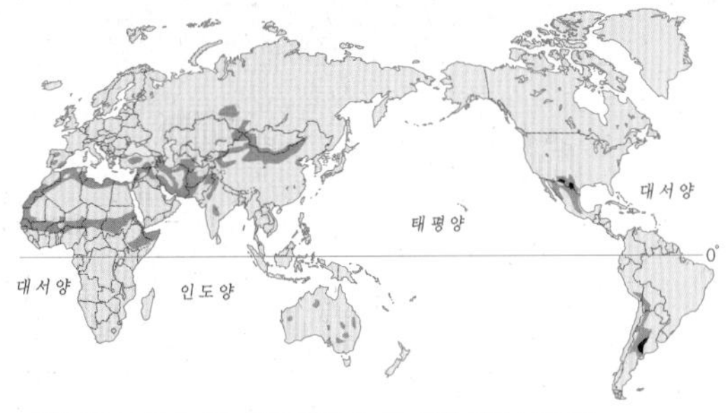

① 건조 기후 지역에서 발생 빈도가 높다.
② 과도한 농경 및 목축 활동과 관련이 있다.
③ 염화플루오린화탄소의 사용을 줄여야 할 것이다.
④ 지구 온난화와 가뭄의 지속이 원인 중 하나이다.
⑤ 이를 줄이기 위해 사막화 방지 협약을 체결하였다.

06 빈출 지도에 표시된 지역은 어떤 민족(인종)의 분포 현황을 나타낸 것이다. 이 민족(인종)에 대한 설명으로 옳지 <u>않은</u> 것은?

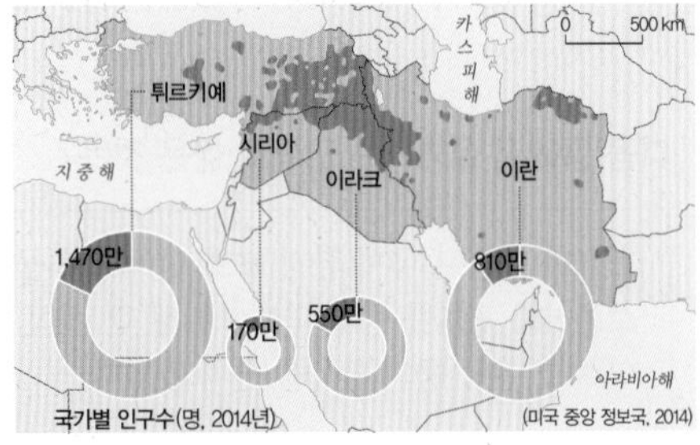

① 쿠르드족이라고 불린다.
② 여러 나라에 흩어져 살고 있다.
③ 이슬람교를 주로 신봉하고 있다.
④ 오랜 기간 독립된 국가로 존재하였었다.
⑤ 최근 독립 국가를 만들기 위해 노력하고 있다.

07 자료의 빈칸에 들어갈 내용에 대한 설명으로 옳지 <u>않은</u> 것은?

> 전 세계적으로 약 1천만 명의 (   )이/가 고국을 떠나 타국에서 방황하고 있는 것으로 추정된다. 이 밖에 자국 내 실향민, 무국적자 등 보호가 필요한 사람들을 모두 합치면 국제 (   )은/는 약 3천 4백만 명에 달한다.

① 아프리카와 아시아에서 주로 발생하고 있다.
② 유엔 난민 기구에서 이 문제에 대처하고 있다.
③ 인종, 종교 또는 정치적·사상적 차이로 주로 발생한다.
④ 인접국에서는 이들의 수용을 둘러싼 갈등이 커지고 있다.
⑤ 선진국에서 발생하여 개발 도상국으로 이동하는 경우가 많다.

08 다음 글의 밑줄 친 ㉠과 관련한 활동으로 옳지 <u>않은</u> 것은?

> 세계는 갈등과 불평등을 해소하고 정의를 실현하기 위하여 ㉠ <u>다양한 노력</u>을 하고 있다. 나이, 인종, 성, 민족, 종교, 문화, 장애 등에 대한 차별과 장벽을 극복하는 일은 대표적으로 정의가 구현되어야 할 영역이다.

① 공정 무역 운동
② 자원 민족주의 강화
③ 국제 평화 유지군 활동
④ 국경 없는 의사회 활동
⑤ 국제 사면 위원회 활동

서술형 문제

09 자료는 비정부 기구의 활동에 관한 것이다. 이 활동과 관련한 환경 문제를 적고, 이 환경 문제의 원인을 서술하시오.

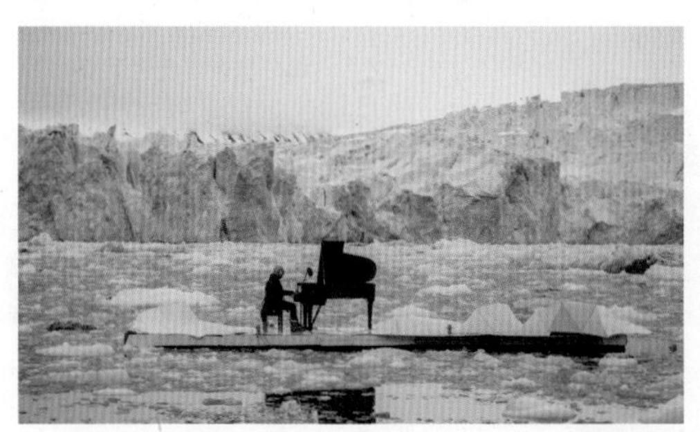

북극해에서 「북극을 위한 애가(哀歌)」라는 곡을 피아니스트가 연주하고 있다. 음악이 흐르는 동안 배경을 이룬 빙하가 무너져 내리는 장면은 세계인에게 경각심을 불러일으켰다.

서술형 문제

10 다음은 남극 상공의 오존층 두께 변화를 나타낸 것이다. 이러한 변화로 나타나는 피해와 그 해결 방안을 서술하시오.

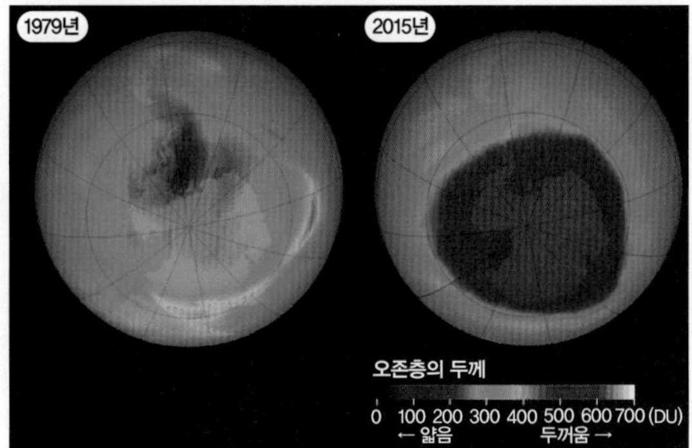

※ 돕슨 단위(DU, Dobson Unit): 표준 기압(1기압)과 표준 온도(0℃)에서 단위 체적 당 대기권 내의 오존 농도를 오존층의 두께로 변환하여 표시하는 단위이다.

서술형 문제

11 자료는 세계의 미세 먼지 농도를 나타낸 것이다. 미세 먼지 농도가 높게 나타나는 지역을 적고, 그 이유를 서술하시오.

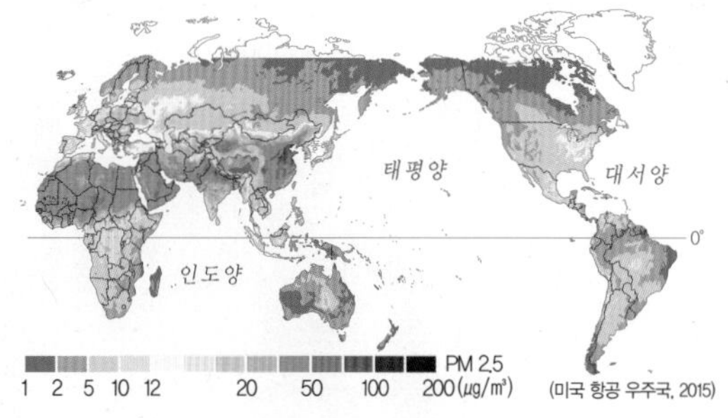

(미국 항공 우주국, 2015)

서술형 문제

12 다음에서 설명하는 단체가 주로 활동하는 지역과 이들의 활동을 세계 평화의 기여에 관한 측면에서 자신의 생각을 서술하시오.

국제 연합(UN) 산하의 국제 연합군으로 각국 정부가 파병한 병사들로 구성된 기구이다. 전 세계 분쟁 지역에서 감시와 관찰, 평화 협정 이행을 위한 임무를 수행하며, 유사시에는 민간인을 보호하기 위한 치안 유지 및 지역 사회 지원 활동을 수행한다.

정답과 해설 ▸ 47쪽

01 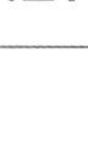

자료는 어떤 지역의 변화를 나타낸 것이다. 이 지역의 변화에 대한 설명으로 옳지 않은 것은?

2000년 2013년

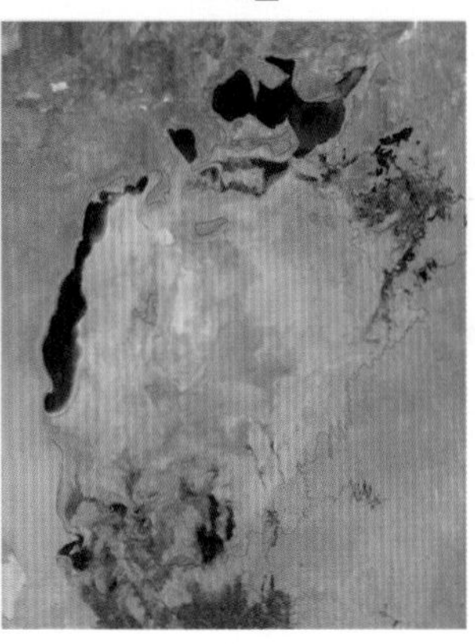

아랄해는 세계에서 4번째로 큰 호수였으나 최근에는 호수의 면적이 급격히 줄어들고 있다. 중앙아시아 지역의 기온을 조절하던 아랄해가 거의 말라 사라지면서 이 지역의 기후 역시 변했다. 여름은 더 더워지고 겨울은 더 추워졌다. 또한 염해였던 아랄해 바닥에 있던 염분이 사막 먼지와 함께 주변을 강타하면서 사람이 살기에도 적합하지 않은 지역으로 변해가고 있다.

① 아랄해의 어획량이 줄어들었다.
② 아랄해의 염분 농도가 높아졌다.
③ 주변 사막의 면적을 확대시켰다.
④ 지역의 기후 변화에 영향을 미쳤다.
⑤ 해수면 상승으로 침수 지역이 늘어났다.

문제 접근 방법
자료를 통해 환경 문제의 종류를 파악하고, 그에 대한 특징을 파악하는 문제이다. 자료는 아랄해의 변화가 지역에 미친 영향에 관한 문제이다.

내신 전략
환경 문제와 관련한 문항은 그와 관련한 대표적인 사례를 파악해 두어야 한다. 문제의 형태가 사례를 제시한 후에 그와 관련한 특징을 찾는 유형이 가장 일반적이기 때문이다.

02 자료는 세계의 대표적인 하천을 나타낸 것이다. 이 하천들의 공통적인 특징으로 옳은 것을 |보기|에서 고른 것은?

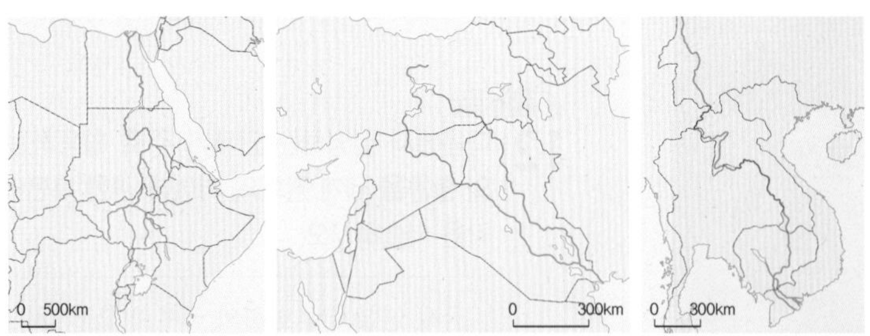

| 보기 |
ㄱ. 사막을 관통하여 흐른다.
ㄴ. 국제 하천으로 분류된다.
ㄷ. 북쪽에서 남쪽으로 흐른다.
ㄹ. 상류 국가와 하류 국가 간 국가 간 갈등이 있다.

① ㄱ, ㄴ ② ㄱ, ㄷ ③ ㄴ, ㄷ ④ ㄴ, ㄹ ⑤ ㄷ, ㄹ

문제 접근 방법
자료를 보고 각 하천의 공통점을 찾는 문항으로 하천의 특징을 종합적으로 이해해야 한다. 국제 하천의 경우 오염 물질의 이동, 댐 건설 등으로 인한 상류국과 하류국의 갈등을 묻는 경우가 많다. 그 밖에도 다양한 환경 문제의 발생 지역과 원인을 파악해 두어야 한다.

내신 전략
국제 하천을 둘러싼 갈등은 자주 출제되는 유형이다. 국제 하천은 여러 국가에 걸쳐 흐르기 때문에 각 국가들의 이권 다툼이 벌어지기도 한다. 특히 건조 기후가 나타나거나 수자원이 부족한 지역에서는 강에 댐을 건설하여 수자원을 관리하고자 하는 경우가 있어, 댐 건설을 둘러싼 국가 간 갈등이 발생하기도 한다.

정답과 해설 ▸ 47쪽

2017학년도 9월 모의평가

01 다음 자료의 (가), (나) 지역에서 나타나는 A, B 환경 문제에 대한 옳은 설명을 |보기|에서 고른 것은?

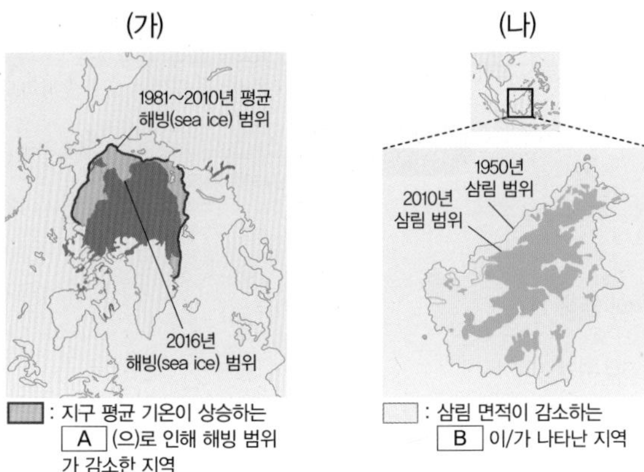

보기

ㄱ. A가 지속되면 해수면 상승으로 해안 저지대가 침수될 것이다.
ㄴ. B로 인해 생물 종 다양성이 감소되고 토양 침식이 가속화될 것이다.
ㄷ. (나) 지역에서 B의 주요 원인은 장기간의 가뭄으로 인한 지하수의 고갈이다.
ㄹ. A의 해결을 위해 교토 의정서를 채택하였고, B의 해결을 위해 바젤 협약을 체결하였다.

① ㄱ, ㄴ ② ㄱ, ㄷ ③ ㄴ, ㄷ ④ ㄴ, ㄹ ⑤ ㄷ, ㄹ

출제 개념
전 지구적 환경 문제의 특징

자료 해설
(가)는 지구 온난화로 인한 빙하의 감소, (나)는 열대림 파괴 문제를 나타낸 것이다.

해결 비법
전 지구적 환경 문제에 관한 문항은 자주 출제되고 있다. 특히, 지구 온난화, 산성비, 오존층 파괴, 열대림 파괴, 사막화는 그 원인, 피해, 대책 등에 대해 정확하게 파악해 두어야 한다.

2019학년도 9월 모의평가

02 다음 글의 ㉠~㉣에 대한 옳은 설명을 |보기|에서 고른 것은?

• 지구 온난화로 인해 극빙하가 줄어들고 해수면 상승으로 인해 저지대가 침수하는 등의 문제가 발생하였다. 이에 대응하고자 국제 사회는 1997년에 [㉠]을/를 채택하였고, 2015년에 ㉡ 파리 협정을 체결하였다.
• 세계 각국은 1987년 몬트리올 의정서를 채택하여 ㉢ 오존층 파괴 물질의 배출을 철저히 규제해 왔다. 이런 노력의 결과, 2015년에 측정한 ㉣ 오존 홀(구멍)은 2000년과 비교해 대폭 축소된 것으로 나타났다.

보기

ㄱ. ㉠은 교토 의정서이다.
ㄴ. ㉡은 선진국의 온실가스 감축 의무를 면제하고 있다.
ㄷ. ㉢에 큰 영향을 미치는 물질은 염화플루오린화탄소(CFCs)이다.
ㄹ. ㉣은 남반구에서는 나타나지 않는다.

① ㄱ, ㄴ ② ㄱ, ㄷ ③ ㄴ, ㄷ ④ ㄴ, ㄹ ⑤ ㄷ, ㄹ

출제 개념
전 지구적 환경 문제를 해결하기 위한 주요 환경 협약

자료 해설
전 지구적 환경 문제인 지구 온난화와 오존층 파괴 문제를 해결하기 위한 국제 사회의 노력에 대한 설명이다.

해결 비법
전 지구적 환경 문제의 유형과 그 문제를 해결하기 위해 맺은 주요 환경 협약을 파악하고 있어야 한다.

대단원 8 마무리하기

핵심 개념 정리하기

1 경제의 세계화와 경제 블록

1. 경제의 세계화

구분	내용
배경	• 교통과 정보 통신 기술의 발달 • 세계 무역 기구의 출범(WTO) • 다국적 기업의 활동 증대
긍정적 영향	• 농산물, 공산품의 국가 간 교역이 활발 • 소비자의 상품 선택의 폭 확대 • 기업의 수출 시장 확대, 경제적 효율성 증대 • 국제 금융 서비스 수요 증가
부정적 영향	• 국제 경쟁력이 약한 기업, 산업, 국가의 경쟁력 악화 및 대외 의존도 증가 • 특정 지역의 경제 불안이 세계적 금융 위기로 발전할 위험성이 높음

2. 경제 블록의 형성

구분	내용
경제 블록	• 장점: 회원국 간 무역 증대, 생산비 절감, 자원의 효율적 이용 • 단점: 비회원국에 대한 차별로 국가 간 무역 분쟁 발생 위험성이 높음
경제적 통합	• 자유 무역 협정: 회원국 간 관세 축소 예 북아메리카 자유 무역 협정 • 관세 동맹: 비회원국에 공동 관세 부과 예 남아메리카 공동 시장 • 공동 시장: 각종 생산 요소의 자유로운 이동 예 중앙아메리카 공동 시장 • 완전 경제 통합: 정치적·경제적인 통합 예 유럽 연합

2 지구적 환경 문제 해결을 위한 노력

1. 지구적 환경 문제

(1) 지구 온난화

구분	내용
원인	화석 연료의 사용 및 삼림 파괴의 심화로 온실가스 배출의 급격한 증가
영향	빙하 감소, 해수면 상승, 동식물의 서식 환경 변화, 가뭄과 홍수와 같은 기상 이변 발생

(2) 오염 물질의 국제적 이동

구분	내용
산성비	대기 오염 물질이 대기와 만나 산성비 발생 → 삼림 파괴, 대리석과 건축물 부식 등
미세 먼지	기상 이변과 화석 연료 사용의 증가 → 호흡기 질환, 식물의 광합성 저해, 첨단 산업 불량률 증가, 비행기 및 여객선 운항 장애
국제 하천 및 해양 오염	댐 건설, 산업 단지 조성, 오염 물질 배출 → 물 오염, 용수 부족 등으로 국가 간 갈등

2. 환경 문제 해결을 위한 노력

구분	내용
국제 협약	• 교토 의정서: 지구 온난화 대응 • 파리 협정: 지구 온난화 대응 • 런던 협약: 해양 오염 방지 • 람사르 협약: 습지 보호 • 몬트리올 의정서: 오존층 파괴 대응
비정부 기구	그린피스, 지구의 벗, 세계 자연 기금, 국제 습지 연대, 국제 강 네트워크 등

2 세계 평화와 정의를 위한 노력

1. 갈등에서 공존으로

(1) 세계의 지역 분쟁

구분	내용
지역 분쟁	• 국경이 명확하게 설정되지 않은 지역 • 타국의 영역을 무단으로 점령한 역사가 있는 지역 • 민족·종교의 차이를 보이는 소수 민족이 분리 독립을 하려는 지역 등
주요 분쟁	• 아프리카: 강대국에 의해 국경선과 민족·부족의 경계가 다르게 설정 • 쿠르디스탄: 쿠르드족이 분리 독립을 추진

(2) 평화를 위한 노력

구분	내용
분쟁 당사국	외교적 교섭과 합의를 통한 해결
국제 사회	국제 사법 재판소, 국제 연합 평화 유지군 등의 활동
비정부 기구	국경 없는 의사회, 그린피스, 국제 사면 위원회 등의 활동

(3) 국제 난민 실태와 인도적 지원

구분	내용
난민	인종, 종교, 정치적·사상적 차이로 인한 박해와 전쟁 및 자연 재해 등으로 발생
발생 지역	아프리카와 서남아시아에서 주로 발생
국제적 노력	유엔 난민 기구에서 지원 활동

2. 세계의 정의 실현

구분	내용
경제	공정 무역 운동
교육	교육 격차를 줄이기 위한 노력
정치	여성의 정치 참여
범죄	국제 법정에서 범죄자 처벌

핵심 개념 적용하기

●●●

01 다음 국제기구의 출범으로 인해 나타나는 현상으로 옳지 않은 것은?

▲ 국제기구 마크

자유 무역을 통한 세계 무역 증진을 위해 설립되어 회원국 간 무역 분쟁과 마찰을 조정하고, 자유 무역 중심의 세계 경제 체제의 확립을 목표로 한다.

① 기업의 수출 시장이 더욱 확대되었다.
② 국가 간 무역 분쟁 발생 시 분쟁 해결을 지원한다.
③ 소비자는 상품 선택의 폭이 급격히 축소될 수 있다.
④ 특정 지역의 문제가 전 세계의 문제가 될 가능성이 커졌다.
⑤ 경쟁력이 약한 국가의 경우 경쟁력이 더욱 약화될 가능성이 있다.

●●●

02 다음은 경제 협력체에 대한 자료이다. 이 경제 협력체에 대한 설명으로 옳은 것은?

▲ 경제 협력체 상징

1967년 동남아시아 10개국의 국가 간 기술 및 자본의 상호 교류와 자원 공동 개발을 추진하기 위해 설립되었으며, 본부는 인도네시아 자카르타에 있다.

① NAFTA보다 회원국 수가 적다.
② 회원국 간에 경제적 수준이 비슷하다.
③ 단일 통화를 채택하여 사용하고 있다.
④ 아시아·태평양 경제 협력체(APEC)이다.
⑤ 회원국 간 정치·경제적인 통합을 하고 있다.

●●●

03 지도의 (나)에 대한 (가) 경제 협력체의 상대적 특성을 그림의 A~E에서 고른 것은?

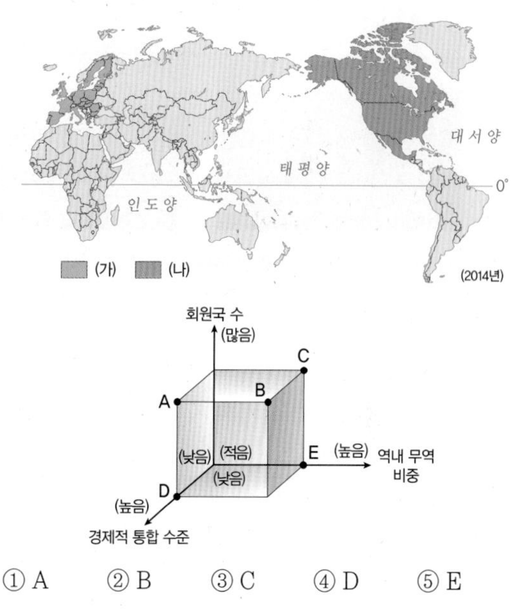

① A ② B ③ C ④ D ⑤ E

●●●

04 다음은 어떤 환경 문제에 관한 자료이다. 이 환경 문제가 지속될 경우 나타나는 현상으로 옳지 않은 것은?

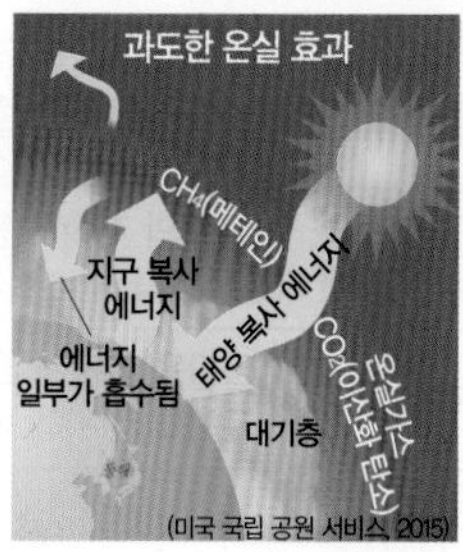

① 극지방의 빙하 면적이 축소될 것이다.
② 열대림의 분포 북한계가 낮아질 것이다.
③ 일부 섬 지역이 침수 위험에 처할 것이다.
④ 고산 극지 식물의 분포 한계 고도가 높아질 것이다.
⑤ 홍수, 가뭄 등 기상 이변의 발생 빈도가 증가할 것이다.

05 사진은 환경 문제로 인한 피해를 나타낸 것이다. (가), (나)와 같은 피해를 일으키는 환경 문제에 관한 설명으로 옳지 않은 것은?

(가)  (나) 

① (가)는 염화플루오린화탄소의 과다 사용으로 발생한다.
② (가)는 오염 물질의 발생과 피해 지역이 일치하지 않는다.
③ (나)는 주로 건조 기후 지역 주변에서 발생 빈도가 높다.
④ (나)는 과도한 경작과 방목으로 인해 더욱 빨리 진행된다.
⑤ 피해의 위험성은 (가)는 강수량과 비례하고, (나)는 반비례한다.

06 다음은 환경 문제를 해결하기 위한 국제 협약에 대한 설명이다. (가), (나) 협약의 이름을 연결한 것으로 옳은 것은?

(가)	습지 보호 및 습지의 지속 가능한 이용을 촉구하기 위해 1971년 제정되었다.
(나)	오존층 파괴 물질을 규정하고 오존층 파괴 물질의 생산 및 사용을 규제하기 위해 1987년 제정하였다.

	(가)	(나)
①	파리 협정	람사르 협약
②	파리 협정	몬트리올 의정서
③	람사르 협약	몬트리올 의정서
④	람사르 협약	파리 협정
⑤	몬트리올 의정서	람사르 협약

07 지도에 표시된 지역에 주로 살고 있는 민족(인종)에 대한 설명으로 옳은 것을 |보기|에서 고른 것은?

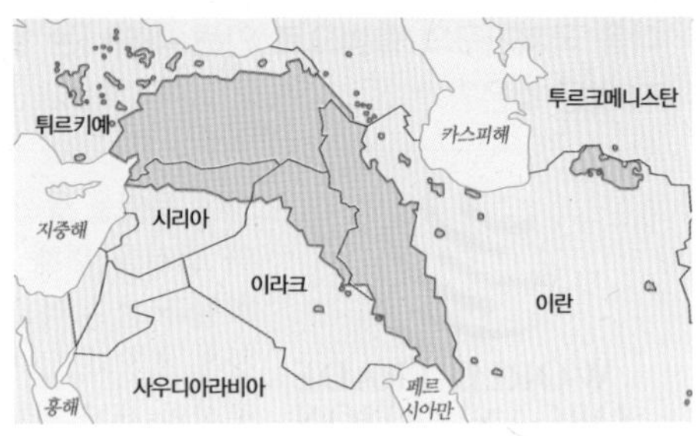

|보기|
ㄱ. 독립 국가를 만들기 위하여 투쟁하고 있다.
ㄴ. 주로 해발 고도가 높은 고원에 거주하고 있다.
ㄷ. 주민들은 크리스트교를 신봉하는 비율이 높다.
ㄹ. 열대 우림 파괴로 주민들의 터전이 사라지고 있다.

① ㄱ, ㄴ ② ㄱ, ㄷ ③ ㄴ, ㄷ
④ ㄴ, ㄹ ⑤ ㄷ, ㄹ

08 자료에 나타난 단체에 관한 설명으로 옳은 것을 |보기|에서 고른 것은?

• 그린피스(Greenpeace)
1971년 설립된 국제 환경 보호 단체로 지구의 환경을 보존하고 평화를 증진시키기 위해 핵 실험 반대와 자연 보호 운동 등의 활동을 펼치고 있다.
• 지구의 벗(Friends of Earth)
1969년 데이비드 블로워(David Brower)가 미국에서 설립한 환경 단체로 지구 온난화 방지, 삼림 보존, 생물 다양성 보존 등 다양한 분야에서 활동한다.

|보기|
ㄱ. 비정부 기구(NGO)이다.
ㄴ. 환경 문제에 관심을 가진다.
ㄷ. 국제 무역 확대를 목표로 한다.
ㄹ. 인접한 국가들의 경제 협력체이다.

① ㄱ, ㄴ ② ㄱ, ㄷ ③ ㄴ, ㄷ
④ ㄴ, ㄹ ⑤ ㄷ, ㄹ

지리적 역량 기르기

❖ 다음은 세계의 생태 발자국에 대한 자료이다. 지구의 생태 환경을 보호하고 지속적인 발전을 위한 관점에서 생각해 보자.

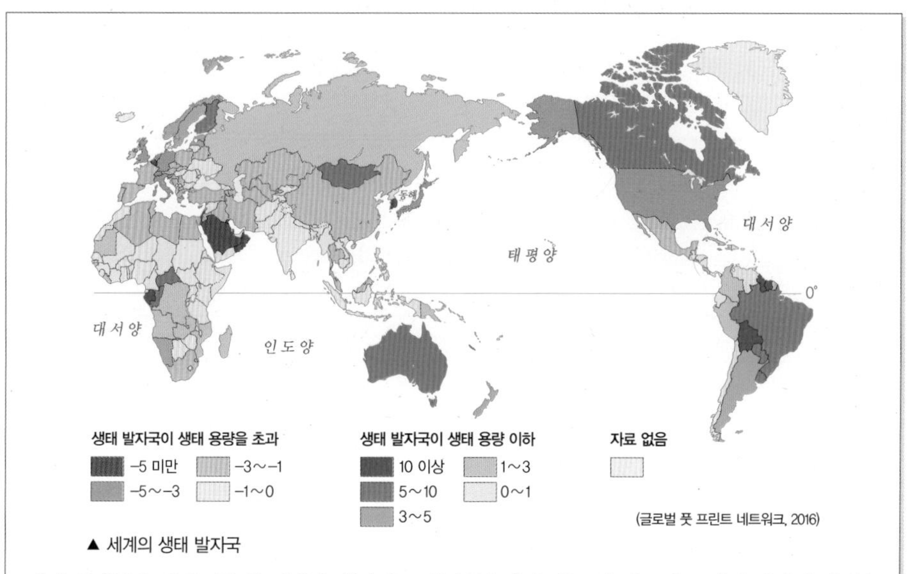

▲ 세계의 생태 발자국

생태 발자국은 재생 가능한 자원을 생산하고 폐기물을 흡수하는 데 필요한 토지와 바다의 면적을 계산한 것으로 글로벌 헥타르(gha)로 표시한다. 음식, 주거, 교통, 소비재, 서비스 등 5개 소비 범주와 에너지 생산 소비, 구조물 환경, 정원, 경작지, 초지, 인공림, 자연림, 비생산적 토지 등 8개 토지 이용 범주로 나누어 총 소비량을 산출하고 이를 생산하는 데 사용된 1인당 토지 면적을 추정하는 방식으로 측정 대상 지역의 연평균 개인 소비량을 도출한다.

더 알아보기

세계 자연 기금(WWF)이 발표한 『2014 지구 생명 보고서』에 따르면, 지구 생태계가 스스로 회복할 수 있는 생태 발자국 한계치는 1인당 1.8ha이다. 그러나 실제 평균 생태 발자국은 2.7ha로 한계치를 초과하였다. 인구 100만 명 이상 152개국을 대상으로 조사한 결과 생태 발자국 크기 1위는 쿠웨이트이다. 미국은 8위로 현재 삶의 방식을 유지하기 위해서는 3.9개의 지구가 필요하며, 한국은 4.4ha를 기록하여 31위로 2.5개의 지구가 필요한 것으로 조사되었다.

문제 해결 길잡이

생태 발자국에 대한 이해를 바탕으로 생태 발자국이 생태 용량을 초과하는 국가와 생태 용량 이하로 나타나는 국가들의 특징을 분석할 수 있어야 한다. 또한, 해당 국가들의 경제적 상황과 자연환경을 종합적으로 고려하여 판단해야 한다.

01 생태 발자국이 생태 용량을 초과한 국가들의 특징에 대해 서술하시오.

02 생태 발자국을 줄이기 위한 방안을 생태 발자국 지수의 특성과 관련하여 서술하시오.

MEMO

이 책의 정답은 QR코드로 확인할 수 있어요~!

2015
개정 교육과정

핵심 유형 문제로 실력을 확실히 높인다

자습서

고등학교 세계지리

정답과 해설 및 교과서 활동 풀이

황병삼
강재호
박상민
이육진
최창우
이수영

금성출판사

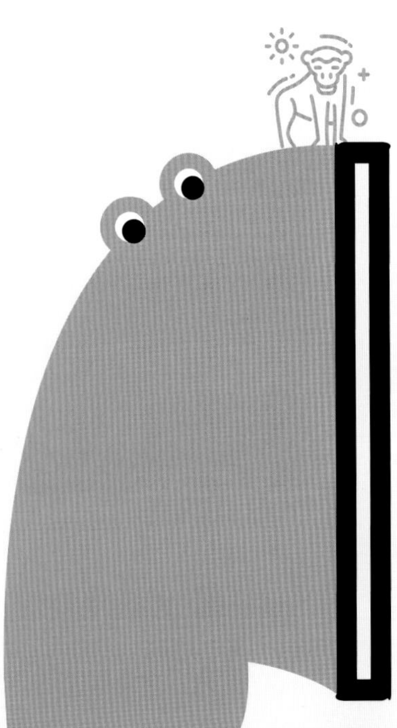

고등학교 세계지리 자습서

정답과 해설

금성출판사

대단원 1 세계화와 지역 이해

주제 1 세계화와 지역화

1단계 개념 익히기 12쪽

01 세계화 02 지역화 03 (1) ○ (2) × (3) ○ (4) ○ 04 (1) 지리적 표시제 (2) 장소 마케팅 05 세계 무역 기구(WTO) 06 (1) 단일 (2) 세계 문화 (3) 획일화 (4) 지역화

2단계 내신 유형 익히기 13~15쪽

01 ② 02 ② 03 ② 04 ⑤ 05 ③ 06 ③ 07 ④ 08 ① 09~12 해설 참조

01 오늘날 교통과 통신이 발달하면서 동일한 거리를 이동하는 데 걸리는 시간 거리는 과거에 비하여 감소하였을 것이다.

| 오답 피하기 | ① 교통과 통신의 발달로 동일한 거리를 이동하는 데 드는 비용을 환산한 비용 거리는 감소하였을 것이다. ③ 물리적 거리의 중요성은 감소하였을 것이다. ④ 우편물의 배송 소요 일수는 줄어들었을 것이다. ⑤ 런던과 뉴욕 간 정보의 이동량은 증가하였을 것이다.

02 세계화의 영향으로 서구의 문화인 커피 문화가 전 세계로 확산되었으며, 세계 어느 나라에서나 햄버거를 접할 수 있다. 그 밖에도 서구 음악인 힙합 음악이 확산되고 있으며, 할리우드 영화의 세계 각국 동시 개봉 등도 서구 문화로 획일화되는 경향의 사례로 들 수 있다.

| 오답 피하기 | ② 뉴욕의 I♥NY 브랜드 활성화는 지역화 전략 중 지역 브랜드 활성화와 관련이 있다.

03 경제의 세계화로 국제 분업이 활발해지며, 문화의 세계화로 문화적 동질성이 강화될 것이다.

| 오답 피하기 | ㄴ. 세계화로 지역 간 많은 분야에서 연계성이 증가하면서 상호 의존성이 심화될 것이다. ㄹ. 다국적 기업의 활동으로 선진국의 자본이 개발 도상국에 투자되지만, 이익의 상당 부분이 선진국으로 이동하므로 경제적 격차가 줄어든다고 보기 어렵다.

04 독일에서 튀르키예의 음식 문화인 케밥이 확산된 것은 독일로 이주한 튀르키예인의 증가와 관련이 깊다. 한편, 독일 내에서 케밥을 접할 수 있는 것은 독일 내에 다양한 문화가 공존함을 보여 준다.

| 오답 피하기 | ㄱ. 음식 문화의 변화로 지역의 정체성이 약화되고 있다. ㄴ. 독일에서 케밥 상점이 증가하는 것은 세계화의 사례이며 지역화 전략의 사례로 보기 어렵다.

05 자료는 브라질의 리우 카니발이다. 세계화의 흐름 속에서 지역화 전략을 바탕으로 전통적인 가치와 지역성을 상품화시켜 세계적인 축제로 발돋움하였다.

| 오답 피하기 | ① 국가 간 무역 장벽은 점차 낮아지고 있다. ② 지역이 세계의 주체가 되었다고 볼 수는 없다. ④ 세계의 정치, 경제, 사회에서 지역의 영향력이 강화된 사례에 해당한다. ⑤ 해당 지역만의 독특한 지역화 전략에 해당한다.

06 축제, 장소, 세계화, 전략 등이 태그 클라우드에 제시된 것을 통해 장소 마케팅과 관련된 것임을 알 수 있다. 장소 마케팅이란 지역 주민과 공공 기관 등이 협력하여 기업이나 관광객에게 특정 장소가 매력적인 상품이 되도록 독특한 이미지를 만들고 이를 통해 부가 가치를 창출하는 전략이다.

| 오답 피하기 | ① 다국적 기업은 세계 각지에 자회사, 지사, 생산 공장 등을 보유하고 제품을 생산·판매하는 회사이다. ② 지역 브랜드는 지역이나 지역의 상품을 특별한 브랜드로 인식시키는 것이다. ④ 지리적 표시제는 특정 지역의 지리적 특성이 반영된 우수한 상품을 인정하는 제도이다. ⑤ 경제의 세계화는 생산 요소의 국제적 이동과 관련이 있다.

07 지역 브랜드화는 지역의 상품이나 지역 그 자체를 특별한 브랜드로 인식시키기 위해 노력하는 것으로, 지리적 표시제를 연계하거나 지역 축제를 활용하기도 한다. 또한 파리의 에펠탑처럼 의도적으로 조성된 인문 경관들도 지역 브랜드로 활용하고 있다.

| 오답 피하기 | 병: 지역 브랜드는 각 지역의 정체성을 중심으로 이루어지기 때문에 자체적으로 개발되고 있으며, 대체로 지방 정부 및 지방 자치 단체의 자본에 의한 상향식 개발이 대부분이다.

08 지리적 표시제는 특정 지역의 지리적 특성이 반영된 상품을 인정하는 제도이다.

| 오답 피하기 | ② 지역의 경제 성장을 유도할 수 있으며 경제적 불균형을 줄일 수 있다. ③ 지리적 표시제를 통해 무분별한 개발을 줄일 수 있다. ④ 지리적 표시제 상품은 대부분 각 지역에서 생산·제조·가공되고 있다. ⑤ 서로 다른 문화가 만나 새로운 문화가 창출된 사례로 보기는 어렵다.

09 | 예시 답안 | (1) 항공기 부품을 세계 각지의 협력 업체들로부터 공급받아 항공기를 생산하는 다국적 기업이다. (2) 여러 국가의 부품 업체와 국제 협력을 통해 생산 비용을 절감하고 있다.

| 채점 기준 |

상	기업의 특징 및 국제 분업을 하는 이유를 모두 바르게 서술한 경우
하	기업의 특징 및 국제 분업을 하는 이유 중 한 가지만 바르게 서술한 경우

10 | 예시 답안 | (1) 교통과 통신의 발달로 세계 각국의 교류가 활발해졌기 때문이다. (2) 세계적으로 경쟁력을 높이기 위해 그 지역의

고유한 의식, 문화, 기호, 행동 양식을 반영하여 각 지역에 맞는 맞춤화 전략을 추구하고 있다.

| 채점 기준 |

상	영화 동시 개봉의 배경과 포스터가 다른 이유를 모두 바르게 서술한 경우
하	영화 동시 개봉의 배경과 포스터가 다른 이유 중 한 가지만 바르게 서술한 경우

11 | 예시 답안 | 세계화가 진행됨에 따라 국가 간 빈부 격차가 심화될 수 있고, 지역의 전통문화와 외부 문화 간의 갈등이 나타날 수 있으며, 소수의 전통문화가 쇠퇴하거나 소멸될 수 있다.

| 채점 기준 |

상	세계화로 인한 문제점을 두 가지 모두 바르게 서술한 경우
하	세계화로 인한 문제점을 한 가지만 바르게 서술한 경우

12 | 예시 답안 | 지리적 표시제, 특정 지역의 지리적 특성이 반영된 우수한 상품에 해당 지역에서 생산·제조·가공된 상품임을 알 수 있도록 지리적 표시를 인정하는 제도이다.

| 채점 기준 |

상	지리적 표시제를 쓰고, 두 가지 제시어를 포함하여 특징을 바르게 서술한 경우
하	한 가지 제시어만 포함하여 특징을 서술한 경우

3단계 내신 만점 도전하기 16쪽

01 ④ 02 ④

01 교통·통신의 발달로 지구의 상대적 크기는 점차 작아졌으며, 세계 각 지역의 교류가 늘어나면서 지역 간 상호 의존도가 더욱 커졌다. 더불어 전 세계가 마치 하나의 국가로 연결된 것처럼 통합되면서 국경의 의미와 역할이 약화되었다. 이러한 현상에 의해 세계 각국의 자본과 노동력 등 생산 요소의 국제 이동이 활발해졌다.

| 오답 피하기 | 병: 교통의 발달로 인해 국제 무역에서 거리의 중요성은 상대적으로 약화되었다.

02 교통·통신의 발달로 지역 간 교류가 증가하고, 세계화가 촉진되었다. 세계화가 진행되면서 지역 경쟁력을 강화하기 위해 장소 마케팅, 지리적 표시제 등의 전략을 도입하는 지역화도 이루어지고 있다.

| 오답 피하기 | ㄴ. 다국적 기업과 국제 금융 자본에 의한 생산 활동 증가는 세계화를 촉진시킨 중요한 원인 중 하나이다.

심화 수능 유형 익히기 17쪽

01 ③ 02 ④

01 교통과 통신이 발달하면서 시간 거리가 짧아지고 국가 간의 교류가 활발해져 국가 간의 장벽이 무너지고 있다. 이 때문에 국경의 의미는 약해지고 국가 간 상호 의존도가 높아지면서 세계화는 더욱 확대되고 있다.

02 갑: 세계 각지에 수많은 매장을 두고 있다는 내용을 통해 자료에 제시된 햄버거 업체가 다국적 기업임을 알 수 있다. 을: 매장의 경관이나 점원의 서비스가 유사하다는 것을 통해 상품에 대한 표준화된 이미지를 추구한다는 것을 알 수 있다. 정: 노르웨이에서는 연어를 좋아하는 노르웨이인들의 입맛에 맞게 메뉴를 개발한다는 점에서 각 국가의 문화적 특성을 반영한 현지화 전략을 추구한다는 것을 알 수 있다.

| 오답 피하기 | 병: 밑줄 친 글의 뒷부분에 이어지는 인도식 치즈, 매운 소스 등의 내용은 현지화 전략과 관련된 것이다.

주제 2 고지도에 나타난 세계관과 지리 정보

주제 3 세계의 권역 구분

1단계 개념 익히기 24쪽

01 (1) 바빌로니아 점토판 지도 (2) 프톨레마이오스의 세계 지도 (3) 대항해 시대 (4) 직교 02 (1) 예루살렘 (2) 남쪽 (3) 확대 03 중화사상 04 (1) 혼일강리역대국도지도 (2) 지구전후도 (3) 천하도 05 지리 정보 시스템(GIS) 06 (1) ○ (2) × (3) ○

2단계 내신 유형 익히기 25~29쪽

01 ④ 02 ① 03 ③ 04 ② 05 ③ 06 ① 07 ②
08 ④ 09 ④ 10 ③ 11 ⑤ 12 ① 13 ⑤ 14 ②
15 ① 16 ③ 17 ① 18~21 해설 참조

01 지도는 지표면을 일정한 비율로 줄인 후 평면에 기호로 나타내며, 문자와 함께 오랫동안 의사소통의 수단으로 사용되었다. 또한 특정 지리 정보를 강조한 왜곡된 지도가 만들어지기도 하였다. 한편 지리적 인식의 확대는 지도에 표현된 지역 범위에 영향을 주었다.

| 오답 피하기 | ④ 지도에는 지도 제작자의 세계관이 반영되어 있다.

02 바빌로니아 점토판 지도는 현존하는 가장 오래된 세계 지도이며 세계를 평평한 원반 모양으로 표현하였다.

| 오답 피하기 | ⓒ 원 밖의 삼각형은 미지의 세계를 나타낸 것이며, 방위표는 없다. ⓔ 원의 안쪽 중심에는 신바빌로니아 왕국을 표현하였다.

03 프톨레마이오스는 경위선망을 표현하고 투영법을 활용하여 세계 지도를 제작하였다.

| 오답 피하기 | ① 세계를 원형으로 표현한 지도는 중세의 티오(TO) 지도이다. ② 프톨레마이오스의 세계 지도에는 아메리카 대륙이 표현되어 있지 않다. ④ 프톨레마이오스 세계 지도에서는 종교적 이상향을 살펴볼 수 없다. ⑤ 나침반을 활용한 항해에 유리한 지도는 메르카토르 세계 지도이다.

04 (가)는 중세 유럽의 티오(TO) 지도, (나)는 알 이드리시의 세계 지도이다. (가)의 A와 (나)의 B는 지중해를 나타낸 것이며, (가)는 크리스트교, (나)는 이슬람교의 세계관을 담고 있다.

| 오답 피하기 | ㄴ. 지도의 위쪽이 (가)는 동쪽, (나)는 남쪽을 가리킨다. ㄹ. (가)는 지구를 원형으로 인식하고 있다.

05 제시된 지도는 경위선이 직선으로 나타나는 메르카토르 도법을 활용한 세계 지도이다. 메르카토르 도법의 세계 지도를 활용하면 직선 항로를 찾을 수 있어 항해에 유리하다.

| 오답 피하기 | ① 메르카토르 세계 지도에서는 종교적 세계관을 찾아볼 수 없다. ② 마테오 리치의 곤여만국전도는 태평양을 중심에 표현하였다. ④ 고위도로 갈수록 면적이 확대되어 표현된다. ⑤ 메르카토르 세계 지도보다 이전에 제작된 프톨레마이오스 세계 지도에서 경위선망을 살펴볼 수 있다.

06 제시된 지도는 "화이도"로 중국 중심의 중화사상이 반영되었으며, 하늘은 둥글고 땅은 평평하고 네모지다고 인식하는 천원지방 사상을 볼 수 있다.

| 오답 피하기 | 병: 불교 성지가 지도의 중앙에 위치한 것은 일본의 오천축도나 중국의 남섬부주도이다. 정: 유럽과 아메리카 대륙이 표현되었다고 보기 어렵다.

07 제시된 지도는 곤여만국전도이다. 곤여만국전도는 경도와 위도를 사용한 서양식 세계 지도로 마테오 리치가 제작하였다. 중국이 실제와 유사한 크기로 그려진 이 지도에는 아메리카를 비롯하여 미지의 남방 대륙(오세아니아와 남극)이 표현되어 있다.

| 오답 피하기 | ② 지도의 중앙에는 태평양이 위치한다.

08 (가)는 천하도, (나)는 혼일강리역대국도지도이다. (가)와 (나)는 모두 중국을 중심에 두고 있으며 중화사상을 반영하고 있다.

| 오답 피하기 | ① (가)는 지구를 하나의 원으로 나타내었다. 지구를 구체로 인식한 것은 서양식 세계 지도의 유입 이후이다. ② (나)에는 아메리카 대륙이 표현되어 있지 않다. ③ (가)는 조선 중기, (나)는 조선 전기에 제작된 지도로 (가)는 (나)보다 제작된 시기가 늦다. ⑤ (가)는 민간 주도로, (나)는 국가 주도로 제작되었다.

09 제시된 지도는 지구전후도이다. 지구전후도는 목판본으로 제작되었으며, 구대륙과 신대륙을 동서 양반구로 구분하여 표현하였다.

| 오답 피하기 | ㄱ. 지구를 구체로 인식하였으며 천원지방의 세계관은 볼 수 없다. ㄷ. 경위선이 직각으로 교차하는 것은 메르카토르 도법을 사용한 지도이다. 지구전후도의 도법은 메르카도르 도법과는 관련이 없다.

10 (가)는 그림으로 표현한 옛 세계 지도이고, (나)는 인공위성 기술을 활용한 오늘날의 세계 지도이다. 오늘날의 세계 지도는 지도의 확대와 축소 가능성이 높으며(A, B, C), 지리 정보가 다양하며(C, D), 소비자의 요구 반영 정도가 높다(B, C, E). 따라서 모든 조건을 만족하는 것은 C이다.

11 제시된 자료는 원격 탐사를 나타낸 것이다. 원격 탐사는 인공위성이나 항공기를 활용하여 시간 흐름에 따른 지리적 변화를 주기적으로 파악할 수 있는 지리 정보 수집 방법이다.

| 오답 피하기 | ① 원격 탐사로 지역의 지명이나 행정 구역을 파악하기는 어렵다. ② 컴퓨터에 지형이나 위치 등의 공간 정보를 기록한다. ③ 관측 대상과의 접촉 없이 먼 거리에서 정보를 수집한다. ④ 지리 정보 수집에 비교적 짧은 시간이 걸린다.

12 (가)는 미국 북동부, 뉴욕주의 남쪽 끝에 있는 도시라는 위치 정보를 제시한 것이다. 이와 같이 장소나 현상의 위치 및 형태를 나타낸 정보와 관련된 것은 공간 정보이다. (나)는 뉴욕의 면적을 나나낸 것으로 장소가 지닌 자연적·인문적 특성을 나타낸 속성 정보에 해당한다.

| 오답 피하기 | ②, ④, ⑤ 관계 정보는 하나의 장소가 다른 장소와 맺는 관계에 관한 정보이다.

13 지리 정보 시스템을 활용하면 다양한 정보를 검색하고 분석하는 시간이 단축될 수 있으며 여러 장의 지도를 중첩하여 최적 입지를 선정할 수 있다.

| 오답 피하기 | ㄱ. 정보의 대부분은 컴퓨터로 수정 및 축적된다. ㄴ. 지리 정보 시스템은 대량의 자본을 가진 선진국을 중심으로 시스템이 구축된다.

14 권역은 자연적·인문적 요소를 종합하여 구분하는 공간 단위로 위치, 지형, 기후, 식생, 수륙 분포와 관련된 자연적 지표가 대표적이다. 문화적 지표의 사례로는 세계의 전통 가옥 구분이 대표적이며, 기능적 지표를 통해서는 중심지와 배후지를 살펴볼 수 있다.

| 오답 피하기 | ② 동일한 권역 내에서도 포함된 지역이나 국가의 특성에 따라 복잡하고 다양한 모습이 존재한다.

15 제시된 지도는 특정한 지리 현상이 비교적 같게 나타나는 동질 지역에 따른 권역 구분이며, 식생이라는 자연적 지표를 기준으로 세계를 구분한 것이다.

| 오답 피하기 | ㄷ. 세계의 식생 분포대를 중심으로 한 권역 구분으로 국가 단위의 지리 정보를 토대로 구성했다고 보기 어렵다. ㄹ. 권역의 구분은 자연환경의 변화 등에 의해 경계가 고정되지 않고 계속 변화한다.

16 제시된 지도는 위치적 특성 및 생활 양식과 관련된 문화적 특성이 복합적으로 반영되었다. A는 북부 아프리카, 서남아시아, 사하라 이남 아프리카의 특성이 함께 나타나는 지역으로 점이 지대에 해당한다.

| 오답 피하기 | ㄱ. 태평양 권역을 통해 대양의 도서 지역을 권역에 포함하였다. ㄹ. 제시된 자료로는 시간에 따른 권역의 변화 양상을 파악하기 어렵다.

17 (가)는 앵글로아메리카, (나)는 라틴 아메리카로 리오그란데강을 경계로 구분한다.

| 오답 피하기 | ② (가)와 (나)의 구분은 문화적 기준에 따른 구분이다. ③ (다)와 (라)의 구분은 지리적 기준에 따른 구분이다. ④ 문화적 기준으로 (가)와 (나)를 구분한다. ⑤ 멕시코는 남부 유럽 문화의 영향을 받은 지역에 해당한다.

18 | 예시 답안 | (1) (가)는 크리스트교, (나)는 도교의 영향을 받았다. (2) (가)는 예루살렘, (나)는 중국이다. (가)에서 예루살렘이 중심에 위치한 이유는 크리스트교의 성지이기 때문이며, (나)에서 중국이 중심에 위치한 이유는 중화사상의 영향 때문이다.

| 채점 기준 |

상	지도에 영향을 미친 종교를 쓰고, 중심에 위치한 지역과 그 배경을 모두 정확히 서술한 경우
중	지도에 영향을 미친 종교를 쓰고, 중심에 위치한 지역과 그 배경 중 한 가지만 정확히 서술한 경우
하	지도에 영향을 미친 종교만 정확히 쓴 경우

19 | 예시 답안 | (가)는 프톨레마이오스 세계 지도이고, (나)는 메르카토르 세계 지도이다. (가)와 (나)는 경선과 위선을 사용한 점에서 공통점이 있으나 (가)는 경선과 위선이 단순히 교차하는 데 반해 (나)는 경선과 위선이 직교하여 나침반을 활용한 항해에 유리하다. 한편 (나)는 신대륙이 표현되어 있는 등 (가)보다 지리적 인식의 범위가 더 넓다.

| 채점 기준 |

상	지도의 명칭을 쓰고, 공통점과 차이점을 모두 정확히 서술한 경우
하	지도의 명칭만 쓴 경우

20 | 예시 답안 | (1) 중첩 분석 (2) 오늘날의 세계 지도는 옛 세계 지도보다 표현된 지리 정보의 양이 많고 자료를 수정하기에 더 수월하다.

| 채점 기준 |

상	중첩 분석을 쓰고, 오늘날의 세계 지도와 옛 세계 지도의 차이점을 모두 정확하게 서술한 경우
하	중첩 분석의 명칭만 쓴 경우

21 | 예시 답안 | (1) A는 건조 아시아와 북부 아프리카, B는 몬순 아시아와 오세아니아이다. (2) (가)는 점이 지대이며, 서로 인접한 두 지역의 특성이 함께 나타나는 지역이다.

| 채점 기준 |

상	A, B 권역의 명칭을 쓰고, 점이 지대와 그 의미를 서술한 경우
하	A, B 권역의 명칭만 쓴 경우

3단계 내신 만점 도전하기 30쪽

01 ③ 02 ④

01 (가)는 바빌로니아의 점토판 지도, (나)는 티오(TO) 지도, (다)는 천하도이다. 천하도는 도교 사상의 영향을 받아 제작되었다.

| 오답 피하기 | ① (가)에는 경위선망이 없다. 경위선망이 제시된 것은 고대 그리스·로마 시대의 프톨레마이오스 세계 지도이다. ② (나)는 지도의 위쪽이 동쪽을 가리키므로 아래는 서쪽에 해당한다. ④ (가)는 기원전 600년경에 제작되었으며, (나)는 이보다 더 늦은 중세 유럽에서 제작되었다. ⑤ (가)~(다) 지도는 모두 지구를 평면으로 인식하여 제작되었다.

02 ㄱ. (가)는 국가 단위의 정보를 토대로 휴대 전화 사용 비율을 살펴본 지역 구분이다. (나)는 각 권역을 더 세분하여 하위 권역으로 나눌 수 있다. 한편 (나) 권역 구분은 문화와 관련된 것으로 다양한 생활 양식을 복합적으로 반영하였으며, (가)보다 구분의 지표가 더 복합적이다.

| 오답 피하기 | ㄹ. (가)와 (나)는 모두 핵심 지역과 배후지를 갖는 기능적 지표를 반영했다고 보기는 어렵다.

심화 수능 유형 익히기 31쪽

01 ② 02 ④

01 (가)는 기원전 600년경 제작된 바빌로니아 점토판 지도이다. (나)는 주로 조선 중기 이후 민간에서 제작된 천하도로, 중화사상이 반영되어 중국이 지도의 중심에 나타난다. (다)는 1154년 이슬람 세계에서 제작된 알 이드리시 세계 지도로, 아라비아반도가 지도의 중심에 나타난다. 따라서 (가)는 A, (나)는 C, (다)는 B이다.

02 제시된 조건에 따라 평가한 점수의 합은 A(알제리) 5점, B(리비아) 3점, C(이집트) 5점, D(나이지리아) 9점, E(탄자니아) 7점으로 평가 점수의 합이 가장 큰 국가는 D(나이지리아)이다.

대단원 ① 마무리하기 33~34쪽

01 ①	02 ④	03 ⑤	04 ③	05 ③	06 ③
07 ①	08 ⑤				

01 (가)에는 점차 축소되거나 약화되는 것을 넣어야 한다. 교통의 발달로 시간 거리와 비용 거리는 점차 축소된다.

| 오답 피하기 | ㄷ. 물리적 거리는 변함이 없다. ㄹ. 지역 간 접근성은 점차 강화된다.

02 세계화로 인한 문화 전파 과정에서 서로 다른 문화의 융합으로 새로운 문화가 창조되어 세계 문화가 더욱 풍부해졌다.

| 오답 피하기 | ① 국경의 의미가 약화되고 있다. ② 국가 간 경제적 격차가 커지는 문제가 발생하고 있다. ③ 다국적 기업의 생산 공장은 주로 개발 도상국에 입지한다. ⑤ 세계 각 지역의 정체성이 약화되는 문제가 발생하고 있다.

03 제시된 자료는 지리적 표시제와 관련된 것이다. 지리적 표시제는 지리적 특성이 반영된 생산물을 인정하는 제도이다.

| 오답 피하기 | ① 브라질의 리우 카니발은 장소 마케팅과 관련된 축제이다. ② 생산의 전문화와 분업화는 큰 관련이 없다. ③ 주로 해당 지역에 입지하는 기업에서 생산·제조·가공된 상품을 판매한다. ④ 지역 간 경제적 불평등을 심화한다고 보기 어렵다.

04 (가)는 프톨레마이오스의 세계 지도, (나)는 알 이드리시의 세계 지도이다.

| 오답 피하기 | 두 지도는 모두 지구를 구체(球體)로 인식하였으며, 프톨레마이오스의 세계 지도는 지도의 위쪽이 북쪽이다(B). 한편 알 이드리시의 세계 지도는 지도의 위쪽이 남쪽이며 이슬람교의 영향을 받았다(C).

05 혼일강리역대국도지도는 중화사상의 영향을 받아 지도의 중심에 중국이 위치한다.

| 오답 피하기 | ① 경도와 위도의 개념은 반영되지 않았다. ② (나) 지도의 아래쪽은 서쪽이다. ④ 제작된 시기는 (가)→(나)→(다) 순이다. ⑤ (가)~(다)에는 모두 아메리카 대륙이 표현되어 있지 않다.

06 메르카토르 도법은 고위도로 갈수록 실제 면적보다 지나치게 확대된다. 따라서 C의 실제 면적이 D보다 넓다. 한편 메르카토르 도법은 주로 항해도 제작에 이용된다.

| 오답 피하기 | ㄱ. 1인당 GDP는 A 국가보다 B 국가가 많다. ㄹ. 사회·경제적 요소를 고려한 권역 구분 사례이다.

07 (가)는 현지 조사, (나)는 원격 탐사에 관한 설명이다. ㄱ. 현지 조사의 주요 조사 방법으로는 관찰, 실측, 면담, 설문 등이 있다. ㄴ. 원격 탐사는 인간의 접근이 어려운 지역이나 광범위한 지역의 지리 정보를 주기적으로 수집하는 데 널리 활용된다.

| 오답 피하기 | ㄷ. 여행지 만족도 조사는 설문 또는 면담 조사를 활용하는 것이 적합하다 ㄹ. 지리 정보 수집에 활용된 시기는 (나) 원격 탐사가 (가) 현지 조사보다 늦다.

08 권역의 경계에는 두 가지 특성이 함께 나타나는 점이 지대가 존재하며, 아메리카 문화권은 규모를 달리하여 세분되었다. 한편, 해당 권역 구분은 종교, 언어, 민족 등의 문화적 지표를 복합적으로 고려하였다.

| 오답 피하기 | ㄱ. 제시된 자료는 문화적 지표를 중심으로 권역이 구분되었다.

지리적 역량 기르기 35쪽

01 | 예시 답안 |

(1) 영향을 준 요소	• 교통의 발달로 인한 인적, 물적 자원의 신속한 이동 • 통신의 발달로 인한 공간적 제약 극복 및 지역 간 정보 교환 활성화 등 • 세계 무역 기구의 출범으로 인한 자유 무역 체계의 확립
(2) 현상	• 국경을 초월한 세계 문화의 등장 • 세계의 독특한 문화를 공유함 • 다양한 문화의 융합으로 새로운 문화 창조 등
(3) 문제점	• 세계 문화와 전통문화 간 갈등 • 문화의 획일화 등

| 평가 영역 | 개념 이해(자료에 나오는 개념에 대한 이해도)

상	세계화에 영향을 준 요소와 현상, 문제점을 모두 이해하고 서술한 경우
중	세계화에 영향을 준 요소와 현상, 문제점 중 두 가지 경우만 서술한 경우
하	세계화에 관한 내용을 서술하였으나 모두 미흡한 경우

02 | 예시 답안 | 우리나라의 음식 문화를 세계에 전파하기 위해서는 세계의 기후, 종교 등을 종합적으로 고려한 전략이 필요하다고 생각합니다. 우리나라 사람들에게 익숙한 것을 세계인에게 일방적으로 적응하라고 하기보다는 그들의 자연환경 및 인문 환경을 고려한 음식 조리법을 활용하여 그들에게 다가가는 것이 필요하다고 생각합니다. 예를 들어 매운 김치만을 선보이기보다는 다른 나라 사람들도 익숙할 수 있는 다양한 맛의 김치를 먼저 선보이고 이를 그들의 생활 습관에 맞게 제공하는 것도 도움이 될 것입니다. 한편, 지나치게 문화 변용만을 선보이기보다는 외국인들이 우리 음식 중에서 선호하는 음식을 중심으로 선정하여 해외에 전파한다면, 우리나라 음식에 대한 외국인들

의 호기심을 자극하게 되고 결과적으로 우리나라 음식 전반에 걸쳐 선호도가 높아질 수 있을 것입니다.

| 평가 영역 | 문제 해결력(주제와 관련된 정보를 수집하여 자신의 입장에 맞게 논리적으로 조직하는 정도)

상	음식 문화의 세계화에 관한 자신의 생각을 적절한 근거를 제시하여 논리적으로 서술한 경우
중	음식 문화의 세계화에 관한 자신의 생각을 어느 정도 제시하였으나 근거가 타당하지 않은 경우
하	음식 문화의 세계화에 관한 자신의 입장을 정립하려는 노력이 필요한 경우

대단원 ② 세계의 자연환경과 인간 생활

주제 4 열대 기후의 특징

1단계 개념 익히기 42쪽

01 (1) 기후 (2) 기후 요인 02 열대 고산 기후 03 (1) ○ (2) × (3) × 04 (1) 사바나 기후 (2) 열대 우림 기후 05 열대 수렴대 06 (1) 장초 초원 (2) 열대 우림 (3) 이동식 화전 농업 (4) 열대 고산

2단계 내신 유형 익히기 43~45쪽

01 ④ 02 ③ 03 ② 04 ② 05 ④ 06 ⑤ 07 ③ 08 ③ 09~12 해설 참조

01 최한월 평균 기온이 −3℃보다 낮고 최난월 평균 기온이 10℃보다 높은 것은 냉대 기후(D)이다. 냉대 습윤 기후는 연중 강수가 고르나, 냉대 겨울 건조 기후는 대륙의 영향으로 겨울 강수량이 적고 기온의 연교차가 크다.

| 오답 피하기 | ② 온대 기후는 최한월 평균 기온이 −3℃보다 높게 나타난다. ③ 냉대 습윤 기후는 강수가 연중 고르게 나타난다.

02 최한월 평균 기온이 18℃ 이상이므로 열대 기후이며, 겨울 강수량이 적으므로 사바나 기후에 해당한다. 7월 평균 기온이 더 낮아 남반구에 해당하기 때문에 정답은 C이다.

| 오답 피하기 | ⑤ E도 사바나 기후에 해당하나 북반구에 위치하기 때문에 7월 평균 기온이 더 높게 나타난다.

03 키토는 위도 0°에 해발 고도가 2,850m로 열대 고산 기후 지역에 위치한 도시이다. 열대 고산 기후는 기온의 일교차가 크게 나타난다.

| 오답 피하기 | 마나우스는 적도 부근 위도 3°에 위치하여 열대 우림 기후가 나타난다. 열대 우림 기후는 스콜이 내리고, 이동식 화전 농업과 플랜테이션을 하는 것이 특징이다.

04 ㉠ 해발 고도가 높아질수록 기온은 낮아진다. ㉣ 한류의 영향을 받으면 기온이 낮아지고 건조 기후가 나타나기도 한다.

| 오답 피하기 | ㉡ 저위도에서 고위도 지역으로 갈수록 기온이 낮아진다. ㉢ 중위도 지역의 대륙 내부에서 기온의 연교차가 가장 크다.

05 표시된 지역은 동아프리카 일대로 열대 고산 기후가 나타나는 지역이다. 열대 고산 기후도 열대 기후의 보편적 특징과 마찬가지로 기온의 일교차가 연교차보다 크게 나타난다.

06 (가) 지역은 적도와 남위 30° 사이 지역이며, 12월 강수량이 많고 7월 강수량이 적은 것으로 보아 남반구의 사바나 기후 지역이다. 연 평균 기온이 18℃ 이상이며, 7월 강수량이 60mm 미만인 그래프는 ⑤이다.

| 오답 피하기 | ③은 7월 강수량이 80mm 이상으로 열대 우림 기후 지역의 그래프이다.

07 사진에 나타나는 넓은 초원과 관목 등의 경관을 통해서 열대 사바나 기후라는 것을 알 수 있다. 아마존분지, 아프리카 콩고분지는 대표적인 열대 우림 기후 지역이다.

| 오답 피하기 | ② 남반구는 북반구와 계절이 반대이다. 1월이 여름, 7월이 겨울이기 때문에 1월 강수량이 7월 강수량보다 많다.

08 (가)는 대륙에 고기압이 형성되어 해양을 향해 바람이 불고 있으므로 1월, (나)는 대륙 저기압을 향해 해양에서 바람이 불고 있으므로 7월의 계절풍 지도이다. 여름 계절풍의 영향을 받는 (나) 시기에 A 지역의 강수량이 더 크게 나타난다.

| 오답 피하기 | ④ 열대 지역은 기온의 연교차보다 일교차가 크게 나타난다.

09 | 예시 답안 | (1) 열대 수렴대가 남반구에 치우쳐 위치하는 (가)는 1월, 북반구에 치우쳐 위치하는 (나)는 7월이다. (2) 사바나 기후는 여름철 열대 수렴대의 영향으로 강수량이 많고, 겨울철 아열대 고압대의 영향으로 건조하다.

| 채점 기준 |

상	여름철 열대 수렴대와 겨울철 아열대 고압대의 영향을 모두 서술한 경우
중	열대 수렴대와 아열대 고압대의 영향 중 하나만 서술한 경우
하	열대 수렴대와 아열대 고압대 설명 없이 강수량 특징만 서술한 경우

10 | 예시 답안 | 열대 우림 기후로, 과거에는 이동식 화전 농업을 주로 하였으며, 최근 카카오, 고무나무 등을 재배하는 플랜테이션이 주로 이루어진다.

| 채점 기준 |

상	열대 우림 기후와 농업을 두 가지 모두 서술한 경우
중	열대 우림 기후와 농업을 한 가지만 서술한 경우
하	열대 우림 기후만 서술한 경우

11 (가) 최한월 평균 기온이 18℃ 이상입니까? (나) 여름철이 고온 건조합니까?

| 채점 기준 |

상	(가), (나) 구분 기준을 두 가지 모두 바르게 서술한 경우
하	(가), (나) 구분 기준을 한 가지만 바르게 서술한 경우

12 | 예시 답안 | 적도 수렴대와 계절풍 영향을 함께 받아 연 강수량이 풍부하다. 여름 계절풍 영향을 받는 우기에 강수가 집중되며, 겨울 계절풍의 영향을 받을 때 1~2개월의 짧은 건기가 나타난다.

| 채점 기준 |

상	두 가지 제시어를 모두 포함하여 서술한 경우
하	한 가지 제시어만 포함하여 제시한 경우

3단계 내신 만점 도전하기 46쪽

01 ② 02 ①

01 연중 기온이 높고 습하며, 키가 매우 큰 나무들이 자라는 곳은 열대 우림 기후이다. 최한월 평균 기온 18℃ 이상이며 건기와 우기의 구분이 뚜렷하지 않은 B가 열대 우림 기후이다.

| 오답 피하기 | A는 건기와 우기의 구분이 뚜렷하므로 열대 사바나 기후, C는 온대 겨울 건조 기후, D는 서안 해양성 기후 혹은 지중해성 기후, E는 냉대 기후이다.

02 A는 적도 주변의 열대 우림 기후로 원주민들이 이동식 화전 농업에 종사한다. B는 안데스 산지에 위치하기 때문에 상춘 기후의 고산 도시가 나타난다.

| 오답 피하기 | C는 열대 사바나 기후로 A에 비해 건기와 우기의 차이가 뚜렷하다. 열대 기후 지역에서는 기온의 일교차가 연교차에 비해 크게 나타난다.

심화 수능 유형 익히기 47쪽

01 ④ 02 ③

01 (가)는 열대 우림 기후, (나)는 열대 사바나 기후, (다)는 열대 고산 기후의 그래프이다. (나)의 월별 강수 분포는 적도 수렴대의 이동과 관련이 깊고, (다)는 (가), (나)보다 해발 고도가 높다.

| 오답 피하기 | ㄱ. 열대 우림 기후는 적도 부근인 저위도에서 나타난다. ㄷ. 고상 가옥과 수상 가옥은 연 강수량이 많은 열대 우림 기후에서 나타난다.

02 A는 남반구의 사바나 기후, B는 북반구의 사바나 기후, C는 열대 우림 기후에 속한다. B는 6~8월에 강수가 내리나 12~2월에는 강수가 거의 내리지 않는 것으로 보아 7월이 여름인 북반구의 열대 사바나 기후에 해당한다. 북반구에서는 7월에 정오의 태양 고도가 높게 나타난다.

| 오답 피하기 | ① A는 6~8월에 누적 강수량 증가가 나타나지 않으므로 이 때 거의 강수가 내리지 않는다는 것을 알 수 있다. 이 때가 겨울인 남반구의 사바나 기후에 해당한다. 남반구는 1월이 여름이고 7월이 겨울이므로 1월에는 낮의 길이가 길게 나타난다. ② A는 6~8월에 아열대 고압대의 영향을 받아 강수가 거의 내리지 않는다.

주제 5 온대 기후의 지역적 차이

1단계 개념 익히기 52쪽

01 (1) 편서풍 (2) 계절풍 02 지중해성 기후 03 (1) ○ (2) × (3) × 04 (1) 수목 농업 (2) 차 재배 05 아열대 고기압 06 (1) 고르기 때문에 (2) 온난 습윤 기후 (3) 벼농사

2단계 내신 유형 익히기 53~55쪽

01 ⑤ 02 ② 03 ① 04 ① 05 ③ 06 ⑤ 07 ① 08 ② 09~12 해설 참조

01 중위도 온대 지방의 내륙은 기온의 연교차가 최대이며, 동안은 계절풍의 영향이 강하게 나타난다.

| 오답 피하기 | A의 중위도는 무역풍이 아닌 편서풍의 영향을 주로 받는다. B, D의 서안은 기온의 연교차와 연중 강수량의 차이가 동안에 비해 모두 작게 나타난다.

02 A는 서안 해양성, B는 온대 겨울 건조, C와 D는 남반구의 지중해성 기후에 해당한다. A는 편서풍과 난류의 영향으로 기온의 연교차가 작으며, C는 남반구의 겨울인 7월에 강수량이 더 많다.

| 오답 피하기 | ㄴ. D는 지중해성 기후로 여름인 1월에 강수량이 적게 나타난다. ㄹ. B는 고온 다습한 여름 계절풍 기후 지역으로 주로 벼농사를 짓는다.

03 대륙 서안에 위치한 (가) 지역에 비해 대륙 동안에 위치한 (나) 지역은 계절풍의 영향으로 기온의 연교차가 크고, 연 강수량의 차이도 크며 7월 평균 기온이 높게 나타난다.

04 그림은 더운 여름철에는 서늘한 산 위의 초지에서 가축을 방목하고, 추운 겨울철에는 평지의 목장에서 가축을 사육하는 이목을 나타낸 것이다. 이목은 지중해성 기후 지역의 산지에서 주로 이루어지며, A 지역이 지중해성 기후 지역에 해당한다.

| 오답 피하기 | B는 건조 기후, C와 D는 서안 해양성 기후 지역이다. E는 온대 습윤 기후 지역이다.

05 (가)는 7월 평균 기온이 높은 것으로 보아 북반구에 위치하고 있으며, 7월에 아열대 고압대의 영향을 주로 받아 여름철 강수량이 적은 지중해성 기후이다. (나)는 연중 강수가 고른 것으로 보아 서안 해양성 기후이다. 이곳에서는 낙농업과 혼합 농업을 주로 한다.

| 오답 피하기 | ㄱ은 서안 해양성 기후에 대한 설명이다. ㄹ은 지중해성 기후에 대한 설명이다.

06 1월(겨울철) 기압 배치도로, 한랭 건조한 계절풍의 영향을 받는다.

| 오답 피하기 | ① 모내기는 늦봄~초여름에 이루어진다. ② 지중해성 기후 지역의 여름에 이루어진다. ③ 북서 계절풍이 주로 분다. ④ 강수는 여름철에 집중된다.

07 A는 온대 겨울 건조 기후 지역으로 여름철 해양에서 불어오는 남동 계절풍의 영향을 받아 고온 다습한 기후가 나타나 벼농사에 유리하다.

| 오답 피하기 | ② 겨울은 대륙에서 불어오는 북서 계절풍의 영향으로 건조한 기후가 나타난다. ③, ⑤ 서안 해양성 기후에 대한 설명이다. ④ 지중해성 기후에 해당하는 설명이다.

08 (가)는 기온이 낮은 1월에 누적 강수량이 거의 증가하지 않으므로, 겨울철 강수가 적은 온대 겨울 건조 기후임을 알 수 있다. (나)는 연중 강수량이 고르게 증가하므로 서안 해양성 기후임을 알 수 있다. (나)가 (가)보다 강수 분포가 고르므로 수운 개발에 유리하다.

| 오답 피하기 | ㄴ. 지중해성 기후에 대한 설명이다. ㄹ. 온대 겨울 건조 기후에 대한 설명이다.

09 | 예시 답안 | 여름철 아열대 고기압의 영향으로 고온 건조한 기후가 나타나 올리브, 오렌지 등을 재배하는 수목 농업이 이루어진다. 겨울철은 편서풍의 영향으로 온난 다습한 기후가 나타나 곡물 농업이 주로 이루어진다.

| 채점 기준 |

상	여름철 아열대 고기압과 수목 농업, 여름철 편서풍과 곡물 농업을 두 가지 모두 서술한 경우
중	여름철 아열대 고기압과 수목 농업, 여름철 편서풍과 곡물 농업 중 하나만 서술한 경우
하	제시어를 이용하지 않고 농업 특징만 서술한 경우

10 | 예시 답안 | 수운 개발에 유리한 곳은 (가)이다. (가)는 (나)에 비해 연중 강수량이 고르고 강수 차가 작아 하천의 수위 변화도 적게 나타나기 때문이다.

| 채점 기준 |

상	수운 개발에 유리한 곳을 찾고, 연 강수 차와 수위 변화를 모두 설명한 경우
중	수운 개발에 유리한 곳을 찾고, 연 강수 차와 수위 변화 중 하나를 설명한 경우
하	수운 개발에 유리한 곳만 찾은 경우

11 | 예시 답안 | 서안 해양성 기후로 해양에서 연중 편서풍의 영향을 받아 기온의 연교차가 작고, 연중 강수량이 고르게 나타난다.

| 채점 기준 |

상	기후 이름을 적고, 기온·강수·바람을 모두 서술한 경우
중	기후 이름을 적지 않고, 기온·강수·바람을 모두 서술한 경우나, 기후명을 적고 기온·강수·바람 중 두 가지를 서술한 경우
하	기후 이름을 적고 기온·강수·바람 중 한 가지를 서술한 경우나 기후 이름을 적지 않고 기온·강수·바람 중 두 가지를 서술한 경우

12 | 예시 답안 | 유럽 지역에 흐르는 난류의 영향으로 고위도 지역까지 확대되었으며, 바다와 인접한 곳에 해안선과 수평인 산맥이 없어 내륙 깊숙한 곳까지 편서풍이 불어 내륙 지방까지 서안 해양성 기후가 나타난다.

| 채점 기준 |

상	난류의 영향으로 고위도까지 확대되고, 산맥의 영향으로 내륙 깊숙한 곳까지 확대된다는 내용을 모두 서술한 경우
하	난류의 영향으로 고위도까지 확대되고, 산맥의 영향으로 내륙 깊숙한 곳까지 확대된다는 내용 중 하나만 서술한 경우

3단계 내신 만점 도전하기 56쪽

01 ③ 02 ④

01 (가)는 겨울철 기온이 −3℃ ~ 18℃ 이므로 온대 기후에 해당한다. 1월 평균 기온이 낮으므로 북반구이며, 겨울철 강수량이 더 적으므로 대륙 동안의 기후 지역인 ㉡이다. (나)는 1월 평균 기온이 더 높으므로 남반구이며, 겨울철 기온이 18℃ 이상인 것으로 보아 열대 기후라는 것을 알 수 있다. 겨울(7월)에 강수량이 적으므로 사바나 기후 지역인 ㉣이다. (다)는 최한월 평균 기온이 −3℃ ~ 18℃ 이므로 온대 기후에 해당한다. 여름철인 7월 강수량이 적으므로 지중해성 기후 지역인 ㉢이다.

| 오답 피하기 | ㉠은 북반구에 위치한 열대 사바나 기후이므로, 7월 평균 기온이 더 높고, 1월 강수량이 더 적어야 한다.

02 (가)는 북반구의 겨울 건조 기후로 단풍이 절정을 이루는 시기는 10 ~ 11월경이다. (나)는 남반구의 지중해성 기후로 포도를 수확하는 시기는 여름이 끝나가는 2월경이다. (다)는 남반구로 밤이 가장 긴 날은 하지 무렵인 6 ~ 7월에 해당한다. 따라서 나 → 다 → 가 순서로 배열할 수 있다.

심화 수능 유형 익히기 57쪽

01 ⑤ 02 ④

01 막대그래프에 제시된 강수량을 보면 300mm 이상 차이가 나는 (라)가 강수의 계절 차가 가장 크다.

| 오답 피하기 | ① (가)와 (나)는 모두 여름 강수량이 겨울 강수량보다 적게 나타나는 것을 볼 때 대륙 서안의 지중해성 기후라는 것을 알 수 있다. ② 기온의 연교차가 가장 큰 지역은 (나)이다. ③ 7월 평균 기온이 높은 (나)는 북반구, 1월 평균 기온이 높은 (다)는 남반구에 해당한다. ④ 여름이 건기인 곳은 (나)이다.

02 (가)는 7월 평균 기온이 높으므로 북반구이며, 월 강수 편차가 크게 나타나므로 대륙 동안에 위치한 C이다. (나)는 7월 평균 기온이 낮으므로 남반구이며, 여름인 1월의 강수량이 적게 나타나기 때문에 지중해성 기후가 나타나는 B에 해당한다.

주제 6 건조 기후와 냉·한대 기후

1단계 개념 익히기 64쪽

01 (1) 무수목 (2) 활동층 02 냉대 습윤 기후 03 (1) ○ (2) ○ (3) × 04 (1) 와디 (2) 버섯 바위 05 바람 06 (1) 아열대 고기압 (2) 기온의 연교차 (3) 피오르

2단계 내신 유형 익히기 65 ~ 69쪽

01 ⑤ 02 ④ 03 ② 04 ① 05 ① 06 ③ 07 ④ 08 ② 09 ③ 10 ③ 11 ⑤ 12 ① 13 ② 14 ③ 15 ② 16 ① 17 ~ 20 해설 참조

01 연 강수량이 500mm 미만인 건조 기후로, 초원이 펼쳐져 있기 때문에 스텝 기후이다. 스텝 기후에서는 이동식 가옥을 짓고 유목 생활을 한다.

| 오답 피하기 | ④ 비가 거의 내리지 않는 사막 기후에서는 평평한 지붕의 흙집을 짓고 생활한다.

02 툰드라 기후 지역에서는 여름철에 활동층이 융해되면서 건축물과 시설물이 붕괴되는 것을 막기 위해 그림과 같이 파이프를 땅속 깊이 박고 건축물을 땅 위에 띄워 설치한다.

| 오답 피하기 | ① 열대 우림 기후 지역에서도 고상 가옥이 나타나지만 개방적인 가옥 구조와 급경사의 지붕이 특징이다.

03 ㄱ. A는 빙하 지형이 나타나는 아이슬란드이다. ㄷ. B는 서안 해양성 기후, C는 냉대 습윤 기후가 나타나 기온의 연교차가 더 크게 나타난다.

| 오답 피하기 | ㄴ. 순록 유목은 툰드라 기후에서 주로 이루어진다. ㄹ. 빙력토 평원은 분급이 잘 되지 않았다.

04 A는 권곡, B는 호른이다.

| 오답 피하기 | ㄷ. C는 빙하에 의해 침식된 U자곡이다. ㄹ. D는 현곡이다. 현곡은 지류 빙하가 본류로 합류하여 지류 빙식곡이 걸려있듯 높이 나타나는 지형이다. 에스커는 융빙수에 의해 형성된 둑 모양의 지형이다.

05 A는 여름철 동결과 융해를 반복하며 요동치는 활동층이다. B는 영구 동토층으로 연중 영하의 온도가 나타난다.

| 오답 피하기 | ㄷ. 솔리플럭션과 구조토는 주빙하 기후 환경(툰드라 기후)의 지표면에서 나타나므로 A에서 나타난다. ㄹ. 이러한 그래프는 여름철 기온이 영상으로 상승하는 툰드라 기후에서 나타난다.

06 B는 버섯 바위로 바람의 침식에 의해 형성된다. C는 플라야로 일시적 폭우에 형성된 호소이다.

| 오답 피하기 | ㄱ. A 선상지는 유수의 침식이 아닌 퇴적에 의해 형성된다. ㄹ. D 사구는 바람의 퇴적에 의해 형성된다.

07 A는 내륙 사막, B는 한류 사막, C는 아열대 고압대 사막, D는 탁월풍의 비그늘 사막이다. 아열대 고압대 사막은 남·북회귀선을 중심으로 위치한다. 한류 사막은 아프리카 남단 서부, 칠레 서부 등에 나타난다.

08 (가)는 겨울 기온이 18℃ 이하, −3℃ 이상으로 나타나며 겨울 강수가 여름 강수보다 많은 지중해성 기후이다. 온대 기후에 속해 사계절이 뚜렷하다.

| 오답 피하기 | ① (가)는 남반구, (나)는 북반구에 위치해 계절이 반대이다. ③ 냉대 습윤 기후(나)는 지중해성 기후(가)보다 고위도에 나타난다. ④ 냉대 습윤 기후에는 타이가가 주로 나타난다. ⑤ 냉대 습윤 기후에서는 밀농사를 주로 짓는다.

09 6월에 백야가 나타나므로 북반구 고위도에 속하며, 툰드라 기후 지역에는 지의류가 나타난다.

| 오답 피하기 | ㄱ. 조엽수림은 온대 동안 기후에서 주로 나타난다. ㄹ. 남반구 고위도는 계절이 반대로, 6월이 아닌 12월에 백야가 나타날 것이다.

10 사구는 바람에 의한 퇴적 작용으로 형성된다.

| 오답 피하기 | ⑤ 사막 지역은 식생이 부족하고 구름이 거의 없어 기온의 일교차가 크게 나타난다.

11 과거 북아메리카의 대륙 빙하는 캐나다와 미국 북부 일부를 덮었으며, E 지역은 빙하에 덮였던 지역이 아니다.

| 오답 피하기 | A 지역은 아열대 고압대에 의한 사막이 나타난다. B 지역은 한류 사막으로 안개가 많아 이를 이용해 식수를 공급받는다.

12 침엽수림(타이가)이 발달한 곳은 냉대 기후이다. 냉대 기후는 최한월 평균 기온이 −3℃ 미만이며, 최난월 평균 기온이 10℃ 이상이다.

| 오답 피하기 | ② 지중해성 기후, ③ 열대 우림 기후, ④ 툰드라 기후, ⑤ 온대 겨울 건조 기후의 그래프이다.

13 구조토는 주빙하 지형(툰드라 기후)이다. 이 지역에서는 여름철 지표 근처가 해빙되는 활동층이 나타나고, 활동층이 녹으며 생긴 물이 고인 호소가 나타난다.

| 오답 피하기 | ㄴ. 툰드라 기후 지역에서는 농사를 짓기 어렵다. ㄹ. 이 지역은 얼음의 쐐기 작용에 의해 물리적 풍화가 주로 나타난다.

14 (가)는 기온의 연교차가 최대로 나타나는 냉대 겨울 건조 기후이다. 이 기후는 대륙의 영향을 받아 기온의 연교차가 가 크게 나타난다.

| 오답 피하기 | ① (가)는 북반구로 7월이 여름이다. 따라서 7월의 낮 길이가 더 길다. ② (가)와 (나)는 모두 북반구에 위치해 계절이 동일하다. ④, ⑤ (나)는 증발량이 강수량보다 많은 사막 기후로, 평평한 지붕의 흙집을 짓는다.

15 빗금 지역은 과거 빙하에 덮였던 지역으로 빙하 지형이 나타난다. 따라서 에스커와 빙력토 평원이 나타난다.

| 오답 피하기 | ㄴ. 구조토는 툰드라 기후에서 주로 나타난다. ㄹ. 현재는 편서풍의 영향을 받아 기온의 연교차가 작은 서안 해양성 기후에 속한다.

16 세종 과학 기지 및 장보고 기지가 위치하는 곳은 남극이다. 이 두 지역은 모두 빙설 기후에 속한다.

17 | 예시 답안 | (1) 한류 사막이다. 연안에 한류가 흘러 대기가 안정되어 상승 기류가 나타나지 않아 비가 내리지 않는다. (2) 비그늘 지역에 나타나는 사막이다. 큰 산맥(안데스산맥)이 편서풍에 의한 해양의 습기를 차단하여 사막이 형성되었다.

| 채점 기준 |

상	사막이 나타나게 된 원인을 제시어를 포함하여 명확하게 설명한 경우
하	사막이 나타나게 된 원인을 제시어만 적어 설명한 경우

18 | 예시 답안 | A 지역에는 건조 기후가 나타날 것이다. 왜냐하면 강수량에 비해 증발량이 많기 때문이다.

| 채점 기준 |

상	건조 기후와 건조 기후가 나타나는 원인을 모두 서술한 경우
하	건조 기후와 건조 기후가 나타나는 원인 중 하나만 서술한 경우

19 | 예시 답안 | 툰드라 기후에서 나타난다. 가옥의 열기가 토양층을 녹여 가옥이 붕괴되는 것을 막기 위해 영구 동토층에 기둥을 박아 집을 건설하는 고상 가옥을 짓는다.

| 채점 기준 |

상	툰드라 기후와 고상 가옥을 모두 설명한 경우
하	툰드라 기후만 설명하거나 고상 가옥만 설명한 경우

20 | 예시 답안 | A는 모레인이다. 빙하 말단부에 빙하가 운반한 퇴적물들이 쌓여서 형성된 언덕 모양의 지형이다.

| 채점 기준 |

상	모레인과 형성 원인을 모두 서술한 경우
하	모레인과 형성 원인 중 하나만 서술한 경우

3단계 내신 만점 도전하기 70쪽

01 ⑤　　02 ④

01 파타고니아사막은 안데스산맥의 비그늘에 형성된 사막이다.

| 오답 피하기 | A는 한류 사막에 해당한다. B와 D는 아열대 고압대 사막에 해당한다. C는 중위도 대륙 내부에 위치하여 수증기가 공급되지 않아 사막이 형성되었다.

02 (가)는 스텝 기후, (나)는 냉대 겨울 건조 기후, (다)는 냉대 습윤 기후이다. (나)는 (다)에 비해 대륙성 기후의 특징이 뚜렷하게 나타난다.

| 오답 피하기 | ① 무역풍은 적도 수렴대를 향해 부는 바람으로 열대 지방에 분다. ② 기온의 일교차가 연교차보다 큰 곳은 열대 기후, 열대 고산 기후이다. 냉대 겨울 건조 기후는 기온의 연교차가 가장 크게 나타난다. ③ 순록의 유목은 툰드라 기후 지역에서 주로 이루어진다. ⑤ (가)~(다) 모두 7월 평균 기온이 1월 평균 기온보다 높으므로 북반구에 해당한다. 북반구는 7월이 여름으로 낮의 길이가 길게 나타난다.

심화 수능 유형 익히기 71쪽

01 ③　　02 ⑤

01 B는 와디이다. 일시적으로 흘러 건천의 상태인 경우가 많으며, 따라서 교통로로 이용되기도 한다. C는 경사 급변점에 형성되는 선상지이다.

| 오답 피하기 | ㄱ. 바하다는 선상지가 연속적으로 발달한 지형을 일컫는다. ㄹ. A는 바람에 날려 퇴적된 모래이고, C는 하천에 의해 공급된 퇴적 물질이기 때문에 A의 평균 입자 크기가 더 작다.

02 땅속 온도 변화 그래프를 통해 여름에 지표면의 온도가 영상으로, 겨울에 영하로 내려감을 확인할 수 있다. 지표면의 지층 온도가 영상과 영하로 변화하는 것은 툰드라 기후 지역에서 나타나는 활동층의 특징이다. 따라서 최난월 평균 기온이 0℃~10℃인 E 그래프를 찾으면 된다.

| 오답 피하기 | D는 최난월, 최한월의 평균 기온이 영하인 빙설 기후에 해당한다.

주제 7 세계의 대지형

1단계 개념 익히기 74쪽

01 (1) 고기 습곡 산맥 (2) 조산 운동　02 안정육괴　03 (1) ○ (2) × (3) ○　04 (1) 히말라야산맥 (2) 환태평양 조산대　05 화산　06 (1) 석탄 (2) 유황 (3) 발산

2단계 내신 유형 익히기 75~77쪽

01 ④　02 ④　03 ④　04 ②　05 ③　06 ①　07 ②　08 ④　09~12 해설 참조

01 D는 환태평양 조산대로 신생대에 조산 운동을 겪으면서 높은 산맥이 형성되었다.

| 오답 피하기 | ① A는 판이 벌어지는 발산 경계로 화산이 나타난다. ② B는 대륙판이 벌어지고 있으며 동아프리카 지구대가 나타난다.

02 C는 신기 조산대, D는 안정육괴, E는 고기 조산대로 D가 가장 평탄하고 기복이 작다.

| 오답 피하기 | A와 D는 안정육괴, B와 E는 고기 조산대, C는 신기 조산대이다. 석탄은 고기 조산대, 석유는 신기 조산대 주변에 매장되어 있다.

03 간헐천, 지열 발전소를 통해 화산 지형임을 알 수 있다. 이탈리아의 에트나 화산은 화산재가 쌓여 비옥하다.

04 순상지는 기복이 완만하고 철광석이 매장된 경우가 많다.

| 오답 피하기 | ㄴ. 외적 작용은 태양 에너지에 의해 대기와 물이 순환하며 지형을 형성한다. ㄹ. 습곡 산지는 판이 수렴하는 곳에서 주로 형성된다.

05 화살표의 시작 부분이 고기 습곡 산맥, 끝 부분이 안정육괴인 곳을 찾으면 된다. C는 그레이트디바이딩산맥(고기 습곡 산맥)에서 시작하여 오스트레일리아순상지로 이동하므로 적합하다.

06 화산은 주로 판의 경계에서 나타난다.

07 (가)는 융기, 침강 등의 지구 내적 작용이다. 이것에 의해 마그마가 분출하여 형성된 지형이 화산이다.

08 (가)는 해양판과 대륙판이 수렴하는 경계, (나)는 판의 발산 경계이다. 따라서 (가)는 환태평양 조산대인 D, (나)는 동아프리카 지구대인 A이다.

| 오답 피하기 | B는 히말라야산맥으로 대륙판과 대륙판이 충돌한다. C와 E에서는 판의 충돌이나 발산이 일어나지 않는다.

09 | 예시 답안 | 히말라야산맥은 대륙판인 인도판과 유라시아판이 충돌하여 두꺼운 지층을 이루며 형성되었다.

| 채점 기준 |

상	인도판과 유라시아판이 대륙판으로 충돌되어 형성되었음을 서술한 경우
하	대륙판에 대한 설명이 없이 충돌되어 형성되었음을 서술한 경우

10 | 예시 답안 | 유황과 같은 광물 자원이 풍부하고, 지열을 이용하여 전기를 생산하고 난방·온수 공급 등을 할 수 있다. 또한 화산재로 인해 토양이 비옥하여 농사에 유리하고, 관광 자원으로서 가치가 높아 관광지 개발에도 유리하다.

| 채점 기준 |

상	광물 자원, 지열, 화산재, 관광지 중 세 가지를 서술한 경우
중	광물 자원, 지열, 화산재, 관광지 중 두 가지를 서술한 경우
하	광물 자원, 지열, 화산재, 관광지 중 한 가지를 서술한 경우

11 | 예시 답안 | A에 비하여 B는 해발 고도가 높으며, 지진과 화산이 빈번하게 발생하여 지각의 안정성이 낮고, 석유 자원이 상대적으로 많다.

| 채점 기준 |

상	해발 고도, 자원, 지각의 안정성 차원에서 모두 서술한 경우
중	해발 고도, 자원, 지각의 안정성 차원 중 두 가지를 서술한 경우
하	해발 고도, 자원, 지각의 안정성 차원 중 한 가지를 서술한 경우

12 | 예시 답안 | 아이슬란드는 판이 벌어지는 발산 경계이다. 해양판이 발산하며 B의 해령이 나타나며, 해령의 주변으로 마그마가 분출되는 A의 화산이 나타난다.

| 채점 기준 |

상	발산 경계, 해령, 화산을 모두 알맞게 서술한 경우
중	발산 경계, 해령, 화산 중 두 가지를 알맞게 서술한 경우
하	발산 경계, 해령, 화산 중 한 가지를 알맞게 서술한 경우

3단계 내신 만점 도전하기 78쪽

01 ① 02 ②

01 아이슬란드는 판이 벌어지는 발산 경계에 위치한 곳으로 해령이 나타난다.

| 오답 피하기 | B의 산맥은 대륙판과 대륙판이 충돌하는 곳이다. C, D, E는 모두 신생대 조산 운동의 영향으로 높은 습곡 산맥과 지진·화산이 나타난다.

02 A는 안정육괴에 속하고, D는 신기 습곡 산맥으로 대륙판과 해양판의 충돌로 형성되었다.

| 오답 피하기 | ㄴ. B 신기 습곡 산맥, C는 고기 습곡 산맥이다. B는 C보다 해발 고도가 높고 험준하다. ㄷ. 철광석은 안정육괴에 많이 매장되어 있다.

심화 수능 유형 익히기 79쪽

01 ① 02 ②

01 스칸디나비아산맥은 노르웨이와 스웨덴에 위치하고 있으며, A와 스칸디나비아산맥 사이는 발트순상지가 위치하고 있다.

| 오답 피하기 | ② B 습곡 산맥은 알프스·히말라야 조산대로 신생대 조산 운동으로 형성되었다. ③ C는 지층이 두꺼워 화산이 나타나지 않는다. ④ D는 대륙판이 벌어지며 생긴 지구대이다. 대표적인 지구대는 발산 경계인 동아프리카 지구대가 있다. ⑤ E는 고생대에 형성된 고기 습곡 산지이다.

02 그림 속의 지형은 화산이며 판의 경계에 위치한다. 세 지역은 환태평양 조산대, 알프스·히말라야 조산대에 위치하여 지진이 자주 발생한다.

| 오답 피하기 | ㄴ. 석탄은 고기 습곡 산지에 주로 매장되어 있다. ㄹ. 일본에는 빙하 지형이 나타나지 않는다.

주제 8 독특하고 특수한 지형들

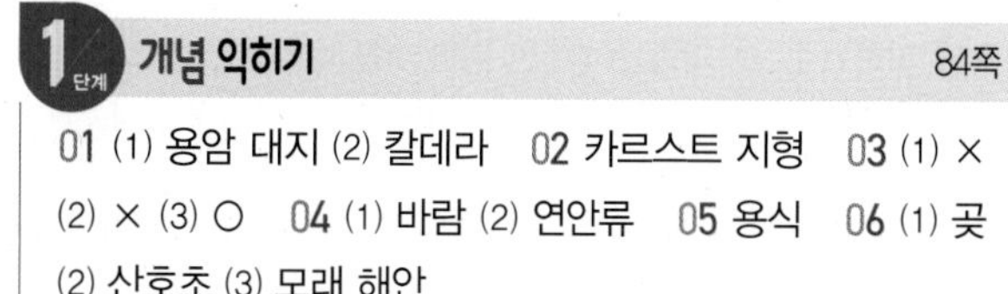

1단계 개념 익히기 84쪽

01 (1) 용암 대지 (2) 칼데라 02 카르스트 지형 03 (1) × (2) × (3) ○ 04 (1) 바람 (2) 연안류 05 용식 06 (1) 곶 (2) 산호초 (3) 모래 해안

2단계 내신 유형 익히기 85~87쪽

01 ⑤ 02 ③ 03 ② 04 ④ 05 ④ 06 ③ 07 ③ 08 ② 09~12 해설 참조

01 지도에 표시된 지역은 피오르가 나타나는 지역이다.

| 오답 피하기 | ① 뉴질랜드와 북유럽에는 사막이 나타나지 않는다. ② 산호초는 열대·아열대의 따뜻한 바다에 나타난다. ③ 북유럽에는 현재 빙하가 없다. ④ 갯벌 해안은 우리나라 서해안, 북해 연안 등에서 나타난다.

02 동굴에 종유석, 석순이 나타나는 것으로 보아 카르스트 지

형이다. 카르스트 동굴은 용식 작용에 의해, 종유석과 석순은 석회질 침전으로 형성된다.

| 오답 피하기 | ㄱ. 기반암은 석회암이다. ㄹ. 기반암에 절리가 많을수록 용식 작용이 활발해진다.

03 카르스트 지형이다. 돌리네는 배수가 잘되어 주로 밭으로 이용된다. 카르스트 지형의 기반암은 석회암으로 과거 따뜻한 바다에서 산호초나 조개껍데기가 퇴적되어 형성된다.

| 오답 피하기 | ㄴ. 석회동굴은 절리를 따라 형성되어 수직·수평적으로 복잡하다. ㄷ. 돌리네가 합쳐지면 우발라가 된다.

04 화산 지형은 판의 경계 지역에서 주로 발생한다.

05 시 스택과 같은 지형은 파랑이 집중되는 곶에서 주로 형성된다.

| 오답 피하기 | A의 사주는 연안류에 의해 길게 퇴적된 지형이며, B의 사빈은 파랑과 연안류에 의해 해안을 따라 길게 퇴적된 지형이다.

06 A 지점은 파랑이 집중되는 곶이다. 곶에서는 파랑의 침식에 의해 암석 해안이 주로 나타난다. 따라서 파식대와 시 아치가 형성된다.

| 오답 피하기 | ㄱ. 석호는 만의 입구를 사주가 막아 형성하므로 만에 나타난다. ㄹ. 해안 사구는 사빈의 모래가 바람에 의해 퇴적되어 형성되므로 사빈이 형성되는 만에 나타난다.

07 ㉡ 조류는 밀물과 썰물 시 발생하는 바닷물의 흐름이다. ㉢ 연안류는 파랑이 해안 가까이에서 해안선과 수평으로 이동하는 흐름이다.

| 오답 피하기 | ㉠ 파랑은 해수면 위를 부는 바람의 영향으로 형성된다. ㉣ 바람은 사빈의 모래를 육지로 이동시켜 사구를 만든다.

08 칼데라는 마그마가 지표로 분출된 후, 화구 아래의 빈 공간이 무너지며 형성된 지형이다.

09 | 예시 답안 | A 지형은 파식대이다. 파랑이 집중되는 곶에서 파랑이 바다 쪽으로 평평하고 완만하게 침식하여 형성된 지형을 파식대라고 한다.

| 채점 기준 |

상	파식대라는 지형의 이름을 쓰고, 곶과 파랑을 모두 사용하여 형성 과정을 설명한 경우
중	파식대라는 지형의 이름을 쓰고, 곶과 파랑 중 한 가지를 사용하여 형성 과정을 설명한 경우
하	파식대라는 지형의 이름만 쓰거나 형성 과정만 설명한 경우

10 | 예시 답안 | (가)는 리아스 해안으로 하천이 침식한 V자 모양의 곡이 침수되어 나타난다. (나)는 피오르 해안으로 빙하가 침식한 U자 모양의 곡이 침수되어 나타난다.

| 채점 기준 |

상	각 지형의 이름과 형성 원인을 모두 서술한 경우
중	지형의 이름이나 형성 원인을 두 지역 중 하나만 정확히 서술한 경우
하	지형의 이름만 서술하거나 형성 원인을 두 지역 중 하나만 서술한 경우

11 | 예시 답안 | 카르스트 지형은 석회암이 기반암인 지역에서 나타나며, 빗물이나 지하수가 절리를 따라 기반암을 용식하며 형성된다.

| 채점 기준 |

상	기반암, 절리, 용식을 모두 사용하여 형성 과정을 설명한 경우
중	기반암, 절리, 용식 중 두 가지를 사용하여 형성 과정을 설명한 경우
하	기반암, 절리, 용식 중 한 가지만 사용했거나 형성 과정 설명이 불분명한 경우

12 | 예시 답안 | 현무암질 용암은 유동성이 커서 낮은 곳으로 멀리 흐른다. 용암 대지는 용암이 골짜기와 분지를 메워 형성한 넓은 땅이며, 주상 절리는 용암이 빠르게 냉각하여 형성되는 육각기둥 모양의 지형이다. 용암동굴은 용암의 표면이 빠르게 식고, 내부의 용암이 빠져나가며 형성된 지형이다.

| 채점 기준 |

상	현무암질 용암의 특징과 두 가지 지형의 명칭 및 특징이 모두 서술된 경우
중	현무암질 용암의 특징과 두 가지 지형의 명칭 및 특징 중 두 가지만 서술된 경우
하	현무암질 용암의 특징과 두 가지 지형의 명칭 및 특징 중 한 가지만 서술된 경우

3단계 내신 만점 도전하기 88쪽

01 ④ 02 ④

01 (나)는 만에 위치하고 있으며, 파랑과 연안류의 작용으로 사주가 길게 발달한다. (라)는 남회귀선 부근에 위치하고 있으며, 산호초 해안이 나타난다.

| 오답 피하기 | (가)는 피오르 해안이다. 갯벌은 스칸디나비아반도와 같은 돌출 지역보다 만에서 잘 형성된다. (다)는 하천에 의해 형성된 V자곡이 침수되어 형성된 리아스 해안이다.

02 암석이 용식되어 발달하는 지형은 카르스트 지형이다.

| 오답 피하기 | ① 건조 지형에 대한 설명이다. ② 신기 습곡 산지에 대한 설명이다. ③ 주빙하 지형에 대한 설명이다. ⑤ 안정육괴에 대한 설명이다.

심화 수능 유형 익히기 89쪽

01 ① 02 ③

01 B는 곶이며, A는 섬의 뒤편에 위치한다. 곶에서 파랑의 침식 작용이 우세하게 나타난다.

| 오답 피하기 | ② (가)는 아이슬란드로 빙하가 있으므로 피오르 해안이 나타난다. ③ (가), (다)와 같이 해안선이 복잡한 곳은 해수면 상승에 따른 침수로 형성된다. ④ (나), (라)는 만에 위치하고 있으므로 퇴적 지형인 모래 해안이 나타난다. ⑤ (라)는 큰 하천이 만으로 유입되고 있기 때문에 (가)에 비해 하천에 의한 퇴적 작용이 활발하다.

02 바르한은 건조 지역에서 나타나는 지형이다.

| 오답 피하기 | (가) 돌리네는 배수가 잘되어 밭으로 주로 이용된다.

대단원 2 마무리하기 91~92쪽

01 ① 02 ③ 03 ④ 04 ⑤ 05 ② 06 ②
07 ③ 08 ⑤

01 A에 비해 B의 위도가 높아 기온이 5℃ 가량 낮게 나타난다.

| 오답 피하기 | C는 안데스산맥에 위치하고 있으며 고도가 높아 기온이 낮게 나타난다. 한류는 C보다 더 고위도에서 나타난다.

02 ㄱ. (가)는 월 강수량이 60mm 이상으로 열대 우림 기후, (나)는 사바나 기후이다. (가)는 적도 주변에 나타나므로 (나)에 비해 저위도에 나타난다. ㄹ. (나)는 남반구에 위치하고 있으며 1월 평균 기온이 높아 여름인 것을 알 수 있다. 사바나 기후는 여름에 열대 수렴대의 영향을 받는다.

| 오답 피하기 | ㄴ. (가)는 연중 열대 수렴대의 영향을 받는다. ㄷ. (나)는 열대 지역으로 기온의 일교차가 연교차보다 크게 나타난다.

03 D는 사주로 파랑과 연안류에 의해 모래가 길게 쌓여 형성된 지형이다.

| 오답 피하기 | A는 빙식곡이 침수되어 형성된 피오르 해안이다. B는 만으로 퇴적 작용이 우세하다.

04 바하다는 건조 지형이다.

05 B는 한류 사막이다.

| 오답 피하기 | A, C, E는 아열대 고압대 사막이다. D는 중위도 대륙 내부의 사막이다.

06 A는 과거 빙하 최전성기에 빙하에 덮여 있었던 지역으로 빙하 지형이 나타난다. D는 냉대 겨울 건조 기후로 기온의 연교차가 가장 큰 기후이다.

| 오답 피하기 | B는 그린란드 내륙으로 빙설 기후가 나타난다. 빙설 기후는 사람들이 거주하기에 불리하다. C는 북극해 연안의 툰드라 기후 지역이다. 포드졸 토양은 냉대 기후에서 나타난다.

07 (가) 시기는 7월, (나) 시기는 1월이다. 지중해성 기후인 B는 1월에 곡물 농사를 짓는다.

| 오답 피하기 | ① 서안 해양성 기후는 연중 편서풍의 영향을 받는다. ② 북반구에 위치한 A, B는 7월에 낮의 길이가 길다. ④ 지중해성 기후인 B는 7월에 아열대 고압대의 영향을 받아 A와 다르다. ⑤ C는 사막 기후이다.

08 신기 습곡 산지에 대한 설명이다. 지진과 화산이 나타나므로 대륙판과 해양판이 충돌하는 경계인 E라는 것을 알 수 있다.

| 오답 피하기 | B는 히말라야산맥으로 신기 습곡 산지에 속하나 지층이 두꺼워 화산이 발생하지 않는다. A, C, D는 고기 습곡 산지이다.

지리적 역량 기르기 93쪽

01 | 예시 답안 |

(1) 월	• 7월
(2) 지역	• 아이슬란드
(3) 기후 특징	〈아이슬란드〉 • 북반구 • 툰드라 기후가 나타남 • 여름철(7월)에 백야가 나타남
(4) 추천 이유	• 밤에도 해가 지지 않는 독특한 백야를 즐길 수 있음 • 해가 길기 때문에 야간 운전을 최소화 할 수 있음 • 여름철이기 때문에 기온이 영상으로 올라감

| 평가 영역 | 문제 해결력(주제와 관련된 정보를 수집하여 자신의 입장에 맞게 논리적으로 조직하는 정도)

등급	기준
상	선별한 지역의 기후 특징을 정확히 정리하고, 그에 맞게 논리적으로 추천 이유를 나열한 경우
중	선별한 지역의 기후 특징을 정확히 정리하였으나 그에 따른 추천 이유의 논리성이 부족한 경우
하	기후 특징을 이해하기 위한 노력이 필요한 경우

대단원 3 세계의 인문 환경과 인문 경관

주제 9 세계의 주요 종교

1단계 개념 익히기 98쪽

01 (1) 민족, 보편 (2) 크리스트교 (3) 모스크 (4) 크리스트교, 힌두교 02 (가) 크리스트교 (나) 불교 03 (가) 크리스트교 (나) 이슬람교 (다) 불교 (라) 힌두교 04 (가) 이슬람, 식물, 아라베스크 (나) 불, 탑 (다) 고딕 05 (1) 이슬람교 (2) 메카

2단계 내신 유형 익히기 99~101쪽

01 ⑤ 02 ① 03 ④ 04 ② 05 ④ 06 ③ 07 ① 08 ④ 09~12 해설 참조

01 A는 크리스트교, B는 이슬람교, C는 힌두교, D는 불교이다. 크리스트교는 신자 수가 가장 많고, 힌두교는 인도의 민족 종교이나 인도의 인구수가 많아 신자 수의 비중이 불교보다 크다. ⑤ 크리스트교는 팔레스타인, 이슬람교는 메카가 종교의 발생지로 모두 서남아시아이다.

| 오답 피하기 | ① 개인의 수양, 해탈, 자비를 강조하는 종교는 불교(D)이다. ② 가장 넓은 지역에 퍼져 있는 종교는 크리스트교(A)이다. ③ 이슬람교(B)는 시아파와 수니파로 구분된다.

02 A는 크리스트교, B는 이슬람교, C는 불교이다. 크리스트교는 유럽에 전파된 뒤 유럽의 식민지 개척을 통해 신대륙으로 확산되었다. 이슬람교는 상업 활동과 정복 활동으로 확산되었다.

| 오답 피하기 | ㄷ. 불교는 발생 국가가 인도이지만, 인도는 힌두교도의 비율이 가장 높다. ㄹ. 종교의 출현 시기는 C 불교 → A 크리스트교 → B 이슬람교 순이다.

03 ㉠은 힌두교이다. 인도에서 발생한 민족 종교로 신분 제도인 카스트 제도의 형성과 관련이 깊다.

| 오답 피하기 | ㄱ. 기원지는 남부 아시아이다. ㄷ. 메카와 메디나는 이슬람교의 성지이다.

04 (가)는 이슬람교, (나)는 불교이다. (나) 종교 신자는 타이에서 온 근로자이며 타이의 불교 사원은 비가 많은 기후의 영향을 받아 지붕의 경사가 가파른 것이 특징이다. ② 이슬람교에서는 여성들이 부르카, 히잡 등으로 몸의 일부나 전부를 가린다.

| 오답 피하기 | ① 육식과 음주를 금기시하는 것은 불교이다. ③ 라마단 금식, 성지 순례 등은 이슬람교의 의무이다. ④ 카스트 제도는 인도의 힌두교와 관련 있다. ⑤ 유럽에서 식민지로 확산된 종교는 크리스트교이다.

05 A는 크리스트교, B는 이슬람교, C는 힌두교, D는 불교이다.

| 오답 피하기 | ㄱ. 민족 종교는 C 힌두교이며, A, B, D는 모두 보편 종교이다. ㄷ. 하루 다섯 번씩 성지를 향해 예배하는 종교는 B 이슬람교이다.

06 (가)는 이슬람교, (나)는 불교이다. 이슬람교의 기원지는 메카이고 불교의 기원지는 인도라서 종교 기원지와의 거리는 (나)가 더 멀다. 신자 수는 이슬람교가 불교보다 많다. 이슬람교에서는 신의 형상을 그리거나 조각하지 않기 때문에 사원에 장식된 신의 수는 불교가 더 많다.

07 자료는 이슬람교 지역의 주민 생활 특성이다. 이슬람교도들은 하루 다섯 번씩 메카를 향해 기도하는 것이 의무이다. ① 이슬람의 경전이 쿠란이다.

| 오답 피하기 | ③ 소를 신성시하는 종교는 힌두교이다. ④ 신의 형상을 조각하거나 그려서 표현하지 않는다. ⑤ 여성의 사회 진출을 막는 등 보편적 인권에 입각하면 남녀 차별이 심한 편이다.

08 (가) 불교, (나) 이슬람교, (다) 크리스트교이다. 이슬람교의 경우 불교보다 신자 수가 많다.

| 오답 피하기 | ① 크리스트교에 대한 설명이다. ② 이슬람교에 대한 설명이다. ③ (가), (나)의 발상지는 각각 남부 아시아와 서남아시아이다. ⑤ 불교는 기원전 6세기경, 이슬람교는 기원후 7세기 초에 발생하였다.

09 **| 예시 답안 |** (1) (가) 이슬람교, (나) 힌두교, (다) 불교 (2) (나) 힌두교는 다신교이며 신들을 다양한 방식으로 표현하는 데 반해, (가) 이슬람교는 유일신교이며 우상 숭배를 금지하기 때문에 다신교인 힌두교를 수용하고 인정하기 어렵다. 한편 음식도 힌두교는 쇠고기를 금기시하지만, 이슬람교는 돼지고기를 금기시한다.

| 채점 기준 |

등급	기준
상	이슬람교와 힌두교의 종교 특성 중 우상 숭배 여부, 음식 문화를 모두 기술한 경우
중	이슬람교의 우상 숭배에 대해서만 언급한 경우
하	종교 외의 갈등 요소를 기술한 경우

10 **| 예시 답안 |** (가)는 이슬람교, (나)는 크리스트교이다. 이슬람교의 아라베스크는 인물 없이 식물과 아랍어를 기하학적으로 도안한 것인데, 그 이유는 이슬람교가 우상 숭배를 금지하여 어떠한 사람, 동물 형상도 못 그리게 했기 때문이다. 반면에 크리스트교는 포교의 목적으로 스테인드글라스에 성경 인물과 이야기들을 그림으로 나타내었다.

| 채점 기준 |

등급	기준
상	두 종교의 명칭과 상징물의 특징 및 기능을 모두 기술한 경우
중	두 종교의 명칭 혹은 상징물의 특징이나 기능 중 일부를 서술한 경우
하	두 종교의 명칭만 서술한 경우

11 **| 예시 답안 |** (1) 이슬람교의 기원지는 건조 기후 지역이며 낙타를 주요 이동 수단으로 삼았기 때문에 돔의 모양이 낙타에서 유래되었다. (2) 하루 다섯 번 기도 시간을 알리기 위해서이다.

| 채점 기준 |

상	건조 기후와 낙타, 첨탑의 기능을 모두 언급한 경우
하	건조 기후나 낙타, 첨탑의 기능 중 일부만 언급한 경우

12 | 예시 답안 | 예멘인은 이슬람교도로 돼지고기를 금기시하여 먹지 않으며, 하루 다섯 번 의무적으로 기도를 한다. 이러한 문화 특징과, 이에 대한 이해도가 낮은 제주도민들 간의 마찰이 발생한 것이다.

| 채점 기준 |

상	이슬람교도, 돼지고기 금기, 기도 의무에 대해 모두 기술한 경우
하	세 가지 중 두 가지 이하로 기술한 경우

3단계 내신 만점 도전하기 102쪽

01 ① 02 ③

01 (가)는 크리스트교, (나)는 이슬람교, (다)는 불교이다. ① (가) 크리스트교는 분포 범위가 가장 넓다.

| 오답 피하기 | ② (가)~(다) 모두 보편 종교이다. ③ 개인의 수양, 해탈, 자비를 강조하는 것은 (다) 불교이다. ④ (나) 이슬람교는 서남아시아, (다) 불교는 남부 아시아가 기원지이다. ⑤ 윤회 사상은 (다) 불교의 특징이다.

02 A는 불교, B는 이슬람교, C는 크리스트교 경관이다. (가)는 이슬람교이다.

| 오답 피하기 | (나)는 유일신을 믿는 종교가 아니면서 민족 종교가 아닌 것은 A 불교만 해당되는 사항이다.

심화 수능 유형 익히기 103쪽

01 ④ 02 ②

01 (가)는 크리스트교, (나)는 이슬람교이다. 이슬람교는 인도네시아, 말레이시아, 방글라데시, 파키스탄 등이 속한 아시아·태평양 지역과 서남아시아·북아프리카에 신자 수가 많다. ④ 크리스트교와 이슬람교는 모두 기원지가 서남아시아이다.

| 오답 피하기 | ① 돼지고기, 술을 금기시하는 종교는 이슬람교이다. ② 불상과 불탑은 불교이다. ③ 세계 신자 수는 크리스트교>이슬람교 순이다. ⑤ 둘 다 보편 종교이다.

02 A는 튀르키예의 이슬람교이며, B는 인도의 힌두교이다. C는 타이의 불교, D는 필리핀의 크리스트교이다. ② A 이슬람교는 우상 숭배를 금지하므로 동물이나 사람의 형상을 만들지 못하게 하고 있다.

| 오답 피하기 | ① 돼지고기는 이슬람교, 쇠고기는 힌두교에서 금기시한다. ③ 크리스트교와 이슬람교는 모두 유일신을 신봉한다. ④ 남부 아시아에서 기원된 종교가 불교, 힌두교이다. ⑤ 힌두교는 민족 종교이고, 크리스트교는 보편 종교이다.

주제 10 세계 인구의 변천과 인구 이주

1단계 개념 익히기 108쪽

01 (1) 산업 혁명 (2) 저출산, 고령화 (3) 2단계, 3단계 (4) 배출 요인, 흡인 요인 (5) 합계 출산율 02 기후 난민 03 (1) × (2) × (3) ○ 04 (1) 기대 수명, 노년층 인구 비율 (2) (나) 05 ① 유출 ② 유입 06 ① 정치적 요인 ② 경제적 요인 ③ 기후적 요인

2단계 내신 유형 익히기 109~111쪽

01 ④ 02 ⑤ 03 ④ 04 ⑤ 05 ⑤ 06 ② 07 ② 08 ② 09~12 해설 참조

01 여성의 사회 진출이 늘어나면서 출생률은 감소한다.

| 오답 피하기 | ① 개발 도상국은 대부분 2단계에 해당한다. ② 경제 발전 수준이 높은 선진국으로 갈수록 출생률은 낮아지는 반면에 인구의 고령화 현상이 나타난다. ③ 4, 5 단계는 출생률이 낮으므로 출산 장려 정책을 실시해야 한다. ⑤ 인구의 자연 증가율은 2, 3단계에서 급증하다가 4, 5단계에서는 낮아진다.

02 ㄷ. 동남아시아 여성의 국제결혼을 위한 이동은 자발적, 영구적 이동이다. ㄹ. 휴가를 위한 이동은 환경적, 일시적, 자발적 이동이다.

| 오답 피하기 | ㄱ. 시리아 난민의 이주는 강제적, 정치적 이동이다. ㄴ. 아프리카계 흑인의 이동은 강제적, 영구적 이동이다.

03 (가)는 영국, (나)는 인도의 인구 피라미드이다. ④ 평균 기대 수명은 노년 인구 비율이 높은 (가)가 더 길다.

| 오답 피하기 | ① 유소년층 비율이 낮은 (가)는 출산율이 낮기 때문에 인구 증가율이 작다. ② 유소년 부양비는 (나)가 크다. ③ 도시 인구 비율은 선진국인 (가)가 높다. ⑤ 3차 산업 종사자 비율은 선진국이 높다.

04 (가)는 중국 화교의 이동, (나)는 아프리카계 흑인의 강제적 이동, (다)는 북부 아프리카 서남아시아의 개발 도상국에서 유럽 선진국으로의 노동력 이동이다.

| 오답 피하기 | ① (가)는 자발적, 경제적 이동이다. ② 유입국에서 경제 주도권을 장악하고 있는 것은 (가)이다. ③ (다)는 미숙련 노동력

의 이동이다. ④ (가) 화교가 동남아시아로 이동한 시기는 14세기부터이며, 미국으로 이동한 시기는 19세기이다. (나) 아프리카계 흑인이 노예로 미국에 이주하게 된 것은 16세기 중반부터이다. (다) 북아프리카와 서남아시아의 개발 도상국에서 유럽으로의 인구 이동은 20세기 중반부터 이루어졌다. 제2차 세계 대전 이후 전쟁으로 인한 인명 손실과 출생률 감소로 노동력이 부족해져 유럽 재건을 위한 이주 노동자의 대규모 유입이 본격화되었다.

05 지도는 시리아 난민의 이동이다. 7년째 계속되는 시리아 내전으로 490만 명 이상이 고향을 등지고 주변 국가로 떠났다.

| 오답 피하기 | ①, ②, ④는 자발적 이동이다. ③ 기후 변화로 이주하는 기후 난민은 해수면 변동과 사막화 등으로 인해 발생한다.

06 (가)의 이동은 중앙아메리카에서 미국으로의 이동이며 이동 주체는 단순 노동을 하는 저임금 근로자들로 일자리를 찾아 이동한다. (나)의 이동은 아프리카 내에서 내전과 환경 재해로 인해 가까운 주변국을 향한 난민들의 이동이다.

| 오답 피하기 | ㄹ. (가)는 대부분이 가톨릭 신자, (나)는 이슬람교도를 비롯하여 다양하다.

07 (가)는 영국, (나)는 인도, (다)는 소말리아이다. 영국은 선진국이며 저출산, 고령화 현상이 나타난다. 인도는 산아 제한 정책으로 유소년 인구 비율이 줄어들고 있다. ② 중위 연령은 노령화 현상이 나타나는 곳이 높다.

| 오답 피하기 | ① (가)인 영국이 유럽, (나)인 인도는 아시아이다. ③ 종형 인구 피라미드 구조는 출산율이 낮은 (가)에서 뚜렷하다. ④ 인도는 유소년층 인구 비율이 감소했기 때문에 합계 출산율은 감소하였다. ⑤ 청장년층 인구 비중이 높으면 인구 부양비가 작아진다. (가), (나) 지역만 인구 부양비가 작아졌다.

08 (가)는 스웨덴, (나)는 인도, (다)는 중국이다. 스웨덴은 양성 평등 문화가 발달하여 자녀 양육을 부부가 공동으로 책임을 지도록 제도화되어 있다. 인도는 인구 증가를 억제하기 위해 일부 주에서는 신혼부부들에게 임신을 미뤄줄 것을 당부하고 있으며 신혼부부가 이를 수용할 경우 인센티브도 제공하고 있다. 중국은 2016년부터 한 자녀 정책을 포기했다. 한 자녀 정책을 35년간 유지하면서 성비 불균형, 인권 침해, 노동 인구의 감소 등의 문제가 나타났기 때문이다.

09 | 예시 답안 | (1) 히스패닉은 중남미에서 미국으로 이주해온 사람들로 주로 에스파냐어를 사용하며 가톨릭교를 신봉한다. (2) 히스패닉이 주로 멕시코 국경과 가까운 미국 남서부 지역에 많이 정착했기 때문이며 이들은 가톨릭교 신자로 출산율 또한 높아 학생들의 수가 많아졌기 때문이다.

| 채점 기준 |

등급	기준
상	멕시코와의 거리, 높은 출산율에 대해 기술한 경우
하	둘 중 하나만 기술한 경우

10 | 예시 답안 | (가), (나) 지역의 이민자들은 주로 경제 발전 수준이 낮은 지역에서 높은 소득을 위해 일자리를 찾아 이동한 것이 공통점이다. (가), (나)는 부족한 노동력을 확보할 수 있게 되었고 경제 성장의 효과를 얻게 되었다.

| 채점 기준 |

등급	기준
상	유입 배경의 공통점과 지역 변화를 모두 잘 기술한 경우
중	유입 배경의 공통점을 기술하였고 지역 변화 기술을 부분적으로 기술한 경우
하	유입 배경만 기술한 경우

11 | 예시 답안 | (가) 산아 제한 정책, 적극적인 경제 성장 정책 추진 (나) 출산 장려금 지급, 다자녀 가구 혜택 확대, 양육 및 보육 시설 확충, 한 가구 한 자녀 갖기 운동 실시, 양성 평등 문화를 존중하는 분위기 조성

| 채점 기준 |

등급	기준
상	(가), (나) 각각 적절한 정책을 두 가지 이상 기술한 경우
중	(가), (나) 각각 적절한 정책을 한 가지만 기술한 경우
하	(가), (나) 중 한 지역만 기술한 경우

12 | 예시 답안 | 소득이 높고 경제 성장을 이룬 선진국이며, 높은 임금, 쾌적한 생활 환경, 성공의 기회, 풍부한 단순 노동 일자리가 있다.

| 채점 기준 |

등급	기준
상	선진국이란 공통점과 흡인 요인을 두 가지 이상 기술한 경우
중	선진국이란 공통점과 흡인 요인을 한 가지씩 기술한 경우
하	공통점과 흡인 요인 중 하나만 기술한 경우

3단계 내신 만점 도전하기 112쪽

01 ④ 02 ⑤

01 (가)는 북서 유럽의 선진국, (나)는 중남부 아프리카의 개발 도상국이다. (가)는 (나)보다 중위 연령은 높고, 합계 출산율은 낮으며, 노령화 지수는 높다.

02 지도는 개발 도상국에서 주변의 선진국 및 자원 개발, 산업화가 활발한 지역으로의 이동을 나타낸 것이다. 유럽은 북아프리카와 동부 유럽, 중앙아시아에서의 유입이 많고, 사우디아라비아는 오일 머니로 산업화가 한창일 때 남부 아시아와 아프리카에서의 노동력 유입이 많았다. 오스트레일리아와 한국, 일본은 동남아시아의 노동자들이 일자리를 찾아 이동하였다.

심화 수능 유형 익히기 113쪽

01 ① 02 ④

01 지도에서 A는 독일, B는 튀르키예, C는 나이지리아이다. (가)는 1960~1965년과 2010~2015년 합계 출산율이 가장 낮다. (다)는 1960~1965년과 2010~2015년 합계 출산율이 가장 높으며 1960~1965년과 2010~2015년 사망률이 가장 높다. 반면, (나)는 (가)와 (다)보다 1960~1965년과 2010~2015년 사이 합계 출산율과 사망률이 빠르게 감소하였다. 그러므로 (가)는 선진국인 독일(A), (나)는 튀르키예(B), 그리고 (다)는 나이지리아(C)이다.

02 A는 인구가 지속적으로 순유입 지역이고 최근 더 증가한 것으로 보아 유럽이다. B는 순유입 지역이며 도시화율이 높은 것으로 보아 앵글로아메리카이다. C는 유출 인구가 많고 도시화율이 낮으므로 아프리카이다. 유출 인구는 주로 유럽으로 향한다. D는 도시화율이 최근 증가하였고 유출 인구도 많은 것으로 보아 라틴 아메리카이다. 유출 인구는 주로 북아메리카로 향한다. E는 도시화율 증가가 가장 크고, 인구도 많이 유출된 것으로 보아 아시아이다.

| 오답 피하기 | ① 아프리카에 대한 설명이다. ② 아시아 인구가 가장 비중이 크다. ③ 국제 연합 본부는 미국의 뉴욕에 위치해 있다. ⑤ 유럽에 대한 설명이다.

주제 11 세계 도시의 등장과 세계 도시 체계

1단계 개념 익히기 116쪽

01 (1) 도시화 (2) 세계 도시 (3) 양극화 (4) 세계 도시 체계 (5) 뉴욕, 런던, 도쿄 02 ㉠ 선진국, ㉡ 개발 도상국 03 세계 도시 04 (1) × (2) × (3) ○ 05 교통과 통신 06 ㉠ 양극화 현상 ㉡ 거주지 분리 07 (1) < (2) > (3) > (4) > (5) >

2단계 내신 유형 익히기 117~119쪽

01 ④ 02 ③ 03 ① 04 ⑤ 05 ⑤ 06 ④ 07 ④ 08 ② 09~11 해설 참조

01 2010년 이후에도 농촌과 도시 인구를 합한 값이 계속 커지고 있으므로 세계 인구는 증가할 것이다.

| 오답 피하기 | ⑤ 도시화 속도는 2010년 이후 도시 인구의 증가와 농촌 인구의 감소로 인해 더욱 빨라질 것으로 예상된다.

02 (가)는 일본, (나)는 중국 (다)는 방글라데시이다.

| 오답 피하기 | 일본은 선진국으로 도시화율이 높고, 중국은 경제 성장율이 높아 도시화가 한창 진행 중에 있다. 방글라데시는 도시화율이 낮다.

03 세계 도시의 선정 기준은 경제적, 정치적, 문화적 측면에서 다양하게 고려된다. 하지만 도시의 인구수는 고려되지 않는다. 경제적 측면에서는 다국적 기업의 본사 수, 금융 기관 수, 정치적 측면에서는 국제회의 개최 수, 세계적으로 유명한 문화 예술 기관, 영향력 있는 대중 매체, 도시 기반 시설 측면에서는 국제공항, 첨단 정보 통신 시스템 등의 구비 정도 등이 있다.

04 국가 경제의 영역이 전 세계로 확대되고 국경 개념이 약화되면서 경제의 세계화 현상이 촉진되었고, 이런 현상이 세계 도시를 성장시켰다.

05 A는 뉴욕이다. 세계 도시는 도시가 가진 기능과 영향력의 크기와 규모에 따라 최상위 세계 도시, 상위 세계 도시, 하위 세계 도시로 계층이 나뉘게 된다. 병: 교통·통신망의 핵심적인 결절이 되면 세계 도시로 성장할 수 있다.

| 오답 피하기 | 갑: A는 뉴욕이다. 다국적 기업뿐만 아니라 국제기구의 활동도 활발하다. 을: 상위 세계 도시는 하위 세계 도시보다 인구나 면적이 많아서가 아니라 전 지구적 차원의 경제, 정치, 문화를 연결할 인력, 조직, 기구가 많기 때문이다.

06 A는 최상위 세계 도시, B는 하위 세계 도시이다.

| 오답 피하기 | ① 최상위 세계 도시로 갈수록 제조업보다는 생산자 서비스업 비중이 높다. ② 도시 인구수는 세계 도시의 선정 기준과 관계가 적다. ③ 최상위 세계 도시로 갈수록 개수가 적다. ⑤ 주로 도시화 속도가 느린 선진국에 분포한다.

07 A는 아시아, B는 유럽이다. A가 인구가 가장 많기 때문에 아시아가 된다.

| 오답 피하기 | ② 아시아는 인구수가 많긴 하지만 도시 인구 비율은 도시화가 많이 진행된 유럽이 높다. ③ 도시화 속도가 빠른 지역은 라틴 아메리카이다. ⑤ 세계의 도시 인구 비율이 높아졌다.

08 세계 도시는 다른 지역과의 연결성이 뛰어나 외국인들이 쉽게 접근할 수 있다. 부의 양극화 현상과 거주지 분리 현상으로 중산층이 떠나간 집에 저소득층의 거주가 증가하고 있다.

| 오답 피하기 | ① 출산율에 대해 파악할 수 있는 자료가 없다. ③ 양극화는 심해졌다. 고소득층과 최저소득의 격차가 전국 최고라고 했기 때문이다. ④ 영국 내 다른 도시와 소득을 비교한 자료는 알 수 없다. ⑤ 저소득, 단순 노동자들을 위한 취업 기회는 낮다. 이는 취업률이 전국을 밑돈다는 설명에서 파악할 수 있다.

09 | 예시 답안 | 아시아와 아프리카는 개발 도상국이 많고 아직 도시화가 덜 진행되어 있기 때문에 그래프와 같이 선진국보다 도시 인구 증가율이 높게 진행되면 세계의 증가하는 도시 인구는 아시아와 아프리카의 몫이 된다.

| 채점 기준 |

상	개발 도상국의 도시화 현황과 빠른 도시화 속도로 인해 나타날 현상임을 파악하여 기술한 경우
중	도시 인구 증가율이 선진국보다 높다는 것만을 기술한 경우
하	자료와 무관하게 개발 도상국의 인구가 많음을 이용하여 기술한 경우

10 | 예시 답안 | 다국적 기업의 본사 수, 금융 기관 수, 국제회의 개최 수, 국제기구의 본부 수, 세계적 규모의 문화 예술 기관, 대중 매체, 스포츠 경기 및 시설, 교육 기관, 국제공항 보유 여부 등

| 채점 기준 |

상	세 가지 이상을 기술한 경우
중	두 가지만 기술한 경우
하	한 가지만 기술한 경우

11 | 예시 답안 | 특정 지역에서 이민 온 이민자들이 집단 거주지를 형성하면서 현지인과 분리되는 현상이 생겨난다. 민족 집단의 독특한 문화 지역을 만들 수 있다. 거주지는 임대료가 비싼 중심지에서 벗어나 주변 지역에 분포하고 있다.

| 채점 기준 |

상	민족 집단끼리 모여서 거주한다는 것, 임대료가 비싼 지역에서 떨어진 곳에 거주한다는 것을 모두 기술한 경우
중	두 가지 중 한 가지만 기술하거나 두 가지 모두 기술했더라도 표현이 미흡한 경우
하	두 가지 중 한 가지만 기술한 경우

3단계 내신 만점 도전하기 120쪽

01 ② 02 ①

01 제시된 자료에서 (가)는 아시아, (나)는 아프리카, (다)는 유럽, (라)는 라틴 아메리카이다. 1970년 유럽의 촌락 인구 비율은 37.0%이고 라틴 아메리카의 촌락 인구 비율은 42.9%로 큰 차이가 나지는 않지만 유럽의 촌락 인구가 약 두 배 정도 더 많으므로, 이를 통해 전체 총인구가 더 많음을 알 수 있다.

02 A는 최상위 세계 도시, B는 하위 세계 도시를 나타낸 것이다.

| 오답 피하기 | 최상위 세계 도시는 하위 세계 도시보다 국제기구는 더 많으며, 연평균 외환 거래액도 많다. 하지만 동일 계층의 수는 하위 세계 도시로 갈수록 많아진다.

심화 수능 유형 익히기 121쪽

01 ② 02 ④

01 ② 파리와 런던에 위치한 100대 기업의 총 매출액은 각각 7천억 달러 정도로 비슷하지만 본사 수는 파리가 6개, 런던이 4개이다. 따라서 도시별 100대 기업의 평균 매출액은 런던이 파리보다 많다.

| 오답 피하기 | ① 표에 제시된 100대 기업 본사가 위치한 국가와 기업 수를 보면, 브라질 1개, 기타 7개를 제외한 약 90여 개의 본사가 북반구에 위치한다. ③ 중국은 100대 기업 본사가 12개 있는데 그중 10개가 베이징에 위치한다. 반면 미국은 100대 기업 본사가 32개 있는데 그 중 뉴욕에 4개, 나머지는 도시별로 1~2개가 분포한다. 따라서 미국은 중국보다 특정 도시에 대한 100대 기업 본사의 집중도가 낮다. ④ 100대 기업 본사 수가 중국 12개, 일본 10개, 대한민국 2개이다. 중국, 일본, 대한민국은 모두 동부 아시아에 위치한다. ⑤ 베이징은 100대 기업의 총매출액이 가장 많고 본사 수도 가장 많다.

02 하위 세계 도시는 최상위 세계 도시보다 생산자 서비스업이 차지하는 비중이 낮고 다국적 기업의 본사 수가 적지만 가장 인접한 동일 계층 세계 도시와의 거리는 가깝다.

주제 12 세계의 식량 자원

1단계 개념 익히기 124쪽

01 (1) 사료 (2) 쌀 (3) 옥수수 (4) 밀 (5) 돼지 (6) 소 02 바이오 에탄올 03 (1) ○ (2) × (3) ○ 04 곡물 메이저 05 옥수수 06 (1) 쌀 (2) 밀 (3) 옥수수 07 (가) 소 (나) 돼지

2단계 내신 유형 익히기 125~127쪽

01 ④ 02 ① 03 ③ 04 ① 05 ① 06 ① 07 ② 08 ④ 09~12 해설 참조

01 (가)는 옥수수, (나)는 쌀, (다)는 밀이다. 옥수수는 미국에서 생산량이 가장 많아 아메리카의 생산 비중이 높다. 쌀은 아시아에서 생산량이 많다. 밀은 아시아와 유럽에서 생산량이 많다.

| 오답 피하기 | ① 옥수수는 신대륙에서 기업적으로 재배된다. ② 사료 작물 및 바이오 에너지 생산에 이용되는 것은 옥수수이다. ③ 고온 다습한 계절풍 기후 지역에서는 쌀이 유리하다. ⑤ 인구가 많은 아시아는 곡물 소비량이 많기 때문에 수출량보다 수입량이 더 많다.

02 ① 쌀은 성장기에 고온 다습한 기후가 유리하여 아시아 계절풍 기후 지역에서 주로 재배된다.

| 오답 피하기 | ② 쌀은 밀과 옥수수보다 이동량이 적다. ③ 식량

자원 중 단위 면적당 생산량이 가장 적은 것은 밀이다. ④ 기후 적응력이 높은 식량 자원은 밀과 옥수수이다. ⑤ 바이오 에탄올은 주로 옥수수로 생산한다.

03 (가)는 옥수수, (나)는 소이다. (가) 옥수수는 바이오 에탄올을 만드는 데 사용되며 사료로 이용되는 비중도 높아, 소를 많이 사육할수록 옥수수 소비가 증가한다. 옥수수는 미국이 최대의 수출국이다. ③ 육류는 주로 생활 수준이 높은 선진국으로 수출되어 소비된다.

| 오답 피하기 | ④ 미국의 소는 기업적 방목 형태로 사육된다.

04 (가)는 소, (나)는 돼지이다.

| 오답 피하기 | ② 이슬람교에서 금기하는 음식 재료는 돼지이다. ③ 육류 중 사육 두수가 가장 많은 것은 닭이다. ④ 남반구에서 북반구로 수출량이 많은 것은 소이다. ⑤ 유목 지역에서 사육하기 적당한 것은 소, 양이다.

05 (가)는 아메리카, (나)는 아시아이고, A는 옥수수, B는 쌀, C는 밀이다. 오세아니아는 C의 비중만 높으므로 C는 밀이다. 아프리카는 A의 비중이 가장 높기 때문에 A가 옥수수가 된다. 그 외의 식량 작물은 쌀이므로 B가 쌀이다. 쌀은 아시아에서 생산 비중이 높기 때문에 (나)가 아시아가 된다. ① 계절풍 지역에서 주로 재배되는 것은 B인 쌀이다.

| 오답 피하기 | ② 옥수수와 밀의 최대 수출국은 미국이다. ③ 쌀과 밀의 최대 생산국은 중국이다. ④ 단위 면적당 생산량은 옥수수가 가장 많다. ⑤ 서늘하고 건조한 기후에서는 내건성·내한성이 있는 밀이 재배된다.

06 (가)는 옥수수, (나)는 밀이다. 미국은 옥수수의 생산량과 수출량 모두 1위이므로 같은 국가이다. 연중 고온 다습한 기후 지역에서 재배가 유리한 것은 쌀이다. 내한성·내건성이 뛰어나고 국제 이동량이 많은 곡물은 밀이다.

07 (가)는 쌀, (나)는 밀이다. ② 신대륙에서 밀은 상업적·기업적으로 대량 생산하고 수출량도 많다.

| 오답 피하기 | ⑤ 쌀은 고온 다습한 충적 평야 지대가 유리하지만, 밀은 내한성 및 내건성이 커서 냉대, 반건조 지역에서 재배된다.

08 A는 쇠고기, B는 돼지고기이다. ④ 무슬림이 많은 사우디아라비아와 튀르키예는 B(돼지고기) 소비량이 아주 적거나 없다.

| 오답 피하기 | ② 일본은 경제 수준이 높지만 육류 소비가 많지 않다. ③ 국가별 육류 소비량과 A(쇠고기) 소비량은 비례하지 않는다. 아르헨티나는 육류 소비량 2위이나 쇠고기 소비가 가장 많다. ⑤ 사우디아라비아는 B의 소비 비중이 아주 낮다.

09 | 예시 답안 | 연중 고온 다습하거나 생육 기간에 고온 다습한 기후 조건, 비옥한 충적 평야, 많은 노동력이 필요하므로 인구가 많고 계절풍이 부는 아시아 지역이 유리하다.

| 채점 기준 |

상	기후 조건과 노동력 조건을 모두 기술한 경우
중	기후 조건과 노동력 조건 중 하나만 기술한 경우
하	기후 조건 혹은 노동력 조건을 기술한 정도가 미흡한 경우

10 | 예시 답안 | 첫째, 국제 옥수수 가격이 상승하게 된다. 둘째, 옥수수를 주식으로 사용하는 일부 국가에서 식량난이 발생할 수 있다. 셋째, 옥수수를 사료용으로 수입하는 국가에서 사료 가격이 상승하면서 축산업 농가의 소득 감소 또는 육류 가격 상승이 일어난다.

| 채점 기준 |

상	국제 옥수수 가격, 옥수수를 주식으로 하는 국가의 식량난, 사료 가격의 상승 중에서 두 가지 이상 기술한 경우
중	두 가지를 기술하였으나 문장 기술이 미흡한 경우
하	한 가지만 기술한 경우

11 | 예시 답안 | 곡물 수출을 줄이거나 중단하고, 곡물 가격을 더 올려 이익을 극대화하는 전략을 사용할 것이다.

| 채점 기준 |

상	곡물 가격, 수출량 조절에 대해 기술한 경우
하	곡물 가격에 대해서만 대해 기술한 경우

12 | 예시 답안 | 바이오 에너지, 옥수수 가격이 상승하면서 옥수수를 주식으로 삼는 나라에서 식량난이 발생하고 식량을 재배할 땅에 바이오 연료를 심게 되면서 원주민들이 먹을 식량이 부족해진다. 땅을 빼앗기면서 일자리를 잃게 되고 생계 곤란을 겪게 된다. 또한 환경이 훼손되는 문제점이 발생한다.

| 채점 기준 |

상	식량난과 일자리, 환경 파괴 등의 문제를 두 가지 이상 기술한 경우
중	두 가지 이상 기술했지만 문장의 논리적 연결성이 떨어지는 경우
하	한 가지만 기술한 경우

3단계 내신 만점 도전하기 128쪽

01 ③ 02 ②

01 (가)는 밀, (나)는 옥수수, (다)는 쌀이다. 재배 면적은 '밀>옥수수>쌀', 단위 면적당 생산량은 '옥수수>쌀>밀', 연간 총 생산량은 '옥수수>쌀>밀' 순서이다.

| 오답 피하기 | ㄹ. 가족 노동력 중심의 노동 집약적 형태의 농업은 아시아의 쌀 재배에서 나타난다.

02 (가)는 밀, (나)는 옥수수이다.

| 오답 피하기 | 을: 밀 생산량이 많은 중국, 인도는 수출을 거의 하지 않는다. 병: (가) 밀의 생산량의 합이 (나) 옥수수보다 많아 보이긴 하나 이는 단위가 다르기 때문이다. 생산량은 옥수수가 밀보다 많다.

심화 수능 유형 익히기 129쪽

01 ① 02 ④

01 아시아가 생산량과 수출량이 가장 많은 (나)가 쌀이다. 생산량을 나타낸 원의 합이 가장 큰 (가)가 옥수수이다. 세 작물 모두 수입량이 많은 B가 아프리카이다. 세 작물 모두 생산량이 적은 A는 오세아니아이다. A에서는 (다)의 수출량이 많으므로 (다)가 밀이 된다. 따라서 (가)는 옥수수이다. (다)인 밀의 수출량이 가장 많은 지역은 D인데 이는 유럽이다. E는 옥수수 수출량이 많으므로 라틴 아메리카가 된다.

| 오답 피하기 | ② 옥수수 최대 생산국은 미국이므로 앵글로아메리카에 위치한다. ③ (나) 쌀은 (다) 밀보다 국제 이동량이 적다. ④ 가축 사료로는 (가) 옥수수가 주로 사용된다. ⑤ E 라틴 아메리카는 옥수수 생산량이 많다.

02 A는 옥수수, B는 밀이다. 옥수수는 바이오 에탄올의 연료로 이용되며, 밀은 내한성과 내건성을 띠어 고위도 및 건조 지역에서도 재배가 가능하다. 국가별 생산 비중 그래프를 살펴보면 (가)는 중국, 인도, 미국과 아울러 러시아, 프랑스가 순위권을 차지하므로 밀이다. (나)는 중국, 인도, 인도네시아, 방글라데시, 베트남과 같은 아시아 지역만 포함하므로 쌀이다. (다)는 미국이 큰 비중을 차지하면서 1위 생산국이며, 옥수수를 재료로 하는 토르티야를 주식으로 하는 멕시코, 아르헨티나도 포함되므로 옥수수이다.

주제 13 세계 주요 에너지 자원과 국제 이동

1단계 개념 익히기 134쪽

01 (1) 석탄 (2) 석유 (3) 천연가스 (4) 지열 (5) 원자력 (6) 석유 수출국 기구(OPEC) 02 (가) 석탄 (나) 석유 (다) 태양광 03 (1) 석탄 (2) 셰일 가스 (3) 천연가스 04 (1) A 석유, B 석탄, C 천연가스, D 원자력 (2) D (3) 화석 연료이며 고갈되는 자원이다. 05 석탄 06 (1) ㉢ (2) ㉡ (3) ㉠

2단계 내신 유형 익히기 135~137쪽

01 ④ 02 ⑤ 03 ③ 04 ① 05 ④ 06 ③ 07 ⑤ 08 ④ 09~12 해설 참조

01 (가)는 석유, (나)는 석탄이다. 석유는 사우디아라비아와 러시아, 미국의 생산 비중이 높다. 석탄은 중국에서 생산량이 가장 많다. ④ 석탄과 석유는 모두 재생 불가능한 고갈 자원이다.

| 오답 피하기 | ① 석유는 세계에서 가장 많이 이용되는 자원이다. ② 석유 가격은 국제 정세에 따른 변동이 크다. ③ 석탄은 고기 조산대에 주로 분포한다. ⑤ 석유는 석탄보다 편재성이 크고 이용량이 많아 국제 이동량이 많다.

02 해당 자원은 천연가스이다. 천연가스는 미국, 러시아, 이란 등의 국가에서 생산량이 많다. 유럽은 러시아로부터 파이프라인을 통해 천연가스를 공급받고 있다.

| 오답 피하기 | ① 수송용으로 주로 이용되는 것은 석유이다. ② 화석 연료 중 편재성이 가장 작은 자원은 석탄이다. ③ 경제 발전 수준과는 관련 없이 러시아와 인접 국가에서 많이 수입하는 편이다. ④ 세계 제1차 에너지 소비 구조에서 차지하는 비중이 가장 높은 자원은 석유이다.

03 (가)는 원자력, (나)는 수력 발전의 설비 용량이다. 원자력이 시간당 발전량이 일정한 반면, 수력은 강수량에 따라 발전량이 달라진다.

| 오답 피하기 | ① 화산과 지진이 활발한 곳에서는 지열 발전이 유리하다. ② 일조량이 많은 곳은 태양광, 태양열 발전에 적합하다. ④ 수력은 순환 자원을 사용하지만, 원자력 발전은 고갈 자원을 사용한다. ⑤ 수력보다 원자력이 기술 수준이 높은 나라에 분포하는 편이다.

04 A는 석유, B는 석탄, C는 천연가스, D는 원자력, E는 수력이다. 1차 에너지 자원의 소비량은 석유>석탄>천연가스>수력>원자력 순이다. ① 석유(A)는 자원의 편재성이 크고, 에너지 자원 중 국제 이동량이 가장 많다.

| 오답 피하기 | ② 석탄은 재생 불가능한 고갈 자원이다. ③ 천연가스(C)는 주로 석유 매장지 근처의 신생대 지층에 매장되어 있다. ④ 상용화된 시기가 가장 이른 것은 석탄(B)이다. ⑤ 대기 오염 물질을 많이 배출하는 자원은 석탄이다.

05 지도는 태양열, 태양광 에너지의 생산 가능성을 나타낸 지도이다. 대부분 지역이 일조량이 연중 많은 건조 지역에 집중되어 있다.

| 오답 피하기 | ① 실제 생산량은 독일, 일본 등 선진국에 많다. ② 유량이 풍부하고 낙차가 큰 하천 지역이 유리한 것은 수력 발전이다. ③ 냉각수가 풍부하고 지반이 안정된 지역에 주로 분포하는 것은 원자력 발전이다. ⑤ 지각판의 경계부에 위치하여 지열이 풍부한 지역이 유리한 것은 지열 발전이다.

06 (가)는 석유, (나)는 석탄이다. 석유는 서남아시아에서 생산량이 많고, 석탄은 아시아와 오세아니아에서 생산량이 많다. 소비량은 석유, 석탄 모두 아시아와 오세아니아가 많다.

| 오답 피하기 | 석탄은 석유에 비해 수송 연료 이용량이 적고, 편재성은 작으며, 국제 이동량도 적다.

07 (가)는 석유, (나)는 석탄, (다)는 천연가스이다. 그래프의 단위는 TOE로 석유 환산 톤이다. 석유는 화석 에너지 중 가장 많이 사용되며, 두 번째는 석탄, 가장 적게 사용하는 자원이 천연가스이다. ⑤ 사용된 시기가 가장 늦은 것은 천연가스이다.

| 오답 피하기 | ① 고생대 지층에는 석탄이 주로 매장되어 있다. ② 신생대 제3기층에는 주로 석유와 천연가스가 매장되어 있다. ③ 발전 및 제철용으로 사용되는 연료는 석탄이다. ④ 대기 오염 물질 배출량은 천연가스가 가장 적다.

08 (가)는 지열, (나)는 수력이다. 수력은 지열보다 에너지 생산량이 많다.

| 오답 피하기 | 갑: 조력 발전의 입지 조건이다. 병: 일조량은 태양광 발전에 유리한 조건이 된다.

09 | 예시 답안 | (1) A 석유, B 천연가스, C 수력, D 석탄 (2) 건조 지역이라 하천이 발달하지 않기 때문에 수력 발전에 불리하다. (3) 석탄 사용 비중이 높아 대기 오염과 미세 먼지 발생이 많다. 또한 이산화 탄소 발생으로 지구 온난화를 가중시킨다.

| 채점 기준 |

등급	기준
상	자원의 명칭과 특성, 석탄 사용으로 인한 환경 오염 등을 모두 바르게 제시한 경우
하	자원의 명칭과 특성, 환경 오염 중 한 가지만 제시한 경우

10 | 예시 답안 | 화석 에너지의 고갈과 지구 온난화 등 환경 문제

| 채점 기준 |

등급	기준
상	자원의 고갈, 환경 문제를 모두 언급한 경우
중	자원의 고갈 혹은 환경 문제를 둘 중 하나만 언급한 경우
하	자원의 고갈 혹은 환경 문제를 둘 중 하나만 언급하였지만 문장과의 연결이 어색한 경우

11 | 예시 답안 | (1) 미국 (2) OPEC가 석유의 생산량을 줄이면 시장 가격은 올라가게 되어 있지만, 셰일 오일의 공급 증가로 시장에 석유 공급이 증가한다면 결국 석유 가격은 내려가기 때문이다.

| 채점 기준 |

등급	기준
상	증가한 셰일 오일의 생산량이 OPEC가 감산한 양보다 많아 가격이 다시 내려간다는 의미를 논리적으로 기술한 경우
중	셰일 오일 생산량과 석유 가격을 기술했지만 상관관계에 대한 기술이 부족한 경우
하	셰일 오일과 석유 가격만 언급한 경우

12 | 예시 답안 | (1) 제시된 자원은 원자력 발전으로 냉각수가 풍부한 하천·해안가와 지반이 안정된 곳, 인구 밀집 지역과 거리가 먼 곳에 입지한다. (2) 적은 양의 자원으로 많은 에너지를 생산할 수 있으나, 방사능 유출 위험과 폐기물 처리의 어려움이 있다. 아울러 존폐 및 신규 설치에 지역 갈등을 유발한다.

| 채점 기준 |

등급	기준
상	입지 조건 및 장단점을 모두 한 가지 이상씩 기술한 경우
하	입지 조건 및 장단점 중 한 가지만 기술한 경우

3단계 내신 만점 도전하기 138쪽

01 ① 02 ④

01 (가)는 석유, (나)는 석탄이다. (가)는 페르시아만에서부터의 이동량이 많으므로 석유이다. (나)는 오스트레일리아와 인도네시아에서부터의 이동량이 많으므로 석탄이다.

| 오답 피하기 | ② 석유는 최근 셰일 에너지 개발로 인해 가채 연수가 늘어났다. ③ 상용화된 시기는 (가)는 (나)보다 늦다. ④ (나) 석탄이 고생대 지층에 매장된 양이 많다. ⑤ 국제 이동량은 편재성이 큰 (가) 석유가 많다.

02 (가)는 바이오 에너지, (나)는 수력, (다)는 지열이다. ④ (나) 수력은 강수량이 풍부해야 하므로 (다) 지열보다 생산량이 기후 조건에 영향을 많이 받는다.

| 오답 피하기 | ① 지각판의 경계 지역에서 유리한 것은 (다) 지열이다. ② 농작물을 에너지로 전환한 것은 (가) 바이오 에너지이다. ③ 낙차가 크고 수량이 풍부한 지역에서 유리한 것은 (나) 수력이다. ⑤ 바이오 에너지보다 수력의 상용화 시기가 이르다.

심화 수능 유형 익히기 139쪽

01 ② 02 ⑤

01 A는 석유, B는 천연가스, C는 석탄, D는 수력이다. ② 냉동 액화 기술과 가스관은 천연가스의 국제 이동을 가능하게 한 기술이다.

| 오답 피하기 | ① 산업 혁명 시기의 주요 에너지 자원은 석탄이다. ③ 신생대 제3기층 배사 구조는 석유 자원의 생산지이다. ④ 수송 부문에 사용이 많은 것은 석유이다. ⑤ 수력은 오염 물질을 거의 배출하지 않는다.

02 A는 석유, B는 천연가스, C는 석탄이다. 대륙별로 가장 많이 사용하는 A가 석유이다. B는 앵글로아메리카와 라틴 아메리카 모두 2순위이므로 천연가스이다. (가)는 아시아·오세아니아, (나)는 유럽이다. ⑤ 석유가 석탄보다 이동량이 많다.

| 오답 피하기 | ① (가)는 석탄의 소비 비중이 높으므로 아시아·오세아니아이다. ② 유럽 내에서 소비 비중은 석탄이 석유 및 천연가스보다 낮다. ③ 냉동 액화 기술의 발달로 사용량이 증가한 에너지 자원은 천연가스이다. ④ 산업 혁명 시기에 주요 동력원으로 사용된 에너지 자원은 석탄이다.

대단원 3 마무리하기

141～142쪽

01 ⑤ 02 ① 03 ⑤ 04 ③ 05 ② 06 ④
07 ③ 08 ④

01 (가) 크리스트교 (나) 이슬람교 (다) 불교 (라) 힌두교이다. ⑤ (라) 힌두교의 신자는 (다) 불교보다 많다.

| 오답 피하기 | ① 카스트 제도는 힌두교와 관련 있다. ② 유럽 문화권과 분포 지역이 거의 일치하는 것은 크리스트교이다. ③ 하루 다섯 번의 기도는 이슬람교에서 강조한다. ④ 발생 시기는 이슬람교보다 크리스트교가 빠르다.

02 (가)는 피라미드형 인구 구조로 개발 도상국형이며, (나)는 종형 인구 구조로 선진국형이다. 선진국은 개발 도상국보다 도시화율이 높고 노령화 지수가 높으며 3차 산업 인구 비율이 높게 나타난다.

03 (가)는 아프리카 흑인 노예의 이동이며, (나)는 북부 아프리카와 튀르키예, 동부 유럽의 단순 노동력이 서유럽의 선진국으로 이동한 것이다.

| 오답 피하기 | (가)는 강제적 이동이며, 유입된 인구는 플랜테이션 농장에 노동력을 제공하였다. (나)는 소득 향상을 위한 자발적 이동이며 일자리를 얻기 위한 이동이다.

04 A는 최상위 세계 도시, B는 하위 세계 도시이다. ③ 생산자 서비스업의 발달 수준은 A가 B보다 높다.

| 오답 피하기 | ① 최상위 세계 도시는 선진국에 분포한다. ② 국제 항공 여객 수는 상위 세계 도시로 갈수록 많다. ④ 세계 도시는 고용 구조가 제조업 중심에서 고차 서비스 산업으로 변화하고 있다. ⑤ 교통·통신의 발달은 세계 도시들 간의 상호 작용을 증대시킨다.

05 A는 아시아, B는 유럽, C는 아프리카이다. 아시아는 전체 인구가 가장 많은 지역이므로 도시, 촌락을 합한 인구가 최대이다. 유럽은 도시화가 일찍 시작되어 도시화율이 높아 농촌 인구보다 도시 인구가 많다. 그리고 도시화 단계가 종착 단계에 해당되어 도시 인구 증가율은 최저이다. 아프리카는 도시 인구는 아직 촌락 인구보다 적으나 도시 인구 증가율은 가장 높다.

06 A는 밀, B는 쌀, C는 옥수수이다. 밀은 서남아시아가 원산지이고, 쌀은 동남아시아, 옥수수는 아메리카가 원산지이다. ㄴ. 쌀이 밀보다 단위 면적당 생산량이 많다. ㄹ. 옥수수가 밀보다 바이오 연료로 많이 이용된다.

| 오답 피하기 | ㄱ. 밀이 쌀보다 국제 이동량이 많다. ㄷ. 옥수수가 주로 가축 사료로 이용된다.

07 (가)는 지열 발전, (나)는 태양광 발전이다. 지열은 지각판 경계 지역에서 유리하며, 태양광은 일사량이 많은 지역이 유리하다.

| 오답 피하기 | ㄱ. 냉각수는 원자력 발전에 주로 필요하다. ㄹ. 기상 상태에 따라 생산량이 변화가 큰 것은 태양광이다.

08 (가)는 석유, (나)는 석탄이다. A는 미국, B는 중국이다. ④ 석유는 석탄보다 국제 이동량이 많다.

| 오답 피하기 | ① 냉동 액화 기술은 천연가스와 관련 있다. ② 석탄은 고생대 지층에 주로 매장되어 있다. ③ 산업화에 본격적으로 먼저 이용된 것은 석탄이다. ⑤ A는 미국이므로 아메리카이며, B는 중국이므로 아시아이다.

지리적 역량 기르기

143쪽

01 | 예시 답안 |

(1) 장점	• 축산업, 냉장, 유통업이 발달한다. • 건강하게 사는 데 필요한 영양소인 단백질을 공급한다. • 식사가 맛있고 고급스러워진다.
(2) 문제점	〈환경적 측면〉 • 숲이 사라진다. • 물 소비가 증가한다. • 토양이 침식된다. • 향후 농업 위기를 초래하여 식량난이 발생할 수 있다. • 가축으로부터 생산되는 식량보다 가축을 키우는 과정 중에 더 많은 에너지와 단백질이 소비된다. 〈생산 방식 측면〉 • 가축들이 생육 환경이 열악한 곳에서 길러진다. • 공장식 축산으로 육류의 품질이 더 저하된다.

| 평가 영역 | 개념 이해(자료에 나오는 개념에 대한 이해도)

상	육류 소비의 장점을 기술하고, 문제점을 환경적 측면과 생산 방식 측면으로 구분하여 잘 기술한 경우
중	육류 소비의 장점 및 문제점을 본문에 담긴 내용 위주로 정리해서 기술한 경우
하	육류 소비의 장점 및 문제점을 인식하고 있지만 정리가 잘 안 된 경우

02 | 예시 답안 | 가장 기본적인 식량조차 확보할 힘이 없는 사람들에게 육류는 비효율적이며 상대적으로 비싼 먹거리이고 환경적 소비와 훼손을 심각하게 초래하는 먹거리이다. 단기적으로는 우리의 식생활을 어류, 곡물, 채소를 통해 단백질을 공급받을 수 있도록 식단을 개선해야 한다. 정부는 공장식 축산으로 생육 환경이 열악한 업체를 점검하고 제도를 개선해야 한다. 장기적으로 향후 단백질 공급을 대체할 수 있는 친환경적인 식량 자원(식용 곤충 등)을 개발한다.

| 평가 영역 | 문제 해결력(주제와 관련된 정보를 수집하여 자신의 입장에 맞게 논리적으로 조직하는 정도)

상	현상에 대한 종합적인 평가를 바탕으로 이에 대한 방안을 체계적으로 제시한 경우
중	문제 해결을 위한 방안을 두 가지 이상 기술한 경우
하	문제 해결을 위한 방안을 한 가지만 기술한 경우

대단원 ④ 몬순 아시아와 오세아니아

주제 14 몬순 아시아의 전통 생활 모습

1단계 개념 익히기 148쪽

01 (1) 몬순 (2) 대륙과 해양의 비열 차 02 벼 03 (1) × (2) ○ (3) × (4) ○ 04 (1) 고상 가옥 (2) 건조 기후 05 우기: 6~10월, 건기: 11~5월 06 (1) 많고, 높아 (2) 둥글고, 높은

2단계 내신 유형 익히기 149~151쪽

01 ③ 02 ④ 03 ② 04 ② 05 ① 06 ② 07 ③ 08 ① 09 ④ 10~13 해설 참조

01 몬순은 계절에 따라 풍향이 바뀌는 계절풍을 말하는데, 대륙과 해양의 비열 차로 발생한다. 1월에는 대륙 내부에 고기압이 발달하여 대륙에서 해양으로 차고 건조한 바람이 분다. 7월에는 해양에서 대륙으로 바람이 불기 때문에 바람받이 사면인 히말라야산맥의 남사면에 강수량이 많다.

| 오답 피하기 | ④ 해양에서 대륙으로 바람이 부는 여름이 우기, 반대로 대륙에서 해양으로 바람이 부는 겨울이 건기이다. ⑤ 북반구의 여름인 7월에는 해양에서 대륙으로 바람이 분다.

02 (가)는 바람이 대륙에서 해양으로 부는 것으로 보아 겨울이고, (나)는 바람이 해양에서 대륙으로 부는 것으로 보아 여름이다. ㄴ. (나)는 여름 계절풍으로 고온 다습하여 몬순 아시아의 벼농사에 큰 영향을 준다. ㄹ. 몬순 아시아에서는 대륙과 해양의 비열 차이로 인해 계절에 따라 풍향이 바뀐다.

| 오답 피하기 | ㄱ. (가)는 겨울로 대륙에서 해양으로 부는 바람은 건조하여 강수량이 적다. ㄷ. 우리나라와 같은 중위도에서는 겨울 계절풍이 여름 계절풍보다 풍속이 강하다.

03 인도의 체라푼지(A)와 중국의 라싸(B)는 비교적 가까운 거리에 위치하나 체라푼지는 세계적인 다우지인데 비해, 라싸는 건조 기후가 나타난다. 이는 두 지역 사이에 히말라야산맥이 위치하기 때문이다. 두 지역 모두 남서 계절풍의 영향을 받아 여름에 주로 비가 온다. 하지만 체라푼지는 히말라야산맥의 바람받이 쪽에 위치하여 여름 강수량이 매우 많지만, 라싸는 히말라야산맥의 바람그늘 쪽에 위치해 있어 여름인 7, 8월에도 100mm 내외의 강수가 있을 뿐이다.

| 오답 피하기 | ① 위도는 기온 분포와 관련이 깊으며, ④ 극동풍은 고위도에 부는 탁월풍이다.

04 대륙 서안에 위치한 런던은 편서풍과 해양으로 영향으로 여름에는 서늘하고, 겨울에는 온난하며, 비가 연중 고르게 내린다. 반면 대륙 동안에 위치한 서울은 계절풍의 영향으로 여름에는 고온 다습하고 겨울에는 한랭 건조하다. ㄱ. 서울은 런던보다 기온의 연교차가 크다. ㄷ. 서울은 최난월 평균 기온이 20℃ 이상인데 비해 런던은 20℃ 미만이다.

| 오답 피하기 | ㄴ. 런던은 연중 강수량이 고른 편이고, 서울은 여름에 강수량이 집중되므로, 겨울 강수 집중률은 런던이 높다. ㄹ. 해양으로 영향으로 연중 강수량이 고른 곳은 런던이다.

05 세계 주요 식량 작물이며, 고온 다습한 재배 조건과 몬순 아시아에서 주로 재배되는 것으로 보아 (가)는 쌀이다. ① 쌀은 밀보다 단위 면적당 수확량이 많아 인구 부양력이 높다.

| 오답 피하기 | ② 바이오 에탄올의 원료로 이용되는 작물은 옥수수이다. ③ 쌀은 좁은 지역에서 집약적으로 재배된다. ④ 쌀은 주 생산지와 주 소비지가 비슷하여 국제 이동량이 적다. ⑤ 쌀은 예로부터 몬순 아시아에서 주식 작물로 재배되어 왔다.

06 사진은 벼농사를 짓는 모습이다. 벼는 고온 다습한 기후에서 잘 자라는 작물로 여름철이 고온 다습한 몬순 아시아 지역에서 널리 재배된다. ② 몬순 아시아는 계절풍의 영향으로 여름철에 고온 다습하다.

| 오답 피하기 | ① 아시아는 대륙 동안에 위치한다. 계절풍은 대륙 동안에서 주로 나타난다. ③ 계절풍의 영향을 받는 지역은 우기와 건기의 강수량 차이가 커서 하천 유량의 차이도 크다. ④ 회백색의 산성 토양은 주로 냉대 기후 지역에 분포한다. ⑤ 열대 사나바 기후에서 볼 수 있는 경관이다.

07 계절풍은 대륙과 해양의 비열차 때문에 풍향이 계절에 따라 반대로 바뀌는 바람으로, 특히 몬순 아시아에서 탁월하다. 대체적으로 여름 계절풍은 고온 다습하며, 겨울 계절풍은 한랭 건조한 편이다. 적도 부근의 저위도에 위치한 몬순 아시아에서의 강수는 적도 수렴대의 이동과 관련이 깊으며, 북반구가 여름인 7월에 적도 수렴대가 북상함에 따라 강수량이 많아진다. 또한 여름 계절풍은 남서·남동 계절풍이, 겨울 계절풍은 북서·북동 계절풍이 탁월하다. ③ 1월에는 한랭 건조한 계절풍의 영향으로 동부 아시아의 강수량이 적다.

08 A는 논농사, B는 밭농사, C는 유목 지역이다. 몬순의 영향이 강한 A는 연 강수량이 1,000mm 이상으로 벼농사가 주로 이루어진다. B의 연 강수량은 500~1,000mm로 밭농사가 주로 이루어진다. C는 500mm 이하인 건조 기후가 나타나 주록 유목을 한다.

| 오답 피하기 | ㄷ. B의 경우 중국에서는 밀과 옥수수, 콩 등이 주로 재배되며, 인도에서는 목화 재배가 활발하다. ㄹ. C에서는 건조 기후가 나타나 농업 활동이 불리해 유목이 발달하였다.

09 자료는 건조 기후 지역의 몽골의 유목을 모식화한 그림이다. 몽골에서는 지중해 연안의 이목과 달리 겨울에는 차가운 북풍을 막기 위해 남사면의 골짜기로 올라가고, 여름에는 가축이 먹을 풀이 많은 저지대의 초지로 이동하여 사육하는 유목 생활을 한다.

| 오답 피하기 | ① 강수량이 적어 농경이 이루어지기 어렵기 때문에 주로 목축을 한다. ② 겨울의 골짜기에서는 목초 재배가 어렵다. 겨울에는 목초를 구하기 어려워 가을에 가축의 살을 찌우고 사료를 준비한다. ③ 유목민들의 유제품은 자신들의 음식을 위해서 주로 생산하며 여름철에 생산한다. ⑤ 이목은 주로 지중해 연안에서 이루어진다.

10 **| 예시 답안 |** (1) 계절풍 (2) 해양에서 대륙으로 부는 여름철 바람은 고온 다습하여 많은 비를 내리게 한다. 반면 대륙에서 해양으로 부는 겨울철 바람은 상대적으로 한랭 건조하다.

| 채점 기준 |

상	계절풍이라는 개념, 여름철 바람과 겨울철 바람의 풍향 및 특성을 모두 바르게 서술한 경우
중	계절풍이라는 개념을 알지만 여름철 바람과 겨울철 바람의 풍향과 특성을 미흡하게 서술한 경우
하	계절풍이라는 개념과 여름철 바람과 겨울철 바람의 풍향 및 특성을 모두 미흡하게 서술한 경우

11 **| 예시 답안 |** 우기 때에는 톤레사프호의 유량이 많아져 주민들은 어업 활동을 주로 하며 건기 때에는 드러난 호수 바닥에서 벼농사가 이루어진다.

| 채점 기준 |

상	우기와 건기의 차이점을 알고, 주민들의 생활 모습을 모두 바르게 서술한 경우
중	우기와 건기의 주민들의 생활 모습 중 한 가지만 바르게 서술한 경우
하	우기와 건기의 주민들의 생활 모습을 서술하였으나 모두 미흡한 경우

12 **| 예시 답안 |** A는 논농사 지역이다. 이 지역은 여름 계절풍의 영향으로 벼 성장기에 강수량이 많고 기온이 높아 벼를 재배하기 적합하다.

| 채점 기준 |

상	A 지역의 농업을 쓰고, 농업 특징을 기후와 관련지어 정확히 서술한 경우
하	A 지역의 농업만 쓴 경우

13 **| 예시 답안 |** 인도네시아의 전통 가옥인 루마 아닷은 지붕의 경사가 급하고 지면으로부터 바닥을 띄운 고상 가옥 형태이다. 인도 벵골의 전통 가옥인 방갈로는 건물의 전면부에 회랑을 설치하였다. 이와 같은 가옥 형태는 고온 다습한 기후 환경에서 많은 강수와 햇볕을 막기 위하여 개방적인 형태로 건축한 것이다.

| 채점 기준 |

상	몬순 아시아 전통 가옥의 공통점과 이에 영향을 준 기후 특징을 모두 바르게 서술한 경우
중	몬순 아시아 전통 가옥의 공통점은 알고 있지만 이에 영향을 준 기후 특징을 바르게 서술하지 못한 경우
하	몬순 아시아 전통 가옥의 공통점은 바르게 서술하지 못하였지만 이에 영향을 준 기후 특징을 바르게 서술한 경우

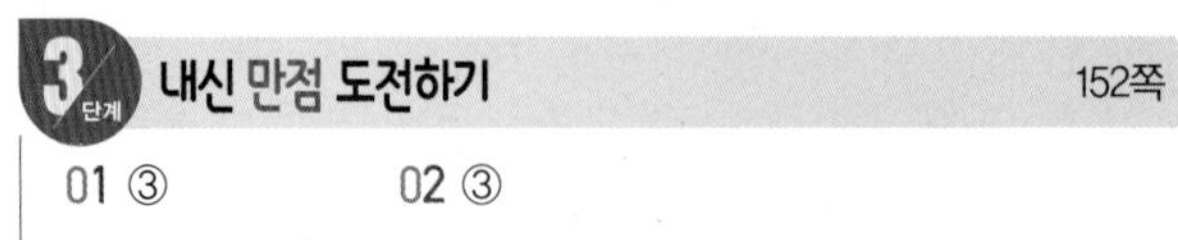

3단계 내신 만점 도전하기 152쪽

01 ③ 02 ③

01 (가) 국가는 주민 다수가 상좌부(소승) 불교를 믿는 타이이다.

| 오답 피하기 | ㄱ. 석회석 탑 카르스트 지형이 있는 할롱베이는 베트남의 관광지이다. ㄹ. 동남아시아에서는 점성이 낮은 쌀을 재배하여 기름과 양념을 넣어 볶아 먹는 경우가 많다.

02 여름에 (가) 라싸는 바람그늘, (나) 체라푼지는 바람받이 사면으로 체라푼지가 라싸보다 강수량이 많다.

심화 수능 유형 익히기 153쪽

01 ⑤ 02 ①

01 (가)는 브라질, 아르헨티나의 생산량 비중이 높은 것으로 보아 옥수수이고, (나)는 몬순 아시아에 속한 국가들의 생산량 비중이 높은 것으로 보아 쌀이며, (다)는 밀이다. A는 옥수수 생산량이 가장 많은 미국이고, B는 쌀과 밀의 생산량 세계 1위인 중국이다. ⑤ 미국은 중국보다 밀의 수출량이 많다.

| 오답 피하기 | ① 아시아 계절풍 기후 지역에서 많이 생산되는 작물은 쌀이다. ② 쌀은 밀보다 고온 다습한 기후 조건에서 잘 재배된다. 작물을 재배하는 데 필요한 농업용수는 밀보다 많다. ③ 바이오에탄올의 원료로 많이 이용되는 작물은 옥수수이다. ④ 쌀을 주식으로 소비하는 중국은 미국보다 쌀 소비량이 많다.

02 ㉠은 7월 평균 기온이 1월 평균 기온보다 높으므로 북반구에 위치한 상하이, ㉡은 1월 평균 기온이 7월 평균 기온보다 높으므로 남반구에 위치한 웰링턴, ㉢은 1월 평균 기온과 7월 평균 기온이 가장 높은 싱가포르이다. ① 출발지인 웰링턴은 남반구에 위치하므로 1월이 7월보다 월평균 기온이 높으므로 ㉡이고, 도착지인 상하이는 북반구에 위치하므로 7월이 1월보다 월평균 기온이 높으므로 ㉠이다.

| 오답 피하기 | ② 기온의 연교차는 ㉠이 크다. ③ 7월에 상하이는 벼농사가, 웰링턴에서는 혼합 농업이 행해진다. ④ 1월에 낮의 길이는 웰링턴>싱가포르>상하이 순으로 길다. ⑤ ㉠과 ㉡은 온대 기후에 속하지만, ㉢은 열대 기후이다.

주제 15 주요 자원의 분포 및 이동과 산업 구조
주제 16 민족 및 종교의 다양성과 지역 갈등

1단계 개념 익히기 158쪽

01 (1) ㉡ (2) ㉢ (3) ㉠ 02 (1) ○ (2) × (3) ○ (4) × 03 (1) 오스트레일리아, 인도네시아 (2) 화교 (3) 애버리지니 04 (1) 가공 무역 (2) 위구르족 (3) 백호주의 05 인도 06 (1) A (2) C (3) B (4) D

2단계 내신 유형 익히기 159~161쪽

01 ③ 02 ④ 03 ① 04 ③ 05 ③ 06 ② 07 ③ 08 ② 09 ④ 10~12 해설 참조

01 A는 철광석, B는 석탄이다. 오스트레일리아의 철광석은 대부분 한국, 중국, 일본으로 수출된다. 동부의 고기 조산대인 그레이트디바이딩산맥 주변에서 생산되는 석탄은 화력 발전용 연료나 제철소에서 사용하는 코크스의 원료로 사용된다.

02 (가)는 브라질, 캐나다 등의 국가에서 많이 수출하는 것으로 보아 철광석이다. 몬순 아시아와 오세아니아 권역에서 철광석을 가장 많이 수출하는 A국은 오스트레일리아이고, 철광석을 가장 많이 수입하는 B국은 중국이다. ④ 오스트레일리아는 중국보다 1인당 국내 총생산이 많다.

| 오답 피하기 | ① 철광석은 안정육괴인 순상지에 많이 매장되어 있으며, 고기 습곡 산지에 많이 매장된 에너지 자원은 석탄이다. ② 가볍고 부식에 강해 항공기 제작에 이용되는 광물 자원은 알루미늄이다. ③ 오스트레일리아 주민의 대부분은 3차 산업에 종사한다. ⑤ 오스트레일리아는 중국보다 도시화율이 높다.

03 (가) 국가는 일본, (나) 국가는 베트남이다. 일본에 비해 베트남은 1차 산업의 비중이 높고 3차 산업의 비중이 낮게 나타나는 개발 도상국이다. 일반적으로 선진국에 비해 개발 도상국은 유소년의 비중이 높고, 고령 인구의 비중이 낮다.

04 A는 인도, B는 일본이다. 인도는 1차 산업 종사자 비중이 44.3%에 이를 정도로 경제 발전 초기 단계에 해당한다. 인도와 같은 개발 도상국에 비해 경제적 선진국이라 할 수 있는 일본은 여가 활동에 대한 지출이 높고, 농촌보다 도시에 거주하는 인구 비율이 높으며, 기술 집약적 산업이 발달하였다.

| 오답 피하기 | ① 일반적으로 개발 도상국은 유소년층의 인구가 노년층의 인구보다 많다. ② 일본은 경제 선진국으로, 도시화율이 높다. ④ 일본은 인도보다 평균 임금이 높다. ⑤ 인도는 경제 개발 초기 단계에 해당하고, 일본은 탈공업화를 겪은 경제 선진국에 해당한다.

05 몬순 아시아와 오세아니아 국가 중 자원 수출액이 많은 대표적인 국가는 오스트레일리아와 인도네시아이다. 그 중에서 오스트레일리아의 주요 수출 자원은 철광석과 석탄이고, 인도네시아의 주요 수출 자원은 석탄, 주석, 천연고무, 식물성 지방 및 기름(야자유)이다.

| 오답 피하기 | (가)는 오스트레일리아와 인도네시아가 주요 수출국인 석탄이고, (나)는 철광석이다. (다)는 동남아시아 국가들에서 주로 생산되는 천연고무이다.

06 제시된 글은 중국의 소수 민족 자치구 중의 하나인 시짱(티베트) 자치구에 대한 것이다. 시짱 자치구는 티베트 불교를 믿는 티베트인들이 다수를 이루는 지역이다. 티베트인들은 중국의 다수를 차지하는 한족과는 언어, 종교, 문화, 역사적 배경 등이 달라 중국으로부터 분리 독립을 시도하고 있다.

| 오답 피하기 | (가)는 위구르족이 주로 거주하는 신장 웨이우얼 자치구이고, (다)는 몽골족이 주로 거주하는 네이멍구 자치구이다.

07 (가) 민족은 화교이다. 화교란 다른 나라에 정착하여 생활하는 중국인과 그 후손을 말한다. 세계 화교 인구의 약 3/4이 아시아에 거주하며, 특히 동남아시아에 집중 분포한다. 싱가포르 인구의 약 3/4, 말레이시아 인구의 약 1/4이 중국인 및 그 후손이다. 화교는 동남아시아의 경제권을 장악하고 있어 원주민과 갈등이 잦은 편이다.

08 지도에 표시된 지역에는 오스트레일리아의 원주민인 애버리지니가 집중 거주하고 있다. 애버리지니는 오스트레일리아에 가장 먼저 이주한 원주민들이다.

| 오답 피하기 | ① 유럽계 주민들은 남동부 해안 지역에 처음 정착하였다. ③ 오스트레일리아에서 사회 지도층은 유럽계 주민들이고, 애버리지니는 사회적 약자에 속한다.

09 지도에 표시된 국가들은 파키스탄, 방글라데시, 말레이시아, 인도네시아, 브루나이이다. 이 국가들의 공통점은 주민의 다수가 이슬람교를 믿고 있다는 점이다.

| 오답 피하기 | ① 세계적인 쌀 수출국은 인도, 타이, 베트남 등이다. ② 세계적인 철광석 수출국에는 오스트레일리아, 브라질, 남아프리카 공화국 등이 있다. ③ 화교는 동남아시아 국가에 비교적 집중 거주하고 있다. ⑤ 위 국가 중 인도네시아는 네덜란드의 식민 지배를 받았다.

10 | 예시 답안 | (1) 카슈미르 (2) 카슈미르는 이슬람 신자가 다수인 지역인데, 인도와 파키스탄이 분리할 때, 힌두교 신자가 다수인 인도로 편입되었다. 이후 파키스탄에서 카슈미르의 영유권을 주장하면서 이슬람과 힌두교의 종교 갈등이 발생하였다.

11 | 예시 답안 | (가)는 위구르족, (나)는 티베트족이다. 위구르족은 주로 중국 서부의 신장 웨이우얼 자치구에 거주하는데, 독자적인

위구르어를 사용하고 이슬람교를 믿는다. 티베트족은 주로 시짱(티베트) 자치구에 거주하는데, 티베트어를 사용하고 티베트 불교를 믿는다. 이들 민족은 중국의 다수 민족인 한족과는 언어, 종교, 역사적 배경 등이 달라 중국으로부터의 분리 움직임이 강하다.

12 | 예시 답안 | (1) (가) 일본, (나) 베트남, (다) 오스트레일리아 (2) 오스트레일리아의 대표적 수출품은 철광석, 석탄, 보크사이트, 금과 같은 광물 자원, 그리고 쇠고기와 같은 농축산물이다. 적은 인구이지만 수출액이 많아 1인당 소득이 높은 편으로 임금 또한 높다. 하지만 인구가 적어 시장 규모가 작고, 임금이 비싸 제조업의 경쟁력은 하락하게 되었다. 이런 조건들에 의해 2차 산업 종사자 비율(21.2%)은 낮아지고 공업 제품은 대부분 수입(75.7%)에 의존하게 되었다.

| 채점 기준 |

등급	기준
상	작은 시장 규모와 높은 임금으로 인한 공업 제품 경쟁력 하락을 논리적으로 서술한 경우
중	작은 시장 규모 혹은 높은 임금으로 인한 공업 제품 경쟁력 하락을 논리적으로 서술한 경우
하	작은 시장 규모 혹은 높은 임금으로 인한 공업 제품 경쟁력 하락을 설명했지만 논리적으로 서술하지 못한 경우

3단계 내신 만점 도전하기 162쪽

01 ② 02 ①

01 (가)는 국내 총생산 규모가 작은 인도네시아, (나)는 오스트레일리아, (다)는 인도, (라)는 국내 총생산 규모가 크고 3차 산업이 발달한 일본이다.

| 오답 피하기 | ① 총 인구는 인도네시아가 많지만, 국내 총생산은 오스트레일리아가 더 많으므로 1인당 국내 총생산은 오스트레일리아가 많다. ③ 인도는 중국보다 1차 산업 비중이 2배 이상 높으나, 국내 총생산은 중국이 인도보다 4배 이상 많으므로 1차 산업의 생산액은 중국이 많다. ④ 일본은 1억 명 이상이고, 인도네시아는 2억 명 이상이다. ⑤ 면적은 오스트레일리아>인도>인도네시아>일본 순이다.

02 (가)는 카슈미르 지역으로 보편 종교인 이슬람교와 민족 종교인 힌두교 간 분쟁이 발생하고 있다. (나)는 스리랑카로 불교와 힌두교 간의 갈등이 발생하였다. (다)는 필리핀의 민다나오 지역으로 크리스트교와 이슬람교 간의 갈등이 발생하였다. (라)는 인도네시아 말루쿠섬으로 크리스트교와 이슬람교 간의 갈등이 발생하였다.

| 오답 피하기 | (다)는 필리핀의 민다나오 지역으로 필리핀은 크리스트교가 다수이나, 민다나오섬의 일부 지역에는 이슬람교도가 많이 거주하고 있다. (라)는 인도네시아의 말루쿠섬으로 서로 다른 종교인 크리스트교와 이슬람교 간의 갈등이 발생하고 있다.

심화 수능 유형 익히기 163쪽

01 ② 02 ⑤

01 A는 네팔에서 신자 수가 가장 많은 힌두교이고, B는 스리랑카에서 신자 수가 가장 많은 불교이다. C는 말레이시아에서 신자 수가 가장 많은 이슬람교이고, D는 필리핀에서 신자 수가 가장 많은 크리스트교이다. ② 불교의 대표적인 경관은 불당과 탑이고, 첨탑과 둥근 지붕의 모스크는 이슬람교 사원의 대표적 경관이다.

| 오답 피하기 | ① 힌두교 신자는 인도가 가장 많다. ③ 이슬람교의 주요 성지에는 무함마드의 탄생지인 메카와 무함마드의 묘가 있는 메디나가 있다. ④ 힌두교에서는 쇠고기를, 이슬람교에서는 돼지고기를 금기시한다. ⑤ 대표적인 유일신교에는 유대교, 크리스트교, 이슬람교가 있다.

02 (가)는 광산물과 농산물의 수출액 비중이 높고, 공업 제품의 수입액 비중이 높은 것으로 보아 지하자원이 풍부한 오스트레일리아이다. (나)는 공업 제품의 수출액 비중이 매우 높고, 광산물과 공업 제품의 수입액 비중이 높은 것으로 제조업이 발달한 중국이다. 따라서 (다)는 인도이다.

대단원 4 마무리하기 165~166쪽

01 ③ 02 ② 03 ④ 04 ③ 05 ④ 06 ⑤
07 ① 08 ④

01 (가)는 중국, 인도 이외에 미국, 러시아, 프랑스에서 많이 생산되는 것으로 보아 밀이고, (나)는 중국, 인도 이외에 인도네시아, 방글라데시, 베트남에서 많이 생산되는 것으로 보아 쌀이다. 쌀은 밀보다 생장기의 물 소비량이 많고, 단위 면적당 생산량이 높다. 주로 몬순 아시아 지역에서 생산되고 소비되기 때문에 국제 이동량은 적다.

02 자료는 인도의 계단식 우물을 소개한 것이다. 인도는 몬순의 영향으로 우기와 건기의 강수량 차이가 크다. 그래프에서 우기와 건기의 강수량 차이가 큰 기후 유형은 B이다.

| 오답 피하기 | A는 남반구의 온대 습윤 기후이다. C는 여름이 건조하고, 겨울이 습윤한 북반구의 지중해성 기후이다. D는 북반구의 서안 해안성 기후이다. E는 냉대 기후이다.

03 동남아시아는 몬순의 영향으로 기온이 높고, 강수량이 많은 여름에 벼농사를 짓는다. 몬순은 주민 생활에도 영향을 주어 주로 쌀을 주식으로 먹고, 고상 가옥에서 생활하며, 일상 생활에서 간편한 옷차림과 모자를 자주 착용한다. ㄴ. 고상 가옥은

지면의 습기와 열을 피하고, 해충의 침입을 막기 위한 가옥이다. ㄹ. 삿갓 모양의 모자는 뜨거운 햇볕과 잦은 비를 대비하기 위한 것이다.

| 오답 피하기 | ㄱ. 동남아시아의 스콜은 지표가 가열되면서 나타나는 대류 현상에 의해 발생하는 강수이다. ㄷ. 인도의 난은 밀로 만든 음식이다. 쌀은 가루로 만들지 않고 그대로 쪄서 음식을 만든다.

04 석탄과 철광석 중 특정 국가가 수출액의 절반 이상을 차지하는 자원은 철광석이다. 따라서 (가)는 철광석이고, (나)는 석탄이다. 철광석을 가장 많이 수출하는 국가인 A는 오스트레일리아이고, 가장 많이 수입하는 국가인 B는 중국이다. ③ 철광석을 가장 많이 생산하는 국가는 오스트레일리아이고, 석탄을 가장 많이 생산하는 국가는 중국이다. 중국은 석탄의 생산량이 많지만 소비량도 많아 석탄을 수입하는 국가 중 하나이다.

| 오답 피하기 | ① 철광석은 철을 함유하고 있는데, 철은 우리 생활에 필요한 도구를 만드는 데 쓰인다. ② 석탄은 주로 화력 발전과 제철 공업의 연료로 이용된다. ④ 오스트레일리아는 중국보다 1인당 국내 총생산이 높다. ⑤ 중국은 총 수출액의 90% 이상을 공업 제품이 차지하고 있다.

05 A는 인도, B는 일본, C는 인도네시아이다. (가)는 국내 총생산에서 1차 산업이 차지하는 비중이 매우 낮고, 3차 산업이 차지하는 비중이 가장 높으므로 일본이다. (나)는 (가), (다)보다 2차 산업이 차지하는 비중이 높으므로, 광업이 발달한 인도네시아이다. (다)는 (가), (나)에 비해 1차 산업이 차지하는 비중이 가장 높고, 2차 산업이 차지하는 비중이 가장 낮으므로 인도이다.

06 제시된 지도의 A 지역은 카슈미르 지역으로, 인도와 파키스탄 간의 국경 분쟁이 진행되는 지역이다. 파키스탄은 이슬람 국가이며, 인도 반도는 힌두교도가 많은 지역이다. 영국으로부터 독립한 이후 종교적 차이로 파키스탄과 방글라데시는 인도와 분리되어 각기 독립 국가를 이루었다. 카슈미르 주민은 이슬람 신자가 많아 인도로부터 분리를 외치고 있으며, 이를 둘러싸고 인도와 파키스탄 간에 분쟁이 계속되고 있다.

07 A~E 중 과거 영국의 지배를 받았던 국가는 A 미얀마이다. 미얀마는 다민족으로 구성된 국가로 독립 후 장기간의 군부 집권과 국경 지역에 거주하는 소수 민족의 분리 독립으로 인한 분쟁을 겪었었다. 최근에 군부 집권을 끝냈으나, 방글라데시와의 국경 지역에 거주하며 이슬람교를 믿는 소수 민족과의 종교 분쟁이 발생하였다. B는 라오스, C는 베트남, D는 타이, E는 캄보디아이다.

08 말레이시아의 민족 구성은 원주민〉중국인(화교)〉인도인 순으로 많다. 원주민은 주로 이슬람교를 믿고, 중국인은 불교 혹은 크리스트교 신자가 많다. 인도인은 주로 힌두교를 신봉한다. 따라서 A는 이슬람교, B는 힌두교이다. ④ 대표적인 힌두교 축일에는 힌두 신년을 기념하는 디파발리 축제가 있다.

| 오답 피하기 | ① 중국인(화교)은 불교나 크리스트교를 신봉하고, 이슬람교는 주로 원주민이 신봉한다. ② 인도인은 플랜테이션 농장에서 일하기 위해 자발적으로 이주한 것이다. ③ 중국인(화교)은 경제적 주도권을 쥐고 있으나, 정치 권력은 원주민이 행사하고 있다. ⑤ 이슬람교에서는 돼지고기를, 힌두교에서는 쇠고기를 금기시한다.

지리적 역량 기르기

167쪽

01 | 예시 답안 |

구분	민족의 기원	유입 시기	쟁점
미얀마족	로힝야족을 방글라데시인과 동일한 민족으로 여김	영국의 식민 지배 시대 때 방글라데시에서 대거 유입	미얀마 국민이 아니고 방글라데시에서 넘어온 이주자로서 권리가 없다고 주장
로힝야족	아랍 상인의 후손이며 방글라데시와는 관련이 없다고 주장	9세기경부터 미얀마에 터전을 잡고 살았다고 주장	이슬람을 믿는 소수 민족으로 미얀마 국민으로서의 권리가 있다고 주장

| 평가 영역 | 개념 이해(자료에 나오는 개념에 대한 이해도)

상	주요 쟁점에 대한 두 민족의 입장 차이를 모두 이해하고 있는 경우
중	주요 쟁점에 대한 두 민족의 입장 차이 중 1~2개만 이해하는 경우
하	주요 쟁점에 대한 두 민족의 입장 차이를 제대로 이해하지 못하는 경우

02 | 예시 답안 | 모든 난민 문제는 발생 과정에서 고문, 폭력, 인종 청소와 같은 수많은 인권 침해가 발생한다. 미얀마의 난민 문제를 해결하기 위한 방안으로 먼저 보편적인 인권 보호의 공감대를 형성하려는 노력이 선행되어야 한다. 이제 장기간의 군부 집권에서 벗어난 미얀마에서는 로힝야 난민 문제 이외에도 해결해야 할 과제들이 많다. 또 로힝야족에 대한 다수 불교도의 시선을 갑자기 바꾸는 것도 쉽지 않을 것이므로 건전한 시민 의식을 함양하는 것이 중요하다. 그렇기 위해서는 미얀마의 정치적 민주화와 경제적 성장이 필수적이라고 생각한다. 국제 사회가 로힝야 문제로 미얀마를 제재할 경우, 지금까지 진전된 정치적 민주화와 경제 성장이 후퇴될 수 있고, 이를 빌미로 군부가 다시 집권한다면 로힝야 난민 문제는 더 심각해질 것이기 때문이다.

| 평가 영역 | 문제 해결력(주제와 관련된 정보를 수집하여 자신의 입장에 맞게 논리적으로 조직하는 정도)

상	문제의 원인을 파악하고 해결 방안을 근거를 제시하여 설득력 있게 제시한 경우
중	문제의 원인을 파악하고 해결 방안을 제시하였으나 근거가 부족한 경우
하	문제의 원인을 파악하였으나 해결 방안을 제시하지 못한 경우

대단원 5 건조 아시아와 북부 아프리카

주제 17 자연환경에 적응한 생활 모습

1단계 개념 익히기 172쪽

01 (1) 밀 (2) 대추야자 02 대상(隊商) 03 (1) ○ (2) × (3) ○ 04 (가) 이동식 가옥 (나) 지하 관개 수로 또는 카나트 05 바드기르(윈드 타워) 06 (1) 그늘을 만들어 햇볕을 가리기 위해서 (2) 유목 (3) 감소

2단계 내신 유형 익히기 173~175쪽

01 ③ 02 ④ 03 ⑤ 04 ④ 05 ① 06 ① 07 ⑤ 08 ⑤ 09~12 해설 참조

01 (가)는 한대 기후 지역, (나)는 열대 기후 지역, (다)는 건조 기후 지역의 의복이다. B는 이누이트족의 겨울철 임시 거주를 위한 얼음집인 이글루, A는 열대 우림 및 열대 몬순 기후 지역의 고상 가옥이며, C는 사막 기후 지역의 가옥이다. 사막 기후 지역의 가옥은 지붕이 평평한 흙집으로, 창은 작고 벽은 두꺼우며 골목을 좁게 만들어 그늘을 만든다.

02 모식도의 A 지역은 사막의 오아시스이다. 오아시스에서는 담수를 이용하여 밀, 대추야자 등을 재배한다.

| 오답 피하기 | ① 열대 기후 지역의 이동식 화전 농업과 관련된 설명이다. ② 열대 우림 기후의 농업에 해당한다. ③ 건조 기후 지역에서는 소, 돼지의 사육이 어렵다. ⑤ 플라야(염호)에 대한 설명이다.

03 바드기르는 햇볕이 강해 기온이 크게 올라가는 시기에 자연 바람을 활용하여 공간을 서늘하게 만드는 친환경 공법이다.

| 오답 피하기 | ① 수분 증발을 막기 위해 지하에 건설된 관개 수로는 카나트이다. ④ 나미브사막, 아타카마사막과 같은 한류 사막 지역의 용수 공급과 관련된 설명이다.

04 (가)는 건조 기후 지역의 흙벽돌집, (나)는 툰드라 기후 지역의 고상 가옥이다. 건조 기후 지역은 툰드라 기후 지역에 비해 기온의 일교차가 크고, 강수량에 비하여 증발량이 많다. 하지만 툰드라 기후 지역보다는 저위도에 위치하기 때문에 낮과 밤의 길이 변화는 상대적으로 작다.

05 A는 나일강, B는 티그리스·유프라테스강, C는 인더스강, D는 갠지스강, E는 황허강이다. 4대 문명의 발상지이자 국제 하천, 외래 하천이며 아스완 하이댐이 건설된 하천은 나일강이다.

| 오답 피하기 | 인더스강과 티그리스·유프라테스강은 국제 하천이고 외래 하천이며 4대 문명의 발상지가 맞지만, 하천의 발원지가 신기 습곡 산지에 해당한다.

06 이 지역은 양, 염소, 낙타 등을 유목하는 것으로 보아 스텝 기후 지역이다. 짧은 풀의 스텝 초원에서 유목민은 설치와 철거가 용이한 이동식의 천막 가옥에 거주한다.

| 오답 피하기 | ②는 사막 기후 지역의 흙벽돌집, ③은 지중해성 기후 지역의 가옥, ④는 냉대 기후 지역의 통나무집, ⑤는 툰드라 기후 지역의 고상 가옥이다.

07 그림은 카나트의 건설 모습이다. 오스트레일리아의 찬정 분지는 찬정을 통해 지하수를 이용하며, 찬정수는 양의 사육에 이용된다.

08 1번, 2번, 4번 모두 맞는 진술이며, 3번은 틀린 진술이다. 이 학생은 4문제 모두 옳게 ○×를 표시했기에 이 학생이 받은 점수는 4점 만점이다.

| 오답 피하기 | 사막 기후 지역은 뜨거운 햇볕을 피하고 그늘을 만들기 위해 가옥들을 촘촘하게 붙여서 짓는다.

09 | 예시 답안 | 건조 아시아와 북부 아프리카는 공통적으로 건조 기후가 나타나며, 긴 천으로 몸을 감싸는 옷을 입는다. 주로 유목이나 오아시스 농업에 종사한다.

| 채점 기준 |

상	문화, 기후, 경제 활동에서의 공통점을 모두 서술한 경우
중	문화, 기후, 경제 활동 중 두 가지의 공통점을 서술한 경우
하	문화, 기후, 경제 활동 중 한 가지의 공통점만 서술한 경우

10 | 예시 답안 | 이 지역은 스텝 기후 지역으로, 유목을 통해 양, 염소, 낙타 등을 기른다. 또한, 풀을 찾아 지속적으로 이동해야 하는 유목에 편리하도록 이동식 가옥이 발달하였다.

| 채점 기준 |

상	목농업과 주거 특징을 모두 서술한 경우
하	목농업과 주거 특징 중 한 가지만 서술한 경우

11 | 예시 답안 | 제시된 지역은 사막 지역이다. 사막에서 개발 가능성이 큰 발전 방식은 태양광 및 태양열 발전이다. 사막은 대기 중에 구름이나 수증기가 적어 햇볕이 강하며, 강수량이 적어 일조량이 많아 태양광 및 태양열 발전에 유리하다.

| 채점 기준 |

상	발전 방식과 유리한 이유 모두 옳게 서술한 경우
하	발전 방식과 유리한 이유 중에 한 가지만 옳게 서술한 경우

12 | 예시 답안 | 유목민의 수가 점차 감소하는 원인은 국경이 설정되면서 유목민의 이동이 제한되고, 산업화·도시화의 영향으로 정착 생활이 늘어났기 때문이다.

| 채점 기준 |

상	두 가지 원인 모두를 옳게 서술한 경우
하	한 가지 원인만 옳게 서술한 경우

3단계 내신 만점 도전하기 176쪽

01 ① 02 ③

01 건조 아시아와 북부 아프리카의 사막에서 중요한 식량으로 이용되는 열매는 대추야자이다. 대추야자는 사막의 오아시스에서 재배되며, 강수량이 적은 환경에서도 잘 자라며, 염분에 강한 특징이 있다.

| 오답 피하기 | ② 쌀, 밀, 옥수수에 대한 설명이다. ③ 올리브에 대한 설명이다. ④ 카카오, 커피 등의 플랜테이션 작물에 대한 설명이다. ⑤ 카카오에 대한 설명이다.

02 제시된 그림은 지하 관개 수로인 카나트이다. 건조 아시아 및 북부 아프리카는 아열대 고압대 사막과 대륙 내부에 격해도가 커서 발달하는 사막이 많다. 사막 지역은 햇볕이 강하고 대기가 매우 건조하여 물의 증발이 매우 빠르게 일어난다. 따라서 관개 수로를 지하에 건설한다.

심화 수능 유형 익히기 177쪽

01 ① 02 ②

01 제시된 지역은 사우디아라비아로 건조 기후가 나타나는 지역이다. 따라서 바르한(풍향이 일정한 지역에 발달하는 모래 언덕), 낙타, 오아시스 등을 볼 수 있으며, 이슬람교도가 메카를 향해 기도하는 장면도 볼 수 있다. 카카오는 열대 우림 기후 지역에서 주로 재배되는 기호 작물이다. 사막에서는 오아시스를 중심으로 밀, 대추야자 등을 재배한다.

02 자료는 햇볕과 모래 바람이 강하고, 일교차가 큰 건조 기후 지역의 전통 의상에 대한 내용이다. 베두인족은 서남아시아와 북부 아프리카 등지의 사막에 사는 아랍계 유목민 부족이다. 지도에서 건조 기후 지역은 B이다.

| 오답 피하기 | ① A는 서안 해양성 기후 지역, ③ C는 사바나 기후 지역, ④ D는 툰드라 기후 지역, ⑤ E는 열대 우림 기후 지역이다.

주제 18 주요 자원의 분포와 산업 구조

주제 19 사막화에 따른 지역 문제

1단계 개념 익히기 182쪽

01 (1) 천연가스 (2) 석유 02 석유 수출국 기구(OPEC) 03 (1) ○ (2) × (3) ○ 04 ㉠ 방풍림 ㉡ 등고선식 경작, 섞어짓기 05 다르푸르 06 (1) 아랄해 (2) 얕아, 약하다 (3) 산업 다각화

2단계 내신 유형 익히기 183~185쪽

01 ③ 02 ② 03 ② 04 ③ 05 ⑤ 06 ④ 07 ① 08 ⑤ 09~12 해설 참조

01 세계 석유 매장량과 석유 수출량 1위 국가이며, 이슬람교의 최대 성지인 메카가 위치한 국가는 사우디아라비아이다.

| 오답 피하기 | A는 이집트, B는 이라크, D는 아프가니스탄, E는 인도이다.

02 (가)는 튀르키예, (나)는 이란, (다)는 이집트이다. 이란은 카타르와 함께 세계적인 천연가스 수출국이다.

| 오답 피하기 | ① 튀르키예는 화석 에너지 생산이 부족한 국가이다. 따라서 광물 및 에너지 자원의 수출이 수입보다 적다. ③ 이집트는 석유 수출국 기구 회원국이 아니다. ④ 튀르키예가 이집트보다 사막화의 취약도가 높다. ⑤ 이집트가 이란보다 오렌지의 생산과 수출이 많다. 이집트는 세계 3위 수준의 오렌지 수출국이다.

03 구소련 정부는 목화 증산을 위해 아랄해 주변에 많은 관개 시설을 설치하여 대규모의 목화밭을 조성하였다. 이로 인해 하천의 물 공급이 줄어들고 호수의 면적이 크게 줄어들었다.

| 오답 피하기 | ③ 아랄해 주변 지역은 인구가 크게 증가한 지역이 아니다.

04 (가) 지역은 사헬 지대이다. 사헬 지대는 아프리카 대륙의 사하라사막 남쪽에 위치한 지역으로 오랜 가뭄, 인구 증가에 따른 과도한 방목, 과도한 목축으로 급속하게 사막화가 이루어지고 있는 지역이다.

| 오답 피하기 | A는 지중해성 기후 지역, B는 사막 기후 지역, D는 사바나 기후 지역, E는 열대 우림 기후 지역이다.

05 (가)는 이란, (나)는 사우디아라비아이다. 이란과 사우디아라비아 모두 페르시아만에 위치해 있다.

| 오답 피하기 | ① 이란의 공용어는 이란어(페르시아어)이다. ② 사우디아라비아의 주민은 대부분 수니파 이슬람교도이다. 대부분의 주

민이 시아파 이슬람교를 믿는 국가는 이란이다. ③ 1인당 국내 총생산은 사우디아라비아가 더 많다. ④ 카나트(지하 관개 수로)는 이란이 더 많다.

06 사막화의 인위적 요인으로 인구 증가가 매우 결정적이다. 인구 증가로 농경지와 가축 수요가 증가했으며, 이로 인해 더 많은 농경지가 개척되었고 과도한 목축이 이루어졌다. 또한 오랜 가뭄, 지구 온난화 등의 자연적 요인이 사막화 현상에 영향을 미쳤다.

07 아직까지는 신재생 에너지에 비해 석유, 석탄, 천연가스 등의 화석 에너지가 경제성이 높다. 즉 같은 양의 에너지를 얻는 데 들어가는 비용이 적게 들어간다.

08 건조 아시아에서 1인당 국내 총생산이 가장 많은 (가)는 카타르이다. 화석 에너지 생산량이 가장 많은 (나)는 사우디아라비아이다. ⑤ 천연가스의 생산량 및 수출량은 카타르가 사우디아라비아보다 많다.

| 오답 피하기 | ④ 유아 사망률은 1인당 국내 총생산이 많은 카타르가 사우디아라비아보다 낮다.

09 | 예시 답안 | (1) (가)는 석유, (나)는 천연가스이다. 서남아시아에서 석유와 천연가스의 수출이 가장 많은 국가는 각각 사우디아라비아와 카타르이다. (2) 화석 에너지 생산이 많은 국가는 국내 총생산에서 1차 산업의 비중은 작고, 2차 산업의 비중이 큰 것이 특징이다.

| 채점 기준 |

상	(가), (나)의 화석 에너지, 서남아시아에서 (가), (나)의 수출이 가장 많은 국가, 화석 에너지 생산이 많은 국가의 산업 구조 특징 모두를 서술한 경우
중	화석 에너지 생산이 많은 국가의 산업 구조 특징을 서술했지만, (가), (나)의 화석 에너지와 서남아시아에서 (가), (나)의 수출이 가장 많은 국가 중에서 하나를 서술하지 못한 경우
하	화석 에너지 생산이 많은 국가의 산업 구조 특징을 서술하지 못하고, (가), (나)의 화석 에너지와 서남아시아에서 (가), (나)의 수출이 가장 많은 국가 중에서 하나만 서술한 경우

10 | 예시 답안 | 재래종 풀은 건조함과 바람을 극복하기 위해 뿌리를 깊게 내려 토양을 보존하도록 진화해 왔다. 또한 풀들은 죽은 후 토양 속에 검은색의 두꺼운 부식층으로 변환되는데, 이러한 토양은 매우 비옥하여 생산성이 높다.

| 채점 기준 |

상	건조함 극복, 바람 극복, 토양 보존 등의 세 가지 특징이 모두 서술한 경우
중	건조함 극복, 바람 극복, 토양 보존 등의 세 가지 특징 중에 두 가지만 서술한 경우
하	건조함 극복, 바람 극복, 토양 보존 등의 세 가지 특징 중에 한 가지만 서술한 경우

11 | 예시 답안 | (가)에 들어갈 두 가지의 자연적 요인은 장기간의 가뭄과 지구 온난화 현상이다. 지구 온난화는 기온을 상승시켜 증발량을 증가시키게 된다. 따라서 장기간의 가뭄과 지구 온난화로 더욱 건조한 환경이 되며, 토양의 수분이 말라버리고, 토양이 바람에 침식되면서 토양이 더욱 황폐해지는 사막화가 진행된다.

| 채점 기준 |

상	장기간의 가뭄, 지구 온난화 두 가지에 대해 옳게 서술한 경우
하	장기간의 가뭄, 지구 온난화 중에 한 가지만 옳게 서술한 경우

12 | 예시 답안 | (가)에서는 사막화 현상, (나)에서는 열대림 파괴라는 환경 문제가 발생하고 있다. 사막화 현상과 열대림 파괴의 공통점은 삼림 벌채 및 제거가 환경 문제 발생의 한 원인이라는 것이다.

| 채점 기준 |

상	(가), (나)의 환경 문제를 쓰고 두 환경 문제의 공통점 모두를 옳게 서술한 경우
중	(가)의 환경 문제와 (나)의 환경 문제, 두 환경 문제의 공통점 중에서 두 가지만 옳게 서술한 경우
하	(가)의 환경 문제와 (나)의 환경 문제, 두 환경 문제의 공통점 중에서 한 가지만 옳게 서술한 경우

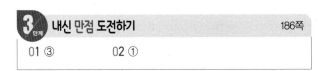

3단계 내신 만점 도전하기 186쪽

01 ③ 02 ①

01 세계에서 가장 많은 수의 카나트를 보유하고 있는 나라는 이란이다. 이란의 주민 대부분은 페르시아어(이란어)를 사용하는 시아파 이슬람교도이다. 또한 이란은 건조 아시아 및 북부 아프리카에서 천연가스의 생산량이 가장 많다.

| 오답 피하기 | (가)는 시리아, (나)는 이라크, (라)는 이집트, (마)는 사우디아라비아이다.

02 A 국가군은 석유 생산량이 많은 국가들, B 국가군은 석유 생산량이 적거나 없는 국가들이다. 석유 생산량이 많은 국가는 상대적으로 1차 산업의 비중은 낮고 2차 산업의 비중은 높다. (가)는 1차 산업, (나)는 2차 산업, (다)는 3차 산업이다.

| 오답 피하기 | ② 석유 생산이 많아 남성 노동력의 유입이 많은 카타르가 예멘보다 청장년층의 성비가 높다.

심화 수능 유형 익히기 187쪽

01 ① 02 ④

01 사헬 지역은 사하라사막 남쪽의 사막화가 급속히 진행되고 있는 지역이다. 따라서 (가)는 사막화이다. 사막화는 사막 주변의 반건조 지역에서 주로 발생하며, 장기간의 가뭄, 지구 온난화 등의 자연적 요인과 인구 증가와 이에 따른 과도한 경작, 과도한 방목 등의 인위적 요인에 의해서 발생한다.

| 오답 피하기 | ㄷ. 산성비의 영향에 대한 설명이다. ㄹ. 오존층 파괴에 대한 설명이다.

02 아랄해로의 물 공급 확대를 위해 아무다리야강과 시르다리야강의 수로를 정비해야 하며, 이를 위해서는 두 강이 통과하는 중앙아시아 5개국의 국가 간 협력 체제가 필요하다.

| 오답 피하기 | ㄱ. 관개 농업 지역의 확대가 아랄해 축소의 원인이다. 이로 인해 두 강으로부터의 물 공급이 줄어 아랄해가 축소되었다. ㄷ. 초지 조성에 많은 물이 필요하며, 목축업 장려로 과도한 목축이 이루어지면 사막화 현상을 더욱 심화시킬 수 있다.

대단원 5 마무리하기 189~190쪽

01 ③	02 ④	03 ⑤	04 ③	05 ②	06 ⑤
07 ②	08 ②				

01 A는 튀르키예, B는 시리아, C는 요르단, D는 이라크, E는 아랍 에미리트이다. 건조 아시아에서 비산유국이지만 의료 허브로 발돋움하고 있는 나라는 요르단이다.

02 그림은 태양광 발전과 스프링클러 농업을 나타낸 것이다. 태양광 발전을 통해 전기 생산이 이루어지기에 화석 에너지에 대한 의존도는 낮아진다.

| 오답 피하기 | ① 이미 사막이 된 지역에서 이루어지는 사업이기 때문에 사막화가 더욱 심화되는 것은 아니다. ② 지하수를 이용한 관개 농업이 활성화되면 지하수의 수위는 더 낮아진다. ③ 증발량이 큰 건조 기후 지역에서는 관개 농업으로 토양이 염류화될 가능성이 크다. ⑤ 관개 농업이 활성화되면 정착 농민의 비중이 증가할 것으로 예상된다.

03 그림은 사막에 발달하는 지형으로 버섯 바위와 사구이다. 사막에서도 오아시스 농업이나 관개 농업의 형태로 밀과 대추야자 농사가 이루어진다. 밀은 건조 기후에도 잘 자라는 내건성 작물이며, 대추야자는 내건성이면서 염분에도 잘 견디는 내염성 작물이다.

04 람사르 협약은 습지 보호 및 습지의 지속 가능한 이용을 위한 국제 협약이다. 사막화와 관련된 국제 협약은 1994년에 체결된 사막화 방지 협약이 있다.

05 건조 아시아 및 북부 아프리카는 보건, 의료 시설이 발달하고 생활 수준이 향상되면서 인구가 급속하게 증가하고 있다. 따라서 많은 사람을 고용할 수 있는 새로운 산업 육성의 필요성이 커지게 되었다.

06 제시된 국가는 아랍 에미리트(E)이다. 아랍 에미리트의 두바이는 1960년대 석유 수출로 상당한 경제 성장을 이루었으나 석유 생산량이 줄어들면서 산업 구조의 변화를 꾀하고 있다. 1990년대 초에 '두바이 경제 개발 계획'을 수립하여 관광, 물류, 금융, 항공 산업 등의 산업을 앞으로의 주력 산업으로 선정하여 성장시키고 있다.

| 오답 피하기 | A는 튀니지, B는 이집트, C는 이라크, D는 이란이다.

07 사막 기후 지역에서는 많은 물을 필요로 하는 돼지와 소의 사육은 어렵다. 그리고 건조 아시아 및 북부 아프리카에서는 종교적인 이유로 돼지고기 섭취를 금기시한다. 사막 지역은 강수량이 적어서 작물 재배보다는 사막 주변에서 낙타, 양, 염소 등의 유목이 이루어진다.

08 (가)에 들어갈 환경 문제는 사막화이다. 사막화로 인해 물 부족과 식량 부족 현상이 심화되며, 이로 인해 정치·경제 상황의 불안정성이 높아지면서 내전이 발생하기도 한다.

| 오답 피하기 | ㄴ. 재래종 풀의 확산은 사막화를 완화하기 위한 노력이며, ㄹ. 재래종 풀이 확산되면 토양 속 부식층이 증가하여 토양의 비옥도가 높아진다.

지리적 역량 기르기 191쪽

01 | 예시 답안 |

(1) 장점	• 홍수 예방 • 농업용수 및 생활용수 공급 • 전력 생산 • 관개 농경지 확대
(2) 문제점	• 수몰민 발생, 문화재 및 유적지 수몰 • 지중해 연안의 어업 쇠퇴 • 토양의 비옥도 하락, 관개 농경지의 염분 축적

| 평가 영역 | 개념 이해(자료에 나오는 개념에 대한 이해도)

상	댐 건설에 관한 장점과 문제점을 모두 이해하고 서술한 경우
중	댐 건설에 관한 장점과 문제점 중 한 가지 경우만 서술한 경우
하	댐 건설에 관한 장점과 문제점을 서술하였으나 모두 미흡한 경우

02 | 예시 답안 | • 찬성: 나는 아스완 하이댐 건설에 찬성한다. 댐 건설로 홍수가 예방되고, 안정적으로 농업용수와 생활용수를 확보하게 되며, 전력 생산으로 농업 및 공업 발전에도 기여할 수 있기 때문이다. 물론 모든 사람이 혜택을 보는 것은 아니다. 많은 수몰민이 발생하는 것은 어느 정도 감수해야 할 부분이라고 생각한다. 그리고 세계 문화유산에 등재된 아부심벨 신전은 선진국의 자본 및 기술적 도움을 받으면 원래 자리에서 가까우면서 고도가 높은 지역으로 옮길 수도 있기 때문이다. 증발량이 큰 사막 환경에서 관개 농업이 확대되면 농경지에 염분이 축적되는 문제가 있으나, 관개 기술 및 배수 기술을 발달시키면 멀지 않은 미래에 해결할 수 있는 문제라고 생각한다. 장기적으로는 인구 증가 속도를 둔화시키고, 농업 중심의 산업 구조에서 2·3차 산업 중심의 산업 구조로 변화시켜야 한다.

• 반대: 나는 아스완 하이댐 건설에 반대한다. 나일강은 국제 하천으로서 아스완 하이댐이 건설되면 다른 나라에도 영향을 주게 된다. 수자원을 둘러싼 국제적 갈등이 발생할 수 있다. 또한 나일강과 같이 큰 강의 변화는 주변 지역의 기후와 생태계에도 영향을 미칠 것이다. 또한 인류 역사적으로 가치가 있는 유적지들을 보존하기 위해 고도가 높은 지역으로 옮긴다고 해도 또 다른 문제가 발생할 수 있다. 농업용수와 생활용수의 확보는 댐 건설 대신 보의 건설이나 다른 방법으로도 해결할 수 있다. 댐이 건설된다면 나일강 삼각주로 운반되는 토사의 양도 줄어들어 삼각주의 면적이 줄어들 위험성도 있다. 또한 토양의 비옥도가 낮아져 많은 화학 비료를 사용해야 하고, 그렇게 되면 또 다른 환경 문제가 발생할 것이다.

| 평가 영역 | 문제 해결력(주제와 관련된 정보를 수집하여 자신의 입장에 맞게 논리적으로 조직하는 정도)

상	댐 건설에 관한 자신의 생각을 적절한 근거를 제시하여 논리적으로 서술한 경우
중	댐 건설에 관한 자신의 생각을 어느 정도 제시하였으나 근거가 타당하지 않은 경우
하	댐 건설에 관한 자신의 입장을 정립하려는 노력이 필요한 경우

대단원 6 유럽과 북부 아메리카

주제 20 주요 공업 지역의 형성과 변화

1단계 개념 익히기 196쪽

01 (1) 석탄 (2) 클러스터 02 피츠버그 03 실리콘 밸리 04 (1) ○ (2) × (3) ○ 05 (1) C (2) D 06 리쇼어링(reshoring) 07 (1) 석탄 (2) 휴스턴 (3) 수력

2단계 내신 유형 익히기 197~199쪽

01 ④ 02 ③ 03 ⑤ 04 ④ 05 ① 06 ④ 07 ⑤ 08 ② 09~12 해설 참조

01 석탄 산업의 쇠퇴는 오랜 채굴로 인한 석탄 매장량 감소, 탄광을 비롯한 산업 시설 노후화, 석탄의 수입 비용 감소, 석탄에서 석유로의 에너지원의 변화 등이 원인이다. 따라서 내륙의 석탄 산지를 중심으로 발달했던 중화학 공업 지역은 자원의 수입과 제품의 수출에 유리한 임해 지역이나, 내륙 수운 교통이 유리한 지역으로 이전하였다.

02 카디프, 미들즈브러, 로테르담은 임해 지역에, 리옹, 쾰른, 슈투트가르트는 내륙 수로 교통이 편리한 지역에 해당한다. 이 지역들은 모두 자원의 수입과 제품의 수출에 유리한 신흥 중화학 공업 지역이다.

| 오답 피하기 | ①은 영국의 랭커셔와 요크셔, 독일의 루르와 자르 공업 지역, ②는 프랑스의 로렌 공업 지역, ⑤는 제3 이탈리아 공업 지역에 관한 설명이다.

03 지도는 유럽에서 첨단 산업이 발달한 도시를 나타낸 것이다. 유럽은 대도시와 그 주변, 연구소와 대학이 인접한 지역을 중심으로 첨단 산업이 발달하였다.

| 오답 피하기 | ① 산업 발달의 역사가 짧은 첨단 산업이다. ③ 첨단 산업은 기존 공업에 비해 천연 자원의 소비량이 적다.

04 (가)는 석탄 산지를 중심으로 발달한 전통적인 공업 지역, (나)는 첨단 산업 발달 지역, (다)는 해운, 내륙 수운 교통이 편리한 지역에 발달한 신흥 중화학 공업 지역이다. 첨단 산업 제품은 기존의 공업 제품에 비해 제품의 평균적인 수명 주기가 짧아 끊임없는 연구 개발이 필수적이다.

| 오답 피하기 | ① 쇠퇴하는 전통 공업 지역은 낡은 공업 시설을 문화 시설로 변경하는 리모델링 사업이 활발하다. ③ 내륙의 쇠퇴하는 전통 공업 지역에 대한 설명이다. ⑤ 중화학 공업에 비해 첨단 산업은 제품 생산 과정에서 천연 자원의 소비량이 적다.

05 A는 서부와 남부의 선벨트 공업 지역, B는 오대호 연안의 러스트 벨트 공업 지역이다. 러스트 벨트는 선벨트에 비해 산업 발달의 역사가 길고, 중화학 공업의 비중이 높고, 수운 교통의 편리성이 높다.

06 멕시코만 연안 지역은 풍부한 석유를 바탕으로 석유 화학, 우주 항공 산업이 발달해 있다.

| 오답 피하기 | ① 태평양 연안 공업 지역 중에서 샌프란시스코 인근 지역에 대한 설명이다. ② 선벨트(sun belt) 공업 지역에 대한 설명이다. 오대호 연안은 공업이 쇠퇴하고 있는 러스트 벨트(rust belt) 공업 지역에 해당한다. ③ 멕시코만 연안과 태평양 연안은 선벨트 공업 지역에 해당한다. ⑤ 미국의 북동부 및 중서부의 러스트 벨트(rust belt) 공업 지역에 대한 설명이다.

07 클러스터는 공장과 기업, 대학, 연구 기관 등이 함께 입지하여 상호 연계를 통해 경쟁력을 확보하는 새로운 개념의 첨단 산업 단지이다. 실리콘 밸리, 소피아 앙티폴리스, 케임브리지 사이언스 파크 등이 대표적인 클러스터 형태의 첨단 산업 단지이다.

08 자료에 제시된 지역은 석탄 산지를 중심으로 전통적인 중화학 공업이 발달했던 루르 공업 지역의 에센(B)이며, 석탄 산업 및 중화학 공업의 쇠퇴 이후 유럽의 대표적인 문화 산업 지역으로의 변신을 꾀하고 있다.

| 오답 피하기 | A는 케임브리지 사이언스 파크, C는 소피아 앙티폴리스, D는 제3 이탈리아, E는 바르셀로나이다.

09 | 예시 답안 | 말뫼는 많은 에너지를 소비하는 조선 공업 위주의 중화학 공업 비중이 감소하고, 에너지 소비가 적은 기술 및 지식 집약적인 첨단 산업의 비중이 증가했을 것이다. 따라서 에너지의 수입 의존도는 낮아졌을 것으로 추론된다. 또한 과거에 비해 남성 노동력의 수요가 감소하여 청장년층의 성비는 낮아졌을 것이다.

| 채점 기준 |

상	산업 구조, 에너지 자립도, 성비 등의 세 가지 변화 모두를 옳게 추론하여 서술한 경우
중	산업 구조, 에너지 자립도, 성비 중에서 두 가지의 변화만 옳게 추론하여 서술한 경우
하	산업 구조, 에너지 자립도, 성비 중에서 한 가지의 변화만 옳게 추론하여 서술한 경우

10 | 예시 답안 | (가)는 (나)에 비해 공업 지역의 형성 시기는 늦었지만, 에너지 및 자원 소비가 적은 첨단 산업의 비중이 높다. 따라서 주요 산업의 화석 연료 의존도도 낮다.

| 채점 기준 |

상	공업 지역의 형성 시기, 첨단 산업의 비중, 화석 연료 의존성 등의 세 가지 특징 모두를 옳게 서술한 경우
중	공업 지역의 형성 시기, 첨단 산업의 비중, 화석 연료 의존성 중에서 두 가지 특징만 옳게 서술한 경우
하	공업 지역의 형성 시기, 첨단 산업의 비중, 화석 연료 의존성 중에서 한 가지 특징만 옳게 서술한 경우

11 | 예시 답안 | 표시된 지역에서 공통적으로 발달한 산업은 첨단 산업이다. 첨단 산업은 기술 발달 속도가 매우 빠르기에 생산 제품의 수명 주기가 짧고, 부가 가치는 매우 큰 데 비해 제품의 무게와 부피가 작기 때문에 생산비에서 운송비가 차지하는 비중은 작다.

| 채점 기준 |

상	제품의 수명 주기, 생산비에서 운송비가 차지하는 비중 모두 옳게 서술한 경우
하	제품의 수명 주기, 생산비에서 운송비가 차지하는 비중 중에 한 가지만 옳게 서술한 경우

12 | 예시 답안 | 석탄 산업 합리화 정책 이후 경제성이 없는 많은 탄광들이 폐쇄되었을 것이다. 지역의 주력 산업인 광업이 쇠퇴하면서 젊은 남성의 실업률 증가와 그에 따른 인구 유출로 인구가 감소한다. 따라서 청장년층에서 높았던 성비가 낮아지며, 2차 산업의 비중은 감소하고, 3차 산업의 비중은 증가하게 된다.

| 채점 기준 |

상	인구, 성비, 산업 구조 등의 세 가지 변화 모두를 옳게 서술한 경우
중	인구, 성비, 산업 구조 중에서 두 가지 변화만 옳게 서술한 경우
하	인구, 성비, 산업 구조 중에서 한 가지 변화만 옳게 서술한 경우

3단계 내신 만점 도전하기 200쪽

01 ⑤ 02 ②

01 (가)는 컴퓨터 및 전자 산업의 출하액 비중이 높은 캘리포니아주이다. (나)는 석유 화학 공업의 출하액 비중이 높은 텍사스주이다. (다)는 기계 및 운송 장비의 출하액 비중이 높은 오하이오주이다. 캘리포니아주와 텍사스주는 대표적인 선벨트 공업 지역에 해당한다. 오하이오주는 대표적인 러스트 벨트 공업 지역에 해당한다.

02 원료의 수입과 제품의 수출에 유리한 조건을 바탕으로 신흥 중화학 공업 지역으로 발달하고 있는 지역은 로테르담과 됭케르크가 위치한 B이다. 원료 산지를 중심으로 발달한 전통적인 공업 지역은 영국의 랭커셔와 요크셔 지역인 A이다.

| 오답 피하기 | C는 패션 및 디자인 산업 중심의 고부가 가치의 산업 단지가 입지한 제3 이탈리아 공업 지역이다. D는 클러스터 형태의 첨단 산업 단지가 형성되어 있는 소피아 앙티폴리스이다.

심화 수능 유형 익히기 201쪽

01 ② 02 ④

01 A는 오대호 연안 공업 지역, B는 태평양 연안 공업 지역, C는 멕시코만 연안 공업 지역이다. 태평양 연안 공업 지역은 선벨트 공업 지역에 해당하며 영화 산업, 컴퓨터 관련 산업이 발달해 있다. 멕시코만 연안 공업 지역은 풍부한 석유를 바탕으로 석유 화학 공업과 우주 항공 산업이 발달해 있다.

| 오답 피하기 | ㄱ. 디트로이트는 자동차 산업이 발달해 있다. ㄹ. 미국에서 철강 산업은 원료 산지에 해당하는 오대호 연안에 발달해 있고, 최근에는 철강 산업의 중심이 원료 수입과 제품 수출에 유리한 대서양 연안 공업 지역으로 이동하는 경향이 있다.

02 (가)는 첨단 기술 산업 지역, (나)는 쇠퇴하는 공업 지역, (다)는 해운·하운 교통 발달 지역이다. 첨단 기술 산업 지역인 (가)는 (나), (다)보다 공업 지역 형성 시기가 늦다.

| 오답 피하기 | ① (나)에 대한 설명이다. ② (다)에 대한 설명이다. ③ (가)에 대한 설명이다.

주제 21 현대 도시의 내부 구조와 특징

주제 22 지역의 통합과 분리 운동

1단계 개념 익히기 206쪽

01 (1) 지대 (2) 인구 공동화 02 젠트리피케이션 03 (1) ○ (2) × (3) ○ 04 (1) A (2) B 05 프랑스 06 (1) 유럽 연합 (2) 민족의 차이 (3) 경제력의 차이

2단계 내신 유형 익히기 207~209쪽

01 ③ 02 ① 03 ⑤ 04 ② 05 ⑤ 06 ③ 07 ② 08 ③ 09~12 해설 참조

01 A는 도심, B는 도심과 먼 근교 지역이다. 도심은 도심과 먼 근교 지역에 비해 접근성, 건물 높이, 토지 이용 집약도는 높지만, 상주인구는 적다. 도심은 접근성이 높아, 지가와 지대가 높기에 토지 이용이 집약적으로 이루어지고 고층 빌딩이 많이 나타난다. 도심에서는 주거 기능이 상업 및 업무 기능에 밀려나면서 상주인구가 감소하는 인구 공동화 현상이 나타난다.

02 지도에 표시된 지역은 미국 북동부와 일본 도카이도(도쿄~오사카) 지역으로 뉴욕, 도쿄와 같은 최상위의 세계 도시가 있으며, 대도시권이 서로 연결되어 나타나는 메갈로폴리스에 해당한다.

| 오답 피하기 | ㄹ. 두 지역은 공통적으로 공업 집중이 심화되어 집적의 불이익이 크기에 오히려 최근에는 공업의 집중보다는 공업의 분산 경향이 뚜렷하다.

03 문화·예술가, 자영업자 등이 유입되면서 지역 특성이 형성되고 (가) 유동 인구가 증가하며, 임대료가 상승한다. 임대료 상승으로 지역 주민, 문화·예술가, 자영업자 등이 이탈하면 (나) 지역 정체성이 상실되고 상권이 쇠퇴한다.

04 (가)는 3개의 회원국으로 구성된 북미 자유 무역 협정, (나)는 28개 회원국으로 구성된 유럽 연합이다. 유럽 연합은 북미 자유 무역 협정보다 회원국 수가 많고, 역내 무역 비중이 높으며, 경제적 통합 수준이 높다. 유럽 연합은 자본과 상품의 자유로운 이동뿐만 아니라, 노동력의 자유로운 이동도 가능하며, 공동 화폐를 사용하고, 공동의 경제 정책을 수립하고 있다.

05 자료의 사례는 파리와 런던의 도시 재개발 특징을 보여 주고 있다. 유럽에서는 전통적인 도심의 구시가지가 그대로 유지되면서 도시 외곽에 새로운 중심지가 만들어지는 경우가 많다. 이에 비해 북부 아메리카는 상대적으로 도시 형성의 역사가 오래되지 않아 지역에 따른 토지 이용의 차이가 비교적 명확하게 드러나는 편이다.

06 종교적 차이에 따른 갈등이 발생하고 있는 지역은 영국의 북아일랜드(B)이다. 북아일랜드는 가톨릭교도와 개신교도 간의 갈등 발생 지역이다. 언어 차이로 인해 분리·독립을 추진하고 있는 지역은 벨기에의 플랑드르(C)이다. 벨기에의 북부에 해당하는 플랑드르는 주민들의 대부분이 네덜란드어를 사용한다. 반면 벨기에 남부의 왈롱 지역은 주민들의 대부분이 프랑스어를 사용한다.

| 오답 피하기 | A – 스코틀랜드는 민족의 차이, D – 바스크 지역은 민족의 차이, E – 카탈루냐는 경제적 차이가 주요 갈등 요인이다.

07 (가)는 유럽 연합의 본부가 있는 브뤼셀이 위치한 벨기에이다. (나)는 이슬람 세력과 세르비아 정교회 세력 간의 내전이 있었던 보스니아 헤르체고비나이다.

| 오답 피하기 | B는 유럽 연합의 의회가 있는 프랑스이다. C는 폴란드이다.

08 세 국가 중에서 1인당 국내 총생산(GDP)이 가장 작고, 유아 사망률이 가장 높은 (가)는 멕시코이다. 유아 사망률이 가장 낮고, 인구 밀도가 가장 낮은 (나)는 면적에 비해 인구수가 적은 캐나다이다. 1인당 국내 총생산(GDP)이 가장 큰 (다)는 미국이다.

09 | 예시 답안 | 젠트리피케이션의 긍정적인 측면은 낡고 더럽고 비위생적인 생활 환경이 보다 깨끗하고 위생적인 생활 환경으로 변화된다는 점이다. 하지만 부정적인 측면은 부동산 가격 및 임대료가 상승하여 기존에 그 지역에서 오랫동안 거주한 저소득층이 그 지역을 떠나야 한다는 점이다.

| 채점 기준 |

상	긍정적인 측면과 부정적인 측면 모두 옳게 서술한 경우
하	긍정적인 측면과 부정적인 측면 중에 한 가지만 옳게 서술한 경우

10 | 예시 답안 | 유럽 통합의 노력은 제2차 세계 대전 이후 시작되었다. 유럽에 더 이상의 전쟁이 있어서는 안 되며 평화를 위한 노력이 요구된다는 점, 그리고 공동 번영을 위해 자원의 공동 이용의 필요하다는 점이 제기되었다. 또한 새로운 강대국들의 부상과 급속한 경제의 세계화 과정에서 유럽이 보다 큰 경쟁력을 갖춰 살아남기 위해서는 하나로 통합해야 할 필요성이 커졌다.

| 채점 기준 |

상	평화를 위한 노력이 요구된다는 점, 자원의 공동 이용이 필요하다는 점, 경제의 세계화 과정에서 경쟁력을 갖춰야 한다는 점 모두를 충분히 서술한 경우
중	평화를 위한 노력이 요구된다는 점, 자원의 공동 이용이 필요하다는 점, 경제의 세계화 과정에서 경쟁력을 갖춰야 한다는 점 중에서 두 가지를 서술한 경우
하	평화를 위한 노력이 요구된다는 점, 자원의 공동 이용이 필요하다는 점, 경제의 세계화 과정에서 경쟁력을 갖춰야 한다는 점 중에서 한 가지만 서술한 경우

11 | 예시 답안 | 28개 회원국으로 이루어진 유럽 연합이 미국, 캐나다, 멕시코가 회원국인 북미 자유 무역 협정보다 회원국 수가 더 많다. 전체 국내 총생산(GDP)은 북미 자유 무역 협정이 크며, 역내 교역 비중은 유럽 연합이 북미 자유 무역 협정보다 높다.

| 채점 기준 |

상	회원국 수, 전체 국내 총생산(GDP), 역내 교역 비중 모두를 옳게 비교하여 서술한 경우
중	회원국 수, 전체 국내 총생산(GDP), 역내 교역 비중 중에 두 가지를 옳게 비교하여 서술한 경우
하	회원국 수, 전체 국내 총생산(GDP), 역내 교역 비중 중에 한 가지만 옳게 비교하여 서술한 경우

12 | 예시 답안 | 경제적인 측면에서 산업이 발달하고 소득 수준이 높고 비교적 사회가 안정된 북서부 유럽 국가들과, 심각한 경제난과 실업 문제를 겪고 있는 남부 유럽 국가들, 그리고 최근에 자본주의 시장 경제에 편입된 동부 유럽 국가들 간의 경제 격차가 매우 크다. 문화적인 측면에서 동부 유럽 주민들과 그리고 아시아 및 아프리카 난민들이 북서부 유럽으로 크게 유입되면서 유럽 연합 내에 문화적·종교적 갈등이 매우 크게 나타나고 있다.

| 채점 기준 |

상	경제적인 측면과 문화적인 측면 모두 충분히 서술한 경우
하	경제적인 측면과 문화적인 측면 중에 한 가지만 충분히 서술한 경우

3단계 내신 만점 도전하기 210쪽

01 ⑤ 02 ①

01 A는 영국, B는 독일, C는 스위스, D는 그리스, E는 튀르키예이다. 튀르키예는 유럽 연합 가입을 희망하고 있으나, 아직은 유럽 연합의 회원국이 아니다.

| 오답 피하기 | ① 영국은 2016년 6월 23일 국민 투표 결과 유럽 연합 탈퇴가 가결되어, 탈퇴가 예정되어 있다. ② 독일은 유로화를 공식 화폐로 사용하는 유로존 국가이며, 유럽 연합 내에서 인구수, 지역 내 총생산이 1위인 국가이다. ③ 스위스는 아이슬란드, 노르웨이, 리히텐슈타인과 함께 유럽 연합의 비회원국이면서 유럽 자유 무역 연합(EFTA)의 회원국이다. ④ 2009년 이후 유로존의 아일랜드, 포르투갈, 에스파냐, 이탈리아, 그리스 등이 재정 위기에 처하게 되었고, 실업률이 매우 높다.

02 A는 도심, B는 도시 내부 지역, C는 도심과 가까운 근교 지역, D는 도심과 먼 근교 지역이다. 유럽 대도시의 경우 대체로 도심은 역사가 가장 오래된 시가지이며, 도시 내에서 접근성이 가장 좋고, 지가와 지대가 가장 높다. 따라서 지대 지불 능력이 큰 상업 및 업무 기능이 주로 입지하여 중심 업무 지구(CBD)를 형성하고 있다. 도시 내부 지역은 공장과 오래된 집들이 많은 곳이었으나 최근에는 큰 공장들이 이전해 나가고 노후화된 주택이 개량되는 도시 재개발이 활발하게 이루어지고 있다.

| 오답 피하기 | ㄷ, ㄹ은 도심에 대한 설명이다.

심화 수능 유형 익히기 211쪽

01 ① 02 ③

01 캐나다는 대부분의 주민이 영어를 사용하지만, 퀘벡주(A)는 프랑스 출신들이 많이 정착해서 대부분의 주민들이 프랑스어를 사용한다. 퀘벡주는 몇 차례 캐나다로부터 분리·독립하려는 시도가 있었다. 벨기에(B) 북부의 플랑드르 지역 주민들은 주로 네덜란드어를 사용한다. 반면 벨기에 남부의 왈롱 지역 주민들은 주로 프랑스어를 사용한다. 최근 네덜란드어를 사용하는 플랑드르 지역에서는 벨기에로부터 분리·독립하려는 움직임이 있다.

02 (가)는 아직까지 유럽 연합에 가입하지 않은 유럽 자유 무역 협정(EFTA) 국가로, 아이슬란드, 노르웨이, 스위스, 리히텐슈타인 4개국이다. (나)는 1995년까지 가입한 유럽 연합의 기존 회원국이고, (다)는 2004년 이후 유럽 연합에 가입한 신규 가입국이다. 기존 회원국은 주로 소득 수준이 높은 선진국들이고, 신규 가입국은 주로 기존 회원국에 비해 소득 수준이 낮은 개발도상국이다.

| 오답 피하기 | ① 유럽 연합에 대한 설명이다. ② 기존 회원국 중에서 영국, 덴마크, 스웨덴은 유로화가 아닌 자국 화폐를 사용하고 있다. ⑤ 노동력의 이동은 임금 수준이 낮은 신규 가입국에서 임금 수준이 높은 기존 가입국으로 이루어진다.

대단원 6 마무리하기 213~214쪽

01 ⑤ 02 ③ 03 ③ 04 ③ 05 ② 06 ③
07 ⑤ 08 ④

01 대도시권의 형성은 중심 도시의 과밀에 따른 대도시 기능의 주변 지역으로의 분산(교외화)과 관련이 깊다. 대도시가 가지고 있던 주거 기능, 공업 기능, 상업 기능 등이 대도시 주변으로 분산되면서 대도시 주변 지역은 도시적 토지 이용이 증가하게 되고, 대도시를 중심으로 형성된 통근권, 통학권이 확대된다. 이와 같은 대도시권의 형성 과정은 중심 도시의 영향력 확대라는 측면에서 이해해야 한다.

02 A는 석탄 산지에 발달한 영국의 전통 공업 지역이다. B는 원료의 수입과 제품의 수출에 유리한 신흥 중화학 공업 지역이다. C는 패션 및 디자인 산업을 전통적 장인의 제조업으로 육성한 고부가 가치의 산업 단지가 있는 제3 이탈리아 공업 지역이다. D는 클러스터 형태의 첨단 산업 단지가 형성된 소피아 앙티폴리스이다.

03 A는 태평양 연안 공업 지역, B는 오대호 연안 공업 지역, C는 뉴잉글랜드 공업 지역, D는 대서양 연안 공업 지역, E는 텍사스만 연안 공업 지역이다. 오대호 연안은 석탄과 철광석이 풍부하고, 텍사스만 연안은 석유가 풍부하다.

| 오답 피하기 | ① 기계, 금속 공업은 오대호 연안 공업 지역이 태평양 연안 공업 지역보다 생산액도 많고, 생산액 비중도 높다. ② 오대호 연안 공업 지역은 자동차, 철강 등의 공업이 발달하였다. ⑤ A, E는 선벨트(sun belt), B, C, D는 러스트 벨트(rust belt)로 불린다.

04 A 지역에 발달한 공업은 마킬라도라 공업이다. 멕시코의 저렴한 인건비와 세제 혜택의 이점을 활용하기 위해 입주한 외국계 기업 중심의 임가공 형태의 공업을 '마킬라도라'라고 한다. 마킬라도라 공업의 역사는 1960년대 후반으로 거슬러 올라가지만, 1992년 북미 자유 무역 협정의 체결 이후에 급성장했다.

| 오답 피하기 | ㄱ, ㄹ은 고학력 전문 기술 인력의 수요가 높고, 대학, 연구소와의 접근성이 중요한 첨단 산업에 대한 설명이다.

05 (가)는 고층 빌딩이 집중되어 있는 도심이다. (나)는 도심과 먼 근교 지역이다. 도심은 도시 내에서 가장 접근성이 좋고, 지가와 지대가 높다. 따라서 토지 이용의 집약도가 높게 나타나는데, 이는 건물 높이에 반영되어 고층 빌딩이 많이 분포하게 된다.

| 오답 피하기 | ① 도심은 역사가 가장 오래된 시가지이다. ③ 도심은 인구 공동화 현상으로 유동(주간) 인구 대비 상주인구가 적다. ④ 지가와 지대가 높기에 주차 요금도 비싸다. ⑤ 도심에 사는 주민은 평균적인 통근 거리가 짧다.

06 캐나다는 인구수에 비해 국토 면적은 넓고, 석유, 천연가스, 수력, 목재 등의 천연 자원이 풍부하다.

| 오답 피하기 | ① 공산품뿐만 아니라 농산물, 서비스, 지적 재산권 등 거의 모든 상품이 자유 무역 대상이다. ② 유럽 연합에 대한 설명이다. ④ 북미 자유 무역 협정에서 자본과 상품의 자유로운 이동은 가능하나, 노동력은 자유로운 이동에 해당하지 않는다. ⑤ 남미 공동 시장(MERCOSUR) 및 유럽 연합에 대한 설명이다.

07 (가)는 벨기에, (나)는 스위스이다. A와 C는 프랑스어, B와 D는 독일어이다. 스위스보다 벨기에에서 언어 차이에 따른 갈등 표출이 뚜렷하며, 북부의 네덜란드어를 주로 사용하는 플랑드르 지역은 벨기에로부터 분리·독립하려는 움직임이 있다.

| 오답 피하기 | ① 세계 사용자 수는 중국어, 에스파냐어, 영어 순으로 많다. ② 퀘벡주에서 공용어로 사용되는 언어는 영어와 프랑스어이다. ④ 벨기에로부터 분리·독립의 욕구가 강하게 표출되고 있는 지역은 네덜란드어를 주로 사용하는 북부의 플랑드르 지역이다.

08 A는 유럽 연합의 회원국이면서 유로화를 단일 통화로 사용하는 국가군이며, B는 유럽 연합의 회원국이면서 유로화를 단일 통화로 사용하지 않는 국가군이다.

| 오답 피하기 | ① 핀란드, 오스트리아, 슬로바키아, 슬로베니아 등은 유럽 공동체의 회원국이 아니다. 즉 유럽 연합의 12개 기존 가입국이 아니다. ② 유로화를 단일 통화로 사용하는 남부 유럽 국가들이 2009년 이후 유럽 재정 위기의 영향을 크게 받았다. ③ 영국에만 해당하는 설명이다. ⑤ A, B 모두 현재 유럽 연합의 회원국이다.

지리적 역량 기르기 215쪽

01 | 예시 답안 |

구분	내용
(1) 장점	• 시장이 확대되고, 경제 성장이 이루어진다. • 다방면의 교류 확대로 국가 간 장벽이 사라지고 평화가 유지된다. • 난민 문제, 환경 문제 등의 여러 문제에 공동 해결이 가능하다.
(2) 문제점	• 동유럽 주민이 북서부 유럽으로 유입되면서 북서부 유럽에서 실업률이 높아진다. • 남부 유럽의 재정 위기 발생으로, 나머지 국가들의 채무 부담이 커지게 되었다. • 난민 문제 해결에 공동으로 대처하지만, 난민 유입으로 주민들의 반발이 크다.

| 평가 영역 | 개념 이해(자료에 나오는 개념에 대한 이해도)

상	유럽 통합의 장점과 문제점을 모두 이해하고 설명한 경우
중	유럽 통합의 장점과 문제점 중 한 가지 경우만 이해한 경우
하	유럽 통합의 장점과 문제점을 서술하였으나 모두 미흡한 경우

02 | 예시 답안 | 나는 유럽 통합에 찬성한다. 유럽은 기본적으로 그리스·로마 신화와 크리스트교 전통이라는 공통점이 있다. 유럽 통합의 결과 지속적인 평화 체제 구축이 가능해졌고, 유럽이 한 국가처럼 자본, 상품의 이동이 자유로워지고, 노동력의 자유로운 이동도 가능하다는 점은 유럽인 개인에게도 큰 장점이라고 할 수 있다. 그리고 환경 문제, 난민 문제, 경제 위기 등은 개별 국가가 온전히 해결하기 어려운 문제들인데, 이와 같은 다양한 문제 해결에 유럽 전체가 공동으로 대처할 수 있다는 측면도 매우 큰 장점이다. 그리고 경제의 세계화 과정에서 북서부 유럽, 남부 유럽, 동부 유럽이 비교 우위에 입각한 상호 보완적인 관계를 잘 활용하면 보다 경쟁력을 갖출 수 있을 것이다.

| 평가 영역 | 문제 해결력(주제와 관련된 정보를 수집하여 자신의 입장에 맞게 논리적으로 조직하는 정도)

상	유럽 통합에 관한 자신의 생각을 적절한 근거를 제시하여 논리적으로 서술한 경우
중	유럽 통합에 관한 자신의 생각을 어느 정도 제시하였으나 근거가 타당하지 않은 경우
하	유럽 통합에 관한 자신의 입장을 정립하려는 노력이 필요한 경우

대단원 7 사하라 이남 아프리카와 중·남부 아메리카

주제 23 도시 구조에 나타난 도시화 과정의 특징

1단계 개념 익히기 220쪽

01 종주 도시화 현상 02 과도시화 03 (1) ○ (2) ○ 04 (1) 원주민 (2) 아프리카계 (3) 유럽계 (4) 혼혈족 05 메스티소 06 (1) 뚜렷하지 않다. (2) 도심부, 주변부 (3) 크다

2단계 내신 유형 익히기 221~223쪽

01 ⑤ 02 ① 03 ③ 04 ② 05 ③ 06 ③ 07 ⑤ 08 ① 09~12 해설 참조

01 중·남부 아메리카의 도시화 과정을 보면, 다른 대륙에 비해 도시화의 진행 속도가 매우 빠르게 진행되면서 과도시화 현상, 스프롤 현상, 종주 도시화 현상이 나타나고 있다.

| 오답 피하기 | ⑤ 식민지의 중심지 역할을 한 도시와 나머지 도시의 발전 격차가 커지는 문제점이 나타나고 있다.

02 중·남부 아메리카의 도시는 식민 지배의 영향을 받아 기존의 도시가 변형된 형태의 특징을 가진다. 또한, 선진국에 비해 도시 내부 지역의 분화가 뚜렷하지 않으며, 식민 지배 국가와의 교통이 편리한 항구 지역에 도시가 성장한 경우가 많다.

| 오답 피하기 | ① 도심 쪽에 고급 주거 지역이 있고 외곽 지역에 불량 주거 지역이 나타난다.

03 제시문은 종주 도시화 현상을 설명한 것이다. 종주 도시는 수위 도시의 인구 규모가 제2위 도시의 인구 규모보다 두 배 이상 많으며, 종주 도시화 현상이 나타나는 국가는 도시 간 발전 정도의 차이가 큰 것이 일반적이다.

| 오답 피하기 | ㄱ. 과도시화 현상은 도시 기반 시설에 비해 지나치게 많은 인구와 기능이 도시에 집중하는 현상을 뜻한다. ㄹ. 일반적으로 개발 도상국이 선진국보다 발생 빈도가 높다.

04 중·남부 아메리카의 도시는 식민 지배의 영향으로 처음에는 중심 도시를 기점으로 다양한 기능이 한 곳에 모여서 분포하다가 독립 후에는 교통로를 따라 부채꼴 모양으로 도시가 확대된다.

| 오답 피하기 | ② 거주지의 이분법적인 공간 구조가 나타나면서 상류층 거주지는 도심 쪽에 발달하고, 슬럼과 같은 하류층 주거지는 외곽 지역에 주로 분포한다.

05 제시된 그림은 중·남부 아메리카의 도시 구조를 나타낸 모

식도이다. 중·남부 아메리카는 식민 시대에 지배 계층이 도심을 중심으로 정착하면서 중심부 쪽에는 상류층 주거 지역, 외곽에는 하류층 주거 지역이 나타난다. 이로 인하여 주거지의 분리 현상과 도시 내 양극화 문제가 나타나고 있다.

| 오답 피하기 | ③ 식민 시대의 지배 계층이 살던 지역은 상류층 주거 지역으로 발달하고 외곽 지역은 빈곤층 주거 지역으로 나뉘는 양극화 현상으로 도시 내부 지역이 고르게 발전하지 못하였다.

06 지도에 분포하는 민족(인종)은 아프리카계 인종이다. 아프리카계 인종은 백인들에 의해 아프리카에서 노예로 붙잡혀와 카리브해 연안 국가와 브라질 열대 기후 지역의 사탕수수 플랜테이션 농장으로 주로 유입되었다.

| 오답 피하기 | ① 온화한 기후 지역에 주로 살고 있는 인종은 유럽계 백인이다. ② 고산 기후 지역에 살고 있는 인종은 원주민의 비율이 높다. ④ 아프리카계 인종은 유럽계 백인을 피해서 살았다기보다는 유럽계 백인들에 의해 강제로 이주 및 정착하게 된 것이다. ⑤ 고대 문명의 발상지에 오래 전부터 살아온 민족은 원주민이다.

07 ⑤ 안데스 산지와 멕시코 일부 지역은 원주민의 비율이 높다.

| 오답 피하기 | ①, ② 중·남부 아메리카는 유럽계 인종과 아프리카계 인종이 이주하면서 혼혈 인종이 증가하여 원주민을 비롯한 다양한 인종이 어울려 살아가고 있다. ③ 유럽계 인종과 원주민의 혼혈 인종을 메스티소, 유럽계 인종과 아프리카계 인종의 혼혈 인종을 물라토, 원주민과 아프리카계 인종의 혼혈 인종을 삼보라고 하며, 혼혈 인종 중 메스티소가 가장 많다. ④ 중·남부 아메리카를 식민 지배한 국가는 에스파냐와 포르투갈이 대표적이다.

08 A는 기후가 온화한 아르헨티나에서 비중이 높은 것으로 보아 유럽계 인종, B는 멕시코에 많은 것으로 보아 메스티소로 대표되는 혼혈인, C는 고산 지대인 볼리비아에 비중이 높은 것으로 보아 원주민, D는 카리브해 연안 국가인 자메이카에 비중이 높게 나타나는 것으로 보아 아프리카계 인종이다.

09 (1) | 예시 답안 | 철길을 중심으로 왼쪽은 저급 주거 지역이 나타나고 오른쪽은 고급 주거 지역이 나타난다.

(2) | 예시 답안 | 중·남부 아메리카는 유럽계 인종에 의한 식민 지배의 경험을 가지고 있다. 이로 인해 도시의 중심부는 고급 주거 지역과 상업 기능이 나타나고, 외곽에는 저급 주거 지역이 분포하는 경우가 일반적이다. 식민 지배 시기에 지배 계층이 도심을 중심으로 정착하고, 피지배 계층은 그 외곽에 살면서부터 도시의 경관이 고착화되었다.

| 채점 기준 |

상	식민 지배의 경험, 거주지의 특징을 모두 맞게 서술한 경우
중	식민 지배의 경험, 거주지의 특징 중 하나만 서술한 경우
하	단순히 거주지가 분리되어 있다는 내용으로만 서술한 경우

10 | 예시 답안 | 농촌의 인구 과잉, 일자리 부족 등의 인구 배출 요인과 도시의 풍부한 일자리, 편리한 시설 등이 흡인 요인으로 작용하여 도시의 급격한 인구 증가가 발생하였다. 또한, 이로 인해 주택난, 교통난, 각종 공해, 공공시설 부족 등 각종 도시 문제가 발생한다.

| 채점 기준 |

상	도시의 인구 증가 원인과 문제점을 모두 서술한 경우
중	도시의 인구 증가 원인과 문제점 중 하나만 서술한 경우
하	원인이나 문제점을 부정확하게 서술한 경우

11 | 예시 답안 | 유럽인이 조성한 도심부에는 매우 규칙적인 가로망과 성당 및 중앙 광장으로 대표되는 종교 경관이 나타나는데, 이는 유럽인의 권력과 식민 통제 의지를 반영한 것이다.

| 채점 기준 |

상	광장을 조성한 인종과 의미를 모두 서술한 경우
하	광장 조성의 의미를 부정확하게 서술한 경우

12 | 예시 답안 | 원주민은 안데스 산지와 같은 고산 지역, 유럽계 백인은 기후가 온화한 아르헨티나와 우루과이, 아프리카계는 브라질 북동부 해안 지역, 혼혈인은 멕시코, 콜롬비아, 베네수엘라를 비롯한 해안 지역에 주로 분포한다.

| 채점 기준 |

상	네 가지 인종의 분포 지역을 모두 서술한 경우
중	두세 가지 인종의 분포 지역을 서술한 경우
하	한 가지 인종의 분포 지역을 서술한 경우

3단계 내신 만점 도전하기 224쪽

01 ④ 02 ③

01 중·남부 아메리카에 위치하는 브라질의 리우데자네이루의 도시 경관이다. (가)는 고급 주거 지역이 나타나는 곳이며, (나)는 저급 주거 지역이 나타나는 '파벨라'라고 불리는 지역이다. ④ 중·남부 아메리카에서는 민족(인종) 및 사회·경제적 계층에 따라서 거주지의 분리 현상이 뚜렷하게 나타난다.

| 오답 피하기 | ① (가)는 유럽계 백인의 거주 비율이 높게 나타나며, ② (나)는 아프리카계 및 혼혈 인종의 비율이 높다. ③ (나)는 저급 주거 지역으로 도시의 각종 기반 시설의 정비가 미흡하다. ⑤ (가)와 같은 고급 주거 지역은 일반적으로 도심에서 가까운 곳에 위치한다.

02 에콰도르의 수도 키토의 건물 일부를 나타낸 것이다. 잉카 문명의 유적 위에 라틴 문화의 새로운 건축물이 세워져 있는 모습으로, 원주민이 살던 곳에 유럽계 백인이 유입하면서 나타나는 경관이다.

심화 수능 유형 익히기 225쪽

01 ② 02 ③

01 (가)는 페루, (나)는 브라질, (다)는 우루과이이다. 우루과이는 유럽계 인종(민족)의 비중이 높으므로 B는 유럽계이다. 페루는 원주민의 비중이 높으므로 A는 원주민이다. C는 혼혈 인종(민족)에 해당한다. ② 라틴 아메리카에 정착한 시기는 원주민(A)이 가장 오래되었다.

| 오답 피하기 | ① 라틴 아메리카의 인종(민족)별 비중은 혼혈>유럽계>원주민 순으로 높다. ③ 브라질에서 원주민은 비교적 경제적 지위가 낮은 편이다. ④ 한류의 영향을 받아 생성된 사막은 칠레의 아타카마사막이다. ⑤ 라틴 아메리카는 브라질에서만 포르투갈어를 공용어로 사용하고, 나머지 국가는 대부분 에스파냐어를 공용어로 사용한다.

02 지도에 표시된 국가는 멕시코, 브라질, 아르헨티나이다. (가)는 멕시코, (다)는 아르헨티나, (나)는 유럽계와 혼혈의 비중이 높은 브라질이다. 따라서 A는 혼혈, B는 유럽계, C는 아프리카계이다.

ㄴ. 멕시코와 아르헨티나는 에스파냐어, 브라질은 포르투갈어를 공용어로 사용한다. ㄷ. 리우 카니발은 유럽의 카니발에 아프리카 출신 노예의 민속 음악과 춤을 결합한 축제로 브라질의 대표 축제이다.

| 오답 피하기 | ㄱ. 유럽계 인구 비중은 아르헨티나가 높지만 인구 수는 브라질이 많다. ㄹ. 멕시코의 혼혈 인구 비중은 약 60%, 브라질의 혼혈 인구 비중은 약 34%이다.

주제 24 사하라 이남 아프리카의 분쟁과 저개발

주제 25 자원 개발을 둘러싼 과제

1단계 개념 익히기 230쪽

01 크리스트교, 이슬람교 02 국경과 부족의 경계가 다름
03 (1) ○ (2) ○ 04 (1) 나이지리아 (2) 수단 05 브라질
06 (1) 중 · 남부 아메리카 (2) 사하라 이남 아프리카

2단계 내신 유형 익히기 231~233쪽

01 ③ 02 ⑤ 03 ③ 04 ① 05 ④ 06 ③ 07 ⑤
08 ④ 09~12 해설 참조

01 (가)는 수단으로 아랍계 주민, 아랍어, 이슬람교의 비중이 높다. (나)는 남수단으로 원주민, 토착 언어, 토착 종교 및 크리스트교의 비중이 높다.

| 오답 피하기 | ③ 석유 매장량은 (나)인 남수단이 많다.

02 중 · 남부 아메리카는 다국적 기업들이 많이 진출하여 광산이나 농장을 개발하는 경우가 많다. 다국적 기업을 통한 개발은 해당 국가나 지역의 주민 소득을 증대시키는 데 미흡하다.

| 오답 피하기 | ① 자원의 국유화는 자원 수입국의 다변화와는 관련이 없다. ② 국유화 조치로 국가가 개발에 더욱 관여하게 된다. ③ 국제 사회에 대한 의존도는 낮아지게 된다. ④ 다국적 기업보다는 지역 주민의 이윤 증대와 관련이 있다.

03 사하라 이남 아프리카는 다양한 이유로 분쟁이 나타나고 있다. 다양한 민족 및 종교 분포, 식민 시대의 문화적 동질성을 무시한 국경 설정 및 불안정한 정치 체제와 자원을 둘러싼 갈등 등이 복합적으로 얽혀 있다.

| 오답 피하기 | ③ 아프리카의 많은 국가들은 정치적인 불안정과 민주적이지 못한 정치 체제로 분쟁이 발생하고 있다.

04 아프리카는 사하라사막 지역을 경계로 북쪽으로는 이슬람교, 남쪽으로는 크리스트교 및 토착 종교의 신도 비중이 높다.

05 제시된 자료는 사하라 이남 아프리카의 저개발 현황을 나타낸 것이다. 이곳의 저개발 요인은 잦은 분쟁, 부족한 사회 기반 시설, 민주적 정치 체제의 부족, 1차 생산품에 의존하는 산업 구조 등이다.

| 오답 피하기 | ④ 사하라 이남 아프리카는 광물 및 에너지 자원이 풍부하다.

06 사하라 이남 아프리카는 많은 광물 자원을 가지고 있다. 하지만 정치적으로 불안정한 국가에서는 자원의 개발로 얻은 이익으로 무기를 구입하여 내전을 이어가기도 하며, 정부군이나 무장 단체가 자원 개발을 위해 주민에게 강제 노동을 강요하거나 아동을 일꾼으로 동원하면서 인권 문제가 발생하기도 한다. 또한, 다국적 기업의 비윤리적 경영으로 채굴이 끝난 후 광산을 방치하여 환경 오염을 일으키는 경우도 발생하고 있다.

| 오답 피하기 | ③ 아마존의 열대림은 중 · 남부 아메리카에 위치한다.

07 열대 우림의 개간에 대한 각 주체별 입장을 나타낸 것이다. 일반적으로 원주민은 개발로 인해 삶의 터전을 잃게 되고 토착 문화가 파괴된다고 보아 개발에 반대 입장을 취하며, 개발업자는 환경 문제보다는 개발의 경제적 이익을 강조하고, 환경 운동 단체는 환경 문제의 심각성을 들어 개발을 반대한다. 정부 관계자는 열대 우림을 파괴하여 도시와 도로를 건설하는 것이 주민의 삶의 질을 좋게 만든다고 생각하는 경향이 강하다.

08 중·남부 아메리카에서는 소수의 특권 계층이 대부분의 토지를 소유하고 있다. 이는 식민 지배의 흔적으로, '아시엔다'라고 불리는 대토지 소유제에 기인한다. 이러한 대토지 소유제는 소수의 특권 계층이 소득을 독점하여 빈부 격차를 심화시킨다.

| 오답 피하기 | ④ 정부는 주민 간의 소득 격차를 유발하는 대토지 소유 현상을 줄이기 위해 노력하고 있다.

09 (1) | 예시 답안 | 이슬람교, 흑인 원주민(토착민)
(2) | 예시 답안 | 수단과 남수단은 종교, 민족(인종), 특징이 다르게 나타난다. 수단은 아랍계 민족이 이슬람교를 믿고 송유관, 항구 및 정유 시설 등을 가지고 있으며, 남수단은 원주민들이 토착 종교와 크리스트교를 믿고 주요 유전 지대를 보유하고 있다. 이러한 차이가 두 지역 간의 분쟁을 일으키고 있다.

| 채점 기준 |

상	민족, 종교, 특징을 모두 맞게 서술한 경우
중	민족, 종교, 특징 중 두 가지만 서술한 경우
하	민족, 종교, 특징 중 한 가지 이하로 서술한 경우

10 | 예시 답안 | 현지인의 강제 노동과 미성년자의 노동 착취로 자원 개발이 이루어진 경우가 많았으며, 공정 무역 제품의 소비는 이러한 인권 문제를 해결하고 생산자에게 정당한 대가를 지불하게 될 것이다.

| 채점 기준 |

상	배경과 변화에 대해 모두 서술한 경우
하	배경과 변화 중 하나만 서술한 경우

11 | 예시 답안 | 브라질은 순상지가 넓게 분포하여 철광석이 많이 생산된다. 또한 국토가 넓어 에너지 자원, 광물 자원, 식량 자원, 삼림 자원 등 각종 자원이 풍부하다. 칠레는 화산 분출 지역에 위치하여 은, 구리, 주석 등 광물 자원이 많이 생산된다. 칠레는 세계적인 구리 생산지이다.

| 채점 기준 |

상	국가별 자원과 특징을 모두 서술한 경우
하	국가별 자원과 특징 중 하나만 서술한 경우

12 | 예시 답안 | 사하라 이남 아프리카는 제조업과 서비스업에 비해 부가 가치가 낮은 농업에 많은 사람들이 종사하고 있어 저개발 상황을 겪고 있다.

| 채점 기준 |

상	부가 가치와 종사자 비중에 대해 모두 서술한 경우
하	부가 가치와 종사자 비중 중 하나만 서술한 경우

3단계 내신 만점 도전하기 234쪽

01 ④ 02 ⑤

01 지도는 아프리카의 국경과 부족 경계가 일치하지 않는 모습을 나타낸 것이다. 이는 유럽 강대국들이 식민 지배 당시 민족(부족)의 분포, 문화적 동질성을 고려하지 않은 채 위도와 경도 등 인위적인 경계로 국경선을 획정한 결과이다. 그 결과 현재까지 여러 지역에서 갈등이 나타나고 있다.

| 오답 피하기 | ④ 국경과 부족 경계가 일치하지 않아 문화적 동질성이 미약하다.

02 나이지리아는 다민족 국가이며, 이슬람교와 크리스트교가 접하는 지역에 위치하고 있다. 또한, 부족 간의 갈등, 자원을 둘러싼 갈등, 종교 간의 갈등 등이 주요한 분쟁 원인으로 아프리카 분쟁의 가장 대표적인 지역 중 하나이다.

| 오답 피하기 | ⑤ 나이지리아 분쟁은 인접국과의 영토 분쟁이 아니라 내전의 형태를 취하고 있다.

심화 수능 유형 익히기 235쪽

01 ⑤ 02 ⑤

01 수단과 남수단의 분쟁에 관한 내용이다. 수단은 식민 지배 시기 강대국들이 동질성을 무시한 채 국경 분할을 하였고, 이후 종교, 민족(종족), 자원 등의 차이로 분쟁이 발생하였다.

| 오답 피하기 | 수단은 이슬람교, 남수단은 크리스트교 및 토착 종교의 신봉자 비율이 높다.

02 (가)는 남부 아프리카 지역에서 발생하는 사막화, (나)는 아마존 열대 우림의 파괴 현상이다.

| 오답 피하기 | ⑤ 제네바 협약(1979)은 산성비 문제 해결을 위한 협약, 람사르 협약(1971)은 습지의 보호 및 지속 가능한 이용을 위한 국제 협약이다.

대단원 7 마무리하기 237~238쪽

01 ⑤ 02 ④ 03 ④ 04 ③ 05 ③ 06 ③
07 ② 08 ⑤

01 중·남부 아메리카의 도시는 식민 지배의 영향으로 독자적으로 발달하지 못하였다. 선진국에 비해 도시 내부 지역 분화가 뚜렷하지 않으며, 경제 및 계층에 따른 거주지 분리 현상이 뚜렷하다. 이로 인해 도심과 가까운 곳에 고급 주거 지역, 외곽에 불량 주거 지역이 형성되었다.

| 오답 피하기 | ㄱ. 외곽 지역에는 불량 주택 지구가 나타난다. ㄴ. 식민 지배의 영향으로 기존의 도시가 변형된 형태를 보인다.

02 원주민은 전통적으로 안데스 산지 지역의 고산 기후 지역에 주로 분포하고 있다.

| 오답 피하기 | ① 중·남부 아메리카의 남동부의 온화한 기후 지역에는 주로 백인들이 거주한다. ② 플랜테이션 농장에서는 노예로 끌려온 아프리카계의 비중이 높다. ③ 메스티소는 백인과 원주민의 혼혈족이다. ⑤ 고대 문명의 발상지에 전통적으로 거주한 인종은 아메리카 원주민이다.

03 제시된 자료는 1위 도시의 인구가 2위 도시의 인구에 비해 2배 이상 되는 종주 도시화 현상이다. 이러한 현상은 도시화의 진행 속도가 빠른 개발 도상국에서 주로 나타난다. 특히 중·남부 아메리카는 식민 시대의 주요 도시를 중심으로 개발이 집중되면서 종주 도시화 현상이 뚜렷하게 나타난다.

| 오답 피하기 | ① 도시 간 발전 정도의 차이가 크며, ② 선진국보다는 개발 도상국에서 잘 나타난다. ③ 도시화가 빨리 진행된 국가에서 많이 나타나며, ⑤ 도시의 수용 범위를 초과한 인구 증가 현상은 과도시화 현상이다.

04 사하라 이남 아프리카에서 발생한 난민들이 인접한 다른 대륙으로 이동하면서 아프리카의 인구가 감소하였다.

| 오답 피하기 | ① 난민은 주로 분쟁이 큰 원인이다. ② 난민 발생국의 노동 인구를 감소시킨다. ④ 난민들은 의식주와 같은 기본적인 생활에 어려움을 겪는 경우가 많다. ⑤ 인접국에서는 난민 수용으로 갈등이 발생하기도 한다.

05 (가)는 아프리카의 국경과 부족 경계, (나)는 수단(A)과 남수단(B)의 지도이다. ③ A, B 국가는 아프리카 대륙의 중앙을 기준으로 동쪽에 위치한다.

| 오답 피하기 | ① 아프리카는 국경과 부족 경계가 대체로 일치하지 않으며, ② 강대국들이 지역의 동질성을 무시한 채 국경을 분할하여 잦은 분쟁의 원인을 제공하였다. ④ A는 이슬람교, B는 크리스트교와 토착 종교를 믿는 주민의 비율이 높다. ⑤ B는 A 국가로부터 독립하였다.

06 제시된 자료는 아프리카에서 자원 개발로 나타나는 문제점에 대한 글이다. 자원 개발을 위해 주민이 강제 노동에 동원되는 등 인권 문제를 일으키는 경우가 많으며, 이러한 문제의 해결을 위해 공정 무역이 더욱 필요하다고 볼 수 있다.

| 오답 피하기 | ③ 자원 개발이 전쟁 자금을 마련하기 위한 수단으로 사용되는 경우가 많아 내전을 사라지게 만든다고 보기는 어렵다.

07 브라질의 열대림 훼손에 관한 자료이다. ② 열대림의 훼손은 원주민의 주요 터전을 파괴하여 그들의 토착 문화를 사라지게 한다.

| 오답 피하기 | ① 사헬 지대는 사막화가 일어나는 대표적인 지역이다. ③ 정부는 일반적으로 개발을, 환경 단체는 보존을 지지한다. ④ 생물 종의 다양성을 감소시키며, ⑤ 열대림이 훼손되면 일반적으로 북극 빙하의 면적은 감소하게 되므로 둘은 반비례 관계에 있다.

08 중·남부 아메리카는 소수의 특권 계급이 대토지를 소유하고 있어 자원 개발로 얻은 이익을 독점하는 경향이 강하다.

| 오답 피하기 | ① 대다수의 주민은 소작농으로 살아가며, ② 국가에서는 빈부 격차를 줄이기 위해 대토지 소유제를 줄이려고 하며, ③ 소득 격차가 심한 편이다. ④ 아시엔다는 유럽인에 의한 식민 지배 시기에 만들어진 토지 제도이다.

지리적 역량 기르기

239쪽

01 | 예시 답안 |

(1) 찬성	• 인도적인 측면에서 난민은 수용해야 한다. • 난민 인정 비율을 세계 평균으로 올려야 한다. • 난민에 대한 편견과 혐오의 시선에서 벗어나야 한다. • 누구나 난민이 될 수 있으며, 우리도 과거에 전쟁으로 난민이 발생한 적이 있다.
(2) 반대	• 내국인과의 일자리 경쟁이 생길 수 있다. • 범죄와 치안 문제 등이 발생할 우려가 있다. • 문화의 차이로 인한 사회적 혼란이 발생할 수 있다. • 난민보다는 자국민의 복지와 안전이 우선되어야 한다.

| 평가 영역 | 개념 이해(자료에 나오는 개념에 대한 이해도)

상	난민 수용에 관한 찬성과 반대의 입장을 모두 이해하고 설명한 경우
중	난민 수용에 관한 찬성과 반대의 입장 중 한 가지 경우만 설명한 경우
하	난민 수용에 관한 찬성과 반대의 입장을 밝혔으나, 설명이 부실한 경우

02 | 예시 답안 | • 찬성: 나는 우리나라의 난민 수용에 찬성한다. 우리나라는 유엔 난민 협약의 가입국으로 난민을 보호해야 할 의무가 있다. 우리나라도 과거에 다른 국가들의 도움을 받았듯 우리나라도 다른 국가의 난민을 지원해야 한다. 또한 난민을 받아들인다면 독일과 같이 저출산·고령화로 인한 인구 감소와 노동력 감소 문제를 해결할 수 있을 것이다.

• 반대: 나는 우리나라의 난민 수용에 반대한다. 현재 난민 수용에 비교적 우호적이었던 유럽 국가들도 테러와 범죄 발생의 위험, 자국민의 일자리 부족 문제, 복지 문제 등이 발생하면서 난민 수용에 난색을 표하고 있다. 우리나라에서도 준비 없이 난민을 수용한다면 비슷한 문제가 발생할 수 있다. 또한 문화 차이로 인한 혼란이 생겨날 수도 있다.

| 평가 영역 | 문제 해결력(주제와 관련된 정보를 수집하여 자신의 입장에 맞게 논리적으로 조직하는 정도)

상	난민 수용에 관한 자신의 생각을 적절한 근거를 제시하여 논리적으로 서술한 경우
중	난민 수용에 관한 자신의 생각을 어느 정도 제시하였으나 근거가 타당하지 않은 경우
하	난민 수용에 관한 자신의 입장을 정립하려는 노력이 필요한 경우

대단원 8 공존과 평화의 세계

주제 26 경제의 세계화와 경제 블록

1단계 개념 익히기 244쪽

01 (1) 다국적 기업 (2) 세계 무역 기구(WTO) 02 경제 블록 03 (1) ○ (2) × (3) ○ 04 (1) NAFTA (2) EU (3) APEC 05 자유 무역 협정(FTA) 06 (1) ㉣ (2) ㉡ (3) ㉢ (4) ㉠

2단계 내신 유형 익히기 245~247쪽

01 ④ 02 ① 03 ② 04 ② 05 ② 06 ② 07 ③ 08 ② 09 ⑤ 10~13 해설 참조

01 교통과 통신 기술의 발달에 따른 세계화로 국가 간 상호 의존성 증가, 다국적 기업의 활동 무대 확장, 세계 무역 기구의 출범과 자유 무역의 증가 현상 등이 나타났다. 경쟁력이 약한 국가는 경쟁력이 더욱 약화되거나 대외 의존도가 높아질 가능성이 있으며, 특정 국가의 불안이 세계적인 금융 위기를 발생시킬 위험성 또한 높아질 우려가 있다.

| 오답 피하기 | ④ 경쟁력이 약한 국가의 경우 대외 의존도가 더욱 높아지게 된다.

02 자유 무역을 통한 세계 무역 증진을 위해 설립된 국제기구는 세계 무역 기구(WTO)이다.

| 오답 피하기 | ② 자유 무역 협정(FTA)은 체결국 간에 무역 특혜를 부여하는 협정으로, 주로 2개 국가 또는 단체 간 무역 장벽 해소 및 자유 무역을 추구한다. ③ 동남아시아 국가 연합은 동남아시아 10개국의 국가 간 기술 및 자본의 상호 교류와 자원 공동 개발을 추진하기 위해 설립된 경제 협력체이다. ④ 환태평양 지역 국가의 경제 협력과 무역 증진을 목적으로 출범한 경제 협력체이다. ⑤ 북아메리카 자유 무역 협정은 캐나다·미국·멕시코 간의 자유 무역 협정이다.

03 세계 무역 기구의 출범은 무역량 증가, 각종 상품의 국가 간 교류 증가, 소비자의 상품 선택 폭 증가를 가져왔다. 또한 국가 간 무역 분쟁이 발생하였을 때 WTO에서 분쟁 해결을 할 수 있다.

| 오답 피하기 | ② 세계 무역 기구는 보호 무역보다는 자유 무역의 확대를 가져왔다.

04 제시된 자료는 경제 블록화 현상을 나타낸 것이다. 이는 국가 간 상호 의존성을 높이고, 약소국도 자국의 입장을 반영하기 쉬우며, 기업은 생산비를 절감하고 자원을 효율적으로 이용할 수 있게 된다.

| 오답 피하기 | ② 배타적인 경제 블록의 형성으로 비회원국에 대한 차별과 이로 인한 국가 간 무역 분쟁이 발생할 수 있다.

05 동남아시아 10개국이 국가 간 기술 및 자본의 상호 교류와 자원의 공동 개발을 추진하기 위해 설립한 것은 동남아시아 국가 연합(ASEAN)이다.

| 오답 피하기 | ① 유럽 연합(EU)은 유럽의 28개의 회원국 간에 맺은 경제 협력체이다. ③ 남아메리카 공동 시장(MERCOSUR)은 중·남부 아메리카 국가인 브라질·아르헨티나·우루과이·파라과이·베네수엘라 볼리바르 5개국(2013년)으로 구성된 경제 협력체로 관세 동맹 수준의 경제 협력을 하고 있다. ④ 북아메리카 자유 무역 협정(NAFTA)은 북아메리카 3개국인 캐나다·미국·멕시코 간의 자유 무역 협정이다. ⑤ 아시아·태평양 경제 협력체(APEC)는 태평양 연안 국가들의 지역 경제 협력 강화를 목적으로 설립되었다.

06 (가)는 유럽 연합(EU), (나)는 북아메리카 자유 무역 협정(NAFTA)이다. ② (가)는 1999년부터 통용되기 시작한 유로화를 사용하고 있으며, 2012년 기준으로 유럽 연합 회원국 중 17개국에서 사용하고 있다.

| 오답 피하기 | ① (가)는 유럽 연합(EU)이다. ③ (나)는 북아메리카 자유 무역 협정(NAFTA)이다. ④ (가)의 회원국은 28개국(2018년 기준)이며, (나)의 회원국은 미국, 캐나다, 멕시코 3개이다. ⑤ (가)는 완전 경제 통합의 수준이며, (나)는 자유 무역 협정의 수준으로 (가)의 통합 수준이 더 높다.

07 제시된 글에서 설명하고 있는 지역 경제 협력체는 동남아시아 국가 연합(ASEAN)이다. A는 유럽 연합(EU), B는 남아프리카 관세 동맹(SACU), C는 동남아시아 국가 연합(ASEAN), D는 북아메리카 자유 무역 협정(NAFTA), E는 남아메리카 공동 시장(MERCOSUR)이다.

08 (가)는 남아메리카 공동 시장, (나)는 유럽 연합이다. (가)는 관세 동맹 수준의 경제 통합을 하고 있어 비회원국에 공통의 관세를 부과하고, (나)는 대부분의 국가가 단일 통화인 유로화를 사용한다.

| 오답 피하기 | ㄴ. (나)는 유럽 연합(EU)이고, ㄹ. (가)는 관세 동맹 수준의 경제 통합, (나)는 완전 경제 통합 수준의 경제 통합을 하고 있다.

09 아시아·태평양 경제 협력체로 우리나라가 포함되어 있다.

| 오답 피하기 | ① 유럽 연합은 유럽에 위치한 28개 회원국, ② 동남아시아 국가 연합은 동남아시아에 위치한 10개 회원국, ③ 남아메리카 공동 시장은 남아메리카에 위치한 5개 회원국, ④ 북아메리카 자유 무역 협정은 북아메리카에 위치한 3개 회원국이 참가하고 있다.

10 | 예시 답안 | 자유 무역 협정의 확대로 다국적 기업의 활동 범위가 넓어지며, 농산물, 공산품의 국가 간 교역이 활발해지고, 소비자

의 상품 선택 폭이 넓어지며, 기업은 수출 시장이 확대되는 장점이 있다. 하지만 국제 경쟁력이 약한 기업이나 국가는 경쟁력이 더욱 약화되거나 대외 의존도가 높아질 가능성이 있으며, 특정 지역의 경제 불안이 세계적인 금융 위기로 발생할 위험성이 높아지는 단점이 있다.

| 채점 기준 |

상	장점과 단점을 한 가지씩 서술한 경우
중	장점과 단점 중 하나만 서술한 경우
하	장점과 단점 모두 정확하게 서술하지 못한 경우

11 | 예시 답안 | (가)는 북아메리카 자유 무역 협정(NAFTA), (나)는 동남아시아 국가 연합(ASEAN)으로 (나)는 회원국 간 경제 규모가 비슷하여 상호 보완성이 떨어지며, 경제 발전 정도가 낮은 국가들이 많아 역내 총생산액이 (가)에 비해 적다.

| 채점 기준 |

상	회원국 간 상호 보완성과 역내 총생산액을 모두 서술한 경우
중	회원국 간 상호 보완성과 역내 총생산액 중 하나만 서술한 경우
하	회원국 간 상호 보완성과 역내 총생산액 모두 제대로 서술하지 못한 경우

12 | 예시 답안 | (가)는 유럽 연합이고 (나)는 동남아시아 국가 연합이다. 유럽 연합은 선진국들을 많이 포함하고 있어 역내 총 생산액이 많다. 동남아시아 국가 연합은 회원국 간의 경제 구조가 비슷하여 회원국 간 상호 보완성이 낮은 것에 비하여 유럽 연합은 회원국 간 상호 보완성이 높아 총 무역액에서 역내 무역액이 차지하는 비중이 높게 나타난다.

| 채점 기준 |

상	역내 총생산액과 총 무역액에서 역내 무역액이 차지하는 비중을 모두 서술한 경우
하	역내 총생산액과 총 무역액에서 역내 무역액이 차지하는 비중 중 한 가지만 서술한 경우

13 | 예시 답안 | 경제 블록은 회원국 간의 상호 의존성을 높이고 무역을 확대하여 국가의 이익을 높이기 위해서 형성한다. 하지만 배타적인 경제 블록의 형성으로 비회원국에 대한 차별과 이로 인한 국가 간 무역 분쟁이 발생할 수 있다.

| 채점 기준 |

상	경제 블록을 형성하는 이유와 문제점을 모두 서술한 경우
하	경제 블록을 형성하는 이유와 문제점 중 한 가지만 제시한 경우

3단계 내신 만점 도전하기 248쪽

01 ④　　02 ④

01 (가)는 유럽 연합(EU), (나)는 동남아시아 국가 연합(ASEAN), (다)는 북아메리카 자유 무역 협정(NAFTA)이다. ④ (나)는 회원국 간의 경제적 발전 정도가 비슷하여 (가), (다)에 비해 역내 무역 비중이 낮다.

| 오답 피하기 | ① (가)의 모든 회원국이 유로화라는 단일 통화를 사용하는 것은 아니다. 영국, 덴마크, 스웨덴과 동부 유럽의 일부 국가는 유럽 연합 회원국이지만 유로화를 도입하지 않고 있다. ② (가)는 경제적 통합 수준이 가장 높으며, ③ 총 무역액은 (가)>(다)>(나)의 순서로 나타난다. ⑤ 회원국의 수는 (가) 28개국, (나) 10개국, (다) 3개국이다.

02 (가)는 자유 무역 협정 수준으로 북아메리카 자유 무역 협정(NAFTA), (나)는 완전 경제 통합의 수준으로 유럽 연합(EU)이 해당한다.

| 오답 피하기 | 남아메리카 공동 시장(MERCOSUR)은 관세 동맹 수준의 경제 통합인 경제 협력체이다.

심화 수능 유형 익히기 249쪽

01 ②　　02 ②

01 (가)는 북아메리카 자유 무역 협정(NAFTA), (나)는 유럽 연합(EU)이다. 유럽 연합은 회원국 사이의 생산 요소가 자유롭게 이동하며 단일 통화를 사용하는 등 경제적 통합 수준이 가장 높은 지역 경제 협력체이다. 유럽 연합은 북아메리카 자유 무역 협정보다 회원국 수가 많고 역내 무역 비중 또한 높다.

02 지도 자료에서 (가)는 유럽 연합, (나)는 북아메리카 자유 무역 협정이다. 유럽 연합은 노동력의 자유로운 이동 등에 예외가 있기는 하지만 대체로 역내 관세를 철폐하고 상품·자본·노동력의 이동을 보장하며, 유럽 의회 등 초국가적 기구를 설치·운영하고 있다. 북아메리카 자유 무역 협정의 통합 수준은 역내 관세 철폐 수준에 해당한다.

주제 27 지구적 환경 문제 해결을 위한 노력

주제 28 세계 평화와 정의를 위한 노력

1단계 개념 익히기 254쪽

01 지구 온난화 현상　02 쿠르드족　03 (1) × (2) ○　04 (1) 국경 없는 의사회 (2) 국제 사면 위원회 (3) 그린피스　05 파리 협정　06 (1) ㉠ (2) ㉢ (3) ㉡

2단계 내신 유형 익히기 255~257쪽

01 ②　02 ②　03 ②　04 ①　05 ③　06 ④　07 ⑤　08 ②　09~12 해설 참조

01 지구 온난화가 지속되면 해수면 상승으로 해안 지대의 침수 위험성은 증가한다. 빙하는 면적이 축소되는데, 극지방에서는 빙하가 나타나는 위도가 높아지며, 고산 지대에서는 빙하가 나타나는 해발 고도가 높아진다. 열대성 작물의 재배 가능 범위는 넓어지며, 냉대림의 북한계는 높아진다.

| 오답 피하기 | ② 기온의 상승은 극지방의 빙하가 나타나는 범위를 고위도 쪽으로 높이게 된다.

02 산성비에 관한 문제이다. 산성비는 대리석으로 된 조각이나 시멘트로 만든 건축물의 부식을 일으키며, 원인 물질이 바람에 의해 확산되어 원인 물질의 배출 지역과 피해 지역이 다르게 나타난다.

| 오답 피하기 | ㄴ. 바람에 의해 원인 물질이 확산되어 원인 물질 배출 지역과 피해 지역은 일치하지 않는다. ㄹ. 람사르 협약은 습지 보호를 위한 국제 협약이다.

03 제시문은 지구 온난화를 막기 위해 발의된 탄소 배출권 거래제에 관한 설명이다.

| 오답 피하기 | ① 탄소 배출권 거래제는 교토 의정서(1997년)에서 채택되었다. ③ 자외선 투과량은 염화플루오린화탄소(CFCs)의 배출과 관련 있다. ④ 사막화는 사막화 방지 협약과 관련된다. ⑤ 유해 폐기물의 국가 간 교역을 규제하고자 한 협약은 바젤 협약이다.

04 그린피스는 지구의 환경을 보존하기 위한 비정부 기구이다.

| 오답 피하기 | ② 국제 연합은 국제 평화와 안전의 유지를 위한 각종 활동을 하는 국제기구이다. ③ 지구의 벗은 지구 온난화 방지, 삼림 보존, 생물 다양성 보존 등 다양한 분야에서 활동하는 비정부 기구이다. ④ 국제 사면 위원회는 인권과 관련된 시민 활동을 하는 국제 인권 단체로 국가 권력에 의해 구금된 양심수들의 구제를 목적으로 설립되었다. ⑤ 1968년 나이지리아 비아프라 내전에 파견된 프랑스 적십자사의 대외 구호 활동에 참가한 청년 의사와 언론인들이 1971년 파리에서 결성한 긴급 의료 단체이다.

05 자료는 사막화 위험 지역을 나타낸 것이다. ③ 염화플루오린화탄소(CFCs)는 오존층 파괴와 관련이 있다.

| 오답 피하기 | ① 건조 기후 지역에서 발생 빈도가 높고, ② 과도한 농경 및 목축 활동과 관련 있으며, ④ 지구 온난화와 가뭄의 지속도 주요한 원인이다. ⑤ 사막화 방지 협약(1994년)을 채택하여 사막화 방지를 위해 노력하고 있다.

06 지도에 표시된 지역에 분포하는 민족(인종)은 쿠르드족이다. ④ 쿠르드족은 한 번도 독립된 국가를 형성해 본 적이 없다.

| 오답 피하기 | 쿠르드족은 ① 여러 나라에 걸쳐 흩어져 살고 있으며, ② 이슬람교를 주로 신봉한다. ⑤ 최근 독립 국가를 만들기 위해 주변국들과 갈등이 발생하고 있다.

07 자료는 난민에 대한 설명이다. ⑤ 난민은 주로 개발 도상국에서 발생한다.

| 오답 피하기 | ① 난민은 주로 아프리카와 아시아에서 발생하고 있다. ② 유엔 난민 기구(UNHCR)에서 이 문제의 해결을 위해 지원하고 있으며, ③ 인종, 종교 또는 정치적 · 사상적 차이로 주로 발생한다. ④ 인접국에서는 이들의 수용을 둘러싸고 갈등이 커지고 있다.

08 ㉠은 세계 정의 실현을 위한 노력이다. ② 자원 민족주의는 자원이 풍부한 저개발 국가가 자본과 기술이 풍부한 선진국으로부터 경제적 독립을 달성하기 위해 자원을 전략적 무기로 이용하던 기조를 뜻하는 것으로, 자원 민족주의를 강조하면 자원을 둘러싼 갈등이 발생할 우려가 증가한다고 볼 수 있다.

| 오답 피하기 | 세계 정의 실현을 위해서는 ① 경제적 측면에서는 공정 무역 운동, ③ 평화적인 측면에서는 국제 평화 유지군 활동, ④ 인류애적인 측면에서 국경 없는 의사회 활동, ⑤ 정치적 · 법적 측면에서는 국제 사면 위원회의 활동이 대표적인 노력으로 볼 수 있다.

09 | 예시 답안 | 지구 온난화와 관련한 비정부 기구의 활동이다. 산업화, 도시화로 인한 화석 연료의 사용 급증, 자원 개발과 농경지 확대로 인한 산림 파괴 증가로 온실가스 배출량이 급격히 늘어 문제가 발생하였다.

| 채점 기준 |

상	환경 문제, 해결 방안을 모두 맞게 서술한 경우
하	환경 문제, 해결 방안 중 하나만 서술한 경우

10 | 예시 답안 | 피부암, 백내장과 같은 질병의 발병률이 높아진다. 이러한 문제를 해결하기 위해서는 오존층 파괴의 원인 물질인 염화플루오린화탄소(CFCs)의 사용을 줄여야 한다.

| 채점 기준 |

상	환경 문제로 인한 피해와 해결 방안을 모두 맞게 서술한 경우
하	환경 문제로 인한 피해와 해결 방안 중 하나만 서술한 경우

11 | 예시 답안 | 미세 먼지 농도가 높게 나타나는 지역은 주로 건조 지역과 그 주변 및 산업이 발달한 지역이다. 건조 지역은 가뭄에 의해 건조해진 토양이 바람에 날려 대기 중에 섞여서 잘 발생하며, 산업이 발달한 지역은 화석 연료의 과도한 사용과 환경 오염 물질의 배출이 영향을 미쳤다.

| 채점 기준 |

상	미세 먼지 농도가 높게 나타나는 지역과 발생 이유를 모두 맞게 서술한 경우
하	미세 먼지 농도가 높게 나타나는 지역과 발생 이유 중 하나만 맞게 서술한 경우

12 | 예시 답안 | 국제 연합 산하에 있는 국제 연합 평화 유지군은 분쟁이 잦은 아프리카와 서남아시아에서 주로 활동하고 있다. 분쟁 지역에서 평화와 관련된 활동을 하는 단체로 세계 평화에 긍정적인 역할을 하고 있다.

| 채점 기준 |

상	활동 지역과 생각을 논리적으로 모두 서술한 경우
중	활동 지역과 생각 중 하나만 서술한 경우
하	활동 지역과 생각을 모두 서술하지 못 한 경우

3단계 내신 만점 도전하기 258쪽

01 ⑤ 02 ④

01 자료는 중앙아시아에 위치한 아랄해로 최근 주변 지역에 관개 시설이 증가해 호수로 유입되는 수량이 줄어들면서 호수의 면적이 급격하게 감소하고 있다. ⑤ 사막화로 인해 해수면이 낮아지고 있다.

| 오답 피하기 | 호수의 면적 감소는 ① 아랄해의 어획량을 감소시키고, ② 염분 농도를 높이며, ③ 사막의 면적을 주변으로 확대시켰으며, ④ 여름과 겨울의 기온이 변화하는 등 지역의 기후 변화에도 영향을 미쳤다.

02 차례대로 나일강, 티그리스·유프라테스강, 메콩강을 나타낸 것이다. 이들 하천은 두 국가 이상의 국경을 이루거나 여러 나라를 거쳐서 흐르는 국제 하천이며, 댐 건설로 국가 간 갈등이 나타나고 있다.

| 오답 피하기 | ㄱ. 메콩강 유역은 사막이 없으며, ㄷ. 나일강은 남쪽에서 북쪽으로 흐른다.

심화 수능 유형 익히기 259쪽

01 ① 02 ②

01 A는 지구 온난화, B는 열대림 파괴이다. ㄱ. 지구 온난화가 지속되면 극지방의 빙하가 녹아 해수면 상승으로 인한 해안 저지대의 침수 위험성이 증가한다. ㄴ. 열대림이 파괴되면 삼림 자원이 감소하여 토양 침식이 가속화되고, 동식물의 서식 환경이 악화되어 생물 종의 다양성이 감소된다.

| 오답 피하기 | ㄷ. 주요 원인이 장기간의 가뭄으로 인한 지하수 고갈인 환경 문제는 사막화이다. ㄹ. 바젤 협약은 유해 폐기물의 국가 간 이동에 관한 규제를 목적으로 하는 국제 환경 협약이다.

02 지구 온난화와 오존층 파괴에 대한 설명이다. ㄱ. 세계 각국은 지구 온난화에 대응하기 위해 교토 의정서를 채택하였다. ㄴ. 몬트리올 의정서에서는 오존층 파괴 물질인 염화플루오린화탄소(CFCs)의 사용을 규제하고 있다.

| 오답 피하기 | ㄴ. 파리 협정은 선진국의 온실가스 감축을 의무화하고 있다. ㄹ. 오존층 파괴는 남반구에서도 발생하고 있다.

대단원 8 마무리하기 261~262쪽

01 ③ 02 ② 03 ② 04 ② 05 ① 06 ③
07 ① 08 ①

01 제시된 자료는 세계 무역 기구에 관한 설명이다. ③ 무역이 증가하여 소비자는 상품 선택의 폭이 넓어진다.

| 오답 피하기 | ① 기업의 수출 시장은 확대된다. ② WTO는 국가 간 무역 분쟁을 조정한다. ④ 특정 지역의 문제가 전 세계의 문제가 될 가능성 커진다. ⑤ 국제 사회에서 경쟁력이 약한 국가는 경쟁력이 더욱 약화될 우려가 있다.

02 제시된 자료는 동남아시아 국가 연합(ASEAN)이다. 동남아시아 국가 연합은 다른 경제 협력체에 비해 대체로 회원국 간의 경제적 상황이 비슷하여 상호 보완적인 관계가 되지 못하고 역내 무역액이 적다.

| 오답 피하기 | ① 북아메리카 자유 무역 협정(NAFTA)은 회원국이 3개이다. ③ 단일 통화를 사용하는 경제 협력체는 유럽 연합(EU)이다. ④ 제시된 자료는 동남아시아 국가 연합(ASEAN)에 관한 설명이다. ⑤ 회원국 간 정치·경제적인 통합을 하는 협력체는 유럽 연합(EU)이다.

03 (가)는 유럽 연합(EU), (나)는 북아메리카 자유 무역 협정(NAFTA)이다. 유럽 연합은 회원국 사이의 생산 요소가 자유롭게 이동하며 단일 통화를 사용하는 등 경제적 통합 수준이 가장 높은 경제 협력체이다. 유럽 연합은 북아메리카 자유 무역 협정보다 회원국 수가 많고 역내 무역 비중이 높다.

04 지구 온난화와 관련한 자료이다. ② 기온 상승으로 열대림의 분포 북한계는 높아질 것이다.

| 오답 피하기 | 지구 온난화가 진행되면 ① 빙하 면적은 축소되고, ③ 해수면 상승으로 섬 지역이 침수 위험에 처한다. ④ 고산 극지 식물의 분포 한계 고도는 높아지며, ⑤ 홍수, 가뭄과 같은 기상 이변의 발생 빈도가 증가한다.

05 (가)는 산성비, (나)는 사막화와 관련된다. ① 염화플루오린화탄소는 오존층 파괴와 관련이 있다.

| 오답 피하기 | ② 산성비는 오염 물질의 발생 지역과 피해 지역이 일치하지 않는다. ③ 사막화는 건조 기후 주변에서 발생 빈도가 높으며, ④ 과도한 경작과 방목으로 사막화가 가속화된다. ⑤ 산성비는 산성화된 비가 많이 내려 발생하며, 사막화는 강수량이 적어서 발생한다.

06 (가)는 습지 보호 및 습지의 지속 가능한 이용을 촉구하기 위해 제정된 람사르 협약이며, (나)는 오존층 파괴 물질을 규정하고 오존층 파괴 물질의 생산 및 사용을 규제하기 위한 몬트리올 의정서이다.

07 지도에 표시된 지역은 쿠르드족이 주로 살고 있는 지역이다. ㄱ. 쿠르드족은 독립 국가를 건설하기 위하여 주변국과 갈등을 빚고 있으며, ㄴ. 주로 해발 고도가 높은 고원 지대에 살고 있다.

| 오답 피하기 | ㄷ. 이슬람교를 신봉하는 비율이 높으며, ㄹ. 열대 우림 기후 지역이 아닌 주로 건조 기후 지역에 살고 있다.

08 그린피스와 지구의 벗은 전 지구적 환경 문제 해결을 위해 활동하는 비정부 기구이다.

지리적 역량 기르기

263쪽

01 | 예시 답안 | 생태 발자국이 생태 용량을 초과한 국가들은 크게 두 가지 유형이 있는데, 첫 번째는 주로 각종 에너지를 비롯한 자원의 소비가 많은 선진국이고, 두 번째는 건조 기후 지역과 같이 자연환경이 열악한 지역에서 높게 나타난다.

| 평가 영역 | 분석 및 종합 능력(지도를 분석하고 특징을 이해하는 정도)

상	생태 용량을 초과한 국가와 특징을 모두 서술한 경우
중	생태 용량을 초과한 국가와 특징 중 하나만 서술한 경우
하	생태 용량을 초과한 국가와 특징의 서술이 미흡한 경우

02 | 예시 답안 | 생태 발자국은 인간이 사용한 5개의 소비 범주(음식, 주거, 교통, 소비재, 서비스)와 8개의 토지 이용 범주(에너지 생산 소비, 구조물 환경, 정원, 경작지, 초지, 인공림, 자연림, 비생산적 토지)를 합한 총소비량을 기준으로 산출된다. 따라서 생태 발자국을 줄이려면 소비 범주와 토지 이용 범주에 해당하는 것을 줄이는 방향으로 이용하면 된다.

| 평가 영역 | 문제 해결력(자신의 입장에 맞게 논리적으로 서술하는 정도)

상	생태 발자국 지수의 특성과 연관하여 생태 발자국을 줄이는 방법을 서술한 경우
중	생태 발자국의 특성과 생태 발자국을 줄이는 방법을 적었으나 연관성이 미흡한 경우
하	생태 발자국의 특성과 생태 발자국을 줄이는 방법 중 하나만 적거나 전체적으로 미흡한 경우

고등학교 세계지리
자습서

교과서 활동 풀이

금성출판사

대단원 1 세계화와 지역 이해

주제 1 세계화와 지역화

주제 열기 교과서 12쪽

질문 1 자료에서 확인할 수 있는 세계화와 지역화의 구체적 모습을 설명해 보자.

• 미국에서 유래한 스포츠가 우리나라에 도입되어 인기 있는 스포츠로 정착한 점에서 세계화에 따른 문화 전파의 모습을, 우리나라에서 독특한 응원 문화와 응원 도구가 생긴 점에서 문화 변용의 모습을 볼 수 있다.

질문 2 우리 일상생활에서 볼 수 있는 세계화에 따른 변화 모습을 이야기해 보자.

• 해외에서 널리 인기를 끄는 한류, 올림픽을 열어 세계인이 함께 즐기는 모습, 해외에 건설한 우리나라 기업의 공장, 세계 각지에서 수입해 오는 자원 등

자기 점검 교과서 12쪽

• (1) 세계화 (2) 장소 마케팅, 축제

활동 교과서 13쪽

1 조사하기 | 오늘날 우리나라에서 런던까지의 우편물 배송 소요 시간을 찾아보고, 과거보다 배송 시간이 줄어든 배경을 교통수단의 발달과 관련하여 조사해 보자.

• 과거에는 우편물을 배송하는 데 배를 이용하였으므로 우편 배송에는 수십 일이 걸렸다. 하지만 오늘날에는 비행기를 이용하여 우편 배송 시간은 전 세계적으로 이틀 정도로 줄어들었다.

2 발표하기 | [자료 2]를 참고하여 세계화로 나타나는 변화의 긍정적 측면과 부정적 측면을 정리하여 발표해 보자.

• **긍정적인 영향:** 한 지역의 문화를 다양하게 하며, 다양한 문화를 접할 수 있는 기회를 제공하는 한편, 더 많은 사람들이 문화를 향유할 수 있게 한다. / • **부정적인 영향:** 서양 중심의 문화로 획일화되면서 지역의 정체성이 사라지기도 한다.

함께 해 보기 교과서 15쪽

01 모둠원이 의견을 모아 우리 지역의 특성에 관해 정리해 보자.

• **우리 지역:** 경기도 안성시 / • **자연환경의 특징:** 북쪽이 높고 서남쪽의 경사가 완만하다. 차령산맥이 남북으로 지나간다. 남서쪽으로 평야가 발달하였다. / • **인문 환경의 특징:** '남사당'의 전설이 깃든 예술의 마을과 바우덕이 무형 문화재가 있다. 조선 시대 안성장이 번성하여 '안성맞춤'의 수공업이 발달하였다.

02 세계의 지역화 전략 성공 사례를 조사하여 간략히 정리해 보자.

• **사례:** 오스트리아 잘츠부르크 음악제

• **특징:** 오스트리아 잘츠부르크는 세계적인 음악가 모차르트의 고향이며, 많은 음악가들이 머물렀던 도시로서 '음악'이라는 특유의 이미지를 가지고 있다. 또한 세계적으로 유명한 뮤지컬 영화 「사운드 오브 뮤직」의 배경이 되는 도시로도 유명하다. 잘츠부르크에서는 모차르트를 기념하기 위해 1920년부터 시작하여 매년 7~8월경 음악제를 개최하고 있다.

03 01~02 작성 내용을 토대로 우리 지역을 대표할 만한 특성을 추려 지역화 전략을 구상해 보자.

• **지역을 상징하는 로고 개발하기:** '장인의 혼이 살아 있는 세계적인 예술 도시'라는 이미지를 살려 지역 로고를 제작하였다. 예술인의 혼을 태극 문양으로, 세계적인 예술 문화의 관문이 된다는 뜻에서 전통 대문을 형상화하여 로고를 만들었다.

주제 2 고지도에 나타난 세계관과 지리 정보

주제 열기 교과서 16쪽

질문 1 2세기경에 살았던 프톨레마이오스가 당시에 인식하지 못했던 대륙을 적어 보자.

• 프톨레마이오스의 세계 지도에서는 유럽, 아시아, 아프리카 등 구대륙을 볼 수 있으나 아메리카, 오스트레일리아 대륙 등 신대륙을 인식하지 못하였다.

질문 2 1492년 콜럼버스가 항해하여 아메리카 대륙에 도착하였을 때 그 곳을 인도라고 생각한 까닭은 무엇이었을까?

• 콜럼버스는 프톨레마이오스 세계 지도를 참고하여 항해를 하였다. 프톨레마이오스의 세계 지도에는 유럽, 아시아, 아프리카 등 구대륙이 표현되어 있으며 유럽에서 서쪽으로 계속 항해를 하는 경우 아시아에 도달할 수 있을 것으로 제시되어 있다. 당시 신대륙의 존재를 몰랐던 콜럼버스는 서쪽으로 이동하여 도착한 지역이 아시아라고 생각하였고 아메리카 대륙을 인도로 여기게 되었다.

자기 점검 교과서 16쪽

• (1) 지도 (2) 지리 정보

활동 교과서 17쪽

1 비교하기 | [자료 2] 의 두 지도를 다음 측면에서 비교해 보자.

> 중심 도시, 지도상의 범위, 종교, 표현된 세계

• 티오(TO) 지도의 중심 도시는 예루살렘이다. 티오 지도의 지도상의 범위는 구대륙에 한정되었으며 크리스트교적 가치관의 영향이 크다. 알 이드리시 세계 지도의 중앙에는 메카가 위치한다. 알 이드리시의 세계 지도도 구대륙이 표현되었지만 이슬람교 세계관이 반영되어 지도의 중심에 이슬람교의 성지인 메카가 위치한다.

활동 교과서 19쪽

2 도출하기 | [자료 1]~[자료 3]을 통해 알 수 있는 공통적인 세계관을 이야기해 보자.

• [자료 1] ~[자료 3]을 통해 알 수 있는 공통적인 세계관은 중국을 세계의 중심으로 여기는 중화사상이다.

비교하기 | [자료 2]와 [자료 3] 지도의 특징을 다음 표에 비교해 적어 보자.

	혼일강리역대국도지도	천하도
제작 주체	국가 주도	민간 주도
표현된 세계	중국, 조선, 일본, 유럽, 아프리카 등	실재하는 국가 이외에 상상의 나라와 지명 표현
주요 사상	중화사상	중화사상, 천원지방, 도교적 세계관 등

3 지도 읽기 | [자료 4]를 보고 지도에 표현된 대륙을 써 보자.

• 지구전도에는 아시아, 유럽, 아프리카 등 구대륙이 표현되어 있고 지구후도에는 남·북아메리카 등 신대륙이 표현되어 있다.

활동 교과서 20쪽

1 비교하기 | [자료 1]과 [자료 2]를 보고 옛 세계 지도와 오늘날 세계 지도의 차이점을 비교해 보자.

	옛 세계 지도	오늘날의 세계 지도
표현된 지리 정보	지리 정보의 양이 한정됨	지리 정보의 양이 급증함
표현 방식	산지, 하천, 건물 등을 그림으로 표현	산지, 하천, 건물 등의 위치를 정확하게 표현
자료의 수정 가능성	수정이 어려움	수정이 자유로움
지리 정보의 정확도	정확도가 낮은 편임	정확도가 상당히 높은 편임

주제 3 세계의 권역 구분

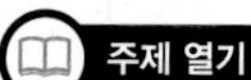
주제 열기 교과서 22쪽

질문 1 밑줄 친 ㉠에 대하여 다양한 관점에서 자신의 생각을 발표해 보자. (예 지리적 관점, 문화적 관점, 역사적 관점 등)

• 튀르키예는 지리적으로 본다면 아시아 대륙의 서쪽 끝에 국토 대부분이 있으므로 아시아에 속한다. 그러나 문화적 관점으로 보면 좀 복잡한데, 이슬람 국가이므로 아시아에 속할 것 같으나 각종 사회 제도나 시스템을 유럽으로부터 받아들였기 때문에 유럽에 속한다고 할 수도 있다. 역사적 관점에서 본다면 튀르키예는 항상 유럽에 진출했고 한때 동유럽 일부를 지배하기도 하였으므로 유럽에 속한다고 볼 수도 있다.

질문 2 오늘날 튀르키예가 유럽 연합(EU) 가입을 희망하고 있는 까닭은 무엇이며, 유럽이 이를 승인하지 않는 까닭은 무엇일까?

• 튀르키예는 세계의 거대 경제권이자 주요 시장인 유럽과 가깝다. 따라서 튀르키예는 유럽 연합의 가입을 희망하고 있지만, 유럽 국가들은 이슬람 국가인 튀르키예의 가입을 승인하지 않고 있다. 특히 과거 오스만 제국에게 지배당한 좋지 못한 기억이 남아 있고 과거 오스만 제국으로부터 독립을 쟁취한 그리스 등의 국가들의 반발이 심하다.

자기 점검 교과서 22쪽

• (1) 유럽, 아프리카 (2) 동아시아

활동 교과서 24쪽

1 추론하기 | 다음 지도에 표시된 권역이 각각 이 책의 어떤 단원과 관련되는지 써 보고, 각 권역을 설정하는 데 기준이 된 지표를 설명해 보자.

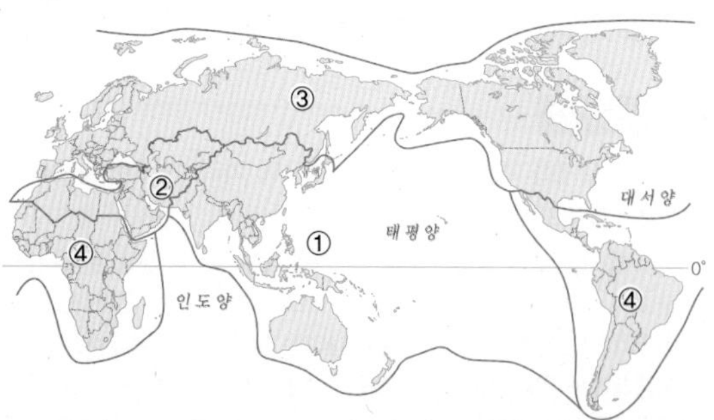

권역	단원	주요 지표
①	4. 몬순 아시아와 오세아니아	아시아의 계절풍 지역, 아시아와 경제적으로 가까워지는 지역
②	5. 건조 아시아와 북부 아프리카	건조 기후 지역, 이슬람 문화권
③	6. 유럽과 북부 아메리카	서양 기독교 문화권, 일찍이 산업화가 이루어진 선진 지역
④	7. 사하라 이남 아프리카와 중·남부 아메리카	개발 도상국 집중 지역, 자원이 많은 1차 산업 중심 지역

함께 해 보기 교과서 25쪽

01 [자료 1]과 [자료 2]의 권역 구분이 가지는 특징과 장단점을 비교하여 정리해 보자.

[자료 1]

이 권역 구분의 특징	일반적으로 사용하는 대륙에 따른 구분
장점	지리적인 구분과도 거의 일치하며 공식적으로 많이 사용되는 구분법이라 무난함
단점	대륙은 다르지만 문화적으로 유사한 지역을 묶어 반영하지 못함

[자료 2]

이 권역 구분의 특징	어느 정도 대륙에 중점을 두면서도 문화적 특성을 고려한 구분
장점	지리적 구분에 그치지 않고 실제로 사람들의 생활과 문화를 반영함
단점	공식적인 통계 등은 대륙을 중심으로 작성하기 때문에 현실에서 적용하지 못하는 경우가 많음

02 모둠에서 새로운 주제를 하나 선정하고 그 목적에 맞는 지표를 설정하여 권역을 구분해 본 뒤, 모둠별 발표와 평가를 통해 타당성을 검토해 보자.

• 주식으로 삼는 농작물에 의한 구분, 과거 식민지 지배국에 의한 구분, 선진국과 개발 도상국 및 저개발국의 구분, 국제 올림픽 위원회(IOC)에서의 구분 등이 있다.

교과서 활동 풀이

대단원 마무리 교과서 26~27쪽

단원 한눈에 보기

① 장소 마케팅 ② 지리적 표시제 ③ 바빌로니아 점토판 지도 ④ 메르카토르 ⑤ 혼일강리역대국도지도 ⑥ 도교 ⑦ 지리 정보 시스템(GIS)

세계지리 이야기

01 카레처럼 세계화 과정에서 지역의 특성에 따라 변용된 사례를 우리 주변에서 찾아보자.

• 먹거리를 살펴보면 햄버거, 피자, 돈가스 등을 들 수 있다. 우리나라에서는 불고기 버거, 김치 버거 등이 있고 소고기를 안 먹는 인도에서는 닭고기 버거나 양고기 버거가 있다. 우리나라는 불고기 피자와 김치 피자가 있고 지중해에는 멸치 피자도 있다. 돈가스는 서양의 커틀릿이 일본으로 건너오면서 육식을 기피하던 일본 사람들이 고기를 얇게 썰어 일본식 튀김처럼 튀긴 것이며 커틀릿을 일본식으로 카츠레츠라 발음하던 것이 한국에 들어오면서 돈가스가 되었다.

02 위 사례처럼 문화 변용을 거쳐 지역화된 문화도 그 지역의 문화라고 할 수 있을까? 자신의 생각을 기술해 보자.

• **변용을 거쳐 지역화된 문화도 그 지역의 문화라고 할 수 있다는 입장:** 모든 문화는 교류와 접촉을 하기 마련이고 그러다 보면 그 지역의 형편에 맞게 변형될 수 밖에 없으므로 그 지역의 문화가 맞다.

• **변용을 거쳐 지역화된 문화는 그 지역의 문화라고 볼 수 없다는 입장:** 변용을 거친 문화는 원래 그 지역 문화 고유의 특성을 상실하거나 약화된 것이므로 그 지역의 문화로 보기에는 어려움이 많다.

03 만약 자신이 한국의 문화를 세계에 널리 전파하는 임무를 맡았다면, 어떤 문화를 어떻게 특화할 것인지 그 전략을 발표해 보자.

• K-POP 음악과 아이돌 댄스를 전파하고 싶다. 우리나라 아이돌의 음악과 댄스 실력은 세계적으로 우수하여 이러한 문화 전파를 통해 우리나라의 위상을 높일 수 있다. 특히 문화의 경우 쉽게 외부 지역에 전파되며, 사람들이 거부감 없이 받아들이기 쉬운 분야이므로 우리 문화의 전파를 통해 문화 외교를 할 수 있다. 이를 위해 대형 콘서트를 개최하고 싶다.

대단원 2 세계의 자연환경과 인간 생활

주제 1 열대 기후의 특징

주제 열기 교과서 30쪽

질문 1 위 자료를 참고하여 다음 문장에 알맞은 말을 골라 보자.

> 아프리카 대륙에서 촬영한 (가)~(다) 사진 속 경관은 각 지역의 기온과 강수량 특성을 반영하고 있다. 적도 근처의 A에서 C로 갈수록 기온은 (낮/ 높)아지고, 강수량은 (감소/ 증가)함에 따라 세 지역에서 볼 수 있는 경관이 서로 달라진다.

질문 2 (가)~(다) 사진은 지도의 A~C 중 각각 어떤 지역에서 볼 수 있는 모습일까?

• (가): A • (나): C • (다): B

질문 3 사람들은 각 기후의 영향을 받아 어떻게 생활하고 있을까?

• (가) 사진의 경관이 나타나는 A에서는 연중 높은 기온과 많은 강수량으로 인해 열대 우림이 나타나, 전통적으로 수렵·채취·화전 농업 등을 하며 생활하였다. (다) 사진의 B에서는 우기와 건기가 뚜렷해 새로운 목초지를 찾아 정기적으로 이동하는 유목 생활을 하였다. (나) 사진의 C는 사막으로 오아시스 농업이나 대상 무역 등을 통해 생활하였다.

자기 점검 교과서 30쪽

• (1) 기온, 강수량 (2) 열대 우림

활동 교과서 31쪽

1 비교하기 | [자료 1]-❶을 보고 태양 에너지의 입사각에 따라 A~C 지점의 기온이 어떻게 다를지 설명해 보자.

• 저위도의 C 지점은 태양 에너지를 좁은 면적에 집중해서 받아 다른 지역에 비해 기온이 높지만, 고위도의 A 지점은 동일한 태양 에너지를 넓은 면적에 분산해서 받으므로 기온이 낮다.

2 해석하기 | [자료 1]-❷를 보고 중위도 지역의 대륙 서안과 대륙 동안의 연교차가 어떻게 다른지 설명해 보자.

• 중위도 지역의 연교차는 해안보다는 대륙 내부에서 크고, 해양의 영향을 받는 서안 지역보다 대륙의 영향을 받는 동안 지역에서 더 크게 나타난다.

3 추론하기 | [자료 1]-❸을 보고 기후 그래프의 ㉠, ㉡에 알맞은 도시를 적어 보자.

• ㉠: 만타 • ㉡: 암바토

4 설명하기 | [자료 1]-❹의 지도에 나타난 두 해류의 성격을 찾아보고, 각각의 해류가 두 도시의 기온에 어떤 영향을 주었는지 설명해 보자.

• 한류인 벵겔라 해류의 영향을 받는 월비스베이는 난류인 모잠비크 해류의 영향을 받는 이냠바느에 비해 연중 월평균 기온이 낮게 나타난다.

활동 교과서 33쪽

1 해석하기 | [자료 1]을 보고 열대 기후가 분포하는 지역의 위치적 특징을 설명해 보자.

• 열대 기후 지역은 대부분 남·북회귀선 사이의 저위도에 주로 분포한다.

2 조사하기 | [자료 2]를 참고하여 스콜이 내리는 원리를 조사해 보자.

• 열대 기후 지역의 대류성 강수를 스콜이라고 하는데, 대류성 강수는 강한 일사에 의한 국지적 가열로 상승 기류가 발생해 내리는 비를 말한다. 지표면의 기온이 높은 오후 시간대에 주로 발생한다.

3 비교하기 | 열대 우림 기후 지역과 사바나 기후 지역의 경관이 어떻게 다른지 설명해 보자.

• 열대 우림 기후 지역은 상록 활엽수림이 빽빽한 열대 우림을 이루고 있으며, 사바나 기후 지역은 우기와 건기가 뚜렷하여 소림과 초원을 이루며, 키가 작은 관목이 드문드문 분포한다.

함께 해 보기 교과서 35쪽

01 [자료 1]을 참고하여 [자료 2]에 제시된 (가)~(다) 지역 기후 그래프의 빈칸에 알맞은 기후를 적어 보자.

• **(가):** 냉대 • **(나):** 열대 • **(다):** 건조

02 (가)~(다) 지역의 위치를 지도의 A~F에서 찾아보자.

• (가) D, (나) C, (다) A

주제 2 온대 기후의 지역적 차이

주제 열기 교과서 36쪽

질문 1 런던과 도쿄의 빈칸에 알맞은 내용을 작성하여 게시글을 완성해 보자.

• **7월 런던 ▶ 기후 정보:** 여름철 런던 여행을 준비하고 있다면, 우리나라와는 다른 선선한 날씨를 기대하셔도 좋습니다. 런던의 7월 평균 기온은 17℃ 정도에 불과하며 아침과 저녁은 쌀쌀한 편입니다. 그리고 언제 내릴지 모를 가랑비에도 준비가 필요합니다. ▶ **꼭 챙길 준비물:** 트렌치코트, 작은 우산

• **8월 도쿄 ▶ 기후 정보:** 여름철 도쿄 여행을 준비하고 있다면, 우리나라보다 더한 찜통더위에 대비해야 합니다. 도쿄의 8월 평균 기온은 27.5℃이며, 한밤중에도 최저 기온이 25℃ 이하로 떨어지지 않는 열대야가 나타나기도 합니다. 그리고 장마철만큼은 아니지만 태풍 등으로 인해 많은 비가 내릴 수도 있어 대비가 필요합니다. ▶ **꼭 챙길 준비물:** 반팔 티셔츠, 반바지, 비옷과 샌들, 우산 겸 양산

질문 2 온대 기후 지역에 위치한 세 도시에서 다른 기후가 나타나는 까닭은 무엇일까?

• 중위도 지역은 편서풍대에 속하여 대륙 서안은 해양에서 불어오는 바람의 영향을 받고, 대륙 동안은 대륙 내부를 거쳐 불어오는 바람의 영향을 받는다. 따라서 대륙 서안에서는 해양을 지나온 편서풍의 영향으로 기온의 연교차가 작아 여름이 시원하고 겨울이 따뜻하다. 반면에 대륙 동안은 대륙성 기후가 나타나 여름에는 매우 무덥고 겨울에는 몹시 춥다. 이에 따라 같은 온대 기후 지역에 위치한 도시라고 해도 각각 다른 기후가 나타난다.

자기 점검 교과서 36쪽

• (1) 온대 (2) 지중해성 기후

활동 교과서 37쪽

1 분석하기 | [자료 1]을 보고 대륙 서안에 위치한 도시와 대륙 동안에 위치한 도시를 구분하여 각각의 연교차를 계산해 보자.

		도시명	연교차
(가)	대륙 서안의 도시	파리	약 16℃
		로마	약 15℃
(나)	대륙 동안의 도시	칭다오	약 26℃
		시드니	약 11℃

2 도출하기 | 활동 **1**의 결과를 보고 (가), (나)는 어떤 차이가 있는지, 이러한 현상에 영향을 준 기후 요인과 관련지어 설명해 보자.

• 중위도 지역은 편서풍대에 속하여 대륙 서안은 해양에서 불어오는 바람의 영향을 받고, 대륙 동안은 대륙 내부를 거쳐 불어오는 바람의 영향을 받는다. 따라서 대륙 서안에서는 해양을 지나온 편서풍의 영향으로 기온의 연교차가 작으나 대륙 동안에서는 대륙의 영향이 커 기온의 연교차가 큰 편이다.

활동 교과서 39쪽

1 비교하기 | [자료 2]의 두 그림을 보고 경관 차이를 비교하여 설명해 보자.

• 반 고흐의 그림은 여름철 뜨거운 태양과 마른 풀, 푸른 올리브 나뭇잎이 그려져 있어 지중해성 기후의 경관을 잘 묘사하고 있다. 존 컨스터블의 그림은 목초 재배지와 가축, 구름 낀 하늘 등이 그려져 있어 서안 해양성 기후의 경관을 묘사한 것으로 판단할 수 있다.

2 조사하기 | 지중해성 기후 지역과 서안 해양성 기후 지역의 유명한 음식을 조사해 보고, 이 지역의 기후가 음식 문화에 어떤 영향을 미쳤을지 발표해 보자.

• 지중해 연안 지역은 지중해성 기후의 독특한 자연환경으로 인하여 풍부한 식재료를 바탕으로 음식 문화를 발전시킬 수 있었다. 특히 오랜 역사를 가진 이탈리아의 음식은 담백하면서 올리브유가 기본이 된 산뜻하고 부드러운 맛이 특징이다. 이탈리아의 주식 중 하나인 스파게티 알리오 올리오는 마늘을 올리브유에 빻아서 으깬 다음 뿌려서 만들어 먹는 음식이다.

함께 해 보기 교과서 41쪽

01 [자료 1]과 [자료 2]에 나타난 두 지역 가옥 구조의 특징과 이에 영향을 준 기후 특징에 관하여 설명해 보자.

	가옥 구조	영향을 준 기후 특징
[자료 1]	지중해 지역의 가옥은 건물 외벽을 흰색으로 칠한 경우가 많으며, 벽이 두껍고 창문이 작다.	지중해 지역은 여름철이 고온 건조하여 강렬한 햇빛이 비추기 때문에 외부의 열기가 뜨겁다.
[자료 2]	일본의 가옥에는 다다미라고 하는 돗자리와 유사한 전통식 바닥재가 깔려 있다. 그리고 여닫이문으로 된 창문이 큼직하게 자리 잡고 있다.	일본의 여름은 매우 고온 다습한 까닭에 통풍이 잘되는 방향으로 가옥 구조가 만들어졌다.

02 모둠별로 대륙 서안과 동안의 전통 생활 양식과 이에 영향을 준 기후 특징을 조사하여 발표해 보자.

	전통 생활 양식	영향을 준 기후 특징
대륙 서안	시에스타: 지중해 연안에 위치한 에스파냐에서는 점심 이후 낮잠을 자는 풍습이 있다.	지중해성 기후의 여름철, 한낮의 뜨거운 열기를 피하기 위해 생겨난 풍습이다.
대륙 동안	온돌: 우리나라의 바닥 난방 방식이다.	대륙 동안에 위치한 우리나라는 겨울철에 대륙으로부터 불어오는 북서 계절풍으로 인해 매우 춥다.

주제 3 건조 기후와 냉·한대 기후

주제 열기 교과서 42쪽

질문 1 지리 부도에서 (가), (나)에 나타난 사막의 위치를 찾아보자.

• (가)의 나미브사막은 아프리카 대륙의 남서부 해안에 위치하며, (나)의 타커라마간사막은 중국 서부 내륙에 위치한다.

교과서 활동 풀이

질문 2 밑줄 친 ㉠, ㉡의 현상은 각각 왜 발생하는지 생각해 보자.

• ㉠: 연안에는 한류인 벵겔라 해류가 흐르고, 그 영향으로 차가워진 대서양의 해수면 위로 따뜻한 공기가 이동하여 이류무인 해무가 발생하였다.

• ㉡: 내륙에 위치해 있어 강수량에 의해 유입되는 유량보다 증발량이 더 많아 건조해진 까닭이다.

자기 점검 교과서 42쪽

• (1) 500 (2) 사하라

활동 교과서 43쪽

도출하기 | [자료 1]을 보고 건조 기후 지역이 넓게 분포하는 위도대의 특징을 강수량 및 증발량과 연관하여 설명해 보자.

• 남 · 북회귀선을 중심으로 위도 약 10°~40° 지역은 강수량보다 증발량이 많아 건조 기후가 넓게 나타난다.

조사하기 | [자료 2]를 보고 각각의 원인으로 형성된 사막을 조사해 적어 보자.

• ❶: 아프리카 북부의 사하라사막, 오스트레일리아 내륙의 그레이트빅토리아사막 등
• ❷: 중국 내륙의 타커라마간사막, 고비사막 등
• ❸: 아프리카 남서부의 나미브사막, 남아메리카 서부의 아타카마사막 등
• ❹: 아르헨티나의 파타고니아사막 등

활동 교과서 45쪽

1 구분하기 | [자료 1]을 보고 건조 기후 지역의 다양한 지형을 바람에 의해 형성된 지형과 유수에 의해 형성된 지형으로 분류해 보자.

• **바람에 의해 형성된 지형:** 버섯 바위, 삼릉석, 사막 포도, 사구 등
• **유수에 의해 형성된 지형:** 와디, 플라야, 선상지, 바하다 등

2 공감하기 | 자신이 건조 기후 지역에 여행을 가서 사진을 찍는다면 어떤 지형을 배경으로 찍고 싶은지 발표해 보자.

• 바람에 의해 퇴적되어 형성된 지형인 사구를 배경으로 사진을 찍고 싶다. 텔레비전에서 사구에서 사막 스키를 타는 장면을 본 적이 있는데, 무척 이색적인 체험일 것 같다.

활동 교과서 47쪽

1 확인하기 | [자료 1]을 보고 냉대 기후가 널리 분포하는 국가들을 찾아보자.

• 냉대 습윤 기후는 노르웨이, 스웨덴, 핀란드, 폴란드, 우크라이나, 러시아 서부, 미국 알래스카주, 캐나다 등에서 나타나며, 냉대 겨울 건조 기후는 러시아의 시베리아 동부, 중국 북동부 등에서 나타난다.

2 이해하기 | [함께 읽어요]를 보고 영구 동토층이 분포하는 지역의 가옥 구조 특징을 설명해 보자.

• 여름철에 활동층의 토양이 융해되어 건축물이 붕괴되는 것을 막기 위해 가옥 밑에 자갈이나 콘크리트를 깔아 열을 차단하거나 땅속 깊이 지주나 기둥을 세워 지표면으로부터 일정한 높이를 띄워서 건축한다.

활동 교과서 49쪽

1 구분하기 | [자료 1]에 나타난 빙하 지형들을 빙하의 침식과 퇴적에 의해 형성된 지형으로 분류해 보자.

빙하의 침식 작용	호른, 권곡, 현곡, U자곡, 피오르 등
빙하의 퇴적 작용	빙력토 평원, 드럼린, 에스커, 모레인 등

주제 4 세계의 대지형

주제 열기 교과서 50쪽

질문 1 (가), (나) 지역의 위치를 찾아 지도에 표시해 보자.

질문 2 염전이 내륙에 위치하게 된 까닭을 위치 특성과 관련지어 생각해 보자.

• (가) 살리네라스 염전이 있는 페루 마나스는 안데스산맥에 위치해 있다. 안데스산맥은 나즈카판과 남아메리카판의 충돌로 만들어졌다. 판의 충돌로 안데스산맥이 융기함에 따라 암염이 해발 3,000m가 넘는 산지에도 분포하게 되어 이를 개발할 염전이 만들어지게 되었다. (나) 옌징구 염전 또한 유라시아판과 인도 · 오스트레일리아판의 충돌로 만들어진 히말라야산맥 부근의 티베트고원에 위치해 있다. 산맥이 형성된 시기가 오래되지 않았기 때문에 높고 험하며, 바다에서 형성된 지층의 융기로 염전이 개발될 수 있었다.

자기 점검 교과서 50쪽

• (1) 습곡 작용, 화산 분출 (2) 환태평양, 알프스 · 히말라야

활동 교과서 51쪽

1 비교하기 | [자료 1]을 보고 판의 경계에는 어떤 유형이 있는지 이야기하고, 그 특징을 비교해 보자.

• **판이 갈라지는 경계 유형:** 대륙판-지구대 형성, 해양판-해령 형성
• **두 대륙판이 충돌하는 경계 유형:** 높은 산맥 형성
• **두 판이 어긋나 미끄러지는 경계 유형:** 마찰로 인해 지진 발생
• **해양판과 대륙판이 만나는 경계 유형:** 지진과 화산 활동 활발

2 추론하기 | [자료 1]에서 화산과 지진 발생 지역의 특징을 설명해 보자.

• 화산과 지진 발생 지역은 대체로 일치한다. 이들의 위치는 대개 판의 경계를 이루는 지역이다. 이처럼 서로 충돌하거나 분리되는 판의 경계는 지각이 불안정하여 자연재해가 빈번하게 발생한다.

활동 교과서 53쪽

1 이해하기 | [자료 1]을 보고 세계 대지형의 종류별 분포 특징을 설명해 보자.

• 순상지는 대륙판의 중심부에 분포하며, 신기 습곡 산지는 중생대 이후 조산 운동으로 형성되어 중생대·신생대 지층에 분포한다. 고기 습곡 산지는 주로 고생대 지층에 분포한다.

2 비교하기 | [자료 1]에서 로키산맥과 애팔래치아산맥의 위치를 찾아보고, 산맥의 높이와 형성 시기를 비교해 보자.

• 두 산맥 모두 북아메리카에 위치하지만, 로키산맥은 판의 경계부인 태평양에 가까이에 있으며 애팔래치아산맥은 판의 중심부인 대서양 가까이에 있다. 로키산맥의 최고봉은 미국 콜로라도주의 앨버트산으로, 해발 고도가 4,401m이며, 대체로 높고 험준하다. 애팔래치아산맥의 최고봉은 해발 고도 2,037m의 미첼산으로, 고생대에 형성된 산지가 침식을 받아 고도가 상대적으로 낮다.

3 추론하기 | [함께 읽어요]를 보고 케스타 지형에 방어벽을 쌓은 까닭을 추론해 보자.

• 케스타 지형의 단단한 암석층의 급한 경사가 방어벽을 쌓는 데 유리한 천연 장벽 역할을 해 주므로 급한 경사면 위로 방어벽을 쌓았다.

활동 교과서 54쪽

1 이해하기 | [자료 3], [자료 4]를 참고하여 화산과 지진이 주민 생활에 미치는 영향을 부정적인 측면과 긍정적인 측면으로 나누어 정리해 보자.

• **부정적인 측면:** 화산 분출과 지진 등으로 인명 피해를 비롯해 재산 피해를 입을 수 있다.

• **긍정적인 측면:** 유황 등 유용한 자원, 에너지로 이용할 수 있는 지열, 화산재가 만든 비옥한 토양, 관광지로서의 가치 등이 인간 생활에 유리하다.

2 조사하기 | [자료 4]를 보고 화산과 지진에 대비하는 주민들의 대응 방안을 조사해 보자.

• 화산 활동에 대비해서는 경보 시스템을 마련하고 지진에 대비해서는 건축물 건설 시 내진 설계를 고려한다.

함께 해 보기 교과서 55쪽

01 [자료 1]의 ㉠~㉣을 보고, 화산이 폭발하면서 사람들과 도시가 피해를 입는 순서를 정리해 보자.

• ㉡-㉠-㉣-㉢

02 모둠별로 최근에 발생한 화산 활동 피해 사례를 조사해 보자.

• **최근의 화산 활동 발생 지역:** 2018년 5월, 하와이섬의 킬라우에아 화산

• **피해 내용:** 킬라우에아 화산은 30m 높이의 용암을 내뿜어 주택 20여 채가 전소하고, 아황산가스를 품은 화산재가 하늘을 덮어 비행 경보가 발표되었다. 화산으로부터 상당한 거리에 있는 파할라 지역에서도 호흡하기 힘들 정도로 대기 중에 화산 가스가 많았다.

03 [자료 1], [자료 2]를 참고하여 화산 활동이 활발한 지역에서 계속 거주하는 주민들의 삶에 대해 모둠원과 토의해 보자.

• 화산 활동이 활발하여 지진이나 화산 분출의 위험이 있는 지역에서 거주하는 것은 쉽지는 않을 것입니다. 그러나 그 위험 상황이 항상 일어나는 것은 아니고, 주민들은 자신들이 살고 있는 자연환경에 대처하여 안전 장치나 보호 장치를 마련하여 생활하므로 큰 어려움은 없을 것입니다.

주제 5 독특하고 특수한 지형들

주제 열기 교과서 56쪽

질문 1 크레이터호와 형성 과정이 유사한 우리나라의 호수는 무엇일까?

• 백두산의 천지로, 크레이터호와 같이 칼데라호이다.

질문 2 위 사례 외에 자신이 알고 있는 화산 지형을 발표해 보자.

• 순상 화산, 성층 화산, 화구호, 칼데라, 주상 절리, 용암 대지, 용암동굴, 간헐천 등

자기 점검 교과서 56쪽

• (1) 백두산, 한라산, 울릉도 등 (2) 석회암 (3) 갯벌

활동 교과서 59쪽

1 탐구하기 | [함께 읽어요]의 사례를 참고하여 파묵칼레의 보전을 위해 어떤 노력을 할 수 있을지 개인적 차원과 제도적 차원에서의 방안을 제시해 보자.

• 주민들은 해당 지형의 형성 원리, 생태적 가치 등을 익히고 관광객에게 친환경적 정보와 친환경적 경험을 제공할 수 있다. 제도적 차원에서는 호텔의 신축 허가를 심의할 때 환경 영향 평가를 철저히 시행한다.

2 토의하기 | 지속 가능한 관광을 위한 노력의 필요성에 관하여 토의해 보자.

• 지속 가능한 여행은 단순히 '친환경적 여행'만을 뜻하는 것이 아니다. 주민들의 경제, 문화, 교육, 환경 측면에서의 정주 조건을 향상시킬 수 있는 방안 마련도 중요하다.

활동 교과서 61쪽

1 탐구하기 | [자료 1]에 제시된 다양한 해안 지형을 퇴적에 의한 지형과 침식에 의한 지형으로 구분하고, 각 지형의 형성 과정을 설명해 보자.

퇴적에 의한 지형	사빈, 사주, 석호, 해안 사구, 갯벌
침식에 의한 지형	해식애, 파식대, 시 스택, 시 아치, 해식 동굴

2 토의하기 | [함께 읽어요]의 사례를 통해 몰디브 정부, 지역 주민, 국제기구, 환경 단체 등이 어떠한 대책을 마련하면 좋을 지 이야기해 보자.

• **몰디브 정부:** 지속 가능한 관광 인증 제도 실시 / • **지역 주민:** 관광객을 대상으로 하는 일회용품 사용 자제 캠페인 / • **국제기구:** 글로벌 협력 네트워크 구축 / • **환경 단체:** 지속 가능한 관광에 대한 대국민 홍보 및 교육

함께 해 보기 교과서 62쪽

01 크루즈 선박의 운하 통과에 관한 자신의 생각을 정리해 보자.

• 베네치아는 관광 산업에 대한 의존도가 높은 지역이다. 또한 석호 내부에 위치하고 있기 관광 산업 이외에 마땅히 대체할 산업을 찾기도 어렵다. 크루즈 선박이 통과하면 대규모 관광객이 방문하여 지역 경제가 발전할 것이다. 그러므로 나는 크루즈 선박의 운하 통과를 찬성한다.

02 베네치아의 지속 가능한 발전에 관하여 모둠원과 토의한 후 토의 내용을 정리해 보자.

• **찬성:** 석호 내부에 위치하고 있는 베네치아의 지리적 특성상 공업이나 농업보다는 관광 산업을 유지하는 편이 낫다. 많은 관광객으로 인한 건물 기둥 손상이 문제라면 베네치아의 가장 큰 운하인 그랜드 커널의 한가운데 정박하고 소규모 보트로 이동하여 건물 붕괴 위험을 낮출 수 있다.
• **반대:** 대형 크루즈 선박의 운항은 기둥 위에 건물을 세운 베네치아의 수많은 건물들을 위험에 빠뜨리게 될 것이다. 사람들의 거주에 필요한 슈퍼마켓, 정육점, 세탁소 등이 점차 다국적 브랜드 매장, 카페, 레스토랑 등에 밀려나 주민들이 거주하기 어려운 공간으로 변모하고 있다.

대단원 마무리 교과서 64～65쪽

단원 한눈에 보기

① 18 ② 계절풍 ③ 서안 해양성 ④ 많음 ⑤ 연교차 ⑥ 화산 활동과 지진 ⑦ 석회암 ⑧ 만

세계지리 이야기

01 사진에 제시된 경관을 볼 수 있는 지역을 찾아 다음 지도에 표시해 보자.

02 지도에 표시한 지역 중 자신이 가 보고 싶은 곳을 골라 자연환경의 특징을 정리하고, 관광 자원으로서의 가치를 적어 보자.

• **자신이 가장 가 보고 싶은 곳:** 일본의 화산(후지산) / • **자연환경의 특징:** 후지산은 경사가 급하고 좌우 대칭이 뚜렷한 성층 화산의 전형적 사례가 되는 화산이다. 또한 해발 고도가 3,700m를 넘는 거대한 규모를 자랑한다. / • **관광 자원으로서의 가치:** 후지산과 인근의 이즈반도는 해안 지형과 화산 지형을 활용한 지오투어가 가능한 지역이다. 온천 관광, 해양 활동 프로그램, 해안 지형 탐구 활동, 화산 지형을 활용한 활동형 프로그램을 설계할 수 있는 관광 자원으로서 가치가 높다.

대단원 3 세계의 인문 환경과 인문 경관

주제 1 세계의 주요 종교

주제 열기 교과서 68쪽

질문 1 (가), (나) 국기들의 공통점을 써 보자.

• **(가):** 국기에 십자가가 그려져 있다.
• **(나):** 국기에 별과 초승달이 그려져 있다.

질문 2 (가), (나) 국기에 그려진 상징물과 관련이 깊은 종교를 써 보자.

• (가) 크리스트교 / • (나) 이슬람교

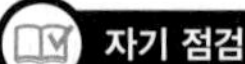

자기 점검 교과서 68쪽

• (1) 가톨릭교 (2) 모스크

활동 교과서 70쪽

1 조사하기 | 69쪽 [자료 1]을 보고 세계 4대 종교 중 하나를 선택하여 주요 종교 축일을 조사해 보자.

• **크리스트교:** 성모 마리아 대축일(1월 1일), 예수 부활 대축일(3월 22일～4월 26일 사이로 매년 변동), 예수 성탄 대축일(12월 25일) 등 / • **이슬람교:** 이드 알 피트르(라마단이 끝난 후 3일간), 마울리드(무함마드 탄생일, 3월 12일) / • **불교:** 베삭 데이(부처님 오신 날, 음력 4월 8일 또는 15일), 열반절(음력 2월 15일) / • **힌두교:** 홀리(힌두력 기준 매년 변동), 디파발리(힌두력 기준 7월경)

2 추론하기 | [자료 2]에서 세계 주요 종교의 기원지를 찾아보고, 지리적 공통점을 추론해 보자.

• **크리스트교:** 팔레스타인 지역, **이슬람교:** 아라비아반도, **불교:** 인도 북동 지방, **힌두교:** 인도 북서 지방
유대교, 크리스트교, 이슬람교는 유일신을 숭배하는 종교이다. 이들 종교는 건조한 서남아시아에서 기원하였다는 공통점이 있다.

3 설명하기 | 크리스트교와 이슬람교가 넓은 지역에 전파될 수 있었던 까닭을 설명해 보자.

• 크리스트교와 이슬람교 모두 보편 종교로서 전 인류를 대상으로 적극적인 포교를 하는 종교이기 때문이다.

활동 교과서 73쪽

1 조사하기 | 71쪽 [자료 1]의 성지 순례의 의의를 정신적 측면과 경제적 측면에서 조사해 보자.

• 성지 순례의 의의 중 하나는 성지에서 영적으로 정화하거나 신성한 경험을 하는 정신적 측면이다. 한편 순례는 여행의 성격을 띠기 때문에 사회·경제적으로도 중요한 영향을 미쳤다. 편리한 성지 순례가 가능하도록 도로 관리, 교량 건설, 숙식 시설 제공 등의 사회적 기능이 발전하였고, 성지에 사는 사람들에게는 막대한 경제적 이익을 주기도 하였다.

2 추론하기 | [자료 2]의 이슬람 사원을 사람이나 동물 형상 대신 아라베스크 무늬를 사용하여 꾸미는 까닭을 추론해 보자.

• 이슬람교에서는 우상 숭배를 금지하기 때문에 사람이나 동물의 조각을 새기거나 그리는 것과 같은 행위도 금지된다. 따라서 이슬람 사원의 벽면을 식물의 줄기와 잎을 도안화하여 기하학적 무늬로 배합시켜 꾸민다.

3 비교하기 | [자료 4]를 보고 크리스트교 종파별 교회 건축의 차이점을 비교해 보자.

• 가톨릭 교회 건물은 규모가 크고 장식이 정교하며 장엄한 반면, 개신교 교회 건물은 형태가 단순하고 규모가 작다. 정교회 교회 건물은 지붕에 돔이 있고, 교회 내부에 화려한 회화 장식이 있다.

■ **조사하기** | [자료 5]를 보고 불탑을 만들게 된 배경과 지역적 차이점을 조사해 보자.

• 탑은 예배의 대상이자 부처를 뜻하는 상징적 의미를 지니고 있다. 불교가 널리 퍼지는 과정에서 탑의 형태도 바뀌어 갔는데, 동남아시아에서는 인도의 탑과 비슷한 반구형 또는 원추형이 발달하였다. 하지만 중국에서는 전통 건축 기법을 적용하여 층 탑 형식으로 만든 것이 많았고, 중국에서 불교를 받아들인 한국과 일본도 층 탑 형식의 불탑이 많다.

주제 2 세계 인구의 변천과 인구 이주

주제 열기 교과서 74쪽

질문 1 1980년부터 중국에서 '한 자녀 정책'을 실시한 까닭은 무엇일까?

• 1980년대 중국은 경제적으로 낙후되어 있었는데 비해 인구는 매우 많아, 인구 성장을 낮추기 위해 출산 억제 정책을 실시하게 되었다.

질문 2 최근 중국에서 한 가정에 두 자녀를 허용한 까닭은 무엇일까?

• 30여 년간의 출산 억제 정책(한 자녀 정책)을 실시한 결과 인구의 급속한 고령화, 성비 불균형 문제 등의 부작용이 나타났기 때문이다.

자기 점검 교과서 74쪽

• (1) × (2) ○

활동 교과서 75쪽

1 추론하기 | [자료 1]을 보고 유럽과 아프리카에서 예상되는 인구 문제를 추론해 보자.

• **유럽:** 인구 고령화 현상 심화, 노동력 부족 문제 / • **아프리카:** 인구 과잉 문제

■ **비교하기** | [자료 2]를 보고 선진국과 개발 도상국의 인구 변화를 비교하여 설명해 보자.

• 세계 인구는 지속적으로 증가하고 있는데, 선진국은 인구 증가율이 낮은 편인데 비해, 개발 도상국은 높은 편이다. 이에 따라 세계 인구에서 개발 도상국 인구가 차지하는 비중은 계속 높아지고 있다.

3 조사하기 | [자료 2]를 보고 아프리카 대륙의 인구 증가율이 높은 까닭을 조사해 보자.

• 출생률은 높은 데 비해 의학의 보급, 경제 성장 등으로 사망률이 급속히 낮아지기 때문이다. 또 초혼 연령이 낮아 다른 지역(대륙)에 비해 합계 출산률이 높은 것도 중요한 원인이다.

활동 교과서 76쪽

1 분석하기 | [자료 3]을 보고 다음 물음에 답해 보자.

(1) 2단계에서 사망률이 급격히 낮아지는 까닭

• 의학의 발달, 생활 환경의 개선, 경제 발전 등

(2) 3단계에서 출생률이 급격히 낮아지는 까닭

• 여성의 사회 활동 증가, 출산 억제 정책 등

2 해석하기 | [자료 4]를 보고 두 나라가 각각 어떤 인구 변천 단계를 거쳤는지 해석해 보자.

• 니제르는 출생률이 여전히 높은 데 비해 사망률은 크게 낮아진 2단계를 거치고 있고, 스웨덴은 출생률과 사망률이 모두 낮은 4단계에 있다.

3 조사하기 | [자료 4]를 보고 현재 두 나라의 인구 정책을 조사하여 발표해 보자.

• 니제르에서는 출산 억제 정책을, 스웨덴에서는 출산 장려 정책을 펼치고 있다.

함께 해 보기 교과서 77쪽

01 일본과 나이지리아의 인구 구조의 차이점을 비교하여 설명해 보자.

• **일본:** 청장년층 인구 비중이 가장 높고, 노년층 인구 비중이 그 다음이며, 유소년층 인구 비중이 가장 낮다.
• **나이지리아:** 청장년층 인구 비중이 가장 높으나, 유소년층 인구 비중과 별 차이가 없다. 이에 비해 노년층 인구 비중이 가장 낮다.

02 일본과 나이지리아에서 해결하려고 하는 인구 문제를 적어 보자.

• **일본:** 저출산으로 인해 총인구가 감소하고 있다. 또 인구 고령화 현상이 심각하며 노동력이 부족해지고, 노년 인구 부양비도 높아지고 있다.
• **나이지리아:** 높은 출생률로 인구가 급속히 증가하고 있다. 산업 기반이 약하고, 사회 기반 시설이 부족한 나이지리아는 높은 인구 증가율로 빈곤과 기아 문제가 심각해지고 있다.

03 일본과 나이지리아의 인구 문제를 해결하기 위한 아이디어를 자유롭게 제시한 후 채택한 해결 방안을 발표해 보자.

• 일본과 같은 국가에서는 육아·탁아 시설 등 공공 보육 시설을 확충하고 양육비 지원, 부모의 공동 육아 분위기 형성, 유급 육아 휴직 지원 등으로 출산율을 높일 필요가 있다. 나이지리아와 같은 국가에서는 적극적인 가족계획 사업을 벌이고 어린이와 여성에 대한 교육을 강화할 필요가 있다.

활동 교과서 79쪽

1 분석하기 | [자료 1]을 보고 인구 유입과 유출 지역을 구분해 보자.

• 인구 유입이 많은 지역은 유럽, 앵글로아메리카, 오세아니아, 아라비아반도이다. 인구 유출이 많은 지역은 아시아, 라틴 아메리카, 아프리카이다.

2 추론하기 | [자료 1]-❶을 보고 이민자가 지역 사회에 미치는 긍정적인 요인을 설명해 보자.

• 이주자는 유입 지역의 노동력 부족 문제를 완화하거나 저임금 노동력을 제공하여 기업의 경쟁력을 강화할 수 있다.

■ **조사하기** | [자료 1]-❷를 보고 주인공이 우간다를 떠나야 했던 배경을 조사해 보자.

• 우간다 독립 이후 인도인들이 우간다의 경제적 주도권을 잡게 되면서 인구의 대다수를 차지하던 원주민과의 갈등이 발생하였고, 우간다의 대통령이었던 독재자 이디 아민에 의해 추방령이 내려졌다.

4 추론하기 | [자료 2]를 보고 인구 유출자가 많은 국가의 긍정적 영향과 부정적 영향을 설명해 보자.

• **긍정적 영향:** 해외 노동자들에 의한 모국 송금액 증가로 자본 유입 증가 → 지역 경제 활성화 / • **부정적 영향:** 노동자의 유출로 산업 성장 둔화, 사회적 활력 상실

5 토의하기 | [함께 읽어요]를 보고 유럽에서 현지인과 이주민의 갈등을 줄일 수 있는 방안을 토의해 보자.

교과서 활동 풀이

• 이주민이 현지 문화에 적응할 수 있도록 교육 제도를 마련한다. 이주민의 현지 정착을 돕는다. 사회적으로 타문화를 존중하고 공존하는 분위기를 만든다. 등

주제 3 세계 도시의 등장과 세계 도시 체계

주제 열기 교과서 80쪽

질문 1 (가)와 (나) 중 선전은 어느 곳일까? 그렇게 생각하는 까닭을 이야기해 보자.

• (가)는 영국 런던, (나)는 중국 선전의 도시 경관을 비교한 것이다. 일반적으로 선진국은 개발 도상국에 비해 도시화가 일찍 진행되는데, (가)는 1920년대임에도 이미 도시화된 경관이 나타나는 것에 비해 (나)는 1960년대임에도 촌락 경관이 더 우세하다.

질문 2 (가)와 (나) 중 세계 도시에서 보다 높은 위상을 갖고 있는 도시는 어디일까?

• 세계 도시는 기능과 역할에 따라 최상위, 상위, 하위 세계 도시로 구분하는 것이 일반적이다. 영국의 런던은 최상위 세계 도시로 구분되기에 중국의 선전에 비해 보다 높은 위상을 갖고 있다고 할 수 있다.

자기 점검 교과서 80쪽

• (1) 도시화 (2) 세계 도시

활동 교과서 81쪽

1 분류하기 | [자료 1]을 다음 내용에 따라 분류해 보자.

(1) 도시화율이 가장 높은 지역(대륙): 앵글로아메리카

(2) 도시화율이 가장 낮은 지역(대륙): 아프리카

(3) 1955~1985년 사이에 인구가 급증한 도시: 도쿄, 멕시코시티, 상파울루 등

(4) 1985~2015년 사이에 인구가 급증한 도시: 상하이, 델리, 라고스, 요하네스버그 등

활동 교과서 83쪽

1 분석하기 | [자료 1]에서 세계 2,000대 기업의 본사가 가장 많은 국가를 찾아보고, 이 국가에 속하는 세계 도시를 [자료 2]에서 찾아 적어 보자.

• 2,000대 기업을 가장 많이 보유한 나라는 미국으로, 일본·중국 등이 그 뒤를 잇고 있다. [자료 2]에서 미국에 위치하는 세계 도시로는 뉴욕, 로스앤젤레스, 시카고, 워싱턴 D.C.가 있다.

2 분석하기 | [자료 2]에서 세계 도시 선정에 가장 크게 영향을 미친 두 가지 요인을 찾아 써 보자.

• [자료 2] 세계 도시 선정에 가장 크게 영향을 미친 지표는 비즈니스 활동(30%)과 인적 자본(30%)이다.

3 도출하기 | [자료 5]의 세계 모터쇼 개최 도시 중 자동차를 직접 생산하지 않는 도시를 찾아보고, 왜 그 도시에서 모터쇼를 개최하는지 다음 용어를 이용하여 설명해 보자.

본사, 생산 공장, 의사 결정, 다국적 기업, 세계 도시

• 미국의 뉴욕, 일본의 도쿄, 우리나라의 서울 등은 자동차를 직접 완성하여 생산하는 공장이 입지하지는 않았지만 세계 모터쇼를 개최하는 주요 도시이다. 자동차를 생산하는 다국적 기업의 생산 공장은 자동차의 원료에 해당하는 철강을 확보하기 좋거나 제품을 판매하기 좋은 지역, 관련 업종이 집적하기 좋은 지역에 주로 입지한다. 반면, 경영 등 최종적인 의사 결정이 이루어지는 본사가 주로 입지하는 세계 도시에서는 직접적인 생산보다는 제품 연구 및 기획, 판매 전략 등이 결정되는 경우가 많다. 모터쇼는 세계적인 다국적 기업의 본사가 집중되는 세계 도시에서 주로 개최된다.

활동 교과서 84쪽

1 비교하기 | [자료 1]을 보고 세계 도시 체계의 최상위·상위·하위 도시 간의 차이점을 비교하여 설명해 보자.

• 최상위 세계 도시일수록 숫자는 적어지나 보유하고 있는 세계 도시로서의 기능은 많고 다양해지는 차이가 있다.

2 분석하기 | [자료 2]에서 도시 간 교류량이 많은 지역을 찾아보고, 항공 교통을 통한 도시 체계의 특징을 설명해 보자.

• 미국의 뉴욕, 시카고, 로스앤젤레스, 유럽의 런던, 파리, 암스테르담, 프랑크푸르트, 아시아의 도쿄, 싱가포르, 두바이 등은 항공 교통의 결절이 되어 중요성이 더욱 커지고 있다. 교통의 결절에 해당하는 도시들은 세계 도시 체계 내에서의 위상이 상대적으로 높은 편이다.

함께 해 보기 교과서 85쪽

01 [자료 1]을 분석하여 다음 탐구 문제를 해결한 후 짝에게 설명해 보자.

• ①: 철도 운행이 하루 5회 이상인 곳은 미국 북동부에 집중되어 있다. 이 지역은 미국 전체 인구 규모의 20% 이상이 거주하는 메갈로폴리스에 해당하며, 대도시가 기능적으로 상호 연결되어 있는 것과 관련이 깊다. / • ②: 시카고 / • ③: 연결되는 지역의 인구 및 거리의 영향이 크다.

02 도시 계층 구분에 대한 자신만의 기준을 세운 후 [자료 2] 그림에 최상위, 상위, 하위 도시로 구분해 보자. (예 공항 이용이 많은 도시를 기준으로 할 수 있음.)

• 여객 및 상업용 항공 운항이 가장 많은 런던을 최상위 도시로, 파리, 암스테르담, 프랑크푸르트를 상위 도시로, 마드리드, 바르셀로나, 뮌헨, 로마를 하위 도시로 구분할 수 있다.

주제 4 세계의 식량 자원

주제 열기 교과서 86쪽

질문 1 (가)~(다)는 어떤 식량 자원의 1인당 일별 소비량 지도인지 생각해 보고, 아래 사진에서 관련 있는 음식을 연결해 보자.

• (가)-빵, (나)-밥, (다)-돼지고기

질문 2 각 식량 자원의 1인당 일별 소비량 분포의 특징과 그 원인을 생각해 보자.

• (가) 밀은 건조한 기후에서도 재배가 가능하며 쌀보다 생산 및 소비의 지역적 분포가 고른 편이다. 특히 건조 기후가 나타나는 지역에서는 밀에 대한 의존도가 높기 때문에 1인당 일별 소비량이 이들 지역에서 비교적 높게 나타나는 편이다. (나) 쌀은 아시아 계절풍 기후 지역에서 주로 재배되며 소비 지역도 대부분 이 지역에서 이루어지고 있다. 따라서 동남아시아, 동아시아 계절풍 기후 지역을 중심으로 1인당 일별 소비량이 많은 편이다. (다) 돼지고기는 이슬람교를 믿는 지역에서는 종교적인 원인으로 기피하는 음식이기 때문에 북부 아프리카와 서남아시아 일대에서는 1인당 일별 소비량이 적다.

 자기 점검 교과서 86쪽

• (1) 쌀 (2) 밀

활동 교과서 87쪽

1 도출하기 | [자료 1], [자료 2]를 보고 곡물 생산량이 늘어났지만 곡물이 부족한 지역을 찾아보고 그 까닭을 설명해 보자.

• 아시아는 곡물 생산이 증가했지만 소비량이 많아 곡물이 부족하다. 아프리카는 농업 발달이 미약해 인구 대비 곡물 생산량이 다른 대륙보다 적다.

2 토의하기 | [함께 읽어요]를 읽고 곡물 메이저의 긍정적 기능과 부정적 기능에 관해 토의해 보자.

• 곡물 메이저는 농업 생산성 증대와 농업의 세계화에 기여하였다. 단기적으로는 농업 기술의 향상과 일자리 창출의 긍정적 효과도 기대할 수 있지만 장기적으로는 세계 각국의 식량 자급률을 떨어뜨리고 한 국가의 경제를 위협할 수도 있다.

활동 교과서 88쪽

1 분석하기 | [자료 1]을 보고 쌀과 밀의 주요 생산지를 써 보자.

• 쌀은 아시아의 계절풍 기후 지역에서 대부분 생산되고, 밀은 비교적 기온이 낮고 건조한 지역에서도 재배가 가능한 작물이므로 쌀보다 비교적 넓은 지역에서 생산된다.

2 도출하기 | [자료 1]의 쌀과 밀의 국제 이동량 차이를 비교해 보고, 차이가 발생하는 까닭을 설명해 보자.

• 쌀은 생산지에서 주로 소비가 이루어지므로 국제 이동량이 적고, 밀은 주요 생산지와 소비지가 다른 경우가 많아 국제 이동량이 많다. 밀은 신대륙에서 구대륙으로의 이동이 활발하다.

 함께 해 보기 교과서 89쪽

01 곡물을 연료로 사용할 때의 장단점을 조사해 보자.

장점	고갈되는 화석 연료와 달리 곡물 재배를 통해 안정적으로 연료를 얻을 수 있다.
단점	곡물 가격 상승으로 식량 자원의 가격 상승을 초래할 수 있다.

02 곡물의 용도 변화에 관한 자신의 입장을 정한 후 발표해 보자.

나는 곡물을 연료로 사용하는 것이 확대되는 것을 (찬성, 반대)한다. 그 까닭은 곡물을 이용하여 연료를 생산하는 것은 매우 친환경적이며 고갈 위험이 적기 때문이다.

활동 교과서 90쪽

1 분석하기 | [자료 2]를 보고 소고기 이동의 특징을 설명해 보자.

• 소는 경제적 가치가 높아 세계 각지에서 비교적 고르게 사육하고 있다. 소 사육은 브라질, 인도, 미국, 중국 등에서 많이 이루어지고 있으나 소고기의 주요 생산국은 미국, 브라질, 중국 등이다. 주요 수입국은 미국, 러시아, 일본 등이다. 이 중 미국은 소 사육이 많이 이루어지고 있으나, 소고기 소비량이 많아 오스트레일리아나 뉴질랜드 등에서 소고기를 많이 수입하고 있으므로 주요 수입국에 해당한다.

2 분석하기 | [자료 3]을 보고 돼지고기 소비량이 적을 것으로 예상되는 지역을 써 보고, 해당 지역의 특징을 설명해 보자.

• 돼지는 번식력이 강하지만 유목 생활을 하는 건조 기후 지역에서는 사육에 불리한 점이 많다. 따라서 건조 기후가 나타나는 지역에서는 돼지고기의 소비량이 적을 것이다. 한편, 건조 기후 지역에서 창시된 이슬람교도의 경우 돼지고기를 금기시한다. 따라서 건조 기후 지역이 아니더라도 이슬람교를 믿는 지역에서는 돼지고기의 소비량이 적을 것이다.

주제 5 세계 주요 에너지 자원과 국제 이동

주제 열기 교과서 92쪽

질문 1 티그리스강과 유프라테스강이 정기적으로 범람했던 고대 메소포타미아 지역에서는 천연 아스팔트를 벽에 발랐다고 한다. 그 까닭을 추측하여 ㉠을 채워 보자.

범람이 잦은 메소포타미아 지역에서는 석유를 건물 하단에 칠해 (㉠ 방수제) 용도로 사용하였다.

질문 2 석유가 우리 주변에서 어떤 용도로 사용되고 있는지 말해 보자.

• 운송 기기의 연료, 플라스틱 제품, 합성 섬유 등의 원료

자기 점검 교과서 92쪽

• (1) 에너지 자원 (2) 고기 조산대

활동 교과서 93쪽

1 분석하기 | [자료 1]을 보고 2015년 세계 1차 에너지 소비 구조는 1965년과 비교하여 어떻게 변화하였는지 설명해 보자.

• 화석 에너지 중 천연가스의 소비 지수가 크게 증가하였다. 또 신·재생 에너지의 소비량은 화석 에너지와 비교했을 때 적은 편이지만 소비의 증가 속도는 화석 에너지보다 빠르게 나타나고 있다.

2 추론하기 | [자료 2]와 같이 2015년 경제 협력 개발 기구(OECD) 국가들의 석탄과 석유의 공급 비중이 1973년에 비해 줄어든 까닭을 설명해 보자.

• 최근 선진국들은 지구 온난화의 주된 원인 중 하나로 지목받고 있는 이산화 탄소의 배출량을 줄이기 위해 석탄과 석유의 공급 비중을 줄이고 있다.

교과서 활동 풀이

활동 교과서 95쪽

1 분석하기 | [자료 3]과 [자료 4]를 보고 석탄과 석유의 주요 생산 지역과 소비 지역을 찾아보자.

구분	주요 생산 지역	주요 소비 지역
석탄	중국, 미국, 인도, 오스트레일리아 등	중국, 인도, 일본, 한국 등
석유	사우디아라비아, 러시아, 미국, 아랍 에미리트 등	미국, 중국, 인도, 일본, 한국, 유럽 연합 국가 등

2 추론하기 | 자원의 생산과 소비 지역이 일치하지 않을 경우 발생할 수 있는 문제점을 추론해 보자.

• 자원의 생산과 소비 지역이 일치하지 않는 경우 소비 지역은 에너지 자원의 자급률이 낮다는 것이므로, 자원의 국제 가격 변동과 공급량에 큰 영향을 받을 것이다.

활동 교과서 97쪽

1 설명하기 | [자료 6]을 보고 천연가스 수출국과 석유 수출국이 비슷한 지역에 있는 까닭을 설명해 보자.

• 천연가스는 신생대 제3기 배사 구조에 석유와 함께 매장되어 있는 경우가 많기 때문이다.

조사하기 | [자료 8]을 보고 수력 발전 비중이 높은 국가들의 공통점과 지열 발전 비중이 높은 국가의 입지적 특징을 조사해 보자.

• 수력 발전 비중이 높은 대표적인 국가는 노르웨이, 캐나다, 스웨덴 등을 꼽을 수 있다. 이들 국가는 빙하 지형이 발달한 국가들로 낙차가 큰 지형이 발달하여 수력 발전에 유리한 조건을 갖추고 있다. 지열 발전의 비중이 높은 국가는 멕시코, 이탈리아, 뉴질랜드, 일본 등을 꼽을 수 있다. 이들 국가는 공통적으로 지각이 불안정하고 화산 활동이 활발하다.

대단원 마무리 교과서 98~99쪽

단원 한눈에 보기

① 크리스트교 ② 이슬람교 ③ 힌두교 ④ 노년층 ⑤ 세계화 ⑥ 쌀 ⑦ 석탄 ⑧ 석유

세계지리 이야기

01 다음 주제를 참고하여 조사할 주제를 정한다.

• 세계 도시 인구 전망

02 통계 관련 누리집과 신문 자료 등을 참고하여 주제와 관련된 내용을 조사한다.

• **세계의 인구 성장:** 유엔(UN)은 도시 인구 전망 보고서를 통해 현재 약 35억 명인 세계 도시 인구가 30년 뒤인 2045년에는 60억 명 이상으로 증가할 것으로 예측했다. 인구 1천만 명 이상인 28개 도시 중 16개는 아시아에 위치해 있으며 앞으로의 도시 인구 증가분의 90%가 아시아와 아프리카에서 발생할 것이라고 보고서는 말하고 있다.

대단원 4 몬순 아시아와 오세아니아

주제 1 몬순 아시아의 전통 생활 모습

주제 열기 교과서 102쪽

질문 1 같은 장소인 (가)와 (나)는 각각 우기와 건기 중 주로 언제 나타나는 모습일까?

• (가)는 우물에 물이 가득 찬 것으로 보아 우기의 모습이며, (나)는 우물 밑바닥까지 드러난 것으로 보아 건기의 모습이다.

질문 2 인도에서 위 사진과 같은 계단식 우물을 만들어 사용한 까닭은 무엇일까?

• 우기보다 건기가 긴 인도의 많은 지역에서는 지하수면이 낮아서 건기에 물을 얻으려면 땅을 깊이 파야 물을 얻을 수 있기 때문이다.

자기 점검 교과서 102쪽

• (1) 몬순 (2) 쌀

활동 교과서 103쪽

1 설명하기 | 몬순 아시아 지역에서 계절에 따라 풍향이 바뀌는 까닭을 설명해 보자.

• 여름에는 지표가 빠르게 가열되어 저기압이 발달함에 따라 해양에서 대륙으로 바람이 불게 된다. 반면에 지표가 빠르게 냉각되는 겨울에는 대륙 쪽에 고기압이 발달함에 따라 대륙에서 해양으로 바람이 분다.

비교하기 | [자료 1]을 참고하여 몬순 아시아의 여름과 겨울의 기후 특징을 비교해 보자.

• 여름에는 해양에서부터 불어오는 계절풍의 영향으로 많은 양의 비가 내리며 고온 다습하다. 겨울에는 대륙에서부터 불어오는 계절풍의 영향으로 건조한 날씨가 나타난다.

조사하기 | [자료 1]의 월별 강수량 그래프를 참고하여 라싸와 체라푼지 두 지역의 강수량 차이가 발생한 까닭을 조사해 보자.

• 체라푼지는 히말라야산맥의 바람받이 쪽에 위치해 있어 여름 계절풍뿐만 아니라 지형의 영향으로 최다우월인 7월에는 3,000mm 이상의 비가 오는 반면에 라싸는 히말라야산맥의 바람그늘 쪽에 위치해 있어 비가 이오는 7~8월에도 약 100mm의 강수가 있는 정도이다.

활동 교과서 105쪽

조사하기 | [자료 1]처럼 계단식 논을 조성한 까닭을 조사해 보자.

• 산지에서는 논을 만들기 어려워 산비탈을 따라 층층이 논둑을 만들어 계단식 논을 조성하고 벼를 심어 등고선식 경작을 하였다.

2 설명하기 | [자료 2]를 보고 몬순 아시아 전통 가옥의 공통점을 찾아보고, 이에 영향을 준 기후 특징을 설명해 보자.

• 몬순 아시아의 전통 가옥은 지붕의 경사가 급하고, 바닥을 지면에서 띄운 고상 가옥을 주로 짓는다. 이는 기후 환경하에서 비와 햇볕을 막기 위하여 개방적인 형태로 건축한 것이다.

3 비교하기 | [함께 읽어요]를 참고하여 톤레사프호의 우기와 건기의 경

관을 찾아보고, 주민 생활을 비교해 보자.

구분	경관	주민 생활
우기	호수의 유량이 많고 수심이 깊다.	메콩강이 역류하여 호수의 유량이 많아지면서 어업 활동이 주로 이루어진다.
건기	호수의 유량이 적고 수심이 얕다.	톤레사프호의 호수 바닥이 드러나면서 벼농사가 주로 이루어진다.

조사하기 | 몬순 아시아 지역 주민들이 자연환경에 적응한 전통적인 생활 모습의 사례를 조사하여 발표해 보자.

• 몬순 아시아의 주식인 쌀은 단백질 함유량이 밀보다 낮다. 그러므로 동남아시아에서는 단백질 보충원으로서 물고기를 먹었고 양어 시설이 발달하였다.

활동 교과서 106쪽

조사하기 | [자료 3], [자료 4]를 보를 보고 중국의 벼농사 지역과 밭농사 지역의 대표적인 음식을 조사하여 발표해 보자.

• 중국 남부의 벼농사 지역에서는 주로 밥이나 죽 등 쌀로 만든 음식을 먹는 반면에, 중국 북부의 밭농사 지역에서는 밥뿐만 아니라 전병, 찐방, 만두, 국수 등 밀로 만든 음식을 많이 먹는다.

2 분석하기 | [자료 4]를 보고 농업 방식과 강수량의 관계를 설명해 보자.

• 강수량이 1,000mm 이상인 지역에서는 주로 논농사가 이루어지나, 500~1,000mm인 지역에서는 주로 밭농사가 이루어진다. 또한 500mm 이하인 지역에서는 유목을 주로 한다.

3 예상하기 | [자료 5]를 보고 유목민의 한 해를 소개하는 글을 써 보자.

• 기온이 −20~−30℃까지 떨어지는 겨울에는 북풍을 막기 위해 산록 남쪽의 골짜기로 이동을 합니다. 이때에는 차가운 북풍을 막기 위해 산록의 남쪽 골짜기에서 월동을 하는 것입니다. 그리고 양과 염소의 출산기가 되는 봄이 되면 산 아래로 이동하기 시작합니다. 여름에는 하천으로부터 물을 공급받을 수 있는 장소로 이동해서 겨울에 대비하기 위한 유제품을 만드느라 분주합니다. 가을이 되면 가축들이 겨울을 견딜 수 있게 풀을 충분히 먹여 가축의 살을 찌우고, 겨울철 식용으로 쓸 고기도 준비해 둡니다.

주제 2 주요 자원의 분포 및 이동과 산업 구조

주제 열기 교과서 108쪽

질문 1 일본의 자동차 회사가 일본이 아닌 타이에 공장을 세우면 어떤 점에서 유리할까?

• 타이에서 생산한 자동차를 아세안 경제 공동체(AEC) 회원국으로 수출하는 경우 관세 혜택을 누릴 수 있으며, 타이의 임금이 일본에 비해 저렴하기 때문에 생산비를 줄일 수 있다. 그 외에도 타이는 지리적으로 철광석의 수입 대상국인 오스트레일리아와 일본 중간에 위치하기 때문에 일본의 제철 회사가 타이에 제철소를 설립하는 경우 자동차의 주요 재료인 철강 제품의 운송비를 줄여 자동차의 가격 경쟁력을 높일 수도 있다.

질문 2 타이의 산업 구조는 앞으로 어떻게 변화할까?

• 제조업이 중심이 되는 2차 산업의 비중이 빠르게 증가할 것으로 예상된다.

자기 점검 교과서 108쪽

• (1) 철광석 (2) 석탄

활동 교과서 109쪽

조사하기 | [자료 1]을 보고 몬순 아시아와 오세아니아에 풍부한 천연자원의 주요 수입국을 조사해 보자.

• **석탄:** 일본, 인도, 중국, 한국 등 / • **철광석:** 중국, 일본, 한국 등

• **주석:** 싱가포르, 일본, 한국 등

2 설명하기 | [자료 2]를 보고 오스트레일리아의 철광석 수출 상대국이 주로 아시아에 집중된 까닭을 설명해 보자.

• 몬순 아시아와 오세아니아는 지리적으로 가깝고 국가 간 경제 발전 수준이나 산업 구조의 차이가 크기 때문에 자원의 이동이 활발하다.

활동 교과서 111쪽

1 분석하기 | [자료 2]에 제시된 국가 중 다음 조건에 해당하는 국가를 찾아보자.

구분	국가
농산물과 광산물 수출이 많은 국가	오스트레일리아, 인도네시아 등
공업 제품 수출이 많은 국가	중국, 일본 등

설명하기 | [자료 2]를 보고 자원 분포가 산업 및 무역 구조에 미치는 영향을 설명해 보자.

• 자원이 풍부한 국가들은 농산물 및 광산물 등의 자원 수출이 많고, 1차 산업 종사자의 비중이 높은 편이다. 반면 자원을 수입하는 국가들은 공업 제품 수출이 많고, 2차·3차 산업 종사자의 비중이 높은 편이다.

주제 3 민족 및 종교의 다양성과 지역 갈등

주제 열기 교과서 112쪽

질문 1 베트남은 54개의 민족으로 구성된 다민족 국가로, 주류 민족인 비엣족이 대부분을 차지하고 있다. 위 지도에 베트남의 민족 분포가 다양한 지역을 표시해 보자.

• 베트남 북부의 중국과 국경을 접한 지역과 중부 지역에는 다양한 소수 민족이 거주하고 있는 반면, 수도인 하노이 주변과 메콩강 하류 지역에는 주 민족인 비엣족이 거주하고 있다.

질문 2 산지 지역의 민족 분포가 평야 지역보다 다양한 까닭을 생각해 보자.

• 산지 지역은 평야 지역에 비해 외부 지역과의 교류가 불편하여 각 민족의 언어, 전통 생활 등의 문화를 보존하기에 유리하였다.

질문 3 한 국가에 여러 민족이 함께 살아갈 때 발생할 수 있는 어려움을 생각해 보자.

• 주요 민족 간 주도권 다툼, 소수 민족의 분리 운동 등으로 국가 통합의 어려움이 발생할 수 있다. 언어가 다를 경우 의사소통의 문제가 생길 수 있다. 서로 상충하는 이해관계나 문화가 존재할 경우 갈등이 발생할 수 있다.

자기 점검 교과서 112쪽

• (1) 다민족 (2) 카슈미르

교과서 활동 풀이

활동 교과서 113쪽

1 분석하기 | [자료 1]을 보고 중국의 소수 민족이 분포하는 지역의 위치 특성을 설명해 보자.

• 중국은 크게 서부의 산지와 고원 지대, 동부의 평야 지대로 나눌 수 있는데, 소수 민족은 주로 서부에 거주한다.

2 조사하기 | [자료 1]을 보고 위구르족과 티베트족이 중국에서 독립하려는 까닭을 조사하여 발표해 보자.

• 위구르족은 주로 중국 서부의 신장웨이우얼자치구에 거주하는데, 독자적인 위구르어를 사용하고 이슬람교를 믿는다. 티베트족은 주로 시짱(티베트)자치구에 거주하는데, 티베트어를 사용하고 라마교를 믿는다. 이들 민족은 중국의 다수 민족인 한족과는 언어, 종교, 역사적 배경 등이 달라 중국으로부터의 분리 움직임이 강하다.

활동 교과서 115쪽

1 의사 결정하기 | 114쪽 [함께 읽어요]를 읽고 힌디어 우선 정책에 관한 자신의 의견을 말해 보자.

• 인도에는 수많은 언어를 사용하는 사람들이 공존하는데, 힌디어 우선 정책은 비 힌디어 사용자에 대한 차별을 조장할 수 있다.

2 조사하기 | [자료 3]을 참고하여 화교가 동남아시아에 이주하게 된 역사적 배경을 조사해 보자.

• 예부터 중국이 혼란기에 접어들 때마다 많은 중국인이 동남아시아로 이주하였고, 근대에 들어서는 유럽 세력이 동남아시아 지역을 식민 지배하면서 플랜테이션, 광산 등에 많은 노동력이 필요하게 되자 대거 이주하였다.

3 제안하기 | 오세아니아에서 발생했던 인종 차별 사례를 조사하고 이를 줄일 수 있는 방안을 제안해 보자.

• 인종 차별을 줄이기 위해 인종 차별에 대한 처벌 기준을 강화한다. 인종 차별을 금지하고, 다문화와 공존에 대한 교육을 강화한다. 등

활동 교과서 116쪽

1 추론하기 | [자료 1]을 보고 인도네시아에서 다양한 종교가 나타나는 지리적 배경을 추론해 보자.

• 인도네시아는 세계 최대의 도서 국가로, 동서 교통의 요지에 위치하여 예로부터 다양한 민족의 교류와 이동이 빈번했던 지역이다. 인도네시아에 가장 먼저 전래된 종교는 힌두교와 불교였고, 이후 아랍 상인의 진출과 함께 이슬람교가 전파되었다. 또 유럽(네덜란드)의 식민 지배를 받으면서 크리스트교도 전파되어 다양한 종교가 자리 잡게 되었다.

2 공감하기 | [자료 1]의 카슈미르 분쟁을 인도와 파키스탄, 두 국가의 입장에서 각각 생각해 보자.

인도의 입장	다민족으로 구성된 인도는 카슈미르의 분리가 다른 지역의 분리 운동으로도 파급될 수 있기 때문에 카슈미르의 분리를 받아들일 수 없다고 이야기하고 있다.
파키스탄의 입장	이슬람교도가 다수인 파키스탄은 국제 연합의 결의안대로 주민 투표로 귀속 여부를 결정하자고 제안하고 있다.

3 토의하기 | [자료 1]의 종교 분쟁 지역 중 한 곳을 선정하여 분쟁의 원인을 조사하고, 분쟁을 해결하기 위한 방안을 제안해 보자.

• **스리랑카 종교 분쟁의 원인:** 스리랑카는 불교를 믿는 신할리즈족이 다수였는데, 인도와 가깝기 때문에 남부의 힌두교를 믿는 타밀족들이 꾸준히 유입되었다. 특히 영국 식민지 시대에 플랜테이션의 노동자로 유입된 타밀족이 독립 후에도 계속 남게 되면서 민족·종교 갈등이 시작되었다. /
• **분쟁 해결을 위한 방안:** 소수 집단에 대한 자치권을 최대한 보장한다. 등

함께 해 보기 교과서 117쪽

01 [자료 2]를 보고 말레이시아 달력에 기념일로 표시된 종교 관련 공휴일을 써 보자.

• 이슬람교(누줄 알 쿠란, 하리 라야 아이딜피트리, 하리 라야 하지, 이슬람 신년, 선지자 무함마드 탄생일), 불교(석가 탄신일), 크리스트교(크리스마스), 힌두교(타이푸삼, 디파발리)

02 [자료 1]과 [자료 2]를 통해 다양한 종교 기념일이 지정된 까닭을 써 보자.

• 인도양과 태평양을 연결하는 교통의 요지에 자리 잡은 말레이시아는 예로부터 교역으로 번성하였다. 다양한 종교적 배경을 지닌 여러 민족이 대립보다는 공존을 모색한 결과 말레이시아는 오래도록 번영할 수 있었다. 이러한 역사적 경험은 오늘날에도 지속되고 있어 여러 종교의 기념일을 공휴일로 지정하여 종교 간 공존을 도모하고 있다.

03 말레이시아 학생이라고 가정하고, 종교 기념일 행사에 다른 민족(인종) 친구들을 초대하는 초대장을 작성해 보자.

• 디파발리 축제에 너를 초대할게. 디파발리는 산스크리트어로 '빛의 행렬'이란 뜻이야. 힌두교도들은 새해를 맞아 온 집안과 거리를 밝은 불빛으로 화려하게 장식을 해. 그래서 영어로 '라이트 페스티벌'이라고도 한단다. 그날 크리슈나, 락슈미, 가네샤 등 다양한 신에게 기도를 하고, 기도 후에는 사원에서 나눠 주는 음식을 먹으며 오프 하우스를 열어. 맛있는 음식도 엄청나게 많아. 꼭 오렴. 오면 축제의 기원에 대해서 자세히 알려 줄게.

대단원 마무리 교과서 118~119쪽

단원 한눈에 보기

① 계절풍 ② 벼 ③ 오스트레일리아 ④ 3차 ⑤ 종교

세계지리 이야기

메콩강은 중국의 티베트에서 발원하여 미얀마·라오스·타이·캄보디아·베트남을 거쳐 남중국해로 흐르는 강이다. 메콩강을 탐험하며 몬순 아시아의 특성을 파악하고 □ 안에 들어갈 말을 써 보자.

• **메콩강 상류, 중국 티베트:** 유라시아, 해발 고도
• **메콩강 중류, 라오스:** 상좌부(소승)
• **메콩강 하류, 베트남:** 삼각주

대단원 5 건조 아시아와 북부 아프리카

주제 1 자연환경에 적응한 생활 모습

주제 열기 교과서 122쪽

질문 1 건물 사이의 간격이 좁은 까닭은 무엇일까?

• 사막 기후가 나타나는 지역에서는 햇볕이 강하기 때문에 건물 사이의 간격을 좁게 하여 그늘을 만든다.

질문 2 사진을 통해 알 수 있는 이 지역 가옥 구조의 특징을 건물의 창문을 중심으로 이야기해 보자.

• 사막 기후 지역은 나무가 자라기 어려워 바람이 매우 세고, 기온이 높기에 뜨거운 모래 바람의 형태로 불어오는 경우가 많다. 이에 대비하여 건물의 창문을 작게 만들어 외부로부터 들어오는 바람을 최소화하는 가옥 구조가 발달하였다.

자기 점검 교과서 122쪽

• (1) 건조 (2) 오아시스 농업

활동 교과서 123쪽

1 추측하기 | 이 지역 주민들이 [자료 1]처럼 머리나 얼굴을 감싸는 베일을 착용하는 까닭을 자연환경과 연관 지어 설명해 보자.

• 건조 기후가 나타나는 지역은 일사량이 매우 많다. 뜨거운 햇볕으로부터 피부를 보호하기 위해 온몸을 감싸는 형태의 의복을 입는 것은 물론, 햇볕과 바람으로부터 얼굴을 보호하기 위해 눈을 제외한 얼굴 전체를 감싸는 베일을 착용하는 경우가 많다.

2 추측하기 | [자료 2]는 건조 기후 지역에서 화덕을 이용해 빵을 만든 모습이다. 이 지역에서 국물 요리 대신 빵을 먹는 문화가 발달한 까닭을 이야기해 보자.

• 건조 기후 지역에서는 땔감으로 사용할 수 있는 나무가 부족하여 오래 가열해야 하는 음식을 만들어 먹기가 쉽지 않다. 화덕을 이용하여 빵을 만들 경우 짧은 시간에 요리할 수 있고, 국물 요리와 같이 식기가 많이 필요하지 않아 다른 지역으로 이동하며 생활하는 데 유리하다.

활동 교과서 125쪽

1 추론하기 | [자료 4]의 양탄자는 무엇으로 만들며, 어떤 용도로 사용되는지 설명해 보자.

• 양탄자는 양의 털, 목화 등으로 만든 직물 중에서도 바닥에 깔거나 벽에 거는 용도로 사용하는 천을 뜻한다. 일반적으로 건조 기후 지역에서 바닥재로 사용된다.

조사하기 | [자료 6] 스텝 기후 지역 가옥 내부의 A~C는 어떠한 특징이 있는지 조사해 보자.

A	A는 일교차가 큰 건조 기후 지역에서 밤의 추위에 대비한 난로이다. 여기에서 발생하는 불을 이용하여 요리에 사용하기도 한다.
B	B는 이동식 가옥임을 알 수 있게 해 주는 시설로, 이동할 때에는 접어서 부피를 줄이고 설치할 때에는 펼쳐서 벽면으로 활용한다.
C	C는 가옥의 재료로, 주로 동물의 가죽이나 털로 짠 두꺼운 천을 이용한다.

3 제안하기 | [자료 7]을 참고하여 건조 기후 지역의 주민 생활을 관광 상품으로 개발해 보자.

• 대추야자 농장 체험, 낙타 타기, 모래 언덕을 이용한 보드 또는 스키 타기, 베두인족 천막에서 잠자기와 같은 프로그램들이 개발되고 있다.

활동 교과서 126쪽

조사하기 | [자료 1]~[자료 3] 외에 건조 기후 지역의 주민이 건조한 기후 환경을 극복하기 위해 어떤 노력을 하고 있는지 조사해 보자.

• 요르단에서는 전통적인 건축 기법에서 아이디어를 얻어 공기 중의 수분을 모아 용수로 활용할 수 있는 건축물을 만들고 있고, 리비아에서는 해수를 담수로 바꾸어 이용하는 대수로 공사를 통해 물 공급량을 크게 증가시킨 바 있다.

함께 해 보기 교과서 127쪽

01 이 지역에서 위의 상품들이 각광받는 까닭을 찾아보자.

• 건조 기후 지역은 무수목 기후에 해당하기에 바람의 흐름을 막아 주는 역할을 할 수 있는 나무를 찾아보기 어렵다. 이로 인하여 바람이 매우 강하게 부는 이 지역에서 바람에 잘 견디는 텐트에 대한 반응이 좋은 편이다.

02 건조 기후 지역의 특징을 분석하고, 이를 반영하여 건조 기후 지역에 적합한 상품을 기획해 보자.

• 건조 기후는 강수량이 적고 공기 중의 수분 함유량이 많지 않아 낮과 밤의 기온 차가 심하게 나타난다. 또한 바람이 강하게 부는 지역이므로 이 지역에 담요, 냉난방 기기 등을 판매할 경우 높은 수익을 기대할 수 있다.

03 다음 글을 참고하여 건조 기후 지역에서 사용하는 물건을 우리나라에 수입한다면 어떤 물건을 수입하고 싶은지 이야기해 보자.

• 덥고 건조한 지역이므로 음식 재료를 말려서 먹는 것에 익숙한 지역이다. 이 지역의 말린 대추야자 등의 간식을 수입하고 싶다.

주제 2 주요 자원의 분포와 산업 구조

주제 열기 교과서 128쪽

질문 1 카타르 도하항 주변의 과거와 현재 모습을 비교하여 설명해 보자.

• 과거에는 소수의 무역상이나 유목민을 제외하면 사람이 거의 살지 않던 황량한 지역이었으나 2002년 이후 평균 약 20%의 초고속 경제 성장을 누리게 되면서 도하항 주변은 세계적 규모의 마천루들이 자리 잡게 되었다.

질문 2 카타르가 세계 최상위권에 속하는 부유한 국가가 될 수 있었던 원동력은 무엇일까?

• 2015년 기준 카타르의 상품 수출 품목 구성을 보면 천연가스 50%, 원유 18%, 정제 석유 7.4%이다. 이를 통해 카타르가 무역을 통해 얻는 이익의 대부분은 화석 에너지로부터 나오고, 그 중에서도 천연가스 수출이 가장 중요한 수입원이라는 것을 알 수 있다.

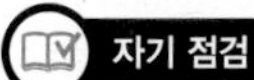

자기 점검 교과서 128쪽

• (1) ○ (2) ×

활동 교과서 129쪽

1 분석하기 | [자료 1]의 지도를 보고 화석 에너지의 매장량이 많은 국가를 적어 보자.

• 사우디아라비아, 이란, 이라크, 쿠웨이트, 아랍 에미리트 등

2 분석하기 | [자료 2]를 보고 다음에 해당하는 국가를 적어 보자.

교과서 활동 풀이

구분	화석 에너지 생산량 1억 toe 이상
1인당 국내 총생산(GDP) 1만 달러 이상	카자흐스탄, 쿠웨이트, 아랍 에미리트, 카타르, 사우디아라비아

3 토의하기 | [자료 2]의 자료를 보고 건조 아시아와 북부 아프리카의 지역 불안정이 세계 경제에 미칠 영향에 관해 토의해 보자.

• 석유는 세계 1차 에너지 소비량 1위 에너지로 전 세계에 미치는 영향이 매우 큰 에너지 자원이다. 또한 편재성이 큰 자원으로 이 지역에 분쟁 등의 상황이 발생하면 이 지역의 화석 에너지에 대한 의존도가 높은 동부 아시아 국가들의 경제적 타격이 클 것으로 예상된다.

활동 　교과서 130쪽

1 설명하기 | [자료 1]을 보고 각 나라의 산업 구조를 자원 분포와 관련지어 설명해 보자.

• 사우디아라비아의 경우 1차 산업 비중이 매우 낮고 2차 산업 비중이 높다. 석유 매장량이 매우 많고 화석 에너지 생산량이 매우 많은 특성이 반영된 것으로 보인다. 카자흐스탄도 화석 에너지 매장 및 생산량이 많은 국가로 사우디아라비아와 유사한 산업 구조를 보인다. 한편, 화석 에너지가 풍부하지 않은 이집트와 튀르키예는 1차 산업 비중이 높은 편이다.

비교하기 | [자료 2]를 보고 사우디아라비아와 튀르키예의 상품 무역 구조를 비교하여 설명해 보자.

• 사우디아라비아의 수출품은 원유가 원료로 사용되는 상품들이 주를 이루며 수입품은 승용차, 화물용 차량, 휴대 전화와 같이 높은 기술력을 필요로 하는 공업 제품들이다. 튀르키예의 주요 무역 거래 품목은 수출입 모두 승용차, 화물용 차량, 자동차 부품과 같은 공업 제품들이 주를 이룬다.

함께 해 보기 　교과서 131쪽

01 [자료 1]의 요르단은 경제 발전을 위해 어떤 노력을 하는지 설명해 보자.

• 요르단은 의료 산업을 육성하여 서남아시아의 의료 허브 국가로 성장시키고 있다. 또한 에너지 다변화, 정보 통신 기술 산업을 핵심 산업으로 정하여 화석 에너지 수출과 상관없이 성장할 수 있는 동력을 마련하고 있다.

02 모둠별로 다음 국가 중 한 곳을 선택하여 산업 구조의 특징을 조사해 보자.

• 튀니지 　• 모로코 　• 이스라엘

조사 국가	이스라엘
주요 수출 품목	다이아몬드, 반도체, 의약품, 컴퓨터 등
산업 구조의 특징	2017년 기준 통계에 의하면 수출품의 90% 이상이 공업 제품이고 산업 구조는 소프트웨어 산업과 관련이 깊은 3차 산업이 주를 이루고 있다.
경제 발전을 위한 노력	화석 에너지가 부족한 이스라엘은 정보 통신 시장 투자 장려, 하이테크 기업에 대한 연구 개발 지원 등을 통해 소프트웨어 산업의 강자로 거듭나게 되었다.

활동 　교과서 132쪽

1 설명하기 | [함께 읽어요]를 읽고 아랍 에미리트가 국제 물류의 중심지로 성장할 수 있었던 배경을 설명해 보자.

• 두바이는 지리적 이점을 활용하여 주변 국가들보다 빠르게 물류 산업의 기반을 조성하고 외국 기업 유치에 성공하여 국제 물류의 중심지로 성장할 수 있었다.

2 설명하기 | 아랍 에미리트가 [함께 읽어요]와 같은 노력을 기울이고 있는 까닭을 설명해 보자.

• 석유 수출에 의존하는 경제 구조일 경우 국제 유가 하락 시 국내 재정 및 경제 상황이 어려워지기 때문에 수출 구조의 다양화를 추구하게 되었다.

함께 해 보기 　교과서 133쪽

01 자료를 보고 다음 국가의 산업 구조의 개선점과 개선 방안을 자유롭게 이야기해 보자.

• 석유에 크게 의존하는 경제 구조를 개선하기 위하여 다른 제조업 기술을 유치하고, 다양한 3차 산업을 발달시킬 필요가 있다. 유럽, 아시아, 아프리카의 교차점에 있다는 위치적 장점을 활용하여 중계 무역의 허브를 건설할 수 있다. 등

02 다음 자료를 참고하여 위 국가의 산업 구조를 개선하기 위한 실천 방안을 제안해 보자.

• 국내 총생산에서 비석유 상품 수출 비중을 증대하기 위해 이슬람 문화의 중심지라는 장점을 살려 이슬람 성지의 확장 및 박물관, 유적지 등의 확충을 통한 관광 산업 육성을 제안합니다.

• 실업률 감소를 위해 정부는 철도, 공항 등의 대규모 교통 인프라의 개발 정책을 실시하여 청년들의 실업률을 줄일 것을 제안합니다.

• 여성 노동력 참여 확대를 위해 여성의 사회적 참여에 대한 법적 제한을 철폐할 것을 제안합니다.

주제 3 사막화에 따른 지역 문제

주제 열기 　교과서 134쪽

질문 1 작가는 왜 스텝 지역의 유목 문화가 사라질 것이라고 예측했을까?

• 반건조 기후의 스텝 지역은 최근 사막화가 빠르게 진행되는 곳이다. 만약 스텝 지역에 사막화 현상이 나타난다면 인간의 거주도 자취를 감추게 될 것이고, 그로 인해 그들의 문화인 유목 문화 또한 함께 사라질 것이라고 예측하고 있다.

질문 2 작가는 왜 작품의 제목을 「미래의 고고학」이라고 붙였을까?

• 유목 문화를 간직하고 있는 반건조 지역이 사막이 되어버리면 유목 문화는 훗날 박물관에서나 찾아볼 수도 있다는 의미에서 작품의 제목을 「미래의 고고학」이라고 했을 것이다.

자기 점검 　교과서 134쪽

• (1) 사막화 (2) 식량, 물

활동 　교과서 135쪽

1 요약하기 | 빈칸에 알맞은 용어를 적어 보자.

• ① 식량 ② 농경지 ③ 가뭄

활동 교과서 137쪽

1 도출하기 | [자료 1]~[자료 3]을 참고하여 사막화로 인해 발생하는 문제점을 설명해 보자.

• 사막화로 인한 토양의 황폐화는 식량 부족 사태를 초래하여 지역 사회의 불안 요소로 작용한다. 또한 과도한 관개 농업을 시행하면 주민들은 물 부족으로 어려움을 겪게 된다.

2 추측하기 | [함께 읽어요]를 참고하여 다음 사진과 같이 뿌리가 얕은 옥수수와 뿌리가 깊은 재래종 풀을 등고선에 따라 섞어짓기했을 때 유리한 점을 추측해 보자.

• 뿌리가 얕은 옥수수는 바람과 물에 의한 토양 침식에 취약하다. 하지만 다년생의 재래종 풀은 뿌리가 깊어 토양 보호에 유리하기 때문에 토양 보호가 절실한 사막화 확산 지역에서는 등고선을 따라 섞어짓기를 하는 것이 유리하다.

3 참여하기 | 사막화를 막기 위해 할 수 있는 개인적 차원의 노력에는 어떤 것이 있을지 발표해 보자.

• 절수의 생활화, 나무 심기, 등고선식 경작법 채택, 과도한 경작과 방목 지양 등

함께 해 보기 교과서 138쪽

01 모둠을 구성한 후 다음 A~C 지역 중 취재할 지역을 정한다.

• **A 지역:** 사헬 지대, **B 지역:** 세네갈 또는 이라크의 관개 농업 지역, **C 지역:** 아랄해

03 해당 지역을 조사한 후 다음 인터뷰 내용을 완성해 보자.

• A 지역 리포터: 염소들이 말라 보이는데 무슨 까닭이라도 있나요?

• 목동: 지역 주민들이 무분별하게 방목하는 염소 수를 늘려서 마을 주변에서는 풀을 찾아보기가 어려워졌어요. 먹을 것이 부족하다보니 염소들이 말랐습니다.

• 전문가: 건조한 환경에 쉽게 적응할 수 있는 염소는 이 지역에서 중요한 가축이지만 풀들의 천적이라고 할 수 있습니다. 지속 가능한 방목을 유지하기 위해서는 방목하는 염소의 수를 제한하거나 초지 보호년제를 지정하는 등의 방법으로 효과를 볼 수 있을 것입니다.

• B 지역 리포터: 경작지에 소금이 보이는데 왜 이런 일이 발생한 거죠?

• 주민: 나라에서 대규모 관개 시설을 설치하고 지하수를 대량으로 사용하면서부터 농지에 소금이 넓게 퍼져버렸습니다.

• 전문가: 물을 많이 사용하는 전통적 관개 농법보다는 물을 적게 사용하는 점적 관개 방식을 사용하면 효과를 볼 것이라 생각합니다.

• C 지역 리포터: 사막 한가운데 녹슨 배들이 보이는 까닭은 무엇인가요?

• 주민: 제가 어렸을 때만 하더라도 물고기를 잡는 배들이 많았는데, 강의 상류 지역에서 목화 농사를 크게 지으면서부터 물이 마르기 시작하더니 이제는 사막으로 변해버렸습니다.

• 전문가: 국가는 목화 농업을 적정 규모로 제한하는 법안을 제시하고 염분에 강하고 건조한 기후에도 잘 적응하는 피스타치오와 같은 작물로 농업을 다변화해 보는 것을 추천합니다.

대단원 마무리 교과서 140~141쪽

단원 한눈에 보기

① 건조 ② 스텝(초원) ③ 관개 수로(카나트) ④ 페르시아 ⑤ 2차
⑥ 사막화 ⑦ 사막화 방지 협약(UNCCD)

세계지리 이야기

02 이 단원에서 학습한 내용을 활용하여 각자 3개의 질문을 만든다.

❶ 건조 기후 지역에서 무리를 이루어 이동하며 물건을 사고파는 상인을 무엇이라 부르는가? (답) 대상

❷ 건조 기후 지역에서 햇볕이 강해 기온이 크게 올라가는 시기에 자연 바람을 이용하여 공간을 서늘하게 만드는 친환경 공법의 건축물의 명칭은 무엇인가? (답) 바드기르(윈드 타워)

❸ 토양이 황폐해져 생태계가 훼손되고 인간이 거주하기 어려울 정도로 불모의 땅으로 변해가는 현상을 무엇이라고 하는가? (답) 사막화

대단원 6 유럽과 북부 아메리카

주제 1 주요 공업 지역의 형성과 변화

주제 열기 교과서 144쪽

질문 1 영화에서처럼 탄광이 문을 닫게 되면 지역에는 어떤 일들이 벌어질까?

• 탄광이 문을 닫게 되면 지역 경제를 지탱하는 생산물이 사라지는 것은 물론 탄광에서 일하는 광부들이 직장을 잃게 되면서 그들의 소비 활동도 크게 위축된다. 이럴 경우 광부들은 결국 지역을 떠나게 되면서 지역의 인구가 감소하고 소비 시장의 규모가 축소되어 지역 경제는 더욱 어려워진다.

질문 2 영화의 배경이 되는 장소는 최근 어떤 모습으로 바뀌었을까?

• 영화의 배경이 되는 장소는 영국 중부의 더럼주에 위치한 에버링턴이라는 가상의 마을인데, 실제로는 더럼주 일대와 뉴캐슬 등지에서 촬영을 했다고 한다. 한때 이 지역들은 산업이 쇠퇴하고 인구가 유출되는 등 어려움을 겪었지만, 옛 건물과 탄광 시설, 상점 등의 옛 도시 시설을 잘 보존하여 관광 산업의 발전을 이끌어냈다.

자기 점검 교과서 144쪽

• (1) × (2) ○

활동 교과서 145쪽

1 해석하기 | [자료 1]을 보고 산업 혁명 당시 유럽의 공업 발달 지역을 지리적 측면에서 설명해 보자.

• 산업 혁명 당시의 공업 중심지는 석탄 또는 철광석 산지와 거의 일치한다.

2 추측하기 | [자료 2], [자료 3]과 같이 탄광이 폐쇄되고, 석탄 산업이 쇠퇴한 까닭을 경제 및 에너지 소비 구조 측면에서 추측해 보자.

• 산업 혁명 당시 중요한 동력 자원이던 석탄은 산업화가 진행되면서 매장량이 고갈되기 시작하였고 환경 오염 등 부작용이 심해졌다. 이후 석유가

사용되면서 공업 지역들은 석유를 수입하기 유리한 곳으로 이동하였다.

활동 교과서 147쪽

1 분석하기 | [자료 1]을 보고 오대호 연안 지역에서 공업이 발달할 수 있었던 배경을 설명해 보자.

• 오대호 연안 지역은 석탄, 철광석 등의 풍부한 자원과 편리한 수운, 배후의 넓은 소비 시장과 풍부한 노동력을 바탕으로 공업이 발달할 수 있었다.

2 도출하기 | [자료 1]에 1950년에는 인구 규모 순위가 10대 도시 안에 들었으나 2016년에는 10대 도시 순위 안에 들지 못한 도시들을 표시하고, 공통점을 이야기해 보자.

• 디트로이트, 클리블랜드, 보스턴, 볼티모어, 워싱턴, 세인트루이스의 6곳이다. 대부분 북동부에 위치한 공업 도시였다.

활동 교과서 148쪽

1 분석하기 | [자료 2]의 미국 제조업 출하액 변화 그래프를 보고 제조업 비중이 증가하는 지역과 감소하는 지역을 찾아보자.

• 북동부는 급격히, 중서부는 완만히 제조업의 비중이 감소하는 반면 남부는 급격히, 서부는 완만히 제조업 비중이 증가하고 있다.

2 비교하기 | [자료 2]의 캘리포니아주, 텍사스주, 오하이오주의 공업 구조의 특색을 비교해 보자.

• 캘리포니아주는 석유 화학의 비중이 가장 높으며 컴퓨터 및 전자가 그 뒤를 잇고 있다. 텍사스주는 석유 화학의 비중이 압도적으로 높다. 반면 중서부인 오하이오주는 전통적인 기계 및 운송 장비의 비중이 가장 높고, 석유 화학, 금속이 그 뒤를 잇는다.

조사하기 | [자료 3]과 같이 첨단 산업이 발달한 북부 아메리카의 공업 지역을 조사해 보자.

• 첨단 산업이 발달한 북부 아메리카의 대표적인 공업 지역은 태평양 연안의 샌프란시스코를 중심으로 하는 실리콘 밸리와 우주 항공 산업이 발달한 텍사스주 일대이다.

활동 교과서 149쪽

조사하기 | [자료 1]과 [자료 2]를 참고하여 과거에는 공업 지역이었으나 최근에는 문화·예술 공간으로 활용되고 있는 사례를 찾아 구체적인 활용 방법을 소개해 보자.

• 독일의 옛 루르 공업 지역의 도시인 에센, 뒤스부르크 등지의 제철 공장과 탄광 시설들은 문화 시설로 변신하고 있다. 특히 옛 탄광 시설인 졸페라인은 유네스코 지정 세계 문화유산으로 등재되었다. 독일 정부는 옛 산업 시설도 역사 유적이라고 판단하고 옛 탄광 시설을 석탄 박물관으로 개조하거나 아트 센터 등으로 꾸몄다.

주제 2 현대 도시의 내부 구조와 특징

주제 열기 교과서 150쪽

질문 1 뉴욕의 맨해튼 일대에 고층 건물이 즐비한 까닭은 무엇일까?

• 뉴욕은 미국의 상업·재정·문화 중심지인 동시에 세계 경제·외교의 최고 중심 도시이다. 뉴욕에서도 가장 인구 밀도가 높은 맨해튼 지역에는 국제 연합(UN) 본부를 비롯하여 증권 거래소 등의 주요 시설이 집중되어 있어 지대가 매우 높다. 이에 따라 공간을 효율적으로 활용하기 위하여 건물의 고층화가 이루어졌다.

질문 2 뉴욕을 상징하는 이미지와 사진 속에 등장하는 거리는 무슨 기능을 담당할까?

• 뉴욕에서는 타임스퀘어, 월스트리트, 브로드웨이 등의 거리가 유명한데, 이 거리는 세계 금융 및 문화의 중심지 기능을 하고 있다.

자기 점검 교과서 150쪽

• (1) 지역 분화 (2) 대도시권(메갈로폴리스)

활동 교과서 151쪽

1 분석하기 | [자료 2]를 보고 유럽과 북부 아메리카 도시 내부 구조에서 가장 차이 나는 부분을 찾아보자.

• 역사가 오래된 유럽에서는 북부 아메리카에 비해 도시 형성이 일찍 일어나면서 오래된 도심 지역은 전통적인 모습을 그대로 유지하고 있는 경우가 많다. 따라서 현대 도시에서 가장 높은 건축물이 옛 도심이 아닌 지역에서 발견되는 것에 비해, 도시 형성이 비교적 최근에 이루어진 북부 아메리카의 도시들은 접근성과 지대가 가장 높은 도심 지역에서 가장 높은 건축물을 볼 수 있다.

2 추론하기 | [자료 3]을 보고 '라 데팡스'라고 불리는 신흥 업무 지역이 구도심에 가까운 에펠탑 근처에 입지하지 않은 까닭을 추론해 보자.

• 파리의 특성상 구도심 지역에는 새로운 양식의 현대적 건축물이 들어서기 어렵기 때문에 라 데팡스와 같은 현대식 업무 및 상업 지구는 파리의 외곽에 건설되고 있다.

함께 해 보기 교과서 153쪽

01 젠트리피케이션 과정에서 발생할 수 있는 긍정적 영향과 부정적 영향을 써 보자.

• 기존의 저소득층 거주 지역이 고소득 및 중산층의 상업 및 거주 지역으로 바뀌게 됨에 따라 지역의 고유한 특색이 사라지고 저소득층의 거주지가 사라지는 부정적인 영향이 있는 반면, 도시에 새로운 활력을 불러일으키고 환경이 개선되는 긍정적인 영향이 나타나고 있다.

02 바람직한 젠트리피케이션을 위한 제도적 방안과 시민 참여 방안을 제안해 보자.

• 주민 협의체를 만들어 개발에 따른 수익금을 기금으로 만드는 방안, 공공성의 확보를 위한 노력 등을 제안할 수 있다.

활동 교과서 154쪽

1 파악하기 | [자료 1]의 메갈로폴리스를 형성하는 데 기여한 교통수단을 적어 보자.

• 메갈로폴리스의 형성에는 철도·자동차·항공기 등의 교통수단과 통신 수단의 발달이 영향을 미쳤으나, 그중에서도 가장 크게 기여한 것은 주(州)를 서로 연결해 주는 주간(州間) 고속 도로라고 할 수 있다.

조사하기 | [자료 1]과 같은 메갈로폴리스를 볼 수 있는 지역을 유럽에서 찾아보자.

• 영국의 런던·리버풀 지역, 네덜란드의 란트스타트 지역 등이 거대 도시권으로 분류되고 있다.

3 추측하기 | [자료 2]의 단일 중심 도시권과 다핵심 도시권의 장단점을 추측해 보자.

• **단일 중심 도시권의 장점:** 성장 효과가 주변 지역에까지 파급될 가능성이 크다. **단일 중심 도시권의 단점:** 수위 도시와 다른 지역 간의 격차가 커질 수 있다. / • **다핵심 도시권의 장점:** 서로 독립적이었던 도시들이 밀접하게 연결되면서 성장의 시너지 효과를 기대할 수 있다. **다핵심 도시권의 단점 :** 교통과 통신의 발달에 의한 기능적 상호 보완성이 기대될 경우에만 형성될 수 있다.

주제 3 지역의 통합과 분리 운동

주제 열기 교과서 156쪽

질문 1 캐나다와 미국의 국경선과 미국과 멕시코의 국경선의 모습은 어떻게 다를까?

• 미국과 멕시코의 국경선은 사람이 쉽게 넘을 수 없는 높은 장벽이 세워져 있고 삼엄한 경비가 이루어지고 있는 데 반해, 미국과 캐나다의 국경선은 도로에 선이 표시되어 있을 뿐 사실상 국경선의 존재가 없이 자유롭게 왕래하고 있다.

질문 2 미국과 멕시코 국경에 높은 장벽이 설치되어 있는 이유를 생각해 보자.

• 멕시코에서 미국으로 넘어가려는 불법 이주자가 많기 때문에 미국은 높은 장벽을 쳐서 불법 이주자의 무분별한 미국 유입을 막고 있다.

자기 점검 교과서 156쪽

• (1) 유럽 연합(EU) (2) 북아메리카 자유 무역 협정(NAFTA)

활동 교과서 157쪽

1 도출하기 | [자료 1]의 유럽 연합의 확장이 보여 주는 지리적 특징을 설명해 보자.

• 유럽 연합 회원국의 증가 및 확장을 살펴보면 초기에는 유럽의 핵심부 국가들이 주로 가입하였다. 이후 북유럽, 남유럽 국가들이 가입하였고, 2000년대 이후부터는 동유럽 국가들로 가입국이 확대되고 있음을 알 수 있다.

2 추측하기 | [자료 2], [자료 3]을 보고 유럽 연합 회원국 간의 자유로운 통행으로 인한 장단점을 생각해 보자.

장점	자유로운 상품과 서비스의 이동으로 유럽의 경제권과 시장의 규모 확대, 상품과 서비스의 선택 범위 확대에 따른 소비 생활의 편리함, 고용 증가 등
단점	이주민으로 인한 문화적 갈등, 해외 산업과의 경쟁에서 밀린 국내 산업 부문의 위축, 해외 노동자로 인한 일자리 상실, 해외로의 자본과 투자 유출 등

활동 교과서 158쪽

조사하기 | 모둠별로 [자료 4]의 분리주의 움직임이 있는 지역 중 하나를 선택하여 갈등의 원인을 조사한 후 발표해 보자.

• **플랑드르(벨기에):** 벨기에의 플랑드르 지방과 왈롱 지방 간에 갈등이 있다. 플랑드르 지방은 네덜란드어를 사용하고 왈롱은 프랑스어를 사용하는 지역이다. 플랑드르 지방은 분리·독립하여 네덜란드와 통합하려는 움직임을 보이기도 한다.

2 설명하기 | [함께 읽어요]를 보고 이 선수가 다양한 국적으로 월드컵에 출전한 까닭을 설명해 보자.

• 이 선수는 옛 유고슬라비아 및 새로운 유고슬라비아, 세르비아의 수도인 베오그라드 출신 선수이기에 세 번의 월드컵에 각각 다른 국적과 나라 이름으로 출전하게 된 것이다.

함께 해 보기 교과서 159쪽

01 다음 국가의 입장에서 유럽 연합에 관해 토론해 보자.

튀르키예	우리가 유럽 연합에 가입하려는 까닭은 현재 이슬람 국가이지만 역사적으로도 유럽과 긴밀한 관계였고 유럽의 제도와 문물을 받아들였기 때문이다.
영국	우리가 유럽 연합에서 탈퇴하려는 까닭은 경제적인 분담은 많지만 외국인 노동자들의 지나친 유입으로 국가의 정체성이 약화되는 등 실질적인 혜택은 별로 없기 때문이다.
아이슬란드	우리가 유럽 연합에 가입하지 않은 까닭은 만약 우리가 유럽 연합에 가입할 경우 우리의 주요 산업인 어업에 대한 유럽 연합의 규제가 심해지기 때문이다.

02 유럽의 실업률에 관대 다음 국가의 입장에서 이야기해 보자.

그리스	국가마다 경제 발달 수준이 다른데, 무리하게 유로화를 도입하다가 실업률이 높아졌습니다. 이를 해결하기 위해서는 유로화 도입으로 실업률이 높아진 만큼 유럽 연합 차원에서의 금융 지원이 필요합니다. 그렇다면 우리도 산업의 경쟁력을 높이고 재정을 개혁하는 노력을 하겠습니다.
독일	독일의 경제 수준은 유럽에서 높은 편이지만, 유럽 연합에 내야 하는 분담금의 규모가 커지는 것은 부담스럽습니다. 이를 해결하기 위해서는 우리가 유럽 연합에 내는 분담금이 줄어들 수 있도록 유럽 연합의 예산을 점검 및 개혁하고 조직을 감축하는 등의 노력이 있어야 합니다.

활동 교과서 161쪽

1 설명하기 | 북아메리카 자유 무역 협정 체결에 따른 긍정적 영향과 부정적 영향을 설명해 보자.

긍정적 영향	시장 규모 확대, 국가 간 교역의 증가로 경제 활성화, 일자리 창출, 투자의 확대와 유치, 기업 간 경쟁으로 싸고 품질 좋은 상품과 서비스 구매
부정적 영향	국내 취약 산업과 계층의 어려움, 외국 기업과의 경쟁, 해외로의 공장 이전에 따른 일자리 감소, 빈부 격차 심화, 다국적 기업의 횡포 등

2 설명하기 | [자료 4]를 보고 캐나다의 퀘벡주에서 주변 지역과 다른 독특한 문화적 특징이 나타나는 까닭을 설명해 보자.

• 캐나다 대부분의 주는 영국의 식민 지배를 받았지만, 퀘벡주는 프랑스의 식민 지배를 받았다. 퀘벡주 주민 대다수가 프랑스 정착민의 후손으로 프랑스적인 생활 방식을 고수하고 있다.

조사하기 | 캐나다의 퀘벡주가 캐나다에서 분리·독립하려는 까닭을

조사해 보자.

• 퀘벡주는 언어와 문화 차이, 경제적인 불평등을 이유로 캐나다에서 분리·독립하고자 하였다.

대단원 마무리 교과서 162～163쪽

단원 한눈에 보기

① 석탄 ② 클러스터 ③ 선벨트 ④ 지대 ⑤ 대도시권 ⑥ 유럽 연합(EU) ⑦ 북아메리카 자유 무역 협정(NAFTA)

세계지리 이야기

01 인터넷을 활용하여 유럽 및 북부 아메리카의 지역 갈등과 관련된 내용을 담고 있는 영화를 찾아보자.

• **옛 유고슬라비아:** 「노 맨스 랜드(2001)」, 「더블 스나이퍼(1998)」, 「세이비어(1998)」, 「그르바비차(2005)」, 「스노우(2008)」, 「젊은 여자(2006)」 / • **북아일랜드:** 「섀도우 댄서(2012)」, 「71: 벨파스트의 눈물(2014)」, 「아버지의 이름으로(1993)」, 「블러디 선데이(2002)」 / • **스코틀랜드:** 「브레이브 하트(1995)」 / • **벨기에 플랑드르:** 「알츠하이머 케이스(2003)」 / • **캐나다 퀘벡:** 「대단한 유혹(2003)」

대단원 7 사하라 이남 아프리카와 중·남부 아메리카

주제 1 도시 구조에 나타난 도시화 과정의 특징

주제 열기 교과서 166쪽

질문 1 사진에서 고급 주거 지역과 저급 주거 지역을 구분해 보자. 이와 같은 거주지 분리 현상에 영향을 준 자연환경은 무엇일까?

• 평지가 많은 해안 쪽에는 거주 환경이 양호한 고급 주거 지역이 나타나는 반면, 경사가 급한 산지에는 저급 주거 지역이 형성되어 있다.

질문 2 사진과 같은 거주지 분리 현상과 민족(인종) 분포는 어떤 상관관계를 갖고 있을까?

• 브라질에는 유럽계와 원주민, 이들의 혼혈인 메스티소를 비롯하여 아프리카계까지 다양한 인종이 거주하고 있다. 이 중 사회·경제적 지위가 높은 유럽계는 해안가에 주로 거주하는 반면, 소득 수준이 낮고 급속한 도시화에 따라 도시로 이주한 아프리카계는 저급 주거 지역에 거주하는 비율이 높다.

자기 점검 교과서 166쪽

• (1) 단기간 (2) 저급 주택지

활동 교과서 167쪽

조사하기 | [자료 2]와 같은 스프롤 현상을 막기 위한 대책을 조사하여 발표해 보자.

• 스프롤 현상을 막기 위하여 주요 도시 외곽에는 개발 제한 구역(green belt)을 설정하는 경우가 많다. 그 외에도 적절한 도시 계획에 의한 인구의 분산, 산업 구조의 재배치 등이 대책이 될 수 있다.

2 도출하기 | [자료 3]에 제시된 국가 중 종주 도시화가 가장 심하게 나타나는 국가를 찾아보고, 종주성을 낮추기 위해 어떤 노력이 필요할지 이야기해 보자.

• 1순위 도시와 2순위 도시의 인구 차이가 가장 크게 벌어지는 국가는 우루과이이다. 종주성으로 대표되는 도시 체계의 불균형을 해결하기 위해서는 1순위 도시의 기능과 인구를 분산시키고 지방의 거주 환경을 개선하는 등의 대책이 필요하다.

활동 교과서 168쪽

도출하기 | [자료 4]의 브라질에서 아프리카계가 북동부 해안에 많이 거주하는 까닭을 플랜테이션 농업과 관련하여 설명해 보자.

• 아프리카계가 플랜테이션 농업이 발달한 사탕수수 농장의 노동력으로 강제 이주당한 것과 관련이 깊다.

2 추측하기 | [자료 4]의 에콰도르에서 메스티소가 해안에 거주하는 까닭을 추측해 보자.

• 에콰도르에서는 태평양과 접한 지역이 산지에 비해 상대적으로 거주 환경이 양호하기 때문에 원주민과 유럽계의 혼혈인 메스티소도 해안에 거주하는 비율이 높다.

조사하기 | [자료 5]의 키토 건축물에 남아 있는 원주민의 건축 양식을 찾아보고, 이러한 건축 양식이 나타나게 된 까닭을 조사해 보자.

• 사진 아래쪽의 어두운 색 돌들이 원주민 문화를 대표하는 흔적이라 할 수 있다. 원주민의 비중이 상대적으로 높은 페루, 볼리비아 등에서는 과거 이 지역에서 번성했던 잉카 문명의 흔적이 남아 있는 건축물을 볼 수 있다.

활동 교과서 169쪽

1 설명하기 | [자료 3]에서 불량 주택 지구가 평지가 아닌 산지에 위치하는 까닭을 설명해 보자.

• 상대적으로 도시 발달의 역사가 오래된 곳이 치안을 비롯해 거주 환경으로서의 장점이 많기 때문에 이 지역에서는 상류층이 도시 중심부에 거주하고, 저소득층은 도시의 외곽, 산지 지역에 주로 분포한다.

활동 교과서 171쪽

1 추론하기 | [자료 5]의 파벨라 프로젝트가 가져올 수 있는 긍정적인 변화를 이야기해 보자.

• 마을 사람들은 페인팅 작업을 하는 새로운 일자리를 갖게 되었고, 범죄율이 평소보다 낮아지는 긍정적인 효과를 거두게 되었다.

2 설명하기 | [자료 6]의 마리아와 로베르토의 거주 환경을 비교하여 설명해 보자.

• 상파울루 시내에 거주하는 마리아는 유럽계로, 거주 환경이 양호한 도시 중심부에 거주하는 것으로 추론해 볼 수 있다. 반면 상파울루의 외곽에 거주하는 로베르토의 거주 환경은 매우 열악한 상태로 추론된다.

주제 2 사하라 이남 아프리카의 분쟁과 저개발

주제 열기 교과서 172쪽

질문 1 르완다에서 민족 간 갈등이 발생한 까닭은 무엇일까?

• 19세기 말 르완다를 독일이 지배하고, 이후 벨기에가 지배하면서 갈등의 씨앗이 생겨났다. 유럽 열강은 식민지 정책으로 후투족과 투치족을 구별한 후 이를 부추김으로써 민족 간 갈등이 커졌다. 1962년 벨기에로부터 독립한 르완다에서는 후투족과 투치족의 종족 간 갈등으로 유혈 사태가 일어났으며 결국 르완다 내전이 일어나게 되었다.

질문 2 르완다에서 매년 '퀴부카' 추모 행사를 여는 까닭은 무엇일까?

• 르완다 내전이라는 역사적인 비극을 경험한 르완다에서는 다시는 과거와 같은 민족 간 갈등이 반복되지 않도록 민족 간 화합을 상징하는 추모 행사를 열게 되었다. 매년 추모 행사를 통해 대학살이 어떻게 일어났으며 국가에 어떤 영향을 줬는지, 왜 다시는 이러한 일이 일어나서는 안 되는지에 관한 메시지를 전달하고 있다.

자기 점검 교과서 172쪽

• (1) ○ (2) ○

활동 교과서 173쪽

1 추론하기 | [자료 1]을 보고 사하라 이남 아프리카의 식민 지배로 어떤 문제가 발생했을지 생각해 보자.

• 유럽 열강의 식민 지배로 사하라 이남 아프리카의 자생적인 정치적·경제적 발전이 한동안 가로막혔으며, 사회적 불평등이 나타나기도 하였다. 특히 민족, 부족 등에 대한 고려 없이 일방적으로 국경선이 획정되면서 사하라 이남 아프리카에서는 국가 내 혹은 국가 간 분쟁 가능이 높아졌다.

2 분석하기 | [자료 2]의 종교 분포 지도를 보고 사하라 이남 아프리카에서 종교 분쟁이 가장 많이 발생할 것으로 예상되는 지역들을 선으로 연결해 보자.

• 종교 분쟁이 가장 많이 발생할 것으로 예상되는 지역은 이슬람교 신자 수 비율과 크리스트교 신자 수 비율이 비슷한 지점이다. 실제로 남수단, 나이지리아 등 이슬람교와 크리스트교 신자 수 비율이 비슷한 지역의 경우 종교 분쟁이 심각한 편이다.

활동 교과서 175쪽

조사하기 | [자료 3]을 보고 빈칸을 채워 보자.

국가	수단	남수단
주요 종교	이슬람교	크리스트교, 토착 종교
주요 인종	아랍계 주민이 다수	토착 주민이 다수
특징	송유관, 항구, 정유 시설 등 보유	주요 유전 지대가 수단과 남수단 국경 부근에 분포
분쟁 원인	• 아랍계 주민과 토착민의 갈등 • 석유 자원 배분과 국경선 획정을 둘러싼 갈등	

주제 3 자원 개발을 둘러싼 과제

주제 열기 교과서 178쪽

질문 1 G사와 같은 다국적 기업이 막대한 이익을 창출할 수 있는 이유는 무엇일까?

• 자원은 풍부하지만 자본과 기술이 부족한 아프리카 국가들의 자원 개발에 다국적 기업이 참여하여 자원을 개발해 주고 엄청난 중간 이윤과 부가가치를 생산하기 때문이다. 원자재를 생산하여 그 공급을 장악하고 있기 때문에 회사의 규모는 작아도 이윤은 막대하다.

질문 2 다국적 기업의 아프리카나 중·남부 아메리카 자원에 대한 투자가 지역에 미치는 영향을 생각해 보자.

• 다국적 기업의 투자와 진출로 일단 해당 국가의 일자리가 창출되고 수출이 늘어나 경제 성장을 가져온다는 점은 긍정적이다. 그러나 자원 개발 과정에서의 환경 파괴는 불가피하고 다국적 기업과 정부의 결탁으로 인한 인권 침해와 불공정 노동의 문제가 발생하고 있다.

자기 점검 교과서 178쪽

• (1) 분쟁(내전) (2) 광물 자원

활동 교과서 179쪽

조사하기 | [자료 1]을 보고 A~E 국가의 주요 자원을 조사해 보자.

A	B	C	D	E
코트디부아르 / 카카오	나이지리아 / 석유	에티오피아 / 커피	콩고 민주 공화국 / 코발트, 다이아몬드	보츠와나 / 다이아몬드

2 추론하기 | [자료 1]을 보고 아프리카 국가가 경제적으로 취약한 까닭을 추론해 보자.

• 부가 가치가 높은 공업 제품을 생산하지 못하고 농림축산물이나 광물 및 에너지 자원을 수출하는 데 그치고 있어 해외 경제 변동에 취약하고 경제 발전의 토대가 약하다.

활동 교과서 180쪽

1 도출하기 | [함께 읽어요]를 읽고 우리의 휴대 전화 사용이 다른 지역의 주민 생활과 어떠한 연관이 있는지 설명해 보자.

• 휴대 전화 핵심 부품의 원료인 콜탄은 아프리카의 내전 지역에서 주로 생산된다고 한다. 우리가 휴대 전화를 지나치게 자주 바꾸면 내전 지역의 콜탄 생산이 더욱 늘어나게 되고, 이는 내전 지역의 무기 구입이나 전쟁 비용으로 사용될 것이다.

2 조사하기 | [자료 4]와는 달리 다국적 기업의 진출이 아프리카의 발전에 주는 긍정적 영향을 조사해 보자.

• 일자리가 늘어나고 수출 증가를 통해 국가 경제 발달에 기여한다.

3 제안하기 | [자료 5]를 보고 사하라 이남 아프리카의 환경 보전이나 자원의 정의로운 분배 측면에서 국제 사회가 도움을 줄 방안을 모색해 보자.

• 공정 무역의 국가별 할당, 국제기구를 통한 아프리카 지원, 보존 가치가 있는 자연환경에 대한 국제적 보존 협약, 다국적 기업에 대한 지역 사회 봉사 의무화 등이 있다.

활동 교과서 182쪽

1 제안하기 | [자료 4]~[자료 6]을 보고 중·남부 아메리카의 바람직한 경제 성장 방안을 제안해 보자.

• 제조업을 적극적으로 육성하여 이 지역의 풍부한 자원을 바탕으로 질 좋은 상품을 만들어 수출한다.

■ **도출하기** | [함께 읽어요]를 읽고 브라질 아마존 광산 개발로 인한 환경 문제는 무엇일지 적어 보자.

• 아마존 광산 개발로 원주민들은 삶의 터전을 잃게 되고, 열대 우림이 파괴되면서 토양 침식, 생태계 파괴 등의 환경 문제가 발생한다.

함께 해 보기 교과서 183쪽

01 위 자료를 바탕으로 열대 우림 지역 개발의 긍정적 영향과 부정적 영향을 정리해 보자.

긍정적 영향	열대 우림 개발로 도시와 도로 등 기반 시설이 갖추어지면 지역이 발전하고 국가 경제에도 도움이 된다.
부정적 영향	숲의 파괴로 지구 온난화가 촉진되며 각종 기상 이변으로 인한 재해가 발생한다. 또 토양 침식, 생태계 파괴 등의 문제가 발생한다.

02 각 역할의 입장을 정리한 후 토의를 통해 역할극 대본을 작성해 보자.

역할	입장
지역 주민	기존에는 숲에서 의식주를 비롯한 많은 것을 얻었는데, 지금과 같은 상황이 계속되면 숲이 남아 있는 곳으로 이주해야 하거나 저임금 노동자로 생활해야 해요.
개발업자	벌목한 목재를 수출하여 외화를 벌어들이고, 그 땅을 이용해 농사를 짓고 목축을 하는 것은 국토를 매우 효율적으로 이용하는 것이지요.
환경 운동 단체	열대 우림이 파괴되면 우리 국가뿐만 아니라 전 세계적으로 지구 온난화를 악화시킬 수 있습니다.
정부 관계자	숲은 매우 넓어서 지금 일부를 개발한다 해도 넓은 숲이 남아 있습니다. 환경 훼손이 심한 지역은 경제 발전 후에 그 수익금으로 다시 보전할 수 있어요.

대단원 마무리 교과서 184~185쪽

단원 한눈에 보기

① 종주 도시화 ② 거주지 ③ 이슬람교 ④ 자원 ⑤ 공적 개발 원조(ODA) ⑥ 열대 우림

세계지리 이야기

01 모둠을 구성한 후 아프리카와 중·남부 아메리카 중 이미지 맵으로 표현할 지역을 정한다.

• 이미지 맵은 표현 수단도 다양할 뿐만 아니라 표현하는 사람의 개성과 주관이 자유롭게 표현되어야 한다.

02 문헌, 인터넷 등을 활용하여 선정한 지역의 다양한 지리 정보를 조사한다.

• 사하라 이남 아프리카의 경우 커피, 밀림, 동물, 흑인, 내전, 빈곤 등에 관해 조사하고, 중·남부 아메리카의 경우 축구, 커피, 레게 음악, 인디오, 독재, 빈민가 등에 관해 조사한다.

03 조사한 지리 정보를 활용하여 지역을 상징할 수 있는 이미지 맵을 그린다.

• 지나치게 부정적이거나 편견이 깃들여진 것, 악의적인 이미지는 피한다.

대단원 8 공존과 평화의 세계

주제 1 경제의 세계화와 경제 블록

주제 열기 교과서 188쪽

질문 1 위 지도를 참고하여 내가 지닌 물건의 본사와 생산 공장이 위치한 국가를 적고 오른쪽 지도에 표시해 보자.

물건	본사	생산 공장
❶ 스마트폰	한국	중국
❷ 운동화	독일	베트남
❸ 티셔츠	미국	인도네시아

질문 2 내 물건을 만든 본사와 생산 공장이 위치한 국가들이 다양한 까닭과 특징을 설명해 보자.

• 다국적 기업의 생산 공장이 해외에 입지하게 되는 경우는 다양한 원인이 있는데 의류와 같이 노동비를 절약해야 할 필요가 있는 물품의 경우는 인건비가 저렴한 국가로 생산 공장을 이전시킨다. 반면 자동차처럼 노동비가 차지하는 비중은 상대적으로 적지만 관세에 대한 부담이 큰 경우에는 선진국이나 선진국 주변의 국가에 생산 공장을 설립한다.

자기 점검 교과서 188쪽

• (1) 세계화 (2) 자유 무역 협정(FTA)

활동 교과서 189쪽

1 설명하기 | [자료 2]를 참고하여 국제 무역의 증대로 발생할 수 있는 장단점을 설명해 보자.

• 국제 무역이 증대하면 기업은 상품의 판매가 증가하여 경제적 이익이 증가하고, 소비자는 상품 선택의 폭이 넓어진다. 반면 국가 및 기업 간 과도한 경쟁으로 경제적 불평등이 발생할 수 있다.

2 설명하기 | [자료 3]을 보고 교통과 정보 통신의 발달로 인한 또 다른 변화 사례를 이야기해 보자.

• 교통과 정보 통신의 발달로 농산물과 육류 등 부패하기 쉬운 생산물의 이동이 가능해졌다.

활동 교과서 191쪽

1 추론하기 | 세계 각국이 [자료 3]처럼 경제 블록을 형성하는 까닭을 생각해 보자.

• 경제 블록 형성으로 회원국 간에는 무역 증대, 자원의 효율적인 이용, 국제적 영향력 증대 등의 효과를 얻을 수 있기 때문이다.

■ **조사하기** | [자료 3]과 같은 경제 블록 형성으로 발생할 수 있는 문제점을 조사해 보자.

• 배타적인 경제 블록의 형성으로 비회원국에 대한 차별과 국가 간 무역 마찰이 발생할 수 있으며 정도가 심한 경우 국가 간 분쟁이 발생할 수도 있다.

3 추측하기 | [자료 5]를 보고 유럽 연합에서 단일 화폐를 사용했을 때의 장단점을 생각해 보자.

• 역내 단일 시장화를 가속화할 수 있고, 단일 화폐를 사용하는 국가 간의 상호 투자를 늘리는 데에도 기여할 수 있다. 반면 단일 화폐 통화 정책과 개별 국가의 재정 정책에서 혼선이 발생할 수 있다.

주제 2 지구적 환경 문제 해결을 위한 노력

주제 열기 교과서 192쪽

질문 1 (가)~(다) 카드의 사진과 관련 있는 지역을 지도의 A~C 지역과 연결해 보자.

• (가) – A • (나) – B • (다) – C

질문 2 (가)~(다) 카드의 빈칸에 알맞은 사진 제목과 이 현상으로 발생할 수 있는 문제점을 한 가지 이상 적어 보자.

• **(가)**: 제목–빙하가 녹고 있어요 / 문제점–해수면 상승, 이상 기후 현상 발생, 육지 면적 감소 등

• **(나)**: 제목–바닷속에서 살아요 / 문제점–육지 면적 감소로 인한 인간 생활의 불리 등

• **(다)**: 제목–사막이 늘어나고 있어요 / 문제점–토지 생산량 감소, 물 부족 현상 등

자기 점검 교과서 192쪽

• (1) 지구 온난화 현상 (2) 국제 하천

활동 교과서 192쪽

1 분석하기 | [자료 5]를 보고 세계에서 미세 먼지 농도가 높은 지역의 특징을 설명해 보자.

• 세계의 미세 먼지 농도는 중국, 인도 등 최근 공업화가 급속도로 이루어지고 있는 지역을 중심으로 높게 증가하고 있다. 이 외에도 사막이 널리 퍼져 있는 사하라사막 주변 및 서남아시아 일대에서도 미세 먼지가 많은 편이다.

2 추측하기 | [자료 6]을 보고 태평양에 쓰레기 섬이 만들어진 까닭을 설명해 보자.

• 해양으로 유입된 쓰레기가 해류를 타고 이동하는 과정에서 일부 수역에 쓰레기가 모여들면서 쓰레기 섬이 만들어진다.

활동 교과서 195쪽

1 설명하기 | [자료 1]을 보고 파리 협정의 주요 내용을 설명해 보자.

• 파리 협정의 주요 내용은 지구의 평균 온도 상승을 1.5℃ 이하로 제한하기 위해 모든 노력을 취하자는 것이다. 선진국은 온실가스 감축에 지속적으로 앞장서며 개발 도상국도 가능한 빠르게 온실가스 배출을 감축할 것을 제안하였다.

2 공감하기 | [자료 3]을 보고 피아니스트가 알리고 싶었던 내용은 무엇일지 생각해 보자.

• 지구 온난화로 인해 북극의 빙하 면적이 줄어드는 것을 경고하고 환경 보호 메시지를 전달하고 싶었을 것이다.

함께 해 보기 교과서 196쪽

01 [자료 1]의 ㉠~㉣에 들어갈 적절한 용어를 〈보기〉에서 찾아 적어 보자.

㉠ (생태 발자국) ㉡ (수요) ㉢ (공급) ㉣ (1.6개)

02 생태 발자국이 생태 용량을 초과한 국가 중 한 국가를 선정하여 지역의 특징을 조사하고, 생태 발자국을 줄이기 위한 정책을 만들어 발표해 보자.

• **국가**: 한국 / • **특징**: 한국의 탄소 배출량은 세계적으로 많은 편이며, 산업·음식·교통 부문의 생태 발자국이 특히 높다. 생태 용량은 농경지 감소로 꾸준히 줄어드는 추세이다.

• **정책**: 생태 발자국을 줄이기 위해 각종 산업 부문의 탄소 배출량을 줄이는 정책을 도입하고, 자가용 사용을 줄이도록 차량 2부제를 강화한다.

주제 3 세계 평화와 정의를 위한 노력

주제 열기 교과서 198쪽

질문 1 노벨 평화상을 수상한 위 인물들은 세계 평화와 정의를 위해 어떤 노력을 하였을까?

• 미국의 대통령을 지낸 지미 카터는 국제 분쟁을 중재하고 인권을 신장시키며 경제·사회 개발을 위해 끊임없이 노력한 공로로, 케냐의 환경 운동가이자 정치 운동가인 왕가리 마타이는 지속 가능한 발전과 민주주의에 기여한 공로를 인정받아 노벨 평화상을 수상하였다. 등

질문 2 노벨 평화상 수상자 및 기관은 시기별, 대륙별로 어떤 특성을 나타내고 있는가?

• 노벨 평화상은 초기에는 유럽의 남성들에게 수여되는 경우가 많았으나, 점차 유럽 이외의 대륙에서도 수상자가 나오기 시작했고, 여성의 비율도 높아지고 있다. 최근에는 개인이 아닌 기관이 수상하는 경우도 늘고 있다.

자기 점검 교과서 198쪽

• (1) 세계 평화 지수 (2) 유네스코

활동 교과서 199쪽

1 조사하기 | [자료 1]을 참고하여 올해의 세계 평화 지수를 찾아보고, 평화 지수가 높은 국가와 낮은 국가를 적어 보자.

높은 국가	아이슬란드, 뉴질랜드, 오스트리아, 덴마크 등
낮은 국가	시리아, 아프가니스탄, 남수단, 이라크, 소말리아 등

2 조사하기 | [자료 2]에서 쿠르드족이 독립하려는 이유와 쿠르드족의 독립을 반대하는 국가들의 반대 이유를 조사해 보자.

독립 이유	쿠르디스탄은 제1차 세계 대전에서 오스만 제국이 패전한 후 영국과 프랑스에 의해 만들어진 자의적인 국경선에 의해 분리되었기에 독립을 희망하고 있다.
반대 이유	쿠르드족이 거주하고 있는 튀르키예, 이라크, 이란, 시리아 등은 자국의 영토가 축소되며, 쿠르디스탄에 매장되어 있는 자원의 활용이 어려워질 것을 우려하여 반대하고 있다.

활동 교과서 201쪽

1 분석하기 | [자료 4]를 보고 국제 연합 평화 유지군이 파병된 지역의 공통점을 말해 보자.

• 국제 연합 평화 유지군은 세계 주요 분쟁 지역이나 재난 지역에 파병된다.

2 조사하기 | [자료 4]에 제시된 국제 연합 기구와 [자료 5]에 제시된 국제 비정부 기구는 세계 평화를 지키기 위해 어떤 노력을 하는지 조사하여 발표해 보자.

• **유엔 아동 기금(UNICEF)**: 개발 도상국의 어린이와 여성을 대상으로 긴급 구호, 영양, 예방 접종, 식수 문제 및 환경 개선, 기초 교육 등을 실시하는 기구 / • **유엔 환경 계획(UNEP)**: 환경에 관한 유엔의 활동을 조정하는 기구 등

3 조사하기 | [함께 읽어요]의 '코리밀라'와 같이 민간에서 평화를 위해 노력하는 사례를 찾아보자.

• 서동시집 오케스트라(west-eastern divan orchestra)는 이스라엘 출신의 다니엘 바렌보임과 팔레스타인 출신의 에드워드 사이드가 분쟁과 갈등 속에서 서로를 적대시하는 서남아시아 지역의 청년들을 모아 오케스트라를 구성하는 프로젝트를 기획한 사례이다.

4 공감하기 | [자료 6]을 보고 느낀 점을 발표해 보자.

• 세계의 많은 전쟁과 무기가 사라지고 평화와 삶의 질 향상이 이루어지면 좋겠다.

5 토론하기 | [자료 7]을 참고하여 유럽으로 유입되고 있는 난민의 수용 여부에 관해 토론해 보자.

찬성 측 입장	인도주의적 입장에서, 살기 어려운 이웃에게 풍족한 사람이 도움의 손길을 내주듯, 내전이나 여러 문제로 목숨이 위태로운 사람들을 수용해야 한다.
반대 측 입장	서로 다른 문화의 사람들이 한 공간에 모이게 될 경우 사회가 혼란스러워지며 난민에게 지원되는 비용으로 인해 자국민을 위해 지출되어야 할 비용이 감소하는 문제가 있다.

6 제작하기 | 다음은 '유엔 평화 포스터 전시회'의 1등 당선작이다. 이를 참고하여 난민을 주제로 세계 평화를 상징하는 포스터를 만들어 보자.

• 생략

활동 교과서 202쪽

1 조사하기 | [자료 1]은 세계 인권 선언의 내용 중 일부를 그림으로 표현한 것이다. 의료 분야의 공간적 불평등을 파악할 수 있는 지표를 찾아보고, 해결책을 발표해 보자.

• 자신이 거주하고 있는 공간에서 적절한 거리 안에 의료 시설이 존재해야 함에도 불구하고 사회적 환경에 따라 인구 규모에 비해 의료 시설이 부족한 지역이 있을 수 있다. 의료 시설의 공간적 불평등을 해결하기 위해서는 사회적으로 취약한 인프라를 확충하고 정부에서 적극적인 지원 정책을 펼칠 필요가 있다.

2 분석하기 | [자료 2]에서 교육 기회가 가장 보장되지 못한 지역을 골라 문제의 원인을 분석해 보자.

• 세계 평균에 비해 서부 및 중앙아프리카, 동부 및 남부 아프리카, 남부 아시아 지역 등의 학업 중단 아동 비중이 높게 나타나는 것에는 아동 노동력 문제가 관련되어 있을 가능성이 크다.

3 공감하기 | [함께 읽어요]를 참고하여 불평등 문제를 해결하기 위한 사회적 · 개인적 차원의 노력을 이야기해 보자.

• 불평등을 해결하기 위해 사회적으로 빈곤층에게 일자리를 제공하고 교육을 받을 수 있는 기회를 보장해야 한다. 개인적으로는 어려운 환경으로 모든 문제의 원인을 돌리기보다는 스스로의 노력을 통해 상황을 개선시키려는 의지가 필요하다.

함께 해 보기 교과서 203쪽

01 블래나번이 유네스코 세계 유산으로 등재된 이후 어떻게 변화하였는지 조사해 보고, 정부, 유네스코, 지역 주민의 입장에서 역할극을 수행할 때 필요한 대사를 적어 보자.

• 정부: 블래나번의 인구가 줄어드는 일이 없도록 하기 위해 정부는 산업 혁명의 중심지였던 블래나번이 이제는 디지털 혁명의 중심지가 될 수 있도록 노력을 기울일 것입니다.

• 유네스코: 세계 유산 등재 이후 세계 유산 센터는 지역 사회와 협력하기 위해 학생들에게 적합하고 다양한 교육 자원을 제공하도록 노력하겠습니다.

• 지역 주민: 우리 주민들은 세계 유산과 관련하여 매년 6월 세계 유산의 날 행사를 열어 이를 기념하는 일을 하겠습니다.

02 블래나번 이외에 세계 유산으로 등재된 곳을 찾아 등재 이유를 조사하고 지역에 미치는 영향을 이야기해 보자.

• **슈코치안 동굴(슬로베니아)**: 해마다 큰 축제가 열릴 때 지역 사회의 주민들과 동굴 관리자들이 자신들의 보전 활동을 설명하고 그에 대한 해설 여행을 준비한다. 이 축제는 공원 관리 측과 지역 사회가 공동으로 벌이는 행사이며, 이 행사를 통해 지역의 생산이 촉진되고, 지역 자원 이용이 장려되며, 전통적 방식과 관습이 부활되고 있다.

대단원 마무리 교과서 204~205쪽

단원 한눈에 보기

① 세계 무역 기구(WTO) ② 무역 분쟁 ③ 지구 온난화 ④ 비정부 ⑤ 국제 연합(UN) ⑥ 세계 유산

세계지리 이야기

01 글로벌 시대, 세계 무대에서 활약하고 있을 미래 나의 모습을 상상해 보자.

• 나는 아이슬란드 관광청 투어 프로그램 기획자가 되어 아이슬란드의 자연 · 인문적 특징을 전 세계에 널리 알리는 전문가로 살겠다.

02 미래에 내가 하고 있을 일과 관련하여 외국인에게 소개할 나만의 명함을 만들어 보자.

• 앞면: 아이슬란드 관광청 투어 프로그램 기획자

• 뒷면: 아이슬란드의 화산과 오로라를 배경으로 한 사진

03 꿈이 이루어진 자신의 모습을 상상해 보고, 어떤 노력을 해야 할지 써 보자.

• 나는 꿈을 이루기 위해 우선 영어 회화 능력을 기를 것이다. 국토의 면적은 우리나라와 비슷하지만 인구는 30여 만 명에 불과한 아이슬란드는 영어를 사용할 수 있는 국민이 대부분이므로 이들과의 원활한 의사소통을 위해 영어 학습이 필요할 것이다.

2015 개정 교육과정

고등학교 세계지리 자습서

정답과 해설 및 교과서 활동 풀이